misterium

ЭЛИЗАБЕТ ДЖОРДЖ

ВСЕГО ОДНО ЗЛОЕ ДЕЛО

Москва
2014

УДК 82(1-87)
ББК 84(7США)
Д 42

Elizabeth George

JUST ONE EVIL ACT

Иллюстрация на переплете *Анатолия Дубовика*

Джордж Э.

Д 42 Всего одно злое дело / Элизабет Джордж ; [пер. с англ. А. С. Петухова]. – М. : Эксмо, 2014. – 688 с.

ISBN 978-5-699-71593-0

В семье профессора микробиологии Таймуллы Ажара произошла трагедия. Его гражданская жена Анжелина сбежала в неизвестном направлении, увезя с собой их общую дочь. Ажар не может начать расследование законным путем, поскольку официально не является отцом Хадии. По совету своей близкой подруги – Барбары Хейверс – он нанимает частного детектива. Впрочем, розыски не дают результата. И тут дело принимает неожиданный оборот. В Лондон возвращается Анжелина со своим новым любовником и заявляет, что ее дочь похитили среди бела дня в итальянском городе Лукка и что сделал это именно Ажар...

Элизабет Джордж – выдающийся мастер детективного романа. Ее творчество завоевало признание читателей во всем мире, в том числе и в России. Ее книги издаются миллионными тиражами, становятся основой для телефильмов, получают престижные литературные премии.

УДК 82(1-87)
ББК 84(7США)

ISBN 978-5-699-71593-0

misterium

Великое избавление
Расплата кровью
Школа убийств
Месть под расчет
Ради Елены
Картина без Иосифа
Прах к праху
В присутствии врага
Обман
Преследование праведного грешника
Предатель памяти
Тайник
Без единого свидетеля
Перед тем, как он ее застрелил
Женщина в красном
Это смертное тело
Верь в мою ложь
Всего одно злое дело

НОЯБРЬ, 15-е

Эрл-корт,
Лондон

Место на пластиковом стуле под сводами Бромптон-холл, среди толпы из двух сотен орущих индивидуумов, одетых в то, что теперь называлось «альтернативная форма», – такое не могло присниться Томасу Линли даже в страшном сне. Из динамиков – размерами с хороший высотный дом на набережной в Майами – неслась раздражающая музыка. Небольшая кафешка делала очень неплохой бизнес на хот-догах, попкорне, пиве и другой ерунде. Визгливый голос женщины-диктора периодически выкрикивал счет и объявлял штрафы. А десяток женщин в шлемах носились по овалу, размеченному клейкой лентой на цементном полу.

Предполагалось, что это будет просто выставочный матч с целью ознакомления публики с особенностями роллер-дерби[1]. Но об этом, видимо, забыли предупредить участников. Все женщины, принимавшие участие, были настроены абсолютно серьезно.

У них были интригующие имена. Все они были напечатаны вместе со в меру устрашающими портретами в программках, которые раздавались всем зрителям. Линли ухмылялся, читая эти боевые клички – Живая Смерть, Беспощадная Рита, Ужасное Очарование, Неугасимый Скандал...

Его интересовала одна из этих женщин – Бандитка Электра. Она выступала не за местную команду – «Лондонские Электрические Волшебницы», а за команду из Бристоля – группу диковато выглядящих женщин, носящих гордое имя «Бодицейские[2]

---

[1] Роллер-дерби – женский контактный командный спорт, в котором гонки на роликовых коньках сопровождаются своеобразной борьбой между двумя командами по пять человек в каждой.

[2] Бодицея – древнеанглийская королева, в 60 г. до н. э. поднявшая восстание против римлян.

Девки». Ее настоящее имя было Дейдра Трейхир, она была ветеринаром, работающим в Бристольском зоопарке, и не подозревала, что Линли находится среди ревущей массы зрителей. А он не был уверен, что сохранит инкогнито и после игры. Сейчас Томас действовал только по наитию.

Линли был не один – перспектива посещения этого неизвестного мирка в одиночку пугала его. Чарли Дентон принял его приглашение хорошо провести время в выставочном центре Эрл-корт и узнать и увидеть что-то новенькое. Сейчас его улыбающаяся физиономия маячила среди посетителей кафешки. Чарли решительно заявил:

– Ну конечно, это все за мой счет... сэр, – но то, как поспешно и невнятно это было произнесено, говорило о том, что это не более чем дань вежливости.

Дентон работал у Линли уже семь лет. И в те короткие периоды, когда он не бегал по прослушиваниям для многочисленных спектаклей в Большом Лондоне – Чарли был фанатом театра, – он был для Томаса слугой, поваром, домоправителем, адъютантом и неотъемлемой частью повседневной жизни. Ему удалось сыграть Фортинбраса[1] в одной из постановок в Северном Лондоне, но Северный Лондон – это не Вест Энд[2]. Поэтому он продолжал бороться, живя двойной жизнью, будучи абсолютно уверенным в том, что его Счастливый Случай ждет за следующим поворотом.

Сейчас Дентон был доволен. Это было написано на его лице, когда он пересекал Бромптон-корт, направляясь к тому месту, где сидел Линли. С собой Дентон нес картонный поднос с едой.

– Начос, – произнес он, видя, что Томас скривился, глядя на нечто, напоминающее поток оранжевой лавы, вырывающейся из чего-то, похожего на жареную черепаху. – Я положил вам горчицу, лук и овощной соус. Кетчуп выглядел подозрительно, но пиво неплохое. Попробуйте, сэр.

В глазах Дентона блеснул огонек, хотя это вполне могло быть отражение ламп в его круглых очках. Втайне он надеялся, что Линли откажется от предложенной трапезы и все достанется ему одному. Кроме того, Чарли забавлял вид шефа, пристроившегося рядом с толстяком, чей живот нависал над ремнем джинсов, а дре-

---

[1] Персонаж в трагедии Шекспира «Гамлет» с минимальным количеством слов в роли.

[2] Район Лондона, в котором расположены наиболее известные театры и мюзик-холлы.

ды доставали до пояса. Линли и Дентон зависели от этого типа. Его звали Стиви-О, и если он не знал чего-то о роллер-дерби, то это не заслуживало никакого внимания. Он с ходу сообщил им, что лучшая – это, конечно, Неугасимый Скандал. Кроме того, его сестра Сууб входила в группу поддержки «Волшебниц». Эта группа заняла позицию, близость которой к Линли добавляла еще больше шума к общей какофонии, окружавшей его. Они были одеты в черное с головы до ног, с ярко-розовыми пятнами в форме кориарии[1], носки до колена, ботинки и безрукавки. В волосах торчали всевозможные гребни и расчески. Большую часть времени они визжали: «Разорви ее, детка!!!» – и трясли розовыми и серебряными помпонами.

– Клашшный спорт, чуваки, – повторял Стиви-О каждый раз, когда «Электрические Волшебницы» зарабатывали очко. – А все эта телка – горит и горит. Если ее не загасят страфами, то мы в шоколаде.

Вскочив на ноги, он заорал: «Давай, Шкандал!!!» в тот момент, когда его кумир ворвалась в середину пака[2].

Линли боялся признаться Стиви-О в том, что он болеет за «Бодицейских Девок». Вообще они с Дентоном чисто случайно оказались среди поклонников «Электрических Волшебниц». Толпа фанатов «Девок» находилась на другой стороне нанесенного липкой лентой овала. У них были свои лидеры, вводившие их в транс синхронного крика. Так же, как фанаты «Волшебниц», они были одеты в черное, но с вкраплениями красного цвета. Поддержку они оказывали более профессионально, используя танцевальные элементы, сопровождавшиеся синхронными движениями ног. Это было очень впечатляюще.

Подобное мероприятие должно было бы оттолкнуть Линли. Если бы его отец, одетый, как всегда, в высшей степени элегантно, с крохотными деталями в одежде, не позволяющими усомниться в его положении в обществе, появился здесь – он бы не выдержал больше пяти минут. Вид женщин на роликовых коньках мог привести его к сердечному приступу, а выслушивание Стиви-О с его лексикой и тем, как он иногда произвольно менял местами буквы «Ш» и «С», вогнало бы его в ступор. Но отец Линли был давно в могиле, а сам Томас провел вечер, ухмыляясь так часто, что мышцы щек у него стали болеть.

---

[1] Растение, относящееся к тыквоцветным.

[2] Пак – группа игроков обеих команд, движущаяся плотной, монолитной группой.

Он узнал гораздо больше, чем ожидал, когда увидел рекламное приглашение в своей почте несколько дней назад.

Ему стало понятно, что смотреть надо на джаммера[1], которого определяла повязка со звездами на шлеме. Оказалось, что это не постоянная позиция для игрока, так как повязка иногда переходила от одного к другому. Но джаммер был атакующим игроком и набирал очки во время силовой схватки, когда джаммер противника сидел на скамейке штрафников. Теперь было понятно, для чего существует пак; а благодаря Стиви-О Томас узнал, что значит, когда джаммер выпрямляется и кладет руки на бедра. Линли все еще смутно понимал, для чего нужен пивот[2], хотя мог отличить его по полосатой повязке на шлеме, однако он все больше и больше проникался идеей, что роллер-дерби – это спорт стратегического мышления и профессиональных навыков.

Внимательнее всего во время матча между Лондоном и Бристолем он следил за Бандиткой Электрой. Было очевидно, что она была прекрасным джаммером; каталась на роликах с агрессивностью человека, рожденного для этого. Линли совсем не ожидал такого от тихого, заботливого ветеринара, которого он первый раз повстречал семь месяцев назад на побережье Корнуэлла. Он помнил, что ее было практически невозможно обыграть в дартс. Но это... Такое Томасу никогда не пришло бы в голову.

Его удовольствие от этого дикого состязания было прервано лишь единожды – во время силовой схватки. Инспектор почувствовал вибрацию мобильного в кармане и вытащил его, чтобы посмотреть, кто звонил. Первая мысль была, что его вызывают в Управление – звонила его постоянный партнер сержант-детектив Барбара Хейверс. Однако звонила она с домашнего номера, а не с мобильного – так что, подумал он, ему повезло и ничего особенного не случилось.

Линли ответил, но услышать Барбару в таком шуме было невозможно. Он прокричал в трубку, что перезвонит, как только сможет, засунул телефон в карман и благополучно забыл об этом звонке.

Через двадцать минут игра закончилась победой «Электрических Волшебниц». Участники перемешались со зрителями, группы поддержки – с участниками, а судьи – между собой. Все общались друг с другом, никто не спешил расходиться, и это было здорово, так как Линли тоже хотелось общения.

---

[1] Джаммер – нападающий в роллер-дерби.

[2] Один из игроков защиты.

Он повернулся к Дентону:

– Я не сэр.

– Простите?

– Здесь мы друзья. Веди себя так, словно мы из одной школы. Тебе же это не трудно?

– Мне? Как из Итона?

– Тебе это вполне по зубам. И называй меня или Томасом, или Томми, не важно.

Круглые глаза Дентона еще больше округлились за стеклами его очков.

– Вы хотите, чтобы я... Да я скорее язык проглочу, чем выговорю это.

– Чарли, ты ведь актер. Считай, что это твой звездный час. Я не твой работодатель, а ты не мой работник. Мы сейчас кое с кем поговорим, и ты будешь вести себя как мой друг. Просто... – Линли задумался, подбирая слово. – Просто импровизируй.

Лицо Чарли осветилось.

– Что, и голосом играть можно?

– Если это будет необходимо. Пошли.

Вдвоем они подошли к Бандитке Электре. Она беседовала с Лизой Падающая Башня из лондонской команды. Лиза была внушительной амазонкой, возвышавшейся на своих роликовых коньках на полных шесть футов пять дюймов. Она везде привлекла бы к себе всеобщее внимание, но особенно разительно Лиза смотрелась рядом с Электрой, которая, даже на роликах, была дюймов на семь ниже.

Лиза первая увидела Линли и Дентона.

– Смотришь на вас, ребята, – сказала она, – и понимаешь: вот и твои проблемы пришли. Я выбираю меньшую.

Она подъехала к Дентону и приобняла его за плечи, потом наклонилась и поцеловала в макушку. Чарли стал гранатового цвета.

Дейдра Трейхир повернулась, сняла шлем; на лбу у нее были пластиковые защитные очки. За их резинку было заправлено несколько локонов ее светлых волос, которые выбились из-под плетеной тесьмы, держащей их. Ниже защитных были надеты обычные очки, очень грязные. Однако Дейдра прекрасно видела через них – это Линли понял, увидев, как меняется цвет ее лица, когда она заметила его. Изменение цвета было заметно только слегка из-под ее мэйкапа. Как и все участницы, она была очень сильно накрашена, с некоторым злоупотреблением мерцающими и блестящими красками.

– Боже, – произнесла она.

– Ну, меня называли и похуже, – сказал Томас, протягивая рекламку нынешнего события. – Мы решили принять приглашение. Кстати, все прошло блестяще. Нам очень понравилось.

– Чё, первый раз? – спросила Падающая Башня.

– Да, – ответил ей Линли и обратился к Дейдре: – Вы умеете гораздо больше, чем можно было предположить при нашей первой встрече. Вижу, что вы делаете это так же здорово, как и бросаете дротики.

Дейдра побагровела.

– Ты знаешь этих чуваков? – спросила Падающая Башня.

Трейхир невнятно пробормотала, кивнув на Линли:

– Вот этого. Я знаю его.

Томас протянул руку Лизе.

– Томас Линли, – представился он. – А обнимаете вы моего друга Чарли Дентона.

– Так это Чарли? – спросила Лиза. – Он такой клевый. А характер у тебя тоже клевый? А, Чарли?

– Думаю, что да, – ответил Томас.

– И чё, ему нравятся большие женщины?

– Ну-у-у, если подвернутся.

– А он у нас молчун...

– Просто вы подавляете его своим присутствием.

– Ну вот, так всегда, – сказала Лиза со смехом, отпуская Дентона, не забыв при этом запечатлеть еще один крепкий поцелуй на его макушке. – Если захочешь – ты знаешь, где меня найти, – сказала она, отъезжая к своим партнерам.

По-видимому, Дейдра Трейхир использовала эту короткую передышку, чтобы собраться с мыслями.

– Томас, – произнесла она. – Вы последний, кого я ожидала увидеть на матче по роллер-дерби. – Затем повернулась к Дентону и протянула ему руку: – Чарли, я Дейдра Трейхир. Как вам понравился матч?

Вопрос относился к ним обоим.

– Не думал, что женщины могут быть так безжалостны, – заметил Линли.

– Прямо Леди Макбеты какие-то, – заметил Дентон.

– Вот именно.

Мобильник в кармане Томаса снова завибрировал. Как и в первый раз, он вытащил его и взглянул, кто звонит. Это опять была

Барбара Хейверс. Инспектор подождал, пока телефон не переключится на автоответчик.

– Работа? – спросила Дейдра. И, прежде чем он ответил, добавила: – Вы *вернулись*, да?

– Да, – ответил Томас. – Но только не сегодня. Сегодня мы с Чарли хотели бы пригласить вас на послематчевый... ну, в общем, что там бывает обычно после матча. Если, конечно, у вас есть настроение.

– О, – сказала она, посмотрев на игроков вокруг. – Обычно... дело в том, что обычно команды после матча празднуют вместе. Это традиция такая. Хотите присоединиться? Скорее всего, эта группа, – Дейдра кивнула на «Электрических Волшебниц», – пойдет в «Знаменитые Три Короля» на Норт-Энд-роуд. Приглашают всех. Будет большая толпа.

– Хм, – произнес Линли. – Я надеялся... то есть, конечно, мы надеялись, что сможем спокойно поговорить. А нарушить эту традицию, хотя бы раз, никак нельзя?

– Я бы хотела, – сказала Дейдра с сожалением, – но, понимаете, мы все приехали на одном автобусе... Это будет довольно сложно – мне ведь надо возвращаться в Бристоль.

– Сегодня вечером?

– Ну, не совсем. На сегодня нам заказана гостиница.

– Мы отвезем вас туда, как только закончим. – И, видя, что она все еще колеблется, Томас добавил: – В сущности, мы с Чарли довольно безобидны.

Дейдра внимательно посмотрела на них, переводя взгляд с Линли на Дентона и снова на Линли. Поправила несколько прядей, выбившихся из-под повязки.

– Боюсь, что у меня нет ничего подходящего... Ну то есть я имею в виду, что мы обычно не переодеваемся к вечеру.

– Мы найдем место, которое подойдет к любому вашему наряду, – сказал Линли. – Соглашайтесь, Дейдра, – добавил он тихим голосом.

Может быть, причиной стал звук ее имени, а может быть, изменившийся тон Томаса – но она подумала секунду и согласилась. Однако ей придется переодеться и, наверное, избавиться от боевой раскраски, особенно от мерцающих и блестящих красок, ведь правда?

– По мне, так она довольно интригующая, – заметил Линли. – А как ты думаешь, Чарли?

– Да, она, вне всякого сомнения, несет определенный смысл, – подтвердил Дентон.

– Только не говорите мне, какой, – рассмеялась Дейдра. – Я буду готова через несколько минут. Где мне искать вас?

– Мы будем ждать на улице – я подгоню машину.

– А как я узнаю?..

– С этим проблемы не будет, – заверил Дентон.

Челси,
Лондон

– Теперь я понимаю, что имелось в виду, – это были первые слова Дейдры, обращенные к Линли, когда он вылез из машины. – И как это называется? И сколько же этому лет?

– «Хили Эллиот»[1] 1948 года выпуска, – ответил Линли, открывая перед ней дверь.

– Любовь всей его жизни, – добавил Дентон с заднего сиденья, пока женщина садилась. – Надеюсь, он отпишет мне ее в завещании.

– Ну, это вряд ли. – Томас повернулся к нему. – Я думаю пережить тебя на несколько десятков лет.

Он отъехал от тротуара и направился к выезду со стоянки.

– Откуда вы знаете друг друга? – спросила Дейдра.

Линли не отвечал, пока они не выехали на Бромптон-роуд, двигаясь вдоль кладбища.

– Учились вместе, – был краткий ответ.

– Вместе с моим старшим братом, – добавил Дентон.

Дейдра сначала повернулась к нему, потом перевела взгляд на Линли и, сдвинув брови, протянула:

– Понятно...

Томасу показалось, что она поняла гораздо больше, чем ему бы хотелось.

– Он на десять лет старше Чарли. Ведь так? – переспросил Линли, глядя в зеркало заднего вида.

– Почти, – ответил Дентон. – Слушай, Том, ты не против, если я откланяюсь? День был дьявольски длинным, и если ты высадишь меня на Слоун-сквер, то я пройдусь до дома. Завтра надо быть в банке пораньше. Заседание правления. Шеф сильно перевозбужден в связи с китайскими приобретениями. Ты знаешь, как это бывает...

---

[1] Английская марка дорогих спортивных машин, выпускавшаяся в 1946–1953 гг.

Линли беззвучно шевелил губами – *откланяться, дьявольски, Том, банк, заседание правления*? Он почти не сомневался, что Дентон сейчас наклонится и похлопает его по плечу в знак прощания.

– Ты уверен, Чарли?– спросил Томас.

– Абсолютно! Длинный день сегодня, и еще длиннее – завтра... – И, обращаясь к Дейдре, Дентон добавил: – Гарантированно худшая работа на свете – всякие деловые звонки и все такое...

– Ну конечно, – ответила она. – А как вы, Томас? Время позднее, и если вы...

– Я бы хотел провести часок с вами, – ответил инспектор. – Ну, вот и Слоун, Чарли. Ты уверен, что хочешь пройтись?

– Прекрасная ночь.

Больше Дентон ничего не говорил – благодарю тебя, Боже, подумал Линли, – пока они не доехали до Слоун, где Линли и высадил его перед «Питером Джонсом»[1]. А потом раздалось:

– Ну, давайте, пока-пока.

Линли выкатил глаза. Не хватало еще, чтобы Чарли добавил «чмоки-чмоки» к своему прощанию. Ему придется обязательно поговорить с ним. Тембр его голоса был ужасен, а словарный запас – еще хуже.

– Он такой милый, – заметила Дейдра, когда Дентон направился по площади к фонтану Венеры в центре.

Отсюда до дома Линли на Итон-террас было рукой подать. Казалось, Чарли слегка приплясывает на ходу. Вне всякого сомнения, он был в восторге от собственного представления.

– Слово «милый», на мой взгляд, здесь не подходит, – заметил Томас, – для меня он постоянная обуза. Я просто делаю одолжение его брату.

Место, куда они направлялись, тоже было недалеко от Слоун. Винный бар на Уилбрахам-плэйс находился в нескольких метрах от дорогущего бутика на углу. Единственный свободный столик нашелся у входа, что было не здорово, принимая во внимание температуру на улице, но что поделаешь.

Они заказали вино. Линли предложил перекусить, но Дейдра отказалась, и он тоже решил воздержаться. Начос и хот-доги долго перевариваются.

Она рассмеялась и провела пальцами по стеблю единственной розы, стоявшей на столе. «Ее руки похожи на руки врача, – подумал Томас. – Ногти коротко подстрижены, пальцы выглядят сильными и совсем не тонкими». Он знал, как бы она назвала их.

---

[1] Большой универсальный магазин на Слоун-сквер.

Крестьянские руки, сказала бы она. Или цыганские. Или рабочие. Но не те руки, которые ожидаешь увидеть у аристократки, которой она, в сущности, и не была.

Неожиданно оказалось, что говорить-то и не о чем, после всего того времени, прошедшего с их последней встречи. Он посмотрел на нее, она – на него. Томас сказал: «Итак...» – и подумал, какой он все же идиот. Он хотел ее видеть, и вот сейчас она сидит перед ним, а он не может придумать ничего, кроме как сказать, что никогда не знал, какого цвета у нее глаза – светло-коричневые, карие или зеленые. Его были коричневыми, темно-коричневыми – полный контраст с его волосами, которые были светлыми в середине лета, а сейчас, к середине осени, выглядели совсем выгоревшими.

Дейдра улыбнулась ему и сказала:

– Хорошо выглядите, Томас, совсем не так, как в нашу первую встречу.

«Боже, как она права», – понял он. Они встретились в ту ночь, когда Линли проник в ее коттедж, единственное строение в Полкар-Коув, графство Корнуэлл, в том месте, где разбился насмерть девятнадцатилетний альпинист. Тогда Линли искал телефон. Дейдра приехала на несколько дней, чтобы передохнуть от работы. Томас помнил ее ярость, когда она обнаружила его у себя в доме. Он помнил, как эта ярость быстро сменилась на сострадание, после того как она увидела что-то в его лице.

– Со мной *всё* в порядке, – сказал Линли. – Бывают дни хорошие и не очень, но у меня в последнее время больше хороших.

– Я рада.

Они опять замолчали. Были вещи, с которых можно было бы начать. Например: «А как вы, Дейдра? Как ваши родители?» Но он не мог произнести этого. У нее имелось два набора родителей, и было бы жестоко заставить ее говорить только об одних. Томас никогда не встречал родителей, которые удочерили ее, а вот с ее биологическими он встречался – в их убитом домике на колесах у ручья в Корнуолле. Ее мать умирала, но надеялась на чудо. Вполне возможно, что она уже умерла, но он понимал, что спрашивать об этом не стоит.

– Как давно вы вернулись? – неожиданно спросила Дейдра.

– На работу? Летом.

– И как все прошло?

– Сначала было трудно. Но это всегда так бывает.

– Да, конечно, – согласилась она.

«Из-за Хелен», – повисло в воздухе недосказанное. Хелен звали его жену, которую убили, жену, муж которой работал детективом в полиции. Об этом невозможно было думать, тем более говорить. Дейдра никогда бы не начала разговор на эту тему. Он – тоже.

– Ну, а как у вас?

Она улыбнулась, очевидно, не понимая, что он имеет в виду. Затем сказала:

– А, моя работа! Всё в порядке. Две из наших трех горилл уже беременны – третья никак, так что приходится наблюдать за ней. Надеемся, что проблем не будет.

– А они могут быть? Обычно?

– Третья уже однажды потеряла малыша. Не смогла выносить. Отсюда и проблемы.

– Звучит печально. Не смогла выносить...

– Да, грустно.

Они опять замолчали. Наконец Томас сказал:

– Ваше имя было в рекламе. То есть я хочу сказать, ваше профессиональное прозвище. Я увидел его. Вы уже катались в Лондоне до этого?

– Да.

– Понятно... – Линли вращал бокал, пристально наблюдая за вином. – Я был бы рад, если бы вы мне позвонили. У вас же сохранилась моя карточка?

– Да, и я позвонила бы, но все это выглядело как-то...

– О, я знаю, как это выглядит. Думаю, не ошибусь, если позволю себе предположить, что так же, как и раньше...

– Понимаете, у нас люди никогда не сказали бы «думаю, не ошибусь, если позволю себе предположить».

– А-а-а...

Дейдра пригубила вино, глядя на бокал, а не на него. Томас подумал, как разительно она отличается от Хелен. У Дейдры не было беззаботного юмора и легкой манеры общения последней. А может быть, она просто прячет это глубоко в себе, подумал он.

«Дейдра», «Томас», – произнесли они одновременно. Линли уступил даме очередь говорить.

– Не могли бы вы отвезти меня в гостиницу?

Бэйсуотер,
Лондон

Линли не был дураком. Он понимал, что просьба отвезти в гостиницу значила именно отвезти в гостиницу, и ничего более. Это было то, что ему нравилось в Дейдре – в ее словах никогда не было подтекста.

Она попросила отвезти ее в Сассекс-гарденз, что к северу от Гайд-парк, в самом сердце Бэйсуотера. Это была большая магистраль, забитая машинами днем и ночью, с отелями вдоль тротуаров, отличавшимися друг от друга только названиями. Названия были написаны на уродливых пластиковых табличках, ставших вдруг такими популярными в Лондоне. Дешевые, подсвеченные изнутри, они были яркими памятниками исчезающей индивидуальности. Эти таблички определяли тип гостиниц, которые находились где-то между категориями «в общем, неплохо» и «абсолютно ужасно», с вездесущими крахмальными белыми занавесками на окнах и плохо освещенными входами с бронзовыми ручками, которые нуждались в тщательной полировке. Когда Линли остановил «Хили Эллиот» перед одной из них, той, которая называлась «Остролист», он сразу понял, к какой части спектра между «в общем, неплохо» и «абсолютно ужасно» относилась эта гостиница.

Томас кашлянул.

– Да, это не совсем то, к чему вы привыкли, – сказала Дейдра. – Но это крыша над головой, это всего на одну ночь, в номере есть ванна, и стоимость для команды минимальная. Так что... Ну, вы понимаете.

Линли повернулся и посмотрел на Трейхир. У нее за спиной горел фонарь, и ее волосы были похожи на светлый нимб, напоминая ему портреты святых эпохи Возрождения. Не хватало только ветки пальмы.

– Мне бы не хотелось оставлять вас здесь, Дейдра, – произнес он.

– Немного мрачновато, но я переживу. Поверьте мне, это гораздо лучше, чем то место, где мы останавливались в последний раз. Просто какой-то прорыв на новый уровень.

– В общем-то, я не это имел в виду. Ну, то есть не совсем это.

– Думаю, что я понимаю.

– Во сколько вы уезжаете?

– В половине девятого утра. Хотя мы никогда не успеваем вовремя – поздние гулянки накануне. Я, наверное, первая из тех, кто уже вернулся.

– У меня в доме есть свободная комната. Почему бы не переночевать там? Утром мы вместе позавтракаем, и я привезу вас в гостиницу, чтобы вы могли уехать в Бристоль вместе со всеми.

– Томас...

– Кстати, завтрак приготовит Чарли. Он исключительный повар.

Секунду Дейдра обдумывала услышанное, а потом сказала:

– Он ведь ваш человек, ведь правда?

– Что, черт возьми, вы имеете в виду?

– Томас...

Линли отвернулся. На тротуаре недалеко от них начали ссориться парень с девушкой. Сначала они держались за руки, но потом она вдруг отбросила его руку, как использованную упаковку от бургера.

– Сейчас уже никто не говорит «дьявольски» – по крайней мере среди обычных людей.

Линли вздохнул.

– Иногда его действительно заносит.

– Так он ваш человек?

– О нет. Он только свой собственный. Много лет я пытаюсь держать его в узде, но ему нравится играть роль слуги. Он, видимо, считает, что это отличная тренировка. Ну, может быть, он и прав.

– Так Чарли не слуга?

– Ну конечно, нет. То есть – и да, и нет. Он актер, или будет им, если ему повезет. А пока он работает на меня. Я спокойно отношусь к его прослушиваниям. А он спокойно относится к тому, что я опаздываю на обед, который он старательно готовил несколько часов.

– Звучит, как если бы вы нашли друг друга.

– Скорее, столкнулись друг с другом, а еще лучше – случайно пересеклись. – Линли отвернулся от ссорящейся парочки, трясущей мобильниками перед лицами друг у друга, и повернулся к Дейдре. – Он будет в доме, и он выступит в роли дуэньи. И, как я сказал, мы сможем поговорить за завтраком. И по дороге сюда. Хотя, если вам так больше понравится, я вызову такси.

– Почему?

– Такси?

– Вы понимаете, что я имею в виду.

– Просто, знаете... Мне кажется, что мы что-то не договорили. Или не решили. Какое-то непонятное чувство. Не могу объяснить, но думаю, что вы ощущаете то же самое.

Казалось, что Дейдра задумалась. Ее молчание вселяло надежду. Но она медленно покачала головой и взялась за ручку.

– Я так не думаю. И, кроме того...

– Кроме того?

– Говорят – «как с гуся вода», но я не гусь, и со мной так не получится.

– Не понимаю.

– Понимаете. Всё вы прекрасно понимаете. – Она наклонилась и поцеловала его в щеку. – Не буду врать – было очаровательно встретить вас опять. Спасибо. Надеюсь, вам понравилась игра.

Прежде чем Томас смог ответить, Дейдра вылезла из машины и торопливо подошла к двери. Она не оглянулась.

Бэйсуотер,
Лондон

Линли все еще сидел в машине перед гостиницей, когда раздался звонок мобильного. Он все еще ощущал ее прикосновение на щеке и теплоту ее руки на своей. Томас был так погружен в мысли, что звонок телефона заставил его вздрогнуть. Вдруг он понял, что так и не перезвонил Барбаре Хейверс, как обещал. Линли посмотрел на часы.

Был час ночи. Это не может быть Барбара, подумал он. Пока Томас доставал телефон из кармана, мысли его метались – он успел подумать о своей матери, своем брате, своей сестре; он подумал о разного рода неожиданностях и о том, как они возникают среди ночи – потому что никто не звонит в это время суток, чтобы узнать, как дела.

К моменту, когда инспектор вытащил телефон, он решил, что несчастье случилось в Корнуолле, где находилось их родовое гнездо. Доселе никому не известная миссис Дэнверс, поступившая к ним на работу, скорее всего, подожгла дом.

Однако он увидел, что это опять была Барбара. Линли поспешно ответил:

– Барбара, ради бога, извините.

– Черт возьми, – закричала она. – Почему вы не перезваниваете? Я сижу здесь, а он там совсем один, и я не знаю, что делать или что ему говорить, потому что весь ужас в том, что *ни один* придурок не может помочь, и мне пришлось врать ему и говорить, что мы поможем, и мне нужна ваша *помощь*!!!

– Барбара...

Она казалась абсолютно не в себе. Этот словесный поток был так не свойственен ей, что Линли понял – случилось что-то ужасное.

– *Барбара*, подождите, не так быстро. Что случилось?

Она заговорила какими-то отрывочными фразами. Линли с трудом понимал, о чем идет речь, потому что Хейверс говорила со скоростью пулемета. Ее голос звучал странно. Она или плакала, что было очень маловероятно, или сильно выпила. Однако последнее не имело смысла, принимая во внимание всю сложность ситуации. Томас попытался соединить в одно целое хотя бы самые яркие факты.

Пропала дочь ее соседа и друга Таймуллы Ажара. Последний, профессор в Университетском колледже Лондона, вернулся домой с работы и обнаружил, что все вещи, принадлежащие его девятилетней дочери и ее матери, исчезли. Осталась только ее школьная форма, плюшевая игрушка и лэптоп, лежащие на кровати.

– Все остальное пропало, – рассказывала Хейверс. – Ажар сидел на моих ступеньках, когда я пришла домой. Мне она тоже звонила, ну Анжелина, в течение дня. У меня в телефоне было сообщение. «Могу я зайти к нему сегодня вечером?» – спрашивала она у меня. «Хари будет расстроен», – сказала она. Ну конечно. Только он не расстроен – он убит, раздавлен. Я не знаю, что мне сделать или сказать, а Анжелина еще и заставила Хадию оставить жирафа, и мы оба понимаем, почему, – потому что он напоминает о временах, когда они поехали к морю и он выиграл его для нее, а когда кто-то попытался утащить его на пирсе...

– Барбара, – произнес Линли железным голосом. – *Бар-ба-ра.*

– Да, сэр? – всхлипнула она.

– Я уже еду.

Чолк-Фарм,
Лондон

Барбара Хейверс жила в Северном Лондоне недалеко от Кэмден-Лок-маркет. Чтобы добраться туда в час ночи, надо было просто знать дорогу – машин на улицах совсем не было. Она жила в Итон-Виллас, и найти место для парковки в то время, когда все жители мирно спали в своих домах, можно было только в случае очень большой удачи. Так что Линли припарковался, заблокировав выезд.

Берлога Барбары располагалась в вилле эпохи короля Эдуарда, переделанной в конце XX века в многоквартирный дом. То есть сама Барбара жила во дворе здания, в деревянном сооружении, которое раньше служило бог знает для чего. В нем был крохотный камин, что позволяло предположить, что сооружение всегда использовалось как жилое помещение, но, судя по размерам, оно подходило только одному жильцу, и то такому, который был не очень требователен к размерам жилья.

Линли бросил быстрый взгляд на первый этаж основного дома, когда проходил по заасфальтированной дорожке в глубь двора. Он знал, что там живет друг Барбары Таймулла Ажар, и яркий свет из его квартиры все еще падал на веранду через большие французские окна. Из разговора с Барбарой Томас понял, что она была у себя дома, и когда он обогнул виллу, то увидел свет в ее окнах.

Линли негромко постучал. Раздался скрип стула, и дверь распахнулась.

Он был совсем не готов к тому, что увидел.

– Боже мой, что вы с собой сделали?!

Первое, что пришло ему в голову, были древние обычаи оплакивания мертвых, когда женщины обрезали волосы и посыпали головы пеплом. Хейверс точно сделала первое, но воздержалась от второго. Хотя на крохотном столике в том, что называлось кухней, пепла было достаточно. Линли показалось, что она провела здесь много часов; в тарелке, служившей ей пепельницей, были раздавлены по крайней мере двадцать окурков, пепел от которых был виден повсюду.

Казалось, эмоции полностью опустошили Барбару. От нее несло запахом давно погашенного камина. Она была одета в древнее платье из шенили[1], цветом напоминавшее гороховое пюре, а голые ноги были засунуты в высокие красные кроссовки.

– Я его там оставила, – заторопилась она. – Пообещала вернуться, но не смогла. Я думала, если вы придете... Почему вы не перезвонили? Вы разве не могли сказать... Где вы, черт побери, сэр... Почему вы не...

– Очень сожалею, – ответил Линли, – я не расслышал, что вы говорили по телефону. Я был... Впрочем, это неважно. Расскажите, что произошло.

Томас взял ее за руку и подвел к столу, с которого убрал стеклянную тарелку с окурками и нераспечатанную пачку сигарет с коробкой спичек. Все это он положил на рабочий стол в ее кухоньке и там же пристроил чайник, который включил кипятиться. Порылся в буфете, нашел два пакетика чая и какой-то искусственный подсластитель. Затем стал рыться в раковине с немытой посудой, пока не извлек на свет божий две чашки. Их он вымыл и вытер, после чего подошел к маленькому холодильнику. Как и предполагал Томас, содержимое было малоаппетитным – в основном коробки с фаст-фудом и продуктами быстрого приготовления. Однако среди всего этого ему удалось отыскать пинту молока. Инспектор вытащил ее в тот самый момент, когда со щелчком отключился чайник.

[1] Ткань с ворсом.

Пока он таким образом накрывал на стол, Хейверс молчала. На нее это было совсем не похоже. За все время, что Линли знал сержанта-детектива, она никогда не упускала случая подколоть его, особенно в ситуациях, подобных нынешней – когда он не только заваривал чай, но и замахивался на горячие тосты. Это ее молчание сильно его тревожило. Томас поставил чай на стол и подвинул одну чашку поближе к ней. Рядом с местом, где лежали сигареты, была еще одна табуретка, и он вытащил ее. Ее сиденье было холодным, как будто горе человека, сидевшего на ней, заморозило ее поверхность.

– Это его, он на ней сидел, – сказала Хейверс. – Ну и что, теперь мы будем вести светские разговоры за этим чертовым чаем?

– По крайней мере, это какое-то занятие.

– Когда сомневаешься – приготовь чай... Я бы выпила виски. Или джина. Джин – это было бы здорово.

– У вас есть?

– Конечно, нет. Я не хочу превратиться в одну из тех старух, которые сосут джин с пяти вечера и до полного одурения.

– Вы не старуха.

– Поверьте мне, сэр, это уже не за горами.

Линли улыбнулся. Это замечание показывало, что состояние Барбары улучшалось.

Наконец он уселся рядом с ней.

– Ну, рассказывайте.

Хейверс стала рассказывать о женщине по имени Анжелина Упман, матери дочери Таймуллы Ажара. Линли встречал самого Ажара и его дочь Хадию и знал, что Анжелина не жила с ними уже какое-то время – она исчезла еще до того, как Барбара переехала в свое бунгало. Но ему не говорили, что она опять нарисовалась в жизни Ажара и Хадии в прошлом июле. Он также не знал, что Анжелина и Ажар не были женаты, а в метрике Хадии в графе «отец» стоял прочерк.

Появлялись все новые и новые детали, и Томас пытался запомнить их все. Оказалось, что Ажар и Анжелина были не женаты не потому, что сейчас это было модно, – они просто не могли пожениться. Таймулла ушел к Анжелине от другой женщины, но разводиться с ней отказался. От этой женщины у него было двое детей. Где они жили, Барбара не знала. Но она знала точно, что Анжелина смогла запудрить мозги Ажару и Хадие и убедить их, что вернулась, чтобы занять место, принадлежащее ей по праву. Ей надо было завоевать их доверие. Барбара сказала, что это ей надо было, чтобы разработать и претворить в жизнь ее план.

– Именно поэтому она и вернулась, – рассказывала Хейверс, – чтобы завоевать доверие всех, включая меня. Я всегда была идиоткой, но здесь я превзошла саму себя.

– Почему вы мне об этом не рассказывали?

– О чем именно? Наверное, потому, что идиотка думала, что вам уже все известно.

– Об Анжелине. О другой жене Ажара, о детях, о разводе или, точнее, об отсутствии оного. Ведь вы не могли не чувствовать, что...

Линли замолчал. Хейверс никогда не говорила о своем отношении к Ажару и его дочери, а он никогда не спрашивал. Казалось, что такое молчание выглядит более респектабельно, хотя в глубине души Томас осознавал, что просто облегчает себе жизнь.

– Извините, – сказал он.

– Да ладно. В любом случае вы были несколько заняты, если помните.

Инспектор понимал, что она имеет в виду его связь с их начальницей в Управлении. Он старался быть аккуратным, Изабелла тоже. Но Хейверс не была дурочкой, она не вчера родилась, и все ее чувства обострялись, когда дело касалось Линли.

– А, ну да. Но все уже кончено, Барбара.

– Я знаю.

– Вот и хорошо. Я так и думал.

Хейверс вертела чашку в руках. Линли заметил, что на чашке была карикатура на герцогиню Корнуэлльскую с прической горшком и квадратной улыбкой. Неосознанно Барбара прикрыла карикатуру руками, как будто извиняясь перед несчастной женщиной, и сказала:

– Я не знала, что сказать ему. Я пришла с работы и увидела его на ступеньках перед дверью. Я думаю, что он ждал меня много часов. Я отвела его назад в квартиру после того, как он все мне рассказал – что она забрала Хадию с собой, – и осмотрела квартиру. Клянусь, когда я увидела, что она всё вынесла, я не знала, что делать.

Томас обдумывал ситуацию. Она была очень непростой, и Хейверс понимала это – отсюда и ее шок.

– Отведите меня к нему, – сказал он, – оденьтесь и отведите меня к нему.

Барбара кивнула и подошла к шкафу в поисках одежды. Она что-то нашла и прижала к груди. Направилась в ванную, но вдруг остановилась и обернулась к нему:

– Спасибо, что не комментируете прическу.

Линли посмотрел на ее изуродованную голову.

– Ах да. Одевайтесь, сержант.

Чолк-Фарм,
Лондон

Барбара Хейверс чувствовала себя теперь гораздо лучше, когда появился Линли. Она понимала, что должна была сделать что-то, чтобы взять ситуацию под контроль, но горе Ажара лишило ее всех возможностей действовать. Таймулла был очень скрытным человеком, и оставался таким все два года, что она знала его. Он так хорошо прятал свои секреты, что иногда казалось, что их у него просто нет. Видеть его абсолютно раздавленным тем, что сделала с ним его возлюбленная, и понимать, что сама она, Барбара, должна была бы почувствовать с первой встречи, что Анжелина Упман что-то замышляет, несмотря на все проявления дружбы с ее стороны... Всего этого Барбаре хватило, чтобы самой почувствовать себя раздавленной.

Как большинство людей, она видела в Анжелине только то, что хотела, и полностью игнорировала все настораживающие и тревожные знаки. А та за это время опять завлекла Ажара в свою постель, вызвала у дочери подобострастное обожание и заставила Барбару участвовать в каком-то глупом заговоре, заставив ее хранить молчание обо всем, что касалось самой Анжелины. И вот он, результат, – исчезновение Анжелины вместе с дочерью.

Барбара оделась в ванной. В зеркале она увидела, как ужасно выглядит, особенно ее голова. Волосы были выстрижены клоками, и лысые участки перемежались остатками того, что еще недавно было стильной и дорогой прической, сделанной в Найтсбридже. Оставшиеся волосы напоминали сорняки, ждущие, когда их выполют.

Единственным выходом было побриться наголо, но сейчас у нее не было на это времени. Барбара отыскала лыжную шапочку в одном из ящиков, надела ее и вместе с Линли вышла из дома.

В квартире Ажара ничего не изменилось. Просто вместо того, чтобы сидеть, уставившись в пустоту, ее хозяин бесцельно бродил по комнатам. Когда он запавшими глазами уставился на них, Барбара сказала:

– Ажар, я привела инспектора Линли из полиции Метрополии[1].

---

[1] Полиция Метрополии (Лондонская полиция, Мет) основана в 1829 г. Отвечает за правопорядок на территории Большого Лондона, кроме района Сити. Кроме того, Мет отвечает за организацию и координацию антитеррористической деятельности в Соединенном Королевстве, охрану Королевской семьи и членов Правительства.

Таймулла только что вышел из спальни Хадии, прижимая к груди плюшевого жирафа девочки, и обратился к Линли:

– Она забрала ее.

– Барбара рассказала мне.

– Ничего нельзя сделать.

– Всегда что-то можно сделать, – горячо вмешалась Хейверс. – Мы найдем ее, Ажар.

Она почувствовала, как Линли бросил на нее быстрый взгляд. Это был сигнал остановиться и не давать обещаний, которые ни он, ни она не смогут выполнить. Однако Барбара видела ситуацию совсем по-другому. «Если они не смогут помочь этому человеку, – подумала она, – то какой смысл служить в полиции?»

– Можно мы присядем? – спросил Линли.

Ажар сказал: «Да, да, конечно», и они втроем направились в гостиную. В комнате пахло только что сделанным ремонтом. Теперь Барбара все видела так, как должна была видеть, когда Анжелина впервые показала ей новую отделку: как картинку из журнала, безукоризненную, но начисто лишенную всякой индивидуальности.

Когда они уселись, Ажар сказал:

– Я позвонил ее родителям, после того как вы ушли.

– А где они? – спросила Барбара.

– В Далгвиче. Конечно, они отказались со мной говорить. Я разрушил жизнь одного из их детей, и они не желают приложить ни малейшего усилия, чтобы помочь мне.

– Милые люди, – прокомментировала Барбара.

– И вы уверены, что они не помогут? – спросил Линли.

– Судя по тому, что они говорили, и зная их, я думаю, что нет. Они ничего не знают об Анжелине и не хотят знать. Они сказали, что она выбрала свой путь десять лет назад, и если ее теперь что-то не устраивает, это не их проблема.

– Но у них есть еще один ребенок? – спросил Томас.

Ажар выглядел сконфуженным, а Барбара переспросила: «Что?»

– Вы сказали что-то о разрушении жизни одного из их детей, – пояснил Линли. – А кто второй, и не может ли Анжелина быть у него?

– Это Батшеба, сестра Анжелины, – ответил Ажар. – Я знаю только ее имя, но никогда не видел.

– Могут ли Анжелина и Хадия прятаться у нее?

– По-моему, они не любят друг друга, насколько я в этом разбираюсь. Так что сомневаюсь.

– Это Анжелина так говорит? – спросила Барбара.

Значение вопроса было понятно и Линли, и Ажару.

– Понимаете, когда люди находятся в критической ситуации, – объяснил Томас, – когда они планируют нечто подобное – а это действительно *надо было* спланировать, – старые обиды часто отодвигаются в сторону. Так вы звонили сестре? У вас есть ее номер?

– Я знаю только ее имя – Батшеба Уард, больше ничего. К сожалению.

– Ну, это не проблема. Батшеба Уард – с этого можно начать. Это дает нам возможность... – заговорила Барбара.

– Барбара, вы очень добры, – сказал Ажар. – Так же, как и вы, – добавил он, поворачиваясь к Линли. – Приехать сюда среди ночи... Но я хорошо представляю себе свое положение.

– Я говорю, что мы найдем ее. Обязательно, – горячо повторила Барбара.

Ажар смотрел на нее спокойными темными глазами. Затем перевел взгляд на Томаса. Казалось, он внутренне уже согласился с тем, чего Барбара не хотела признать и от чего пыталась защитить его.

– Барбара говорит, что вы с Анжелиной не разведены, – сказал Линли.

– Мы ведь не женаты, поэтому и о разводе речи нет. И постольку, поскольку я не развелся со своей первой женой – то есть моей законной женой, – Анжелина не вписала меня в метрику как отца Хадии. Имела право. Я принял это как одно из последствий того, что не развелся с Нафизой.

– А где она сейчас?

– В Илфорде. Нафиза и дети живут с моими родителями.

– Анжелина не могла поехать к ним?

– Она не представляет, где они живут и как их зовут. Она вообще ничего о них не знает.

– А они не могли сюда приехать? Проследить за ней? Выманить ее отсюда?

– А для чего?

– Ну-у-у... чтобы причинить ей зло.

Барбара поняла, что подобное развитие сюжета было вполне реально.

– Ажар, это вполне вероятно, – сказала она, – ее могли захватить. Все может быть совсем не так, как выглядит на первый взгляд. Они могли прийти за ней и забрать Хадию с собой. Они могли все забрать и заставить позвонить мне...

– Ее тон на автоответчике не казался напряженным, как будто она говорила под давлением. А, Барбара? – спросил Линли.

Ну конечно, нет. Голос звучал совсем как обычно, то есть дружелюбно и открыто.

– Может быть, она притворялась? – сказала Хейверс, хотя прекрасно понимала, что это звучит совсем не убедительно. – Она же дурила меня многие месяцы. Она дурила Ажара. Она дурила свою собственную дочь. А может быть, и не дурила вовсе. Может быть, она и не собиралась исчезать. Может быть, на нее напали неожиданно и увезли, а когда она наговаривала на автоответчик, заставили ее...

– Может быть и так, и этак, – мягко сказал Томас.

– Он прав, – сказал Ажар. – Если ее заставили позвонить, если их увезли отсюда – ее и Хадию – против их воли, она бы что-то сказала по телефону. Подала бы какой-то знак. Что-то осталось бы, но ничего нет. Ничего. А то, что она оставила – школьная форма Хадии, ее жираф и компьютер, – это чтобы я понял, что они не собираются возвращаться. – Глаза его покраснели.

Барбара обернулась к Линли. Он был, она это давно знала, самым сострадательным полицейским в Управлении и даже, может быть, самым сострадательным человеком, которого она когда-либо встречала на своем веку. Но на его лице – помимо симпатии к Ажару – Хейверс видела осознание всей сложности происшедшего.

– *Сэр*, ну пожалуйста... – сказала она.

– Барбара, помимо проверки родственников... Она мать. Она не нарушила закон. Нет официального развода и решения суда, которое она бы нарушила.

– Ну что ж, в таком случае – частное расследование, – сказала Барбара. – Если мы не можем ничего сделать, то частный детектив – вполне.

– А где мне такого найти? – спросил Ажар.

– Им вполне могу быть и я, – ответила Барбара.

НОЯБРЬ, 16-е

Виктория,
Лондон

«Ни – за – что» – именно так отреагировала исполняющая обязанности суперинтенданта[1] Изабелла Ардери на просьбу Барбары предоставить ей отпуск. Сразу же после этого она потребовала

[1] Офицерское звание в полиции – чин, следующий за старшим инспектором.

объяснить ей, что это надето у Барбары на голове. «Это» было вязаной шапочкой, которые обычно носят лыжники. Шапочка венчалась помпоном. Оценка за элегантность – ноль. За соответствие занимаемой должности – глубокий минус. Дело в том, что до того, как все это случилась, Барбара сделала стрижку по настоятельной рекомендации исполняющей обязанности суперинтенданта – эта настойчивая рекомендация была завуалированной формой приказа. Таким образом, уничтожение прически было очень похоже на бунт на корабле, и именно так Изабелла Ардери рассматривала создавшуюся ситуацию.

– Снимите эту шапку, – потребовала Ардери.

– Что касается отпуска, ком...

– Должна напомнить вам, что вы недавно уже отдыхали, – рявкнула суперинтендант. – Напомните-ка мне, сколько дней вы находились в распоряжении инспектора Линли во время его небольшого путешествия в Камбрию?

С этим Барбара не могла спорить. Она только что закончила помогать Линли в некоем частном предприятии. Это было неофициальное и очень деликатное поручение сэра Дэвида Хильера, помощника комиссара. Все происходило на берегу озера Уиндермир, и когда Изабелла Ардери узнала, что Барбара тоже принимала в этом участие, она здорово взбесилась. Поэтому она решила во что бы то ни стало заменить отпуск сержанта Хейверс на внеочередное патрулирование, что последняя, несомненно, восприняла бы с энтузиазмом женщины, приглашенной на вальс дикобразом.

– Снимите эту шапку. Сейчас же, – повторила Изабелла.

Барбара знала, что это не принесет ничего хорошего.

– Командир, это очень срочно, по семейным обстоятельствам...

– И кого же из членов вашей семьи это касается, сержант? Если я правильно понимаю, ваша семья состоит из еще одного члена, который в настоящий момент находится в интернате для престарелых в Гринфорде. Не хотите же вы сказать, сержант, что вашей матушке вдруг потребовался ваш опыт полицейского? А?

– Это не интернат для престарелых, а частная клиника.

– Там есть сиделка? И нужен ли вашей матери уход?

– Что за глупые вопросы. Да, есть – и, конечно, нужен. И вы это прекрасно знаете.

– Ну и какие же ваши специфические знания понадобились вашей матушке?

– Ну, хорошо, – вздохнула Барбара, – это не касается моей матери.

– Но вы сказали – семейные обстоятельства?

– Ну хорошо. Это не семейные обстоятельства. Речь идет о моем друге, который попал в беду.

– Так же, как и вы, милочка. Так что, мне еще раз надо попросить вас снять эту нелепую шапку?

Делать было нечего – Барбара стянула шапку.

Изабелла уставилась на Барбару. Она подняла руку, как будто отмахиваясь от какого-то апокалипсического видения.

– И что, – сказала она напряженным голосом, – я должна думать? Ошибка парикмахера, приведшая к полной катастрофе, или зашифрованное послание вашему старшему офицеру? Старший офицер, как вы понимаете, это я.

– Командир, речь не об этом, я не за тем к вам пришла.

– Ну, хватит. А *я* хочу говорить именно об этом. Кстати, и о манере одеваться – тоже. Спрашиваю еще раз: что вы пытаетесь мне сказать, сержант? То, что я вижу, напрямую связано с вашей будущей карьерой регулировщика движения на Шетландских островах.

– Мне кажется, не стоит делать из этого прецедент, – возразила Барбара. – Моя одежда, мои волосы... Какое это имеет значение, если я выполняю свою работу?

– Ах, вот в чем дело, – удивилась Изабелла. – *Если я выполняю свою работу*. Чего, как оказалось, вы не делали уже в течение некоторого времени. И чего вы, входя сюда с вашей просьбой, хотели не делать еще несколько дней или недель. При этом, я полагаю, вы намереваетесь продолжать получать свое жалованье, дабы обеспечить единственному члену вашей семьи содержание в богадельне, куда он был помещен... Сержант, скажите *честно*, чего вы хотите? Вы хотите продолжать работать и получать вознаграждение или же предпочитаете мотаться по делам неизвестных членов вашей семьи? По делам, о которых вы, кстати, предпочитаете молчать?

Они сидели друг против друга на противоположных сторонах стола исполняющего обязанности суперинтенданта. За дверями кабинета раздавался обычный шум, сопровождавший деятельность офиса. Сотрудники проходили по коридору. Иногда шум затихал, и тогда Барбара понимала, что ее коллеги прислушиваются к ее спору с суперинтендантом Ардери. «Еще один повод для сплетен за чашечкой кофе», – подумала она. Сержант Хейверс поставила еще одну кляксу в свою тетрадь.

– Послушайте, командир, один из моих друзей лишился ребенка; ее увезла мать...

– В этом случае девочка не потерялась, не правда ли? А если девочку увезли в нарушение решения суда, то этот ваш друг должен позвонить своему адвокату или обратиться в местный полицейский участок, или кто там еще может прийти ему в голову. Это не ваше дело – мотаться по стране, помогая людям, попавшим в беду, до тех пор, пока это не прикажет вам ваш командир. Вы меня хорошо поняли, сержант Хейверс?

Барбара молчала, хотя внутри у нее все кипело. Мысленно она сочиняла монолог – нечто вроде «да кто же тебя за вымя кусает, чертова ты корова?». Но Хейверс хорошо понимала, куда это ее приведет. В этом случае Шетландские острова покажутся раем божьим. Поэтому она ответила коротко:

– Так точно.

– Отлично. Тогда возвращайтесь к работе. И сегодня она заключается во встрече с представителем Генеральной прокуратуры. Поговорите с Доротеей – она все организовывала.

Виктория,
Лондон

Доротея Гарриман была не только секретарем отдела, но и той иконой стиля, на которую должна была быть похожа Барбара. Правда, с самого начала Хейверс не могла понять, как Ди Гарриман умудряется так выглядеть на какие-то жалкие 26 фунтов в неделю. Та, правда, говорила, что главное – это знать свои цвета, что бы это там ни значило, и уметь подбирать аксессуары. Кроме того, она рассказала Барбаре, что ведет свой список лучших универсальных магазинов Лондона. Любой может сделать это, детектив Хейверс. Все очень просто – я могу научить тебя, если хочешь.

Барбара не хотела. Она представляла себе, как Ди Гарриман проводит каждую свободную минуту в рысканье по центральным улицам столицы в поисках одежды. Кому, черт побери, может нравиться такая жизнь?

У Доротеи хватило ума не комментировать прическу и шапку Барбары, когда она увидела ее, направляющуюся в кабинет Изабеллы Ардери. Ей действительно очень нравилась стрижка и укладка, которую Барбаре сделали в Найтсбридже. Но после того, как она громко поприветствовала Барбару «сержант Хейверс!», что-то в лице последней подсказало ей, что дорога в ее, Ди Гарриман, персональный ад начнется с любого комментария, касающегося внешнего вида Барбары. Она смогла собрать все свои внутренние силы, чтобы смириться с видом коллеги, когда та подошла к ее столу. По-видимому, Ди слышала, что происходило в кабинете, потому что сразу же протянула Барбаре листок с информацией, о которой говорила Изабелла.

Гарриман объяснила, что Барбаре надо позвонить по указанному телефону. Это тот клерк из генпрокуратуры, с которым ты встречалась, когда помогала инспектору Линли в Камбрии, ты же его еще помнишь... Хочет вернуться к этому делу. Еще раз пройтись по показаниям. Сержант их, конечно, еще не забыла?

Барбара кивнула, потому что, конечно, она помнила. Обвинитель был Королевским адвокатом, с офисом в Миддл-Темпл. Она, сказала сержант, позвонит ему и сразу же займется этим делом.

– Фигово, – сказала Гарриман, понимающе покосившись на дверь кабинета Изабеллы. – Она сегодня с самого утра сама не своя. Непонятно почему.

Барбара все понимала. Одному богу известно, сколько времени длилась любовная связь между Томасом Линли и Изабеллой Ардери. Но всему рано или поздно приходит конец, и Барбара подозревала, что теперь Скотланд-Ярд ждали тяжелые времена.

Она подошла к своему столу и плюхнулась в кресло. Посмотрела на номер, который дала ей Ди Гарриман. Сняла трубку с аппарата и стала нажимать кнопки, когда услышала свое имя – короткое Барб – и, подняв голову, увидела своего сослуживца, детектива Уинстона Нкату, склонившегося над ее столом. Он поглаживал шрам на лице, шрам, который напоминал ему о давнем прошлом, когда он еще был членом одной из уличных банд в Брикстоне. Нката, как всегда, был безукоризненно одет – казалось, он покупает одежду под чутким руководством Гарриман. У Барбары создавалось впечатление, что Уинстон гладит свою сорочку каждые полчаса где-то на задворках офиса. Ни морщинки, ни пятнышка.

– Хочу спросить, – голос был мягким, с акцентом, в котором слышалось его прошлое, с карибскими и африканскими предками.

– О чем?

– Инспектор Линли. Он мне рассказал... Ну то есть... Все рассказал. Ну, ты понимаешь. Не моего ума дело, но мне показалось, что что-то стряслось – ну я и спросил. Ну и, – кивок головы в сторону кабинета Изабеллы, – все вот это.

«Понятно, – подумала Барбара. – Он говорил про ее волосы, но все будут об этом говорить или ей в лицо, или у нее за спиной. В конце концов, Уинстон, как всегда, не изменяет своему такту и говорит открыто».

– Инспектор рассказал мне, что произошло. Про Хадию и ее мамашу. Слушай, я знаю, что она... то есть что ты чувствуешь по этому поводу, ну и все такое. Барб, я не думал, что босс согласится дать тебе отпуск, поэтому...

Он протянул ей вырванный из календаря листок. Листок был из настольного календаря, одного из тех, в которых наверху каждого листка была написана какая-нибудь поучительная сентенция. На этом, в частности, стояло: «Хочешь рассмешить Господа – расскажи ему о своих планах», что, по мнению Барбары, как нельзя лучше подходило к нынешней ситуации. На самом листке каллиграфическим подчерком Уинстона было написано имя Дуэйн Доути и адрес на Роман-роуд в Боу, вместе с телефоном. Прочитав все это, Барбара подняла глаза на Уинстона.

– Это частный детектив, – сказал он.

– Как тебе это удалось так быстро?

– Как и всем – через Интернет, Барб. Страничка сайта с информацией от благодарных клиентов и все такое. Может, он это и сам разместил, но на него стоит обратить внимание.

– Ты знал, что она прикует меня к столу, ведь так? – подозрительно спросила Барбара.

– Да... то есть догадывался.

Уинстон опять тактично не сказал ни слова о ее внешнем виде.

НОЯБРЬ, 19-е

Боу,
Лондон

Следующие два дня Барбара пахала на работе, как раб на галерах. Это включало в себя несколько встреч с представителем Генпрокуратуры, единственным светлым моментом в которых было приглашение на ленч во впечатляющей столовой Миддл-Темпла. Ленч мог бы быть более приятным, не начни Королевский адвокат обсуждать дело в мельчайших подробностях. И в этой ситуации, когда дареному коню... и так далее, Барбаре пришлось призвать на помощь весь свой юмор и здоровый пофигизм, однако и это не уменьшило ее желания уткнуться лицом в гороховое пюре и умереть, вдохнув добрую порцию углеводорода. Это была именно та работа, которую она ненавидела, и Хейверс подозревала, что исполняющая обязанности суперинтенданта Ардери специально заставляла ее заниматься этим, так как это был единственный способ отомстить Барбаре за то, что она сделала с собой.

Ей пришлось полностью выбрить голову. Ничего другого придумать было нельзя, так как стрижку сохранить не удалось. С оставшейся щетиной Барбара напоминала то ли неонациста, то ли боксершу. Все это скрывалось под целым набором разнообразных вязаных шапочек, которые она закупила на рынке на Бревик-Стрит. Сейчас велись два расследования, на которые ее можно было бы назначить, будь на то соизволение Ардери. Инспектор Филипп Хейл возглавлял одно, инспектор Линли – другое. Но Барбара знала, что до тех пор, пока Изабелла Ардери не решит, что сержант уже достаточно наказана за свои грехи, ей придется иметь дело с генпрокуратурой и показаниями свидетелей, которые Королевский адвокат жаждал еще раз перепроверить.

Они закончили после полудня, на второй день после стычки Барбары с суперинтендантом. Барбара подумала, что это ее шанс, и решила им воспользоваться. Она позвонила Ажару на работу, сказала, что едет к нему, и спросила, где его найти. Он объяснил, что у него встреча с четырьмя дипломниками в лаборатории.

– Ждите меня там, у меня есть для вас нечто важное.

Найти лабораторию оказалось легко. Это было место халатов, компьютеров, вытяжных шкафов и табличек «ОСТОРОЖНО». Все это дополнялось впечатляющими микроскопами, чашками Петри, коробками слайдов, застекленными шкафами, холодильниками, вращающимися стульями, компьютерными рабочими станциями и другими, более загадочными предметами. Когда Барбара нашла Таймуллу среди всего этого великолепия, он вежливо представил ее своим студентам. Но вид Ажара заставил ее мгновенно забыть их имена.

С момента исчезновения Хадии Барбара виделась с ним ежедневно. Она приносила ему еду, хотя видела, что ест он очень мало. Сегодня Таймулла выглядел хуже, чем когда-либо – наверное, от недосыпа, решила она. Очевидно, он держался только на сигаретах и кофе. Так же, впрочем, как и она сама.

Барбара спросила его, как быстро он может освободиться. Добавила, что принесла информацию о человеке, который, возможно, сможет помочь. Это частный детектив. Услышав это, Ажар сказал, что освободится немедленно.

По дороге в Боу Барбара рассказала о том, что ей удалось узнать о человеке, в чей офис они сейчас направлялись. Несмотря на уверения неизвестных «удовлетворенных клиентов», она навела о нем справки, что было не очень сложно, принимая во внимание всю ту ерунду, которую люди помещали о себе в Интернете. Барбара узнала, что Дуэйну Доути пятьдесят два года, что по воскресеньям он играет в регби, что он женат уже двадцать шесть лет и у него двое детей. Судя по фотографиям на его страничке в «Фейсбуке», она решила, что он больше всего гордился тем, что каждое последующее поколение его семьи живет лучше, чем предыдущее. Его предки зарабатывали на жизнь в угольных шахтах Уигана. Его дети окончили престижные университеты. Дела для клана Доути развивались таким образом, что его внуки, если они у него будут, закончат уже Оксфорд или Кембридж. Короче говоря, семья была очень амбициозной.

Однако офис Доути располагался в здании, которое было далеко от каких-либо амбиций. На первом его этаже располагалось заведение, носившее гордое название «Кровати и полотенца для тех, кто понимает». В настоящий момент оно было закрыто, а на окна были опущены бледно-голубые защитные шторы, сильно траченные ржавчиной. Сами «Те, кто понимает» располагались в узком здании, втиснутом между отделением банка и халяльным гастрономом. Странно, но улица была практически пустынна. Двое мужчин мусульманской наружности в традиционной одежде выходили из подъезда здания метрах в тридцати – и всё. Большинство магазинов были закрыты. Это был далеко не Центральный Лондон, с его забитыми днем и ночью тротуарами.

Они нашли вход в офис Дуэйна Доути, пройдя в дверь левее «Тех, кто понимает». Та была не заперта и открывалась на лестницу, у подножья которой был линолеум, на котором лежал коврик с приветствием. Вверх по лестнице располагались всего два офиса. На двери одного висело объявление «Стучите, пожалуйста»; на другой, в которую стучать, видимо, было не обязательно, висело объявление с требованием не выпускать кошку.

Они выбрали ту, в которую надо было стучать. Они постучали, и мужской голос с акцентом, который предполагал, что Доути переехал из Уигана в Восточный Лондон много, много лет назад, пригласил их войти. Барбара успела предупредить Ажара, что не будет говорить, что она из полиции. Доути мог подумать, что это какая-то полицейская операция, чего им совсем не хотелось.

Они застали его за попытками загрузить фотографии в электронную рамку. Руководство пользователя было разложено на столе, вместе со шнурами, фотоаппаратом и, собственно, самой рамкой. Детектив уткнулся в руководство, сжав одну руку в кулак, а другой делал непроизвольные движения, как будто хотел смять руководство в комок.

Он поднял на них глаза.

– Написано каким-то китайцем с садистскими наклонностями. И зачем только я с этим связался...

– Понятно, – ответила Барбара.

Даже если бы она не знала, что он играет в любительское регби, форма его носа тут же выдала бы эту тайну. Казалось, что тот был сломан множество раз, и его врач, в конце концов, отчаялся, поднял руки в знак поражения и сказал: «Сдаюсь. Пусть остается, как есть». Нос извивался из стороны в сторону и придавал лицу такой асимметричный вид, что от него невозможно было оторвать глаз. Все остальное в мужчине было средним: средняя комплекция, средний вес, средне-каштановые волосы. Если забыть о носе, то Доути был человеком, на которого вряд ли обратишь внимание на улице. Но нос делал его незабываемым.

– Я полагаю, мисс Хейверс, – сказал он, вставая.

«Рост тоже средний», – подумала Барбара.

– А это ваш друг, о котором вы говорили? – добавил детектив.

Таймулла пересек комнату и протянул руку:

– Таймулла Ажар.

– Господин Ажар?

– Нет, просто Ажар.

Хари – пришло вдруг в голову Барбаре. Анжелина называла его Хари.

– Это по поводу украденного ребенка, – полуутвердительно сказал детектив. – Вашего ребенка?

– Да.

– В таком случае присаживайтесь.

Доути указал на стул перед своим столом. В комнате находился еще один стул, другого фасона, который стоял у окна. Создавалось впечатление, что его поставили туда, чтобы было удобнее наблюдать за происходящим на улице. Детектив взял этот стул и поставил рядом с первым, аккуратно выровняв их края. Пока он занимался этим, Барбара осмотрела офис. Она подозревала, что комната будет выглядеть в лучших традициях берлоги частного детектива, которым было уже больше века, но она выглядела, как кабинет боевого офицера – вся мебель была защитного цвета. На полках располагались соответствующие книги, периодика и выпускные университетские фотографии детей. На столе стояло фото женщины, приблизительно одного возраста с Доути, – видимо, его жены.

Все было в идеальном порядке, начиная от карт Большого Лондона и Великобритании на стенах, до ящиков с входящей и исходящей почтой на столе, на котором так же аккуратно располагались держатели для писем и визитных карточек.

И Ажар, и Барбара внимательно разглядывали офис. Детектив делал какие-то пометки в блокноте, и Барбаре понравилось, что он задавал точные, деловые вопросы.

Хейверс могла рассказать ему больше, чем Ажар рассказал ей и Линли в ночь исчезновения своей дочери. За то свободное время, которое ей удалось выкроить, она смогла разыскать Батшебу Уард, сестру Анжелины Упман.

– Она живет в Хокстоне, – рассказала Барбара детективу и назвала адрес, который он записал крупными печатными буквами. – Замужем за парнем по имени Хьюго Уард. Двое детей, но не ее, а его. Я позвонила ей, и она почти полностью подтвердила все, что касается Анжелины и ее семьи. Все они прекратили общаться друг с другом лет десять назад, когда Анжелина сошлась с Ажаром. Она утверждает, что не знает, где находится сестра, и не горит желанием найти ее. Наверное, здесь стоит копнуть поглубже. Батшеба может врать.

Детектив кивнул, записывая.

– А остальное семейство?

– Упманы живут в Далвиче, – ответила Барбара. Она почувствовала на себе взгляд Ажара и добавила: – Как-то вечером я им позвонила. Просто чтобы узнать, слышали ли они о чем-нибудь. Ничего. Кроме того, что Батшеба говорит правду, утверждая, что любовью там и не пахнет.

– И долго вы с ними общались? – спросил детектив, подозрительно глядя на Барбару сузившимися глазами.

– С отцом семейства? Не очень долго. Просто спросила, где Анжелина. Мол, ее разыскивает старая школьная подружка. Ну, всякое такое... Он не знает, где она, и с гордостью сообщил мне об этом. Может быть, и прикрывал ее... Но мне он не показался человеком, который стал бы сильно из-за нее напрягаться.

Тогда Доути перенес свое внимание на Ажара. Он перевернул страницу в блокноте, куда записал все, что Барбара успела ему рассказать. Наверху страницы детектив вывел большими печатными буквами:

ОТЕЦ

Барбара не видела, что он написал наверху страницы с ее показаниями.

– Назовите мне все имена, – сказал Доути Ажару, – которые вы можете вспомнить в связи с Анжелиной Упман. Меня не интересует, чье это имя или когда она могла познакомиться с этим человеком. Потом мы сделаем то же самое в отношении вашей дочери.

Боу,
Лондон

Когда мужчина с женщиной ушли, Дуэйн Доути подошел к окну. Он подождал, пока они вышли из дома, и понаблюдал, как они прошли к арке, на углу которой была табличка, сообщавшая о том, что прохожий пересекает границу округа Роман-роуд. Они повернули налево, за угол. На всякий случай Дуэйн подождал еще секунд тридцать. Потом вышел из офиса и зашел в соседнюю дверь.

То, что кошка может убежать, его совсем не беспокоило. Кошки вообще не было, а надпись была способом держать посетителей подальше от этой двери. Он вошел в комнату, где за столом перед тремя мониторами сидела женщина. На голове у нее были наушники, и она отсматривала запись встречи, которая только что закончилась. Доути стоял молча, ожидая конца записи. В конце участники пожали друг другу руки, и женщина – Барбара Хейверс – еще раз внимательно оглядела комнату.

– Что думаешь, Эм?

Эмили подождала, пока на пленке Дуэйн не подошел к окну и не спрятался за шторой, потом взяла пакет с чищеной морковью и с хрустом разгрызла одну.

– Коп, – сказала она. – Может быть, из его местного участка, но я бы взяла выше. Одна из этих специальных групп, неважно, как они теперь называются. Я не успеваю за изменениями, которые происходят в Мет.

– А другой?

– С ним вроде бы все в порядке. Ведет себя, как и должен вести себя человек, у которого жена украла дочь. Мамаша не собирается причинить дочери вред, и папочка знает об этом. Поэтому видно, что он в отчаянии, но это не то чувство ужаса, которое испытывает человек, когда его ребенка крадет маньяк.

– Ну, и... – произнес Доути, как всегда с любопытством следя за тем, как работают ее мозги.

Эмили откинулась на стуле, зевнула и энергично почесала голову. У нее была мужская стрижка, и она носила мужскую одежду. Ее часто принимали за мужчину, и ее хобби тоже больше подходили мужчине, чем женщине: лыжный слалом, сноуборд, серфинг, скалолазание и горный велосипед. В двадцать шесть лет она была правой рукой Доути – лучшим расследователем в бизнесе и еще лучшим преследователем. Она легко могла пробежать с утра 12 миль с сорока фунтами за плечами и вовремя появиться в офисе.

– Думаю, все как обычно. Просто надо быть немного осторожнее и беречь тылы, а также не нарушать закон. – Эмили отъехала от мониторов и встала. – Угадала?

– Полностью согласен.

НОЯБРЬ, 30-е

Боу,
Лондон

Прошло две недели.

Дуэйн вновь пригласил Барбару и Ажара в свой офис. За это время частный детектив съездил в Чолк-Фарм, чтобы посмотреть на квартиру Ажара. Побродил вокруг, изучая то немногое, что стоило изучения. Взглянул на школьную форму Хадии и поинтересовался у Ажара, почему плюшевый жираф остался, тогда как все остальное было вывезено. Задумчиво покивал, слушая рассказ Ажара о том, что ему пришлось покупать Хадии нового жирафа, потому что того, которого он для нее выиграл, у нее украли на пирсе во время их отпуска. Забрал компьютер девочки, сказав, что его изучит один из его помощников.

Теперь они сидели в его офисе на тех же самых стульях, что и прежде.

Доути лично встретился с Батшебой Уард, сестрой Анжелины. К сожалению, он мало что мог добавить к тому, что Барбара уже выяснила. В дополнение к ее информации они теперь знали, что у Батшебы в Лондоне, в районе Айлингтона, был бизнес по дизайну мебели, который назывался «УАРД».

– Шикарный магазин и все такое, – рассказывал Доути. – Стоит немалых денег, и, кажется, за все платит муж.

Муж был на двадцать три года старше Батшебы. Хьюго Уард оставил жену и двух детей через шесть месяцев после того, как на Риджент-стрит предложил свой зонтик Батшебе, ловившей такси.

– Любовь с первого взгляда, – сказал детектив с небрежным взмахом руки. Потом задумался и добавил: – Не хотел никого обидеть, о присутствующих мы не говорим.

– Никто и не обиделся, – тихо ответил Ажар.

Барбара подумала, что съем женатых мужиков был, по-видимому, хобби семейства Упманов. Обе сестрички пошли по этому пути.

– Больше от этой девицы я ничего не добился. Сразу начинала кривить губки, как только спрашивал о сестре. Действительно, любви там никакой нет. Мне выдали пятнадцать минут из того, что назвали «драгоценным временем», а уложились мы и вовсе в десять. Она либо лучшая врунья среди тех, кого я когда-либо встречал, либо действительно не знает, где Анжелина.

– И больше ничего? – спросила Барбара.

– Ничегошеньки.

– А что с компьютером Хадии?

– На первый взгляд он стерильно чист.

– На первый взгляд?

– Извлечение стертых данных... Такие вещи требуют времени и некоторой доли деликатности, знания некоторых специфических программ, – пояснил Доути. – Быстро здесь не бывает. Если бы это было не так, то нам не нужны были бы эксперты. Поэтому давайте надеяться. Жесткий диск был вычищен. Наверное, для этого была причина, и у нас есть надежда выяснить, какая.

Ажар вынул из портфеля плотный конверт. Он получил по почте распечатку расходов с карточки Анжелины – может быть, это поможет? Детектив надел пару дешевых очков для чтения, которые можно купить в любой аптеке, посмотрел на бумаги и сказал:

– Этот счет из Дорчестера. Интересно. За комнату заплатить не хватит, но...

– Это послеполуденный чай, – сказала Барбара. – Мы ходили вместе с Анжелиной и Хадией. Датировано началом месяца?

Доути кивнул и продолжал просматривать счета. Извлек счет из салона, где Барбаре сделали ее несчастную стрижку. Хейверс объяснила, что Анжелина тоже стриглась в этом салоне у стилиста по имени Дасти. Доути аккуратно записал это, сказав, что с Дасти придется переговорить, так как перед исчезновением Анжелина могла изменить прическу или цвет волос. Еще несколько счетов были из бутиков в районе Примроуз Хилл, но счетов, датированных после посещения парикмахерской, просто не было. По-видимому, Анжелина Упман прекратила пользоваться карточкой перед исчезновением, понимая, что в противном случае оставит надежный след.

– У нее может быть совсем другая карточка, – объяснил частный детектив, – и она может жить под другим именем. Могла получить новый паспорт и удостоверение личности. Если это так, то она, наверное, воспользовалась способом, которым пользуется большинство в этой ситуации: использовала имена и фамилии, которые легко найти в банках данных. Вы, случайно, не знаете девичью фамилию ее матери?

– Нет, – Ажар выглядел расстроенным. Как многого он, оказывается, не знал о женщине, которая родила ему ребенка.

– Может быть, мне позвонить ее родителям?

– Я могу узнать, – сказала Барбара. В конце концов, для сотрудника полиции это не составляло труда.

– Нет, – возразил Доути. – Позвольте уж мне все сделать самому.

Он положил счета в папку, на которой, заметила Барбара, было напечатано *Упман/Ажар* и год. Сняв очки, наклонился в их сторону, переводя взгляд с Ажара на Барбару и обратно.

– Должен вас спросить, но только без обид. Вы не давали ей повода скрыться? Я попробую объяснить. Кажется, что вы очень близки. Вы похожи на друзей, но, исходя из моего опыта, если мужчина и женщина дружат, то между ними есть еще что-то. Наверное, по-научному это как-то называется, но я этого термина не знаю. Что я хочу спросить – вы двое не сделали ничего такого, о чем бы она могла узнать и в чем бы могла вас упрекнуть?

Барбара почувствовала, что краснеет. Ажар ответил на вопрос:

– Конечно, нет. Барбара – такой же друг Анжелины, как и мой. Она также очень близка с Хадией.

– Анжелина знала, что между вами двумя ничего нет?

Барбаре хотелось сказать: «Посмотри на меня, идиот», но что-то не позволило ей высказаться. Вместо этого она услышала, как Ажар сказал:

– Конечно, она знала, что между нами ничего не могло быть...

Ей захотелось спросить: «Почему?», хотя она хорошо знала ответ.

– Ну хорошо. Я просто спросил. Все камни перевернуты, и все простыни перестелены, если вы понимаете, о чем я.

«Он не может жить без клише, – подумала Барбара. – Хотя это частному детективу можно и простить».

– Кроме компьютера, осталась еще ваша семья, – обратился он к Ажару. – Возможно, они избавились от Анжелины и ее дочери, чтобы заставить вас вернуться к ним.

– Это невозможно.

– Что именно – избавиться или вернуться?

– Ни то, ни другое. Мы не общаемся уже много лет.

– Общение, приятель, здесь не самое главное.

– И все-таки я бы не хотел, чтобы их вовлекли во все это.

Барбара взглянула на Ажара, взглянула первый раз с того момента, когда Доути стал спрашивать об их взаимоотношениях, и сказала:

– Анжелина могла отыскать их, Ажар. Могла выследить. Однажды она заговорила о них со мной. Если она *действительно* нашла их... Если действительно предпринимались какие-то шаги... Это надо проверить.

– Ничего проверять не надо. – В голосе Ажара послышались стальные нотки.

Доути, услышав это, развел руками.

– Ну что ж, у нас остается компьютер и девичья фамилия матери. Причем хочу предупредить, что на последнюю, скорее всего, рассчитывать не стоит.

Он открыл ящик и вытащил визитную карточку, которую протянул Ажару.

– Позвоните мне через пару дней, и я расскажу вам, что удалось узнать. Как я уже говорил, может статься, информации будет не много. Но даже если мы узнаем... Вы понимаете, что главная проблема в том, что у вас нет никаких прав?

– Поверьте, об этом я помню постоянно, – ответил Ажар.

Боу,
Лондон

Доути повторил весь ритуал прошлой встречи, после того как Таймулла Ажар и его спутница ушли. Он обнаружил Эм Касс на ее обычном месте, запустившую запись закончившейся беседы. На ней был одет винтажный мужской костюм-тройка; галстук она распустила, хотя жилетка была застегнута на все пуговицы. На вешалке в углу висели мужской плащ и шляпа с полями. Под ними стоял черный зонтик. Глядя на Эм – что, по мнению Доути, довольно приятно, – невозможно было предположить, что она легко снимала мужиков в клубах для анонимного секса. Эмили любила засекать время с момента первого взгляда до самого акта. Пока ее рекорд равнялся тринадцати минутам. В последние два месяца она тщетно пыталась его улучшить. Доути тратил много времени и сил, чтобы объяснить ей всю опасность подобного поведения. *Ее* реакция всегда была одна и та же: «Не учите меня жить». *Его* реакция на ее реакцию тоже всегда была одна и та же: «Ну конечно, я уже старик, а тебе двадцать шесть, и ты чувствуешь себя бессмертной».

Сейчас он спросил:

– Ну и что же у нас есть?

– Она хорошо путает следы. Нам нужна эта девичья фамилия. Дамочка из Скотланд-Ярда легко могла бы достать ее. Почему ты отказался?

– Потому что она не знает, что мы знаем, что она из полиции. Ну, и другие причины... Шестое чувство.

– Ох уж эти твои предчувствия, – сказала Эм.

– Потом, я верю, что для тебя тоже не составит большого труда найти эту фамилию. Что у нас с этим компьютером?

– Я пыталась, но, к своему большому сожалению, должна признать, что без Брайана нам не обойтись.

– Если я правильно помню, последний раз ты сказала «никогда больше», – заметил Дуэйн.

– Сказала. Будет здорово, если ты найдешь кого-нибудь другого.

– Лучше его никого нет.

– Ну, не сошелся же на нем свет клином.

Эмили откатилась от стола и задумчиво взяла свои ключи. Их было всего три – от дома, от офиса и от машины. Перебирать их на кольце, когда что-то обдумываешь, вошло у нее в привычку. Но сейчас она не перебирала их, а внимательно смотрела на брелок. Неизвестная птичка с гримасой канарейки, не любящей дураков.

– А что, если...

– Что «что, если»? – повторил детектив, подбадривая ее. Эм была человеком действия, и столь долгие размышления были совсем не в ее стиле.

– Я заметила этот фокус с карточкой, Дуэйн. Что ты задумал?

Доути улыбнулся.

– Ты никогда не устаешь удивлять. Неудивительно, что Брайан хочет переспать с тобой.

– Прошу тебя. Он отвлекает меня от работы, правда.

– Я думал, тебе нравятся мужчины, которые к тебе неравнодушны.

– Некоторые. Но такие придурки, как Брайан Смайт... – Она пожала плечами и бросила ключи на стол.

– Уступи ему хоть на йоту, и он решит, что совершенно неотразим. Я не люблю мужчин, которые так откровенно показывают, чего хотят.

– Постараюсь это запомнить, – Доути притворился, что записывает на манжете. – Ну ладно, оставим эту ерунду, – сказал он, кивнув на ее телефон. – Сколько времени тебе потребуется, чтобы найти девичью фамилию?

– Дай мне десять минут, – ответила Эм.

– Время пошло, – детектив направился к двери и уже положил руку на ручку, когда Эм снова заговорила:

– Ты так и не сказал.

Он обернулся:

– Не сказал что?

– Ты не ответил на вопрос. Ловко перевел стрелки на Брайана, но ты же понимаешь, со мной это не пройдет.

– А что это был за вопрос? – Дуэйн надел на лицо маску абсолютной невинности.

Эмили рассмеялась.

– Ну и пожалуйста. Независимо от того, что ты замышляешь и сколько ты хочешь содрать с лопуха, давай попробуем держаться в рамках закона, хотя бы для приличия.

– Даю слово, – торжественно сказал Доути, прижав руку к груди.

– *Звучит* многообещающе, – ответила Эм.

ДЕКАБРЬ, 17-е

Сохо и Чолк-Фарм,
Лондон

Уже третий час Барбара Хейверс таскалась по магазинам на Оксфорд-стрит, прежде чем ей пришло в голову, что неплохо было бы застрелить Бинга Кросби. Или лучше того идиота, который сочинил этого «Маленького барабанщика», потому что, если оставить его в живых, то кто-нибудь другой, а не Бинг, обязательно будет мурлыкать «па-рам-пам-пам-пам», хотя бы один раз в час и во всех магазинах, начиная с первого ноября и до двадцать четвертого декабря[1].

Проклятая песня доставала ее с того момента, когда она вышла из метро на Тоттенхэм-Корт-роуд. Там ее поприветствовал уличный музыкант, исполнявший этот шедевр у эскалатора; эта же песня звучала в «Аксессуарах», перед «Старбакс» и при входе в Бутс. Слепой скрипач, который последние несколько недель ошивался у входа в «Селфриджиз», тоже отдавал должное этим сентиментальным соплям. Сие походило на китайскую пытку водой.

---

[1] Помимо Бинга Кросби, рождественскую песенку «Маленький барабанщик» (*англ.* Little Drummer Boy) исполняло в разные времена множество поп-звезд первой величины.

Имея всего одного члена семьи, для которого надо было купить подарок, Барбара обычно делала это с помощью каталога и телефона. Нужды ее матери были простыми, а желаний практически не существовало. Она проводила свои дни перед видеомагнитофоном, за фильмами с Лоуренсом Оливье, и чем раньше был снят фильм, тем лучше. А когда она не смотрела кино, то помогала сиделке ухаживать за другими постояльцами ее дома в Гринфорде. Сиделку и владелицу заведения звали Флоренс Маджентри – Миссис Фло для тех, кто пользовался ее услугами, – и Барбара должна была купить подарок и для нее. Обычно она искала презенты и для своих соседей, особенно для Хадии. Но до сего дня ее местонахождение так и оставалось неизвестным, и каждый прошедший день уменьшал надежду отыскать ее.

Барбара старалась не думать о Хадии. Она говорила себе, что ее поисками занимается частный детектив. Когда что-нибудь станет известно, Ажар сообщит об этом ей первой.

Ему она тоже искала подарок. Хотелось купить что-нибудь, что могло хоть на короткое время развеселить его. За недели, прошедшие с момента пропажи Хадии и ее матери, Таймулла становился все более и более молчаливым и старался появляться в своей квартире как можно реже. Барбара не могла винить его за это. Что еще он мог сделать? Ничего, если только не решил начать свои собственные поиски. Но куда бы он направился в этом случае? Мир огромен, а Анжелина Упман спланировала свой побег из Чолк-Фарм так, чтобы не оставить никаких следов.

Барбара старалась не терять надежду, что Дуэйну Доути все-таки удастся найти девочку и ее мать.

Но сейчас, здесь, на Оксфорд-стрит она все время возвращалась мыслями к тому последнему разу, когда была в этой части города. Летом, после очередной настоятельной рекомендации Изабеллы Ардери сделать что-то со своим гардеробом, Барбара вместе с Хадией приехала сюда, дабы заложить фундамент своего нового стиля. Они смогли приобрести несколько неплохих вещей и очень веселились при этом, а теперь все это ушло из ее жизни. Как результат, Барбара находилась в такой же депрессии, как и Ажар, но она понимала, что прав на это у нее гораздо меньше, чем у него. В конце концов, девочка не была *ее* дочерью, хотя иногда она чувствовала именно так.

«Па-рам-пам-пам-пам» испытало терпение Барбары по крайней мере еще раз семь, пока она, наконец, не нашла того, что искала в подарок Ажару.

Рядом с Бонд-стрит стояли несколько красочно разукрашенных прилавков, на которых продавалось все, что угодно – от цветов до шляп. Среди всего этого великолепия один продавец торговал настольными играми. Среди них была одна, под названием КРАНИУМ[1]. «Игра для мозга? – подумала Хейверс. – Или о мозге? Или мозг необходим для того, чтобы играть в эту игру? В любом случае куплю», – решила она. Отличный выбор для профессора микробиологии. Барбара отдала деньги и быстро ретировалась.

Когда зазвонил ее мобильный, Хейверс уже возвращалась к станции метро. Она открыла его, не посмотрев на номер. Было неважно, кто звонил. При любых других обстоятельствах она бы сделала все возможное, чтобы не возвращаться на работу, но не сейчас. Сейчас она была не против работы. Работа помогала забыться.

Однако звонок был от Ажара, а не из Скотланд-Ярда. Услышав его голос, Барбара почувствовала радость.

Он увидел ее машину перед домом. Она не откажется уделить ему пару минут?

Черт, она сейчас на Оксфорд-стрит, хотя уже едет домой. Что-то случилось?.. Появилось что-то новое?.. Что-то, что ей надо знать?

Он сказал, что подождет ее. Сам он был дома, и недавно вернулся со встречи с мистером Доути.

– И?..

– Мы поговорим, когда вы вернетесь.

Его тон не предвещал ничего хорошего.

Барбара достаточно быстро добралась до Итон Виллас – чудо, если принять во внимание, что она пользовалась печально известной Северной веткой. С подарками в руках Хейверс направлялась к своему бунгало, когда Ажар вышел из своей квартиры. Он подошел и вежливо взял два из ее пакетов. Барбара поблагодарила, стараясь звучать беззаботно, как это и полагается в праздники. Однако по выражению его лица она поняла, что ее догадка после разговора с ним была правильной.

– Что хотите выпить? Чай или джин? У меня есть и то и другое. Немного рановато для джина, но какого черта. Если очень хочется, то немножко можно, – спросила Барбара.

– Если бы только Ислам позволял мне выпить, – улыбнулся Ажар.

– Всегда можно найти оправдание. Но я не хочу быть вашей искусительницей. Тогда чай. Крепкий. У меня еще есть кексы, и поверьте, я не каждому их предлагаю.

---

[1] Cranium (*лат.*) – череп.

– Вы очень добры ко мне, Барбара, – Таймулла улыбнулся еще раз, но улыбка вышла какой-то кривой. Он всегда был очень воспитанным.

В своем маленьком бунгало Барбара зажгла электрический камин и сняла пальто, перчатки и шарф. Про вязаную шапку она еще не решила. Ее волосы начали отрастать, но она все еще смотрелась как пациент после курса химиотерапии. С самого начала Ажар деликатно обходил стороной тему ее новой прически. Маловероятно, что сейчас он изменит себе и станет задавать вопросы о ее бритой голове. Поэтому Барбара подумала, а ну его к черту, и, сняв шапку, бросила ее вместе с остальной одеждой на кушетку.

Она занялась приготовлением чая и разогреванием кексов в духовке. То, что у нее оказалось масло для кексов и молоко для чая, заставило ее думать о себе как о настоящей опытной хозяйке. Еще утром, до того как поехать за покупками, Барбара попыталась привести свою квартиру в какой-то относительный порядок. Это позволило Ажару усесться за стол и даже спокойно смотреть на кухню, не боясь увидеть ее трусики на веревке над плитой.

Он не начинал своего рассказа до тех пор, пока она не поставила на стол чайник с чаем, чашки, кексы и всякую другую ерунду. Потом, как будто издеваясь, завел светский разговор о покупках к Рождеству, здоровье ее матери и о том, что инспектор Линли будет встречать первое Рождество после смерти его жены. Наконец Таймулла сказал, что ездил в Боу по вызову Дуэйна Доути. Сначала он подумал, что у того были хорошие новости. Ажар решил, что Доути хочет лично продемонстрировать ему, чего смог достичь. Но оказалось все наоборот.

– Он просто хотел получить свои деньги. По-видимому, ему было недосуг ждать, пока чек дойдет по почте, и он попросил меня приехать лично.

– Он что-нибудь сказал? Ну хоть что-то?

Барбаре хотелось также знать, почему Ажар не пригласил ее поехать к детективу вместе. Но она мысленно остановила себя и взяла в руки. Великий Боже, у этого человека украли дочь, и ему было гораздо важнее узнать, нашлась ли она, чем думать о том, чтобы пригласить Барбару на этот разговор.

Ажар рассказал:

– Доути узнал девичью фамилию матери Анжелины. Рут-Джейн Сквиа. Но это все, что ему удалось. Судя по его источникам, Анжелина так и не воспользовалась ей ни для получения нового паспорта или водительского удостоверения, ни для получения фальшивой метрики или каких-либо других документов.

– И это все? – спросила Хейверс. – Ажар, я не вижу логики. Эти парни, частные детективы, только и знают, что нарушают закон. Все они делают это в большей или меньшей степени. Они роются в человеческом мусоре, подключаются к телефонам, взламывают электронную почту, перехватывают простую, используют платных агентов...

– Агентов?

– Ну да. Каких-нибудь мошенников, которые готовы за деньги добыть для них нужную информацию: например, позвонить врачу Анжелины и, притворившись социальным работником, спросить: а не могли бы вы мне сказать, действительно ли Анжелина заражена сифилисом?

– А зачем? – спросил Ажар удивленно.

– Затем, что люди начинают говорить, если думают, что у вас есть право задавать вопросы. Эти мошенники всегда выглядят и звучат более официально, чем официальные лица. Я думала, что их много в распоряжении Доути.

– У него есть помощник. Женщина. Но она искала в авиакомпаниях, таксопарках, поездах и в метро. Она ничего не нашла.

– Эта женщина присутствовала на вашей встрече с Доути? Она сама вам все это рассказала?

– У Доути был ее письменный отчет. Сам я ее не видел. – Ажар скривился. – А это так важно? Ну, чтобы я сам с ней встретился?

Он взял кекс со стола, внимательно осмотрел его и положил обратно.

– Надо было взять вас с собой. Вы бы обо всем подумали. Но... Мне не терпелось узнать. Когда он позвонил мне и сказал, что нам надо срочно встретиться и что он не хочет обсуждать новости по телефону, – Ажар отвел взгляд, и Барбара почти реально ощутила весь тот груз, который давил на него, – я подумал, что он нашел ее. Я подумал, что вот сейчас я войду в офис, и она будет там, и, может быть, даже с Анжелиной. И мы все вместе сможем поговорить и прийти к какому-то соглашению.

Он взглянул на сидящую перед ним Хейверс.

– Конечно, это было глупо с моей стороны, но я уже много лет веду какую-то глупую жизнь.

– Не говорите так. В жизни случается всякое. Мы совершаем поступки, мы принимаем решения – все это ведет к каким-то последствиям. Так уж устроена наша жизнь.

– Да, это правильно. Но моя первая реакция была бездумной и иррациональной. Такой же, как когда я увидел ее, – сказал вдруг Ажар.

– Анжелину? – Сердце Барбары пропустило удар, по телу прокатилась дрожь возбуждения. – *Где* увидели?

– В том зале, где она сидела. Там были свободные места, но я подошел и спросил, могу ли я сесть рядом с ней, хотя это и было неправильно.

Он замолчал, то ли обдумывая свои слова, то ли оценивая, как они могут повлиять на его отношения с Барбарой.

– Именно тогда и там я решил, что у нас будут отношения. Это было решение, продиктованное только моим эгоизмом. И оно было таким глупым...

Барбара не была уверена, что знает, как должна реагировать на все это. Ее совершенно не касалось, как начиналась связь, позже приведшая к появлению на свет Хадии. Но то, что это ее не касалось и случилось в далеком прошлом, не значило, что она не может анализировать все это и делать выводы. Барбаре просто не нравилось гадать на кофейной гуще. Еще меньше ей нравились ее выводы. И она ненавидела саму себя за то, что и ее гадания, и ее выводы влияли на нее, на Барбару Хейверс. Они невольно заставляли ее стараться понять, что это значило – быть такой женщиной, как Анжелина Упман. Женщиной, на которую такой мужчина, как Ажар, мог посмотреть всего один раз и принять решение – решение, которое могло уничтожить весь его мир.

– Мне очень жаль. Я говорю не о Хадии. Думаю, вы о ней тоже не жалеете.

– Конечно, нет.

– Ну, так и на чем мы стоим? Вы заплатили Доути за его работу, и что теперь?

– Дуэйн сказал, что рано или поздно она где-то проявится. И что для меня было бы неплохо нанести визит родителям Анжелины. Еще он сказал, что она объявится у них рано или поздно, потому что люди редко рвут навсегда со своими семьями, особенно когда пропадают причины для этого.

– А причина эта, по-видимому, вы?

– Доути сказал, что если их ненависть ко мне была обусловлена тем, что я завел с ней интрижку, а затем отказался жениться, то мне надо приехать к ним и сказать, что теперь я готов жениться. Тогда все якобы будет прощено и забыто.

Барбара покачала головой.

– Ну, а это-то он откуда взял? Карты таро нашептали?

– Сестра Анжелины. Как он понял, ее сестра отнюдь не была полностью «изгнана и забыта», хотя совершила точно такой же поступок. Он утверждает, что разница только в том, что сестра все-таки вышла замуж. Из этого Доути заключил, что если я заявлю о своем намерении жениться, то родители расскажут мне все, что знают. Все, что они уже знают или еще узнают об ее исчезновении.

– А почему Доути считает, что они что-то знают? – спросила Барбара.

– Потому что никто не исчезает бесследно. То, что Анжелина не оставила никаких следов, доказывает, что ей кто-то помогал.

– Ее родители?

– Мистер Доути выразился следующим образом: ее родители относятся к категории людей, ничего не имеющих против внебрачных связей, если последние заканчиваются свадьбой. Он сказал, что на этом я и должен сыграть. Сказал, что мне надо учиться манипулировать другими людьми.

Таймулла взглянул на нее с легкой улыбкой, но глаза у него были такие усталые, что Барбаре захотелось обнять и укачать его. Манипулирование другими людьми никогда не было сильной стороной Ажара, даже в ситуации, когда он отчаянно хотел вернуть своего ребенка. Она не очень понимала, как это можно сделать.

– Ну, и каков же ваш план?

– Поехать в Далвич и поговорить с ее родителями.

– Тогда разрешите мне поехать с вами.

Его лицо смягчилось.

– Друг мой Барбара, я надеялся, что вы мне сами это предложите.

ДЕКАБРЬ, 19-е

Далвич-вилидж,
Лондон

Барбара Хейверс никогда до этого не была в Далвиче, но когда она только увидела это местечко, то поняла, что это та часть города, которая могла бы ей понравиться. Находившийся далеко к югу от реки, Далвич совсем не походил на городской район. Больше всего он был похож на то, что можно было бы назвать «зеленый пригород», хотя сейчас деревья, растущие вдоль всех улиц, были голыми. Но, глядя на их ветви, было понятно, что летом под ними была глубокая тень, а осенью – целое буйство красок. Они обрамляли широкие тротуары, на которых не было ни соринки и никаких следов жевательной резинки, которая покрывала все тротуары в Центральном Лондоне.

Дома в этой части вселенной тоже были впечатляющими: кирпичными, большими и дорогими. Магазины на центральной улице предлагали прохожему все, что угодно – от женских бутиков до дорогущих заведений «только для джентльменов». Начальные школы располагались в ухоженных зданиях викторианской постройки. А Далвич-парк, Далвич-колледж и Далвич-Холл были ярким примером того окружения, в котором протекала жизнь верхушки среднего класса, которая распивала коктейли и не соглашалась, чтобы отпрыски ее семей получали образование где-нибудь, кроме самых дорогих закрытых школ.

Состояние *рыбы, выброшенной на берег*, не полностью соответствовало состоянию Барбары, ехавшей на своем древнем «мини» по улицам этого района. Вся надежда была на то, что Ажар, внимательно изучавший карту на соседнем сиденье, найдет, наконец, искомый дом. Ей немного повезет, и она не будет чувствовать себя в нем как беженец из разрушенной войной страны, приехавший на машине, пожертвованной известной христианской организацией.

Однако ей не повезло. Дом, о котором Ажар тихо сказал: «Кажется, это то, что мы ищем», стоял на углу Фрэнк-Диксон-клоуз. Он был построен в неогеоргианском стиле: идеально симметричный, большой, кирпичный и очень красивый. Дом был выкрашен в белый цвет, а решетка, дождевые трубы и стоки – в черный.

Ухоженная лужайка перед домом, без единого торчащего стебелька, была разделена на две части дорожкой, вымощенной плиткой, которая вела к входу. С каждой стороны дорожки уличные светильники освещали цветочные клумбы. В каждом окне самого дома было видно по искусственной свече – свидетельство наступившего сезона праздников.

Барбара припарковалась, и они с Ажаром уставились на это великолепие. Наконец Хейверс смогла произнести:

– Кажется, здесь не принято экономить.

Она посмотрела на соседние дома. Каждый дом, который попадался ей на глаза, стоил невероятных денег. Вне всякого сомнения, Фрэнк-Диксон-клоуз был мечтой домушника, превратившейся в реальность.

Когда Барбара и Таймулла постучали в дверь, никто не открыл. Под праздничным венком они нашли звонок и позвонили. Теперь им повезло больше, так как внутри дома они услышали: «Хамфри, дорогой, ты можешь открыть?» Через мгновение множество замков были переведены из положения «закрыто» в положение «открыто», дверь распахнулась, и перед Хейверс и Ажаром предстал отец Анжелины Упман.

Таймулла рассказал Барбаре, что Хамфри Упман был управляющим банком, а мать Анжелины – детским психологом. Он, правда, не упомянул, что мужчина был расистом, однако это сразу стало понятно. Его выдало выражение лица. Это выражение называлось «все соседи могут идти к черту»; ноздри Упмана раздувались, и он заблокировал дверь, как будто боялся, что Ажар сейчас ворвется в дом и вынесет фамильное серебро.

– Чем обязан... – произнес он, и было понятно, что он знает, кто такой Ажар, хотя и не очень понимает, кто такая Барбара.

Хейверс взяла ситуацию в свои руки, показав ему свое удостоверение.

– Хотелось бы поговорить, – пояснила она, пока тот пристально изучал документ.

– И что нужно от меня полиции?

Хамфри вернул удостоверение, но не открыл дверь, продолжая блокировать ее своим телом.

– Разрешите войти, и я с удовольствием объясню вам, – сказала Барбара.

Он подумал секунду и, показав пальцем на Ажара, сказал:

– Этот останется здесь.

– Сильно сказано, но это не лучшее начало для нашего диалога.

– А мне ему нечего сказать, – ответил банкир.

– Это хорошо, потому что ничего говорить и не нужно.

Барбара размышляла, сколько еще времени может занять этот спор на пороге, когда за его спиной раздалось:

– Хамфри, что слу...

Голос женщины замолк, когда через плечо мужа она увидела в дверном проеме Ажара.

– Анжелина пропала, – обратился к ней Таймулла. – Ее нет уже целый месяц. Мы пытаемся...

– Нам хорошо известно, что она пропала, – вмешался Хамфри Упман. – Давайте я вам все объясню – так, чтобы не было недопонимания. Если бы наша дочь умерла, то есть если бы она сейчас была мертва, это не имело бы для нас никакого значения.

Хейверс хотела спросить у него, всегда ли он испытывал такие теплые отцовские чувства по отношению к дочери, но не успела.

– Впусти их, Хамфри, – сказала мать Анжелины.

На что он, не глядя на нее, произнес:

– Мусору не место в этом доме.

Барбаре пришло в голову одно милое простонародное выражение, но она понимала, что его слова не относятся к ней. Целью его грубости был Ажар.

– Господин Упман, если вы будете продолжать в этом же роде...

Госпожа Упман прервала ее:

– Впусти их, Хамфри.

Тот помедлил – совсем чуть-чуть, просто чтобы показать жене, что позднее ей придется ответить за свои слова, – затем развернулся на каблуках и позволил ей распахнуть дверь и дать им войти. Миссис Упман провела их в гостиную, изумительно декорированную, однако без каких-либо признаков вкуса хозяйки. Было видно, что это работа профессионального декоратора. Через большие французские окна был виден сад – светильники, освещающие дорожки, фонтан, статуи, пустынные клумбы и лужайка.

В углу комнаты стояла елка – еще не украшенная, но было очевидно, что их приход оторвал Рут-Джейн именно от этого занятия. На полу были разложены гирлянды, а на камине стояла коробка с украшениями.

Она не предложила им сесть – не предполагалось, что они задержатся надолго – и спросила:

– У вас есть основания предполагать, что моя дочь мертва?

Это было произнесено голосом, начисто лишенным эмоций.

– Она с вами связывалась? – спросила Барбара.

– Когда она связалась с этим человеком, – косой взгляд на Ажара, – мы прекратили с ней всякое общение. Она не хотела понять нас, а мы не понимали ее. Поэтому мы отказались от общения с ней. – Миссис Упман обратилась к Таймулле: – И что же, она все-таки ушла от вас? Ну, а чего еще можно было ожидать?

– Она уже уходила от меня один раз, – сказал Ажар с чувством собственного достоинства. – Мы пришли к вам, потому что моим единственным желанием...

– *Неужели*? Неужели она уже уходила от вас? Но почему-то в тот раз, когда бы это ни было, вы не примчались сюда с расспросами. Почему же вы появились сейчас?

– Она пропала вместе с моей дочерью.

– Это с которой? – И, заметив удивление на лице Ажара, Рут-Джейн гордо добавила: – Да, мистер Ажар, мы все о вас знаем. В том, что касается вас, Хамфри хорошо поработал и получил от меня высокую оценку.

– Анжелина увезла с собой Хадию, – нетерпеливо вмешалась Барбара. – Я думаю, вам не надо объяснять, кто она такая?

– Полагаю, это та девочка, которую родила Анжелина.

– А я полагаю, что это та девочка, которая еще и скучает по своему папе.

– В любом случае, она меня не интересует. Так же, как и Анжелина. Так же, как и вы. Ни я, ни мой муж, никто из нас не знает, где она находится, куда направляется и где окажется в будущем. Что-нибудь еще? Я хотела бы закончить украшение елки, если вы не возражаете.

– Она с вами связывалась? – повторила сержант Хейверс.

– Я, кажется, только что сказала...

– Вы сказали, что не знаете, где она, куда направляется и где окажется в будущем. Вы не ответили, связывалась ли она с вами. Как мы с вами понимаем, во время вашего разговора ей совсем не обязательно было говорить, где она находится.

На это Рут-Джейн ничего не ответила. Попалась, подумала Барбара. Но она также подумала, что мать Анжелины Упман ни за что на свете не даст им никакой зацепки. Анжелина могла связаться с ней тысячью разных способов, чтобы сообщить, что ушла от Ажара. Но, в любом случае, Барбаре она в этом не признается.

– Ажар хочет знать, где находится его дочь, – спокойно сказала Барбара, – можете вы это понять?

Казалось, Рут-Джейн была абсолютно спокойна.

– Понимаю я это или нет, не имеет никакого значения. Мой ответ неизменен – у меня не было никаких личных контактов с Анжелиной.

Барбара достала свою визитную карточку и протянула ее женщине:

– Я бы хотела, чтобы вы позвонили мне, если что-то услышите. В любое время. Даже в Рождество.

– Вы можете хотеть все, что угодно, но мы не обязаны выполнять ваши желания. Даже в Рождество.

Барбара положила карточку на ближайший столик.

– Подумайте обо всем, что я сказала, миссис Упман.

Казалось, что Ажар хочет что-то добавить, но Барбара кивнула на дверь. Дальше спорить было бессмысленно. Рут-Джейн может сообщить им, если Анжелина с ней свяжется. А может и не сообщить. Повлиять на нее было не в их силах.

Они направились к двери. В коридоре на стенах висели фотографии. Несколько из них были моментальными черно-белыми снимками. Барбара остановилась посмотреть на них. Она поняла, что сюжет у всех был один и тот же – две девочки. На одной они строили песочный замок на берегу моря; на другой катались на карусели – одна сидела на высокой лошадке, другая – на низкой; на третьей протягивали морковки пони и ее очаровательному жеребенку. Однако интересны были не сами сценки, не то, как фотографии были оправлены в рамки, и не то, как они были сделаны. Интерес вызывали сами девочки на фото.

Барбара поняла, что на фото были Анжелина и Батшеба. «Интересно, – подумала она, – почему никто никогда не сказал мне, что они были абсолютно идентичными близнецами?»

ДЕКАБРЬ, 20-е

Айлингтон,
Лондон

У Барбары было чувство, что у них остался всего один, последний шанс. На следующий день, во время ленча, она решила проверить его, ничего не говоря Ажару. Он и так был достаточно расстроен. Для него выписанный Доути чек за услуги значил «расследование закончено, забудьте». Барбара же думала, что расследование может быть *закончено* для Доути, но для нее оно продолжалось. Она намеревалась использовать малейшую возможность и изучить мельчайшие улики, которые только можно заполучить. Барбара не могла смириться с тем, что Хадия и ее мать исчезли навсегда.

Она на удивление хорошо вела себя на работе. Понимая, что прошлого не воротишь и что происшедшее с ее прической сильно подпортило ее репутацию, старалась хотя бы своей одеждой исправить ситуацию и восстановить отношения с исполняющей обязанности суперинтенданта Изабеллой Ардери. Она носила колготки и тщательно полировала обувь. По распоряжению Ардери Барбара даже начала работать вместе с инспектором Джоном Стюартом и при этом совсем не жаловалась, хотя все ее инициативы вызывали у последнего приступы гнева. Курение на лестницах тоже было прекращено. Чуть не заболев от своей собственной идеальности, Барбара решила «пойти на сторону».

Она поехала в УАРД. У нее был домашний адрес сестры Анжелины, однако она справедливо полагала, что та встретит ее в своем доме не намного теплее, чем это сделали ее родители. Встреча на рабочем месте имела преимущество неожиданности.

УАРД располагался на Ливерпул-роуд, недалеко от Центра промышленного дизайна. Заведение было очень стильным, однако почти абсолютно пустым. Отсутствие экспонатов заставляло задуматься об отмывании денег. Ведь основной целью заведения была демонстрация дизайнерских достижений его неподражаемой хозяйки. Сама хозяйка была на месте. Барбара постаралась гарантировать ее присутствие телефонным звонком и договоренностью о встрече. Она не стала раскрывать хозяйке, что ее возможный клиент будет офицером полиции. Вместо этого Хейверс построила диалог на заклинании «я так много слышала о вас».

Она постаралась узнать кое-что о хозяйке. Сделано это было накануне, когда, по распоряжению инспектора Стюарта, Барбара вводила данные по расследованию в компьютерную систему. Инспектор пытался высказать ей свое «фэ», заставляя ее заниматься работой, которую обычно выполняла квалифицированная машинистка. Вместо того, чтобы спорить и всячески выказывать свое недовольство, она сказала: «Есть, сэр» и улыбнулась ему одной из своих самых мирных улыбок, заставив Стюарта заподозрить какой-то подвох в столь быстром ее согласии. Таким образом, у Хейверс была возможность кое-что узнать о Батшебе Уард, в девичестве Упман. Поэтому, входя в шоу-рум, она уже знала, что Батшеба бросила университет ради школы дизайна, после того как потерпела неудачу как профессиональная модель из-за своего роста. Она также потерпела неудачу, пытаясь найти свое место в банке с пауками, которую называли миром высокой моды. В мире мебельного дизайна, напротив, Батшеба была очень успешна. Об этом говорило множество дипломов, развешанных по стенам шоу-рума, рядом с образцами мебели, которые их завоевали. Венцом карьеры миссис Уард было приобретение одного из ее созданий музеем Виктории и Альберта[1], а другого – музеем Лондона. Эти два события были хорошо освещены памятными табличками и тщательно сохраненными статьями из глянцевых журналов в кабинете хозяйки.

Сам ее вид вызвал у Барбары тревожные чувства. Батшеба была так похожа на свою сестру, что, на первый взгляд, их легко можно было поменять местами. Однако при более пристальном рассмотрении Хейверс поняла, что Батшеба была *зеркальным* отражением Анжелины: все особенности их лиц располагались в зеркальном отображении по отношению друг к другу. Родинка в уголке левого глаза у Батшебы была у правого глаза Анжелины, то же самое наблюдалось и с крохотной оспинкой. Кроме того, у Батшебы

[1] Крупнейший в мире музей декоративно-прикладного искусства и дизайна.

начисто отсутствовали веснушки, но это могло объясняться тем, что она старалась не бывать на солнце.

Ей также не хватало теплоты Анжелины, хотя, как теперь понимала Барбара, эта теплота была только фасадом, скрывавшим с самого начала коварные планы Анжелины сбежать вместе Хадией. С большой долей вероятности можно было предположить, что доброты у обеих сестер было не больше, чем у анаконды, притаившейся на дереве. Барбара мысленно напомнила себе, что надо быть готовой ко всему.

Однако оказалось, что беспокоиться ей не о чем. Как только выяснилось, что Барбара попала сюда с помощью обмана и не собирается приобрести за двадцать пять тысяч фунтов композиционный центр для своей эксклюзивной квартиры на берегу реки в Уоппинге, как отношение Батшебы Уард резко изменилось, чего она даже не пыталась скрыть.

– Со мной уже связывались по этому поводу, – недовольно произнесла она.

Женщины сидели за столом для переговоров, на котором, перед встречей, Батшеба разложила фотографии своих произведений. Они были великолепны, о чем Барбара сказала ей перед тем, как раскрыть тайну своего инкогнито и причину, по которой она отнимала «драгоценное время» хозяйки.

– Этот частный детектив, которого нанял сожитель моей сестрицы, чтобы тот нашел непонятно что, и который приходил сюда, – заявила Батшеба. – Я объяснила ему, что не имею ни малейшего представления, где находится Анжелина или с кем она сожительствует в настоящий момент. Поверьте мне, она *обязательно* с кем-нибудь сожительствует. Мне это абсолютно все равно. Она может жить со мной в соседнем доме, и я ничего не буду об этом знать. Я не видела ее целую вечность.

– Думаю, что вы все-таки сможете ее узнать, – заметила Барбара с некоторой долей сарказма.

– Быть идентичными близнецами еще не значит иметь идентичные мысли, сержант... – Дизайнер взглянула на визитную карточку Барбары, которую держала в наманикюренных пальцах. Произнося это, она повернулась к своему рабочему столу, на котором стояла фотография носатого мужчины, который был, по-видимому, ее мужем. Здесь же была и фотография двух достаточно взрослых детей, один из которых держал другого на руках; это, должно быть, ее приемные дети от первой жены носатого. – Хейверс, – закончила она читать фамилию Барбары на карточке. Саму карточку Батшеба бросила на стол.

– Она умудрилась исчезнуть, не оставив никаких следов. Все ее вещи тоже исчезли, и до сих пор мы не смогли выяснить, как и куда она перевезла их вместе с Хадией.

– Может быть, она передала свои вещи, – в устах Батшебы это прозвучало как «передала свой навоз», – в «Оксфам»[1], например. Ведь в этом случае не остается никаких квитанций? Как вы думаете?

– Возможно, – согласилась Барбара, – но и в этом случае понадобится чья-то помощь – если везу не я сама, то это должен сделать за меня кто-то другой. Кроме того, мы так и не смогли определить, на чем она уехала из Чолк-Фарм, – был ли это общественный транспорт, такси или мини-кеб. Как будто она испарилась, или кто-то помог ей в этом.

– Ну, уж конечно, это была не я. И если вы не смогли ничего выяснить про того, кто помог ей испариться, то, может быть, стоит рассмотреть более неординарные варианты?

– Например?

Батшеба отодвинула стул и встала из-за стола. И стол, и стул были ее собственного дизайна: изящные и современные, с множеством вставок из дорогих пород дерева. Сама она тоже была современной и изящной, с такими же длинными и светлыми волосами, как и у ее сестры, с чувством меры, которое ненавязчиво подчеркивало в ней все ее достоинства. Создавалось впечатление, что она часами занимается в спортзале с персональным тренером. Казалось, что даже мочки ее ушей ежедневно получали задание на упражнения, которые сохраняли их такими молодыми и привлекательными.

– А не думали ли вы сами, или этот ваш частный детектив, что от нее с дочерью просто избавились?

Барбара смогла понять, что имеет в виду Батшеба, только через несколько секунд.

– Вы имеете в виду, что они убиты? Но кем? В квартире не было никаких следов борьбы. И она наговорила сообщение на мой автоответчик, при этом не звучала как человек, которого насильно заставляют говорить, держа нож у горла.

Батшеба пожала плечами.

– В принципе, я не могу объяснить появление ее послания. Но мне просто интересно... Кажется, что все безоговорочно верят ему.

---

[1] Благотворительная организация, занимающаяся, помимо других проектов, сбором вещей для нуждающихся.

– Кому?

Большие глаза Батшебы, голубые, как и у ее сестры, стали еще больше.

– Вы, что, хотите, чтобы я назвала имя по буквам?

– Так вы имеете в виду Ажара? Вы полагаете, что он убил Анжелину и Хадию – свою дочь, – а теперь, уже в течение пяти месяцев, разыгрывает безутешное горе с искусством, достойным премии «Оскар»? Ну и что же он сделал с телами, по вашему мнению? – поинтересовалась сержант Хейверс.

– Наверное, закопал, – миссис Уард улыбнулась дьявольской улыбкой. – Думаю, вы в состоянии представить себе, как это могло произойти. Никто из нас, из членов семьи, не видел ее в течение многих лет. Мы бы и не узнали, что она исчезла. Я просто рассматриваю все возможные варианты.

– Ваше предположение просто смехотворно. Вы когда-нибудь встречали Ажара?

– Однажды, давным-давно. Анжелина привела его в винный бар, чтобы похвастаться. Моя сестричка любила повыпендриваться. Всегда хотела показать мне, чего достигла, чем смогла отличиться. Честно говоря, она, так же как и я, ненавидела быть близнецом. Наши родители вбивали в нас это понятие – «быть близнецами». Думаю, они до сих пор не знают точно, кто из нас кто. Для них мы просто «близнецы». Иногда нам везло, и мы превращались в «девочек».

Барбара заметила в ее повествовании прошедшее время и обратила на него внимание Батшебы. Однако ее ничто не могло сбить с толку, эту Батшебу Уард, и она объяснила, что не видела сестру много лет, с того момента, когда они встретились в «Старбаксе» в Южном Кенсингтоне и Анжелина торжественно объявила о своей беременности. С этого момента прошло десять лет.

– Дальнейшие встречи потеряли смысл, так как моя сестрица только и делала, что тыкала мне в нос этим младенцем, – пояснила женщина.

– А у вас детей нет? – язвительно спросила Барбара.

– Двое, как видите на фотографии, – она указала на рамку на ее столе.

– Немного староваты, чтобы быть вашими.

– Понимаете, дети не обязательно должны быть... как бы это сказать... физическим творением женщины.

Барбара задумалась, что может подразумеваться под физическим творением. И о каком творчестве вообще можно говорить в применении к хомо сапиенс. Однако она понимала, что не стоит уводить беседу в сторону философских рассуждений.

Единственной необсужденной темой остался уход Анжелины к другому мужчине некоторое время назад. Что Батшеба может рассказать об этом? Знает ли она вообще о том, что Анжелина уже один раз уходила от Ажара и Хадии? Говорили, что она уезжала в Канаду, но это могла быть любая другая точка на планете.

– Я не удивлена, – беззаботно сказала Батшеба.

– Почему?

– Я думаю, что отношения между Анжелиной и Как-его-там-зовут стали для нее обычными. Поэтому, если вы сейчас ее ищете и уверены, что она к кому-то сбежала, ищите мужчину, который был бы для Анжелины необычен так же, как был необычен этот Как-его-там-зовут в самом начале их знакомства.

Барбаре хотелось схватить ее за горло и заставить произносить *Таймулла Ажар* до тех пор, пока она, наконец, не поймет, что это имя живого человека, а не название какой-то постыдной болезни, которое не принято произносить вслух. Но что бы это дало? Батшеба просто найдет другой способ унизить Ажара, и на сей раз выберет предметом для этого его национальность или религию. Барбаре также хотелось сказать ей, что ее мистер Нос был не таким уж большим подарком. Ее сестра, по крайней мере, все-таки выбрала красивого мужчину.

Но вместо всего этого она вежливо заметила:

– Его зовут Ажар. Ваша сестра называла его Хари. Это легко запомнить, а?

– Ажар, Хари... Да как вам будет угодно. Я только хочу сказать, что Анжелина всегда интересовалась и интересуется мужчинами, которые на нее не похожи.

– В каком смысле?

– В любом. В любом смысле, который отличается от того, который делает ее саму такой особой, – ответила миссис Уард. – Она жизнь положила на то, чтобы стать особой. Я ее за это не виню. Наши родители хотели, чтобы мы были близки. Чтобы мы были любящими, способными понимать друг друга без слов, ну и всякое такое. Нас одинаково одевали и заставляли проводить время в компании друг друга с момента нашего рождения. «Радуйтесь вашей идентичности, – говорила моя мать, – другие люди готовы убить за возможность иметь идентичного близнеца». Она не задумывалась, что, может быть, есть люди, которые с радостью готовы убить своего близнеца...

Все, что касалось убийства Анжелины, имело две стороны. С одной стороны, Ажар мог убить своих любовницу и дочь, с другой, что мешало Батшебе Уард поступить так же со своей сестрой и племянницей? В великом городе Лондоне случались вещи и понеовероятнее.

– Кажется, что вы совсем не волнуетесь о ней или о вашей племяннице?

Батшеба улыбнулась фальшивой улыбкой.

– Вы же, кажется, уверены, что Анжелина жива. А я верю вам на слово. Что касается моей племянницы, то ее я вообще не знаю. И уверяю вас, никто в нашей семье не горит желанием ее узнать.

Боу,
Лондон

Дуэйн Доути мог быть *вторым* последним шансом Барбары. Ибо та просто не умела смиряться с поражением, если сохранялся хоть малейший шанс. Наверное, если бы она увидела Офелию, проплывающую мимо нее под мостом, она бросила бы ей веревку на случай, если та передумает.

Поэтому вечером Хейверс поехала в Боу.

Там ничего не изменилось со времени их последнего визита. Правда, людей на улице было побольше. На Роман-роуд в различных кафе и кебабных начинался вечерний час пик, а в халяльном гастрономе вещи на кассах упаковывались, казалось, еще до того, как дамы в чадрах успевали за них заплатить. Банк уже закрылся, но дверь, ведущая в офис Дуэйна Доути, была открыта, и Барбара вошла. На лестнице она увидела Доути, разговаривающего с каким-то андрогенным существом, оказавшимся Эм Касс, женщиной, которая, по рассказам Ажара, была сотрудницей Доути. Когда они заметили ее, Касс и Доути обменялись взглядами, которые показались Барбаре настороженными. Они были немножко похожи на провинившихся любовников, которыми, по мнению Барбары, вполне могли бы быть на самом деле. До тех пор, пока Доути не назвал свою визави Эмили, Барбара думала, что он относится к категории мужчин, которым нравятся мальчики. Но это предположение было очень далеко от действительности.

Они обсуждали триатлон и какого-то парня, Брайана, который собирался присоединиться к Эм позже с секундомером, минеральной водой и эспандером. Видимо, это казалось Доути смешным, а Эм с ним не соглашалась.

Дуэйн объяснил Барбаре, что на сегодня они уже закончили и что ей надо было предварительно позвонить. Сейчас же, к сожалению, ему, как и Эм, надо идти.

– Да, надо было позвонить, – согласилась Барбара. – Но я была здесь неподалеку и решила попытать счастья. Всего пять минут вашего времени...

Было видно, что они не поверили ни в «была здесь неподалеку», ни в «пять минут». Случайно в районе Роман-роуд никто не оказывался, и ничего из того, чем они занимались, нельзя было сделать за пять минут, если только речь не шла о принятии оплаты за их труды. На это и пяти минут было много.

– Пять минут, – повторила Барбара, – ну пожалуйста. – Она достала чековую книжку, из которой выпал раздавленный мотылек. Плохой знак, но тогда она не обратила на это внимания. – Конечно, я заплачу.

– Вы хотите поговорить об...

– Все о том же.

Доути и Касс опять переглянулись.

Барбаре это показалось подозрительным. Дело в том, что Барбаре было хорошо известно, что среди частных детективов встречалось очень много разного рода мошенников. Например, они очень любили сообщать результаты своих изысканий разного рода таблоидам. Если Доути или его помощница занимались именно этим, то Барбара хотела бы узнать, что же такого им удалось выяснить, помимо того, что ей было уже известно.

Доути вздохнул и повторил:

– Пять минут.

Он открыл дверь и пропустил Барбару в офис.

– А как насчет?.. – спросила Барбара, имея в виду его помощницу.

– Подготовка к триатлону – дело ответственное, – объяснил Дуэйн. – Вам придется удовольствоваться моей компанией.

– А что конкретно она для вас делает?

Барбара прошла в офис, в то время как Эм Касс быстро сбежала по ступенькам.

– Эмили? Да все, что надо, – работает на компьютере, собирает информацию, отвечает на звонки, иногда опрашивает посетителей...

– А как насчет торговли конфиденциальной информацией?

На это Доути никак не прореагировал, всем своим видом желая убедить Барбару в том, что уж он-то абсолютно уверен, что его помощница не может преуспеть ни в чем, кроме плавания, езды на велосипеде и преодоления марафонской дистанции.

– Послушайте, я говорила с Ажаром. Я знаю все, что вы ему сказали. Никаких следов. Бесследно исчезли. Но никто не исчезает, не оставив хоть каких-то следов, и, убейте меня, я не понимаю, как Анжелине Упман это удалось.

– Я тоже. Но таковы факты. Так иногда случается.

– Если бы еще она была одна. Тогда, приложив максимум усилий... Предположим, она могла бы выскользнуть, когда ее никто не видел или, что еще вероятнее, не обратил на нее внимания. Но это не тот случай – кто-то всегда что-то замечает. И она не одна. С ней девятилетняя девочка, которая, кстати, очень близка со своим отцом. Поэтому, даже если Анжелина хочет сохранить все в тайне, в какой-то момент ребенок может заговорить об отце и начать спрашивать, где он и почему они не послали ему даже открытки.

Доути согласно кивнул, но затем заметил:

– В подобных ситуациях детям рассказывают всякие небылицы об их родителях. Вы знаете, как это бывает.

– Ну, например?

– Ну, например: «Мы с папой разводимся», или «Папа сегодня упал в офисе и умер», или что-то вроде этого. Все дело в том, что она очень ловко замела следы. Я так и сказал об этом профессору. Если здесь можно сделать что-то еще, то ему придется поискать кого-то другого, потому что я не знаю, что еще здесь можно сделать.

– Ажар сказал, что вам удалось выяснить девичью фамилию ее матери – Рут-Джейн Сквиа.

– Ну, это-то было не очень трудно. Он и сам мог бы это узнать.

– Имея в своем распоряжении всё – фамилии, адреса и другие детали, мошенник, и мы оба это знаем, может сделать себе все, что угодно – открыть банковский счет, абонировать почтовый ящик, купить симку для мобильного телефона, паспорт, водительское удостоверение и так далее. А вы все-таки настаиваете, что никаких следов нет?

– Именно. Это может не нравиться мне или вам, это точно не нравится профессору, но это правда жизни.

– А кто такой Брайан?

– Простите?

– Я слышала, как Эмили упомянула имя Брайан. Он один из ваших платных агентов?

– Мисс... э-э-э... Хейверс, кажется?

– Отличная память, приятель.

– Брайан – это мой технический специалист. Он работал с компьютером, который малышка оставила в комнате.

– И?

– Безрезультатно. Компьютером пользовалась девочка. Мать до него не дотрагивалась. То есть мы опять можем сказать, что он не содержит ничего, что хотя бы отдаленно могло указать на заговор.

– Тогда почему на нем уничтожили всю информацию?

– Может быть, чтобы запутать нас. Представить все так, как будто на нем была важная информация, тогда как на самом деле ее не было.

Доути встал. Всем своим видом он показывал: время прощаться и ей пора уходить.

– Вы просили пять минут – я дал их вам. Дома меня ждет жена и разогретый обед, и если вы еще захотите со мной поговорить, нам придется перенести нашу встречу на другое время.

Барбара смотрела на него. Что-то должно быть, если не здесь, то в другом месте. Но она понимала, что здесь ей больше ничего не светит, если только она не готова загонять под ногти частного детектива бамбуковые щепки. Хейверс достала из сумки ручку и открыла чековую книжку.

Доути вытянул руку, как бы защищаясь.

– Пожалуйста, пожалуйста, не надо. Это за счет заведения.

АПРЕЛЬ, 15-е

Лукка,
Тоскана

Он решил, что наилучшим местом для проведения операции будет *mercato*[1]. Их было много повсюду, но самый большой *mercato* Лукки находился в крепостных стенах, которые окружали старую часть города. *Mercato* на пьяцца Сан-Мигеле проходил не каждый день, и обычно на него собирались жители со всей округи, входившие на площадь через одни из старых ворот для того, чтобы продать все, что у них было, – от шарфов до головок сыра. Однако пьяцца Сан-Мигеле была окружена крепостными стенами, и это значительно затрудняло отход. Приходилось выбирать между *mercato* на Корсо Джузеппе Гарибальди, в десятке метров от ворот Порта Сан-Пьетро, и известным своей сумасшедшей атмосферой *mercato*, который тянулся от Порта Элиза до Порта Сан Джакопо.

[1] Базарная площадь (*итал.*).

На его выбор повлияли сама атмосфера на рынке и категория посетителей. На Корсо Джузеппе Гарибальди ходили в основном туристы и люди состоятельные, готовые платить немалые деньги за те деликатесы, которые там продавались. Именно поэтому семья не часто посещала этот *mercato*. Таким образом, он остановился на другом *mercato*, который тянулся вдоль длинной извилистой линии пасседжиата делле Мура Урбане, которая пролегала параллельно еле заметным остаткам разрушенной городской стены. Посетители на этом рынке были вынуждены маневрировать между покупателями, лающими собаками и нищими. Крики *«lo venderebbe a meno?»*[1] перекрывали звуки разговоров, споров, музыки и криков в мобильные телефоны. Чем больше он об этом размышлял, тем больше убеждался в том, что *mercato* на пасседжиата делле Мура Урбане идеально подходил для задуманного. В этом месте все что угодно могло пройти незамеченным; кроме того, оно находилось очень близко к дому на виа Санта Джемма Галгани, куда семья еженедельно приходила на ленч. В хорошие дни – как, например, этот, – ленч накрывали в саду, лишь малую часть которого можно было рассмотреть с улицы.

Все сначала подумают, что ребенок скрылся именно здесь – в доме или в саду. Этот вывод напрашивался сам собой, и он представлял себе, как все произойдет. Папб обернется и увидит, что рядом ее нет, однако не обратит на это внимания, потому что рядом был дом, стоящий посреди прекрасного сада, и в этом доме жил мальчик, почти одного возраста с девочкой. Она называла его Куджино Гугли – произносила Гуу-Лии, поскольку ее знания итальянского были ограничены, и она еще не могла выговорить Гульельмо. Мальчику было все равно, потому что он тоже не мог правильно произнести ее имя. Да, в общем, это было и не важно – их связывал *calcio*[2]. А для того чтобы любить *calcio*, не надо было изучать иностранные языки. Надо было просто очень хотеть, чтобы мяч влетел в сетку ворот.

Она не должна испугаться, когда он подойдет. Ей много раз объясняли, что бояться надо тех, кто ищет потерянных животных, тех, кто стоит за припаркованными машинами с котятами в коробке, *cara bambini*[3], тех, кто источал запах похоти и желания, плохо одетых и с вонючим дыханием, немытых и тех, кто пригла-

---

[1] А подешевле не пойдет? (*итал.*)

[2] Футбол (*итал.*).

[3] Дорогое дитя (*итал.*).

шает в особое место, где тебя ждет что-то особенное. Ни под одно из этих описаний он не подходил.

У него был внешний вид *a faccia d'un angelo*[1], как любила говорить его мама, и слово. Это слово он никогда не слышал ни на одном из трех языков, на которых говорил; но ему объяснили, что оно убедит ребенка в подлинности той сказки, которую он ей расскажет. Услышав это слово, девочка прекрасно поймет его. Именно поэтому для этой работы выбрали его, а не кого-нибудь другого.

Так как он был профессионалом, то потратил некоторое время на сбор информации, необходимой для выполнения задания. Большинство людей, он знал это, всегда следовали рутине. Это сильно облегчало ему жизнь. Месяц наблюдений, скрытных сопровождений и тщательных записей дали ему то, что было необходимо. Когда ему сообщили дату, он был готов.

Они припаркуют свою «Лянчу» за крепостной стеной, на *parcheggio*[2] рядом с пьяццале Дон Альдо Меи, и расстанутся на два часа. Мамаша направится на виа делла Цитаделла, где находился класс йоги. Папб и Детка направятся в Порта Элиза. Путь Мамаши был длиннее, но она несла только коврик для йоги и, кроме того, любила физические упражнения. Папб и Детка несли по пустой *borsa della spesa*[3], заранее готовясь к тому, что, когда они будут уходить с *mercato*, эти корзинки будут полны покупок.

Сейчас он уже настолько хорошо знал их, что мог бы точно предсказать, как будет одета Мамаша, и назвать цвета *borse*, которые будут нести Папб с Деткой. Его будет зеленой и сделанной из мягкой ткани; ее – оранжевой и сделанной из твердого материала. Они действительно были рабами привычек.

В день, когда все должно было произойти, он рано расположился на *parcheggio*. Он наблюдал семейство уже восьмой раз и был абсолютно уверен, что ничто не сможет изменить их рутину. Он не спешил. Потому что, когда делаешь работу, ее надо делать идеально и так, чтобы в течение нескольких часов никто не мог догадаться, что что-то случилось.

Свою машину он оставил на стоянке рядом с виале Гульельмо Маркони – приехал за несколько часов до открытия рынка, чтобы занять место рядом с выездом. По пути на пьяццале Дон Альдо

---

[1] Лицо ангела (*итал.*).

[2] Парковка (*итал.*).

[3] Корзина (*итал.*).

Меи купил большой кусок *focaccia alle cipolle*[1]. После еды пожевал мятные таблетки, чтобы отбить запах лука. Из своей наплечной сумки достал карту и разложил ее на капоте машины, как будто искал дорогу. Теперь для любого наблюдателя он был один из множества туристов, приехавших в Лукку.

Семейство прибыло с десятиминутным опозданием, но это не играло большой роли. Как всегда, они припарковались прямо за воротами: Мамаша отправилась на свой урок йоги, а Папб и Детка – в туристическое бюро, где есть туалет. Они были очень практичными людьми, ведь на *mercato* туалетов уже не было.

Он ждал их на улице. День был просто великолепен – светило яркое солнце, но было еще не так жарко, как будет месяца через три. Деревья, растущие на стене у него за спиной, были покрыты новыми, свежими, незапыленными листьями, и сейчас они бросали тень на *mercato*, слегка шевелясь на легком ветерке. Позже солнце станет вертикально над *mercato*, безжалостно светя прямо на прилавки, а к вечеру яркий свет перейдет с продавцов на древние здания на другом конце площади.

Он зажег сигарету и с удовольствием затянулся. Сигарета была почти докурена, когда Папб с Деткой вышли на улицу и направились на *mercato*.

Он пошел за ними. За все то время, что он наблюдал за ними, он уже выучил, когда и где они остановятся. Место, где ему нужно будет действовать, он выбрал очень тщательно. Рядом с городской стеной у Порто Джакопо, в дальнем конце *mercato* играл музыкант. В этом месте Детка всегда останавливалась и слушала музыку, зажимая в ладошке двухъевровую монету, предназначенную для музыканта. Там она ждала, пока подойдет Папб. Но сегодня рутина будет нарушена. Она будет уже далеко, когда подойдет ее Папб.

Как всегда, *mercato* был полон людей. На него никто не обращал внимания. Когда эти двое останавливались, он останавливался тоже. Они купили фрукты и разные овощи. Потом Папб купил свежую пасту, пока Детка танцевала вокруг кухонных принадлежностей и пела «Ей нужен был кухонный нож...». Сам он, по случаю, купил терку для сыра. А потом эти двое перешли к шарфам. Шарфы были дешевые, но очень красочные, и Детка всякий раз пробовала все новые и новые способы укутать ими свою восхитительную шейку. Это могло продолжаться до бесконечности, но ее еще ждал магазин, где всё, от корзинок до украшений для волос,

---

[1] Фокачча с луком (*итал.*).

стоило один евро. Обувь была аккуратно выставлена в ряд, и любой, если у него были чистые ноги, мог ее примерить.

Затем Детка перешла к рассмотрению интимных предметов дамского туалета, солнечных очков и кожаных *cinture*[1]. Папб попробовал один из них, просунув его в шлевки выгоревших джинсов, но забраковал и вернул назад. К этому моменту Детка убежала далеко вперед. Отрезанная голова свиньи означала начало прилавков *macellaio*[2], с их великолепным выбором мяса всех сортов, но Детка не обратила на них никакого внимания и направилась к Порта Сан Джакопо. С этого момента все будет развиваться по неизменной схеме, и он достал из кармана аккуратно сложенную пятиевровую бумажку.

Музыкант был на своем обычном месте – в двадцати ярдах от Порта Сан Джакопо. Как всегда, вокруг него собралась толпа – он исполнял итальянские народные песни, аккомпанируя себе на аккордеоне. Вместе с ним выступал танцующий пудель. Аккордеонист пел в микрофон, прикрепленный к вороту его рубашки. Рубашка с закатанными рукавами оставалась неизменной из недели в неделю.

Он подождал, пока будут исполнены две песни. Затем понял, что его час настал. Детка наклонилась вперед, чтобы положить свои два евро в корзинку, и он продвинулся вперед в тот момент, когда она возвращалась к остальным слушателям.

– *Scusa*[3], – обратился он к ней, когда она встала рядом с остальными зрителями. – *Per favore, glielo puoi dare*...[4]

Он раскрыл руку. Пятиевровая бумажка была аккуратно сложена пополам. Она лежала на поздравительной открытке, которую он вынул из кармана пиджака.

Она улыбнулась, слегка прикусив губу. Подняла глаза.

Он кивнул на корзинку с деньгами.

– *Per favore*, – повторил он с улыбкой и продолжил: – *Anche... leggi questo. Non importa ma*...[5]

Не закончив фразы, он опять улыбнулся. Открытка была не запечатана, чтобы можно было легко прочитать, что в ней написано.

А затем он добавил то, что, как он знал, должно было убедить ее. Это было то самое слово, и ее глаза широко раскрылись от удивле-

---

[1] Ремни (*итал.*).

[2] Мясник (*итал.*).

[3] Простите (*итал.*).

[4] Пожалуйста, могу я дать... (*итал.*)

[5] Пожалуйста, прочтите это... Это не важно, но... (*итал.*)

ния. Он перешел на английский и, тщательно подбирая слова, так, чтобы не спугнуть ее, произнес:

– Я буду ждать на другой стороне Порта Сан Джакопо. Вам абсолютно нечего бояться.

АПРЕЛЬ, 17-е

Белгравия,
Лондон

День выдался очень странным. Барбара Хейверс уже давно привыкла к таинственности, которая всегда окружала Томаса Линли, но даже она удивилась, случайно узнав, что он с кем-то встречается. *Если* только это могло быть названо встречами. Оказалось, что его социальная жизнь после сложного расставания с Изабеллой Ардери состояла из регулярных посещений спортивных событий, о которых Барбара даже не слышала.

Линли настоял на том, чтобы она увидела все собственными глазами. Незабываемый опыт, как сказал он. Изо всех сил она пыталась откреститься от этих настойчивых попыток расширить ее кругозор. Но, рано или поздно, ей пришлось покориться. Так она оказалась на турнире на выбывание по роллер-дерби, в котором победила группа атлетически сложенных женщин из Бирмингема, выглядевших так, как будто они получали дополнительное удовольствие от поедания маленьких детей на завтрак. Во время соревнований Линли объяснил ей все тонкости спорта. Он называл позиции и ответственность разных игроков, штрафы, очки. Он говорил о паке и о том, что пак обязан сделать для джаммера. Вместе со всеми остальными, включая, надо признать, и Барбару, он вскакивал на ноги и громко протестовал, когда кто-то получал локтем в физиономию, а штраф не назначался.

Через несколько часов Хейверс задумалась, какого черта она здесь делает. Затем ей пришло в голову, что Линли привел ее сюда, чтобы познакомить со спортом, который поможет дать выход ее собственной агрессии. Потом, в конце бог знает какой по счету схватки – она уже перестала их считать – к ним подъехала игрок с молниями, нарисованными на щеках, кроваво-красной краской на губах и сиянием, поднимающимся к бровям. Это воплощение атлетизма сняло шлем и произнесло:

– Как приятно видеть вас снова, сержант Хейверс.

Перед Барбарой стояла Дейдра Трейхир. Теперь ей все стало понятно.

Сначала Барбара подумала, что ей приготовлена роль дуэньи. Наверное, Линли нужен кто-то, кто успокоит ветеринара и позволит ей принять приглашение на обед. Но оказалось, что Томас регулярно встречается с Дейдрой Трейхир после их первой встречи в прошлом ноябре. Именно на этой встрече он был, когда не смог перезвонить ей. Сначала на матче, а потом просто пригласил Дейдру выпить. Он не сильно продвинулся вперед с того памятного дня, о чем сам не замедлил сказать Барбаре, пока они ждали Дейдру после окончания соревнований.

Дейдра Трейхир появилась, и последовало то, что, видимо, происходило каждый раз, когда они с Линли встречались. Она пригласила их с Барбарой на послематчевую вечеринку в пабе под названием «Три Великих Короля». Линли отказался и в свою очередь пригласил их с Барбарой на ранний обед. Дейдра сказала, что не одета для выхода. Линли ответил – Барбара так поняла, это было новым в их общении, – что это не имеет значения, так как он накрыл обед у себя дома. Если Дейдра – и, конечно, Барбара – согласились бы зайти к нему, он с удовольствием отвезет Дейдру в гостиницу после обеда.

Умно, подумала Барбара и решила не обижаться на Линли за то, что он беззастенчиво ее использовал. Она только надеялась, что обед Томас готовил не сам, иначе тот запомнится им надолго, и совсем не из-за великолепных вкусовых качеств блюд.

Дейдра в задумчивости переводила взгляд с Линли на Барбару. К ним подошла женщина невероятных размеров, настоящая амазонка, и спросила, не идут ли они в паб, опрокинуть пару рюмочек. В этом пабе, как оказалось, некто по имени Маккуинн ожидал Дейдру, чтобы сразиться в дартс. Имея такую возможность сбежать, Дейдра ею, тем не менее, не воспользовалась. Посмотрев сначала на Линли, а потом на амазонку, она ответила, что, к сожалению, в этот раз не сможет присоединиться ко всем, и попросила Лизу извиниться за нее. Та понимающе взглянула на нее и на Линли – и отошла. Она сказала, что беспокоиться нечего и что она все сделает.

Барбара подумала, не пора ли ей сматываться теперь, когда визит Дейдры в дом Томаса был гарантирован, но Линли сразу пресек все ее попытки сбежать. Кроме того, она оставила свой «мини» на въезде в гараж за углом от его дома. Хочешь не хочешь, но поехать придется, хотя бы для того, чтобы освободить дорогу.

По дороге в Белгравию они вели светскую беседу на тему, столь близкую тысячам их соотечественников, – говорили о погоде. После этого Дейдра и Линли заговорили о гориллах, хотя Барбара так и не смогла понять, какая тут была связь. Одна из трех горилл была счастливо беременна. С другой стороны, что-то случилось с правой передней ногой одного из слонов; велись переговоры о приезде нескольких панд; а Берлинский зоопарк не оставлял надежды заполучить белого медвежонка, родившегося в прошлом году. Линли хотел знать, трудно ли выращивать белых медведей в неволе. Выращивать в неволе всегда трудно, объяснила Дейдра – и замолчала, как будто сказала какую-то двусмыслицу.

Они поставили машину Томаса в гараж, переделанный из бывшей конюшни. Так как Барбаре надо было отъехать, чтобы дать Линли возможность припарковаться, она завела старую песню о том, что ей пора.

– Не глупите, Барбара, я знаю, что вы умираете от голода. – И Томас бросил на нее взгляд, который невозможно было не понять: она не имела права покинуть его в этот напряженный момент.

Барбара абсолютно не представляла, как она может помочь Линли. Он не был виноват в том, что обладал титулом, что его предки упоминались в Книге Страшного суда[1] и что в Корнуолле у него было громадное родовое поместье. За столом с шестнадцатью видами приборов, сделанных из литого серебра, он мгновенно ориентировался, какой вилкой надо пользоваться, и понимал, для чего над его тарелкой лежали дополнительные ложки и еще какие-то приспособления, помимо тех, что лежали у нее по бокам. В то же время семья Дейдры, вполне возможно, пользовалась одним ножом и пальцами. Прелести жизни там, где жила она, не включали в себя изысканный китайский фарфор и пять хрустальных бокалов разных размеров и форм справа от тарелки.

К счастью, Линли подумал обо всем этом. Барбара увидела, что на столе в столовой – проблема была уже в том, что у несчастного *была* отдельная столовая, – стояли три тарелки из простого белого фаянса, с приборами, похожими на мельхиоровые. Наверное, куплены специально для этого случая, с иронией подумала Барбара. Она знала, на чем Томас ест обычно. Его столовая утварь точно не продавалась в соседнем супермаркете.

---

[1] Земельная опись Англии, произведенная Вильгельмом Завоевателем в 1086 г.

Еда была очень простой. Любой мог бы ее приготовить, хотя Барбара готова была поспорить, что Томас Линли не был этим «любым». Несмотря на это, она притворялась, что верила, будто он сам стоял у плиты, помешивая суп, и, повязав передник поверх своего изысканного костюма, сам смешивал салат. Скорее всего, подумала Барбара, он просто послал заказ в «Партриджиз»[1] на Кингз-роуд. Если Дейдра тоже догадалась об этом, она не подала виду.

– А где Чарли? – спросила Барбара, бесцельно стоя вместе с Дейдрой, обе с бокалами вина, пока Линли метался из столовой в кухню и обратно.

Линли объяснил, что Чарли отправился на один день в Хэмпстед, на утренний спектакль «Продавец льда грядет»[2].

– Но он может вернуться в любой момент, – жизнерадостно сказал Томас. Дейдра должна была быть уверена, что у него не будет возможности наброситься на нее, даже если Барбара вдруг уйдет.

А она действительно ушла, как только смогла. Линли пригласил их в гостиную для послеобеденного диджестива, когда Барбара решила, что уже выполнила свои обязанности по отношению к своему старшему офицеру и что ей пора домой. Конечно, еще рано, но все-таки пора. Что-то такое есть в этом роллер-дерби. Она чувствует себя совсем без сил.

Хейверс увидела, как Дейдра подошла к столику, расположившемуся между двумя окнами. На нем стояла фотография в серебряной рамке. Это была свадебная фотография Линли и его жены. Барбара посмотрела на Томаса и удивилась, почему он не убрал ее, прежде чем привести Дейдру в дом. Он подумал, казалось бы, обо всем, но забыл про это.

Когда Дейдра взяла фото, Томас и Барбара переглянулись. Прежде чем гостья повернулась и успела что-то сказать – очевидно, что она могла сказать только, как мила была Хелен Линли, – Барбара важно произнесла:

– Ну, что же, я, пожалуй, откланяюсь, сэр. Благодарю вас за обед. Надо бежать, пока я не превратилась в тыкву. Или как там в этой сказке? – добавила она, поняв, что в тыкву должна превратиться не она, а ее «мини». Со сказками у нее всегда были проблемы.

---

[1] Известная кейтеринговая компания.

[2] Пьеса американского драматурга Юджина О'Нила.

– Наверное, я тоже пойду, Томас. Может быть, Барбара подбросит меня до гостиницы? – сказала Дейдра.

Барбара и Линли еще раз переглянулись, и Томас поспешно сказал:

– Глупости. Я с удовольствием сам отвезу вас, как только вы будете готовы.

– Ловите его на слове, – сказала Барбара. – У меня все пассажирское сиденье забито коробками от фаст-фуда.

Произнеся это, она покинула дом. Последнее, что она увидела, был Линли, наливающий коньяк в два хрустальных шара. Надо было разлить по чайным чашкам, подумала Барбара. Хватило бы и одного обеда в настоящей столовой.

Девушка ей вполне нравилась, но она не понимала Линли. Между ними чувствовалось какое-то напряжение. Барбаре это казалось совсем не сексуальным.

«Да и бог с ними», – подумала она. Это совсем не ее дело. Любая, кто вырвет Томаса из лап Изабеллы Ардери, уже заранее будет иметь поддержку Барбары. Его роман с Изабеллой напоминал разлагающегося мертвого слона. Хейверс была счастлива, что этот вонючий труп наконец исчезнет из его дома.

Она ни о чем особенно не думала, когда подъехала к дому и увидела полицейский «воронок», стоящий перед виллой. Он был припаркован вторым рядом параллельно со старым «Саабом», и в вечернем свете Барбара увидела, что почти все обитатели дома вышли на улицу. Они группками стояли на тротуаре, как будто ожидая, что вот-вот кого-то выведут в наручниках. Хейверс спешно припарковалась, нарушив все правила. Она услышала, как кто-то сказал:

– Не знаю... Ничего не слышал, пока не приехала полиция.

Барбара быстро подошла к зевакам.

– Что случилось? – Она обратилась к миссис Сильвер, которая жила на втором этаже. Как всегда, на ней был надет воздушный передник с подходящим тюрбаном. Она жевала какой-то шоколадный «антидепрессант».

– Она позвонила в полицию, – сказала миссис Сильвер. – Или кто-то другой. Может быть, даже он сам. Сначала были крики. Мы все их слышали. Кричали они оба. И еще один человек. Не англичанин, судя по акценту. Я не знаю, на каком чертовом языке он кричал. Не знаю. Но не важно. Их было слышно, наверное, на Чолк-Фарм-роуд.

Звучало как стенограмма. Но стенограмма чего? Этого Барбара не знала. Она оглянулась посмотреть, кто еще был среди зевак.

Сержант сразу заметила, кого среди них не было. Затем она повернулась к дому и увидела, что все огни в квартире на первом этаже были зажжены, а французские окна открыты.

У нее перехватило горло.

– Ажар... С ним что-то?..

Миссис Сильвер повернулась, увидела лицо Барбары и сказала:

– Она вернулась, Барбара. И не одна. Что-то случилось, и она вызвала полицию.

Чолк-Фарм,
Лондон

«Она» могло значить только одно. Вернулась Анжелина Упман. Барбара порылась в своей сумке и выудила удостоверение. Только оно одно могло обеспечить ей доступ в квартиру Ажара, и не важно было, кто там находился. Она протолкалась через остальных соседей, открыла калитку и пошла по лужайке. Крики становились громче, по мере того, как она подходила к французским окнам. Теперь ясно слышался голос Анжелины.

– Пусть он скажет! – кричала она кому-то. – В Пакистан! Он увез ее в Пакистан, к своей семье. Ты просто монстр! Сотворить такое со своей собственной *дочерью*!

Затем панический голос Ажара:

– Как ты можешь такое говорить?

Затем иностранец с сильным акцентом:

– Почему вы не хотеть арестовать этот человек?

Барбара вошла, чтобы увидеть сцену с замершими действующими лицами: два констебля в форме расположились между Таймуллой Ажаром и Анжелиной Упман. Она казалась похудевшей, темная тушь резко оттеняла ее глаза траурным цветом. Мужчина рядом с ней был красив, как может быть красив идеальный образчик для скульптуры атлета. Густые вьющиеся волосы, широкие плечи и грудь. Кулаки у него были сжаты, как будто он готовился нанести удар Ажару, как только до него дотянется. Один из констеблей блокировал его, пока Таймулла и Анжелина кричали друг на друга.

Первым Барбару увидел Ажар. Его лицо, и так истощенное за эти месяцы, сейчас выглядело еще хуже. С момента последней встречи с Дуэйном Доути он метался – брал дополнительных дипломников, участвовал во всех конференциях, которые происходили как можно дальше от Чолк-Фарм. Как раз накануне вечером он вернулся с одной из них, на этот раз из Берлина, и заглянул к Барбаре узнать, нет ли каких новостей, не слышно ли чего новенького. Это были его обычные вопросы по возвращении. Ее ответы тоже не менялись.

Анжелина повернулась, когда увидела, что выражение его лица изменилось. Мужчина рядом с ней – тоже. Теперь его лицо было хорошо видно. На его щеке, начиная от мочки уха, располагалось большое родовое пятно, как печать Каина. Это было единственное, что нарушало его красоту.

Констебль, державший этого мужчину, произнес:

– Мадам, вам придется покинуть помещение.

Барбара открыла перед ним удостоверение.

– Сержант Хейверс. – представилась она. – Я здесь живу. Что у вас происходит? Могу я чем-то помочь?

– Хадия, – все, что смог произнести Ажар.

– Он украл моего ребенка, – заплакала Анжелина. – Он украл мою дочь Хадию. Он где-то ее прячет. Вы понимаете? Конечно, да. Не удивлюсь, если вы ему в этом помогли.

Барбара пыталась сообразить, что она говорит. Кто кому и в чем помог?

– Скажите мне, где она! – кричала Анжелина. – Черт вас всех побери, где моя девочка?!

– Анжелина, что произошло? – спросила Барбара. – Послушай меня. Я не понимаю, что происходит.

Со всех сторон послышались отрывки информации. Когда констебли поняли, что Барбара была другом семьи, а не чиновником из полиции, приехавшим по вызову, они попытались вывести ее из квартиры, но к этому моменту и Ажар, и Анжелина хотели, чтобы она осталась, каждый по своей причине. Правда, эти причины никто не называл, кроме рыдающей Анжелины.

– Она должна все это услышать.

– Она очень хорошо знает мою дочь, – не переставал повторять Ажар.

– Твою дочь, твою дочь, – передразнила Анжелина. – Ты не можешь быть отцом дочери, с которой ты так поступил.

Наконец Барбара поняла, что Хадию украли на базаре в Лукке, в Италии. Это произошло два дня назад. Она была там с Лоренцо – мужчиной, который находился сейчас в квартире. Для Барбары было очевидно, что это новый любовник Анжелины. Они каждую неделю ходили на этот рынок за покупками. Она должна была ждать его, где обычно, там, где играл уличный музыкант. Но, когда Лоренцо пришел туда, ее там не было, а он не стал ее искать.

– Почему же? – спросила Барбара.

– Какая разница? – огрызнулась Анжелина. – Мы знаем, что произошло. Мы знаем, кто увел ее. Она бы никогда не ушла с незнакомцем, ни за что. А насильно увести ее было невозможно – погожий рыночный день, на площади масса народу... Она бы закричала, она бы сопротивлялась. Это все ты, Хари, и Бог мне свидетель, я...

– *Cara*, – сказал Лоренцо, – *non devi*. – Он подошел к ней. – *La troveremo. Te lo prometto*[1].

При этом она разрыдалась, и Ажар шагнул к ней.

– Анжелина, – сказал он. – Ты должна выслушать меня. Так много зависит...

– Я не верю тебе, – рыдала она.

– Вы позвонили в полицию в Лукке? – спросила Барбара.

– Конечно, позвонила! Ты, что, меня за дуру принимаешь? Я позвонила, они приехали. Стали искать – они до сих пор ищут. *Ничего*. Девятилетняя девочка исчезает бесследно. Она у него. Никто больше не мог украсть ее. Заставьте его сказать, где она! – Последнее ее восклицание относилось к констеблям. Они посмотрели на Барбару, как будто та могла помочь.

Барбара хотела спросить: он украл ее, так же как и ты? И так же, как ты, должен рассказать, где Хадия теперь? Но вместо этого она обратилась к сопровождающему Анжелины, потребовав:

– Расскажите подробно, что произошло. Почему вы не стали искать ее, когда она не пришла на место встречи?

– Ты что, обвиняешь *его* в чем-то? – вскричала Анжелина.

– Если Хадия пропала...

– Если? Да что ты себе позволяешь?

– Анжелина, я прошу тебя, – сказала Барбара. – Если Хадия пропала, нельзя терять ни минуты. Я должна знать абсолютно все, с начала и до конца. – И повторила свой вопрос Лоренцо: – Почему вы ее не искали?

– Из-за моей сестры, – объяснил он.

А когда Анжелина закричала, чтобы он не смел отвечать, так как все абсолютно очевидно, он мягким голосом сказал ей:

– *Per favore, cara. Vorrei dire qualcosa, va bene*[2].

Затем на ломаном английском он обратился к Барбаре:

– Моя сестра жить рядом *mercato*. Мы всегда заходить ее дом после. Когда Хадии нет, я думать, она ходить туда. Играть.

– А почему вы так решили? – спросила Барбара.

---

[1] Дорогая, не надо. Мы найдем ее. Я обещаю (*итал.*).

[2] Пожалуйста, дорогая. Я тоже хочу что-то сказать (*итал.*).

– *Mia nipote*[1]... – он беспомощно посмотрел на Анжелину.

– Там живет его племянник, – объяснила Анжелина. – Дети играли вместе.

В другом конце комнаты Ажар закрыл глаза.

– Все это время, – сказал он.

И первый раз с тех пор, как пропала его дочь, Барбара увидела, как затряслись его губы.

– Я кончить покупки, – продолжил Лоренцо. – Думал увидеть Хадию, когда приходить дом.

– Она знала, как до него добраться? – поинтересовалась Барбара.

– Там, она ходить много раз играть, *si*[2]. Анжелина приходить *mercato* потом и...

– Откуда пришла Анжелина?

– *Piazzale*[3].

– Я имею в виду, где она была. Где ты была, Анжела?

– Ты что, теперь хочешь обвинить меня...

– Конечно, нет. Где ты была? Сколько тебя не было? Может быть, ты что-то видела?

Как выяснилось, Анжелина занималась йогой. Она регулярно посещала занятия в городе.

– Она приходить *mercato*, мы идти моя сестра. Хадии нет.

Сначала они подумали, что девочка могла потеряться на рынке. Или, может быть, что-то отвлекло ее по пути к музыканту, а сейчас она уже вернулась и ждет их на старом месте рядом с Порта Сан Джакопо. Они вернулись, на этот раз вчетвером, с ними пришли сестра Лоренцо и ее муж. И вчетвером они начали поиски. Прочесали весь рынок. Затем перешли за стену, где раскинулась новая часть Лукки. Прошли по всей гигантской стене с ее массивными сооружениями, защищавшими город от врагов. Сейчас на них были посажены деревья и разбиты лужайки с детскими площадками. Но Хадии нигде не было видно. Не было ее и на площадке рядом с Порта Сан Донато, которая была расположена рядом с ее школой и куда ребенок вполне мог направиться, устав ждать родителей.

Барбара взглянула на Ажара, когда прозвучало слово *«родители»*. Он выглядел так, как будто пропустил сильный удар в челюсть.

---

[1] Мой племянник (*итал.*).

[2] Да (*итал.*).

[3] Площадь (*итал.*).

Тогда им пришлось поверить в самое страшное и позвонить в полицию. Но Анжелина также позвонила Ажару. Она узнала, что его вот уже несколько дней нет на работе. Потом она выяснила, что его мобильный тоже не отвечает. Номер в Чолк-Фарм тоже молчал. И тогда она поняла, что произошло на самом деле.

– Анжелина, – в отчаянии попытался объяснить Ажар. – Я был на конференции.

– Где? – спросила она.

– В Берлине, в Германии.

– Вы можете это доказать, сэр? – вмешался констебль.

– Конечно, могу. Конференция длилась четыре дня. Было много секционных заседаний. Я выступил с докладом и участвовал в...

– Ты уехал из Берлина и успел украсть ее, правда? – сказала Анжела. – Это было очень просто. Именно так ты и поступил бы. Где она, Хари? Что ты с ней сделал? Куда увез?

– Ты должна меня выслушать. – Ажар обернулся к спутнику Анжелины, которого до тех пор игнорировал. – Пожалуйста, заставьте ее выслушать меня. Когда ты сбежала, я не мог вас найти, хотя и старался. Я даже нанял частного детектива много месяцев назад. Но безуспешно – никаких следов. Пожалуйста, выслушай меня.

– Мадам, – сказал констебль, – это дело надо расследовать на месте, а не здесь. Итальянская полиция должна расширить район поисков, не ограничиваясь только Луккой. Они также смогут проверить, действительно ли он был на этой конференции.

– Да вы не представляете, как легко он мог сбежать с этой конференции, – сказала Анжелина. – Он увез ее из Италии, разве вы не видите? Она может быть в Германии. Почему, ради всего святого, вы меня не слушаете?

– Как я мог ее увезти? – спросил Ажар, бросая на Барбару отчаянные взгляды.

– Послушай, Анжелина, – вмешалась Барбара, – ты только подумай. Паспорт и другие документы Хадии. Ты ведь все увезла с собой. Я была здесь и все проверила. Ажар пришел ко мне вечером того дня, когда вы исчезли. Он не мог вывезти ее из Италии вообще без документов.

– Значит, ты ему помогла, – объявила вдруг Анжелина. – Ты ведь ему помогла? Ведь ты знаешь, как достать фальшивый паспорт и поддельные удостоверения личности. Ты все это знаешь.

Сказав это, женщина разрыдалась.

– Верните мне мою дочь, – всхлипывала она. – Я хочу назад свою девочку.

– Жизнью клянусь, что у меня ее нет, – голос Ажара звучал совсем надломленным. – Надо ехать в Италию и искать ее там.

Илфорд,
Большой Лондон

Ни Анжелина, ни ее новый любовник, которого, как выяснилось, звали Лоренцо Мура, не собирались возвращаться в Италию для продолжения поисков, до тех пор пока не получат в Лондоне исчерпывающую информацию, что бы они под этим ни подразумевали. Барбара смогла понять это после пятнадцати минут общения с ними.

Их абсолютно не интересовали документы, которые предъявил Ажар, чтобы доказать свое алиби. Вся эта куча авиационных билетов, счетов из гостиницы, счетов из ресторанов не произвела на них никакого впечатления. Казалось, Анжелина не хотела понимать, что поиски необходимо продолжать в Италии, а не тратить драгоценное время на склоки в Чолк-Фарм. Она заявила, что хочет поехать в Илфорд.

Когда Анжелина это произнесла, Барбаре показалось, что Ажара сейчас стошнит на ковер.

– *Илфорд*? – переспросила она сама. – А Илфорд-то здесь при чем?

Ажар загробным голосом произнес четыре слова, которые все объяснили:

– Моя жена и родители.

Барбара обратилась к Анжелине:

– Ты думаешь, он спрятал Хадию у своих родителей? Анжелина, возьми себя в руки. Не говори глупостей. Нам надо...

– Заткнись! – закричала Анжелина.

Два констебля попытались вмешаться, но, прежде чем они смогли ее остановить, она бросилась на Ажара.

– Ты на *все* пойдешь! – кричала она.

Барбара схватила ее за плечо и отбросила в сторону, однако, когда Анжелина набросилась уже на нее, она сказала:

– Хорошо, пусть будет Илфорд. Поехали в Илфорд.

– Барбара, мы не можем... – Казалось, Ажар агонизировал.

– Придется, – ответила Барбара.

Местные констебли с удовольствием передали дело в руки представителя полицейского управления, сержанта Барбары Хейверс. Они немедленно слиняли из квартиры; правда, уходя, они разогнали всех зевак на улице. Поэтому, когда Барбара и другие вышли из квартиры и направились к машине Ажара, им никто не мешал.

В Илфорд они ехали молча. Барбара слышала, как Лоренцо что-то шептал на ухо Анжелине, но говорил он на итальянском, что для Барбары было равносильно разговору на марсианском.

Вцепившись в руль, Ажар не отрывал глаз от дороги. По его прерывистому и хриплому дыханию Барбара поняла, чего все это ему стоило.

Семья Ажара жила рядом с Грин-лейн, за углом заведения, которое называлось «Фрукты и овощи от Ушана». Это была улица кондоминиумов, похожая на множество других улиц в городе, где уличные лампы освещали дома-близнецы, отличавшиеся только цветами в палисадниках при входе. На этой улице, в отличие от тех, которые были ближе к центру, было мало машин. Для жителей округи это было дорогое удовольствие.

– Куда теперь? – спросила Анжелина, когда Ажар остановил машину приблизительно посередине улицы.

Лоренцо открыл дверь и помог ей выбраться. Он держал ее за талию. Таймулла подошел к нужному дому. На звонок дверь открыл мальчик-подросток. Момент был ужасен. Барбара поняла это по каменному выражению лица Ажара. Она знала, что он смотрит на своего сына. На сына, которого не видел уже десять лет.

Было очевидно, что мальчик не представлял, кто они такие.

– Да, – сказал он, убирая со лба упавшие волосы тыльной стороной руки. Ажар шевельнулся, как будто хотел дотронуться до мальчика, но остановил себя. Затем он сказал:

– Саид, я твой отец. Скажи этим людям со мной, что я не привозил к вам в дом никаких детей.

Рот мальчика приоткрылся. Он оторвал взгляд от Ажара и перевел его на Барбару, а затем на Анжелину.

– Которая из них шлюха? – спросил он.

– Саид, сделай, что я прошу, – сказал Ажар. – Скажи этим людям, что я не привозил сюда никакой девочки девяти лет от роду.

– Саид? – раздался голос женщины. Она говорила за спиной мальчика, но казалось, что она была в другой комнате. – Саид, кто там?

Он не ответил. Его взгляд впился в отца, как будто вызывал его на то, чтобы тот сам назвался жене, которую бросил. Когда ответа не последовало, раздались приближающиеся шаги, и Саид отошел от двери. Ажар и его жена оказались лицом к лицу.

Не взглянув на сына, женщина сказала:

– Саид, иди в свою комнату.

Барбара ожидала увидеть *традиционные шаровары*. Она ожидала увидеть шарф. Чего она не ожидала, так это того, насколько красива была жена Ажара. Наверное, потому, что, как и большинство людей, Барбара считала, что Ажар оставил обычную женщину, для того чтобы продолжить жизнь с необычной. Мужчины, думала она, всегда уходят к тем, кто лучше, а не хуже. Но эта женщина была гораздо красивее Анжелины: темные глаза с поволокой, потрясающий овал лица, чувственный рот, грациозная длинная шея и идеальная кожа.

– Нафиза, – сказал Ажар.

– Зачем ты приехал? – спросила Нафиза.

На это ответила Анжелина:

– Мы хотим обыскать дом.

– Пожалуйста, Анжелина, – мягко сказал Ажар. – Ты же видишь... – Затем он обратился к своей жене: – Нафиза, я прошу прощения за вторжение. Я бы никогда... Пожалуйста, объясни этим людям, что моей дочери здесь нет.

Нафиза не была высокой женщиной, но выпрямилась во весь свой небольшой рост; чувствовалось, что в ней есть стержень.

– Твоя дочь в своей комнате наверху. Она занята домашним заданием. Она очень хорошая ученица, – ответила она.

– Рад слышать. Ты, наверное... Она будет источником... Но я сейчас не говорю о...

– Вы знаете, о ком он говорит, – вмешалась Анжелина.

Барбара достала свое полицейское удостоверение. Она с трудом переносила ту боль, которую, казалось, источал Ажар.

– Не могли бы вы впустить нас в дом, миссис... – К своему стыду, она не знала, как к ней обратиться. Попробовала еще раз: – Мадам, мы хотели бы войти. Мы ищем пропавшего ребенка.

– И вы думаете, что девочка у меня в доме?

– Ну, не совсем так...

Нафиза внимательно осмотрела их всех, каждого по отдельности, с ног до головы. Казалось, женщина не торопится. Затем она освободила вход. Все вошли и столпились в крохотном коридоре, который был уже занят лестницей, ведущей наверх, ботинками, рюкзаками, хоккейными клюшками и футбольными принадлежностями. Все сгрудились в маленькой прихожей справа.

Здесь они увидели, что Саид не ушел в свою комнату. Он сидел в прихожей на краю дивана, поставив локти на колени и свесив руки между ног... На стене над ним висела фотография, на которой были изображены тысячи паломников в Мекке. Больше никаких украшений или картин не было, кроме двух маленьких школьных фотографий в рамках на столике. Ажар подошел к ним и взял их в руки. Он жадно рассматривал их. Нафиза пересекла комнату и забрала их. Она положила фото на стол, изображениями вниз.

– Здесь нет других детей, кроме моих, – сказала она.

– Я хочу проверить, – настаивала Анжелина.

– Муж мой, ты должен объяснить этой женщине, что я говорю правду, – сказала Нафиза. – Ты должен объяснить ей, что мне нет смысла врать. Что бы ни случилось, это не имеет никакого отношения ни ко мне, ни к моим детям.

– А, так *вот* она, – вставил Саид. – Вот эта шлюха.

– Саид, – одернула мальчика мать.

– Я сожалею, Нафиза, – обратился к ней Ажар. – Но ради тебя, ради меня, ради всего того, что было...

– Сожалеешь? – Это сказал мальчик. – Ты еще смеешь говорить маме, что ты сожалеешь? Ты кусок дерьма, и не думай, что мы этого не знаем. Если ты полагаешь...

– Хватит, – вмешалась его мать. – Ты сейчас уйдешь в свою комнату, Саид.

– А вот эта, – гримаса в сторону Анжелины, – будет шарить у нас в доме в поисках своего ублюдка?

Ажар посмотрел на сына.

– Ты не смеешь говорить...

– Ты, урод, не смей говорить мне, что я должен делать.

С этими словами мальчик вскочил, протолкался сквозь них и вылетел из комнаты. Однако он пошел не наверх, а направился в коридор, где стал звонить по телефону. Говорил он на урду. Барбара поняла, что это было что-то важное, потому что Нафиза сказала Ажару:

– Это не займет много времени.

– Я очень сожалею, – повторил Таймулла.

– Ты не знаешь, что это такое, – отрезала она, затем обратилась к остальным; ее голос был полон чувства собственного достоинства: – Единственные дети в этом доме – те, кого я родила от этого человека, бросившего нас.

Барбара тихо спросила у Ажара:

– Кому звонил мальчик?

– Моему отцу, – был ответ.

«Этого только не хватало, черт нас всех побери», – подумала она. Барбара была уверена, что ситуация развивается по худшему сценарию. Она обратилась к Анжелине:

– Мы теряем время. Ты видишь, что Хадии здесь нет. Это же очевидно, ради всех святых. Ты, что, не видишь, что эти люди ненавидят его, так же как и твое собственное семейство?

– Ты просто влюблена в него, – огрызнулась Анжелина. – С самого начала. Я верю тебе не больше, чем гадюке. – Затем она повернулась к Лоренцо: – Ты посмотри наверху, а я...

Вдруг в комнату ворвался Саид. Он бросился на Лоренцо с криком:

– Убирайтесь из моего дома! Убирайтесь! Убирайтесь!

Итальянец отмахнулся от него, как от назойливой мухи. Ажар шагнул вперед. Барбара схватила его за руку. Все шло именно по худшему сценарию. Последнее, что им было надо, – это звонок в полицию от одного из этих людей.

– Так. Послушай меня очень внимательно, – сказала она резким тоном. – Анжелина, у тебя есть выбор. Или ты веришь Нафизе, или проводишь обыск, а потом объясняешься с полицией, когда та появится. Будь я на месте Нафизы, то начала бы звонить в полицию еще в тот момент, когда мистер Вселенная поставил ногу на порог. Ты теряешь время. Все мы теряем время. Подумай, ради бога. Ажар был в Германии. Он тебе это доказал. Он не был в Италии, и даже не догадывался, что вы именно там. Поэтому ты или продолжаешь свои истерики, или мы все садимся на самолет, летим в Италию и давим на тамошних полицейских, чтобы те искали Хадию. Ты должна решить это прямо сейчас.

– Я не поверю, до тех пор пока...

– Да что же, черт возьми, с тобой происходит?

– Вы можете посмотреть, – тихо сказала Нафиза. Она показала на Барбару. – Только вы.

– Это тебя устроит? – спросила Хейверс Анжелину.

– А откуда я знаю, что вы не в сговоре? Что ты, вместе с ним, не...

– Потому что я полицейский, черт тебя побери совсем. Я люблю твою дочь. И пойми ты наконец: ни я, ни Ажар, ни один из нас не сделает с тобой того, что ты сделала с Ажаром, спрятав Хадию и не давая ей видеться с отцом. Нам это и в голову не придет. Он *не такой*, как ты, понимаешь? Я не такая, как ты, и ты это прекрасно знаешь. Поэтому если ты не согласна сидеть в этой комнате и ждать, когда я обыщу дом, то я сама позвоню в полицию и вызову их в связи с нарушением границ частной собственности. Я все понятно объяснила?

Лоренцо что-то прошептал Анжелине по-итальянски и нежно обнял ее за шею.

– Ну, хорошо, – согласилась она.

Барбара направилась к лестнице. Обыскать дом было несложно – он оказался небольшим и расположился на трех этажах, вместе со всеми спальнями, ванными и кухней[1]. Барбара оторвала дочь Ажара от ее домашнего задания, но девочка была единственным живым существом наверху.

Она вернулась к остальным.

---

[1] Даже при наличии трех этажей лондонский дом действительно может оказаться весьма небольшим по площади.

– Ничего, – сказала она.

Глаза Анжелины наполнились слезами, и Барбара вдруг поняла, как сильно она надеялась, что, несмотря на всю абсурдность ее обвинений, Хадия вдруг окажется в этом доме. На секунду Барбара почувствовала к ней симпатию. Но тут же отбросила это чувство. Важнее всего был Ажар. А его только минуты отделяли от встречи с отцом. Она знала, что его необходимо увезти прежде, чем это случится.

Однако им не повезло. Они уже выходили из дома, когда увидели двух мужчин в национальных одеждах, несущихся со стороны Грин-лейн по направлению к дому. Один из них держал в руках лопату, другой – мотыгу. Не нужно было быть Шерлоком Холмсом, чтобы понять их намерения.

– В машину, – сказала Барбара Ажару, – *быстрее*.

Тот не пошевелился. Мужчины громко кричали что-то на урду. Тот, который повыше, являлся, наверное, отцом Ажара. Барбара поняла это, потому что его лицо исказила ярость. Его компаньон был приблизительно такого же возраста. Возможно, он добровольно вызвался помочь в исполнении наказания.

– *La macchina, la macchina*[1], – повторял Лоренцо Анжелине. Он открыл дверь и буквально впихнул ее внутрь.

Барбара подумала, что он последует за ней. Ничего подобного. Ему, видимо, нравилось помахать руками. Он мог не испытывать большой любви к Ажару, но если дело дошло до уличной драки, *no problema*[2].

Среди всех этих криков на урду и на итальянском невозможно было понять, кто кого и в чем обвиняет. Однако было очевидно, что целью пожилого пакистанца был Ажар, а Барбара не могла допустить, чтобы его тронули.

Пакистанцы приблизились, размахивая своим инструментом. Хейверс оттолкнула Ажара в сторону и во весь голос крикнула:

– Полиция!

Это не подействовало. Лоренцо бросился вперед.

Потом Барбара вспоминала, что он ругался по-итальянски и, судя по его тону, не выбирал выражения. Он хорошо дрался руками, но еще лучше ногами. Несмотря на садовый инвентарь, нападающие оказались на земле прежде, чем поняли, откуда шла угроза. Однако они не остались лежать на земле и стали подниматься, когда из дома выскочил кричащий Саид. Затем пожилая женщина и двое мужчин бросились к месту схватки от соседнего

---

[1] Машина (*итал.*).

[2] Нет проблем (*итал.*).

дома. В ту же секунду Саид врезался в своего отца и ударил его кулаком в горло.

Кто-то завизжал. Барбара подумала, что это она, но затем поняла, что в руках у нее мобильный и она судорожно набирает номер полиции. Было понятно: то, что она сама из правоохранительных органов, не могло остановить побоище.

Наконец отец Таймуллы добрался до него. Он отбросил Саида и сам вцепился в Ажара. Лоренцо бросился на помощь, но был остановлен владельцем мотыги. Пожилая женщина с ходу врезалась в Ажара и его отца, выкрикивая, как показалось Барбаре, какое-то имя. Она тянула, толкала и дергала во все стороны, пытаясь разнять дерущихся и прекратить драку. Барбара пыталась оттащить владельца мотыги.

Нафиза выбежала из дома и схватила Саида. Однако на улице появились еще двое юнцов с крикетными битами, а женщины на противоположной стороне улицы стали выкрикивать проклятия и угрозы.

Только появление полиции положило конец побоищу. Две машины и четыре констебля, одетые в форму, быстро разобрались со всеми участниками. Только благодаря Барбаре никого не арестовали, хотя всем им пришлось дать показания в местном участке. Когда их привезли туда, она показала свое удостоверение и объяснила, что произошла семейная ссора, на что отец Ажара зло выплюнул:

– Он не из семьи.

Полицейские пригласили офицера, который хорошо говорил на урду, и каждый получил возможность высказаться. Результатом поездки было потерянное время, взбаламученные нервы, несколько синяков и полное отсутствие какой-либо новой информации.

Дорога в Чолк-Фарм прошла в полном молчании. Ажар молчал, Анжелина всхлипывала.

АПРЕЛЬ, 18-е

Виктория,
Лондон

– Вы сошли с ума! – Такова была реакция Изабеллы Ардери на просьбу Барбары. Затем она добавила: – Возвращайтесь к работе, сержант, и не будем об этом больше говорить.

– Но вы же знаете, что им нужен офицер для связи, – именно так Барбара парировала распоряжение своего старшего офицера.

– Ничего я не знаю, – ответила Ардери. – И не собираюсь посылать никого, кто вмешивался бы в иностранное расследование.

Она заканчивала разговор по телефону, когда Барбара вошла в ее кабинет.

Наверняка обсуждала большой праздник. Сообщение пришло с заоблачных высот с гонцом в лице сэра Дэвида Хильера, почтившего своим посещением их часть Нового Скотланд-Ярда, для того чтобы сообщить построенным офицерам, что *«исполняющий обязанности»* больше не относится к *детективу суперинтенданту* Изабелле Ардери. Свист и аплодисменты от всех присутствовавших. Не важно, сквозь какие круги ада пришлось пройти Ардери за последние девять месяцев – важно было то, что она в этом преуспела.

Рано утром Ажар, вместе с Анжелиной Упман и Лоренцо Мурой, вылетел в Лукку. Барбара намеревалась незамедлительно последовать за ними. Она тщательно продумала, как это все произойдет, и только что закончила свой рассказ суперинтенданту.

Для Хейверс все выглядело очень логично. Британская подданная исчезла на иностранной территории. Вполне возможно, что ее даже похитили. Когда случается подобное преступление, обычно назначается офицер для связи, задача которого – нивелировать культурные, языковые, процессуальные и другие расхождения в ходе расследования. Барбара хотела, чтобы этим офицером стала она. Она хорошо знала семью, и требовалось только согласие суперинтенданта, после чего она могла ехать.

Ардери имела на этот счет другое мнение. Она внимательно выслушала подробный рассказ Барбары о том, что случилось, начиная с момента исчезновения Хадии и ее матери в ноябре прошлого года и кончая нынешним исчезновением девочки с рынка в Италии. Она слушала, задавая вопросы только для того, чтобы уяснить имена, географические названия и родственные связи. Когда Барбара закончила рассказ и уже ждала, что Ардери наконец произнесет «конечно, вы должны немедленно ехать в Тоскану», что для Барбары казалось абсолютно правильным, Изабелла указала ей на «небольшие детали», которые, по ее мнению, сержант упустила из виду.

Первым было то, что посольство Великобритании не было задействовано в расследовании. Никто туда не звонил, не заходил, не обращался по электронной почте или факсу, не подавал сигналов дымом или каким-либо еще способом. А без участия посольства, без помощи дипломатов, заранее сглаживающих возможные шероховатости, они будут выступать в роли слона в посудной лавке, вмешиваясь в расследование на территории иностранной державы, где их никто не ждет.

Второе, что отметила суперинтендант, было то, что задачей офицера связи было информировать семью, находящуюся на территории Великобритании, о ходе расследования на территории иностранного государства. Но родители девочки находились в Италии, не так ли? Или на пути в Италию, как сказала сама сержант. Более того, мать ребенка *жила* в Италии, не правда ли? Где-то в Лукке? Или под Луккой? И жила с гражданином Италии? В этом случае ей незачем требовать офицера связи. Поэтому она, суперинтендант Ардери, не видит никакой причины отправлять сержанта Барбару Хейверс в Тоскану в качестве офицера связи.

– Причина заключается в том, – сказала Барбара, – что похищена девятилетняя девочка. Британская подданная. Никто не видел, что произошло, но, что бы ни *произошло*, это случилось на рынке, заполненном людьми. Переполненный рынок, с сотнями потенциальных свидетелей, которые ничего не видели.

– Вот именно потому, – заметила Ардери, – что их так много, на них всех невозможно оказать давление. Как давно пропала девочка?

– Какое это имеет значение?

– Надеюсь, мне не надо объяснять вам, какое это имеет значение.

– Черт побери, вы сами знаете, что первые двадцать четыре часа являются определяющими. А сейчас прошло уже больше сорока восьми.

– Уверяю вас, итальянской полиции это тоже известно.

– Они говорят Анжелине, что...

– Сержант, – Изабелла говорила с Барбарой твердым голосом, в котором слышались нотки симпатии. Однако сейчас ее голос звучал напряженно. – Я изложила вам факты. Мне кажется, что вы думаете, что я могу как-то повлиять на ситуацию. Не обольщайтесь – у меня такой возможности нет. Когда иностранное государство...

– Ну что вам еще не понятно? – перебила Барбара. – Девочку похитили в публичном месте. Она, может быть, уже мертва.

– Может быть. И если это так...

– Да вы только послушайте, что вы такое говорите! – взвизгнула Барбара. – Мы говорим о ребенке. О ребенке, которого я знаю... А вы заявляете «может быть, и мертва» так, как будто вы говорите о пироге, который может подгореть в духовке. Или о сыре, который может протухнуть. Или о молоке, которое может скиснуть.

Изабелла вскочила на ноги.

– Извольте взять себя в руки, – сказала она. – Вы слишком близко принимаете это к сердцу. Даже если посольство позвонит и попросит о нашей поддержке, вы будете последней в списке возможных кандидатов. Вы совершенно не объективны, а если вы не понимаете, что объективность – это самое важное условие расследования преступления, то мне очень жаль. Думаю, что в этом случае вам надо еще раз прослушать курс того учебного заведения, в котором вы изволили учиться.

– А что, если нечто подобное случится с одним из ваших мальчиков? – спросила Барбара. – Насколько в этом случае хватит вашей объективности?

– Вы сошли с ума, – этим завершилась их беседа, и Барбаре посоветовали вернуться к работе.

Хейверс в бешенстве вылетела из офиса Ардери. В какой-то момент она даже не могла сообразить, к какой работе ей надо вернуться. Бросилась к своему столу, где экран компьютера пытался освежить ее память, но не могла ни о чем думать и не могла ничем заниматься до тех пор, пока не окажется в Италии.

Лукка,
Италия

У старшего инспектора Сальваторе Ло Бьянко был вечерний ритуал, которому он следовал всякий раз, когда ему удавалось остаться после обеда дома.

С чашечкой *coffee corretto*[1] в руке он забирался на верх башни, в которой жил со своей мамочкой, и там, на абсолютно плоской крыше, мог выпить свой кофе в покое, наблюдая за закатом солнца. Он любил закаты и то, как лучи заходящего солнца ласкали древние здания его города. Но больше всего он любил время, проведенное вдали от мамочки. Будучи 76 лет от роду и имея плохо действующий тазобедренный сустав, она уже не могла взбираться на самый верх Торре Ло Бьянко, башни, которая была домом для многих поколений их предков. Последние два пролета были очень крутыми и сделанными из металла. Стоило ей оступиться на них, и ей пришел бы конец. Сальваторе не хотел подвергать мамочку опасности, хотя и ненавидел жить с ней – почти так же сильно, как она обожала жить с ним после того, как он вернулся в дом.

---

[1] Натуральный кофе (*итал.*).

То, что он вернулся, значило, что она была права, а мамочка Сальваторе больше всего на свете любила, когда она оказывалась права. Она носила черное с того момента, как он привел в дом эту шведскую девку, которую встретил на *Piazza Grande*[1] восемнадцать лет назад. Она была в черном даже на их свадьбе, словно пытаясь телеграфировать им свое неудовольствие. Сейчас же мамочка украшала свою одежду розами, которые она постоянно нежно гладила. Это началось в тот день, когда он сказал ей, что разводится с Биргит. Пусть думает, что его мамочка постоянно молится, чтобы та одумалась и попросила своего мужа вернуться в их дом в Борго Джанотти, как раз за городской стеной. Правда же заключалась в том, что она выполняла свой обет, данный Святой Деве Марии: положи конец этому богопротивному браку моего сына с *quella puttana straniera*[2], и до конца жизни я буду ежедневно благодарить тебя розой. Или пятью розами. Или шестью. Сальваторе не знал точно, сколько роз было обещано, но полагал, что очень много. Он не раз хотел напомнить ей, что католическая церковь не признает разводы, но часть его – та часть, которая отвечала за хорошего сына, – не хотела разрушать ее счастья.

Сальваторе прошел со своей чашечкой кофе к небольшому огородику, разбитому на крыше, и внимательно осмотрел томаты. На них уже появилась завязь – будет приятно наблюдать, как они наливаются соком здесь, так высоко над городом. Он бросил взгляд в направлении Борго Джианотти. Сейчас его мучило несколько вещей, и одной из них была мысль о Биргит.

Его мамочка была, конечно, права – женитьба на Биргит была абсолютной ошибкой, с какой стороны ни посмотри. Говорят, что противоположности притягиваются. Их противоположности больше напоминали магниты, положительные и отрицательные полюса которых отталкивались. Он должен был давно догадаться об этом. Наверное, в тот момент, когда впервые привел Биргит знакомиться со своей мамочкой и увидел ее реакцию на глубокую привязанность к нему его матери, которая в тот день перестирала, накрахмалила и выгладила все его пятнадцать сорочек. Реакция Биргит была нечто вроде «ну что же, Сальваторе, у тебя есть член, и что из этого?» – и она начисто отказалась понять всю важность наличия в итальянской семье «мальчика-мужчины». Она не понимала, что продолжение рода превыше всего. Сначала его

---

[1] Большая площадь (*итал.*). Обычно так называется центральная площадь в итальянских провинциальных городах.

[2] Этой иностранной шлюхой (*итал.*).

развлекало это непонимание Биргит одной из основополагающих ценностей его культуры. Он подумал, что со временем разница в итальянском и шведском взгляде на жизнь сотрется. В этом была его ошибка. На счастье, она не уехала в Стокгольм с их двумя детьми, после того как они разошлись, и за это Сальваторе был ей благодарен.

Второй мыслью, которая не давала ему покоя, была мысль о пропавшей девочке. О пропавшей *английской* девочке. Плохо, что она иностранка. Еще хуже, что она британка. Везде торчали уши Перуджи и Португалии[1]. Сальваторе знал, что ни одна живая душа не упрекнет его за желание того, чтобы ситуация в Лукке развивалась по тому же сценарию. Репортеры местных таблоидов, сующие везде свой нос, репортеры иностранных таблоидов, занимающиеся тем же, телевизионные камеры на лужайке перед *questura*[2], истеричные родители, официальные запросы, звонки из посольства, чудеса «спихотехники», демонстрируемые разными департаментами полиции... До этого еще не дошло, но Сальваторе понимал, что это вполне может случиться.

Он был очень обеспокоен. С момента исчезновения прошло уже три дня, а все, что у них было, это показания полупьяного аккордеониста, который играет в базарные дни возле Порта Сан Джакопо, и хорошо известного наркомана, который в тот день стоял на коленях на пути у посетителей *mercato* с надписью на груди *Ho fame*[3] – почему-то он надеялся, что эта декларация сможет ввести в заблуждение прохожих. В любом случае любой справедливо решил бы, что все собранные деньги он потратит на приобретение той гадости, которую обычно употреблял.

От аккордеониста Сальваторе узнал, что девочка, о которой шла речь, приходила послушать его каждую субботу. *La Bella Piccola*[4], как он назвал ее, всегда давала ему два евро. Но в тот день дала семь. То есть сначала дала ему монету, а потом протянула пятиевровую бумажку. Музыканту показалось, что эту банкноту дал ей кто-то, кто стоял рядом. У аккордеониста спросили, кто бы это мог быть. Но он не смог ответить – просто не знал. В толпе, объяс-

---

[1] В Перудже (Италия) в 2007 году произошло убийство 21-летней британской студентки; в том же году в Прайя-да-Луж (Португалия) исчезла британская 4-летняя девочка, которую так и не нашли. Происшествия получили широкий резонанс в прессе.

[2] Участок (*итал.*).

[3] Я голоден (*итал.*).

[4] Красивая малышка (*итал.*).

нил он, трудно кого-то выделить. Вместе со своим танцующим пуделем он улыбался и пел, стараясь доставить всем прохожим как можно больше удовольствия. Но выделял мужчина только тех, кто что-то ему подавали. Именно поэтому он знал *La Bella Piccola*. В лицо, но не по имени. Потому что девочка всегда подавала ему деньги. Последнее аккордеонист произнес с таким видом, как будто хорошо знал, что Сальваторе Ло Бьянко скорее даст отрезать себе палец, чем подаст уличному музыканту.

Когда его спросили, не было ли в поведении девочки чего-то необычного в тот день, он сначала ответил, что ничего не заметил. Затем, подумав, предположил, что деньги мог дать ей темноволосый мужчина, стоявший сразу за ней. Но, с другой стороны, пожилая женщина в крепдешиновом платье с бюстом до пояса тоже могла это сделать. Она стояла совсем рядом с девочкой. В любом случае, все, что аккордеонист мог рассказать *Ispettore*[1] о том, как они выглядели, ограничивалось темными волосами одного и большим бюстом другой. Под это описание легко подходило 80% населения страны, и та женщина вполне могла быть мамочкой Сальваторе.

К этому немного добавил коленопреклоненный наркоман. От этого существа, которого звали Карло Каспариа и который был настоящей божьей карой для своей несчастной семьи, приехавшей из Падуи, старший инспектор узнал, что девочка прошла совсем рядом с ним. Хотя он смотрел в другую сторону, от Порта Сан Джакопо, так, чтобы все входящие на рынок могли видеть его лицо и прочитать его плакат, Карло знал, что это был тот самый ребенок, чьи фотографии сейчас были развешаны на стенах, дверях и окнах по всему городу. Потому что она остановилась и оглянулась, как будто искала кого-то, а когда она увидела надпись *Ho fame*, то подошла к нему и отдала банан, который несла с собой. Затем девочка пошла дальше и исчезла из вида. И просто растворилась в воздухе, как потом оказалось. Никаких других следов не было.

После того, как мамаша девочки, пройдя через все стадии истерики, смогла все-таки объяснить, что девочка не просто убежала из дома, что она не играла где-то со своими друзьями, а также рассказала, что они – мамаша и ее любовник – обыскали все окрестности, заглянув за каждый угол и спустившись в каждый подвал, Сальваторе решил допросить всех возможных подозреваемых. Он приказал доставить их в *questura*, и на виале Кавур были собраны шесть сексуальных маньяков, шесть подозреваемых педофилов,

---

[1] Инспектор (*итал.*).

один вор-рецидивист, ожидающий суда, и священник, который уже много лет был на подозрении у Сальваторе.

Это ничего не дало. Пока еще дело не вышло на уровень провинции или страны, но Сальваторе знал, что это вопрос времени, если только ему не удастся найти ребенка в кратчайшие сроки.

Сделав последний глоток кофе и бросив последний взгляд на закат, он направился к люку, который приведет его назад к его мамочке. Раздался звонок мобильного, и он посмотрел на номер звонившего. Увидев, кто звонит, издал стон и на ходу стал соображать, что делать.

Сальваторе мог подождать, пока телефон переключится на голосовую почту, но он знал, что это не имело смысла. Звонивший будет названивать по четыре раза в час всю ночь, пока он не ответит. Он подумал, не бросить ли мобильный через парапет башни, но вместо этого ответил:

– *Pronto*[1].

Он услышал то, что и ожидал услышать:

– Приезжай в Баргу, *Topo*[2]. Пора нам с тобой побеседовать.

Барга,
Тоскана

Было совершенно естественно, что Пьеро Фануччи не жил в Лукке или ее окрестностях. Ведь это бы облегчило жизнь многим людям. А *il Pubblico Ministero*[3] был не тем человеком, который думает об облегчении жизни другим, особенно полицейским, которые ему подчинялись. Он любил жить на холмах Тосканы. И если кому-то, с кем он хотел обсудить расследование, приходилось больше часа в апрельский вечер добираться до его дома, – что ж, такова жизнь.

Хорошо хоть, что *il Pubblico Ministero* не жил в центре Барги. В этом случае до него пришлось бы добираться, преодолевая бесконечные ступени и лавируя по множеству переходов, которые вели в сторону Дуомо, расположенного высоко на холме. Фануччи жил недалеко от дороги на Джалликано. Чтобы попасть к нему, надо было ехать по серпантину под углом, который заставлял волосы вставать на затылке дыбом, из деревни, расположенной в долине, но туда хотя бы можно было добраться на машине.

---

[1] Слушаю вас (*итал.*).

[2] Мышонок (*итал.*).

[3] Прокурор (*итал.*).

Сальваторе знал, что, когда он приедет, *il Pubblico Ministero* будет один. Его жена навещала одного из их шести детей – именно в посещении детей проходила ее жизнь с момента, когда дети стали достаточно взрослыми, чтобы жениться и завести собственные дома. Его любовница, несчастная женщина из Джаликкано, которая стирала, убирала и подчинялась малейшему приказу Фануччи, появляясь в его спальне по первому зову, тоже уже ушла, после того как съела свой одинокий обед на кухне и вымыла посуду после одинокого обеда, который Фануччи съел в столовой. Он будет заниматься своей единственной и непреходящей любовью – орхидеями, ухаживая за ними с такой нежностью, которую он мог бы выказать, но никогда не выказывал по отношению к своей семье. По прибытии Сальваторе полагалось восхититься теми цветами, которые цвели в настоящий момент. До тех пор, пока он этого не сделает, причем с той долей восхищения, которая бы удовлетворила *il Pubblico Ministero*, ему не раскроют причину, по которой его пригласили в Баргу.

Сальваторе припарковался перед домом Фануччи – приземистой квадратной виллой терракотового цвета, которая расположилась среди ухоженных садов, за металлическими воротами. Как всегда, они были закрыты, но, набрав нужный код, старший инспектор смог войти.

Он не стал заходить в дом, а вместо этого обогнул его и прошел на задний двор виллы, откуда открывался вид на крутой обрыв в долину и склоны холмов напротив, к которым прилепились десятки тосканских деревенек. Еще через час они превратятся в россыпь огней во мраке ночи. В дальнем конце террасы виднелась крыша оранжереи с орхидеями, которая располагалась на нижнем уступе холма. Тропинка, посыпанная щебенкой, вела к виноградной беседке, которая обеспечивала тень. В тени стояли кресла и стол, на котором высилась бутылка граппы и стояла тарелка с любимым *biscotti*[1] Фануччи. Самого *il Pubblico Ministero* за столом не было. Как и предполагал Сальваторе, он находился в оранжерее, ожидая комплиментов. Сальваторе мысленно собрался с силами и вошел.

Фануччи занимался тем, что обрызгивал водой листья десятка или более цветов, стоявших на торфяной полке, протянувшейся вдоль стены теплицы. Они относились к тем сортам, у которых на одном высоком стебле, привязанном к бамбуковой палке, росло одно-единственное соцветие цветов, которые Фануччи тщательно

---

[1] Печенье (*итал.*)

оберегал от попадания на них воды. На носу у него были одеты очки, а во рту торчала самокрутка. Живот его нависал над *cintura*, который поддерживал его брюки.

Фануччи не прервал своего занятия. Он молчал. Это дало Сальваторе время собраться с мыслями и попытаться понять, чего хочет от него его начальник на этот раз. Все знали, что Фануччи, как хамелеон, был *il drago*[1] для одних и *il volcano*[2] для других.

Он был также самым уродливым мужчиной, которого Сальваторе видел в своей жизни. Чернявый, как *contadini*[3] в Базиликате, месте, где он родился; лицо его было усыпано бородавками, которые не мог бы вылечить даже святой Рокко; на правой руке у него был шестой палец, которым он по привычке размахивал перед лицом собеседника, чтобы сразу же понять по его лицу, как собеседник к нему относится. Его внешний вид был для него божьим испытанием во времена молодости, но со временем Фануччи научился ловко им пользоваться. И теперь, достигнув возраста и положения, которые позволяли ему легко изменить свой внешний вид, он отмел эту возможность. Его внешний вид был его верным слугой.

– Прекрасны, как всегда, *magistrato*[4], – произнес Сальваторе. – Как называется вот эта?

И он указал на цветок, на лепестках которого, цвета фуксии, были мазки желтого цвета, которые освещали цветок изнутри, как вечерние лучи солнца иногда освещают темнеющую опушку леса.

Фануччи мельком взглянул на орхидею. Пепел его сигареты упал на манишку, на которой уже видны были пятна от оливкового масла и томатного сока. Впрочем, это не сильно волновало самого Фануччи, который, конечно, не собирался сам стирать свою рубашку.

– Это ерунда. Всего один цветок за сезон. Просто мусор, – сказал он. – Ты ничего не понимаешь в цветах, *Торо*. Я все надеюсь, что ты научишься, но ты безнадежен.

Он поставил распылитель и затянулся сигаретой. Раздался кашель. Это был глубокий и влажный кашель, сопровождавшийся хрипами в легких. Курение для него было все равно что попытка самоубийства, но он упорно отказывался бросить. Было множе-

---

[1] Дракон (*итал.*).

[2] Вулкан (*итал.*).

[3] Фермер (*итал.*).

[4] Судья (*итал.*); общепринятое вежливое обращение к судейским чиновникам.

ство офицеров и среди *polizia di stato*[1] и *carabinieri*[2], которые сильно надеялись, что его попытка все-таки удастся.

– Как мамочка? – спросил Фануччи.

– Как всегда.

– Она святая женщина.

– Именно в этом она пытается меня убедить.

Сальваторе прошел до конца торфяной полки, восхищаясь цветами.

Воздух в оранжерее пах торфяником. Сальваторе подумал, что было бы здорово почувствовать его в руке – жирный, глинистый и крошащийся под пальцами. В этой почве чувствовалась первобытная честность, и это ему нравилось. Она была тем, чем была, и делала то, что делала.

Фануччи закончил свой ежевечерний обход и вышел из оранжереи. Сальваторе пошел за ним. За столом *il Pubblico Ministero* налил два стаканчика граппы. Сальваторе предпочел бы «Сан Пеллегрино»[3], но он не обманул ожиданий и вежливо принял граппу. Однако отказался от предложенного *biscotti*. Он похлопал себя по животу и издал звук, который должен был объяснить, что творится там после прекрасной еды, приготовленной его матерью. Хотя в действительности он беспокоился о своем весе.

Сальваторе ждал, когда *il Pubblico Ministero* объяснит ему причину вызова. Он знал, что не нужно предлагать Фануччи пропустить всю светскую часть беседы и сразу, не теряя времени, перейти к главному. Фануччи проведет эту встречу так, как считает нужным и как задумал. Не имело смысла торопить его. Он как скала. Поэтому Сальваторе задал ритуальные вопросы о его жене, детях и внуках. Они поговорили о сырой весне и, возможно, о длинном и жарком лете. Обсудили глупый спор между *vigili urbani*[4] и *polizia postale*[5]. Решили, как контролировать толпу во время предстоящей битвы оркестров на Пьяцца Гранде в Лукке.

Наконец, когда Сальваторе уже смирился с тем, что не уедет от *il Pubblico Ministero* раньше полуночи, Фануччи перешел к делу. Он взял с сиденья стоящего рядом стула свернутую газету.

– Теперь пора поговорить об этом, *Topo*.

---

[1] Городская полиция (*итал.*).

[2] Карабинеры (*итал.*).

[3] Популярная минеральная вода.

[4] Инспекторы дорожного движения (*итал.*).

[5] Почтовая полиция (*итал.*).

Настроение Сальваторе сразу испортилось, когда он увидел в руках Фануччи завтрашний утренний выпуск «Прима воче», ведущей газеты провинции. Статья *«Da Tre Giorni Scomparsa»*[1] рассказывала о новости номер один. Под заголовком помещалась фотография британской девочки. Она была очень хорошенькой, что придавало статье особую важность. Ее связь с семьей Мура гарантировала, что публикации будут продолжаться.

Увидев статью, Сальваторе сразу же понял, почему его пригласили в Баргу.

Когда он докладывал *il Pubblico Ministero* о пропавшей девочке, то не упомянул о семье Мура. Он прекрасно понимал, что Фануччи, так же как и газета, сразу ухватится за это и начнет совать свой нос во все, что связано с расследованием. Этого Сальваторе хотелось меньше всего. Мура были старой луккской семьей, землевладельцы и торговцы шелком с незапамятных времен, чье влияние окрепло два столетия назад, еще до того, как Наполеон передал город своей несчастной сестре. То есть Мура могли легко осложнить любое расследование. Пока этого не случилось, но их молчание не должно было успокоить любого здравомыслящего человека.

– Ты ничего не сказал мне о Мура, – сказал Фануччи. Его тон был дружелюбным, с нотками легкого любопытства, но это не обмануло Сальваторе. – Почему, друг мой?

– Я не подумал, *Magistrato*, – ответил Сальваторе. – Ни девочка, ни ее мать не принадлежат к семье. Просто мать – любовница одного из сыновей Мура, *certo*[2]...

– И ты думаешь, что это значит... что это значит, *Topo*? Что он хочет, чтобы ребенка не нашли? Что он нанял кого-то, чтобы ребенка украли и чтобы девочка исчезла из жизни его и ее матери?

– Совсем нет. Но до сего дня я концентрировал свои усилия на тех, кто мог бы похитить девочку. Так как Мура я не подозревал...

– А что рассказали тебе другие, Сальваторе? Ты скрываешь от меня что-то еще, так же как скрыл связь Мура с этой девочкой?

– Я уже сказал, что ничего не скрывал.

– А эти Мура звонят мне, требуют информации, новых данных, спрашивают об именах подозреваемых. А я ни сном, ни духом. Как же так, *Topo*?

На это Сальваторе нечего было ответить. Его целью было держать *il Pubblico Ministero* как можно дальше от расследования.

---

[1] Три дня как исчезла (*итал.*).

[2] Конечно (*итал.*).

Фануччи был неисправимым занудой. Знание того, когда, что и как ему сказать, было искусством, которым Сальваторе овладел еще не до конца. Он сказал:

– *Mi dispiache*[1], Пьеро. Я не подумал. Такой утечки, – он показал на газету, – больше не будет.

– Чтобы этого избежать, *Topo*, я думаю, – тут Фануччи притворился, что размышляет о том, как наказать Сальваторе, хотя наверняка уже решил это для себя и сейчас только притворялся, – что тебе надо будет представлять мне ежедневные отчеты.

– Но так часто новостей не бывает, – запротестовал Сальваторе. – Кроме того, иногда совсем нет времени на подготовку отчета.

– Ну, я надеюсь, что ты справишься. Потому что, Сальваторе, я не хочу больше узнавать новости из «Прима воче». *Capisci*[2], *Topo*?

Что ему оставалось делать? Да ничего.

– *Capisco, Magistrato*[3], – ответил он.

– *Bene*[4]. Сейчас мы пройдемся по этому случаю вдвоем, ты и я. И ты расскажешь мне все, каждую деталь.

– Сейчас? – переспросил Сальваторе, потому что действительно было уже поздно.

– Сейчас, друг мой. Ведь жена от тебя ушла, чем теперь тебе еще заниматься?

АПРЕЛЬ, 19-е

Вилла Ривелли,
Тоскана

Она была грешницей. Она была женщиной, которая обещала себя Богу, в обмен на то, что Он ответит на ее молитву. Господь сделал это, и теперь она жила здесь почти десять лет, нося простое ситцевое платье летом и шерстяные платья грубой домашней вязки зимой. Она боролась с искушениями плоти, туго перетягивая свою грудь. Она собирала шипы роз, за которыми ухаживала, отрывая их от веток и зашивая в свое белье. Боль была постоянной, но она была необходимой. Потому что нельзя молить о грехе, быть проклятой его обретением и не заплатить за это.

---

[1] Простите (*итал.*).

[2] Понимаешь, Мышонок? (*итал.*).

[3] Понимаю, судья (*итал.*).

[4] Хорошо (*итал.*).

Жила она просто. Ее комнаты над стойлом, где она держала коз, которых доила, были маленькими и пустыми. В спальне стояла одинокая жесткая постель, комод и молитвенная скамейка, над которой висело распятие. Кроме того в ее распоряжении была кухня и крохотная ванная. Но ее запросы были невелики. Цыплята, огород и фруктовый сад обеспечивали ее едой. Рыбу, муку, хлеб, коровье молоко и сыр она брала на вилле в уплату за то, что ухаживала за территорией. Жители виллы никогда не покидали ее. Не важно, какое время года стояло на дворе и какая была погода, они оставались в стенах виллы Ривелли. Так она и жила, год за годом.

Ей хотелось верить, что благословение Господне когда-нибудь снизойдет на нее. Но с годами она стала подозревать, что дело тут было совсем в другом: наши мирские страдания могут быть недостаточны для искупления наших грехов.

Он сказал ей:

– Дела Господа нам не дано предугадать во время наших молитв, Доменика. *Capisci?*[1]

И она согласно кивнула. Потому что не могла не понять это простое правило своей жизни, когда глаза его говорили о ее грехе. О грехе, который она совершила не только против себя и своей семьи, но и, самое главное, против него.

В тот раз она протянула руку, чтобы дотронуться до его лица, до его теплой щеки, чтобы почувствовать его изгибы, которые так хорошо знала. Но увидела брезгливое выражение на его губах и отдернула руку, опустив глаза.

Грешница вновь согрешила. Между ними все было именно так. Он никогда не простит ее. И она не могла проклинать его за это.

А потом он привел к ней ребенка. Девочка прошла сквозь большие двустворчатые ворота виллы Ривелли, и ее лицо осветилось восхищением перед великолепием этого места. Она была смуглой, как и Доменика, с глазами цвета кофе, кожей цвета *noci*[2] и волосами как *cascata castana*[3]: они опускались ей до пояса темными каскадами с пробивающимися на солнце рыжими прядями и сами просились в руки, чтобы их нежно ласкали и причесывали; чтобы кто-то, вроде Доменики, ухаживал за ними.

Сначала девочка бросилась к большому фонтану, над которым, в кристально чистом воздухе, висела радуга. Его бассейн распо-

---

[1] Понимаешь (*итал.*).

[2] Орех (*итал.*).

[3] Коричневый водопад (*итал.*).

лагался на полпути от ворот к крытой террасе, которая заканчивалась громадными входными дверями. Она подбежала к крытой террасе, на которой, в своих нишах, уже много веков стояли статуи древних римских богов. Она что-то прокричала, но Доменика не могла услышать ее из окон своей каморки над стойлом. Девочка повернулась – ее волосы метнулись вслед за ней – и крикнула что-то в том направлении, откуда пришла.

И тогда Доменика увидела его. Он вошел во двор той своей походкой, которую она хорошо помнила с их детства. Ее подруги говорили, что у него напыщенный вид. Ее тетушки говорили, что он живое воплощение опасности. Он наш племянник, и мы обязаны дать ему крышу над головой, говорил ее отец. Так все и началось. И когда он вошел в ворота виллы Ривелли, с этим своим туманным взглядом, направленным на девочку, сердце Доменики забилось быстрее и шипы глубже впились в ее тело. Она поняла не *только* что она хочет, все *еще* хочет, но и что сейчас произойдет. Почти десять лет самоистязания, и вот наконец Господь простил ее? Был ли это только ее грех?

– Ты должна сделать это для меня, – это произнес не сам Господь, но уста его слуги, которыми он говорил с миром.

Девочка подбежала к нему, подняла на него глаза и что-то сказала. И Доменика увидела, как он нежно погладил ее по голове, кивнул и дотронулся до ее лба. А затем, не снимая руки с ее плеча, он повернулся от громадной виллы и нежно направил ребенка на тропинку из желтой *sassolini*[1] и прошел с ней по изгибу дорожки к старой изгороди из камелий, в проходе сквозь которую открывался вид на истоптанное поле и громадный каменный амбар. Увидев, как он ведет себя с девочкой, Доменика почувствовала первые признаки надежды.

Услышав их шаги на лестнице, она вышла встретить их. Дверь была открыта – день был теплым, – и полоски из пластика ярких цветов, висящие в дверном проеме, не позволяли мухам влететь, а ароматам пекущегося хлеба – улетучиться из комнаты. Раздвинув занавески, Доменика осмотрела их обоих: девочку и мужчину. Он опустил руки на плечи девочки. Та стояла с поднятым лицом, светящимся от нетерпения.

– *Aspettami qui*[2], – сказал он. Девочка кивнула в знак понимания.

---

[1] Галька (*итал.*).

[2] Подожди здесь (*итал.*).

– *Tornerт*[1], – добавил он. Она должна была ждать его здесь. Он вернется.

– *Quando*? – спросила она. – *Perchй lei ha ditto*[2]...

– *Presto*[3], – ответил он. Потом жестом указал на Доменику, которая стояла перед ними с колотящимся сердцем и опущенной головой. – Сестра Доменика Джустина, – представил он ее, хотя в его голосе не было уважения. – *Rimmarrai qui alle cure della suora, si? Capisci, carina*[4]?

Девочка снова кивнула. Она все поняла. Она останется здесь, с сестрой Доменикой Джустиной, которую ей только что представили.

Доменика не знала имени девочки. Его ей не сказали, а она побоялась спросить. Наверное, ей не полагалось этого знать. Поэтому она стала называть девочку Карина, и та благосклонно приняла это имя.

Сейчас они с девочкой были в огороде. Побеги еще не проклюнулись из земли, но было ясно, что ждать осталось совсем недолго. Они купались в теплом весеннем воздухе. Обе едва слышно что-то напевали – каждая свое. Время от времени они смотрели друг на друга и улыбались.

Карина появилась меньше недели назад, но у Доменики было чувство, что она была с ней всегда. Девочка оказалась молчаливой. Хотя сестра часто слышала, как та разговаривает с козами, с Доменикой она объяснялась отдельными словами или короткими фразами.

Часто Доменика совсем не понимала ее. Но работали они в гармонии, и ели в гармонии, и, когда наступала ночь, засыпали в гармонии друг с другом.

Только в своей вере они отличались. Карина не преклоняла колени перед распятием. Она не пользовалась четками, вырезанными из черешни, которые Доменика вложила ей в руку. Она повесила их на шею, в виде греховного *collana*[5], которое Доменика поспешно сорвала и опять дала четки в руки девочки. Фигурка, вырезанная на маленьком распятии, была хорошо видна, поэтому не понять, для чего они сделаны, было невозможно. Но когда де-

---

[1] Я вернусь (*итал.*).

[2] Когда? Почему вы то же самое... (*итал.*)

[3] Скоро (*итал.*).

[4] Вы останетесь здесь на попечении монахини. Понятно, дорогая? (*итал.*)

[5] Ожерелье (*итал.*).

вочка так и не стала ими пользоваться во время молитвы, а также не стала повторять за ней слова самой молитвы во время утренней, дневной и вечерней службы, Доменика поняла, что у Карины не было того, что было необходимо для бессмертия. У нее не было благословения Господа.

Доменика встала с колен на грядке с перцем. Она положила руки на бедра и сразу же почувствовала боль, пронзившую ее тело. Быть может, колючки спрашивали, не пора ли их снять, теперь, когда появление Карины могло быть сигналом Господа о прощении? Нет, решила она. Не сейчас. Сперва дело.

Карина тоже распрямилась. Она посмотрела на безоблачное небо, не раскаленное, каким оно будет летом, а теплое и ласковое. На веревке за ней сушилась ее одежда. Девочка не привезла ничего, кроме того, что на ней было надето, и сейчас на ней была белая накидка, похожая на плащ ангела, под которой ее детские формы были почти не видны. Ее ноги торчали, как ноги жеребенка, а тоненькие ручки напоминали побеги молодого деревца. Доменика сшила для нее две такие накидки. К зиме она сошьет еще.

Она махнула рукой Карине. «*Vieni*[1], – сказала она. – Пойдем со мной». Она вышла из сада и остановилась, чтобы убедиться, что девочка закроет калитку так же тщательно, как делала это она сама.

Доменика повела Карину к проходу в загородке из камелий, который позволял пройти на территорию, непосредственно примыкающую к вилле. Девочка любила это место и проводила здесь ежедневно по два часа, под присмотром Доменики.

Ей нравилась *peschiera*[2] с голодными золотыми рыбками, которых Доменика разрешала кормить. Она танцевала вокруг бассейна с рыбками, а с его западного края могла видеть территорию самой виллы с идеальными дорожками и цветниками в саду. Однажды Доменика взяла ее с собой к этим идеально подобранным цветам, и они смогли взглянуть на Гротта деи Венти, из входа в который, украшенного пушками и ракушками, на них подул прохладный ветерок, похожий на дыхание мраморных статуй, стоящих на своих пьедесталах при входе.

Сегодня они пошли в другое место – не на территорию сада, а к самой вилле. На ее восточной стороне ступеньки вели вниз, к паре зеленых дверей, за которыми скрывались подвалы виллы – громадные, таинственные и не использовавшиеся по назначению в течение последних ста лет. В подвалах находились бочки, в ко-

---

[1] Пойдем (*итал.*).

[2] Рыбный садок (*итал.*).

торых раньше хранилось вино. Их были сотни, покрытых грязью, опутанных столетней паутиной. Среди них стояли терракотовые кувшины, которые когда-то хранили в себе оливковое масло, а сейчас были черными от скопившейся на них глины. Деревянные прессы, которыми давили масло, хранили на себе остатки почерневшего от времени масла, а на металлических частях и металлическом желобе, по которому в прошлом текли потоки *l'oro di Lucca*[1], виднелись следы сильной ржавчины. На всем лежала печать запустения и заброшенности.

В подвалах была масса интересного: фигурные потолки, покрытые плесенью, неровные полы из камня и плиток, деревянные лопаты, прислоненные к огромным бочкам, невероятных размеров сита, сложенные в стопки, камин, который, казалось, все еще хранил горячие угли под слоем пепла. Запахи были очень сильными и разнообразными. Звуки – приглушенными: крики птиц снаружи, блеянье коз, звуки капающей воды; а над всем этим чуть слышная мелодия, как будто пение ангелов.

– *Senti, Carina*[2], – прошептала Доменика, приложив палец к губам.

Девочка притихла. Услышав эти чуть слышные звуки, она спросила:

– *Angeli? Siamo in cielo?*[3]

Доменика улыбнулась от мысли, что этот подвал может комунибудь показаться раем.

– *Non angeli, Carina. Ma quasi, quasi*[4].

– *Allora fantasmi?*[5]

Доменика улыбнулась. Призраки здесь не водились. Но она сказала:

– *Forse. Questo luogo u molto antico. Forse qui ci sono fantasmi*[6].

Хотя она ни одного никогда не видела. Потому что если даже призраки и ходили по вилле Ривелли, то за ней они не охотились. Ее преследовала только ее вина.

Она подождала несколько минут, чтобы Карина убедилась, что опасность ей не угрожает. Затем сделала приглашающий жест ру-

---

[1] Золото Лукки (*итал.*).

[2] Слышишь, Карина? (*итал.*)

[3] Ангелы? Мы на небесах? (*итал.*)

[4] Не ангелы, Карина. Но почти, почти (*итал.*).

[5] Тогда призраки? (*итал.*)

[6] Может быть. Ведь это место очень древнее. Может быть, здесь есть и призраки (*итал.*).

кой. В этих мрачных помещениях еще много чего скрывалось. Может быть, даже прощение самой Доменики.

Показался неяркий свет. Он шел из подвальных окон.

Они были забиты мусором и покрыты грязью, но через них все-таки проникало достаточно света, чтобы освещать проходы, ведущие из одной комнаты в другую.

Та, которую она искала, скрывалась в глубине подвала. Эхо их шагов раздавалось под сводами, пока они шли туда. Эта комната была совсем не похожа на остальные, хотя вдоль ее стен тоже стояли бочки, но у нее был мозаичный пол, а в центре находился мраморный бассейн.

Именно отсюда доносились звуки капающей воды, которые они слышали. Вода лилась из родника, расположенного под полом виллы, набиралась в бассейн, а затем вытекала из него через отверстие в полу и текла своей дорогой, как уже многие и многие годы.

Три мраморные ступеньки вели в бассейн. По их краям рос зеленый мох. Дно бассейна было темным. Цемент, который скреплял мрамор, почернел от плесени. Воздух в комнате был спертым.

Но для Доменики самым важным был сам бассейн. Она никогда в него не заходила. Она избегала его из-за мха, и плесени, и Бог его знает чего еще, что могло бы жить на дне. Но сейчас она знала. Всемогущий Бог сказал ей.

Она показала на бассейн, сняла сандалии и пригласила девочку сделать то же. Затем сняла через голову свою тунику и аккуратно сложила ее на краю. Осторожно спустилась по скользким мраморным ступеням. Опять повернулась к девочке и повторила приглашающий жест. *Fai cosi*[1], казалось, говорили ее движения.

Но Карина стояла с широко раскрытыми глазами и не шевелилась.

– *Non avere paura?*[2] – спросила Доменика. – Здесь нечего бояться.

Карина отвернулась. Доменика подумала, что девочка может стесняться, и закрыла лицо руками, чтобы дать ей раздеться. Но вместо звука снимаемой одежды раздались звуки удаляющихся шагов, и девочка исчезла.

Доменика опустила руки. Вокруг никого не было. Ее ноги скользили на мраморе, когда она выходила из бассейна. Она по-

---

[1] Делай, как я (*итал.*).

[2] Ты что, боишься? (*итал.*)

смотрела вниз, чтобы не оступиться, и увидела то, что увидел ребенок.

Из-под тесного бандажа на груди текла кровь. Кровь от терний на остальном теле капала на ноги. Ну и вид у нее был перед девочкой, которая ничего не знала о ее грехе! Ей придется объясниться в той или иной форме.

Потому что было очень важно, чтобы Карина не боялась.

Холборн,
Лондон

Барбара Хейверс давно завела своего человека среди представителей четвертой власти. У них было взаимовыгодное сотрудничество, которое она поддерживала. Иногда он предоставлял ей информацию, иногда она делала то же самое для него. Совместное шпионство, как она любила это называть, было не совсем обычной частью ее работы. Но возникали моменты, когда журналист мог быть полезен, и сейчас, после ее беседы с суперинтендантом Изабеллой Ардери, она решила, что такой момент настал.

Последняя встреча с ее агентом стоила Барбаре целого состояния. Она сдуру пригласила его на ленч, а он с удовольствием согласился. В результате ей пришлось заплатить за ростбиф, йоркширский пудинг и многочисленные закуски, получив взамен только одно имя.

Она не собиралась снова повторять эту ошибку, потому что не могла включить «получение информации от журналиста таблоида» в свой еженедельный финансовый отчет. Поэтому назначила встречу в Мемориале Уоттса[1]. Это оказалось очень удобно, потому что ее человек в эти дни сидел на судебном заседании в Олд Бейли[2].

Дождь начинался, когда Хейверс выходила из Ярда. Он усилился, пока она дошла до Поустменз-парк. Барбара спряталась под зеленой крышей, которая защищала мемориал от влияния времени и лондонской погоды. Перед одной из мемориальных табличек она зажгла свечку. Табличка рассказывала о самопожертвовании ради лошади. 1869 год, Гайд-парк, понесшая упряжка и дама в расстроенных чувствах. Смерть унесла ее спасителя, некоего Уилья-

---

[1] Мемориал человеческой самоотверженности, созданный Уоттсом.

[2] Традиционное название центрального уголовного суда Великобритании.

ма Дрейка. Увы, подумала Барбара, таких мужчин уже больше не делают.

Митчелл Корсико тоже был в своем роде человеком уникальным. Когда он показался со стороны Королевского судного двора, то был одет как обычно, то есть как американский ковбой. Барбара, как обычно, подумала, как ему это удается при его-то работе. Очевидно, как человек одевается, в «Сорсе»[1] не имело такого большого значения, как то, каким образом человек добывает информацию для этого лживого таблоида. Барбара была очень зла, и Корсико должен был сыграть свою роль. Так или иначе, но огонь должен был загореться под задницей суперинтенданта Ардери – задницей, на которую было затрачено столько занятий пилатесом. Барбара так решила. Она принесла с собой фотографии, которые смогла утащить из квартиры Ажара утром. Там была фотография Таймуллы, фотография Хадии и фотография Анжелины Упман. А кроме того, там была их общая фотография, сделанная в недалеком прошлом, когда они еще были счастливой семьей.

Корсико заметил ее и направился к ней, перепрыгивая через лужи в своих остроносых узорчатых сапогах. Под крышей мемориала он торжественно снял свой стетсон. Барбара уже ожидала услышать что-то вроде «к вашим услугам, мэм», но оказалось, что он просто хотел стряхнуть с него воду... Причем стряхнул ее ей на ноги. «Хорошо, что я в брюках», – подумала Хейверс. Тем не менее она демонстративно отряхнула воду и посмотрела на него. Журналист извинился и плюхнулся на скамейку рядом с ней.

– И? – сказал он.

– Похищение.

– И что, я должен прыгать от радости, что ты мне об этом сказала?

– Похищение в Италии.

– Ты полагаешь, что, услышав про похищение в Италии, я сразу брошусь к своему компьютеру?

– Жертва – гражданка Британии.

Корсико мельком взглянул на нее.

– О'кей, считай, что ты меня слегка удивила.

– Ей девять лет.

– Я заинтригован.

– Она умна и обладает привлекательной внешностью.

– А разве они не все такие?

– Ну, не такие, как эта.

---

[1] Название таблоида от *англ.* source – источник.

Барбара достала первое фото. Фото Хадии. Корсико не был дураком. Он сразу засек, что девочка была полукровкой, и приподнял бровь, показывая Барбаре, что сержант может продолжать. Хейверс достала фото Анжелины Упман, а затем фото Ажара. Потом пришла очередь фотографии счастливого семейства с двухлетней Хадией в сидячей коляске. К счастью, все они смотрелись очень привлекательно.

Как постоянный читатель, Барбара хорошо знала, что «Сорс» никогда не поместит на первой странице никого, кто не обладает привлекательной внешностью, будь это жертва похищения, убийства или чего-то еще. Уголовники с лицами, выглядевшими так, словно их переехала машина, появлялись на первой странице таблоида только в том случае, если их арестовывали за преступление, представлявшее интерес для газеты. Убитый горем муж или отец с физиономией плоской, как у рыбы? Да ни за что на свете.

– Девочка может быть мертва, – заметила Барбара, злясь на себя за то, что употребила слово «девочка», говоря о Хадие, не говоря уже о «мертва». Но Корсико не должен почувствовать ее личного интереса в этом деле. Если он это почувствует, то сразу слиняет. Барбара это хорошо знала. Он почувствует, что его используют, и перестанет сотрудничать, независимо от того, насколько интересна сама история.

– Девочка может быть в публичном доме в Бангкоке. Девочку могли продать в какой-нибудь подвал в бельгийской деревне. Девочка может быть уже в США. Она может быть черт знает где... Потому что сами мы ни черта не знаем.

Это *«мы»* зацепило его, как она и рассчитывала. Это «мы» значило больше, чем просто местоимение. Это «мы» означало для «Сорс» возможность начать атаку на полицию Метрополии. Оба они понимали, что подобная атака лишь немногим уступала новости о члене Парламента – педофиле или фотографии пьяного голого принца, сжимающего «драгоценности короны», сделанной мобильным телефоном. Но Митчелл Корсико был осторожным человеком. Осторожность в ситуациях, подобных сегодняшней, привела его туда, где он сегодня был, – с публикациями на первой странице 2–3 раза в неделю и со всеми остальными таблоидами, стоящими в очереди, чтобы предложить ему шестизначные гонорары за его изыскания. Поэтому он спросил, стараясь звучать равнодушным:

– А почему другие газеты ничего не пишут об этом?

– Потому что никто не знает всей истории.

– Отвратительно, правда? – Конечно, он имел в виду «достаточно отвратительно».

– Я думаю, что эта история как раз для тебя, – сказала ему Барбара.

АПРЕЛЬ, 21-е

Виктория,
Лондон

Информация о том, что Изабеллу Ардери вызвали к начальству, пришла от Доротеи Гарриман. «За ней послали» были точные слова, которые она употребила. Барбара услышала это от секретаря Департамента в тот момент, когда скармливала монеты автомату, надеясь получить «Фанту». Она знала, что, скорее всего, Изабеллу вызвал помощник комиссара. Для суперинтенданта это не означало ничего хорошего, однако Барбара не собиралась лить слезы по этому поводу. Если она приговорена работать с инспектором Стюартом в качестве чертовой машинистки до тех пор, пока Ардери не решит, что та получила достаточно, любые кары на голову начальницы были как бальзам на душу Барбары.

Ей не пришло в голову, что вызов Изабеллы сэром Дэвидом Хильером может быть связан с ее махинациями с Митчеллом Корсико. Хейверс звонила журналисту практически каждый час после их последней встречи в Поустменз-парк, и, как она смогла понять, он продвинулся не дальше чем «мы работаем над этим».

Барбара готова была скрежетать зубами от нетерпения. От Ажара она регулярно слышала только одно слово, после того как он уехал с Анжелиной и ее любовником. И слово это никогда не менялось. «Ничего», – повторял он каждый раз. Барбаре казалось, что это слово застревает у нее в горле и мешает ей произнести все те слова утешения, которые приходили на ум.

Что сейчас произойдет нечто, стало понятно, когда Ардери вернулась от начальства и рявкнула:

– Сержант Хейверс, немедленно зайдите ко мне. – И добавила: – Вас это тоже касается, инспектор Линли.

Последнюю фразу она произнесла не таким ненавидящим голосом. Остальные офицеры стали перешептываться. Только инспектор Стюарт был доволен. Любая выволочка, которая устраивалась Барбаре, искренне его радовала.

Хейверс бросила на Линли взгляд «что случилось?»; тот ответил взглядом «не имею понятия». Он подошел к кабинету Ардери и остановился, пропуская Барбару вперед. Неукоснительное соблюдение правил хорошего тона было требованием Ардери.

Суперинтендант бросила что-то на стол. Таблоид. Он назывался «Сорс». Для полиции Метрополии настал судный день. «Неплохо сработано, – подумала Барбара. – Митч умудрился все провернуть за сорок восемь часов. Наконец-то что-то будет сделано в отношении исчезновения британской девочки в Италии».

Насколько смогла заключить Барбара, Митч поработал на славу. Заголовок, написанный трехдюймовым шрифтом, вопил: «Похищение британской школьницы!» Рядом стояло – Митчелл Корсико. Фотография Хадии, выглядевшей очень привлекательно, занимала половину первой страницы. Здесь же была врезана фотография, сделанная со спутника: верхушки громадных стен, узкие и кривые улицы старого европейского города, торговые киоски и тысячи людей. Барбара помнила, что одной из причин, по которой задерживался весь материал, было отсутствие приличной фотографии места, откуда похитили Хадию. Она наклонилась, чтобы рассмотреть, на какую страницу было перенесено продолжение истории. На третью! Ей захотелось закричать от радости, когда она это увидела. То был сигнал для всех читателей, что за развитием событий будут пристально наблюдать. Наблюдатели придут в ботинках «Доктор Мартенс» с металлическими носками, и эти ботинки будут топтать полицию Метрополии до тех пор, пока тайна похищения Хадии не будет раскрыта. Хильер понял это в тот момент, когда помощник по связям с прессой принес ему свежий, с пылу с жару, номер таблоида. Именно это Изабелла и хотела обсудить с сержантом – поверьте мне, я бы с удовольствием понизила вас до должности клерка, отвечающего за картотеку, Барбара Хейверс, если бы могла.

Она схватила газету, бросила ее Барбаре и потребовала, чтобы та доставила удовольствие ей и инспектору Линли, громко и с выражением зачитав вслух то, что, без сомнения, «жаждала увидеть напечатанным».

– Командир, я не... – сказала Хейверс.

– Следы ваши жирных пальцев видны повсюду, сержант, – сказала Ардери. – Не советую вам считать, что я полная идиотка.

– Командир, – произнес Линли миролюбивым тоном.

– Я хотела бы, чтобы вы послушали, – резко ответила ему Изабелла. – Вам необходимо быть *полностью* в курсе происходящего, Томас.

Услышав это, Барбара ощутила некоторый дискомфорт. Это могло быть свидетельством того, о чем ей совсем не хотелось думать. Она подчинилась команде Ардери и начала читать. После каждого важного предложения, а их в статье было очень много, Изабелла останавливала ее и заставляла повторять.

Таким образом, они имели счастье дважды услышать, что никто из служащих Британской полиции не принимал участие в поисках британской девочки, похищенной на рынке в Лукке, Италия; что ни один сотрудник Британской полиции не был послан в Тоскану для помощи итальянским коллегам; что ни один сотрудник Британской полиции не был назначен для связи с безутешными родственниками жертвы ни здесь, в Англии, ни там, в Италии.

Было множество догадок, почему ситуация развивалась так, как она развивалась. Девочка, о которой шла речь, была рождена от смешанного брака, и результатом этого стало то, что дело не расследовалось с должным вниманием ни в одной из стран, так как иностранцы в них, особенно выходцы с Ближнего Востока, все чаще и чаще рассматривались с подозрением и неприязнью. В качестве примера был приведен Бредфорд. Были упомянуты и условия проживания таких семей в «худших районах наших городов», нападения на мечети, назойливые приставания к женщинам в чадрах и с шарфами на головах, а также преследования и обыски молодых темнокожих людей. *Куда*, задавался вопросом таблоид, куда катится наш мир?

Корсико использовал все возможности насытить историю различными «вкусными» деталями, способными вызвать ее дальнейшее обсуждение посредством неафишируемых телефонных звонков, которые уже давно позволяли таблоидам зарабатывать себе на хлеб с маслом: отец – профессор микробиологии в Университетском колледже; бабушка и дедушка с материнской стороны принадлежат к верхушке среднего класса и проживают в Далвиче; тетя с материнской стороны – известный дизайнер, завоевавший множество наград; таинственное исчезновение матери и дочери поздней осенью прошлого года неизвестно куда, а теперь оказалось, что в Тоскану; нежелание всех участников как-либо комментировать создавшуюся ситуацию. Все это приглашало любого, кто знал хоть что-нибудь о людях, чьи имена упоминались в статье, позвонить в «Сорс» и выдать все тайны, которые могли бы разрушить репутацию всех этих людей. В свое время так и произойдет. Всегда происходит.

Все говорило о том, что сэр Хильер пригласил Изабеллу на свой уилтонский ковер для показательной порки, и сейчас она горела желанием поделиться этой радостью с Барбарой. Помощник комиссара хорошо подготовился к встрече. Поэтому в тот момент, когда Ардери вошла к нему в кабинет, он уже знал, что все написанное было правдой от начала и до конца, за исключением, может быть, приставаний к женщинам в чадрах. Никто из сотрудников полиции Соединенного Королевства не участвовал в расследовании, даже местные полицейские в Северном Лондоне, где жил отец похищенной. У Изабеллы есть отчет кэмденской полиции об этом происшествии? Ну конечно, нет. Тогда разберитесь с этим. Потому что пресс-секретарь хочет поместить ответ в утреннем выпуске, и все ждут, что тот будет звучать в том смысле, что необходимый человек уже назначен.

Барбара знала наверняка, что Изабелла Ардери не сможет доказать, что ее подчиненная была замешана в появлении этой публикации. Все сотрудники департамента ненавидели Митчелла Корсико еще с тех времен, когда тот работал с ними по серийному убийце. Никто бы не дотронулся до него даже концом багра, и именно это делало его таким полезным для Барбары.

Она аккуратно положила газету на стол и так же аккуратно сказала:

– Я думаю, что рано или поздно это должно было всплыть, ваша честь.

– А, так вот как вы это расцениваете?

Ардери стояла около окна, с руками, скрещенными под бюстом. Барбаре пришло в голову, какого высокого роста она была – больше чем шесть футов в обуви, и как ловко она использовала свой рост для угрозы. Изабелла стояла абсолютно прямо, и то, что на ней была надета юбка-карандаш и мягкая шелковая кофта, позволило Барбаре сразу же оценить ее физические кондиции. Последние тоже использовались для устрашения, поэтому Барбара решила не пугаться. В конце концов, у этой женщины тоже был свой скелет в шкафу, и этот скелет сидел сейчас в этом же кабинете.

Барбара посмотрела на Линли. Инспектор выглядел очень серьезным.

– Ситуация не очень хорошая, командир, с какой стороны ни посмотри, – сказал он.

– Ситуация «не очень хорошая» потому, что присутствующая здесь сержант сделала ее такой.

– Командир, как вы можете говорить, что...

Барбара мгновенно замолчала, когда Ардери произнесла:

– Вам поручается это дело. Вы отправляетесь в Италию завтра утром. Сейчас вы можете уйти с работы, чтобы собраться.

Эта декларация не предназначалась для Барбары.

– Но я знаю семью, ваша честь, – возразила Барбара, – а инспектор уже ведет другое расследование. Вы не можете послать его...

– Вы собираетесь учить меня? – взорвалась Ардери. – Неужели вы полагали, что результатом всего этого, – она показала на газету, лежащую на столе, – будет мое благословение вам отправиться в Италию, с оплатой всех расходов? Вы что, действительно верите, что мной так легко можно манипулировать, сержант?

– Я не говорю... Я только...

– Барбара, – сказал Линли тихим голосом. В нем звучало и предупреждение, и призыв к спокойствию.

По-видимому, это же услышала в нем суперинтендант, потому что она сказала:

– Не вздумайте встать на ее сторону, Томас. Вы так же хорошо, как и я, понимаете, что за всем этим стоит именно она. Единственная причина, по которой она еще не перебирает картотеку в участке где-нибудь на краю света, это то, что нет прямых доказательств ее связи с этим проходимцем Корсико.

– Да не встаю я ни на чью сторону, – спокойно сказал Линли.

– И не смейте говорить со мной этим возмутительным тоном, – огрызнулась Изабелла. – Если вы думаете о примирении, то я не собираюсь ни с кем мириться. Я хочу, чтобы этим делом в Италии занялись немедленно. Я хочу, чтобы расследование было закончено в кратчайшие сроки, и я хочу, чтобы вы вернулись в Лондон еще до того, как я замечу, что вы из него уехали. Это понятно?

Барбара увидела, как Линли сжал челюсти. Очевидно, в постели она говорила с ним совсем другим тоном.

– Вы знаете, что я работаю над... – сказал инспектор.

– Расследование передано Джону Стюарту.

– Но он уже ведет другое расследование, – запротестовала Барбара.

– И он пользуется вашей профессиональной помощью, сержант. Не так ли? – спросила Ардери. – Так что в ближайшее время вы будете очень заняты. А теперь убирайтесь из моего кабинета и получите у инспектора Стюарта следующее задание, так как сейчас он сможет полностью загрузить вас работой, чтобы вы больше ни во что не вляпались. За что, кстати, вы должны на коленях благодарить Господа Бога. Оставьте нас. И не дай бог, если я увижу, что вы занимаетесь *чем-то еще*, кроме того, что выберет для вас инспектор Стюарт.

Барбара хотела запротестовать. Линли бросил на нее взгляд, который был совсем не дружелюбным, потому что самое худшее уже случилось – из-за ее махинаций он едет в Италию. Она же, из-за своих махинаций, не ехала никуда.

Белгравия,
Лондон

Только вернувшись домой, Линли стал звонить Дейдре. Она все еще была на работе, обсуждая с командой помощников проблемы, которые могли возникнуть при усыплении пожилого льва – ему надо было удалить три гнилых зуба.

– Ему восемнадцать лет, – сказала Дейдра. – По львиному летоисчислению это... Приходится принимать во внимание состояние его сердца и легких. И в любом случае, когда даешь наркоз такому крупному животному, это всегда небезопасно.

– Думаю, что его нельзя попросить открыть рот, сказать «а-а-а» и влить новокаин, – прокомментировал Линли.

– Да, это все мечты, – сказала она. – К сожалению, мне придется сделать это в среду, Томас, поэтому боюсь, что в этом месяце я больше не появлюсь в Лондоне.

Новость не обрадовала Линли. Ее ежемесячные визиты в Лондон для участия в роллер-дерби уже успели превратиться в привычку и за последние несколько месяцев перестали быть приятной неожиданностью. Все-таки он сказал: «Ах вот как...» – и выдал свои новости. В результате бесплодных попыток Барбары Хейверс влезть в расследование в Тоскане ему придется поехать в Италию.

– Я отправляюсь утром. Занимайтесь вашими стоматологическими упражнениями со львом без всякой спешки.

– А...

Дейдра замолчала. На заднем плане Томас услышал мужской голос, спрашивающий: «Дей, ты идешь с нами или подойдешь позже?» Она ответила: «Подождите, я быстро», а затем в микрофон Линли:

– Так вас не будет какое-то время?

– Понятия не имею, сколько это займет времени... – Он ждал хоть каких-то признаков разочарования.

– Понятно.

Это позволяло надеяться. Но она произнесла:

– А что это за расследование?

– Похищение, – ответил он. – Девятилетней девочки.

– Ужасно.
– Барбара знает родителей.
– Боже. Неудивительно, что она хотела поехать сама.

Честно сказать, Линли совсем не хотел слышать никаких оправданий поведению Барбары, особенно потому, что расплачиваться за него пришлось ему самому.

– Может быть. Я вполне мог бы прожить без этой поездки. Мне совсем не улыбается выступать связующим звеном между родителями и итальянской полицией.

– А вы должны будете делать именно это?

– Похоже на то.

– Пожелать вам удачи? Я просто не знаю, что надо говорить в таких случаях.

– Не важно. – Томас хотел, чтобы она сказала: «Я буду скучать». Хотя он подозревал, что это не тот случай.

– А когда вы уезжаете?

– Как только соберусь. Вернее, как только Чарли соберется. Он как раз сейчас этим занимается.

– А, понятно. Ну что же...

В ее голосе не было слышно разочарования, несмотря на все его желание. Линли попытался придумать причину ее холодности.

– Дейдра... – Он замолчал, не зная, что говорить дальше.

– Да.

– Думаю, мне пора закругляться. Как я понимаю, вас ждут.

– Соревнование по дартсу, – сказала она. – После работы. В местном пабе. Ну, то есть в том, который у работы, а не у моего дома.

Ее дома Томас никогда не видел, но решил не говорить об этом.

– Планируете разгромить соперников? Я помню, как классно вы играете.

– А я помню, что у нас с вами было пари, – легко сказала она, – проигравший моет посуду после обеда. Сейчас, правда, за меня не стоит беспокоиться. Обеда не будет, а противник знает, что мы достойны друг друга...

Линли хотел спросить, кто ее противник, но подобная патетика застряла в горле. Поэтому он просто сказал:

– Надеюсь увидеть вас после возвращения.

– Обязательно позвоните мне.

Вот и всё. Томас положил трубку и стоял некоторое время, глядя на телефон. Он был в гостиной своего дома в Итон Террас, строгой комнате с бледно-зелеными обоями и кремовыми деревянными панелями. Над камином, в позолоченной раме, висел портрет его прапрабабушки. Она стояла в профиль среди роз, одетая во все белое, – воплощение воспитания времен короля Эдуарда и великолепных кружев той же эпохи. Казалось, она смотрела вдаль, в будущее, и говорила ему: «Смотри вперед, Томас, будущее прекрасно».

Он вздохнул. На столике между двух окон, смотрящих на Итон Террас, все еще стояла его свадебная фотография в серебряной рамке. На ней Хелен смеялась, стоя в группе близких друзей, а он с обожанием смотрел на нее.

Линли положил фото на стол и перевернул его изображением вниз. В дверях стоял Дентон.

Их взгляды встретились, замерли на секунду, а затем Дентон отвернулся и беззаботно сказал:

– Достал ваши вещи. Все вроде бы собрал, но лучше вам глянуть еще раз самому. Я проверил прогноз погоды. Там будет тепло. Распечатал ваш посадочный. Из Гатвика в Пизу. В аэропорту вас будет ждать машина.

– Спасибо, Чарли, – сказал Линли и направился к лестнице.

– Что-нибудь... – Чарли заколебался.

– Что?

Чарли посмотрел сначала на Томаса, а затем перевел взгляд на столик, где лежало фото свадьбы.

– Будут какие-нибудь распоряжения на время вашего отсутствия?

Линли знал, что имеет в виду Чарли. Это было то же, что имели в виду все остальные, – и то, что он все еще не мог сделать.

– Ничего не приходит в голову, – ответил он. – Пусть все идет своим чередом.

Это им всегда удавалось лучше всего.

Боу,
Лондон

После того, как Изабелла Ардери отправила в Италию Линли, у Хейверс осталась только одна надежда – частный детектив. Барбара злилась на себя за то, что не смогла просчитать реакцию Ардери на статью в «Сорс», но она знала, что не стоит долго оплакивать убежавшее молоко. Важнее всего была Хадия. Линли сделает все, что можно, в рамках итальянского законодательства и британско-итальянских взаимоотношений в области полицейского сотрудничества. Но и то и другое будет связывать Томаса. Поэтому со стороны суперинтенданта было полным идиотизмом надеяться на то, что Барбара будет спокойно сидеть в Лондоне и выполнять указания Джона Стюарта, даже не пытаясь помочь в поисках девочки.

Поэтому она пошла в то единственное место, где надеялась получить помощь, – к Дуэйну Доути и его андрогенной помощнице Эм Касс. В этот раз она позвонила заранее и назначила встречу, как полагается. Казалось, Доути не горел желанием выстилать ее путь пальмовыми ветвями, поэтому она сообщила ему, что хотела бы заранее услышать цифру его гонорара, так как собиралась нанять его.

Он начал мямлить:

– Ужасно извиняюсь и все такое, но не уверен, что в настоящий момент располагаю временем...

– Удвойте гонорар, – быстро ответила Барбара.

Это заставило его посмотреть на ее предложение под другим углом.

На этот раз они встретились не в офисе, а в модном баре неподалеку. Он назывался «Морган Армз» и находился на Корбон-роуд. На улице стояли столики, за которыми, несмотря на прохладный вечер, дымили посетители. Барбара с удовольствием присоединилась бы к ним, но оказалось, что Эм Касс выступала за здоровый образ жизни. По-видимому, пассивное курение и победы в триатлоне плохо совмещались.

Они вошли внутрь. Барбара вытащила чековую книжку.

– Давайте не будем менять лошадь и тележку местами, – сказал Доути.

Потом детектив пошел и заказал выпивку. Вернулся он с пинтой «Гиннеса» для себя, элем для Барбары и неизбежной минеральной водой для Эм. Кроме того, притащил четыре упаковки чипсов. Их он бросил на стол, который выбрала Барбара. Столик стоял в дальнем углу, на достаточном расстоянии от группы из восьми молодых леди, собравшихся на девичник.

Барбара не стала рассказывать частному детективу и его помощнице преамбулу. Она сказала только:

– Хадию похитили.

Доути по очереди открыл все упаковки чипсов, высыпал их на салфетку, которую расстелил на столе, затем спросил:

– И что здесь нового?

– Я не говорю о прошлом, – объяснила Барбара. – То есть я не говорю о ее похищении собственной матерью. Я имею в виду то, что сейчас. Несколько дней назад. Она была в Италии, и ее там похитили.

Она быстро рассказала основные детали: Лукка, рынок, исчезновение Хадии, Анжелина Упман, Лоренцо Мура и их появление на Чолк-Фарм. Она не стала распространяться о схватке с законной семьей Ажара в Илфорде. Барбара просто не хотела о них думать.

– Анжелина думает, что ее украл Ажар, поэтому и примчалась в Лондон. Она уверена, что он нашел ее в Тоскане, украл и где-то спрятал.

– А почему она так думает?

– Потому что никто ничего не видел. Там была толпа людей, все произошло в базарный день, и никто не видел, как Хадию утащили. Поэтому Анжелина считает, что никто не уводил девочку насильно. Она думает, что Ажар знал, что Хадия будет на рынке. Он ждал ее там. Она думает, что дочь увидела отца и спокойно ушла с ним. То есть я полагаю, что она так думает, так как большую часть времени она просто орет.

– Девочка?

– Анжелина. «Ты украл ее, где ты ее спрятал, где она, верни мне ее», и так далее и тому подобное.

– И никто ничего не видел?

– По-видимому, нет.

– То есть все эти люди не обратили внимания, по-видимому, на бурное воссоединение отца и пропавшей дочери, которые не виделиі друг друга больше пяти месяцев? То есть если ее увел господин Ажар.

– Прямо в точку, – сказала Барбара. – Вот это-то мне в вас и нравится.

– А как ему все это могло удаться? – спросил Доути.

– Ни малейшего представления. Но Анжелине не до логики. Она была в состоянии паники. Да и кто не был бы на ее месте? Все, что она хочет, это вернуть Хадию. Итальянцы не очень продвинулись в расследовании.

Доути кивнул. Эм Касс отпила минеральной воды. Барбара хлебнула эля и взяла чипсы. Не ее любимые «соль и уксус», но сойдет. Внезапно она почувствовала, что зверски голодна.

Доути поерзал на стуле и посмотрел на окна, за которыми были видны люди, сидящие за столиками. Затем сказал, внимательно изучая их:

– Хочу задать вам один вопрос, мисс Хейверс. Почему вы так уверены, что Ажар *не похищал* девочку? Я уже сталкивался с подобными ситуациями в прошлом, и поверьте мне, там, где дело идет о разводе и детях...

– Свадьбы не было.

– Давайте не будем. По всем человеческим законам, они жили как муж и жена, не так ли? Поэтому, когда речь идет о расставании, в котором замешаны дети, может случиться все что угодно. И обычно случается.

– Как он мог ее украсть? И на что он должен был надеяться? Что он может схватить Хадию и привезти ее в Лондон, и Анжелина не окажется на его пороге уже на следующий день? Да как он вообще мог найти девочку?

Заговорила Эм Касс:

– Он мог нанять итальянского детектива, мисс Хейверс, – так же, как нанял Дуэйна. Если он каким-то образом сам выяснил, что девочка в Италии... Или он подозревал это... Как сказал Дуэйн, в этой ситуации все возможно.

– Хорошо. Как скажете. Давайте представим себе, что Ажару каким-то образом удалось узнать, что она в Италии. Давайте представим себе, что ему удалось найти итальянского детектива. Давайте представим себе, что этот детектив – Бог знает как – может быть, заглядывая в каждую дверь в этой проклятой стране, нашел Хадию и сообщил об этом Ажару. Все это не меняет тот факт, что Ажар был в Германии в тот момент, когда похитили Хадию. Он присутствовал на конференции, и несколько сотен людей, не говоря уже о гостинице и авиакомпании, могут подтвердить это.

Наконец Доути проявил интерес:

– А вот это уже кое-что. Это можно проверить, и будьте уверены, что полицейские так и сделают. Итальянцы... Давайте посмотрим правде в глаза. Для приезжего страна выглядит абсолютно неорганизованной, но я думаю, что итальянские полицейские знают, как вести расследование, а вы как считаете?

По правде сказать, Барбара совсем так не считала. Она не думала так ни о каких полицейских. Поэтому сказала:

– Великолепно. Да. Как вам угодно. Но мне нужна ваша помощь, мистер Доути, независимо от того, что делают итальянцы.

Дуэйн быстро посмотрел на Эм Касс. Ни один из них не спросил: «Какая помощь вам нужна?» Это показалось Барбаре плохим знаком.

– Послушайте. Я знаю эту девочку. Я знаю ее отца. Я должна что-то сделать, понимаете?

– Абсолютно, – подтвердил Доути.

– А как же полиция Соединенного Королевства? – Эм Касс пристально уставилась на Барбару, и ее пристальный взгляд напомнил Барбаре о факте, который она хотела бы забыть.

Они замолчали. Вечеринка за соседним столом набирала обороты. Будущая невеста забралась на скамейку и прижала лицо к стеклу. Она кричала: «Мой последний шанс, ребята!» Ее шаль сбилась, и на копчике была видна татуировка в виде большой красной буквы L.

– Полиция послала туда инспектора для связи, – ответила Барбара. – Его зовут инспектор Линли. Он вылетел сегодня.

– Странно, что у вас есть эта информация, – промычал Доути с полным ртом чипсов. Он посмотрел на Эм Касс. Вдвоем они уставились на Барбару.

Она отпила эль.

– Ну хорошо. Я могла бы дать вам совсем другое имя. Например, Джулия Голубоглазка или еще как-нибудь. Но я знала, что вам понадобится не более десяти минут, чтобы узнать, что я из полиции, и я этого не сделала. Это что-то да значит.

– А теперь скажите – верьте мне, – сухо произнесла Эм Касс.

– Я это и говорю. Я здесь не затем, чтобы изображать отчаяние и ловить вас на чем-то противозаконном. Я знаю, что все вы нарушаете закон, и мне это до фонаря. Дело как раз в том, что я хочу, чтобы вы нарушили закон, если это будет необходимо. Я должна найти этого ребенка, и прошу вас о помощи, потому что мой коллега инспектор Линли не сможет сделать то, что сможете вы. У него нет ваших ресурсов. И закон он нарушать не будет. Не тот человек.

Это подразумевало, что сама Хейверс не прочь нарушить закон время от времени, поэтому не может строго судить Доути и Эм Касс.

Тем не менее Дуэйн произнес:

– Вам придется поискать других. Мы не нарушаем...

– Я и говорю, что мне все равно, нарушаете вы законы или нет, мистер Доути. Шпионьте за теми, за кем считаете нужным. Ройтесь в их мусоре. Подключайтесь к их мобильным и почте. К их соцсетям. Станьте *ими*, в конце концов. Я назвала вам много способов, и я хочу, чтобы вы использовали их все. Пожалуйста.

Они не стали спрашивать, почему она сама этого не делает, и Барбаре не пришлось раскрывать им страшную тайну: по ее собственной вине и из-за ее собственной глупости она была связана по рукам и ногам. С Ардери, пристально наблюдающей за ней, и инспектором Стюартом, подбрасывающим ей все новые и новые задания, с двумя расследованиями, в которых она участвовала, ее возможности делать что-то, помимо ее ежедневной работы, были сильно ограничены. Более того, этих возможностей просто не было. Нанять Доути и его помощницу было, пожалуй, единственным, что она могла сделать в реальности. Это означало, что ей, по крайней мере, не придется ждать вестей от Линли, который, по-видимому, не жаждал делиться с ней новостями, так как был зол на нее за то, что ему пришлось из-за нее уехать из Лондона.

Доути вздохнул.

– Эмили? – спросил он, казалось, перекладывая решение на своего помощника.

– Сейчас у нас нет ничего особо срочного, – отозвалась та. – Только развод и эта история с получением компенсации за поврежденную спину. Думаю, что мы смогли бы проверить некоторые факты. В первую очередь Германию.

– Ажар не...

– Минуточку. – Доути наставил свой палец на Барбару. – Для начала вы не будете ничего категорически отрицать, мисс... Глупости. Давайте я буду называть вас по званию. Сержант, не так ли, Эм?

– Точно, – подтвердила Касс.

– Поэтому вам необходимо подготовить себя к чему угодно, сержант. Вопрос – готовы ли вы к этому?

Барбара кивнула:

– Абсолютно готова.

Боу,
Лондон

Они вместе вышли из бара, но на тротуаре распрощались. Дуэйн Доути и Эм Касс проводили взглядом плохо одетого детектива, направляющуюся в сторону Роман-роуд. Когда она скрылась из виду, они вернулись в бар. Это было сделано по требованию Эмили.

– Плохая идея, – сказала она. – Мы не работаем на полицию, Дуэйн. Это дорога приведет нас туда, где я совсем не хочу оказаться.

Нельзя сказать, что он был с ней полностью не согласен. Однако она, видимо, не видела ситуацию в целом.

– Проверка алиби в Берлине. Да это детские игрушки, Эм. И потом, все хотят, чтобы девочка нашлась.

– Это от нас не зависит. У нас существует масса ограничений, а тут еще Скотланд-Ярд, идущий за нами по пятам...

– Она призналась, что работает там. А могла соврать. Это о чем-то говорит.

– Это не говорит ни о чем. Она знала, что мы будем проверять ее, уже в тот момент, когда назвала свое имя, придя к тебе с профессором. Она не дура, Дуэйн.

– Но она в отчаянии.

– Она просто влюблена в него. И в его дочь.

– А любовь, как мы знаем, бывает изумительно слепа.

– Не любовь, а ты. Ты не спрашивал меня о моем мнении по поводу всего этого, но я тебе его скажу: «Нет». Предлагаю пожелать ей успехов и все такое, и мы, к сожалению, ничем не сможем вам помочь... Потому, что это правда, Дуэйн. Ничем.

Доути изучал ее. Эмили редко говорила с такой страстью. Для этого она была слишком холодна. Он не платил ей ее солидную зарплату за то, чтобы она демонстрировала эмоции. Но это дело взволновало ее, что говорило о том, насколько оно ее беспокоило.

– По-моему беспокоиться не о чем, – сказал он. – Это позволит нам больше знать о происходящем. А наша работа остается неизменной – мы предоставляем информацию. И нам не важно, предоставляем мы ее полицейским или первому встречному на улице. Что люди делают с этой информацией, нас не касается, как только мы передаем ее заказчику.

– Ты что, действительно думаешь, что кто-то в это поверит?

Он посмотрел на нее и улыбнулся своей неторопливой улыбкой.

– Ну же, Эм. Что тебя беспокоит? Я готов выслушать, если ты назовешь причину.

– Причина простая. Полиция Метрополии и эта женщина – сержант Хейверс.

– Которую, как ты сама только что сказала, привела к нам любовь. А любовь, как это только что заметил я, изумительно...

– Слепа. Хорошо. Великолепно. – Эмили вышла на улицу и встала по ветру от курильщиков. – С чего ты хочешь начать?

Ей все это не нравилось, но она прежде всего была профессионалом. И ей, как и ему, надо было ежемесячно оплачивать счета.

– Спасибо, Эмили, – сказал он. – Начнем с немецкой части расследования. Но, чтобы подстраховаться, давай будем записывать телефонные разговоры. Для нашего спокойствия.

– А как с компьютерами?

Он взглянул на нее.

– Компьютеры – значит Брайан.

Эмили закатила глаза.

– Предупреди меня заранее, чтобы я взяла отгул.

– Договорились. Серьезно – мне кажется, что тебе надо ему отдаться, Эм. Все станет гораздо проще.

– Ты хочешь сказать, что он будет выполнять мои распоряжения и, таким образом, делать то, что нужно тебе?

– В мире бывают вещи и похуже, чем прибрать к рукам такого парня, как Брайан Смайт.

– Да, но все вещи похуже, которые происходят именно тогда, когда такой парень, как Брайан Смайт, уже прибран к рукам. – На лице у нее появилась гримаса недовольства. – Бессердечное соблазнение только для того, чтобы лучше защитить наши секреты? Не пойдет.

– Ты предпочитаешь альтернативу?

– Мы ее не знаем.

– Ну, всегда можно догадаться.

Эм посмотрела через его голову в глубину паба. Он повернул голову в том же направлении. Участницы девичника строились в паровозик. Музыки уже не было, но это ни в малейшей мере не умаляло их удовольствия. Они стали двигаться в сторону выхода, под аккомпанемент криков, хихиканья и звуков падения.

– Боже, – вздохнула Эм Касс. – Почему женщины такие дуры?

– Все мы дураки, – утешил Доути. – Но понимаем это только задним умом.

АПРЕЛЬ, 22-е

Вилла Ривелли,
Тоскана

Напротив сада и у дальнего конца рыбного садка, на вершине холма находилась низкая стена, все еще зеленая после зимних дождей. С холма открывался широкий вид на окрестности с деревеньками, которые купались в теплом весеннем солнечном свете, и с дорогой, извивавшейся между ними на пути из долины, расположенной внизу. Дорога хорошо просматривалась, поэтому сестра Доменика Джустина сразу увидела его, хотя он был еще далеко.

Она и Карина пришли кормить золотых рыбок, которые мелькали в воде, как сполохи оранжевого цвета. Они отходили от края пруда и наблюдали, как рыбки захватывали корм своими жадными ртами. Когда корм кончился, сестра Доменика Джустина повернула девочку в сторону великолепного вида.

– *Che bella vista, nevvero?*[1] – произнесла она и стала перечислять Карине названия окрестных деревень.

Девочка с серьезным видом повторяла каждое название. Она изменилась с того дня в подвале: стала более наблюдательной и менее беспечной, быть может, более обеспокоенной. Но сестра Доменика решила, что этого не изменишь. Надо было выбирать, что важнее. Именно в этот момент она заметила машину, мелькавшую среди ветвей, затенявших дорогу... Она узнала ее даже на таком расстоянии. Машина была ярко-красная и с убранной крышей. Водителя она узнала бы в любом месте земли. Его приезд означал опасность. Ведь если он привез к ней Карину, он же мог ее и увезти. Он уже поступил так однажды, правда ведь?

– *Vieni, vieni*[2], – сказала она девочке. И чтобы Карина лучше поняла ее, взяла ребенка за руку и повела ее по узкой террасе и вниз по тропинке.

Они пересекли широкую поляну сзади виллы, торопясь в направлении подвалов.

Плотная штора поднялась в одном из окон здания. Сестра Доменика Джустина увидела это, но то, что происходило на территории виллы, ее мало волновало. Бояться надо было того, что находилось за оградой.

Она заметила, что Карина спустилась к подвалам без всякого энтузиазма. Сестра Доменика больше не водила девочку к тому странному пруду внутри здания – она видела, что девочка этого боится. В том пруду бояться было нечего, но она не умела объяснить Карине, почему. Сейчас Доменика совсем не собиралась вести ее в ту часть подвалов. Она просто хотела, чтобы девочка остановилась у первой винной бочки.

– *Veramente? Non c'u nulla da temere qui*[3], – прошептала она. Может быть, пауков, но они безобидны. Если уж бояться, то дьявола.

К счастью, Карина поняла смысл того, что говорила сестра Доменика, и, казалось, она вздохнула с облегчением, когда поняла, что женщина не собирается вести ее в подвалы дальше второй комнаты. Она скорчилась между двумя древними винными бочками, став коленями на грязный пол. Шепотом девочка спросила:

– *Non chiuda la porta. Per favore, Suor Domenica*[4].

---

[1] Какой красивый вид, правда? (*итал.*)

[2] Пойдем (*итал.*).

[3] Ведь правда? Нам нечего здесь бояться (*итал.*).

[4] Пожалуйста, не закрывайте дверь, сестра Доменика (*итал.*).

Это она могла сделать для ребенка. Закрывать дверь было совсем не обязательно, особенно если Карина обещает сидеть тихо.

Карина обещала.

– *Aspetterai qui?*[1] – спросила сестра Доменика.

Карина кивнула. Конечно, она подождет.

Когда он приехал, сестра Доменика уже была среди своих овощей. Сначала она услышала шум мотора и шорох шин по гальке. Затем мотор замолчал, хлопнула дверь, а затем послышались шаги, взбирающиеся по лестнице в ее крохотное жилище над стойлом. Он позвал ее. Она поднялась с земли, тщательно вытирая руки о тряпку, висевшую у нее на поясе. Услышала, как две двери открылись и захлопнулись наверху, а затем его шаги стали спускаться. Заскрипела садовая калитка, и она наклонила голову. Доменика, скромница Доменика, готовая подчиниться любому его желанию...

– *Dov'u la bambina? Perché non sta nel granaio?* [2] – спросил он.

Женщина ничего не ответила. Послышались его шаги в огороде, и она увидела его ботинки, когда он остановился рядом с ней. Она повторяла себе, что должна быть сильной. Он не отберет у нее Карину, хотя девочка и не сидит в стойле, как он приказывал.

– *Mi senti?* [3] – спросил он. – *Domenica, mi senti*?

Доменика кивнула. Она не была глухой, и он знал это. Она сказала ему:

– *La porterai via di nuovo*[4].

– *Di nuovo*? – переспросил он недоверчиво. Казалось, он спрашивал, почему же никогда не сможет забрать у нее девочку.

– *Lei e mia*[5], – сказала она.

Она подняла глаза. Он наблюдал за ней. По его лицу было видно, что он обдумывает ее слова. Наконец он что-то понял, положил ей руку на затылок и мягко сказал:

– *Cara, cara*[6].

Он притянул ее ближе к себе. Тепло его руки на ее теле было как тавро, которое делало ее навсегда его. Она чувствовала его всем телом, даже кровью.

---

[1] Ты будешь ждать здесь? (*итал.*)

[2] Где ребенок? Почему ее нет в сарае? (*итал.*)

[3] Ты слышишь меня? (*итал.*)

[4] Тебе не удастся это снова (*итал.*).

[5] Она моя (*итал.*).

[6] Дорогая (*итал.*).

– *Cara, cara, cara,* – шептал он. – *Non me la riprenderm più, mai più*[1].

Он наклонился и накрыл своими губами ее рот. Его язык раздвинул ее губы, лаская. Потом он поднял льняную юбку, которую она носила.

– *L'hai nascosa*? – проговорил он, не отрываясь от ее рта. – *Perché non sta nel granaio? Ne l'ho ditto, no? La bambina deve rimanere dentro il granaio. Non ti ricordi? Cara, cara?* [2]

Как же она могла держать Карину в холодном каменном сарае, как он того требовал, удивилась сестра Доменика. Девочка была ребенком, а ребенок должен быть свободным.

Он покрывал ее шею нежными поцелуями. Его пальцы дотрагивались до нее. Сначала здесь. Потом там. Казалось, пламя медленно сжигало ее, когда он нежно опустил ее на землю. На земле он вошел в нее и стал двигаться в ней с завораживающим ритмом. Она не могла не подчиниться ему.

– *La bambina*, – он ей на ухо. – *Capisci? L'ho ritornata, tesoro. Non me la riprenderm. Allora. Dov'u? Dov'u? Dov'u*?[3]

С каждым толчком он продолжал говорить. Где она? Я привез его к тебе, мое сокровище.

Доменика приняла его. Она позволила удовольствию накрыть ее с головой до тех пор, пока они не достигли высшей точки. Она даже не думала ни о чем.

Потом он лежал, задыхаясь, в ее руках. Правда, только несколько секунд, а затем он поднялся. Привел в порядок свою одежду. Посмотрел на нее, и она увидела, что на его лице не было выражения любви.

– *Copriti*, – сказал он сквозь зубы. – *Dio mio. Copriti*[4].

Повинуясь, она опустила юбку. Посмотрела на небо. Оно было голубым, без единого облачка. Солнце светило с него, как будто Божье благословение нисходило на нее.

– *Mi senti? Mi senti*?

Нет, она не слушала. Она была далеко. Она была в объятьях любимого, но сейчас...

Он рывком выпрямил ее.

---

[1] Ты знаешь, я не прошу второй раз, никогда (*итал.*).

[2] Где ты ее прячешь? Почему она не в сарае? Я же велел. Ребенок должен находиться в сарае. Ты что, забыла? Дорогая, дорогая (*итал.*).

[3] Девочка. Понимаешь? Я привез это сокровище. И не заберу его. Где? Где? Где? (*итал.*)

[4] Прикройся. Ради бога, прикройся (*итал.*).

– *Domenica, dov'u la bambina*?[1]

Казалось, он выплевывал слова.

Она встала на ноги. Посмотрела на землю, где между грядками с молодым салатом отпечатались контуры ее тела. Взгляд ее был сконфуженным.

– *Che cos'u succeso*? – пробормотала она, посмотрев на него. Затем настойчиво повторила: – *Roberto. Che cos'u successo qui*?[2]

– *Pazza*, – ответил он. – *Sei sempre stata pazza*[3].

И тогда Доменика поняла, что между ними действительно что-то произошло. Она чувствовала это в своем теле, и это носилось в воздухе. Они совокуплялись в грязи, как животные, и она еще раз запятнала свою душу.

Он опять спросил, где маленькая девочка. И услышав эти слова, сестра Доменика Джустина почувствовала, как будто шпага вошла ей в бок, чтобы выпить остатки крови. Она сказала ему:

– *Mi hai portato via la bambina gia una volta. Non ti permetterm di farlo di nuovo*[4].

Она еще раз повторила, на этот раз очень настойчиво, что он уже однажды забрал у нее ребенка. Больше этого не повторится.

Он закурил сигарету. Отбросил спичку. Затянулся и сказал:

– Почему ты мне не хочешь верить, Доменика? Я был молод. Ты тоже. Теперь мы стали старше. Ты ее где-то прячешь. Ты должна отвести меня к ней.

– Что ты собираешься сделать?

– Ничего плохого. Просто хочу убедиться, что с ней все в порядке. Я привез ей одежду. Пойдем, я покажу тебе. Она в машине.

– Если это так, можешь оставить ее и уезжать.

– *Cara*, – прошептал он. – Этого я сделать не могу.

Он посмотрел за их головы, туда, где в проходе в изгороди из камелий виднелась великолепная вилла, молчаливая, но настороженная.

– Ты же не хочешь, чтобы я остался? Ничего хорошего это нам не принесет.

Она поняла, чем он угрожает. Он действительно мог остаться. Если она не покажет ребенка, у нее будут проблемы.

– Покажи мне одежду, – потребовала она.

---

[1] Доменика, где ребенок? (*итал.*)

[2] Что случилось? Роберто, что случилось? (*итал.*)

[3] Сумасшедшая. Ты всегда была сумасшедшей (*итал.*).

[4] Один раз ты уже забрал у меня ребенка. Не вздумай сделать это еще раз (*итал.*).

– Я только этого и хочу. – Он открыл ворота и придерживал их, пока она не прошла. Когда она проходила мимо, он улыбнулся. Его пальцы легко коснулись ее шеи, и она вздрогнула, почувствовав его плоть на своей.

На полу машины она увидела мешки. Два мешка. Он не солгал. Одежда была аккуратно разложена по ним. Это была одежда для маленькой девочки, не новая, но вполне пригодная.

Доменика посмотрела на него. Он сказал:

– Я не хочу ей зла, Доменика. Ты должна научиться мне верить.

Она резко кивнула, повернулась к машине и сказала:

– *Vieni.*

Они прошли через изгородь из камелий. Однако на ступенях подвала Доменика задержалась и посмотрела на своего кузена. Он улыбнулся улыбкой, которую она так хорошо знала. Не бойся, говорила эта улыбка. Я не опасен, сообщала она ей. Оставалось только верить, как она уже сделала это однажды.

– Карина, – тихо позвала она. – *Vienni qui. Va tutto bene*[1], Карина.

В ответ она услышала топот быстрых детских ножек, и девочка появилась из своего укрытия среди старых винных бочек.

Она бросилась к ним. Хотя света было недостаточно, сестра Доменика Джустина увидела паутину в темных волосах девочки. Ее колени были испачканы, а на одежде виднелись следы вековой грязи.

Ее лицо осветилось, когда она увидела, с кем пришла сестра Доменика Джустина. Ничуть не боясь, она грациозно подбежала к нему и заговорила по-английски:

– Ну же, ну! Вы пришли забрать меня? Сейчас я поеду домой?

Лукка,
Тоскана

Приглашение посетить офис *il Pubblico Ministero* было не намного лучше, чем приглашение посетить его жилище. Последнее было оскорблением и задумывалось как оскорбление; тогда как первое напоминало скорее *un'eritema*[2], как прыщик на коже, от которого никак не можешь избавиться. Таким образом, Сальваторе Ло Бьянко понимал, что он должен быть благодарен, что Фануччи не

---

[1] Иди сюда. Все в порядке (*итал.*).

[2] Воспаление (*итал.*).

стал ждать вечера, чтобы приказать ему предстать перед его прокурорскими очами среди обожаемых орхидей. Однако инспектор почему-то благодарности не испытывал. Он аккуратно представлял свои ежедневные отчеты, как ему и было приказано, однако *Magistrato* с каждым днем влезал в расследование все глубже и глубже. Пьеро был далеко не дурак, но его мозг напоминал тюремную камеру: закрытую, запертую и с потерянным ключом.

Пьеро понимал, что *Magistrato* обладает абсолютной властью при проведении расследования, и он часто ею пользовался. Он лично назначал офицеров, ответственных за расследование. То есть любой офицер мог легко лишиться своего назначения, и все это знали. Поэтому, когда он приглашал кого-то к себе, приходилось подчиняться. Или принимать кару за неподчинение.

Сальваторе направился в палаццо Дукале, где Пьеро Фанучи располагался в офисе, настолько впечатляющем, насколько это позволял местный бюджет. Он отправился пешком, так как *палаццо* находилось совсем рядом, на пьяцца Гранде, где толпа туристов толпилась около памятника любимице города Марии Луизе де Бурбон. Они делали фотографии и слушали истории, связанные с отвратительной Элизой Бонапарт, которая была приговорена своим братом править этим итальянским захолустьем. На южной стороне площади они могли полюбоваться на красочную карусель, увозившую детишек в никуда.

Сальваторе тоже полюбовался на это. Остановился на минутку, чтобы обдумать, что он должен сказать в прокуратуре. Дело в том, что он получил интересную информацию от самого неожиданного источника: от своей собственной дочери. Девочка ходила в Скуола Элементаре Статале Данте Алигьери здесь, в Лукке. Так же как и пропавшая девочка.

В этом не было ничего необычного, дети из окрестностей Лукки часто учились в городских школах. Необычным было то, что Бьянка так много знала об этой девочке.

Сальваторе не сказал Бьянке, что Хадия Упман пропала. Не хотел пугать ребенка. Однако ничего не мог поделать с фотографиями пропавшей, которые были расклеены по всему городу. На этих фото его дочь узнала свою одноклассницу. Узнав ее, она рассказала матери о том, что знакома с ней. Слава богу, Биргит рассказала об этом Сальваторе.

Удобно расположившись с мороженым в единственном кафе, построенном на самой великой стене Лукки, Сальваторе стал аккуратно расспрашивать дочь. Оказалось, что его дочь сначала думала, что Лоренцо Мура был отцом Хадии, не понимая, что в этом случае ее итальянский был бы гораздо свободнее. Хадия сама поведала ей, что ее папа находится в Лондоне. Она гордо сообщила, что он профессор в университете. Она вместе с мамочкой навещала в Италии маминого друга Лоренцо. Папа собирался приехать на Рождество, но у него было слишком много работы, и теперь она ждала его на Пасху. Но планы опять поменялись, потому что он был ужасно занят... Вот его фотография. Он ученый. Он присылает ей электронные письма, и она тоже пишет ему, и, может быть, он приедет на летние ка...

– Как ты думаешь, мог ее папа приехать и забрать ее в Лондон? – спросила Бьянка, и в ее больших темных глазах светилась тревога, которой не должно быть в глазах восьмилетней девочки.

– Может быть, *cara*, – сказал Сальваторе, – все может быть.

Вопрос был в том, должен ли он сообщить эту информацию Пьеро Фануччи. Старший инспектор решил, что все будет зависеть от того, как пойдет встреча.

Первая, кого Сальваторе увидел, когда начал подниматься по ступеням парадной лестницы, была секретарша Фануччи. Долготерпеливая семидесятилетняя женщина, она напоминала Сальваторе его мать. Разница была в том, что вместо черного она всегда носила красное, красила свои волосы в цвет угля и у нее были довольно непрезентабельные усы, которые она, за многие годы, что ее знал Сальваторе, ни разу не попыталась убрать. Секретарша умудрялась оставаться в офисе *Magistrato* столь долгое время потому, что была абсолютно не привлекательна для Фануччи. Настолько, что он даже ни разу не попытался пристать к ней. Будь она хоть немножко привлекательнее для *il Pubblico Ministero*, то не продержалась бы и полугода. Всем было известно, что служебный путь Фануччи был выстлан телами женщин, которых тот уничтожил как морально, так и психологически.

Войдя в приемную, старший инспектор узнал, что ему придется подождать. Ему сказали, что как раз перед его приходом к Фануччи был вызван младший обвинитель. Это значило, что кто-то получает внеочередной нагоняй. Сальваторе вздохнул и взял журнал. Он пролистал его, обратив внимание на то, что очередная американская звезда, скрытый гомосексуалист, собирается жениться на очередной пустоголовой супермодели лет на 20 его моложе, и отбросил это *revista idiota*[1] в сторону. После пяти минут ожидания он потребовал, чтобы секретарша Фануччи сообщила *Magistrato*, что его ждут.

---

[1] Обозрение для идиотов (*итал.*).

Та была шокирована. «Он, что, действительно хочет попасть под извержение *il volcano?*» – спросила она. «Ну конечно», – заверил ее Сальваторе.

Однако оказалось, что прерывать Фануччи не было необходимости. Белый, как мел, молодой человек появился из кабинета и быстро направился вон. Сальваторе вошел без объявления, как он и хотел.

Пьеро внимательно смотрел на него. Его бородавки выглядели белыми наростами на фоне щек, порозовевших от гнева во время беседы с его подчиненным. Видимо, решив не комментировать появление Сальваторе в своем кабинете без предупреждения, он кивнул на телевизор, не произнеся ни слова. Телевизор стоял на одной из книжных полок, и он немедленно включил его.

Это была запись утренней программы BBC. Сальваторе очень плохо владел английским, поэтому с трудом понимал беседу двух дикторов, говоривших со скоростью автоматов. Создавалось впечатление, что их беседа была посвящена обсуждению английских газет, и время от времени они по очереди показывали зрителям то или иное издание.

Сальваторе быстро понял, что ему не потребуется перевод передачи. Пьеро остановил запись в тот момент, когда они дошли до первой страницы одного из таблоидов. Он назывался «Сорс». В нем была напечатана статья.

Старший инспектор понимал, что это не есть хорошо. Один таблоид означал много таблоидов. А много таблоидов значило возможное нашествие британских журналистов на Лукку.

Фануччи выключил запись и жестом предложил Сальваторе присесть. Сам Пьеро остался стоять, потому что быть выше собеседника значило демонстрировать свою власть над ним, а власть всегда нуждается в демонстрации.

– Что еще ты узнал от этого своего нищего попрошайки? – спросил Фануччи. Он имел в виду несчастного наркомана с плакатом *Ho fame*. Сальваторе уже один раз официально допросил его в *questura*, но Фануччи настаивал на повторном допросе. Это должен быть, инструктировал он Сальваторе, более серьезный и длительный допрос. Допрос, который мог бы «разбудить» память свидетеля... Если там было что будить.

Сальваторе всячески избегал второго допроса. Если Фануччи был уверен, что наркоман пойдет на все, чтобы удовлетворить свою пагубную привычку, то Сальваторе считал, что это не так. В случае данного конкретного наркота, Карло Каспариа, который собирал милостыню на одном и том же месте возле Порта Сан

Джакопо последние шесть лет без каких-либо замечаний, то он был горем своей семьи, но не представлял никакой опасности для других.

Старший инспектор сказал:

– Пьеро, поверьте мне, от этого человека больше ничего не добьешься. У него мозг слишком поражен, чтобы спланировать похищение.

– Спланировать? – повторил Фануччи. – *Topo*, почему ты считаешь, что это было спланировано? Он увидел ее и захватил.

«Ну, а потом что?» – подумал Сальваторе. Он постарался придать своему лицу выражение, в котором был бы виден этот невысказанный вопрос.

– Вполне возможно, друг мой, – важно произнес Фануччи, – что мы имеем дело со спонтанным преступлением. Разве это не очевидно? Он ведь сказал тебе, что видел ребенка, нет? У него хватило мозгов, чтобы это запомнить. Почему же он запомнил именно этого ребенка, а не какого-нибудь другого? Почему он вообще запомнил ребенка?

– Она дала ему еду, *Magistrato*. Банан.

– Вы только послушайте его! Она дала ему другое – надежду.

– Простите?

– Она дала ему надежду заработать большие деньги. Мне, что, надо объяснять тебе, что произойдет, когда он захватит ребенка?

– Но не было никакого требования выкупа.

– А зачем нужен выкуп, когда существует масса других возможностей сделать хорошие деньги на невинной девочке? – Фануччи стал перечислять их, загибая пальцы на шестипалой руке. – Запихнуть ее в машину и вывезти из страны. Продать в секс-индустрию. Превратить в домашнюю рабыню. Продать педофилу с хорошим подвалом, в котором она сейчас и находится. Передать религиозным фанатам для принесения человеческой жертвы. Превратить ее в игрушку для богатого араба.

– Но все это нужно спланировать, Пьеро, не так ли?

– И мы об этом ничего не узнаем, до тех пор пока ты не допросишь Карло еще раз. Ты должен сделать это, не откладывая в долгий ящик. Я хочу прочитать об этом в твоем следующем отчете. Скажи мне, малыш, как еще ты собираешься вести расследование, если не в этом направлении?

Прежде чем ответить на этот обидный вопрос, Сальваторе приказал себе успокоиться. Затем он подумал о той информации, которую смог получить благодаря плакатам и фотографиям, развешанным по всему городу. Это были два звонка из двух отелей в Лукке. Один из них был в черте городских стен, а другой в Арансио, по дороге в Монтекатини. В эти отели приходил мужчина и показывал фото девочки в компании приятной молодой женщины, по-видимому, ее матери. Мужчина их разыскивал и даже оставил карточку со своими телефонами. К сожалению, в обоих случаях служащие ресепшн эти карточки выбросили.

Фануччи стал проклинать женскую глупость. Сальваторе не стал говорить ему, что в обоих случаях на ресепшн работали мужчины. Однако он сказал, что незнакомец разыскивал девочку, по крайней мере, за месяц, а то и за шесть недель до последних событий. Это всё, сказал он, что они знали.

– Кто был этот человек? – потребовал Фануччи. – Как он, по крайней мере, выглядел?

Сальваторе покачал головой. Требовать от местного сотрудника гостиницы, чтобы тот рассказал, как выглядел человек, которого он видел всего один раз месяц, или шесть, или восемь недель назад и не дольше минуты?..

Он развел руками. Это мог быть кто угодно, *Magistrato.*

– И это все, что ты знаешь? Все, что у тебя есть? – наседал Фануччи.

– Что касается мужчины, разыскивавшего женщину с девочкой, *purtroppo*[1], да, – солгал Сальваторе.

А когда Фануччи начал нудную лекцию о его неумении вести расследование с угрозами заменить его, он пошел со своего главного козыря – рассказал об электронных письмах, которыми Хадия обменивалась с отцом.

– Сейчас он в Лукке, – сказал старший инспектор, – и этот вопрос стоит у него выяснить.

– Отец в Лондоне, который пишет письма своей дочери в Лукку, – фыркнул Фануччи. – Насколько это может быть важным?

– Дело в том, что в письмах он давал обещания приехать, которые не выполнил, – сказал Сальваторе. – Нарушенные обещания, несостоявшиеся встречи, разбитое сердце и убежавший ребенок. Это возможность, которую надо проверить. – Он посмотрел на часы. – Я встречаюсь с этими людьми, с ее родителями, через сорок минут.

– После чего ты доложишь...

– *Sempre*[2], – сказал Сальваторе. Что-нибудь он, может быть, и доложит. Достаточно, чтобы *il Pubblico Ministero* был доволен тем, как расследование движется под его идиотским руководством. – Итак, что-нибудь еще? – спросил он, поднимаясь со стула.

---

[1] К сожалению (*итал.*).

[2] Обязательно (*итал.*).

– Дело в том, что мы еще не совсем закончили, – сказал Фануччи. На его губах появилась улыбка, однако глаза не улыбались. Власть все еще принадлежала ему, и Сальваторе понял, что его в очередной раз переиграли.

Он присел, стараясь выглядеть как можно увереннее, и спросил:

– *E allora?*[1]

– Звонили из Британского посольства, – сказал Фануччи. В его голосе слышались нотки торжества, и Сальваторе сразу понял, что этот невозможный человек сохранил самые важные новости напоследок. Это было самое малое, что он мог сделать, чтобы отомстить. – Англичане присылают детектива из Скотланд-Ярда. – Пьеро мотнул головой в сторону телевизора, который они только что посмотрели. – После всей этой шумихи у них, по-видимому, нет выбора.

Сальваторе выругался. Такого развития событий он не ожидал. И это ему совсем не нравилось.

– Он не будет сильно мешать, – рассказал ему Фануччи. – Его задача – поддерживать связь между нами и матерью девочки.

Сальваторе выругался еще раз. Теперь ему придется удовлетворять любопытство не только *il Pubblico Ministero*, но и детектива из Скотланд-Ярда. Времени на работу остается все меньше и меньше.

– Кто этот офицер? – спросил он, смирившись.

– Его зовут Томас Линли. Это все, что я знаю. Кроме еще одной детали...

Фануччи замолчал, чтобы подчеркнуть всю драматичность сказанного. Сальваторе подыграл ему.

– И что же это за деталь? – спросил он измученным голосом.

– Он говорит по-итальянски.

– И как хорошо?

– Насколько я понимаю, достаточно. *Sai attento, Topo*[2].

Лукка,
Тоскана

Для встречи с родителями девочки Сальваторе выбрал «Кафе ди Сима». При других обстоятельствах он пригласил бы их в *questuro*, однако старший инспектор предпочитал использовать такое место в тех случаях, когда на допрашиваемого надо было оказать

---

[1] И что же это? (*итал.*).

[2] Будь осторожен, мышонок (*итал.*).

давление. Ему хотелось, чтобы родители девочки были расслаблены, насколько это было вообще возможно. А *questuro* с его постоянным шумом, гамом и полицейскими не обеспечил бы наличие той атмосферы, которая нужна была Сальваторе. «Кафе ди Сима» было известно своей историей, атмосферой и *pasticceria*[1] отменного вкуса. В нем хотелось думать о комфорте, а не о подозрениях: капучино или кофе маккиато для каждого из них, блюдо с *cantucci*[2] для всех и спокойная неторопливая беседа в отдельной комнате с маленькими столиками, деревянными панелями и ярким белым полом.

Они пришли по отдельности – мать и отец. Она появилась одна, без сопровождения Лоренцо Мура, который опекал ее на всех предыдущих встречах. Профессор появился тремя минутами позже. Сальваторе сделал заказ в баре и, держа в руках *piatto di biscotti*[3], провел их в дальний угол кафе, где находилась дверь, ведущая во внутреннюю комнату, в которой никого не было. Сальваторе надеялся, что здесь их никто не побеспокоит.

– Синьор Мура? – вежливо справился он у синьоры о ее сопровождающем.

– *Verra*[4], он подойдет позже. *Sta giocando a calcio*[5], – пояснила она с печальной улыбкой. По всей видимости, Анжелина Упман хорошо понимала, как это выглядит, когда ее любовник отдает предпочтение футболу вместо того, чтобы быть с ней. – *Lo aiuta*[6], – добавила она, как бы оправдываясь.

Сальваторе удивился. Казалось, что футбол в любом варианте – играть в него или смотреть – никак не мог помочь в их ситуации, что бы она об этом ни говорила. Но, может быть, час-два занятий спортом позволяли Мура отвлечься. А может быть, таким образом он защищался от вполне понятного, постоянного и сильного чувства беспокойства женщины за судьбу ее дочери.

Хотя сейчас Анжелина совсем не выглядела возбужденной – напротив, она была совершенно убита и выглядела совсем больной. Отец девочки – пакистанец из Лондона – выглядел не лучше. Оба они представляли из себя комок нервов, и их можно было понять.

---

[1] Кондитерские изделия (*итал.*).

[2] Особый вид печенья (*итал.*).

[3] Тарелку с печеньем (*итал.*).

[4] Увы (*итал.*).

[5] Он играет в футбол (*итал.*).

[6] Это помогает (*итал.*).

Старший инспектор обратил внимание на то, как профессор подал стул синьоре, прежде чем сел сам. Он заметил, как тряслись руки синьоры, когда она клала сахар в кофе. Заметил, как профессор предложил ей тарелку с *biscotti*, хотя Сальваторе поставил ее прямо перед ним. Заметил, что синьора употребляла имя Хари, разговаривая с отцом девочки. Заметил, как отец моргнул, когда она впервые употребила это имя.

Для Сальваторе были важны любые детали общения этих людей между собой. Он прослужил двадцать лет в полиции не для того, чтобы забыть, что семья первая попадает под подозрение, когда трагедия случается с одним из ее членов.

Используя комбинацию из своего плохого английского и более-менее приличного итальянского синьоры, Сальваторе рассказал им о том, что, по его мнению, им полагалось знать. Что все аэропорты были проверены, так же как и железнодорожные станции, и автобусные маршруты; что они раскинули широкую сеть поиска, которая не сворачивается, причем не только в Лукке, но и в близлежащих городах. Однако, *purtroppo*, никаких новостей не было.

Сальваторе подождал, пока синьора медленно переведет все это отцу девочки. Ее итальянский позволил ей объяснить основные моменты темнокожему мужчине.

– Теперь все не так... просто, как было раньше, – сказал он, когда она закончила. – До ЕС границы были совсем другими. – Старший инспектор махнул рукой, не для того, чтобы продемонстрировать безразличие, а, напротив, показать свою заинтересованность в происходящем. – Для преступников такое отсутствие охраняемых границ очень хорошо. Здесь, в Италии... – он улыбнулся извиняющейся улыбкой. – С ЕС мы получили стабильную валюту. Но все остальное – например, наблюдение за передвижениями людей – все стало гораздо труднее. Например, если дорога пересекает границу... Все это можно проверить, но на это требуется время.

– А порты? – спросил отец ребенка. Мать перевела, хотя и без перевода было понятно, что он имеет в виду.

– Порты проверяют, – Сальваторе не стал говорить им то, что было очевидно для любого, хоть немного знакомого с географией. Сколько портов и доступных пляжей было в этой длинной и узкой стране с береговой линией, протянувшейся на тысячи километров? Если кто-то тайно вывез ребенка из Италии морским путем, можно считать, что девочка потеряна навсегда.

– Но существует вероятность, большая вероятность, что Хадия все еще в Италии, – заметил он. – Возможно, что она все еще в Тоскане. Вот на что вы должны надеяться.

На глазах синьоры показались слезы, но она сдержалась.

– Скажите, инспектор, сколько дней... обычно проходит, прежде чем находят... ну какие-то... следы, улики? – Анжелина, конечно, не сказала «прежде чем находят тело». Ни один из них не хотел это произнести, хотя все, по-видимому, думали именно об этом.

Старший инспектор постарался как можно подробнее рассказать ей о местности, в которой они жили. Здесь находились не только Тосканские холмы, но и, сразу же за ними, начинались Апуанские Альпы[1]. И там, и там находились сотни деревень, замков, ферм, коттеджей, убежищ, церквей, монастырей и гротов. Ребенок мог находиться где угодно, в любом из этих мест. До тех пор, пока не найдется какая-нибудь улика или кто-то что-то не вспомнит, им придется запастись терпением и ждать.

В этот момент слезы все-таки потекли из глаз Анжелины Упман. Она совсем не обратила на них внимания. Они просто текли из глаз по ее щекам, а женщина не делала ни малейшей попытки вытереть их. Профессор подвинулся ближе к ней и положил свою руку на ее.

Сальваторе рассказал им о Карло Каспари, чтобы дать им хоть крохотную надежду. Наркомана уже допрашивали и допросят еще. Они все еще пытаются извлечь что-то полезное из той пустыни, в которую превратился его мозг. Сначала казалось, что он мог сам организовать похищение, объяснил Сальваторе. Но так как никто не потребовал выкупа... Он вопросительно замолчал.

– *Si*, никакого выкупа, – шепотом подтвердила Анжелина Упман.

– ...Приходится согласиться, что он здесь ни при чем. Конечно, он мог бы захватить девочку и передать ее кому-то за деньги. Но это требовало такого уровня подготовки и планирования, на который Карло был просто неспособен. Ведь его так же хорошо знали на рынке, как и аккордеониста, которому их дочь регулярно давала деньги. Если бы он повел девочку куда-то, один из *venditori*[2] его наверняка бы узнал.

Во время этого объяснения наконец появился Лоренцо Мура. Он бросил свою спортивную сумку на пол и приставил стул к сто-

---

[1] Горный хребет на севере Италии в Тоскане.

[2] Продавцы (*итал.*).

лу. Итальянец тут же заметил, что английский профессор сидит близко к синьоре. Его взгляд скользнул по руке мужчины, которая все еще лежала на руке синьоры. Таймулла Ажар убрал руку, но не отодвинулся. Мура сказал Анжелине «*cara*» и поцеловал ее в макушку.

Сальваторе не нравилось, что футбольные занятия Муры оказались для него более важны, чем эта встреча. Поэтому он просто продолжил. Если Мура хотел узнать, что говорилось раньше, кто-то другой должен будет рассказать ему об этом.

– Потом, это совсем не в характере Карло. Мы ищем кого-то, для кого похищение ребенка было бы приемлемым делом. Это ведет нас к педофилам, за которыми мы пристально наблюдаем, и к тем, кого мы подозреваем в педофилии.

– И что же из этого? – задал вопрос Мура – отрывисто, как это и должен был сделать представитель известной семьи. Все они считают, что полиция сразу же встанет перед ними на задние лапки, так, как она это делала в годы их невероятного богатства и могущества. Это Сальваторе не нравилось, хотя он и мог это понять. Однако он не собирался вставать на задние лапки.

Старший инспектор проигнорировал вопрос Муры и обратился к родителям девочки:

– Оказалось так, что моя дочь знает вашу Хадию, хотя я не имел об этом представления, пока Бьянка не увидела плакаты в городе. Они вместе ходили в школу Данте Алигьери. Кажется, они часто общались, после того как ваша дочь пришла в класс Бьянки. Она рассказала мне кое-что, что заставило меня усомниться в том, что это было похищение.

Родители не сказали ни слова. Мура ухмыльнулся. По-видимому, все они подумали об одном и том же. Если полиция не рассматривала исчезновение ребенка как похищение, значит, полиция считала, что ребенок или убежал из дома, или был убит. Иной альтернативы не было.

– Ваша девочка много рассказывала моей о вас, – сказал Сальваторе, на этот раз обращаясь только к профессору. Он подождал, пока синьора перевела. – Она сказала, что вы писали ей электронные письма, в которых обещали приехать на Рождество, а затем на Пасху.

Придушенный возглас профессора остановил старшего инспектора. Синьора поднесла руку ко рту. Мура перевел взгляд со своей любовницы на отца девочки, и его глаза подозрительно сощурились, в то время как профессор сказал:

– Я не... Электронные письма?

И вся ситуация сразу усложнилась еще больше.

– *Si,* – сказал Сальваторе. – А что, вы не писали электронных писем Хадии?

Потрясенный профессор произнес:

– Я не знал... Когда Анжелина с Хадией уехали, никто не знал, куда. У меня не было возможности... Ее компьютер остался у меня. Мне в голову не приходило... – Он говорил с таким трудом, что было очевидно: все, что он говорит – правда. – Анжелина... – Профессор посмотрел на нее. – Анжелина... – Кажется, это все, что он мог выговорить.

– Мне пришлось. – Она скорее выдохнула слова, чем произнесла их. – Хари. Ты должен... Я не знала, как еще... Если бы она не получала от тебя весточки, она бы... Она бы стала задавать вопросы. Она боготворит тебя, и это был единственный способ...

Сальваторе откинулся на стуле и внимательно смотрел на синьору. Его английского хватило на то, чтобы уловить смысл сказанного. Он перевел взгляд на профессора. Затем посмотрел на Муру. Он видел, что тот ничего об этом не знает. Сальваторе быстро сложил пазл.

– Настоящих писем не было. Эти письма, которые получала ваша дочь... Кто писал их, синьора?

Анжелина покачала головой и нагнула ее так, что часть лица оказалась закрыта волосами.

– Моя сестра. Я говорила ей, что писать.

– *Батшеба*? – воскликнул профессор. – Батшеба писала письма, Анжелина? Она притворялась... Но когда мы с ней говорили... когда мы говорили с твоими родителями... все они говорили... – Одна его рука сжалась в кулак. – Хадия верила этим письмам, правда? Ты сделала аутентичный английский адрес. Чтобы у нее не было никаких сомнений, никаких вопросов... Так, чтобы она думала, что это пишу я, и даю ей обещания, которые не выполняю.

– Хари, я очень сожалею...

Теперь слезы лились из ее глаз потоком. Она стала рассказывать. Это был рассказ о ее сестре и ненависти, которую она – и вся их семья – испытывала к нему, ведь он был пакистанец. И о том, как ее сестра согласилась помочь ей сбежать от него. И о том, как обе женщины общались все это время. И как все, начиная с ноября прошлого года, было спланировано, за исключением, конечно, самого похищения Хадии.

Синьора спрятала лицо в ладонях и сказала в заключение:

– Мне очень, очень жаль.

Ажар долго смотрел на нее. Сальваторе показалось, что он пытается найти в себе силы, которые позволили бы ему пережить все это, силы, которые старший инспектор никогда бы не смог найти в себе.

– Что сделано, то сделано, Анжелина, – сказал профессор с большим достоинством. – Не могу сказать, что я тебя понимаю. Все вот это... Все, что ты сотворила... Но сейчас самое главное – это безопасность Хадии.

– Пойми, я не ненавижу тебя, – всхлипывала синьора. – Просто ты никогда меня не понимал. Я все старалась и старалась заставить тебя увидеть...

Профессор еще раз положил свою руку на ее.

– Может быть, мы не смогли понять друг друга. Но сейчас это не важно. Послушай меня, Анжелина – сейчас важна только Хадия. Только Хадия.

Неожиданное движение Муры заставило Сальваторе посмотреть на него. На фоне родимого пятна кожа его лица всегда выглядела бледной, но сейчас от старшего инспектора не укрылась краснота, ползущая от его шеи, и его сжатые челюсти. Он быстро подался вперед и так же быстро – почувствовав, наверное, взгляд полицейского, – выпрямился. Сальваторе заметил это. На этого человека тоже надо обратить внимание, подумал он, и сказал родителям:

– Вам, наверное, будет интересно узнать, что к расследованию подключилась британская полиция. Сегодня прибывает детектив из Скотланд-Ярда.

– Барбара Хейверс? – Профессор произнес имя с такой надеждой, что Сальваторе было жаль разочаровывать его.

– Это мужчина, – сказал он. – Его зовут Томас Линли.

Ажар дотронулся рукой до плеча Анжелины. Он не убрал руку.

– Я знаю этого человека. Он поможет найти Хадию, – сказал он. – Это очень хорошие новости.

Сальваторе не разделял его мнения. Он хотел сказать им, что целью детектива будет информировать их о том, как продвигается расследование. Но прежде чем он успел это сказать, Лоренцо вскочил на ноги.

– *Andiamo*[1], – резко сказал он Анжелине, рывком отодвигая ее стул. Кивнул на прощание Сальваторе. Профессора он полностью проигнорировал.

---

[1] Пойдем (*итал.*).

Лукка,
Тоскана

Линли без проблем добрался из Пизы в Лукку, благодаря подготовке, проведенной Чарли Дентоном. Последний по полной программе обеспечил его картами из Интернета, съемками города со спутника, указателями движения и картой автомобильных парковок, отмеченных крупным красным Р, как в пределах стены, так и за ней. Чарли также указал на карте местонахождение *questura*, а на снимке из космоса стрелками указал местонахождение римского амфитеатра, в котором находилась гостиница Линли. Он забронировал себе тот же пансионат, в котором жил Ажар. Это сделает его общение с Ажаром проще, размышлял Томас.

Он бывал в Италии множество раз – будучи ребенком, затем подростком и, наконец, во взрослом возрасте. Однако в Лукке до этого ему бывать не доводилось. Поэтому Томас не ожидал увидеть прекрасно сохранившуюся громадную стену, защищавшую когда-то город от захватчиков и наводнений, часто случавшихся в силу расположения города на плоской равнине, по которой несла свои воды река Серхио. Во многом Лукка напоминала множество тосканских городов и деревень, которые он видел раньше: с их кривыми, вымощенными булыжником улочками, с их пьяццами, на которых обязательно стояла церковь, и фонтанами, в которых сверкала чистая родниковая вода. Но были три отличия Лукки от всех остальных городов, которые он видел раньше, – количество церквей, почти идеально сохранившиеся башни и невероятных размеров городская стена.

Ему дважды пришлось объехать вокруг стены, прежде чем он нашел парковку, которую Дентон отметил как ближайшую к амфитеатру, так что у него была возможность рассмотреть тенистые деревья, растущие на ней, а также статуи и древние бастионы. Он обратил внимание на парки, людей на велосипедах, роликовых коньках или в креслах на колесиках. Полицейская машина проезжала между ними, двигаясь со скоростью улитки. Другая была припаркована у одних из многочисленных ворот, ведших во внутренний город.

Сам Линли въехал через Порта Санта Мария. Там он припарковался и пешком направился к пьяцца делл' Анфитеатро, полусфере на плоском лице города.

Томасу пришлось пройти половину внешней окружности амфитеатра, прежде чем он нашел одну из похожих на туннель галерей, которая привела его внутрь строения. Оказавшись там, он заморгал от яркого солнца, которое освещало древние белые жилые здания и желтые плиты, составлявшие основу площади. Здесь же находились сувенирные лавки, кафе, апартаменты и пансионы. Его назывался Пансион Джиардино, хотя его единственной связью с садом была впечатляющая коллекция кактусов, других растений с мясистыми листьями и кустарников, выставленных в терракотовых горшках вдоль заведения.

Через несколько минут Томас уже познакомился с владелицей этого места. Это была молодая женщина на последнем сроке беременности, которая представилась, задыхаясь, как Кристина Грация Валлера. Она передала ему ключи от номера, показала комнату с низким потолком, где по утрам накрывался завтрак, и назвала ему время *calazione*[1]. Проделав все это, женщина исчезла в задней части здания, откуда доносился плач ребенка и запах пекущегося хлеба, предоставив ему самому искать его комнату.

Это оказалось не так уж и трудно. Линли взобрался вверх по ступенькам, увидел двери четырех комнат и обнаружил свою, под номером 3, в передней части здания. Внутри было жарко, и он поднял металлические жалюзи, а затем открыл и само окно. Взглянул на площадь внизу. В центре нее, в круг, сидела большая группа студентов, смотревших на здания, окружавшие их. Каждый из них рисовал свою часть площади, тогда как их учитель прогуливался между ними.

Томас увидел Ажара в тот момент, когда пакистанец вышел из галереи и направился к пансиону. И наблюдал, как он шел. Казалось, в нем не осталось ничего, кроме отчаяния. Линли хорошо знал это чувство, все его мельчайшие нюансы. Он наблюдал, отступив на шаг от окна, до тех пор, пока Ажар не скрылся из виду, войдя в пансион.

Томас снял пиджак и положил чемодан на кровать. В этот момент он услышал шаги в коридоре и подошел к двери. Когда он открыл ее, Ажар уже стоял рядом с дверью в свою комнату, которая располагалась рядом с комнатой Линли. Он оглянулся – как сделал бы любой на его месте, – и Линли потрясло, насколько Таймулла владел собой, несмотря на отчаяние, которое было хорошо заметно даже в тусклом освещении коридора.

– Старший инспектор сказал мне, что вы приезжаете, – сказал Ажар Томасу, подходя, чтобы пожать ему руку. – Я очень благодарен вам, инспектор Линли, за то, что вы приехали. Я знаю, какой вы занятой человек.

---

[1] Завтрак (*итал.*).

– Барбара хотела, чтобы послали ее, – объяснил Линли, – но начальство не согласилось.

– Я знаю, что ей приходится вести себя очень осторожно во всем этом деле, – Ажар сделал жест, как бы показывая на пансион, но Линли понимал, что он имеет в виду ситуацию с исчезновением Хадии. Он также понимал, что «она» во фразе Ажара никак не относилось к Изабелле Ардери.

– Она так и делает, – сказал он профессору.

– Я хотел бы, чтобы она держалась подальше от всего этого. Беспокоиться еще и о ней... о том, что с ней может произойти... как это может отразиться на ее работе в полиции... Мне бы этого не хотелось, – откровенно объяснил Ажар.

– Не волнуйтесь об этом, – сказал инспектор. – За многие годы знакомства я понял, что Барбара всегда поступает по-своему в том, что касается вещей, которые важны для нее. Наверное, временами это нерационально. Ее сердце всегда право, но, к сожалению, не всегда дает правильные советы ее рассудительности.

– Это я тоже понял.

Линли объяснил Ажару, каковы будут его функции, пока он будет находиться в Лукке. Он был абсолютным чужаком, и степень его помощи расследованию будет зависеть от местной полиции и *Magistrato*. Этот человек – *Magistrato* – руководил следствием, объяснил Линли Ажару. Такова была структура итальянской полиции.

– Моя задача – накапливать информацию, – продолжал Линли свой рассказ о том, как случилось так, что полиция Метрополии решила направить своего представителя в Лукку: все это произошло из-за «Сорс» и из-за того, что Барбара, по-видимому, слила им информацию.

– Как вы можете догадаться, суперинтендант Ардери была далеко не в восторге. Конечно, невозможно доказать, что именно Барбара делилась закрытой информацией с газетой, но я должен сказать, что, надеюсь, мое присутствие здесь избавит ее от дальнейших неприятностей в Лондоне.

Ажар молчал, обдумывая услышанное.

– Я тоже надеюсь... – Он не закончил мысль. – Таблоиды здесь тоже пишут о развитии событий. Я тоже делаю все возможное, чтобы дело не затихло. Потому что когда в дело вступают таблоиды... – Он грустно пожал плечами.

– Я понимаю вас, – сказал Линли. – Давление на полицию – это давление на полицию. Не важно, кто давит, но это дает свои результаты.

Ажар рассказал ему, что распространяет листовки в соседних деревнях и городках. Вместо того, чтобы агонизировать в ожидании хоть каких-нибудь новостей, он каждый день развозит листовки с информацией о похищении Хадии по все расширяющейся окружности, охватывавшей Лукку и ее окрестности. Таймулла принес их из комнаты и показал инспектору. На листовке была большая и очень качественная фотография Хадии, ее имя, а также большими буквами надпись «ПРОПАЛА БЕЗ ВЕСТИ» на итальянском, английском, немецком и французском языках. Там же был телефонный номер – Линли решил, что это номер полиции.

Томас был потрясен, какой невинной выглядела Хадия на фото, и тем, каким еще, в сущности, ребенком она была. В нынешнем мире дети взрослеют все раньше и раньше, поэтому Хадия вполне могла выглядеть на фото как миниатюрная болливудская[1] звезда. Вместо этого на фото была маленькая девочка с волосами, заплетенными в косы, перевязанные маленькими бантиками. На ней была отутюженная школьная форма, и она улыбалась, смущенно глядя в объектив своими карими глазами. Хадия выглядела довольно миниатюрной для девятилетней, и Ажар подтвердил, что так оно и есть. Это значило, что ее можно было принять за девочку младше по возрасту. Отличный выбор для педофила, угрюмо подумал Линли.

– Листовки совсем не трудно распространять вблизи города, но когда двигаешься дальше, туда, где города взбираются на холмы... Там это гораздо сложнее.

Достав карту из ящика, Ажар объяснил, что собирался продолжить разносить листовки в близлежащие населенные пункты. Если у инспектора Линли есть время, то он, Ажар, может показать, куда ему уже удалось добраться. Томас кивнул. Они спустились по ступенькам, вышли на площадь, на которой, напротив пансиона, находилось кафе с маленькими столиками и тенью, уселись и заказали кока-колу, после чего Ажар раскрыл свою карту.

Линли заметил, что Таймулла обводил кружками населенные пункты, где уже успел побывать. И хотя сам Томас был хорошо знаком с тосканскими пейзажами, он позволил Ажару рассказать о сложностях, с которыми сталкивался последний, переходя из одного городка в другой среди соседних холмов. Линли видел, что сам процесс рассказа о проделанной работе позволял Ажару отвлечься от того невероятного напряжения, которое давило на

---

[1] Болливуд – распространенное название индийской киноиндустрии.

него. Поэтому Томас кивнул на карту и заметил, что Таймулла был очень кропотлив в поисках своей дочери.

Однако скоро рассказ профессора иссяк. И тогда он сказал то, что, по-видимому, избегал говорить с самого начала:

– Инспектор, прошла уже целая неделя.

Когда Линли ничего не ответил, а только кивнул, Ажар продолжил:

– Что вы думаете обо всем этом? Прошу вас, скажите мне правду. Я знаю, как вам этого не хочется, но я должен услышать правду.

Линли притворился, что верит всему, что рассказал ему Ажар. Он отвел от него глаза и посмотрел на студентов, занятых своими рисунками; отметил насыщенную зелень растений, решетчатые ставни на окнах, защищающие квартиры от солнечных лучей. Из одной из квартир доносилось лаянье собаки, из другой – звуки фортепьяно. Линли размышлял, как лучше рассказать правду. И решил рассказать все как есть.

– Дело в том, что наша ситуация отличается от похищения совсем маленького ребенка, – негромко сказал он отцу Хадии. – Бывает, что грудничка выхватывают из коляски или стульчика. Подобное похищение, без требования выкупа, означает, что ребенка похитили или для себя, или для кого-то, кто не планирует причинить ему вред. Речь может идти о незаконном «усыновлении» с помощью денег или о передаче ребенка родственникам, которые жаждут заиметь своего малыша. Но похищение ребенка в возрасте Хадии, в девять лет, предполагает нечто другое.

Ажар не задавал никаких вопросов. Он только сильнее сцепил руки, лежащие на карте.

– Не было никаких требований... – тихо произнес он, – никаких требований... ни единого свидетельства...

Он имел в виду «тело не найдено», понял Линли.

– Это очень хороший знак. – Томас не стал распространяться на тему, как легко можно спрятать тело в тосканских холмах или в Апуанских Альпах сразу за ними. Вместо этого он сказал: – Из этого мы можем заключить, что она здорова. Испугана, но здорова. Кроме того, мы можем предположить, что, если Хадию украли с целью передать какому-то третьему лицу, ее будут некоторое время прятать.

– Почему?

Линли глотнул коку и подлил еще себе в стакан, в котором плавали три кубика льда, безуспешно старавшиеся охладить напиток.

– Маловероятно, что девятилетний ребенок забудет своих родителей, правда? Значит, ее надо удерживать в изоляции до тех пор, пока она не станет послушной, не привыкнет к своему положению и не смирится с ним. Она находится в чужой стране, и ее языковые возможности, скорее всего, ограничены. Со временем, для того, чтобы выжить, ей придется научиться смотреть на своих похитителей, как на спасителей. Она должна привыкнуть зависеть от них. Но все это нам только на руку. Потому что время работает на нас.

– И все-таки, если ее не похитили для последующего удочерения, – заметил Ажар, – то я не понимаю...

Линли быстро прервал его, не давая разыграться его воображению:

– Она достаточно юна, чтобы быть использованной в целом ряде занятий, в которых необходим ребенок. Однако не столь важны сами эти занятия, как то, что для них она нужна живой и здоровой.

Томас не стал говорить о более ужасных сценариях, которые, по его мнению, тоже были возможны. Он не сказал, что по возрасту она идеально подходила на роль игрушки для педофила, которую держат в подвале, в доме с тщательно спрятанной и еще более тщательно звукоизолированной комнатой, в одиноком заброшенном доме среди холмов, наконец. Потому что тот, кто так успешно увел ее с рынка в тот день, должен был хорошо подготовиться к похищению. А это подразумевает и подготовку к дальнейшему использованию. В таких случаях продумываются все мелочи. Поэтому, хотя время и было на их стороне, правда состояла в том, что обстоятельства были против них.

Однако была одна небольшая надежда, и этой надеждой была сама Хадия. Потому что не все дети ведут себя так, как это предписывает детская психология. И было достаточно просто выяснить, как она может повести себя в той или иной нестандартной ситуации.

– Я хотел бы спросить вас, – сказал Линли, – насколько велика вероятность, что Хадия будет бороться в создавшейся ситуации.

– Что вы имеете в виду?

– Иногда дети бывают удивительно изобретательны. Могла бы она поднять шум в подходящий момент? Смогла бы привлечь к себе внимание?

– Каким образом?

– Ведя себя не так, как ей сказали. Пытаясь вырваться из плена, бросившись на похитителей с кулаками, разведя огонь, проколов шины у автомобиля? Все что угодно, но не быть послушной.

«Что-нибудь, – подумал про себя Линли, – что мог бы попытаться сделать взрослый человек».

Казалось, Ажар задумался, пытаясь найти ответ. Где-то зазвонил церковный колокол; этот звон подхватили другие колокола, и он плыл над городом, отражаясь от узких улочек Лукки. Высоко в небе плотным каре кружились дикие голуби, не давая взлететь домашней птице.

Таймулла откашлялся.

– Нет, ничего из того, что вы назвали. Ее воспитывали, чтобы она не доставляла проблем взрослым. Я обращал на это, да простит меня Всевышний, очень много внимания.

Линли кивнул. К сожалению, так устроен мир. Очень часто маленькие девочки, независимо от их культурной принадлежности, воспитывались родителями и окружающими в духе покорности и послушания. Использовать находчивость и кулаки учили обычно мальчиков.

– Старший инспектор Ло Бьянко, мне кажется, надеется... Несмотря на то, что прошла уже неделя... – добавил Ажар.

– Я с ним согласен, – сказал Линли.

Но он не сказал своему собеседнику, что без информации от похитителей или от кого бы то ни было другого эта надежда очень быстро улетучивалась.

Виктория,
Лондон

Барбара Хейверс откладывала звонок, сколько могла. Более того, она пыталась запретить себе звонить. Но к обеду уже не могла больше ждать отчета инспектора Линли, поэтому позвонила ему на мобильный.

Барбара знала, что он ею недоволен. Любой другой сотрудник целовал бы ей ноги в знак благодарности за то, что ее вмешательство в судьбу Хадии привело к его командировке в Италию в качестве офицера связи для семьи девочки. Но у Линли были свои планы, которые не включали в себя поездку в Италию за счет полиции Метрополии. Ему надо было посещать матчи по роллер-дерби, и у него была Дейдра Трейхир для... черт знает, чего бы он хотел от нее добиться.

Когда Томас ответил единственным словом «Барбара», она заторопилась.

– Я знаю, что вы злитесь. Я, правда, очень сожалею, сэр. У вас были свои планы, а я перекрыла вам кислород и все испортила. Я знаю.

– А, как я и предполагал, – ответил он

– Я ни в чем не призна*ю*сь, – быстро произнесла она. – Но как человек, который знает ее, ее отца и ее мать, может не хотеть помочь? Вы понимаете, правда?

– А разве это важно, что я понимаю?

– Простите мня. Но дела подождут. И она подождет... не правда ли?

Повисла тишина. Затем Линли сказал в этой своей сводящей с ума изысканной манере:

– Дела? Она?

Барбара поняла, что сказала что-то не то, и поспешно продолжила:

– Не важно. Это меня совсем не касается. Не понимаю даже, что это я вдруг... Просто я измучена беспокойством и понимаю: для всех лучше, что поехали вы, а я осталась, и если бы я только знала, как...

– Барбара.

– Да. Что? Я понимаю, что сейчас несу ахинею, но это потому, что я знаю, что вы на меня злитесь и имеете на это полное право, потому что я все правильно просчитала на этот раз, и только из-за...

– Барбара. – Томас подождал, пока она замолчит, а затем сказал: – Рассказывать не о чем. Когда появятся новости, я позвоню.

– А он?.. Они?..

– Я еще не видел Анжелину Упман. Я говорил с Ажаром. Держится он молодцом, принимая во внимание все обстоятельства.

– А что теперь? С кем будете говорить? Куда направитесь? Итальянцы все делают правильно? Они позволяют вам...

– Выполнять мою работу? – заметил он с иронией. – Ту, которую надо, – да. И поверьте мне, меня все время будут ограничивать. Что-нибудь еще?

– Наверное, нет.

– Тогда поговорим позже, – сказал Линли и отключился, оставив ее размышлять, действительно ли он имел в виду то, что сказал.

Барбара засунула мобильный в сумку. Она звонила из столовой Скотланд-Ярда, куда пришла, чтобы как-то успокоиться. Решив, что для этого ей надо съесть кекс величиной с Гибралтарскую скалу, Барбара буквально смела его, как бездомная собака свою добычу, которую не хочет разделить с другими. Кекс был запит тепловатым кофе. Когда это не помогло, она позвонила в Италию. Однако звонок тоже не принес успокоения. Поэтому ей оставалось или съесть еще один кекс, или придумать что-то, что могло ее успокоить.

Барбара вспомнила, что давно ничего не слышала от Доути. Скорее всего, потому, что она наняла его меньше суток назад. Однако ее внутренний голос требовал выяснить, сколько еще времени ему нужно, чтобы проверить алиби Таймуллы Ажара на время, когда была похищена Хадия. С использованием полицейских ресурсов самой Барбаре понадобилось бы на это не более двух часов, чтобы проверить его передвижения и его отчеты. Но она не могла рисковать. С суперинтендантом Ардери, наблюдающей за ней, и инспектором Стюартом, ежедневно отчитывающимся о том, как сержант Хейверс кооперируется с другими членами команды, ей приходилось быть очень осторожной. Что бы она ни делала, Барбара должна была делать это в свое свободное время и без привлечения ресурсов полиции.

К счастью, ее телефон не был собственностью полиции, и никто не мог запретить ей пользоваться им в ее законный перерыв. Никто также не мог ей запретить звонить из туалета, куда она шла якобы по срочной надобности. Зайдя в уборную, Барбара тщательно осмотрела все кабинки и убедилась, что они пусты. После этого набрала номер Митчелла Корсико.

– Блестящая работа, – сказала она ему, – когда он ответил на ее звонок коротким «Корсико», что должно было сразу показать собеседнику, насколько этот труженик пера был занят.

– Кто говорит? – спросил он.

– Поустменз-парк, – был ее ответ. – Мемориал Уоттса. Я была в розовом, а ты – в стетсоне. Когда едешь в Италию?

– Я бы мог хоть сегодня.

– Что? История для тебя недостаточно интересна?

– Ну, она ведь не умерла, верно?

– Черт побери! Вы просто группа недоносков...

– Притормози слегка. Не я решаю. Думаешь, у меня есть право решать? Поэтому, если у тебя нет никаких новостей... Я имею в виду, помимо Илфордской истории, которую те, кто повыше, считают очень перспективной.

Барбара похолодела.

– Какая Илфордская история? Ты вообще о чем, Митч?

– Да я о том, что у этой истории есть еще одно, другое, измерение. Я о том, что ты удивительно вовремя не сказала мне о том, что сама участвуешь во всей этой истории.

– Черт побери, что значит, сама участвую?

– Да я о том эпизоде, который закончился уличной дракой с родителями профессора Ажара. Послушай-ка меня внимательно, партнер, вся эта история о второй семье, брошенной в Илфорде, очень заинтересовала у нас тех, кто повыше.

Барбара практически потеряла способность рационально мыслить. Все, что она была способна ответить на это, было:

– Ты не можешь переключиться на это. Ведь есть маленькая девочка. Ее жизнь в опасности. Ты должен...

– Это ты так считаешь, – сказал Корсико. – А я думаю о тираже. Я думаю о читателях. Поэтому я согласен, что похищение милой маленькой девочки помогает продавать газету, но в то же время – похищение милой маленькой девочки, у отца которой была вторая тайная семья, члены которой готовы заговорить – это совсем другое дело.

– Она не тайная, и они не захотят говорить.

– Скажи это мальчишке, Саиду.

Барбара судорожно пыталась что-то придумать на ходу. Она не могла допустить, чтобы Ажару, в дополнение ко всему прочему, пришлось пережить раскрытие его личной жизни на публике. Она с трудом могла представить, как это будет выглядеть в «Сорс», если Митчелл Корсико возьмет интервью у сына Ажара. Это ни в коем случае не должно было случиться не только из-за самого Ажара, но и из-за Хадии. Фокус должен был быть всегда на ней, на ее похищении, на поисках, на самих итальянцах, на том, что сейчас происходит в Италии.

– Хорошо, – наконец сказала Барбара, – я тебя услышала. Но, может быть, тебе будет интересно знать, что происходит у нас. Я имею в виду, в полиции.

– И что же это такое?

– Это инспектор Линли. – Она ненавидела себя за это, но у нее не было другого выхода. – Инспектор Линли полетел туда. Он назначен офицером связи.

Митчелл Корсико замолчал. Барбара почти физически ощущала, как вращаются шестеренки у него в голове. Он мечтал получить интервью у Линли с того момента, как жена инспектора была убита на пороге их дома. Беременная, только что вернувшаяся из магазинов, она искала ключи в сумочке, когда к ней обратился этот молодой придурок, почти мальчик. А потом он вытащил пистолет и просто застрелил ее. Из интереса. И инспектор оказался в ситуации, когда ему пришлось решать, отключать ли жену от аппаратуры, чтобы спасти ребенка. Если Корсико нужна была действительно бомба, такой бомбой был Линли. И они оба это знали.

– Наш отдел общественных связей сообщит об этом, – продолжила Барбара, – но я даю тебе право первой ночи, если хочешь. Я думаю, ты понимаешь, что все это значит. Он будет работать с родителями, но часть этой работы – встреча с прессой и ответы на вопросы. Пресса – это ты, а вопросы значат интервью. То самое, Митчелл.

– Я понимаю, куда ты клонишь, Барб. Не буду врать, Линли – это бомба, и он будет ею всегда. Но сейчас я готовлю другое блюдо...

– Линли – это тираж. – Барбара услышала, как ее голос стал визгливым от нетерпения. – Назови имя Линли тем, кто повыше, и ты вылетишь в Италию на следующем же самолете.

Что, добавила она про себя, ей и было от него нужно: раскручивать историю там и сообщать детали редактору здесь, скармливая британской публике сливки расследования похищения британской девочки.

– Обязательно назову, – сказал Корсико. – Можешь не сомневаться. Но сначала закончим с делами здесь. А это значит ребенок.

– Об этом я и говорю.

– Я не имею в виду ребенка Хадию, – прервал он. – Я имею в виду другого – Саида.

– Митч, пожалуйста...

– Спасибо за наводку. – Он разъединился.

Виктория,
Лондон

Барбара выругалась и направилась к двери. Она должна остановить Корсико и не дать ему добраться до семьи Ажара в Илфорде. Однако у нее было не так много вариантов. Она предполагала, что Нафиза будет молчать обо всем, что касается ее мужа, но вот мальчик... Саид был абсолютно непредсказуем.

Хейверс открыла дверь, все еще погруженная в раздумья, и врезалась прямо в Уинстона Нкату. Чернокожий полицейский даже не пытался притвориться, что просто проходил мимо. Вместо этого он кивнул на женский туалет. На тот случай, если она не поняла, он обошел ее, схватил за руку и потащил внутрь.

Барбара улыбнулась:

– Опаньки, ты что, потерялся? Мужской дальше по коридору.

Нкате было не до шуток. Это было понятно по тому, как изменилась его манера разговаривать – он перешел со своего рафинированного карибско-южноафриканского на уличный язык Южного Брикстона.

– Ты чё, очумела, чувиха? Просто повезло, что Стюарт послал меня, вкурила? Кого-нибудь другого – и завтра ты на улице.

Она решила включить дурочку.

– Уин, о чем идет речь?

– Речь о твоей чертовой работе, – сказал он. – Которую ты можешь потерять. Как только они узнают, что ты крысятничаешь для «Сорс», они вышвырнут тебя на улицу. Хуже, они тебя раздавят. Ты могёшь это вкурить? И не думай, что в управлении найдется кто-нибудь, кто захочет тянуть за тебя мазу, Барб. Все будут только рады.

Хейверс притворилась оскорбленной.

– *Крысятничаю*? – прошипела она. – Ты так считаешь? Я крысятничаю для «Сорс»? Я не крыса. Ни их, ни кого-нибудь другого.

– Неужели? Да ты только что слила Линли!.. Я все слышал, Барб. И ты хочешь меня убедить, что слила Линли не тому же журналюге, который написал о Хадии? Ты за кого меня держишь, коза? Ты терла с Корсико, и стоит посмотреть на список твоих разговоров, чтобы убедиться в этом. Можно даже не трогать твой банковский счет, въезжаешь?

– *Что*? – Вот теперь Барбара *действительно* разозлилась. – Ты что же, думаешь, что я делаю это за деньги?

– Меня это не колышет. Ни за что, ни почему. И тебе лучше мне поверить, что твоя судьба тоже никого колыхать не будет.

– Послушай, Уинни. Я и ты, мы оба знаем, что надо постоянно поддерживать интерес к этой истории. Только в этом случае «Сорс» пошлет корреспондента в Италию. А только английский корреспондент в Италии сможет поддерживать постоянное давление на полицию Метрополии для того, чтобы Линли оставался на месте. Кроме того, наличие британских репортеров повышает шанс того, что итальянские журналисты тоже будут давить на итальянскую полицию. Вот как это работает. Давление дает результаты, и ты это хорошо знаешь.

– Я знаю только... – Нката немного успокоился и опять перешел на свой мягкий карибский язык, доставшийся ему от матери. – Я знаю только, что никто не встанет на твою сторону, Барб. Если об этом пронюхают, ты останешься одна. Ты должна это понимать. С тобой никого нет.

– Спасибо большое, Уинстон. Всегда приятно узнать, кто твои друзья.

– Я имею в виду – никого, у кого было бы достаточно сил для защиты.

Конечно, он имел в виду Линли. Потому что Томас был единственным офицером, который поднялся бы из окопа, если бы пришлось защищать идиотское решение Барбары привлечь к расследованию «Сорс». И он был этим офицером не потому, что был слишком привязан к Барбаре, а потому, что он был единственным, кто не дрожал за свою работу. Она была ему не нужна, и он мог себе позволить говорить начальству все, что думает.

– Вот видишь, – сказал Уинстон, увидев по лицу Барбары, что она начинает понимать. – В этом деле ты плывешь против течения, Барб. Этот журналюга Корсико... да он толкнет твою мать под автобус, не задумываясь, он и свою не пожалеет, если только из этого можно раздуть сенсацию.

– Это не важно, – сказала Барбара. – И я могу держать Корсико в узде, Уинстон.

Она попробовала пройти мимо него к двери. Он остановил ее.

– Еще никому не удавалось взнуздать таблоид. Ты этого еще не знаешь, но очень скоро поймешь.

Илфорд,
Большой Лондон

У Барбары было не так много вариантов защиты потенциальных жертв «творчества» Митчелла Корсико. А в том, что касалось его желания взять интервью у Саида, вариант был только один. Она позвонила Ажару. Тот был где-то в холмах Тосканы, и связь была очень плохая. Говорили они недолго. Он рассказал ей то, что она уже знала: Линли приехал, и он переговорил с ним, прежде чем отправиться на свою работу – разносить плакаты с фотографией Хадии по близлежащим деревням к северу от Лукки.

– Школа Саида? – переспросил он, когда она задала ему вопрос. – Зачем вам это, Барбара?

Она не хотела говорить ему, но выхода не было: «Сорс» рассматривает мальчика как источник «истории с человеческим лицом», которые так любят читатели.

Ажар сразу же дал ей номер школы.

– Ради него самого... – Его голос дрожал от волнения. – Вы знаете, во что таблоид превратит его, Барбара.

Это она хорошо знала. Знала, потому что сама читала этот чертов мусор. Это было как интеллектуальная жвачка, на которую читатель подсаживался на годы вперед. Она поблагодарила Ажара и пообещала держать его в курсе.

Сложнее было сбежать с работы. Ждать до конца рабочего дня Барбара не могла. Корсико к этому моменту мог уже перехватить мальчишку и «подставить ему плечо», чтобы тот выплакал ему все, что у него накопилось против отца. Она должна была уехать, и уехать немедленно. Нужно было найти правдоподобное оправдание. И его предоставила ее мамочка.

Барбара пошла к инспектору Стюарту. Последний был занят тем, что писал на белой доске задания на день. Она даже не посмотрела на свое. Независимо от ее профессионализма и прошлых заслуг, он все равно будет держать ее здесь, в здании, заставляя вводить отчеты в базу данных, чтобы окончательно свести ее с ума.

– Сэр, – сказала Барбара, и слово скатилось с ее языка как камень. – Мне только что позвонили из Гринфорда.

Хейверс старалась казаться взволнованной, что было совсем нетрудно. Она действительно волновалась, но не по поводу своей мамочки.

Стюарт не отрывался от доски, казалось, полностью сосредоточенный на своем почерке.

– Неужели? – произнес он, демонстрируя своим тоном всю ту скуку, которую навевало на него все, что было связано с Барбарой Хейверс.

Ей захотелось укусить его за ухо.

– Мама упала. Ее отвезли в травматологию, сэр. Мне надо...

– Где именно?

– В том пансионе, в котором она...

– Я спрашиваю, в какой она травматологии, сержант. Какая больница?

Этот фокус Барбаре был известен. Если она назовет больницу, он позвонит в травматологию и проверит, там ли ее мать.

– Еще не знаю, – ответила она. – Я хотела позвонить из машины.

– Позвонить кому?

– Управляющей пансионом. Она позвонила мне сразу же, после того, как вызвала службу спасения. Она тогда еще не знала, куда ее заберут.

Казалось, инспектор Стюарт оценивает эту отмазку по своей шкале отмазок – «для идиотов». Он взглянул на нее.

– Мне бы хотелось это знать. Управление, конечно, захочет послать цветы.

– Дам вам знать, как только узнаю сама, – сказала Барбара, подхватив свою сумку и направляясь к выходу. – Спасибо, сэр.

Она избегала смотреть на Уинстона Нкату. Он тоже не смотрел на нее. Ему никакой шкалы для идиотов не требовалось. Но он ничего не сказал. По крайней мере, в этом он остается ее другом.

Ехать до Илфорда было долго, но Барбара успела до конца уроков. Она нашла школу и внимательно осмотрела окрестности, чтобы убедиться, что Митчелл Корсико не сидит в какой-нибудь урне, готовый выскочить из нее в нужный момент. Территория была свободна, за исключением древней старухи, тащившей по противоположному тротуару свою сумку на колесиках. Барбара быстро направилась к школе. Увидев ее удостоверение, ее практически без задержки впустили в кабинет директора.

Она сказала всю правду директору – женщине с ужасным именем Ида Кроук[1], написанным на табличке на столе. Сюда направляется корреспондент таблоида, чтобы взять интервью у одного из ее учеников про то, как его отец ушел из семьи к другой женщине. Барбара назвала имя Саида и добавила:

– У этого журналюги грязные намерения. Вы знаете, как это бывает – вроде бы человеческий разговор по душам, но при этом все участники оказываются по горло в дерьме. Я хочу предотвратить это – ради самого Саида, ради его матери, ради его семьи.

Директор выглядела достаточно озабоченной, но при этом и достаточно удивленной, так как не могла понять причину визита Барбары в ее кабинет. Она задала вполне логичный вопрос:

– С каких это пор полиция Метрополии вмешивается в подобные дела?

В этом было все дело. Естественно, что полиция не испытывала нежных чувств к «Сорс», но посылать офицера, чтобы препятствовать сбору информации, было за пределами ее юрисдикции.

– Это личная услуга семье, – объяснила Барбара. – Вы можете позвонить маме Саида и спросить, хочет ли она, чтобы я отвезла Саида домой, оградив его от допроса.

– А журналист уже здесь? – спросила директриса таким голосом, как будто Джек-Потрошитель с ножом наготове уже стоял за ее дверью.

– Скоро появится. Я не заметила его, когда шла сюда, но уверена, что он скоро подъедет. Он знает, что я сделаю все, чтобы остановить его.

---

[1] Croak – кваканье, карканье (*англ.*).

Миссис Кроук не зря занимала пост директора школы.

– Мне надо позвонить, – заявила она и попросила Барбару подождать в коридоре.

Хейверс понимала, *что* это может означать: что та позвонит в полицию и проверит подлинность ее удостоверения, как будто Барбара приехала, чтобы похитить Саида и самой разобраться с ним по-свойски. Она могла только молиться, чтобы этого не случилось. Все, чего ей еще не хватало, – это чтобы директрису соединили с инспектором Стюартом или, еще того хуже, с суперинтендантом Ардери. Она была на грани истерики, когда директриса наконец высунулась из кабинета, жестом пригласила ее войти и сказала:

– Мать уже едет. Она не водит машину, поэтому приедет с дедом Саида. Они сразу же увезут его домой.

В голове у Барбары лопнул шар с надписью «*О, только не это*», совсем как те шары, которые рисуют у героев комиксов.

Она хотела предупредить Саида, чтобы он не давал интервью таблоидам – никаким таблоидам. Но после ее последней встречи с отцом Ажара Хейверс не могла исключить, что именно последний с удовольствием окажется главным персонажем этого интервью, изваляв сына в грязи на всем расстоянии от Лондона до Лахора. Ей придется каким-то образом договариваться с ним. Это, она знала, будет не просто, так как последний раз она встречалась с ним в драке у его дома.

– Вы не возражаете, если я их подожду? – спросила Барбара. – Я бы хотела перемолвиться словечком...

«Конечно, сержант может поступать, как хочет», – сказала миссис Кроук. Она надеется, что сержант не будет возражать, если ей придется подождать где-нибудь в другом месте. К сожалению, ее расписание не позволяет... А поскольку сержант наверняка захочет поговорить с матерью Саида с глазу на глаз...

Барбара совсем не возражала. Она хотела перехватить Нафизу и подробно объяснить ей, что хочет сделать Митч Корсико. Просто на тот случай, если до нее еще не дошло то, что ей сказала директриса. Ей надо объяснить, что, несмотря на всю привлекательность предложения «Сорс» обсудить все проблемы и сложности их взаимоотношений на публичном форуме, таблоид этим форумом никак не являлся.

– Ни один журналист из таблоида никогда не станет вашим другом, – скажет она ей.

Итак, Барбара будет ждать снаружи. Таким образом, она будет готова к приезду Нафизы и отца Ажара. Она будет готова и к приезду Митча Корсико.

К счастью, Нафиза появилась у школы первая. Она и отец Ажара почти бегом направились к входу в школу, когда оба одновременно увидели Барбару. Нафиза сказала с достоинством:

– Я благодарю вас, сержант. Мы ваши должники.

Отец Ажара, в свою очередь, кивнул ей.

– Никого не подпускайте к нему, – сказала Барбара, когда они входили внутрь. – Ничего хорошего из этого не выйдет. Постарайтесь объяснить это мальчику.

– Мы все понимаем. Мы постараемся.

Потом они исчезли за дверью. А потом появился Корсико.

Барбара видела, как он занял наблюдательную позицию через дорогу от школы у газетного киоска. Журналист сразу заметил ее и приподнял свой дурацкий стетсон в знак приветствия, а потом скрестил руки на груди, на которой висела цифровая камера. Его выражение лица говорило, что, хотя она и объявила шах его королю, радоваться ей особо нечему.

Барбара отвернулась от него. Ей просто надо было довести Саида, его мать и деда до их машины. Все, что она хотела сделать, – это объяснить мальчику опасность его желания отомстить своему отцу через прессу. С этим надо было что-то делать. Барбара сомневалась, что приказа его матери и деда будет достаточно.

Через десять минут ожидания дверь школы вновь открылась.

Барбара ждала на тротуаре, рядом с посаженным в горшок остролистом. Она шагнула вперед, когда они приблизились к ней. Периферическим зрением заметила, что Корсико сделал шаг на пустынную проезжую часть.

Сержант быстро проговорила:

– Нафиза, журналист стоит вон там, в ковбойской одежде. У него камера. Саид, это его тебе надо остерегаться. Он хочет...

– Ты! – прорычал Саид. А затем обратился к матери: – Ты не говорила, что эта шлюха... Ты не сказала мне, что его шлюха была той...

– Саид! – воскликнула Нафиза. – Эта женщина не...

– Вы глупцы. Вы оба абсолютные глупцы!

Его дед схватил его, сказал что-то на урду и стал тянуть мальчика в сторону потрепанного «Гольфа».

– Я буду говорить с кем хочу, – объявил Саид. – Ты, – он повернулся к Барбаре. – Ты похотливая шлюха. Держись от меня подальше. Держись от нас подальше. Возвращайся в постель моего отца и лижись там с ним столько, сколько захочешь.

Нафиза дала сыну сильную пощечину, от которой его голова дернулась в сторону. Он стал кричать:

– Я буду говорить, с кем хочу! Я скажу всю правду! О ней. О нем. О том, что они делают, когда остаются одни, потому что я все знаю, знаю, знаю. Я знаю, какой он, и какая она, и...

Дед ударил его и стал орать на мальчика на урду. Его ор смешался с криками Нафизы, которая старалась оторвать его от сына. Он отбросил ее и еще раз ударил мальчика. Из носа ребенка на чистую, выглаженную белую рубашку брызнула кровь.

– Черт побери! – воскликнула Барбара и бросилась вперед, пытаясь освободить мальчика от захвата деда.

«Собачья грызня», – вот что она подумала обо всем этом. О том, что подумал Корсико, она наверняка скоро прочитает на первой странице «Сорс».

Лукка,
Тоскана

После того, как Линли расстался с Таймуллой Ажаром перед пансионом Джиардино, он направился в *questura*. Здание полиции находилось за городской стеной, недалеко от Порта Сан Пьетро, куда легко было попасть из любой точки средневекового города. Солидное и крепкое здание абрикосового цвета, по архитектуре напоминающее римские постройки, оно находилось недалеко от вокзала. Входная дверь не закрывалась. Хотя приход Линли и вызвал любопытные взгляды, его незамедлительно проводили к старшему инспектору Сальваторе Ло Бьянко.

Томас быстро понял, что Сальваторе был полностью в курсе его назначения и его служебных обязанностей. Естественно, итальянец был не очень доволен. Неестественная приветственная улыбка ясно давала понять о его отношении к появлению на его пути прощелыги из Скотланд-Ярда. Но он был слишком хорошо воспитан, чтобы это проявилось в чем-то, кроме холодного и подчеркнуто изысканного поведения.

Он был невысокого роста, Линли возвышался над ним чуть ли не на десять дюймов. Его волосы цвета соли с перцем выпадали на макушке, и у него была темная кожа со следами юношеских прыщей. В то же время он походил на человека, который научился по максимуму использовать то, что дала ему природа, – был в хорошей физической форме, выглядел очень атлетично и был безукоризненно одет. Создавалось впечатление, что он еженедельно делает маникюр.

– *Piacere*, – произнес Сальваторе, хотя Линли сомневался, что он испытывал такую уж радость от знакомства с ним, что было вполне понятно. – *Parla italiano, si?*[1]

Томас ответил, что да, до тех пор, пока собеседник не начинает говорить со скоростью диктора на скачках. Это вызвало у Ло Бьянко улыбку. Он показал на стул.

– Кофе... *macchiato? Americano*?

Линли отказался. Тогда итальянец предложил *te caldo*[2]. В конце концов, Томас ведь был сумасшедшим англичанином, а все знают, что англичане пьют чай галлонами. Гость улыбнулся и сказал, что ему ничего не надо. Он рассказал старшему инспектору, что встретился с Таймуллой Ажаром в пансионе, в котором они оба остановились. Ему надо было бы встретиться с матерью пропавшего ребенка. Он надеется, что старший инспектор ему в этом поможет.

Ло Бьянко кивнул. Казалось, он мысленно оценивает Линли. Томас заметил, что старший инспектор остался стоять после того, как сам он уселся. Это его не беспокоило. Он был на чужой территории, и они это знали.

– Эта ваша задача, – начал Ло Бьянко от шкафа с файлами, у которого он стоял, – я имею в виду связь с семьей. Это заставляет всех нас думать, что британская полиция считает, что мы здесь, в Италии, плохо работаем. Я имею в виду полицейских. Должен вас предупредить, что *Magistrato* не слишком доволен.

Линли постарался разубедить старшего инспектора. Он объяснил, что его присутствие – это скорее политический шаг со стороны полиции Метрополии. История исчезнувшей девочки появилась в английских таблоидах. Один из них, самый отмороженный, если инспектор понимает, что он имеет в виду, серьезно наехал на полицию за то, что она не уделила этому случаю должного внимания. Таблоиды, как правило, не задавались вопросами кооперации между полицейскими силами разных стран – для них главным было гнать волну. Чтобы избежать незаслуженных обвинений, его направили в Италию. Однако он ни в коей мере не собирался путаться у старшего инспектора Ло Бьянко под ногами. Конечно, он будет очень рад, если сможет хоть чем-нибудь помочь. Но старший инспектор может быть уверен, что его главная цель – это помощь семье пропавшей девочки.

---

[1] Очень рад. Вы ведь говорите по-итальянски? (*итал.*)

[2] Холодный чай (*итал.*).

– Получилось так, что я знаком с отцом ребенка. – Томас не рассказал, что одна из его коллег была более чем знакома с Таймуллой Ажаром.

Ло Бьянко внимательно наблюдал за Линли, пока тот говорил. Потом кивнул, казалось, удовлетворенный всем услышанным, и важно произнес: «Да, уж эти английские таблоиды» с таким видом, как будто Италия не страдала так от «мусорных газет», как Великобритания. Но затем спохватился и сказал, что в Италии это тоже встречается. Он достал из портфеля газету «*Prima Voche*». На первой странице Линли увидел заголовок «*Dov'u la bambina*?». Там была еще фотография мужчины, стоящего на коленях где-то на улицах Лукки, с плакатом *Ho fame* в руках. На секунду Линли подумал, что это какой-то вид итальянского наказания, вроде заковывания людей в колодки. Однако оказалось, что это единственный персонаж, который может представлять интерес для полиции, – опустившийся наркоман Карло Каспариа, который видел Хадию в то утро, когда она исчезла. Его дважды допрашивали, второй раз по личному распоряжению *Magistrato* Пьеро Фануччи. Последний уверен, что Карло замешан в похищении ребенка.

– *Perché?*

– Прежде всего, потому, что бедняге постоянно нужны деньги на покупку наркотиков. А теперь еще и потому, что он больше не появляется на *mercato*, чтобы просить милостыню, с того дня, как девочка исчезла.

На лице Ло Бьянки появилось философское выражение. *Il Pubblicco Ministero*? Он считает, что это доказательство вины.

– А вы?

Сальваторе улыбнулся, очевидно, довольный, что его коллега-детектив понял его.

– Я думаю, что Карло просто не хочет больше связываться с полицией, и пока это дело не разрешится, он на *mercato* не появится. Но, понимаете, для прокурора и для публики очень важно, что что-то происходит, что достигается какой-то прогресс. А допросы Карло выглядят как прогресс. Я думаю, что вы сами все скоро поймете.

Последнее заявление стало понятным, когда Ло Бьянко предложил Линли посетить *Magistrato*.

– Он располагается на пьяцца Наполеоне, пьяцца Гранде, как мы ее называем.

Затем он сказал, что это недалеко, но они поедут на машине. Привилегия полицейских, пояснил старший инспектор. Только очень немногим машинам разрешалось въезжать в старый город, где люди или ходили пешком, или ездили на велосипедах, или пользовались небольшими автобусами, которые двигались по улицам практически беззвучно.

На пьяцца Гранде они вошли в громадное палаццо, перестроенное, как и большинство таких зданий, под использование в целях, очень далеких от изначальных. Они поднялись по широкой лестнице и вошли в офис Пьеро Фануччи. Секретарь сразу же провела их в кабинет, хотя и с удивлением спросила: «*Di nuovo, Salvatore?*»[1] Что значило, что Ло Бьянко уже успел сегодня побывать в этом кабинете.

Пьеро Фануччи, прокурор, который отвечал за ход расследования и который, как это было заведено в Италии, будет главным обвинителем на суде, не оторвался от своих занятий, когда Ло Бьянко и Линли вошли. Томас прекрасно понял значение этого демарша, и, когда Сальваторе бросил на него взгляд, слегка пожал плечами. Этот жест показал, что англичанин и не ожидал, что его примут в Италии с распростертыми объятиями.

– *Magistrato*, – сказал Ло Бьянко, – позвольте представить вам детектива из Скотланд-Ярда Томаса Линли.

Фануччи издал горловой звук. Пошелестел бумагами. Подписал два документа. Нажал на кнопку на телефоне и рявкнул на секретаршу. Через минуту она вошла и, взяв с его стола несколько файлов, положила новые. Он стал их просматривать. Ло Бьянко рассвирепел.

– *Basta, Piero*, – сказал он. – *Sono occupato, eh*?[2]

Услышав это, Фануччи поднял глаза. Естественно, что его ничуть не волновало, насколько занят был старший инспектор.

Он сказал «*Anch'io, Topo*[3]», и Линли увидел, как заиграли желваки на щеках у старшего инспектора – то ли ему не понравилось, что его прилюдно назвали мышью, то ли его разозлила это демонстрация нежелания сотрудничать. Потом Фануччи посмотрел на Линли. Он был уродлив до невероятности и говорил, совсем не заботясь о том, понимает ли его англичанин. А говорил он с сильным акцентом, опуская окончания слов, так, как говорят в Южной Италии. Томас смог понять смысл сказанного скорее благодаря его тону, а не чему-то другому. То ли потому, что он действительно чувствовал ее, то ли потому что сознательно выбрал такую линию поведения, но Фануччи источал ярость.

---

[1] Снова, Сальваторе? (*итал.*)

[2] Хватит, Пьеро. У меня мало времени (*итал.*).

[3] У меня тоже, мышонок (*итал.*).

– Итак, британская полиция считает, что нам нужен офицер связи для общения с семьей девочки, – это, или почти это, сказал он. – Абсурд. Мы постоянно информируем семью о том, что происходит. У нас есть подозреваемый. После еще одного или двух допросов он приведет нас к девочке.

Линли повторил то, что он уже говорил Ло Бьянко:

– Все это из-за давления со стороны общественности, которое оказывается на полицию и подогревается желтой прессой. Отношения между нашей полицией и журналистами достаточно сложные, синьор Фануччи. В прошлом было сделано немало ошибок: недоказанные обвинения, суровые приговоры, основанные на недостаточных доказательствах, раскрытие личностей офицеров, торгующих информацией. Поэтому часто наше руководство чрезмерно реагирует на выступления таблоидов. Как, например, в данном случае.

Фануччи сцепил пальцы под подбородком. Линли заметил, что у него еще один, дополнительный, палец на правой руке. От него сложно было оторвать взгляд. Было совершенно очевидно, что Фануччи специально выставил его напоказ.

– У нас ситуация совсем другая, – объявил он. – Наши журналисты не указывают нам, что делать.

– Вам очень везет, – абсолютно серьезно сказал Линли. – Если бы у нас было так же...

Фануччи рассматривал Линли, как под микроскопом, изучая его прическу, стиль одежды и даже остаток юношеского шрама, видневшийся на верхней губе.

– Надеюсь, что вы будете держаться подальше от наших дел, – произнес он. – В Италии все происходит по-другому. Здесь у нас *il Pubblico Ministero* с самого начала принимает участие в расследовании, поэтому он не ждет, когда полиция принесет ему разгадку на блюдечке с голубой каемочкой.

Линли не стал комментировать странности системы, которая, это было совершенно очевидно, не имела никакого механизма сдержек и противовесов. Он просто сообщил прокурору, что хорошо знаком с итальянской системой правосудия и готов, если это понадобится, разъяснить ее родителям девочки, так как последние, по-видимому, привыкли к несколько другому законодательству.

– Отлично, – сказал Фануччи, взмахом отпуская их, что позволило ему в полной мере продемонстрировать свой шестой палец. Однако, прежде чем они вышли, он спросил у Ло Бьянки: – Что там слышно об этих гостиницах, *Topo*?

– Пока ничего, – ответил Ло Бьянко.

– Сегодня нужен результат, – проинструктировал его Фануччи.

– *Centamente*[1], – прозвучал спокойный ответ инспектора, но желваки на лице еще раз показали, как он относится к подобным директивам.

Сальваторе больше ничего не говорил, пока они не вышли из палаццо и не оказались на громадной площади. Каштаны со свежими листьями окаймляли ее с двух сторон, а в центре ее толкалась группа мальчишек, с криками перепасовывающих друг другу мяч и медленно двигающихся в направлении карусели.

– Интересная личность этот *il Pubblico Ministero*, – заметил Линли.

Ло Бьянко хмыкнул.

– Таков уж он есть.

– Можно спросить? Что это за разговор о гостиницах?

Ло Бьянко быстро взглянул на него, но потом объяснил, что незнакомец ходил по гостиницам, спрашивая об исчезнувшей девочке и ее матери.

– Это было до похищения или после? – спросил Линли.

– До.

Это происходило, по рассказам Ло Бьянко, за шесть или восемь недель до происшествия. Когда девочка исчезла и ее фото было напечатано в газетах, несколько сотрудников гостиниц и владельцев пансионов вспомнили, что к ним приходил мужчина, искавший не то девочку, не то ее мать. Сальваторе рассказал, что у него была их фотография. Все видевшие соглашались с этим. Любопытно, что все согласились и с внешним видом этого человека. Люди хорошо его запомнили и смогли дать достаточно точное его описание.

– Через восемь недель? – спросил Линли. – Откуда такая память?

– Это связано с тем, кто приходил.

– А вы знаете кто? Они знали?

– Конечно, не его имя. Имени они не знали, а вот внешний вид... Его не так легко было забыть. Ну, а зовут этого таинственного незнакомца Микеланжело Ди Массимо. Он из Пизы.

– Почему кто-то из Пизы искал здесь девочку и ее мать? – спросил Линли скорее себя, чем Ло Бьянко.

– Вот это-то самое интересное, правда? – сказал старший инспектор. – Я пытаюсь это выяснить. Когда я это узнаю, тогда при-

---

[1] Конечно (*итал.*).

дет очередь синьора Ди Массимо ответить на несколько вопросов. Ну, а до тех пор я знаю, где его найти.

Ло Бьянко взглянул на Томаса, на палаццо за их спинами и быстро улыбнулся. И улыбка, и взгляд многое рассказали Линли о старшем инспекторе.

– Вы об этом не рассказали синьору Фануччи? – спросил он. – Почему?

– Потому, что *magistrato* притащил бы его в наш *questura*. Он разогревал бы его часов шесть-семь, день, три, четыре. Потом стал бы угрожать, перестал бы его кормить, не давал бы ему пить и спать; а затем попросил бы его «представить себе», как произошло похищение. А потом предъявил бы ему обвинение на основе того, что бедняга «представил».

– Обвинил бы его в чем? – спросил Линли.

– *Chissa*? – ответил старший инспектор. – Кто знает. Да в чем угодно, что можно было бы сообщить журналистам, чтобы они думали, что расследование под контролем. Несмотря на то, что он говорил вам, часто он поступает именно так.

Сальваторе направился к полицейской машине и спросил Линли через плечо:

– Хотите взглянуть на этого человека, на Микеланджело Ди Массимо, инспектор?

Пиза,
Тоскана

Линли не знал, что для того, чтобы взглянуть на Микеланджело Ди Массимо, надо ехать в Пизу. Когда же это стало очевидным, после того, как они вырулили на *autostrada*, он задумался о мотивах Ло Бьянко.

Старший инспектор привез их на поле, расположенное к северу от *il centro*[1] города. Там проходила футбольная тренировка. По крайней мере три десятка мужчин находились на поле, занимаясь дриблингом.

Ло Бьянко остановил машину у кромки поля. Как и Линли, он вылез из машины, но подходить к игрокам не стал, а вместо этого облокотился на машину и достал сигареты. Предложил пачку Линли, а когда тот отказался, взял сигарету и прикурил, не отрывая взгляда от поля. Он наблюдал за тренировкой, но ничего не го-

[1] Центр (*итал.*).

ворил. Было очевидно, что Сальваторе ожидает какой-то реакции со стороны Линли, чего-то, что покажет, что английский полицейский благополучно сдал тест, который не имел ничего общего с его знанием правил игры.

Томас обратил свой взгляд на поле и стал внимательно изучать игроков и происходящее. На первый взгляд, как это часто бывает в Италии, тренировка выглядела абсолютно неорганизованной. Но пока он смотрел, многие вещи стали понятнее, особенно когда он заметил человека со свистком, который пытался координировать происходившее на поле.

Этого человека трудно было не заметить. Волосы на его голове были выкрашены в цвет, который находился где-то между желтым и оранжевым, что составляло яркий контраст с остальным его телом, сплошь покрытым черными волосами. Волосы покрывали его спину, грудь, ноги и руки. Этот покров был густым, как шерстяной ковер. Сам он был смугл, и резкий контраст между цветом шевелюры и остального тела, несомненно, производил впечатление. Было совершенно очевидно, почему в гостиницах и пансионах его запомнили, как человека, разыскивающего мать с ребенком.

– Теперь понятно, – произнес английский детектив. – Микеланджело Ди Массимо, не так ли?

– *Ecco l'uomo*[1], – признал Ло Бьянко.

Сказав это, он бросил окурок и направился к полицейской машине. Они отправились назад в Лукку.

Линли не мог понять, почему старший инспектор решился на это путешествие в Пизу. Гораздо проще было найти более-менее приличную фотографию Ди Массимо в Интернете. То, что Ло Бьянко не стал им пользоваться, означало, что было несколько причин, по которым он хотел, чтобы англичанин лично полюбовался на Ди Массимо, и вряд ли это была возможность воочию увидеть контраст между цветом волос на голове и остальном теле.

Ситуация немного прояснилась, когда они поехали не в *questura*, а на бульвар, располагавшийся вдоль великой стены, с ее наружной стороны. С этой *viale*[2] они выехали на улицу, которая шла из города и вывела их, как оказалось, на другую аллею, которая, в свою очередь, выходила к Парко Флувиале. Это был довольно длинный, но узкий общественный парк, который извивался вдоль реки Серхио. Где-то через четверть мили показалась

---

[1] Да, это он (*итал.*).

[2] Аллея (*итал.*).

площадка, засыпанная гравием и позволявшая припарковаться не более чем трем машинам. Здесь же, под громадными дубами, располагались два столика для пикника и крохотная площадка для катания на досках. Пространство, покрытое травой, было треугольной формы, и по краям его росли молодые тополя. На этом маленьком *campo*[1] группа мальчиков лет десяти гоняла мяч, пытаясь попасть во временные ворота.

Ло Бьянко остановил машину на гравии и посмотрел на это самодельное тренировочное поле. Линли проследил за его взглядом и увидел на поле, среди ребят, мужчину, одетого в спортивный костюм, стоящего на бровке со свистком на шее. Мужчина свистнул в свисток и что-то выкрикнул. Движение остановилось, а затем, по его сигналу, возобновилось вновь.

На этот раз, вместо того чтобы спокойно наблюдать за происходящим на поле, Ло Бьянко дважды нажал на клаксон машины, перед тем как открыть дверь. Мужчина на поле посмотрел в их направлении, сказал что-то детям, а затем рысцой направился к полицейской машине.

Его внешний вид тоже было трудно забыть, но не из-за его волос, а из-за родимого пятна на лице. Оно не было очень большим, по форме и размеру напоминало детскую ладошку и переходило от мочки уха на щеку. Этого было достаточно, чтобы сделать его лицо незабываемым, – еще и потому, что во всем остальном это было лицо очень красивого мужчины.

– *Salve*[2], – кивнул ему Ло Бьянко.

– *Che cos'u succeso?*[3] – В голосе его слышалась вполне понятная заинтересованность. Неожиданное появление полиции на его тренировке могло означать только, что что-то произошло.

Старший инспектор покачал головой, затем представил мужчину Томасу как Лоренцо Муру. Линли знал, что это было имя любовника Анжелины Упман.

Ло Бьянко быстро сказал Муре, что англичанин свободно говорит по-итальянски. Это выглядело как предупреждение: «Следи за своим языком, парень». Он также объяснил, с какой целью Линли прибыл в Италию, что для Муры уже не было новостью.

– Офицер для связи, которого мы ожидали. Он хочет как можно скорее встретиться с синьорой Упман.

---

[1] Поле (*итал.*).

[2] Привет (*итал.*).

[3] Как успехи? (*итал.*)

Мура не был на седьмом небе от счастья – ни потому, что англичанин хотел встретиться с Анжелиной, ни потому, что он был назначен офицером связи между семьей – что означало также и Таймуллу Ажара, – и полицией. Он коротко кивнул и стал ждать, что ему скажут дальше. Не услышав ничего больше, сказал Линли по-английски:

– Она болеет. Она не есть чувствовать хорошо. Так остается. Вы будете осторожно в своих действиях с ней. Хорошо? Этот мужчина, для нее он есть горе и расстройство.

Линли взглянул на Ло Бьянко, подумав сначала, что «этот мужчина» относится к старшему инспектору. Он не мог понять, что инспектор делал такого, что могло еще больше взволновать женщину, и так уже донельзя взволнованную всем происходящим. Но когда Мура продолжил, Томас понял, что он говорит не о его коллеге-офицере, а о Таймулле Ажаре – потому что Мура добавил:

– Я не хотеть его приезжать в Италию. Он прошлый.

– Однако, несомненно, очень беспокоится о своем ребенке, – сказал Линли.

– *Forse*[1], – пробормотал Лоренцо. Это могло относиться как к отцовству Ажара, так и к его предполагаемому беспокойству. Мура повернулся к Ло Бьянко. – *Devo ritornare*[2]... – Он посмотрел на мальчиков, которые ждали его на поле.

– *Vada*[3], – произнес Сальваторе и проследил взглядом, как Мура протрусил назад к игрокам.

По его сигналу Лоренцо получил мяч и искусно повел его между ребятами. Они не смогли остановить его, так же как и вратарь не смог отразить его удар. Несомненно, Мура понимал толк в футболе.

Теперь Линли понял, для чего он и Ло Бьянко сначала поехали в Пизу, чтобы взглянуть на Микеланджело Ди Массимо. Он обратился к старшему инспектору:

– Теперь мне понятно...

– Интересно, правда? – сказал Ло Бьянко. – Наш Лоренцо играет в футбол за местную команду и тренирует ребят. Все это представляется мне исключительно любопытным. – Вытащив из кармана пиджака пачку сигарет, он сначала вежливо предложил их Линли. – Здесь есть какая-то связь. И я выясню какая.

---

[1] Может быть (*итал.*).

[2] Надо возвращаться (*итал.*).

[3] Давай (*итал.*).

Фаттория ди Санта Зита,
Тоскана

Еще не встретив его, Сальваторе уже был настроен против этого англичанина. Он знал, что британские полицейские были очень низкого мнения о своих итальянских коллегах. Все началось с неудачи в контроле за каморрой в Неаполе и мафией в Палермо, что многие связывали с проколами полиции. Затем эта история с *il Mostro di Firenze*[1], который на протяжении многих лет убивал влюбленные парочки и умудрялся выходить сухим из воды. Настоящий же международный скандал случился тогда, когда итальянцы долго скрывали убийство молодой английской студентки в Перудже. Из-за всего этого англичане смотрели на итальянцев как на неумех, плохо обученных и полностью коррумпированных. Поэтому, когда Сальваторе первый раз сказали, что прибудет английский детектив, чтобы наблюдать за тем, как ведется расследование исчезновения английской девочки, он думал, что будет находиться под пристальным и изучающим взглядом английского детектива, который ежеминутно будет высказывать свои замечания и оценки. Вместо этого, однако, Сальваторе увидел, что Линли или ничего не оценивал и не осуждал, что было маловероятно, или умел скрывать свои умозаключения. И это нравилось Сальваторе даже против его воли. Ему также нравилось, что англичанин задавал умные вопросы, умел хорошо слушать и был способен быстро делать выводы из, казалось бы, не связанных между собой фактов. Эти три достоинства англичанина заставили Сальваторе почти простить ему разницу в росте и то, что он одевался в такой роскошной неофициальной манере, которая говорила о наличии солидных денег и большом самоуважении.

Покинув футбольную тренировку, они выехали из ближайших пригородов Лукки и направились к холмам, начинавшимся сразу за городом. До древнего загородного дома семьи Мура было не очень далеко, так как тосканские холмы начинались почти сразу к северу от Парко Флувиале. Сальваторе ехал вверх по холмам. В это время года земля была покрыта ковром роскошных весенних растений. Деревья шелестели новыми нежно-зелеными листьями, а по обочинам росли дикие лесные цветы.

Дорога ныряла из тени на солнце и обратно. Проехав около девяти километров, они добрались до грунтовки к фаттории ди Санта Зита, на которую указывал знак, не только с названием места,

---

[1] Флорентийский монстр (*итал.*).

но и с изображением того, что здесь производилось: виноград, оливки, а также ослик и корова, которые были больше похожи на свидетелей рождения Христа, чем на обычных животных, которых выращивали на землях Мура.

Пока они ехали по аллее, ведущей к зданиям фермы, терракотовые крыши которых виднелись сквозь деревья, Сальваторе посмотрел на Линли. Он видел, что англичанин впитывает в себя окружающее и оценивает его.

– Семья Мура очень древняя, и все время жила здесь, в Лукке, – сказал старший инспектор. – Они торговали шелком и были очень богаты, это место в холмах – их летняя резиденция. Она принадлежала семье Мура последние лет триста, наверное. Старший брат Мура не захотел получить этот дом в наследство. Он живет в Милане и работает психиатром. Для него это ненужная обуза. Сестра Лоренцо живет в городе, и для нее это тоже обуза. Поэтому ферма досталась Лоренцо, с тем чтобы он делал с ней все, что захочет, – сохранит, продаст или во что-то превратит. – Сальваторе показал на землю и появляющиеся строения. – Вы всё увидите. Я думаю, что со старыми домами в вашей стране происходят такие же истории.

Они проехали мимо стойла, которое Лоренцо превратил в винокурню и дегустационный зал. Здесь он разливал и сложное «Кьянти», и более легкое «Санджевезе», которое хорошо знали в округе. За этим зданием находился фермерский дом, который сейчас переделывался под гостиницу для агротуристов.

А за этими зданиями, посреди невероятно разросшейся живой изгороди, находились огромные ржавые ворота. Сальваторе проехал сквозь них, и аллея привела их наверх к вилле, которая уже много лет была частью истории семьи Мура. Это здание тоже ремонтировали – по обеим сторонам его собирали леса.

Сальваторе позволил Линли насладиться всей панорамой виллы, притормозив на дороге, ведущей к зданию. Вид действительно производил впечатление, особенно если не обращать внимания на все те места, в которых здание просто рассыпалось в прах.

Две лестницы на фронтоне главного здания изумительных пропорций вели на крытую веранду, по которой была разбросана летняя мебель. Создавалось впечатление, что ее двигали по веранде вслед за солнцем. Дверь, окрашенная в цвет, напоминавший цвет выгоревшей шкуры *cinghiali*[1], водившихся в окружающих холмах, располагалась в самом центре веранды, а по сторонам от нее сто-

---

[1] Кабаны (*итал.*).

яли древние скульптуры людей, изображавших времена года, при этом *Inverno*[1], к сожалению, где-то потеряла голову, а корзинка в руках *Primavera*[2] была разрублена на две части. В вилле было три этажа плюс подвал. Ряды окон плотно закрыты.

Внимательно осмотрев все это, инспектор Линли кивнул, взглянул на Сальваторе и произнес:

– Вы правильно говорите. У нас в Англии тоже есть похожие места: старые заслуженные дома, принадлежащие старым заслуженным семьям. Они – и бремя, и привилегия. Легко понять, почему синьор Мура хочет сохранить это место.

Сальваторе знал, что в стране Линли существует множество подобных домов. Но понимает ли англичанин страсть итальянцев к семейным гнездам? Это был совсем другой вопрос.

Он проехал по гравийной дорожке, окружавшей лужайку, и припарковался рядом с лестницей, ведущей на первый этаж. Все пространство между двумя лестницами заросло вьющейся глицинией, которая скрывала еще один вход, ведущий в *piano terra*[3] дома.

Как только они вылезли из машины, эта небольшая дверь открылась, и из нее появилась Анжелина Упман. Сальваторе знал, что в этой части дома обычно располагаются хозяйственные помещения – кухня и так далее. Женщина выглядела гораздо хуже, чем утром. Лоренцо совсем не преувеличивал. Она была очень худа, а кожа под глазами была воспалена.

Увидев английского детектива, Анжелина очень обрадовалась. Пустота в ее глазах сменилась блеском слез.

– Спасибо, – сказала она по-английски. – Спасибо за то, что вы приехали, инспектор Линли. – Затем обратилась к Сальваторе по-итальянски: – Я буду говорить с этим человеком по-английски. Мой итальянский не слишком... Для меня так будет проще. Вы меня понимаете, старший инспектор?

– *Certo*[4], – сказал Сальваторе. Она знала, что его знание языка было достаточным. Если они будут говорить медленно, то он сможет следить за беседой.

– *Grazie*, – поблагодарила она. – Прошу вас, входите.

Итак, они прошли в глубь здания, где свет был приглушенным, а атмосфера – спертой. Сальваторе удивился, что она предпоч-

---

[1] Зима (*итал.*).

[2] Весна (*итал.*).

[3] Цокольный этаж (*итал.*).

[4] Конечно (*итал.*).

ла провести их сюда. *Soggiorno*[1] на *primo piano* было бы гораздо приятнее. Так же, как и крытая веранда. Однако Анжелина, по-видимому, предпочитала полумрак и тени, которые скрывали выражение ее лица.

«Еще одна интересная деталь, – подумал Сальваторе. – Действительно, в этом расследовании интересных деталей оказалось очень много».

Фаттория ди Санта Зита,
Тоскана

Анжелина провела их в пещероподобную кухню – комнату, которая, казалось, заблудилась между столетиями. В ней находились электроплита и холодильник, и в то же время такие древности, как громадная дровяная печь, камин и каменная раковина такой величины, что в ней можно было мыть двух восточно-европейских овчарок одновременно. В центре комнаты стоял старый стол, на котором лежали груды газет и журналов, крошки еды, выцветшие салфетки. Именно за этот стол уселись Линли и Ло Бьянко, пока Анжелина принесла бутылку вина собственного изготовления, сыр, фрукты, вяленое мясо и свежеиспеченный хлеб. Она налила им по стаканчику «Кьянти», а себе – воду.

Усевшись, женщина взяла в руки выцветшую салфетку, сжимая ее как талисман. Она повторила свои слова, сказанные при встрече:

– Спасибо большое за то, что приехали, инспектор.

– Ну, это в основном заслуга Барбары, – ответил Томас. – Честно говоря, на этот раз она немного перегнула палку в своем желании принять участие в расследовании, однако время покажет ее правоту. Для нее очень небезразлична Хадия.

Анжелина на секунду сжала губы.

– Я совершила ужасный поступок. И я это знаю. Просто не могу принять того, что случилось с Хадией. Ведь это меня надо наказывать. А если это так... – Ее пальцы еще сильнее сжали салфетку.

Ло Бьянко издал звук, который должен был показать: он согласен с тем, что каждый человек должен расплачиваться за свои грехи. По мнению Линли, такой подход был абсолютно непродуктивным.

– Я бы не стал смотреть на это с такой точки зрения, – сказал он. – Это нормально, поверьте мне. Я вас понимаю, но делу это не

[1] Гостиная (*итал.*).

поможет. – Он мягко улыбнулся Анжелине. – Так можно легко превратиться в сумасшедшую. Умопомрачение – неясные мысли, кому они принесут пользу?

– Прошла уже неделя, – сказала она, – и никто не может мне сказать, что же это значит. Неделя без единого знака, без единого слова. Не было никакого требования о выкупе, а ведь семья Ренцо готова заплатить, я знаю. В этой стране людей всегда крали ради выкупа. Да? Ведь это правда? Я пыталась выяснить, сколько детей крадут в Италии в год. Вот, посмотрите... – Она порылась среди газет и журналов и вытащила листок с информацией, распечатанной на принтере. – Я пыталась понять, сколько времени обычно проходит до того, как похитители объявляют свои требования, прежде чем что-то сообщается родителям... – Анжелина замолчала. Слезы медленно текли по ее щекам.

Линли посмотрел на Ло Бьянко. Как полицейские, они понимали, что мать хватается за соломинку, что похищение ради выкупа в наши дни гораздо более редко, чем похищение с целью продажи, ради секса, для какого-то тошнотворного развлечения, особенно когда речь идет о похищении ребенка. Пальцы Ло Бьянко постукивали по краю стакана. Это жест означал: скажите ей все, что считаете нужным в настоящий момент; главное – успокоить ее и дать ей хоть какую-то надежду.

– С этим я соглашусь, – аккуратно сказал Линли. – Но сейчас самое важное – вернуться назад и еще раз тщательно вспомнить все, что произошло в день похищения. Где были вы, где – синьор Мура, где – Хадия, кто был рядом с ней, кто мог что-то видеть, но все еще не проявился, потому что, может быть, не понимает, что видел что-то важное...

– Мы делали то, что всегда, – пробормотала Анжелина без всяких эмоций.

– Что, видите ли, является важной деталью, – заверил ее Линли. – Это говорит полиции о том, что, если вы пленники привычек, кто-то мог следить за вами какое-то время и вычислить, где и как он может завладеть девочкой. Это говорит полиции о том, что преступление, скорее всего, было не случайным, а, напротив, хорошо продуманным. Это же объясняет, почему никто ничего не заметил, потому что похититель Хадии в первую очередь должен был продумать, как увести девочку совершенно незаметно.

Анжелина приложила салфетку к глазам.

– Я все понимаю.

И она быстро стала рассказывать Линли, что происходило в тот день, когда Хадия была похищена. Она пошла на свой урок йоги, а Лоренцо и девочка – на рынок; последняя, как всегда, убежала вперед, чтобы полюбоваться красочными прилавками и послушать аккордеониста. Рядом с ним они обычно все встречались и оттуда шли на ленч к сестре Лоренцо. Они всегда так вели себя в рыночный день в Лукке. Любой, кто знал их, или любой, кто понаблюдал бы за ними какое-то время, понял бы это.

Линли кивнул. Большую часть этих сведений он уже слышал от Ло Бьянко; но Томас также видел, что еще один рассказ Анжелины давал надежду ей самой.

Ло Бьянко терпеливо выслушал все это по второму разу. Когда она закончила, он спросил у Линли: «*Con permesso?*»[1] – и наклонился к женщине, чтобы задать несколько своих вопросов на не очень уверенном английском.

– Я спросить вопрос, который не спрашивать перед этим. Как Хадия относилась к синьору Мура? Все это время вдалеке от пап*а*. Как она вести себя с вашим любовником?

– Прекрасно, – ответила Анжелина. – Она любит Лоренцо.

– Вы быть уверены? – уточнил Ло Бьянко

– Ну конечно, я уверена, – ответила Анжелина. – Уверенность... Это была одна из причин... – Она посмотрела на Линли, а потом перевела взгляд на Ло Бьянко. – Именно по этой причине моя сестра писала электронные письма. Я думала, что если Хадия получит весточку от Хари, если она сначала подумает, что в Италии мы просто в гостях, если с течением времени она смирится с тем, что ее отец за ней не приедет...

– Электронные письма? – уточнил Линли.

Ло Бьянко быстро объяснил на итальянском, что сестра Анжелины посылала письма как будто от имени отца девочки. В этих письмах он обещал приехать, но обещания свои постоянно нарушал.

– Сестра, что, получила каким-то образом доступ к его электронному адресу? – поинтересовался Линли.

– Она создала новый, через своего приятеля в Университетском колледже, – объяснила Анжелина. – Я говорила, что надо писать, а она писала. – Женщина повернулась к Ло Бьянко. – Поэтому у Хадии не было причин не любить Лоренцо или думать, что он может встать между ней и отцом, и тогда это полностью изменит ее жизнь. Об этом я позаботилась.

– Все равно, возможно... Возможно, дочь и синьор Мура... – Было видно, что Сальваторе ищет подходящее слово.

[1] С вашего разрешения (*итал.*).

– Не ладили, – подсказал Линли. – Они могли не ладить.
– Ничего подобного не было, – сказала Анжелина, – и нет.
– А синьор Мура? Ему Хадия нравилась?

Рот Анжелины приоткрылся. Если бы она могла побледнеть еще больше, она бы побледнела. Линли видел, как женщина сначала осознает вопрос старшего инспектора, а затем делает из него выводы.

– Ренцо любит Хадию. Он не сделал бы ничего, что причинило бы ей вред, если вы об этом думаете. Все, что он делал, все, что делала я, *было только* ради Хадии. Я хотела вернуть ее. Я была так несчастна. Я ушла от Хари, чтобы жить здесь с Ренцо, но я не могла без Хадии. Поэтому я вернулась к Хари на несколько месяцев и все ждала и ждала, и Лоренцо ждал, и все это было из-за Хадии и ради нее. Так что вы не смеете говорить, что Лоренцо...

Ло Бьянко пощелкал языком. Линли пытался осознать рассказ Анжелины. Казалось, она сплела вполне впечатляющую паутину из обмана, чтобы обеспечить свою новую жизнь в Италии. Это вызвало у него интерес к одному прошлому факту, который мог иметь далеко идущие последствия в настоящем и будущем.

– Когда и как вы познакомились с синьором Мура? – спросил он.

Они встретились в Лондоне, объяснила Анжелина. У нее не было зонтика, а начался сильный дождь, и она забежала в «Старбакс», чтобы переждать ливень.

В этот момент Ло Бьянко издал недовольный звук, и Линли с удивлением посмотрел на него. Оказывается, недовольство старшего инспектора вызвал «Старбакс», а не тот факт, что Анжелина встретила там кого-то.

Кафе было полным-полно, так как идея попить кофе в непогоду многим пришла в голову. Анжелина купила капучино и пила его стоя у окна, когда в кафе вошел Лоренцо все с той же целью – укрыться от дождя. Они разболтались, как это иногда случается. Он приехал в Лондон на три дня, и погода сводила его с ума. В это время в Тоскане тепло и солнечно, объяснил он. Цветут цветы... вы должны приехать в Тоскану и убедиться сами.

Анжелина увидела, что он незаметно посмотрел, есть ли у нее обручальное кольцо на пальце, как это делают обычно неженатые люди, и сделала то же самое. Она не рассказала ему об Ажаре, о Хадие или о... о всяких других вещах. В конце их разговора, когда дождь уже прекратился, он протянул ей свою карточку и сказал, что она обязательно должна приехать в Тоскану, а когда приедет, должна обязательно позвонить ему, и он покажет ей все ее красоты. И она так и поступила в конце концов. После ссоры с Хари... после очередной ссоры с Хари, после обычной ночной ссоры с Хари, когда слова говорятся свистящим шепотом, чтобы Хадия не узнала, что между мамой и папой не все гладко...

– Другие вещи? – спросил Линли после окончания ее рассказа. Периферическим зрением он заметил, что Ло Бьянко одобрительно кивнул.

– Что? – переспросила она.

– Вы сказали, что во время той, первой, встречи вы не сказали синьору Муре об Ажаре, Хадие и других вещах. Что это были за вещи?

Было очевидно, что Анжелина не хочет продолжать; ее взгляд опустился на стол и на компьютерные распечатки, лежащие на нем. Она пыталась притвориться, что не понимает вопрос Линли.

Инспектор сказал:

– Вы должны понять, что для нас важна каждая деталь.

Он замолчал. Ло Бьянко тоже сидел молча. Вода капала в колоссальную кухонную раковину, громко тикали часы.

Наконец она заговорила:

– В тот раз я не сказала Лоренцо о своем любовнике.

Ло Бьянко чуть слышно присвистнул. Линли посмотрел на него. *Le donne, le donne, le cose che fanno*[1], говорило выражение его лица.

– Вы имеете в виду другого мужчину? – уточнил Линли. – Не Ажара?

– Да, – ответила она. – Это один из учителей в школе танцев, куда я ходила в Лондоне. Хореограф и преподаватель. К тому времени, как я встретилась с Лоренцо Мурой, этот человек был моим любовником в течение уже нескольких лет. Когда я ушла от Ажара к Лоренцо, то также оставила и этого мужчину.

– Как его зовут? – спросил Томас.

– Он живет в Лондоне, инспектор Линли. Он не итальянец, не знает Италии. Не знает, где я. Я просто... Я должна была ему сказать. Должна была с ним как-то объясниться. Но я просто перестала с ним встречаться.

– Но это не могло предотвратить его попыток найти вас, – заметил Линли. – После нескольких лет любовных отношений...

– Это было несерьезно, – нервно заметила Анжелина. – Просто весело. Необычно, свежо. Мы никогда не планировали быть вместе постоянно.

---

[1] Женщины, женщины, что же вы вытворяете (*итал.*).

– Вы не планировали, – повторил Ло Бьянко. – *Ma forse*[1]... – Это было возможно. В голове ее любовника могли бродить совсем другие мысли. – Он был женат?

– Да. Поэтому он не хотел, чтобы я оставалась в его жизни навечно, и когда я оставила его...

– Это может быть совсем по-другому, – объяснил ей Ло Бьянко. – Есть мужчины, для которых брак ничего не значит.

– Мне действительно нужно его имя, – настойчиво повторил Линли. – Старший инспектор прав. Хотя ваш бывший любовник может быть абсолютно не связан с тем, что произошло здесь, в Италии, тот факт, что он был в вашей жизни, требует, чтобы его проверили и исключили из числа подозреваемых. Если он все еще в Лондоне, Барбара может этим заняться. Но это необходимо.

– Эстебан Кастро, – наконец произнесла Анжелина.

– Он испанец?

– Он из Мехико. Его жена англичанка. Тоже танцовщица.

– Вы и...

Ло Бьянко подыскивал слово, но Линли понимал, куда он клонит, поэтому вмешался:

– Вы и с ней были знакомы?

Анжелина опустила глаза.

– Она была моей подругой.

Прежде чем Ло Бьянко или Линли смогли прокомментировать ее слова или задать новые вопросы, приехал Лоренцо Мура. Он вошел так же, как и они – через дверь в цокольном этаже, которая привела его по длинному коридору в кухню. Бросил свою спортивную сумку на плиточный пол, подошел к столу и, поцеловав Анжелину, поинтересовался, что происходит. Очевидно, Лоренцо сразу почувствовал напряженную атмосферу в комнате.

– *Che cos'u successo*? – потребовал он.

Ни один из детективов не заговорил. Линли считал, что Анжелина сама должна рассказать – или не рассказать – своему нынешнему любовнику, что они обсуждали.

– Лоренцо знает про Эстебана Кастро, – сказала женщина. – У нас нет секретов друг от друга.

В этом Линли сильно сомневался. У всех есть секреты. Он решил, что Анжелина сама загнала себя в ситуацию, в которой сейчас находилась: в ситуацию матери, у которой украли ребенка.

– А Таймулла Ажар?

– А что Хари?

– Ну, иногда люди делятся всем друг с другом, – объяснил детектив. – Таймулла знал об этом вашем любовнике?

---

[1] Но, возможно... (*итал.*)

– Пожалуйста, только не говорите об этом Хари.

Лоренцо с кряхтением вытащил стул из-под стола, уселся на него, взял стакан и налил себе вина. Без раздумий опрокинул стакан, затем взял сыр, отрезал себе хлеба и с яростью спросил:

– Почему ты защищаешь этого человека?

– Потому, что я и так подложила бомбу под его жизнь. Этого *достаточно*. Не хочу больше делать ему больно.

– *Merda*[1], – Лоренцо покачал головой. – Я не понимаю этой... бережности, с которой ты относишься к нему.

– У нас общий ребенок, – сказала Анжелина. – Общие дети многое меняют. Это жизнь.

– *Cosi dici*[2].

На этот раз голос Муры звучал заметно мягче. Но все равно было видно, что Лоренцо так и не понял связь между совместным ребенком и нежеланием Анжелины причинять боль Ажару. «А может быть, он и прав, – подумал Линли. – Может быть, если бы Ажар вовремя развелся, жизнь сложилась бы совсем по-другому для Анжелины Упман. И, может быть, Лоренцо Мура догадывался об этом. Не важно, что было сейчас и что будет в будущем, но связь между Анжелиной Упман и пакистанцем всегда была и будет. И Муре придется с этим смириться».

Лукка,
Тоскана

В тот вечер Сальваторе забрался на крышу башни позже, чем обычно. У мамочки произошло сегодня то, что она считала стычкой, в *macelleria*[3], когда она делала покупки для сегодняшнего обеда. И эта стычка, произошедшая, по-видимому, с иностранкой, которая совершенно не понимала, почему она должна выражать уважение матери Сальваторе, так же как это делали все в силу ее возраста – когда та входила в магазин, все расступались, – должна была быть всесторонне обсуждена.

– *Si, si*, – поддакивал Сальваторе, выслушивая все жалобы об ужасах мамочкиного дня.

Наконец он покачал головой и принял достаточно возмущенный вид. Затем, воспользовавшись первой же возможностью, взо-

---

[1] Дерьмо (*итал.*).

[2] Это ты так считаешь (*итал.*).

[3] Мясная лавка (*итал.*).

брался на крышу, чтобы насладиться своим *caffu corretto*, видом тихого вечера, спускающегося на его город и на его жителей, совершающих свой ежедневный *passeggiata*[1], держась за руки, а больше всего – насладиться тишиной, спустившейся на город.

Однако тишиной наслаждаться получилось недолго. Ее нарушил звонок мобильного. Сальваторе вынул телефон, увидел, кто звонит, и выругался. Если его опять пригласят в Баргу, он откажется.

– Итак, – среагировал *magistrato* на «*pronto*» Сальваторе, – *mi dica, Topo*[2].

Тот знал, *что* хочет услышать Фануччи: все, что касалось этого английского детектива. Он рассказал прокурору то, что, по его мнению, могло его удовлетворить. Старший инспектор также добавил интригующие подробности о новом любовнике синьоры Упман – Эстебане Кастро. «Ей нравились или иностранцы, или вообще все парни с горячей кровью», – сказал он Фануччи.

– *Puttana*, – именно так охарактеризовал ее прокурор.

Времена изменились, хотел сказать Сальваторе. Женщины теперь не обязательно считались развратными, если у них были любовники. Но правда состояла в том, что скажи он такое Фануччи, это вызвало бы очередной приступ гнева. Потому что тот не верил, что в нынешнее время женщине позволялось иметь более одного любовника, была она замужем или нет. То, что у Анжелины Упман вошло, по-видимому, в привычку иметь нескольких, было еще одним кусочком интересной информации о ней. Сальваторе не имел ничего против того, чтобы поделиться этой информацией с Фануччи, потому что это позволяло ему увести разговор в сторону от Микеланджело Ди Массимо с его солнечной шевелюрой.

– Так что, он преследует ее, этот Эстебан Кастро? – спросил Фануччи. – Он приехал за ней в Лукку, где и спланировал свою месть? Она бросает его, а он с этим не согласен и придумывает, как ей достойно отомстить, *vero*[3]?

Идея была абсолютно идиотской, но какое это имело значение? В конце концов, это хоть не было очередным бредом о молодом Каспариа.

– *Forse, forse, Piero*, – пробормотал Сальваторе.

– Но действовать надо очень осторожно, – сказал он. – Скоро они кое-что узнают, потому что этот английский детектив позво-

---

[1] Променад (*итал.*).

[2] Рассказывай, мышонок (*итал.*).

[3] Правда (*итал.*).

нит в Лондон и организует, чтобы там проследили за этим любовником Анжелины. Так он им пригодится, этот *Ispettore* Линли.

Некоторое время Фануччи молчал, обдумывая все это. На заднем фоне Сальваторе услышал чей-то голос. Женский голос. Это была не его жена, а, скорее, многострадальная любовница.

– *Vai*[1], – резко ответил Фануччи. Это был его способ нежно сообщить ей, что сегодня вечером ее постельные услуги не понадобятся.

Затем, уже в телефон, *magistrato* сообщил Сальваторе причину своего звонка: специальный репортаж для регионального телеканала. Он, Фануччи, все организовал. Репортаж снимут в доме матери похищенной девочки, и действо завершится обращением родителей к телезрителям. Мы любим наше сокровище, и пожалуйста, пожалуйста, верните ее нам. Если мамаша будет рыдать – еще лучше, таково было мнение Фануччи. Телекамеры любят рыдающих матерей в ситуациях, когда у них пропадают дети, правда?

Сальваторе поинтересовался, на когда назначены съемки. Через два дня, оповестил Фануччи, и он сам, а не Сальваторе, будет говорить от имени итальянской полиции.

– *Certo, certo,* – пробормотал старший инспектор, улыбаясь от самодовольства Фануччи. Присутствие Пьеро на телеэкранах по всей Италии, несомненно, вселит страх в души преступников всех мастей.

АПРЕЛЬ, 23-е

Чолк-Фарм,
Лондон

Митчелл Корсико не терял времени даром. У него была репутация репортера, который не тратит время впустую, и эта скорость, вместе с чутьем на скандал, не подвела его, хотя Хейверс и обыграла его в Илфорде.

Когда на следующий день Барбара увидела первую страницу таблоида, она поняла, *что* Корсико умудрился сделать из того, что он увидел перед школой Саида. Заголовок гласил: «У ПРОПАВШЕЙ ДЕВОЧКИ СЕКСУАЛЬНО ОЗАБОЧЕННЫЙ ПАПАШКА» – и предвосхищал всю статью. Под заголовком помещались

[1] Проваливай (*итал.*).

несколько фотографий брошенной семьи, которые должны были подтвердить все, рассказанное в статье.

Когда Барбара увидела этот последний номер «Сорс», в глазах у нее потемнело. Она испугалась, что сейчас потеряет сознание и упадет на заплеванный жвачкой тротуар, прямо перед местным газетным киоском. Для нее было необъяснимо, как Корсико сумел наложить лапу на материал, опубликованный в номере. Мистика пополам с волшебством. Однако она вспомнила, что корреспондент сопровождал семью Ажара до самого дома, а после этого, наверное, использовал один из беспроигрышных способов получения информации, которые были в его распоряжении. Барбаре нетрудно было себе представить: Корсико беседует с соседями и получает информацию у них; Корсико просовывает свою карточку в почтовый ящик Нафизы и говорит ей в узкую щель, что ситуация сейчас выглядит следующим образом – или вы говорите со мной, или я говорю с соседями. Он даже мог разыскать какого-нибудь приятеля Саида и передать мальчику послание: встречаемся в пабе (парке, местном кино, угловом гастрономе, на железнодорожной станции, автобусной остановке). Там мы сможем поговорить. Это твой шанс все рассказать... В конце концов, так ли было важно, каким образом он заполучил эту информацию в свои грязные пальцы? Ужасная история была напечатана, и в ужасной истории назывались имена.

Барбара позвонила Корсико.

– Какого черта ты хочешь? – потребовала она безо всякой преамбулы.

Митчелл не спросил, кто звонит. Очевидно, он это знал, так как его ответ был:

– А я думал, что это вы что-то хотите, сержант.

– Не произноси мое звание по телефону! – прошипела она. – Где ты находишься?

– Вообще-то, в постели. Отлеживаюсь. А в чем, собственно, дело? Ты что, не хочешь, чтобы люди знали, что мы с тобой лучшие друзья?

Это Барбара решила пропустить мимо ушей.

– Ты знал, что эта история не об Ажаре. Что эта история об итальянской полиции и о том, как она ведет – или не ведет, или отказывается вести, или черт знает *что еще* – дело об исчезновении Хадии. История о полиции Метрополии, которая не хотела послать сотрудника для помощи. История о том, что, в конце концов, послали специального, особенного, очень нужного тебе сотрудника. А *поэтому* ты должен был оторвать свою толстую задницу от стула и мчаться в Италию, для того чтобы поддерживать постоянное давление. Я дала тебе все подробности, и всё, что ты, черт побери, должен был сделать, – это использовать их в истории и наблюдать за развитием событий, именно этих событий, а не думать о другой истории. И ты это прекрасно знаешь, Митчелл.

Журналист громко зевнул. Барбаре хотелось нырнуть с головой в мобильный и вынырнуть уже у него в спальне, где и раздавить эту гниду к чертовой матери.

– Все, что я «знал», как ты это называешь, – ответил Корсико, – это то, что тебе нужна была статья в нашей газете. Что я *знаю* сейчас, так это то, что *несколько* статей уже напечатаны и еще одна на подходе... У меня есть несколько интересных фотографий вчерашней схватки с... с дедом, по-моему?

– Слушай, притормози, – сказала ему Барбара, хотя само упоминание о фотографиях заставило ее голову закружиться. – Ты должен, черт возьми, сдать назад, Митчелл. Эти люди в Илфорде не связаны с нашей историей. А вот пропавшая в Италии девочка и есть сама история. Об этом существует масса информации, и я буду предоставлять ее тебе по мере поступления, а пока...

– Э-э-э, *сержант*... – прервал ее Корсико. – Не учите меня, о чем писать. Я иду туда, куда меня ведет информация, и сейчас она ведет меня в дом в Илфорде, к очень несчастному подростку.

«Итак, он *добрался* до Саида, – с горечью подумала Барбара. – Только Бог знает, кто следующий на очереди».

– Ты используешь мальчика для...

– Ему надо было выговориться. Я дал ему выговориться. Мне нужна была история. Он мне ее рассказал. У нас с Саидом успешные взаимоотношения. Обоюдовыгодные. Как и у нас с тобой.

– У нас с тобой нет отношений.

– Конечно, есть. И они развиваются с каждым днем.

Барбара почувствовала пальцы скелета на своем позвоночнике.

– А поточнее? Что ты имеешь в виду?

– Сейчас я имею в виду, что наблюдаю за развитием истории. Тебе может не нравиться вектор, по которому она развивается. Ты, может быть, хочешь немного откорректировать это направление. Тогда тебе надо дать мне больше информации, а когда ты дашь мне ее...

– *Если*, а не когда.

– *Когда*, – повторил он, – ты дашь мне эту информацию, я ее проанализирую и решу, садиться ли мне на этот поезд. Вот как всё работает.

– Как всё работает... – начала она, но он опять перебил.

– Ты уже ничего не решаешь Барбара. Сначала – да, а теперь уже нет. Как я сказал, наши отношения развиваются. Меняются. Укрепляются. Это вполне может быть брак, заключенный на небесах. Если мы оба правильно разыграем свои карты, – добавил он.

Пальцы скелета взяли ее за горло, перекрывая дыхание.

– Берегись, Митчелл, – сказала она. – Потому что я клянусь: если ты пытаешься мне угрожать, то очень об этом пожалеешь.

– Угрожаю тебе? – рассмеялся Митчелл, хотя смех вышел несколько наигранным. – Этого я себе *никогда* не позволю.

И он отключился.

Барбара осталась стоять на Чолк-Фарм-роуд с экземпляром «Сорс» в одной руке и мобильным – в другой. Пешеходы пробирались мимо нее по пути к метро, машины проносились, увозя водителей на работу.

Она понимала, что должна спешить. Времени, чтобы успеть на работу вовремя, оставалось в обрез. Иначе ей не избежать осуждающих глаз инспектора Стюарта и его кондуита, куда он тщательно записывал опоздавших.

Но ей было необходимо немедленно получить дозу кофеина и чего-то сладкого, чтобы хоть как-то справиться с ситуацией, не говоря уже о том, чтобы обдумать ее. Поэтому она решила, что инспектор Стюарт и то задание, которое он ей на сегодня приготовил – будьте любезны, сержант, введите эти отчеты в компьютер, ведь их так много сейчас поступает, практически каждый час, – подождут.

Барбара заскочила в недавно открывшееся заведение под названием «Каппа Джо и другие». Купила латте и еще что-то – на этот раз оно оказалось шоколадным круассаном. Боже, это именно то, что ей сейчас необходимо после разговора с Корсико.

Когда зазвонил ее мобильный и раздались первые звуки «Пегги Сью», а это произошло после того, как Барбара сделала три глотка кофе и откусила два раза от круассана, она подумала, что это Корсико дрогнул своей волей (но не сердцем, так как сердца у него попросту не было). Однако оказалось, что это был Линли.

– Хорошие новости? – спросила она.

– Боюсь, что нет.

– О Боже, только не это.

– Нет, нет. Ни хороших, ни плохих, – поспешно ответил Линли. – Просто есть информация, которую нужно проверить.

Он рассказал ей о своих встречах с Ажаром и с Анжелиной Упман. Рассказал ей о существовании еще одного женатого любовника Анжелины, который был у нее перед тем, как она ушла от Ажара к Лоренцо Муре.

– Вы хотите сказать, что Анжелина спала с этим парнем в то время, когда она и Ажар... Я имею в виду, после того, как она родила Хадию и... Я имею в виду, после того, как Ажар ушел из семьи... То есть... Черт, я ничего не понимаю.

– Именно, – подтвердил Линли все вышесказанное. Этот мужчина был танцовщиком и хореографом в Лондоне, с которым Анжелина имела отношения *в тот* момент, когда встретила Лоренцо Муру. В это же время она была любовницей Ажара и матерью их общего ребенка. Мужчину звали Эстебан Кастро, и, если верить Анжелине Упман, она просто исчезла из его жизни в один прекрасный день. Еще сегодня она была в его постели, а назавтра просто исчезла, оставив его и Ажара ради Муры. Жена Кастро тоже была ее подругой, поэтому надо будет проверить их обоих. Потому что не исключено, что, временно вернувшись к Ажару на короткие четыре месяца, она также вернулась и к Кастро, чтобы вскоре снова оставить его.

– Но, Барбара, – наставительно произнес Линли, – этим вы должны заниматься в свое свободное время, а не во время служения отечеству.

– Но она же разрешит мне заняться этим, если вы ее об этом попросите, ведь правда? – сказала Барбара. В конце концов, Линли и Изабелла Ардери не стали врагами после того, как расстались. Все-таки они оба были профессионалами. Инспектора Линли направили в Италию. Если он позвонит и попросит ее этим своим итонским выговором...

– Я ей позвонил, – ответил Линли, – и спросил, могу ли я воспользоваться вашей помощью для решения некоторых вопросов в Лондоне. Она не разрешила, Барбара...

– Потому, что вы попросили меня, – сказала Барбара с горечью. – Если бы вы попросили Уинстона, она бы в лепешку разбилась, чтобы помочь. И мы оба это знаем.

– Этого мы не касались. Я бы мог попросить Уинстона, но подумал, что вы сами захотите заняться этим, неважно в какое время.

Это было правдой. Барбара знала, что должна быть благодарна Линли за то, что он понимал, насколько это для нее важно, и держал ее в курсе всего происходящего. Поэтому она коротко ответила:

– Конечно. Спасибо вам, сэр.

– Не переборщите с благодарностями, – сухо сказал Линли. – Боюсь, что их незаслуженно много.

Она улыбнулась.

– Я бью чечетку на столе. Если бы вы только могли это видеть...

– А где вы?

Она рассказала.

– Вы опоздаете на работу. Барбара, думаю, вам пора прекратить дразнить Изабеллу.

– Уинстон сказал мне почти то же самое.

– И он прав.

– Умереть на работе – это не то, о чем я мечтала всю жизнь. Но... как скажете. Я вас услышала. Что-нибудь еще?

Барбара хотела спросить, как идут дела с Дейдрой Трейхир, но передумала – Линли все равно бы ничего не сказал. Были какие-то вещи в этом парне, изменить которые ничто на свете не могло его заставить.

– Да, – ответил Томас, – Батшеба Уард.

Он рассказал ей об электронных письмах, которые Батшеба писала Хадии в Италию по просьбе своей сестры от имени Таймуллы Ажара из Университетского колледжа.

– Эта чертова корова врала мне! – в ярости крикнула Барбара. – Все это время она знала, где скрывается Анжелина!

– Похоже на то, – ответил Линли. – Поэтому есть шанс, что она может что-то знать и о том, что происходит сейчас.

Барбара подумала, но не смогла придумать, каким образом Батшеба Уард могла быть задействована в похищении Хадии. Ее мотивы в этом случае были так же неясны, если только сама Анжелина не была в этом замешана.

– А что Анжелина? – спросила Хейверс.

– В отчаянии, что нетрудно было предположить. Со здоровьем тоже, кажется, не все в порядке.

– А Ажар?

– Приблизительно так же, хотя держится молодцом.

– Это в его стиле. Я не представляю, как он все это выдерживает. Он ведь пребывает в этом аду уже с ноября прошлого года.

Линли рассказал ей, что делает пакистанец с плакатами своей дочери в городе и окружающих деревнях.

– Думаю, что, помимо всего прочего, это дает ему какую-то цель в жизни, – заключил он. – Просто сидеть и ждать новостей о твоем похищенном ребенке... Это невыносимо для любого родителя.

– Ну-у-у-у, наверное, да. Невыносимо – это хорошее слово для описания того, что происходит с Ажаром.

– Кстати, о нем... – Линли на секунду замялся.

– Что? – спросила Барбара, чувствуя подвох.

– Я знаю, что вы близки с этим человеком, но мне нужно задать вам этот вопрос. Мы знаем, где он был, когда Хадия исчезла?

– На конференции в Берлине.

– Мы в этом уверены?

– Черт побери, сэр, вы же не думаете...

– Барбара, если всё, что касается Анжелины, должно быть проверено, то и в отношении Ажара должно быть сделано то же самое. И в отношении всех других, кто хоть в малейшей степени может быть связан с тем, что происходит здесь, и это, безусловно, касается и Батшебы Уард. Здесь действительно происходит что-то не то. Дети просто так не исчезают с рыночной площади в разгар дня, так, чтобы об этом никто ничего не знал, никто не видел ничего необычного, никто...

– Хорошо, хорошо, – сказала Барбара и рассказала ему о Дуэйне Доути из Боу и о том, как она его использует. Сейчас он проверял алиби Ажара на момент исчезновения его дочери. Затем придет черед Эстебана Кастро, его жены, а также Батшебы Уард, хотя Барбара постарается проверить всех самолично, так как хочет контролировать расследование целиком, а не полагаться на других людей.

– Иногда нам приходится полагаться на других, – сказал Линли в завершение разговора.

Барбара хотела прокомментировать эти слова, но сдержалась. Томас был последним человеком в Управлении, которому нравилось полагаться на других людей.

Виктория,
Лондон

Рабочий день Барбара провела на удивление спокойно, стараясь не выходить за флажки, которыми ее обложили, и постоянно держаться на расстоянии вытянутой руки и прямой видимости от инспектора Стюарта. Она также постаралась, чтобы суперинтендант Ардери заметила, как Барбара послушно вводит отчеты других офицеров в память компьютера, как простая гражданская машинистка, а не как та, кем она была на самом деле, – обученным офицером полиции. Хейверс заметила, как Изабелла несколько раз прошла по залу, наблюдая за ней и за детективом Стюартом, улыбаясь и прищурив глаза, как будто ей не нравилась прическа Барбары, что было недалеко от действительности.

Барбаре удалось выкроить время, чтобы порыться в Мировой паутине. Она выяснила, где в настоящий момент находится и чем занимается Эстебан Кастро – он сейчас танцевал в одном из театров Вест-Энда в постановке «Скрипач на крыше». «А разве в «Скрипаче на крыше» танцуют?» – удивилась она. Кроме того, Кастро преподавал в своей собственной студии вместе с женой. Он был смуглокожим вальяжным мужчиной, с коротко подстриженными волосами и глазами с тяжелыми веками. Выложенные фотографии показывали его в различных ролях, позах и костюмах. Казалось, что его мускулатура и осанка должны принадлежать классическому танцору, а некоторая небрежность в движениях и позах говорили о джазе и современных танцах. Разглядывая его фотографии, Барбара поняла, какое впечатление он должен был производить на женщин, ищущих сильных эмоций, или что там еще искала Анжелина Упман? Она ведь оказалась настоящим конспиратором.

Были ссылки и на жену Кастро, и Барбара их изучила. Балерина, прочитала она, в Королевском балете. Не на первых ролях, но кто-то ведь должен танцевать и в кордебалете. Первый лебедь не может существовать без кордебалета в глубине сцены, члены которого и не подозревают, что же происходит с охотником на авансцене. Ее звали Далия Рурк... что, черт возьми, это за имя – Далия? Барбара рассмотрела ее фото и обнаружила, что она была даже хорошенькой – правда, так, как бывают хорошенькими артистки балета: торчащие скулы, ключицы, тонкие кисти и очень маленькая попка, такая, которую некоторые идиоты любили держать у себя на коленях. Она вполне могла бы сойти и за мальчика – может быть, именно это толкнуло Эстебана в объятия Анжелины. «Хотя, – подумала Барбара, – последняя тоже никогда не была слишком пухленькой, если уж дело шло об обжиманиях и оглаживаниях в постели. Может быть, Эстебану просто нравились скелеты?»

Хейверс сделала некоторые выписки и распечатала несколько фото. Заодно она посмотрела на данные Батшебы. У нее было чувство, что для того, чтобы получить помощь этой скользкой коровы во всем, что касалось Хадии, Анжелины или Ажара, ей придется выкрутить руки. Но в случае Батшебы выкручивать руки надо нежно, или же ситуацию надо преподнести как угрожающую ее собственному бизнесу.

Барбара обдумывала полученную информацию, когда ее мобильный опять затянул бесконечную шарманку о любви к Пегги

Сью. Это был Дуэйн Доути с отчетом о том, что он узнал об алиби Ажара на период исчезновения Хадии с рыночной площади.

– Я включу громкую связь, если не возражаете, – сказал он. – Эм тоже хочет послушать.

И он стал рассказывать о том, что каждая деталь алиби подтвердилась. Ажар действительно был в Берлине и действительно участвовал в конференции. Он участвовал в плановых заседаниях и семинарах, а также выступил с двумя сообщениями. Единственный способ, каким он мог оказаться в это время в Италии и похитить свою дочь, – это раздвоиться. Или обзавестись идентичным близнецом. Это было из области фантастики, но напомнило Барбаре об одном факте, который она хотела рассказать Дуэйну Доути.

– Кстати, об идентичных близнецах, – сказала она. И рассказала ему новые факты о Батшебе Уард и о том, что та, очевидно, знала с самого начала, где находится Анжелина с Хадией, и даже писала последней письма от имени ее отца.

– Это объясняет некоторые мелкие детали, которые нам удалось выяснить, – сказал Доути. – Похоже, что Батшеба посетила *la bella Italia*[1] приблизительно в то же время, когда исчезли Анжелина с Хадией. С моей точки зрения, это очень любопытный факт.

– Запомните его, – сказала Барбара. Потому что если Батшеба с самого начала знала о планах сестры, то для Анжелины не составляло никакого труда выехать в Италию по паспорту сестры и, таким образом, замести все следы.

– Старушку Батшебу надо слегка тряхануть, – сказал Доути. – Вопрос состоит в том, сержант, кто из нас сделает это лучше.

Боу,
Лондон

Разъединившись, Доути стал ждать неизбежных комментариев Эм Касс – и вскоре дождался. Они находились в ее кабинете, чтобы записать беседу с сержантом Хейверс. Проверив качество записи, Эм сняла наушники и положила их на стол. Сегодня на ней был мужской костюм-тройка цвета беж, идеально на ней сидящий. Двухцветные, кремовые и голубые, ботинки довершали картину. Это могло выглядеть безвкусно, если бы Эм не повязала шейный платок, чтобы сбалансировать весь ансамбль. Доути должен был

---

[1] Прекрасная Италия (*итал.*).

признать, что она носит мужскую одежду лучше, чем большинство мужчин. Было очевидно, что ни один мужчина в мире не сможет затмить Эм Касс в смокинге.

– Нам не надо было лезть в это дерьмо, Дуэйн, – сказала она. – Ты знаешь это, я знаю это, и с каждым днем это становится все очевидней. Как только я увидела ее с этим профессором, как только я догадалась, что она коп, как только я выяснила, что она из полиции Метрополии...

– Поспокойнее, – попросил ее Дуэйн. – Все течет, и многие вещи меняются.

Как бы для того, чтобы продемонстрировать последнее, раздался стук в дверь, и в офис проскользнул Брайан Смайт. Дуэйн заметил, что Эм отъехала от мониторов, как будто это могло увеличить дистанцию между ней и компьютерным гением. Прежде чем сыщик смог поприветствовать изнывающего от желания парня, Эм сказала:

– Ты же обещал предупредить меня, Дуэйн.

– Ситуация немного изменилась, – заметил сыщик. – И мне кажется, ты говорила именно об этом. – Затем, посмотрев на часы, повернулся к Брайану: – Ты рано. Мы должны были встретиться в моем офисе, а не здесь.

Брайан некрасиво покраснел. К сожалению, он не был человеком, чья кожа в этих случаях принимала нежный розовый оттенок, подчеркивающий все его достоинства.

– Постучался туда, – сказал он, имея в виду, по-видимому, офис Доути. – Услышал, что вы здесь...

– Надо было подождать там, – вмешалась Эм, – или, на худой конец, позвонить.

Дуэйн посмотрел на нее.

– Тогда бы я тебя не увидел, – честно признался Брайан.

Доути застонал. Этот человек начисто не имел представления, как вести себя с женщинами, как разговаривать с ними и что вообще мужчина и женщина должны делать, чтобы оказаться в горизонтальном положении – хотя в случае с Эм положение могло быть любым, – для того, чтобы соки их тел перемешались. Доути хотелось, чтобы Эм Касс дала бедняге хоть один раз. Такой благотворительный секс ее не убил бы, но помог Брайану понять, что между мечтой и ее жизненным воплощением лежит целая бездна.

– Кроме того, разве мы не договаривались больше не пользоваться телефонами? – продолжил Брайан.

– В этом случае нам всем нужны одноразовые телефоны, – коротко сказала Эм. – Использовал один раз, выбросил, купил следующий. В этом случае подобные контакты, – в ее устах это прозвучало как «визиты зачумленного», – никогда больше не случатся.

– Давайте не будем ссориться, – примирительно сказал Доути. – Ты же знаешь, Эмили, что мы здесь не купаемся в деньгах, поэтому не можем разбрасываться одноразовыми телефонами направо и налево.

– Нет, можем. Вставь это в счет той щучке из полиции. – И Эм повернулась к ним спиной, притворившись, что завязывает ботинок.

Доути бросил оценивающий взгляд на Брайана. Молодой человек не работал на них на постоянной основе, а им были нужны его знания. То, что Эм не хотела лечь с ним в постель, было ее делом, и Дуэйн не мог ее за это упрекать. Но издеваться над ним и доводить его до того состояния, когда он плюнет на все и бросит работать с ними?.. Это была непозволительная роскошь.

– Брайан абсолютно прав, Эмили, – угрожающе сказал Доути своей помощнице. – Давайте постараемся расстаться, не причинив друг другу серьезных увечий, хорошо? – Он не стал ждать ее ответа и обратился прямо к Брайану: – Ну, и на чем мы стоим?

– С телефонными звонками разобрались – как с входящими, так и с исходящими. Хотя это оказалось дороже, чем я думал. К моменту, когда я закончил, мне пришлось привлечь к сотрудничеству трех человек, а расценки у них совсем не детские.

– Придется смириться. Не вижу способа, как мы можем обойтись без этого. Что еще?

– Все еще занимаюсь остальными вопросами. Дело требует деликатности и помощи от инсайдеров. Их можно привлечь, но расценки...

– Я думал, что все будет гораздо проще.

– Может, и могло бы быть. Но надо было сначала переговорить со мной. До того, а не после. Оставлять следы гораздо легче, чем зачищать их.

– В этом ты должен быть экспертом, Брайан. Я плачу тебе по твоим расценкам за то, что ты самый лучший.

Тут Доути услышал иронический смех Эмили и сдвинул брови. Ей совсем не нужно осложнять ситуацию.

– Я лучший, а это значит, что у меня есть необходимые контакты там, где они нужны вам. Однако я не Супермен...

– Тогда *превратись* в Супермена и сделай это прямо сейчас.

Видимо, Эмили не могла этого больше переносить, потому что она вдруг разразилась тирадой:

– Всё это великолепно. Всё – дар Божий. Я ведь *говорила* тебе, что нам нужно держаться от этого дела подальше? Я еще раз это повторяю. Почему ты не хочешь мне верить?

– Мы сейчас пытаемся стать такими же чистыми, как новорожденные, – сказал Доути. – Именно этому посвящена эта встреча.

– А ты видел когда-нибудь новорожденного?

– Замечание принимается. Аналогия неудачная. Дай время, и я придумаю другую.

– Великолепно, – сказала Эм. – Проблема в том, что времени-то у тебя *как раз и нет*, Дуэйн. И именно твои придумки завели нас в эту ситуацию.

Сохо,
Лондон

Танцевальная студия Эстебана Кастро находилась в здании рядом с парковкой на полпути между Лестер-сквер и тем, что называлось Чайнатаун. После работы Барбара Хейверс быстро нашла нужный адрес. Однако попасть в саму студию было значительно труднее. Она находилась на последнем этаже шестиэтажного здания, которое забыли оборудовать лифтом. Пришлось взбираться по ступенькам под постмодернистскую музыку, которая становилась все громче. Барбара серьезно задумалась о том, чтобы исключить курение из своей жизни. К счастью, хоть ей и нравилось об этом думать, рассудок она окончательно не потеряла, чего нельзя было сказать о ее дыхании. И к тому моменту, когда Барбара подошла к полупрозрачным дверям танцевальной студии Кастро – Рурк, она отбросила идею табачной абстиненции, как не выдерживающую никакой критики.

Войдя внутрь, Хейверс оказалась в небольшой приемной, оклеенной плакатами. На них была изображена Далия Рурк в балетной пачке, принимающая разные экзотические позы, которые надо было понимать как изысканные извивы. На других был изображен сам Эстебан Кастро в различных видах, от затянутого в трико и летящего над сценой до отклячившего задницу и округлившего руки над головой в позе фламенко. Помимо плакатов, в приемной больше ничего не было, кроме небольшой стойки, на которой лежали брошюры различных танцевальных классов. По-видимому, это должно было означать смычку между балом и балетом.

В приемной никого не было. Хотя, судя по шуму, занятия проходили в обоих классах за закрытыми дверями, которые, по-видимому, вели в другие помещения. Шум состоял из постмодернистской музыки, которую Барбара слышала на лестнице и которая замолкала и возобновлялась в одном из помещений, прерываемая криками: «Нет, нет, нет, по-вашему, это похоже на жабу, испытывающую удивление и восторг?» – и громких команд: «Пятая позиция! Пятая позиция!» в другом. «Нет» произносилось мужчиной – скорее всего, Эстебаном Кастро, – поэтому Барбара подошла к двери и распахнула ее. О ее приходе некому объявить? «Нет проблем», – подумала она.

Комната, в которую вошла Хейверс, была большой, с зеркальными стенами, балетным станком и складными стульями, стоящими вдоль одной из стен. В одном из углов высилась куча тряпок – возможно, танцевальных костюмов. Посередине, на ровном твердом полу, стоял сам Кастро, а перед ним в дальнем конце комнаты располагались шесть танцоров, мужчин и женщин, в разных трико, толстых согревающих гамашах и балетной обуви. Они выглядели недовольными, возмущенными, взволнованными и измученными. Когда Кастро велел им «вернуться на исходные позиции и, наконец, *почувствовать* это», ни один из них не выразил восторга.

– Ему нравятся машины, – с напором объяснял Кастро. – А у вас созрел план, понятно? Теперь, ради бога, *ты* будешь жабой, а *вы* пятеро – лисичками. И давайте попробуем закончить до полуночи.

Два человека заметили Барбару у двери, один из них позвал Кастро: «Стив», – и кивнул на вошедшую.

Кастро обернулся и осмотрел Барбару.

– Занятия начнутся не раньше семи.

– Я не... – начала она.

– И я надеюсь, что вы принесли другую обувь. В этой танцевать фокстрот не получится.

Это, естественно, относилось к ее высоким кроссовкам. Было очевидно, что Эстебан еще не рассмотрел ее остальную одежду, иначе он отметил бы, что штаны, подвязанные шнуром, и майка с надписью «Отмечаем 600 лет эпидемии бубонной чумы» тоже не очень подходят для фокстрота.

– Я пришла не в класс, – сказала Барбара. – Вы ведь мистер Кастро? Хотелось бы с вами переговорить.

– Как видите, я немного занят, – ответил он.

– Ясно. Я тоже. – Она стала рыться в своей сумке и наконец извлекла из нее удостоверение; затем пересекла комнату и предъявила его ему.

Подумав минуту, Эстебан спросил:

– А в чем, собственно, дело?

– Анжелина Упман.

Он поднял взгляд от удостоверения и посмотрел на нее:

– А что с ней случилось? Я не видел ее целую вечность.

– Странно, что вы сразу подумали о том, что с ней могло что-то случиться, – заметила Хейверс.

– А о чем мне еще прикажете думать, если ко мне в дом приходят копы? – Кастро, видимо, и не ждал ответа на этот вопрос; вместо этого он повернулся к своим танцовщикам и произнес: – Десять минут. Потом повторим еще раз.

Эстебан говорил без всякого видимого акцента, как человек, родившийся в Хэнли-на-Темзе. Когда Барбара спросила его, почему, дав ему понять, что немного знакома с его биографией, в которой говорилось, что он родился в Мехико, Кастро рассказал, что переехал в Лондон в возрасте двенадцати лет. Его отец был дипломатом, а мать писала книжки для детей. Он объяснил, что для него было очень важно полностью ассимилироваться в английскую культуру. Отсутствие акцента было частью ассимиляции, так как он не хотел, чтобы на него вечно смотрели, как на иностранца.

Эстебан был очень хорош собой. Барбара сразу поняла, что в нем могло привлечь Анжелину Упман. Она даже понимала, что в нем может привлечь любую другую женщину. Он был вальяжен, как бывают вальяжны только латиносы. Эффект усиливался трехдневной щетиной, которая придавала ему сексуальный вид, тогда как другие с ней выглядели бы попросту неухоженными. Его волосы были черными, густыми и выглядели такими здоровыми, что Барбара с трудом подавила желание дотронуться до них. Она полагала, что реакция других женщин была бы схожей, и Кастро хорошо знал об этом.

Когда они остались в комнате вдвоем, Эстебан указал на складные стулья и прошел к ним. Он двигался, как должен был двигаться танцор: элегантно и с прекрасной выправкой. Как и на танцовщиках, которых он отпустил, на нем было одето трико, которое подчеркивало каждый мускул на его ногах и заднице. Но, в отличие от них, на нем была также одета обтягивающая майка, которая обрисовывала все мускулы на его груди. Его руки оставались открытыми, как и ступни.

Он сел, раздвинув ноги, поставив локти на колени и свесив кисти между ног. Это дало Барбаре возможность получше разглядеть его сокровища, чего она совсем не хотела, поэтому Хейверс поставила свой стул так, что те были закрыты.

Эстебан начал безо всякой преамбулы и не дожидаясь ее вопросов:

– Моя жена не знает, что у нас с Анжелиной что-то было. Я хотел бы, чтобы это так и осталось.

– Спорить бы я не рискнула, – ответила Барбара, – женщины не так уж глупы.

– Она не совсем женщина, – был его ответ. – В этом как раз часть проблемы. Вы с ней говорили?

– Нет еще.

– И не надо. Я расскажу все, что вам нужно. Я отвечу на ваши вопросы. Но не ввязывайте ее в это дело.

– В это дело? – переспросила Барбара.

– Не важно. Вы понимаете, что я имею в виду.

Он ждал, что Барбара даст ему определенные гарантии конфиденциальности. Поняв же, что этого не будет, выругался и сказал:

– Пойдемте со мной.

Танцор вышел из помещения, пересек приемную, отворил дверь и мотнул головой, приглашая Барбару заглянуть внутрь. Та увидела Далию Рурк с десятком маленьких девочек у станка, которых она пыталась поставить в изящные позы. Барбаре показалось, что это бесполезно. Всегда приятно знать, что настоящее, природное изящество в жизни не существует. Что касается Далии, она была худа, как скелет в рентгеновских лучах. Видимо, почувствовав, что за ней наблюдают, она повернулась к двери.

– Думает, что у дочери есть способности, – сказал Кастро, имея в виду Барбару. – Хотела, чтобы ее посмотрели.

Далия кивнула. Она осмотрела Барбару – казалось, без всякого интереса, – робко улыбнулась им обоим, а затем вернулась к своей работе с будущими балеринами.

Кастро опять прошел в свое помещение, закрыл дверь и произнес:

– Тело Далии функционирует только как тело балерины. Да ей и не надо, чтобы оно функционировало как-то иначе.

– Вы имеете в виду...

– Я имею в виду, что она перестала быть женщиной некоторое время назад. Это одна из основных причин, почему я сошелся с Анжелиной.

– Были и другие?

– А вы ее когда-нибудь встречали?

– Да.

– Ну, тогда вы все понимаете. Она очаровательна. Она чувственна. Она живая. А это очень привлекает. А теперь скажите, что, черт возьми, происходит и почему вы здесь?

– Вы выезжали из страны за последние тридцать дней?

– Конечно, нет. Я репетирую постановку «Ветра в ивах»[1]. Как я могу куда-то уехать? И я еще раз спрашиваю: что, черт возьми, происходит?

– Даже на уик-энд, погреться на солнышке?

– Это куда же? Испания, Португалия?

– Италия.

– Конечно, нет.

– А ваша жена?

– Далия участвует в постановке «Жизели» в Королевском балете. Она должна посещать там свои классы. У нее не остается времени ни на что, кроме как парить ноги дома, когда она не работает. Поэтому мой ответ: нет, и еще раз нет. И я больше ничего не скажу, пока вы не объясните мне, что происходит.

Чтобы показать, что он не шутит, Эстебан встал, прошел в центр комнаты и встал там, скрестив руки на груди. «Очень мужская поза», – подумала Барбара. Она не могла понять, сделал ли он это специально, полностью осознавая, что дала ему мать-природа.

– Дочь Анжелины Упман была похищена с рыночной площади в Лукке, в Италии, – объяснила она.

Кастро уставился на нее. Было видно, что он пытается понять связь между происшедшим и визитом к нему полицейского. Наконец он сказал:

– И что? Вы думаете, что это сделал я? Да я даже не знал ее дочь. Я никогда с ней не встречался. Зачем мне ее похищать?

– Все должно быть проверено. Это значит, что каждый, чья жизнь соприкасалась с жизнью Анжелины, тоже должен быть проверен. Я знаю, что она ушла от вас без объяснений. Вы могли слегка обидеться на это. Вы могли решить малость наказать ее, легонько отшлепать, образно говоря. Вы могли захотеть сыграть с ней в игры разума, как она играла с вами.

Кастро рассмеялся.

– Это никуда не приведет, сержант... – Он остановился.

– Хейверс, – сказала Барбара. – Полностью – детектив сержант Хейверс.

---

[1] Классическая книга для детей, написанная Кеннетом Грэмом в 1908 г. В 1985 г. одноименный мюзикл композитора Уильяма Перри был выдвинут на премию Тони.

– Хейверс, – повторил он. – Детектив сержант Хейверс, полностью. Да не было никаких игр разума. Она была – она исчезла. Вот и всё.

– И вы даже не поинтересовались, куда она исчезла?

– Да у меня и прав таких не было. Я это знал, и она знала, что я знаю. Я не собирался оставлять Далию ради нее. А Анжелина не собиралась оставлять Ажара ради меня. Она уже раньше исчезала – где-то на год, – но потом вернулась, и мы вроде как восстановили наши отношения. Я думал, что на этот раз все произойдет так же.

– Хотите сказать, вы полагали, что она вернется?

– Раньше так и было.

– Значит, вы все знали про Ажара? Все то время, пока у вас были отношения? – Само по себе это ничего не значило, но Барбара должна была знать, хотя и понимала, что лучше будет, если это не будет иметь для нее никакого значения.

– Да, знал. Мы ничего не скрывали друг от друга.

– А Лоренцо Мура? Ее другой любовник? О нем вы тоже знали?

На это Кастро ничего не сказал. Он вернулся к стулу, на котором сидел, опять уселся на него, коротко рассмеялся и покачал головой. Барбара уже все поняла.

– Так она... – сказал он. – Она трахалась одновременно со всеми нами? Со всеми тремя?

– Получается так.

– Не знал. Но, сказать по правде, не очень удивлен.

– Почему?

Эстебан запустил пятерню в свои роскошные волосы и потянул, как будто это помогало крови прилить к мозгам.

– Пожалуй, так. Некоторым женщинам необходимы сильные эмоции. К ним относится и Анжелина. Жить с одним мужчиной? А где же тогда возбуждение и эмоции?

– Но, кажется, сейчас она живет с одним парнем.

– Ключевое слово – *кажется*, сержант. Ажару *казалось*, что она живет только с ним. Сейчас вам *кажется*, что она живет с этим итальянцем.

Барбара обдумала это, принимая во внимание все, что знала об Анжелине. Она знала, что эта женщина была прекрасной актрисой. Ее саму обмануло дружелюбие Анжелины и ее кажущаяся заинтересованность в личной жизни Барбары. Но в этом случае она ведь могла запудрить мозги и всем остальным окружающим? Хоть Барбара и не могла понять, как можно крутить любовь сразу с тремя одновременно, она должна была признать, что в случае с Анжелиной возможно все. Это она сама, Барбара, боялась бы произнести не то имя во время экстаза в постели. Хотя она вообще редко испытывала экстаз в постели.

– Сколько продолжались ваши отношения? – спросила она у Кастро.

– А это важно?

– Да нет, просто любопытно.

Он посмотрел на нее, а затем отвел взгляд.

– Не знаю. Несколько лет... Может быть, года два или три... Они то вспыхивали, то гасли.

– Как часто вы встречались, когда они «вспыхивали»?

– Обычно два раза в неделю. Иногда три.

– Где это происходило?

Еще один взгляд. Теперь Эстебан окинул Барбару взглядом с ног до головы.

– А это-то при чем?

– Опять простое любопытство. Люблю узнавать, как живут другие. Если вы, конечно, не возражаете.

Кастро отвернулся, сосредоточенно разглядывая свое отражение в зеркале напротив.

– Да где угодно, – ответил он. – На заднем сиденье машины, в такси; здесь, в студии, за кулисами театра в Вест-Энде, у меня дома, у нее дома, в каком-нибудь клубе чечеточников...

– Это должно было быть интересно, – прокомментировала Барбара.

– Ей нравился риск. Однажды мы сделали это в пешеходном переходе в Гринвиче. Анжелина была большой затейницей, и мне это в ней нравилось. Она полностью подчинена эмоциям. А эмоции зависят от возбуждения и тайны. Да, она в этом вся.

– Да, мне кажется, от такой женщины ни один мужик не откажется, – заметила Барбара. – Вы меня понимаете, полагаю. В любое время, в любом месте, в одежде и без нее, стоя, сидя, на коленях, как угодно... Мужикам ведь это нравится?

– Некоторым – да.

– А вы к таким относитесь?

– Я из Южной Америки, сержант. Как вы сами-то считаете?

– Думаю, что заменить Анжелину после того, как она исчезла, было бы сложно, – заметила Барбара. – Это действительно должно было разбить ваше сердце.

– Анжелину заменить невозможно. И, как я уже сказал, она еще вернется.

– Даже сейчас? Когда она в Италии? Когда она живет с Лоренцо Мурой?

– Не знаю. – Кастро посмотрел на свои часы и встал, готовый продолжить репетицию. – Думаю, что мне надо радоваться, что это продолжалось столько, сколько продолжалось, – добавил он. – Просто обдумайте все хорошенько. Да и Муре не мешало бы задуматься.

АПРЕЛЬ, 24-е

Хокстон,
Лондон

Следующей по списку Барбары шла Батшеба Уард. Так как эта скользкая корова уже один раз ей наврала – что все больше и больше выглядело семейной привычкой, – жалеть ее Хейверс совсем не собиралась. Также она не собиралась больше давать инспектору Стюарту и суперинтенданту Ардери никаких поводов для замечаний. Поэтому Барбара встала очень рано для себя и направилась в Хокстон. По дороге она купила кофе и с удовольствием запила им громадный бутерброд с беконом. К моменту, когда сержант прибыла на Нуттал-стрит – место, где Батшеба обитала со своим мужем в квартире, расположенной в ухоженном здании из английского кирпича, – она была готова к борьбе.

В здании все еще спали, но это ее не удивило, так как часы показывали всего четверть седьмого. Барбара легко нашла квартиру Уардов и без перерыва давила на входной звонок у двери подъезда до тех пор, пока мужской голос в домофоне не взмолился:

– Ради всех святых, что вам нужно? Вы знаете, сколько сейчас времени?

– Скотланд-Ярд, – ответила Барбара. – Надо поговорить. Сейчас же.

Это было встречено тишиной, пока мужчина – скорее всего, Хьюго Уард – обдумывал услышанное. Хейверс подождала пять секунд и опять надавила на кнопку. Он впустил ее, не сказав больше ни слова, и она поднялась на второй этаж. Хьюго ждал ее у раскрытой двери. Несмотря на ранний час, он был уже полностью одет для выхода: костюм-тройка, накрахмаленная сорочка, почему-то двухцветная – белый воротничок и голубая манишка, – полосатый галстук и тщательно начищенные туфли.

– Вы из полиции? – спросил он, очевидно сконфуженный.

Барбара решила, что его смущают ее шаровары. Она протянула ему удостоверение, и Уард посторонился, впуская ее в квартиру.

– В чем дело? – задал он вполне справедливый вопрос.

– В вашей жене, – ответила Барбара.

– Она еще спит.

– Так разбудите ее.

– А вы представляете, который сейчас час?

На руке у нее были дешевые часы с Микки-Маусом, она посмотрела на них и потрясла около уха.

– Ой, какая печалька, остановились. – И обратилась к Хьюго: – Про время вы уже говорили, мистер Уард. И у меня его не так много, чтобы терять его с вами. Поэтому, может, позовете вашу супругу?.. Скажите ей, что пришла сержант Хейверс, выпить с ней утреннюю чашечку кофе. Она знает меня. Скажите ей, что это по поводу ее поездки в Италию в ноябре прошлого года.

– Она не была в Италии в ноябре прошлого года.

– Тогда кто-то воспользовался ее паспортом.

– Это невозможно.

– Поверьте мне, мистер Уард, на моей работе быстро понимаешь, что возможно все что угодно.

Казалось, Хьюго забеспокоился. Это хорошо. Это значило, что он будет сотрудничать. Он перевел взгляд с Барбары на коридор у себя за спиной.

Они стояли в небольшой квадратной прихожей, где в зеркале на стене отражалась, видимо, очень дорогая современная картина, висящая на противоположной стене. Изображены на ней были бессмысленные линии и загогулины, но даже при этом выглядела она так, как будто художник понимал, что он рисует. Барбара не могла понять, как этого удалось добиться.

– Мистер Уард, у меня действительно очень мало времени. Вы сами прервете ее утренний сон или доверите мне сделать это?

– Подождите минуту, – сказал он и предложил ей присесть в гостиной, как какой-нибудь агент по недвижимости усаживает покупателя, пришедшего осмотреть квартиру.

Комната находилась рядом с коридором и, как и прихожая, была украшена целой россыпью современных картин и мебелью, которая, без сомнения, была создана самой Батшебой. На столах тут и там стояли фотографии в рамках, и Барбара быстро их рассмотрела, пока Хьюго ходил за женой.

Она увидела, что на фото была изображена большая и счастливая семья Уардов: двое взрослых сыновей с женами, пухлый внук, сияющий глава семейства и верная вторая жена рядом с ним. Снимки были сделаны в разных местах, по разным поводам, и все они напоминали Барбаре фразу, которую она не помнила где читала, но была уверена, что Линли наверняка помнит: ярмарка тщеславия[1]. В данном случае все, казалось, хотели громко заявить: «Вы же видите, какая мы счастливая, красивая семья».

Она фыркнула, повернулась и увидела Хьюго, подошедшего к двери.

– Она примет вас после того, как оденется и выпьет кофе, – сказал он.

– Не думаю, – ответила Барбара. – Где она? – Пересекла комнату и вышла в коридор, направляясь к трем закрытым дверям. – Спальня здесь?.. Так как все это будет между нами, девочками, я не увижу там ничего такого, чего не видела бы каждое утро в ванной.

– Поосторожнее, черт возьми! – потребовал Уард.

– Хотелось бы, но я уже рассказала о недостатке времени. Это здесь?

Барбара открыла первую дверь на своем пути и заглянула внутрь, пока Хьюго шел за ней, всем своим видом выражая протест. Первая комната была кабинетом, прекрасно декорированным. Она осмотрелась, заметила еще картины и семейные фотографии и прошла к следующей двери, которую открыла, напевая: «Детки, детки, просыпайтесь, петушок пропел давно».

Батшеба сидела в кровати, на одеяле которой были разложены три газеты. Чашка кофе стояла рядом, на тумбочке. «Уже проснулась», – подумала Барбара и обернулась к Хьюго:

– Ай-яй-яй, шалунишка. Полицейским врать нельзя. Это сильно их злит.

Тот обратился к Батшебе:

– Прости, дорогая, я не смог ее остановить.

– Это я сама вижу, – сухо ответила его жена. – Право, Хьюго... Неужели это так трудно?.. – Она отбросила газету и потянулась за халатом.

Барбара повернулась к Хьюго:

– Как я уже говорила, мы, девочки, немножко посекретничаем наедине. – И захлопнула перед ним дверь. Она услышала, как он возмущается за дверью.

Батшеба встала, надела халат и сказала Барбаре:

– Я уже рассказала все, что знаю. То есть ничего. То, что вы явились в мой дом в такую рань...

---

[1] Название классического романа У. Теккерея.

– Откройте шторы, Батшеба. Вы удивитесь, но солнышко уже взошло, птички чирикают, а петушок очень беспокоится...

– Очень смешно. Вы прекрасно понимаете, о чем я говорю. Вы явились в мой дом в этот неурочный час, чтобы выбить меня из колеи. Но это у вас не выйдет. Может быть, лондонская полиция всегда так действует, но я к таким методам не привыкла и, поверьте мне, немедленно сообщу кому надо о вашем возмутительном поведении, как только вы покинете мой дом.

– Прекрасно. Я уже вся дрожу от страха, а ноги у меня просто подгибаются. Ну, а теперь мы можем поговорить.

– Я не собираюсь с вами...

– Не собираетесь говорить со мной? Думаю, что скоро вы передумаете. Вы мне врали, а мне это, как правило, не очень нравится. Ну, а когда дело касается похищения ребенка, мне это нравится еще меньше.

– О чем, ради бога, вы говорите?

– Вы влипли во все это по самое не могу... Хадия исчезла в Италии больше недели назад, а так как вы помогали вашей сестрице с момента...

– *Что*? – Батшеба уставилась на Барбару, как будто хотела прочесть что-то на ее лице, потом убрала волосы за уши и подошла к туалетному столику, где уселась на пуфик. – Я не имею ни малейшего представления, о чем вы говорите.

– На этот раз не выйдет. – Барбара оперлась спиной о дверь спальни и посмотрела на женщину долгим, твердым взглядом. – Вы лгали мне, когда говорили, что не видели Анжелину бог знает сколько лет. Вы писали письма Хадии от имени ее отца, с адреса Университетского колледжа, который вам устроил бог знает кто. И вы дали сестре свой паспорт, чтобы она уехала в Италию, после того как ушла от Ажара.

– Ничего подобного.

– К сожалению, Анжелина вас сдала. Со всеми потрохами.

Последнее было ложью, а упоминание о паспорте – блефом. Но то, что Хьюго отрицал поездку жены в Италию, давало какие-то надежды. Так что Барбара полагала, что хороший блеф не помешает.

Минуту Батшеба молчала. Любой другой, лучше знакомый с работой полиции, на ее месте потребовал бы адвоката, но, по опыту Барбары, обычные люди редко это делали. Это всегда ее удивляло. На их месте она бы сразу заткнулась и не открывала рот до тех пор, пока адвокат не погладил бы ее по головке и не взял бы за руку.

– Итак, – сказала она Батшебе. – Хотите объясниться?

– Мне нечего больше сказать. Анжелина могла меня *«сдать»*, как вы это называете – интересно, откуда у полиции такой яркий, образный язык? – но, насколько я знаю, ни я, ни она не совершили никакого преступления.

– Поездка по чужому паспорту...

– Мой паспорт у меня. Заперт в сейфе в этой квартире, и если вы предъявите постановление суда, я с удовольствием вам его продемонстрирую.

– Сестра отослала вам его, как только почувствовала себя в безопасности. Она взяла с собой свой, но путешествовала по вашему.

– Это вы так считаете. Думаю, что у вас есть возможности это выяснить. Позвоните пограничникам. Позвоните на таможню. Позвоните кому-нибудь. Позвоните в Министерство внутренних дел, наконец. Мне все равно.

– Вся эта история о том, что вы ее не любили... Все это вранье, не так ли? Потому что, если бы это было так, то вы не стали бы ей помогать... – Тут Барбара задумалась. Она оценила все сказанное с точки зрения ее информации о семействе Упманов. Там сам черт ногу сломит, но одна яркая деталь бросалась в глаза. – Если только, – сказала она, – все это не было сделано для того, чтобы разлучить ее с Ажаром. Пакистанец рядом с вашей сестрой... Вашим родителям это точно не нравилось. А вам?

– Не говорите глупостей. Если Анжелина была такой идиоткой, что связалась с мусульманином...

– И еще с несколькими мужиками параллельно с ним, как выяснилось, – сказала Барбара. – Она вам об этом рассказывала? Или сказала, что «услышала глас небесный» и должна бежать от грязного пакистанца? Ведь так называл его ваш отец? А как вы его называли?

«Однако Батшеба смотрит на нее как-то странно», – подумала Барбара. Она выглядит как женщина, которая только что очень сильно удивилась. Хейверс еще раз проанализировала все, что только что сказала, пытаясь понять, что из сказанного могло вызвать такое удивление, и быстро поняла, что дело было в любовных связях Анжелины.

– Эстебан Кастро был одним из ее любовников, – сказала она. – Кроме того, мисс Упман жила с парнем по имени Лоренцо Мура. Она и сейчас с ним, с этим Мурой. Она уехала к нему. Она вам об этом рассказала, правда? Нет? Вы об этом не знали? Как же так? Вы ведь сами сказали мне, что она, вероятно, ушла к другому мужчине?

Батшеба молчала. Барбара анализировала ситуацию. Она подумала о двух идентичных близнецах. Подумала о том, как ненависть к самому понятию «близнецы» могла перерасти в их ненависть друг к другу. Если это действительно было так, если Батшеба действительно ненавидела Анжелину, то она могла помочь ей только в том случае, если считала, что отъезд Анжелины усложнит всю ее жизнь, а не поможет ей. А если Анжелина об этом догадывалась...

– Про Лоренцо Муру она вам ничего не рассказывала? – спросила Барбара. – Об Эстебане Кастро тоже? Ни один из них, кстати, не похож на вашего Хьюго. – Она кивком головы указала на дверь.

Батшеба напряглась.

– А это что еще значит?

– Да бросьте, Батшеба, – сказала сержант. – У Анжелины всегда были сногсшибательные любовники. Посмотрите на Кастро в Интернете, если не верите мне. Посмотрите на Ажара и подумайте, чего он смог достичь за последние десять лет. А сейчас у нее появился Лоренцо Мура, который выглядит как образец, с которого Микеланжело делал свои скульптуры. А у вас всего лишь бедный Хьюго, с адамовым яблоком величиной с апельсин и лицом, похожим...

Батшеба вскочила на ноги.

– Замолчите!

– И он быстро старится. А значит, секс уже не тот, что раньше. В то время как ваша сестра...

– Немедленно убирайтесь! – потребовала Батшеба.

– ...занимается этим с завидной регулярностью. И с большим искусством. Один мужик за другим, а иногда и все три сразу – только подумайте, три! И ей все равно, женятся они на ней или нет. Хоть об этом-то вы знали? Ей это абсолютно все равно.

Барбара совсем не была в этом уверена, но она предполагала, что замужество Батшебы было единственным козырем, дававшим ей преимущество перед близняшкой. Она заключила:

– Итак, вам ничего из этого не было известно. Вы бы не пошевелили и пальцем, чтобы помочь ей убежать от Ажара, если бы знали, что она бежит к другому мужчине. Кстати, этот пока не женат. Но думаю, что ненадолго.

– Убирайтесь отсюда *вон*! – повторила Батшеба. – Убирайтесь к чертовой матери!

– Она всех использует, – сказала Барбара на прощанье. – Жаль, что вы этого не понимали.

Фаттория ди Санта Зита,
Тоскана

Телевизионщики находились в доме Лоренцо Муры уже около часа к тому моменту, когда появился Линли в компании старшего инспектора Ло Бьянко и прокурора Фанучча. Последний не был в восторге от присутствия Томаса, но Ло Бьянко объяснил ему, что присутствие английского детектива поможет успокоить родителей девочки, и Фанучча пришлось согласиться. Естественно, что он должен держаться на заднем плане, особо отметил прокурор.

– *Certo, certo*, – пробормотал Ло Бьянко. – Никого не интересует мнение английской полиции в деле о пропаже ребенка, *Magistrato*.

На фаттории ди Санта Зита их встретила *telecronista*[1], непринужденно одетая молодая женщина, которая, казалось, пришла на телевидение, пройдя перед этим по всем подиумам Миланской недели моды, так она была хороша. Вокруг суетились с камерами, проводами и гримом остальные члены съемочной группы. Они разгружали фургон и готовили к съемкам площадку перед старым стойлом, где у Лоренцо Муры теперь была винокурня. Там же стоял стол с хлебом, сыром, печеньем и фруктами, гостеприимно накрытый для членов съемочной группы. Стол и стулья также располагались на террасе, по громадным плитам которой вилась цветущая глициния. Видимо, это уже давно обсуждалось: *telecronista* предпочитала эту сцену за ее весеннюю нежность и изысканность, а осветитель ненавидел ее за те сложности, которые начнутся, когда они будут бороться с тенью и одновременно пытаться правильно выставить цвет на соцветия.

Фанучча важно подошел к месту съемки и одобрил его. Его никто об этом не просил, и, по-видимому, его одобрение никого не волновало. Он сказал несколько резких слов заторможенной молодой женщине с гримерным чемоданчиком. Та убежала и вернулась с третьим стулом, который поставила к своему столику. Прокурор уселся на него, по-видимому, не собираясь больше двигаться, и жестом показал ей, что она должна сделать что-то с его лицом при помощи своих щеток и кистей. Женщина сделала все, что могла, хотя полностью убрать его бородавки так и не удалось.

В это время оператор снял первые, общие кадры: виноградники, спускающиеся по склонам холмов, ослики, жующие солому

[1] Диктор (*итал.*).

в паддоке под древними оливами, несколько коров у ручья у подножья холма и множество хозяйственных построек. Тем временем *telecronista* изучила свой макияж в ручном зеркале и нанесла последнюю порцию лака на волосы. Наконец она сказала: «*Sono pronto a cominciare*»[1], сообщив о своей готовности к съемке. Но, по-видимому, ничего не могло произойти, пока Фануччи не выразит своего одобрения.

Пока они все ждали этого, на сцене появилась Анжелина Упман в сопровождении Лоренцо Муры. За ними, на некотором расстоянии, шел Таймулла Ажар. Продолжая что-то говорить, Лоренцо посадил Анжелину на стул рядом с Фануччи. Она выглядела еще более истощенной, чем накануне, и Линли подумал, удается ли ей вообще есть и спать. То же он подумал и об Ажаре, который выглядел не намного лучше, чем мать пропавшей девочки.

Фануччи не заговорил ни с ней, ни с ним. Он также проигнорировал Муру. Казалось, его интересовала только съемка сюжета для вечерней программы новостей. Все, что должно было исходить от полиции, должно было исходить, по всей видимости, или от Ло Бьянко, или от Линли. Это, казалось, включало и некоторое сопереживание с родителями похищенной девочки.

После того, как Фануччи изучил себя в зеркале гримера, он кивком разрешил начинать. Сначала вступила *telecronista*, рассказав основные детали происшедшего, тараторя со скоростью автомата, что, видимо, было характерно для всех сотрудников телевидения в этой стране. Она говорила, стоя спиной к большой оливе. Задник был выбран с большим искусством и хорошо оттенял ее платье цвета ржавчины.

Линли не пытался понять, что говорила эта женщина, кроме имен, которые она называла. Вместо этого он следил за происходившим между Лоренцо, Анжелиной и Ажаром.

Мужчины по своей природе завоеватели, а Анжелина для обоих представляла территорию, на которую они заявили свои права. Томасу было интересно, как каждый из них это демонстрировал: Лоренцо – стоя за Анжелиной и положив ей руки на плечи, и Ажар – полностью игнорируя своего противника и держа наготове носовой платок на случай, если тот вдруг понадобится Анжелине, когда придет их черед выступать перед телезрителями.

Когда *telecronista* закончила свое вступление, сцена изменилась. Оператор перешел к стойлу, где уже был установлен свет. После короткого разговора со своим коллегой он навел камеру на Фануччи.

---

[1] Я готова начинать (*итал.*).

Казалось, что прокурор был смысловым центром всего репортажа. Он говорил чуть ли не быстрее самой *telecronista*, но Линли понял достаточно, чтобы понять, что его речь была наполнена обещаниями и угрозами. Преступник будет найден и тогда... у них уже есть подозреваемый, с которым они работают, и он скоро раскроет... каждый, кто что-то знает и еще не сообщил это в полицию... закон не дремлет... полиция на страже... если с ребенком что-то случится...

Рядом Линли услышал вздох Ло Бьянко. Тот достал из кармана пачку жевательной резинки и предложил англичанину, который отказался. Взяв себе пластинку, старший инспектор отошел. Выступающий Фануччи – это было, казалось, больше, чем он мог вынести.

Закончив, прокурор сделал движение шеей, означавшее, что теперь речь передается Анжелине Упман и Таймулле Ажару. Затем встал, отошел от стола и встал за оператором. Здесь он стоял как воплощение самого фатума.

Первым зашевелился Лоренцо, который вышел из кадра. Не надо путать телезрителей – им было достаточно знать, что на экране перед ними находятся родители пропавшего ребенка. Обращать внимание телезрителей на сложности личной жизни Анжелины здесь, в Италии, было лишним. Хотя, с другой стороны, подумал Линли, появление Лоренцо Муры на экране могло вызвать какие-то воспоминания у кого-то из зрителей. Он подошел к Сальваторе, чтобы обсудить это со старшим инспектором, который, внимательно выслушав его, согласился.

Таймулла Ажар и Анжелина Упман сделали свое заявление. Оно прозвучало на английском языке, так как Ажар не владел итальянским. Голос переводчика будет наложен перед вечерним эфиром. Они говорили очень просто. Сказали то, что на их месте сказал бы любой родитель: пожалуйста, верните нам нашу дочь, пожалуйста, не причиняйте ей вреда, мы очень ее любим, мы сделаем все, чтобы вернуть ее здоровой и невредимой.

Линли увидел, как Фануччи фыркнул при словах «мы сделаем все»; хотя они и были произнесены по-английски, он их, видимо, понял. Очевидно, прокурор считал ненужным давать такие обещания перед столь разношерстной телевизионной аудиторией. Там наверняка находились люди, которые с удовольствием свяжутся с родителями после такого обещания: заплатите деньги, и мы с удовольствием поделимся с вами фальшивой информацией о вашем ребенке. Фануччи подошел к Ло Бьянко с другой стороны и что-то резко сказал ему на ухо. Но, казалось, Сальваторе не услышал его.

Наконец все закончилось. Таймулла что-то тихо сказал Анжелине, накрыв ее руку своей. Анжелина приложила его платок к глазам, и он убрал ее волосы со щеки. Оператор снял этот нежный жест по указанию *telecronista*. Лоренцо Мура тоже заметил его, скривился и ушел, предоставив их самим себе. Он прошел в винный подвал, где, как полагал Линли, должен был кипеть от гнева до тех пор, пока все не разъедутся. Но Томас ошибся. Лоренцо вскоре появился с подносом, на котором стояли стаканы с домашним «Кьянти» и тарелка с кусками пирога. Он раздал вино и пирог всем присутствующим. Англичанин решил, что это было сделано очень по-итальянски.

Со всех сторон раздалось *grazie* и *salute*. Вино или пробовали, или выпивали залпом, пирог съели. Казалось, люди расслабились, думая о девочке: где она может быть и что с ней могло случиться.

Только Ажар с Анжелиной не притронулись к угощению. Последней вина вообще не предложили, а тарелку с пирогом она с дрожью отодвинула. Ажар же, как правоверный мусульманин, вообще не пил, а вид пирога, казалось, вызывал в нем отвращение.

Он посмотрел на окружающих, увидел у них в руках стаканы и подвинул свой Анжелине:

– Ты хочешь?

Она взглянула – как показалось Линли, с опаской – на Лоренцо, который с подносом шел через двор к Фануччи и Ло Бьянко, и сказала:

– Да, да. Спасибо, Хари, я с удовольствием выпью.

Она подняла стакан и выпила со всеми остальными. Лоренцо повернулся. Его взгляд упал на стол, за которым сидели его любовница и ее предыдущий любовник. Он сразу заметил, что она пьет вино, и закричал:

– *Angelina, smettila!*[1] – А затем по-английски: – Не надо! Ты же знаешь, что тебе нельзя!

Они смотрели друг на друга через двор. Казалось, Анжелина превратилась в статую. Линли пытался понять, что сказал ей Лоренцо: ей нельзя пить, и она знает почему.

Секунду все молчали. Затем Анжелина произнесла:

– От одного стакана ничего не будет, Ренцо. Все в порядке. – Было ясно, что она хотела, чтобы ее любовник больше не распространялся на эту тему.

– Нет, – сказал он, – именно в данный период это опасно. И ты это знаешь.

---

[1] Анжелина, остановись! (*итал.*)

Повисла абсолютная тишина. Никто не двигался. Вдруг неожиданно закричал петух, и стайка голубей вспорхнула с крыши винокурни.

Линли переводил взгляд с Лоренцо на Анжелину и Ажара. «Именно в данный период» имело, конечно, не одно значение: в этот период, когда твоя дочь потерялась, не стоит пить, потому что тебе нельзя терять рассудок; в этот период, когда ты не можешь ни есть, ни спать, вино слишком быстро ударит в голову; в этот период, когда вокруг тебя люди, которые следят за каждым твоим шагом, лучше оставаться трезвой... Это могло значить очень многое. Но выражение лица Анжелины говорило, что это значило именно то, что заставило Лоренцо немедленно произнести свои слова. Он сказал их не задумываясь, и для этого, в действительности, могла быть только одна причина: именно в тот период, когда ты носишь ребенка под сердцем, пить особенно опасно.

Анжелина тихо сказала Ажару:

– Ты не должен был знать. Я не хотела, чтобы ты знал. – А затем в отчаянии: – Боже, как я сожалею обо всем, что случилось!

Таймулла даже не взглянул на нее. Не взглянул и на Лоренцо. Он просто смотрел перед собой, и ничего не отражалось на его лице. Это сказало Линли больше, чем все слова, вместе взятые. Не важно, как она изгалялась над ним в период их совместной жизни, Ажар все еще без памяти любил Анжелину Упман.

Лукка,
Тоскана

– Кастро – это пустой номер, – сказала Барбара Линли.
– Она беременна, Барбара, – сказал ей Томас.

На что она произнесла:

– Черт меня побери совсем. И как это воспринял Ажар?

– Его сложно понять. – Линли старался говорить осторожно, на тот случай, если чувства Барбары к пакистанцу были сильнее, чем она обычно показывала. – Мне кажется, что он был в шоке.

– А что Мура?

– По-видимому, он знает.

– Я имею в виду – он счастлив? Обеспокоен? Подозрителен?

Барбара рассказала ему то, что узнала об Анжелине Упман от ее бывшего любовника Кастро. Она поделилась его предположением, что в Италии может быть еще один любовник, помимо Лоренцо Муры. Если верить Кастро, то это часть тех эмоций, без которых Анжелина жить не может, объяснила Барбара. Там у них не видно вероятных кандидатов? Линли ответил, что надо будет присмотреться повнимательнее, и поинтересовался, есть ли для него еще что-нибудь интересное.

Хейверс молчала несколько мгновений, что лучше всяких слов сказало Томасу: да, есть. Он окликнул ее таким тоном, который сказал Барбаре, что лучше ей признаться немедленно, потому что он все равно узнает подробности позже. Она сообщила ему, что «Сорс» опубликовал еще одну статью – на этот раз о том, что Ажар бросил семью в Илфорде, и добавила:

– Но я все держу под контролем.

Это поведало Линли очень многое о том, чего же в действительности стоила Барбаре ее борьба с таблоидом, хотя она и старалась это всячески скрывать.

– Барбара... – сказал он.

– Знаю, знаю, – ответила она, – Уинни мне уже все подробно объяснил.

– Если вы будете продолжать...

– Сэр, я заварила эту кашу, мне ее и расхлебывать.

Линли не мог себе представить, как ей это удастся. Еще никому не удавалось «переспать» с «Сорс» и не потерять при этом девственность. Ей надо было подумать об этом заранее. Он выругался про себя.

Вскоре после этого они закончили разговор, и Томас задумался о том, что Барбара рассказала ему об Анжелине Упман. Ему придется поискать еще одного любовника, который будет готов на все, если она не оставит Лоренцо ради него.

Звонок Барбары застал его на великой стене Лукки, куда он пришел прогуляться и подумать. Томас двигался по часовой стрелке и дошел уже до середины, до того места, где располагалось кафе, где могли подкрепиться люди, также прогуливавшиеся по средневековому городу. Он решил выпить кофе и направился к столикам, стоявшим под деревьями с густой листвой. Здесь он увидел, что Таймулле Ажару пришла в голову такая же мысль. Лондонский профессор уже сидел за столиком с чайником чая и разложенной на столе газетой.

Скорее всего, это была газета на английском языке – Линли уже видел, как ее продавали в киоске на Пьяцца Деи Кокомери, прилегавшей к одной из немногих прямых улиц в городе. Томас предположил, что это местная газета, рассчитанная на заезжих туристов. Он мельком взглянул на нее, когда подошел и спросил Ажара, может ли он к нему присоединиться. Газета называлась

«Grapevine»[1] и больше походила на журнал, чем на газету. Томас увидел, что или Ажару, или местной полиции удалось разместить в ней статью о пропавшей Хадие.

В газете была напечатана фотография Хадии с простым заголовком «Пропала без вести». «Это хорошо, – подумал Томас. – Нельзя пренебрегать даже малейшими возможностями».

Он подумал, знает ли Ажар, что в Лондоне «Сорс» раскручивает историю о ситуации в его семье? Он не стал ничего говорить. Наверняка найдутся другие доброжелатели, и Томас не хотел быть одним из них.

Ажар сложил газету и подвинулся, давая Линли место поставить свой стул. Инспектор заказал кофе, уселся, посмотрел на профессора и сказал:

– Телевизионное обращение обязательно вызовет ответную реакцию. Будут десятки телефонных звонков в полицию, большинство из которых окажутся полной ерундой. Но один из них, а может быть, два или три дадут нам что-то новое. Кроме того, Барбара продолжает работать над некоторыми аспектами дела в Лондоне. Не стоит отчаиваться, Ажар.

Таймулла кивнул. Линли подумал, что ему самому хорошо известно, как накатывается отчаяние – все сильнее и сильнее с каждым прошедшим днем. Однако в любой момент может появиться надежда. Надо только, чтобы кто-нибудь, кто что-то видел или слышал, но не подозревал об этом, пока не увидел передачу, уловил, наконец, связь. Такова была природа расследования. Память иногда приходится подталкивать.

Томас рассказал об этом отцу Хадии, который в ответ опять кивнул. Тогда он сказал:

– Никто из нас не знал, что она беременна. Сейчас, когда мы знаем... – Инспектор замолчал, заколебавшись.

На лице Ажара ничего не отразилось.

– О чем?

– Есть кое-что, о чем тоже не надо забывать. Вместе со всем остальным.

– В смысле?..

Линли отвернулся. Кафе располагалось на одном из бастионов стены, а под ним группа детей играла в футбол на лужайке. Они толкались, смеялись, падали на траву и дурачились. Они думали, что находятся в безопасности. Дети всегда так думают.

– Если это, к примеру, не ребенок Лоренцо... – продолжил он.

---

[1] Виноградная лоза (*англ.*).

– А чей же еще? Она ушла от меня к нему. Он дает ей то, что я не смог.

– На первый взгляд, так и есть. Но то, что она была с Мурой, будучи в то же время с вами, говорит о том, что сейчас, когда она с Мурой, может быть кто-то еще, третий.

– Глупости, – Таймулла покачал головой.

Линли сравнил то, что сам он знал об Анжелине, с тем, что мог знать о ней Ажар. Он знал, что люди не меняются в одночасье. Если один раз она уже почувствовала эмоциональную встряску от наличия второго любовника, то может захотеть почувствовать это еще раз. Но он не стал спорить.

– Этого следовало ожидать, – сказал Ажар.

– Ожидать?

– Я имею в виду беременность. То, что она меня оставит. Я должен был понять, что она надолго не задержится, после того, как я не дал ей желаемого.

– Чего именно?

– Сначала Анжелина хотела, чтобы я развелся с Нафизой. Когда этого не произошло, она захотела, чтобы у Хадии была возможность встречаться с теми родственниками. Когда я запретил и это, она захотела еще одного ребенка. На это я сказал «нет, еще раз нет и ни в коем случае». Я должен был предвидеть результат. Это я довел ее до всего этого. А действительно, что еще ей оставалось делать? Мы были счастливы вдвоем, она и я. У нас была маленькая Хадия. Сначала она сказала, что свадьба для нее не имеет значения. Потом ситуация изменилась. Или Анжелина изменилась. Или я. Я просто не знаю.

– А может быть, она совсем не менялась? – спросил Линли. – Ведь могло быть так, что вы просто никогда не знали, какая она на самом деле? Иногда люди бывают слепы. Они верят в то, во что хотят, потому что поверить во что-то еще бывает слишком больно.

– Что вы имеете в виду?

«Выбора нет, надо все ему рассказать», – подумал Линли. И он сказал:

– Ажар, у нее был еще один любовник, Эстебан Кастро, в то время, когда она жила с вами. Она просила меня не говорить вам об этом, но сейчас важно внимательно изучить каждую возможность, а другие ее любовники – это именно такая возможность.

– Когда? Где? – напряженно спросил Ажар.

– Я уже сказал. Когда она была с вами. В Лондоне.

Линли увидел, как пакистанец проглотил комок.

– Это потому, что я...

– Нет. Я так не думаю. Я думаю, что ей просто нравилась такая ситуация – иметь больше одного мужчины одновременно. Скажите мне, у нее был кто-то, когда вы встретились?

– Да, но она ушла от него ко мне. Она ушла от него. – Впервые за всю беседу голос Таймуллы звучал не очень уверенно. Он посмотрел на Линли. – Вы хотите сказать, что сейчас, если есть кто-то еще, кроме Лоренцо, и если Лоренцо узнал об этом... Но какое отношение все это имеет к Хадие? Этого я не могу понять, инспектор.

– Я тоже – по крайней мере, сейчас. Но за долгие годы я понял, что люди совершают невероятные вещи, когда задевают их чувства. Любовь, похоть, зависть, ревность, ненависть, жажда мести... Люди совершают невероятные поступки.

Ажар посмотрел на город, лежащий перед ними. Он был спокоен, как будто погружен в молитву. Он сказал просто:

– Я хочу, чтобы моя дочь вернулась. А все остальное... меня уже мало волнует.

Линли легко поверил в первое, но не был уверен во втором.

АПРЕЛЬ, 25-е

Лукка,
Тоскана

Телевизионное обращение раздуло историю до невероятных размеров.

Исчезнувшие дети всегда были новостью № 1 в любой из итальянских провинций. Исчезнувшие хорошенькие дети привлекали всеобщее внимание. Но исчезнувшие хорошенькие иностранные дети, чье исчезновение привело на порог итальянской полиции представителей Скотланд-Ярда... Этого было достаточно, чтобы привлечь внимание журналистов по всей стране. Через несколько дней после передачи они разбили лагерь в месте, которое показалось им наиболее логичным с точки зрения вероятного развития событий, – перед *questura*. Они заблокировали проезд транспорта на железнодорожную станцию, заблокировали тротуары по обеим сторонам улицы, то есть создали помехи для всех и вся.

«Вероятное развитие событий» заключалось, в основном, в допросе полицией подозреваемых. Вдохновляемая прокурором, «Прима воче» наконец назначила главного подозреваемого. Другие газеты поддержали ее, и несчастный Карло Каспариа оказался, наконец, там, где мечтал его увидеть – как, впрочем, и любого другого, – Пьеро Фануччи: под журналистским микроскопом. «Прима воче» дошла уже до того, что наконец задала вопрос, который никому не давал покоя: когда же наконец кто-то решится выступить в качестве свидетеля и узнать в наркомане участника похищения *bella bambina*?

Такой человек появился достаточно скоро. Им оказался албанский продавец шарфов на *mercato*. Просветление его памяти было вызвано как самой телевизионной передачей с показом фотографий девочки, так и яростной проповедью Фануччи во время этой передачи. Этот человек наконец позвонил в *questura* с информацией, которая, как он надеялся, поможет в поисках пропавшего ребенка: он видел, как девочка выходила с *mercato*, и он абсолютно точно помнит, что Карло Каспариа в этот момент поднялся с колен и пошел за ней.

Сальваторе Ло Бьянко был совершенно не уверен, что этот свидетель помнил хоть что-нибудь, но, обдумав сложившуюся ситуацию, он понял, как можно с пользой использовать эту новую информацию. Старший инспектор немедленно сообщил ее Фануччи. *Il Pubblico Ministero* тут же объявил о своем намерении допросить подозреваемого лично, на что и надеялся Сальваторе. К моменту, когда несколько полицейских доставили Карло Каспариа в *questura*, Фануччи был уже там, собираясь подвергнуть его допросу с пристрастием, как язычники в свое время поступили со святым Лаврентием[1], а представители семи газет и трех телеканалов толпились на улице перед *questura* в ожидании результатов. Каким-то образом они уже знали, что Каспариа доставлен сюда. Это навело Сальваторе на мысль о том, что кто-то сливает им информацию. Он был почти уверен, что это сам Фануччи, так как тот больше всего на свете любил, когда его превозносили за быстрое раскрытие преступлений.

Сальваторе почти испытывал чувство вины, отдавая бедного нарколыгу в руки Фануччи. Но это давало ему необходимое время. А *Il Pubblico Ministero* был очень занят допросом наркомана. Он орал, бегал по камере, дышал чесноком в лицо Каспариа, объявлял о том, что свидетели видели, как молодой человек ушел с *mercato*

---

[1] Лаврентий Римский (увенчанный лавром), архидиакон римской христианской общины, жил в 225–258 гг. н. э. Лаврентий отказался выполнить требования язычников отречься от Христа и был живьем зажарен на медленном огне.

вслед за девочкой, и требовал, чтобы тот немедленно рассказал полиции, что сделал с похищенной.

Естественно, Карло все отрицал. Он смотрел на Фануччи такими яркими глазами, что, казалось, что в каждый его глаз вставлена лампочка. Они производили впечатление, что Каспариа весь внимание. На самом деле он просто был под кайфом. Трудно было понять, понимает ли он вообще, о каком ребенке говорит ему Фануччи. Он спросил *magistrato*, на кой черт ему сдалась маленькая девочка. Фануччи ответил, что его не интересует, зачем Карло нужна была маленькая девочка, зато очень интересует, что он, в конце концов, с нею сделал.

– Ты передал ее кому-то за деньги? Где? Кому? Как вы договаривались?

– Не знаю, о чем вы говорите, – заговорил Каспариа после того, как получил подзатыльник от Фануччи, проходившего за его стулом.

– Ты перестал просить милостыню на *mercato*. Почему?

– Потому что мне надоело, что полиция не дает мне проходу, – объяснил Каспариа, положил голову на руки и заканючил: – Дайте же мне поспать. Я хотел заснуть, когда...

Фануччи вздернул наркомана за его вонючий и грязный воротник и прорычал:

– *Bugiardo!*[1] *Bugiardo!* Ты больше не появляешься на *mercato*, потому что тебе не нужны деньги. Ты получил все, что тебе было нужно, передав девочку другому! Где она? Лучше тебе сказать это сейчас, потому что полиция обыщет каждый сантиметр конюшен, в которых ты сейчас живешь. Ты этого не знал? Так вот, послушай меня, ты, несчастный *stronzo*[2]: когда мы найдем улики, свидетельствующие о том, что она там была – ее волосок, отпечаток пальца, нитку от одежды, резинку для волос или что-нибудь еще, – ты окажешься в яме с дерьмом и без лопаты. Можешь ты это понять своей дурной головой?

– Я не крал ее.

– Тогда почему ты пошел за ней?

– Я не ходил. Не знаю. Может быть, я просто уходил с *mercato* в этот момент.

– Раньше обычного? С какого перепугу?

– Не знаю. Я вообще не помню, уходил ли я. Может быть, я шел отлить.

---

[1] Лгун (*итал.*).

[2] Мудак (*итал.*).

– А может быть, ты схватил эту детку за руку и отвел ее к...
– Это вам приснилось...
Фануччи грохнул кулаком по столу.
– Ты будешь сидеть здесь, пока не скажешь все правду! – проревел он.

Сальваторе воспользовался моментом, чтобы выйти из комнаты. Он видел, что Фануччи выбыл из игры – по крайней мере, на несколько часов. Странно, но инспектор испытал некоторое подобие благодарности к бедняге Карло. Сам он теперь мог заняться делами, пока Фануччи выбивает из бедняги «правду».

В действительности они получили больше чем один телефонный звонок после телевизионного обращения. Звонков были сотни, и были сотни недостоверных свидетельств о похищении Хадии. Теперь, когда Фануччи полностью погружен в допрос Карло Каспариа, полиция могла, наконец, заняться проверкой поступающей информации. Может быть, в ней было что-то интересное.

Лукка,
Тоскана

И действительно, кое-что появилось уже через час после того, как Фануччи начал свой допрос. Офицер разыскал Сальваторе, когда тот пытался приготовить себе кофе в старой кофейной машине, которая давно дышала на ладан. Поступило свидетельство об эффектной красной машине в холмах над Помеццана, доложил он старшему инспектору. Свидетель запомнил все по нескольким причинам.

– *Perché*? – Сальваторе прислушался к финальным звукам в кофеварке. Он достал сравнительно чистую чашку со стойки, быстро сполоснул ее и так же быстро вытер. Налив кофе, подумал: великолепно, то, что доктор прописал; черный и горький, как он любит.

– Во-первых, потому, что крыша машины была опущена. Звонивший – он назвал себя Марио Джермано – ехал к своей матери в деревню Форноволаско, увидел машину, припаркованную у громадного дуба на стоянке для отдыха, и первой его мыслью было, что глупо оставлять открытую машину без присмотра, когда любой может подойти к ней и вытащить из нее все, что захочет. Поэтому он еще раз взглянул на машину, проезжая мимо, и здесь появилась вторая причина, по которой синьор Джермано запомнил машину.

– *Si*? – спросил Сальваторе, отхлебывая кофе. Он облокотился на стойку и ждал продолжения. Оно скоро последовало, и кофе у него во рту превратился в желчь.

Мужчина вел ребенка от машины в сторону леса, рассказал офицер. Синьор Джермано увидел их и подумал, что это отец ведет свою дочку за кустики.

– Почему он решил, что это были отец с ребенком? Он уверен, что это была девочка?

По правде говоря, синьор Джермано был не совсем уверен в том, какого пола был ребенок, но он думает, что это была девочка. А то, что это были отец с дочерью? А кто это тогда мог быть? Почему кто-то должен был подумать о чем-то еще, кроме безобидной поездки по холмам солнечным днем, которую на секунду прервало желание ребенка сходить в туалет?

– Этот синьор Джермано, он уверен в своих показаниях? – спросил Сальваторе.

– Да, абсолютно. Он регулярно посещает свою матушку.

– И каждый раз едет по одному и тому же пути?

– *Si, si, si*. Путь пролегает по Апуанским Альпам, это единственная дорога до деревни матушки.

Было бы большой наглостью надеяться, что синьор Джермано запомнил, на какой площадке он все это видел, да он этого и не помнил. Но так как он ехал к матери, то площадка находилась на дороге перед деревней.

Сальваторе кивнул. Это действительно было прорывом. Хотя все могло оказаться пустышкой, он чувствовал, что что-то в этом есть. Старший инспектор послал двух офицеров найти синьора Джермано и проехать с ним по той дороге в Апуанских Альпах. Если он на месте вспомнит площадку – прекрасно. Если нет, то придется прочесать все площадки для отдыха на его пути, включая траву на них, а также растительность вокруг и все подходы к этой растительности. Сальваторе не хотел думать о том, что с ребенком могли расправиться в Альпах, однако каждый день, который проходил без требования выкупа или без обнаружения Хадии, делал этот вариант все более вероятным.

Сальваторе приказал, чтобы информация о машине в Альпах держалась в секрете. Ее можно было сообщить только родителям, чтобы как-то приободрить их. Да и им тоже стоило сказать только о том, что появились свидетельства, которые сейчас проверяются – не надо дополнительно волновать их рассказом о мужчине, ведущем ребенка в лес, до тех пор, пока полиция не будет уверена, что это имеет отношение к делу. А пока Сальваторе приказал, чтобы офицер связался со всеми автомобильными пунктами проката между Пизой и Луккой. Если кто-то брал в аренду красную машину с откидным верхом, то он хотел знать, кто, он хотел знать, где, и он хотел знать, на какое время. И не трепаться об этом, *chiaro*?

Последнее, чего он хотел, было чтобы Фануччи узнал об этой информации и слил ее прессе.

Пиза,
Тоскана

Сальваторе решил, что настало время побеседовать с Микеланджело Ди Массимо. Он также решил, что присутствие на беседе детектива из Скотланд-Ярда может помочь вывести этого человека из равновесия. Так как он искал в Лукке Анжелину Упман с дочерью, Массимо был их самым вероятным подозреваемым. Хотя было известно, что он ездит на мотоцикле, мощном «Дукати», ничто не мешало ему попросить машину у кого-то из знакомых или взять ее в аренду на один день, чтобы приехать сначала в Лукку, а затем дальше, в Апуанские Альпы.

Сальваторе позвонил инспектору Линли и договорился, что подберет его у Порта ди Борга, одних из сохранившихся ворот в древней, внутренней стене, которая когда-то окружала древний город. Англичанину надо было немного пройти от амфитеатра. Тот уже ждал около арки, просматривая номер «Прима воче». Усевшись на пассажирское сиденье, сказал на своем аккуратном итальянском:

– Кажется, таблоиды назначили виновным вашего наркомана.

Сальваторе кашлянул.

– Они обязательно должны назначить кого-то. Они так работают.

– А если подозреваемого назначить не удается, то они переключаются на полицию, да? – спросил Линли.

Сальваторе взглянул на него и улыбнулся.

– Все равно они будут делать то, что считают нужным. Их не исправишь.

– Можно задать вопрос? Кто-то сливает им информацию?

– *Come un rubinetto che perde acqua*[1], – ответил Сальваторе. – Но эта протечка занимает все их время. Сосредоточенность на

[1] Льется, как из дырявого водопроводного крана (*итал.*).

Карло держит их вдалеке от того, что мы делаем, или от того, что мы знаем.

– Почему вы решили поговорить с ним именно сейчас? – спросил Линли, имея в виду Микеланджело Ди Массимо.

Сальваторе повернул на Пьяцца Санта Мария дель Борго. Она как всегда была полна – комбинация из *parcheggio* для туристических автобусов и сотен туристов, пытающихся сориентироваться в городе под палящими лучами солнца. На северной стороне площади, через Порта Санта Мария, Ло Бьянко выехал на аллею, идущую вокруг всего города. Они быстро проехали по ней и выехали на *autostrada*.

Сальваторе рассказал Линли о том, что видел свидетель в Апуанских Альпах: красная открытая машина, ребенок и мужчина, вместе идущие по направлению к лесу.

– Этот мужчина был блондин? – проницательно спросил Линли.

– Этого свидетель не рассказал, – ответил Сальваторе.

– Но очевидно же... – Казалось, Линли сомневается. – Если мужчина выглядел как Ди Массимо, на это бы сразу обратили внимание?

– Кто знает, что, в конце концов, свидетель может запомнить, а, *Ispettore*? – произнес Сальваторе. – Может быть, вы и правы, и наша поездка в Пизу бесполезна, но факты остаются фактами: он искал их в Лукке, и он играет в футбол за Пизу, так что у нас есть возможная связь между ним и Мурой. Если все это что-то значит, то самое время выяснить, что именно. У меня есть подозрение по поводу этого Массимо.

Он не стал рассказывать англичанину всего, что ему удалось разузнать о Ди Массимо. Но у Сальваторе были веские причины, помимо цвета волос, заинтересоваться этим мужчиной.

Офис Микеланджело Ди Массимо находился на набережной Пизы на небольшом расстоянии как от Кампо ди Мираколи, так и от университета. Некоторые люди находили сходство между этой частью Пизы и Венецией, однако Сальваторе никогда этого не замечал. Единственное, что было общего у Венеции и этой части Пизы, так это вода и *palazzo*. Но в Пизе первая была грязной и вонючей, а вторые совсем не впечатляли. Старший инспектор подумал, что в ближайшее время никто не будет сочинять стихов о набережной Пизы.

Когда они подошли к зданию, в котором находились офис и жилище Ди Массимо, которые располагались в одном и том же помещении, на звонок никто не открыл. В табачной лавочке они выяснили, что мужчина отправился на свой регулярный визит в парикмахерскую. Им сказали, что они найдут его в заведении под названием «Дезидерио Дорато» недалеко от университета. Это было название, которое, по-видимому, навсегда завладело сердцем Ди Массимо.

Сам мужчина восседал в середине заведения, с ног до головы закрытый пластиковым фартуком. Волосы его были покрыты той субстанцией, которая должна была превратить его *capelli castagni*[1] в *dorati*[2]. Когда они подошли, он был погружен в чтение книги, желтая обложка которой выдавала в ней детективный роман.

Для начала беседы Сальваторе вынул книгу из рук Ди Массимо.

– Микеланджело, – сказал он проникновенным голосом. – Ты, что, набираешься опыта?

Старший инспектор скорее почувствовал, чем увидел, что Томас Линли посмотрел на него с любопытством. Он решил, что настал момент рассказать лондонцу, кем был Ди Массимо на самом деле. Он представил их друг другу, сделав акцент на положении инспектора Линли в Скотланд-Ярде и на причинах его приезда в Италию. Нет сомнения, что Ди Массимо уже слышал о похищенном ребенке, *non и vero?* [3] Он не мог себе представить, чтобы частный детектив уровня Ди Массимо не заинтересовался случаем похищения девочки, тем более что мужчина, который выступал номинальным отцом девочки, тоже играл в футбол.

Ди Массимо забрал у Сальваторе книгу. Он был абсолютно спокоен.

– Поскольку у вас есть глаза, старший инспектор, – произнес он, – вы, наверное, заметили, что сейчас я немного занят.

– Ах, да, прическа, – сказал Сальваторе. – Именно из-за нее тебя хорошо запомнили в гостиницах и пансионатах, Мико.

Он видел, что Линли рядом с ним пытается осознать новую информацию. Старший инспектор почувствовал укор совести, потому что не сказал англичанину с самого начала о профессии Микеланджело Ди Массимо, но он не хотел, чтобы эта информация дошла до родителей девочки, а от них – до Лоренцо Муры. Риск был слишком велик, а он не знал точно, насколько англичанин умеет держать язык за зубами.

---

[1] Каштановые волосы (*итал.*).

[2] Позолоченные (*итал.*).

[3] Не так ли (*итал.*).

– Не понимаю, о чем вы говорите, – сказал пизанец.

– Я говорю о том, Мико, что ты приезжал в мой город и ходил в нем от гостиницы к гостинице, собирая информацию о женщине из Лондона и о ее дочери. У тебя даже была их фотография. Это тебе о чем-то говорит, мой друг, или тебя придется отвезти в *questura*, чтобы восстановить твою память?

– Синьор, по-видимому, кто-то нанял вас, чтобы вы разыскали их, – сказал Линли. – А теперь одна из них пропала. И это не есть очень здорово. Я имею в виду, для вас.

– Я ничего не знаю ни о каких пропавших женщинах и девочках, – сказал Ди Массимо. – А то, что кто-то считает, что я когда-то их искал... Это мог быть кто угодно. И вы сами это прекрасно знаете.

– Попадающий под твое описание? – спросил Сальваторе. – Мико, скольких мужчин ты знаешь, которые бы соединяли в своем внешнем виде несоединимое так же изысканно, как это удается тебе?

– А вы спросите *parrucchiere*[1], – ответил пизанец. – Спросите кого угодно. Вам ответят, что Ди Массимо не единственный мужчина, который красит волосы.

– *Vero*, – сказал Сальваторе. – Но сколько таких мужчин одеваются в черную кожу? – Он приподнял пластик, чтобы взглянуть на брюки Ди Массимо. – И чья щетина лезет из щек, как будто поспорила, что превратится в настоящую бороду до наступления вечера? Думаю, Мико, что даже только эти две особенности выделяют тебя среди всех остальных. А если мы еще добавим сюда тот факт, что у тебя было фото матери и девочки. Добавим сюда твою профессию. Добавим твое членство в *scuadra di calcio*[2] и то, что эта команда время от времени играла с командой из Лукки...

– *Calcio*? – спросил Ди Массимо. – А какое отношение ко всему этому имеет *calcio*?

– Лоренцо Мура. Анжелина Упман. Пропавший ребенок. Они все взаимосвязаны, и шестое чувство подсказывает мне, что ты об этом знаешь.

– Вы несете абсолютную ахинею, – сказал Ди Массимо.

– Посмотрим, так ли это, Мико, когда ты будешь стоять на опознании и сотрудники гостиниц, которые тебя вспомнили, увидят тебя еще раз. А когда это произойдет – я уверен, что они тебя опознают, – ты пожалеешь о том, что не захотел говорить с нами

---

[1] Парикмахер (*итал.*).

[2] Футбольная команда (*итал.*).

сейчас. Кстати, *Il Pubblico Ministero*, без сомнения, сам захочет с тобой поговорить, после того как все эти люди подтвердят, что мужчина, одетый в черную кожу, с желтыми волосами и очень черными бровями...

– *Basta*, – огрызнулся Ди Массимо. – Меня наняли найти их, девочку и ее мать. Вот и всё. Сначала я искал в Пизе – в гостиницах, пансионатах, даже в монастыре, где сдают комнаты. Потом расширил круг поисков.

– А почему Лукка? – спросил Линли.

Глаза Ди Массимо сощурились, пока он обдумывал вопрос, а главное, последствия своего ответа на него.

– Почему Лукка? – повторил Сальваторе. – И кто нанял тебя, Микеланджело?

– Мне сказали о банковском переводе. Он был сделан из Лукки, поэтому я поехал в Лукку. Вы знаете, как это бывает, старший инспектор. Одна вещь ведет к другой, а детектив только идет по этому следу. Вот и всё.

– Банковский перевод, – повторил Сальваторе. – Кто тебе о нем сказал? Что это был за банковский перевод, Мико?

– Денежный перевод. Это все, что я знаю. Деньги ушли из Лукки, а пришли в Лондон.

– А кто нанял вас? – повторил свой вопрос Линли. – И когда это случилось?

– В январе.

– И кто же?

– Его зовут Дуэйн Доути. Он нанял меня, чтобы я нашел девочку. И это все, что я знаю, старший инспектор. Я выполнял свою работу – искал девочку с матерью. У меня было их фото, и я сделал то, что сделал бы на моем месте любой, – стал спрашивать в гостиницах и пансионатах. Если это преступление, то арестуйте меня, если нет, то дайте почитать в покое.

Лукка,
Тоскана

Линли позвонил Барбаре Хейверс по дороге из Пизы в Лукку. Она была полностью поглощена занесением в базу данных отчета инспектора, почерк которого невозможно было прочитать. По голосу ее было понятно, что она раздражена и нуждается в сигарете. Первый раз за все время Томас не возражал, чтобы Барбара закурила. Он знал, что это будет необходимо, как только она услышит информацию, которая была у него о Дуэйне Доути.

Повисла тишина, после того он сказал ей:

– Лондонский частный детектив нанял частного детектива в Пизе, чтобы тот нашел Анжелину Упман и ее дочь в Лукке. Этот детектив начал работать на Доути в январе, четыре месяца назад.

На ее «черт возьми, он мне врал!» Линли добавил, что в деле фигурирует банковский счет, с которого деньги из Лукки были переведены в Лондон.

– По всей видимости, Доути знал гораздо больше, чем рассказал вам, Барбара, – сказал Линли.

– Он работает на меня, – кипела она. – Он, черт его забери совсем, работает на меня!

– Вам придется с ним переговорить.

– Да знаю я! – рявкнула она. – Когда я дотянусь до этого грязного червяка...

– Не сейчас. Не уходите из офиса. И, если я могу посоветовать...

– Посоветовать что? Потому что если вы думаете, что я кому-то перепоручу это маленькое дельце, то вы меня плохо знаете.

– Я не об этом, – объяснил ей Томас. – Но, может быть, вы решите взять с собой Уинстона, когда будете встречаться с этим парнем?

– Инспектор, мне не нужны защитники.

– Поверьте мне, я в этом не сомневаюсь. Но Уинстон добавит беседе значительности, не говоря уже о некоторой скрытой угрозе, которую могут представлять его присутствие и внешний вид. Это вам необходимо. Доути – не самый доброжелательный мужчина на свете. Возможно, его придется убеждать в процессе разговора, если уж он скрывал от вас важные детали.

С этим Барбара согласилась, и они разъединились. Линли рассказал Ло Бьянко, кем был Доути и как он попал в участники поисков девочки еще в прошлом ноябре. Сальваторе присвистнул и посмотрел на Томаса.

– Если бы ребенка украл англичанин, – проговорил он, – то объяснить все было бы значительно проще.

– Только то, что касается способа общения, – заметил Линли. – Но если англичанин не живет в Лукке или где-то рядом... Куда он поведет девочку?

В *questura* они узнали еще одну новость. Оказалось, что туристка, жившая на Пьяцца Сан Алессандро и использовавшая свою съемную квартиру как базу для изучения Тосканы, была на *mercato* в тот день, когда исчезла Хадия. Она была американкой, путешествовавшей с дочерью, и обе они изучали итальянский язык. Они не владели им свободно, но старались как можно больше практиковаться. Они читали местные таблоиды, газеты и смотрели телевизор, стараясь понять, о чем там говорят. Кроме того, они беседовали с городскими *cittadini*[1]. Женщины видели обращение по телевизору и просмотрели тысячу или более цифровых фотографий, которые они сделали в Тоскане, чтобы понять, есть ли среди них те, которые могли бы заинтересовать полицию. Они отфильтровали фотографии, снятые в тот день на *mercato*, и предоставили карты памяти в распоряжение полиции для более тщательного изучения. Вместе с фото они передали записку: в случае, если полиция захочет побеседовать с фотографами, их в этот день можно будет найти в палаццо Пфаннер. Ло Бьянко послал за специалистом, который понимал, что делать с картами памяти, компактными дисками, компьютерами и мог вывести фотографии на экран монитора. Оказалось, что в тот день американки сняли на *mercato* более двухсот фотографий. Линли и старший инспектор стали просматривать их подряд, выискивая те, на которых была изображена Хадия, или те, на которых кто-то появлялся несколько раз подряд. Особенно тщательно они искали Микеланджело Ди Массимо. Его, естественно, трудно было пропустить.

Они нашли Лоренцо Муру, покупающего сыр у одного из прилавков. Затем он покупал мясо у другого прилавка. На этой фотографии прямо на зрителей смотрела очень неаппетитная отрезанная голова свиньи, как будто сошедшая со страниц «Повелителя мух», а Мура смотрел влево в направлении, по мнению Ло Бьянко, Порта Сан Джакопо и аккордеониста. Детективы внимательнейшим образом изучили каждую фотографию, сделанную, по мнению Ло Бьянко, рядом с этим музыкантом. Наконец они обнаружили две, на которых была видна Хадия, стоящая перед толпой и слушающая музыку. Центром фото был танцующий пудель, а не Хадия, поэтому девочка была не совсем в фокусе. Но на экране фото легко было увеличить так, чтобы детективы убедились, что это действительно была она. Справа от нее стояла женщина, одетая в черное, как вдова, а слева располагались три молоденькие девочки, пытающиеся прикурить две сигареты от одной, уже горевшей. Ди Массимо нигде не было видно. Однако прямо за Хадией стоял молодой человек приятной наружности, и хотя, как и все, он смотрел на пуделя, рука его доставала что-то из кармана пиджака. Через две фотографии стало понятно, что это было. Увеличив изображение, они смогли лучше рассмотреть предмет. Это оказалась поздравительная открытка со стандартной улыбающейся желтой

---

[1] Горожане (*итал.*).

рожицей на обложке. Не удалось увидеть, что же он сделал с этой открыткой. Однако нашлось фото, на котором Хадия присела перед корзинкой музыканта и клала в нее что-то правой рукой, тогда как в ее левой находился предмет, который мог сойти за эту открытку.

А потом... больше ничего. Были еще фото с музыкантом, собакой, слушающей публикой, но ни на одном из них не было видно Хадии. Или мужчины.

– Может быть очередной пустышкой, – сказал Ло Бьянко, вставая из-за компьютера и подходя к окну, из которого была видна не только Виале Кавор, но и толпа журналистов.

– Вы верите в это? – спросил Линли.

Ло Бьянко посмотрел на него и ответил:

– Я не верю.

Боу,
Лондон

Уинстон Нката не сразу согласился поехать вместе с Барбарой. Она не могла понять почему, пока они не добрались до Боу, и Хейверс не припарковала свой «мини» рядом с халяльным гастрономом, на витрине которого была выставлена реклама, предлагавшая рыбу королевских размеров из Бангладеш. Двое мужчин в длинных белых национальных одеждах и головных уборах подозрительно осмотрели Барбару и ее старенькую машинку. Однако Уинстон не сразу вышел из машины, хотя сержант видела, в какой неудобной позе он сидел всю дорогу от Виктории до Боу. Вместо этого Нката сказал:

– Барб, ты должна знать – он проверяет твою отмазку.

Она была настолько погружена в мысли о том, как именно отомстит детективу из Боу за все его розыскные преступления, что поначалу решила, что Уинстон говорит о Доути. Но когда он продолжил, Барбара поняла, что коллега делится с ней информацией, которую он получил от Доротеи Гарриман, и эта информация не имела ничего общего ни с самим Доути, ни с его сомнительными понятиями об этике ведения бизнеса.

– Ди сказала, что он попросил ее проверить, куда отвезли твою маму после того, как та упала. Сказала, что он спросил ее, может ли она сделать это по-тихому. Если мама не зарегистрирована ни в одной реанимационной палате и нет записей маршрута «Скорой помощи», то он использует это против тебя. Это то, что рассказала Ди.

Барбара выругалась.

– Почему она не пришла ко мне? Я могла хотя бы позвонить миссис Фло и о чем-то с ней договориться.

– Думаю, что Ди волнуется о своей собственной работе, Барб. Если он увидит, как она с тобой разговаривает, или ему об этом кто-то доложит, мы оба знаем, что он подумает. Ди пытается тянуть время, прежде чем займется «Скорой помощью» и отделениями реанимации, но он скоро станет задавать вопросы, и ей придется что-то говорить. А после того, как она ему что-то скажет – мы оба знаем это, Барб, – он предпримет шаги, чтобы перепроверить эту информацию.

Барбара постучалась головой о дверное стекло. Что же делать, вот в чем вопрос? Она решила его, попросив Уинстона немного подождать и набрав телефон Флоренс Маджентри в Гринфорде. Этой доброй женщине придется соврать ради нее, и сделать это убедительно, другого выхода Барбара не видела.

– Боже, Боже, – произнесла миссис Маджентри, после того как Барбара рассказала ей всю историю по мобильному, в то время как Уинстон сидел и криво улыбался. – Конечно, я скажу, если вы считаете, что это необходимо. Падение, «Скорая помощь», интенсивная терапия... Конечно, конечно. Но, можно я скажу, Барбара?..

Хейверс приготовилась возражать. Она хотела сказать, что у нее нет другого выхода, что она должна защитить себя, что если она не сделает этого, то не сможет больше держать маму в таком прекрасном месте, как заведение миссис Фло, потому что останется без работы. Но она сказала только: «Конечно, продолжайте», – и стала ждать, чтобы миссис Фло сказала то, что считала нужным. И та выдала:

– Иногда, дорогая, когда мы таким образом испытываем судьбу... Это не очень хорошо, правда? Я хочу сказать, что сам разговор о сломанных костях, падениях, «Скорой помощи», травмах...

Барбара никогда не думала, что сиделка ее матери была такой суеверной, поэтому сказала:

– Вы хотите сказать, что произнесенные мысли материализуются? Но ведь я не желаю ей ничего плохого. Я просто говорю. И если я ничего не «произнесу», то я серьезно влипла. Послушайте, миссис Фло, вам позвонит секретарь из управления. Потом вам же позвонит инспектор Стюарт. Вы просто должны сказать им обоим, что да, ма упала, и что «Скорая помощь» увезла ее в реанимацию, и это все, что вы знаете, потому что вы сразу позвонили мне, и дальше всем уже занималась я сама.

Это даст ей время хоть что-то организовать.

Доути уже ждал Барбару над «Теми, кто понимает», потому что она позвонила ему заранее и сказала, что, принимая во внимание все возможные юридические осложнения, в его интересах не предпринимать ничего, пока он ее не дождется и не переговорит с ней. Хейверс ничего не сказала про Уинстона, и ей доставило удовольствие увидеть, как Доути слегка попятился, увидев, что импозантный темнокожий детектив вошел в комнату вслед за ней и перекрыл ему все возможные пути бегства. Она представила их друг другу. Уинстон специально пристально уставился на Доути. После этого Барбара перешла к делу. Дело заключалось в денежном переводе из Лукки в Лондон. Оно также заключалось в найме пизанца по имени Микеланджело Ди Массимо.

– Вы наняли этого парня в январе, – объявила Барбара. – Поэтому давайте начнем с того, как вы получили информацию о банковском переводе?

– Я не раскрываю...

– Не пытайтесь запудрить мне мозги. Вы с самого начала предпочли идти по лезвию бритвы. Поэтому, если вы хотите остаться частным детективом, а не оказаться в местном участке, вам придется говорить.

Доути сидел за столом. Он посмотрел на Уинстона, который стоял возле двери. Посмотрел на шкаф для файлов и искусственное растение на его крышке. Именно там, догадалась Барбара, находится камера, которая передает все, что происходит в кабинете, его помощнице в другой комнате.

– Ну, хорошо. Мы нашли еще один, новый, счет, – сказал Доути после паузы.

– Кто его нашел? Кто этот мошенник? Ведь вы нашли счет с его помощью, и я думаю, что им является ваша «помощница» госпожа Касс, которая обзванивала кредитные компании и банки, притворяясь Анжелиной. Или ее сестрой. Кажется, что у нее так же много разных талантов, как перьев у птицы; например, ангельский голосок...

– Я ни слова не скажу об Эмили Касс, – сказал детектив. – Чтобы добыть информацию, мы используем разные средства, находящиеся в нашем распоряжении.

– Например, взлом компьютеров, я полагаю. Этот компьютерный эксперт, о котором вы говорили раньше, он один из тех, кто взламывает системы защиты так же легко, как белка орехи щелкает? И, конечно, он – или она – знает кого-то, кто знает еще кого-то... А вы знаете, насколько сильно я могу испортить вам жизнь, мистер Доути?

– Но я же пытаюсь сотрудничать, – возразил детектив. – Я узнал, что в Лондоне есть банковский счет, открытый на имя Батшебы Уард, но в отделении банка, которое далеко и от ее работы, и от ее дома. Мне это показалось подозрительным, и я... немного поработал над этим. Через... скажем, через какое-то время я обнаружил, что на этот счет поступали деньги со счета в Лукке. Мне понадобился человек там, который мог бы отследить этот банковский счет и выяснить, кто переводил по нему деньги.

– Так Микеланджело Ди Массимо был вашим человеком в Италии?

– Ну да.

Доути оттолкнулся от стола, встал и подошел к шкафу с файлами, поправил искусственное растение и открыл ящик. Он просмотрел несколько файлов, прежде чем нашел то, что искал. Передал файл Барбаре. Файл был тонким, но в нем находилась копия отчета, который он приготовил. Сержант быстро просмотрела его, чтобы убедиться, что он содержит ту информацию, которую детектив только что сообщил ей, вместе с именем, почтовым адресом и электронным адресом частного детектива в Пизе, которого в тот день уже допросили инспектор Линли и старший инспектор Ло Бьянко. Потом закрыла файл и вернула его обратно.

– И что вы сделали с этой информацией? – спросила она.

– Я передал ее профессору Ажару, – ответил Доути. – Сержант, с самого начала я всю информацию передавал ему.

– Но он сказал... – Губы Барбары окаменели. Что он сказал? Может быть, она неправильно поняла что-то из того, что он ей говорил? Она попыталась вспомнить, но у нее было чувство, как будто ее вывернули наизнанку и запихали в кроличью нору. – А почему вы ничего не сказали мне? – спросила она.

– Да потому, что я работал на него, а не на вас, – вполне логично объяснил Доути. – А когда меня наняли вы, то вас интересовало подтверждение алиби профессора при его поездке в Берлин, и больше ничего.

Он убрал файл и закрыл ящик. Затем опять повернулся к ним, но за стол не сел и развел руками в универсальном жесте, как бы говорящем «посмотрите-на-меня-мне-нечего-скрывать».

– Сержант, – сказал частный детектив, но затем добавил сюда и Уинстона: – Сержанты, сейчас я сказал вам абсолютную правду. Если вы хотите проверить мой телефон, компьютер или даже жесткий диск – ради бога. Мне нечего от вас скрывать, и я не хочу ничего, кроме как быстрее попасть домой, к жене и обеду. Мы закончили?

Барбара согласилась. Она, правда, не сказала, что знает, как легко Доути мог вычистить свои звонки, жесткий диск и все остальное, если в его распоряжении находился компьютерный гуру с контактами в различных учреждениях. Но с этим она ничего не могла поделать.

Они с Нкатой вышли, спустились по ступенькам на улицу и оказались рядом с «Роман-кафе», которое предлагало заманчивый выбор различных кебабов.

– Позволь мне хоть угостить тебя обедом, – пригласила Барбара коллегу.

Уинстон кивнул и пошел рядом с ней. Казалось, он глубоко о чем-то задумался, но она не стала спрашивать, потому что уже сама догадывалась, о чем. Он подтвердил это, когда они уселись за столик у окна и развернули меню.

– Хочу спросить, Барб...

– Что?

– Как хорошо ты его знаешь?

– Доути? Конечно, он мог соврать, и, наверное, соврал, потому что врет он уже не первый раз...

– Я не про Доути, – сказал Уинстон. – Думаю, ты знаешь, о ком я.

Барбара знала. К своему горю и несчастью, она знала. Он спрашивает, насколько хорошо она знает Таймуллу Ажара. Барбара сама задавала себе этот же самый вопрос.

Боу,
Лондон

Доути терпеливо ждал. Он знал, что ждать придется недолго; так оно и случилось. Не прошло и минуты после того, как ушли копы, а Эм Касс уже влетела в его офис. По тому, что она сняла жилетку и галстук, можно было судить, как нелегко ей дались последние полчаса.

– С самого начала... – начала она. – Черт побери, Дуэйн. С самого...

– Скоро все кончится, – прервал ее Доути. – Беспокоиться не о чем. Все счастливо разойдутся по домам, а ты и я растворимся в мареве заката на наших пони, или как там это еще происходит в дурацких вестернах...

– Ты, по-моему, сошел с ума. – Она ходила по кабинету из угла в угол, ударяя кулаком одной руки в ладонь другой.

– Эмили, – предложил Дуэйн, – отправляйся домой, переоденься и иди в клуб. Сними себе нового мужика. Тебе станет гораздо легче.

– Да как ты можешь даже подумать... Ты идиот! Теперь на нас висят уже два копа из полиции Метрополии, никак не ниже, и роются в нашем грязном белье, а ты предлагаешь мне заняться анонимным сексом?

– Это отвлечет тебя от того, на чем ты сейчас зациклилась. А это, кстати сказать, ничем не оправданные страхи, которые заведут тебя черт знает куда. Нам нечего боятся, мы абсолютно чисты, после того как Брайан поработал над нашими компьютерами и телефонными звонками.

– Мы попадем в тюрьму, – сказала Эмили. – Если ты надеешься, что Брайан будет молчать, после того как копы насядут на него... особенно этот черный... Ты видел, какой он огромный? Ты, черт тебя побери, видел шрам на его лице? Я сразу могу определить шрам от ножа, да и ты, наверное, тоже. Мы окажемся за решеткой через пять минут после того, как этот монстр просто посмотрит на Брайана.

– Они ничего не знают о Брайане, и если только ты не решишь им все рассказать, то никогда и не узнают. Потому что я точно ничего им не скажу. Так что все зависит от тебя.

– Ты на что это намекаешь? Что мне нельзя доверять?

Доути многозначительно посмотрел на нее. Его опыт подсказывал ему, что доверять действительно нельзя никому, хотя он надеялся, что это не относится к Эмили. Однако в любом случае ее надо как-то успокоить. В ее нынешнем состоянии всего пять минут, проведенные в местном полицейском участке в компании офицеров, добивающихся от нее признания, – и она расколется.

– Я доверяю тебе свою жизнь, Эм, – осторожно сказал Дуэйн. – Надеюсь, что ты доверяешь мне свою. И я надеюсь, что ты доверяешь мне достаточно, чтобы внимательно выслушать меня.

– И что ты хочешь мне сказать?

– Все скоро закончится.

– Что это должно означать?

– В Италии все закрутилось. Преступление скоро раскроют, и мы, наконец, откроем шампанское.

– Я, что, должна напомнить тебе, что мы не в Италии? Должна ли я заметить, что если ты надеешься, что этот парень Ди Массимо, которого ты, черт побери, даже не встречал лично, сможет все выполнить так, чтобы никто не догадался... – Она подняла руки. – Это не только ситуация в Италии, Дуэйн. Это стало гораздо большим, чем сама по себе ситуация в Италии, в тот момент, когда этим заинтересовалась полиция Метрополии. Что – если позволишь мне напомнить тебе – началось в тот самый момент, когда эта баба вошла в твой офис с этим пакистанцем, притворяясь такой простой, плохо одетой девушкой, пришедшей поддержать своего очень умного, образованного, симпатичного и хорошо одетого друга. Боже, я должна была понять, как только увидела их, что сам факт того, что они пришли вдвоем...

– А ты и поняла, насколько я помню, – мягко сказал детектив. – Ты сразу сказала, что она коп, и оказалась права. Но сейчас это всё не важно. Всё под контролем. Девочку найдут. А мы с тобой не совершили никакого преступления. О чем, хочу добавить, ты должна постоянно помнить.

– Ди Массимо назвал им твое имя, – запротестовала Эм. – Почему ты уверен, что он не расскажет всего остального?

Доути пожал плечами. В том, что она говорила, была доля правды, однако он всегда был уверен, что деньги являются не только источником всех преступлений, но и смазкой, заставляющей мир вращаться.

– Отрицание вины *под благовидным предлогом*, – сказал он, – вот наше ключевое слово, Эм.

– *Под благовидным предлогом*, – повторила она. – Это больше, чем одно слово, Дуэйн.

– Незначительная деталь, на которую не стоит обращать внимания, – заключил детектив.

АПРЕЛЬ, 26-е

Лукка,
Тоскана

Сальваторе увидел, что «Прима воче» напечатала всю историю. В утреннем номере заголовок был помещен на первую страницу, вместе с фотографией Карло Каспариа, лицо и волосы которого скрывал капюшон, в сопровождении двух угрюмо выглядевших полицейских. Они сопровождают его из *questura* в местную тюрьму, где он будет находиться в предварительном заключении в течение всего расследования. На второй фотографии был изображен Пьеро Фануччи, с триумфом сообщающий о том, что им, наконец, получено признание преступника, который теперь *indagato*[1] и официально рассматривается как главный подозреваемый. Местонахождение ребенка будет скоро обнаружено, поведал он таблоиду в конфиденциальной беседе.

Ни один из журналистов ни в чем не засомневался. Ни один не спросил, потребовал ли несчастный *avvocato*[2], и был ли ему предоставлен таковой, который сидел бы на допросах рядом с ним и смог бы объяснить ему его, хотя и ограниченные, права. Обходилось молчанием и признание, которое Фануччи получил от бездомного, и особенно методы, которыми оно было получено. Ни пишущие журналисты, ни *telegiornale*[3] не сообщили ни о чем, кроме того, что преступление было, наконец, раскрыто. Все хорошо знали, что обнародование любой другой информации может вызвать обвинение в *diffamazione a mezzo stampa*[4], а решать, что именно считать клеветой, будет сам *il Pubblico Ministero*.

Ло Бьянко объяснил это инспектору Линли, когда англичанин появился в его офисе. Очевидно, что ему придется переговорить с родителями девочки как можно скорее, и поэтому Томас хотел подробно во всем разобраться. У него тоже был последний номер «Прима воче». Первым его вопросом было, почему ему сразу же не сообщили, как только было получено признание? Видно было, что Линли смущает вся ситуация с Карло Каспариа и что он сомневается в виновности последнего. Это Ло Бьянко не удивило. Он знал, что англичанин не дурак.

Линли указал на таблоид:

– Этой информации можно верить, старший инспектор? Родители тоже могли увидеть ее, и у них могли появиться вопросы. Главными из них будут следующие: что этот парень рассказал о Хадии, куда он ее дел и где она сейчас? Могу я спросить, – он заколебался, подбирая слова, – как было получено это признание?

Сальваторе приходилось тщательно обдумывать свои слова. Глаза и уши Фануччи росли из каждого угла *questura*, и любое объяснение, которое он давал инспектору Скотланд-Ярда или о самом *il Pubblico Ministero* или об итальянских законах, определяющих поведение прессы и процесс расследования, могло быть неправильно истолковано и использовано против него самого, если он не будет предельно осторожен. Именно по этой причине Сальваторе вывел Линли из *questura* и направился вместе с ним по

---

[1] Находится под следствием (*итал.*).

[2] Адвокат (*итал.*).

[3] Тележурналисты (*итал.*).

[4] Клевета в местной прессе (*итал.*).

направлению к железнодорожной станции, расположенной неподалеку. Через дорогу от станции расположилось кафе. Они подошли к бару и заказали два *capuccini* и два *dolci*[1]. Старший инспектор подождал, пока их не обслужили, а потом сел рядом с Линли, прислонившись спиной к бару и постоянно сканируя кафе на предмет возможного появления других официальных лиц. После этого он заговорил.

Двадцати часов без отдыха и без адвоката, без еды и с минимальным количеством воды – этого оказалось достаточным, чтобы сломить Карло Каспариа и убедить его в том, что в его интересах рассказать всю правду, объяснил старший инспектор англичанину. А если в его памяти и обнаружились провалы, касающиеся деталей похищения ребенка, то это не проблема. Потому что после почти двадцати часов в компании Фануччи и других специально отобранных специалистов сознание заполняется мыслями о еде и отдыхе, которые стимулируют воображение допрашиваемого, а оно, в свою очередь, может удовлетворительно заполнить все пробелы – естественно, под протокол. А затем из этого соединения воображения и реальности и появляется признание в совершении преступления. То, что в нем было мало фактов и много выдумки, совсем не волновало *il Pubblico Ministero*. Главным для него было полученное признание, так как только оно интересовало прессу.

– Для меня это немного странно, – признался Линли. – При всем моем уважении, это достаточно необычный способ получения признания. В моей стране...

– *Si, si. Lo so*[2], – ответил Сальваторе. – Ваши прокуроры не принимают участие в расследовании. Но сейчас вы в моей стране, и вы должны привыкнуть, что иногда мы позволяем произойти некоторым вещам, с тем чтобы другие, не известные еще *magistrato*, тоже могли случиться.

Старший инспектор замолчал, давая Линли возможность понять, на что он намекает. Томас долго смотрел на него.

В этот момент в кафе вошла группа туристов. Они были агрессивно настроены и громко говорили. Сальваторе был шокирован грубостью их слов. Двое из них подошли к бару и сделали заказ на английском. Американцы, с неудовольствием подумал итальянец; они думают, что им принадлежит весь мир.

В этот момент Линли спросил:

---

[1] Пирожное (*итал.*).

[2] Да, да. Я это знаю (*итал.*).

– Тогда из чего же, в сущности, состоит признание Карло Каспариа? Родители наверняка захотят это знать, да и мне тоже интересно.

Сальваторе рассказал ему, как Фануччи сконструировал преступление, основываясь на словах наркомана, записанных с соблюдением всех законов. Послушать *il Pubblico Ministero*, так это было очень просто: Карло находится на своем месте на *mercato*, на коленях и со своим плакатом «*Ho fame*» на шее. Девочка видит плакат и дает ему банан. Он видит ее невинность, и в ее невинности видит возможность для себя. Он идет за ней, когда она покидает *mercato* и направляется в сторону виале Агостиньо Марти.

– А зачем она туда пошла? – спросил Линли.

Сальваторе отмахнулся от вопроса.

– Мелкая деталь, которая не интересует Фануччи, мой друг.

Он продолжил описывать преступление, как его увидел Фанучочи. Где-то по дороге Карло хватает девочку, затаскивает ее в какие-то конюшни, в которых он ночевал с самого первого дня в Лукке, после того как родители выгнали его из своего дома в Падуе. Там он держит ее, пока не находит кого-то, кому потом передает за деньги. Деньги Карло тратит на наркотики. Вы же заметили, что он перестал появляться на *mercato* после исчезновения девочки, не так ли? *Certo*, ему больше не нужны деньги, и сейчас мы понимаем, почему. Хорошо запомните мои слова. Как только у этого монстра закончатся деньги, он опять начнет попрошайничать на *mercato*.

По мнению *il Pubblico Ministero*, всего этого было больше чем достаточно, чтобы обвинить Карло Каспариа; его мотив был очевиден – получение денег для покупки наркотиков. Все знали, что плакат «*Ho fame*» означал, что он голоден без кокаина, марихуаны, героина, метамфетамина и любой другой гадости, которую он привык гнать по своим венам. Способ совершения преступления тоже очевиден – ему надо было только встать с колен и пойти за девочкой, после того как она щедро и невинно дала ему банан, чтобы накормить. Сам *mercato* был его возможностью. Он, как всегда, был полон народу – как продавцов, так и туристов. Так же, как никто не заметил, что девочку схватили около музыканта – чего, как мы теперь знаем, так и не произошло в действительности, – так никто не заметил, как Каспариа взял ее за руку и увел.

Все это англичанин выслушал в полном молчании, однако лицо его было очень серьезным. Линли помешивал *cappuccino* – он так внимательно слушал рассказ Сальваторе, что не успел еще к нему притронуться. Теперь же инспектор выпил свой кофе залпом и разломил *dolce* на две половинки, хотя и не притронулся к нему.

– Простите меня, если я не совсем понимаю, но что вы делаете после того, как приходите к подобным выводам с помощью подобных методов? – спросил он. – У прокурора есть улики, подтверждающие рассказ этого человека, или его собственное видение преступления? И вообще, нужны ли они прокурору?

– *Si, si, si,* – ответил Сальваторе. – Как раз сейчас выполняются указания *magistrato*, которые поступили сразу после ареста Каспарио.

– И что же это за распоряжения? – вежливо поинтересовался Томас.

– В конюшни, в которых так долго бомжевал Карло, направлена передвижная криминалистическая лаборатория. Они будут искать свидетельства пребывания там маленькой девочки, которая должна была там находиться, пока Карло решал, что с ней делать.

– А где именно находятся эти конюшни? – спросил Линли.

– В Парко Флувиале, – объяснил Сальваторе. Он как раз собирался туда, когда пришел инспектор. Не хочет ли англичанин поехать вместе с ним?

– Конечно, да, – согласился Линли.

Им пришлось недолго ехать вдоль городской стены, прежде чем они достигли *quartiere*[1] Борго Джианотти. Там, свернув с главной улицы с ее многочисленными магазинами, водитель неизбежно попадал в парк. По пути Линли задавал вопросы, которые Сальваторе ожидал услышать после своей истории о признании Карло Каспариа.

– А что с красной машиной, – спросил детектив. – Что об этом думает *il Pubblico Ministero*? И каково мнение *magistrato* по поводу того, что Каспариа передал ребенка водителю красной машины, который затем увез девочку в холмы? И если дата, когда машина находилась в Лукке, совпадала с датой похищения девочки... не значило ли это в таком случае, что Карло Каспариа уже знал, кому он передаст ребенка? Не значило ли это тщательное планирование со стороны наркомана? Думает ли синьор Фануччи, что Карло на это способен? А сам Сальваторе согласен с этим?»

– Что касается красной машины, – сказал старший инспектор, бросив на Линли одобряющий взгляд, – *magistrato* о ней ничего не знает. Сейчас, когда мы с вами едем в парк, чтобы убедиться, что его воля неукоснительно выполняется, один из моих офицеров

[1] Окрестности (*итал.*).

едет в Альпы с мужчиной, который видел машину. Они попытаются определить точное место, где она стояла. После этого площадка, на которой была припаркована машина, будет тщательно обыскана. Если ничего не найдут, тогда будет обыскана каждая площадка для отдыха на этой дороге на отрезке между ее началом в Альпах и деревней, где живет мать нашего свидетеля.

– Без санкции прокурора?

– Иногда, – сказал Сальваторе, – наш Пьеро сам не понимает, что хорошо для Пьеро. Мне приходится помогать ему разбираться в этом.

Лукка,
Тоскана

Конюшни в Парко Флувиале находились, по-видимому, в миле по аллее, которая повторяла изгибы весеннего разлива реки Серхио и проходила в южной части парка. Они состояли из целого ряда полуразрушенных строений, давно не используемых по их прямому назначению. Перед ними находился указатель, разукрашенный каким-то местным гением граффити и разбитый любителями пострелять по мишеням.

Криминальная лаборатория была припаркована на гравийной дороге, ведущей к конюшне, и инспектор Ло Бьянко проехал прямо под лентой, которая обозначала территорию как закрытую для непосвященных, не обращая внимания на «*Che cosa succede?*» журналистов, которые уже собрались в парке. Выругавшись, он провел Линли прямо в «апартаменты» Карло Каспариа.

В настоящий момент вся активность крутилась вокруг одного стойла, подпираемого утыканным сухостоем уступом. Оно располагалось за барьером из низкой растительности, которая оказалась кустами расцветающих диких роз. Всего в ряд стояло около десятка стойл с открытыми дверями, демонстрирующими неприглядные внутренности. Было очевидно, что все это место уже давным-давно использовалось как ночлежный дом множеством людей и что в нем накопилось такое количество мусора, просеивание которого, в поисках свидетельств пребывания здесь маленькой девочки, может занять долгие недели. Повсюду валялись вонючие матрасы. Использованные шприцы, презервативы и контейнеры для фаст-фуда были разбросаны по полу. Контейнеры из пластика, старая одежда, заплесневелые одеяла были горой набросаны во всех углах, а разорванные пакеты с гниющей пищей привлекали тысячи мух и муравьев.

Среди всего этого хаоса бродили два криминалиста.

– *Come va?*[1] – спросил Ло Бьянко.

Один из них снял маску и ответил: «*Merda*». Другой молча покачал головой. Линли подумал, что они выглядели как люди, хорошо понимающие, что занимаются бесполезным трудом. Ло Бьянко повернулся к Линли:

– Пойдемте со мной, *Ispettore*. Я хочу показать вам кое-что еще.

И он пошел на задворки конюшен по еле видной тропке, сквозь высокую траву и дикие цветы, которая шла вверх по уступу и между двумя каштанами.

Линли увидел, что здесь дорожка была протоптана собачниками, велосипедистами, бегунами и, может быть, парочками, гуляющими долгими летними вечерами. Она была хорошо утрамбована и шла по гребню уступа в обоих направлениях, точно повторяя повороты аллеи в парке и изгибы реки. Ло Бьянко пошел по ней. Меньше чем через сто ярдов он повернул круто влево, спустился по еще одному откосу, пересек рощу из сикомор, ольхи и берез и оказался на краю игрового поля.

Линли сразу понял, куда они попали. Через поле была видна небольшая парковка. Справа от нее, под двумя дубами, располагались два столика для пикника. Перед ними, через тропинку, находилось игровое поле, разделенное бетонными дорожками, вдоль которых росли молодые деревья. Далеко, на западном краю поля, располагалось кафе, где родители игроков могли насладиться прохладительными напитками, пока их дети познавали секреты игры и оттачивали свое мастерство под чутким руководством Лоренцо Муры.

Линли посмотрел на Ло Бьянко. Старший инспектор ни в коем случае не плясал под дудку Пьеро Фануччи, несмотря на то что думал по этому поводу последний.

– Интересно, – сказал Томас, показывая на поле, – не может ли синьор Каспариа «вообразить» еще кое-что, старший инспектор?

– А что именно? – поинтересовался итальянец.

– У нас ведь есть только показания Лоренцо о том, что девочку увели в тот день с рынка, – сказал Линли. – В какой-то момент вы наверняка об этом подумали.

Ло Бьянко слегка улыбнулся.

– Именно поэтому у меня есть некоторые собственные подозрения по поводу синьора Муры, – ответил он.

---

[1] Как дела? (*итал.*)

– Вы не будете возражать, если я поговорю с ним еще раз? Я имею в виду, о подробностях, а не только расскажу ему о признании Карло Каспариа.

– Ни в малейшей степени, – ответил старший инспектор. – *Nel frattempo*[1], я займусь другими игроками из его команды. У одного из них вполне может быть красная открытая машина. Хорошо бы это выяснить.

Пиза,
Тоскана

По его мнению, встреча рядом с Кампо деи Мираколи[2], где бы то ни случилось, была абсолютным сумасшествием, потому что в городе существовали десятки других мест, где можно было встретиться незамеченными. Но его вызвали на Кампо деи Мираколи, поэтому он направился в этот центр туристического безумия. Он прошел через, возможно, пятьсот человек, фотографирующих своих друзей, которые притворялись, что поддерживают башню, затем прошел между Дуомо и Баптистерией и, наконец, оказался на кладбище, за высокими и непроницаемыми стенами. Он нашел помещение, которое ему описали: в него перенесли после реставрации фрагменты настенных *affreschi*[3].

Его заверили, что там никого не будет. Когда автобусы выплевывали туристов возле пьяцца деи Мираколи, *gitanti*[4] давали всего сорок минут на то, чтобы те могли сделать фотографии и успеть вернуться на автобус, который уносил их к следующей остановке по маршруту. У таких туристов просто не оставалось времени ни на что другое, особенно на посещение кладбища. С остатками плохо сохранившихся *affreschi* и скульптурой женщины в позе раскаяния, оно не представляло никакого интереса и было совершенно пустынным.

«Они и должны встретиться в пустынном месте, – подумал он с сарказмом, – если принимать во внимание внешний вид его работодателя». Потому что никогда еще тщеславие не доводило человека до такого идиотизма в том, что касалось его внешнего вида, как это произошло с Ди Массимо.

---

[1] Тем временем (*итал.*).

[2] На Кампо деи Мираколи (более правильно – пьяцца деи Мираколи) в г. Пиза находится, в частности, знаменитая Пизанская башня.

[3] Фрески (*итал.*).

[4] Экскурсоводы (*итал.*).

Ди Массимо уже ждал его. Как и было обещано, он был один в помещении с отреставрированными *affreschi*, где со скамейки, стоящей посередине, внимательно изучал одну из них – или, по крайней мере, притворялся, что изучает. На коленях у него был раскрыт путеводитель, а на кончике носа висела пара очков для чтения. Профессорский вид, который они ему придавали, совсем не вязался с его остальным видом: выкрашенные волосы, черная кожаная куртка, кожаные штаны, грубые черные ботинки. Никто бы никогда не принял его ни за профессора чего-нибудь, ни даже за студента. Но, с другой стороны, никто бы не принял его и за того, кем он был на самом деле.

Скрываться не имело смысла, поэтому он не сделал ничего, чтобы приглушить звук своих шагов по мраморному полу. Он сел рядом с Ди Массимо и тоже воззрился на фреску, которую с таким вниманием изучал мужчина. Он понял, что тот разглядывает своего тезку. С мечом в руке архангел Михаил то ли изгонял кого-то из рая – по крайней мере, ему это показалось раем, – то ли приглашал кого-то в рай. Да и кому это, в сущности, было интересно? Он не понял весь этот шум, который подняли вокруг отреставрированных и якобы спасенных *affreschi*. Они были здорово подпорчены и выцвели так, что в некоторых местах нельзя было разобрать, что на них нарисовано.

Ему захотелось закурить. Или женщину. Но мысль о женщинах вернула его к его кувырканию в грязи с полоумной кузиной, а ему не хотелось об этом думать.

Он не мог понять, какой дьявол вселялся в него, когда он видел Доменику. Когда-то она была хорошенькой, но те времена давно прошли, а ведь даже сейчас, когда она находилась рядом, ему хотелось обладать ею, доказать ей... Что-то. Ну и как это характеризовало его – то, что он все еще хотел эту сумасшедшую после стольких лет?

На скамейке рядом с ним Микеланджело Ди Массимо пошевелился, захлопнул путеводитель и засунул его в рюкзак, стоявший у ног. Из рюкзака он достал сложенную газету и сказал:

– Теперь в дело вмешалась английская полиция. Об этом пишет «Прима воче». Была телевизионная передача с обращением родителей. Ты ее видел?

Конечно, нет. В тот вечер, когда показывали *telegiornale*[1], он трудился на своей постоянной работе в «Ристоранте Маестосо», где телевизора не было. А днем он занят соблазнением *commesse*[2] во

---

[1] Телевизионный репортаж (*итал.*).

[2] Покупатели (*итал.*).

всех этих модных магазинах и лавках, чтобы заставить их купить у него пару носков, в то время когда им нужны шелковые рубашки. Поэтому у него не было времени на телевизоры или таблоиды. Все, что он знал о поисках маленькой девочки, он знал от Ди Массимо.

Последний передал ему номер «Прима воче». Он быстро просмотрел статью. Скотланд-Ярд, детектив в качестве офицера связи для родителей девочки, новые подробности о родителях, неприглядные замечания о британской полиции от этого идиота Фануччи и хорошо продуманное выступление старшего инспектора Ло Бьянко, подтверждающего сотрудничество двух полицейских сил. Там же была помещена фотография англичанина, беседующего с Ло Бьянко. Они стояли на фоне *questura* в Лукке; старший инспектор скрестил руки на груди и, наклонив голову, выслушивал, что говорил ему англичанин.

Он вернул таблоид Ди Массимо. В нем поднималось чувство раздражения. Он ненавидел терять время впустую, и если ему пришлось приехать из центра города в Кампо деи Мираколи только для того, чтобы увидеть что-то, что можно было увидеть, просто остановившись у любого *giornalaio*[1], он разозлится еще больше.

Поэтому он грубо указал на газету и спросил «*Allora?*»[2] тоном, который не скрывал его нетерпения. Чтобы еще раз подчеркнуть это, он встал, прошел в дальний угол помещения и сказал:

– Для тебя это не должно быть сюрпризом, Микеланджело. Она пропала. Она ребенок. Ребенок пропал без следа. Она англичанка.

Последствия совершенно очевидны: конечно, английские полицейские засунут свою руку в этот пирог, который приготовили они с Ди Массимо. А что, тот ждал чего-то другого?

– Дело не в этом, – сказал Ди Массимо. – Сядь. Не хочу громко говорить.

Он подождал, пока его просьба была выполнена, прежде чем продолжил:

– Этот человек и Ло Бьянко приезжали на мою тренировку позавчера.

Ему показалось, что пол уходит у него из-под ног.

– И они с тобой *говорили*? – спросил он.

Ди Массимо покачал головой.

– Они думали, что я их не вижу. Но это, – он постучал по носу, – еще не потеряло своей способности чувствовать копов за

---

[1] Газетный киоск (*итал.*).

[2] И что же (*итал.*).

километр. Они приехали и наблюдали. Меньше пяти минут. Потом уехали.

Он почувствовал мгновенное облегчение и сказал:

– Так ты не знаешь...

– *Aspetti*. – Ди Массимо продолжил, рассказав, что вчера эти двое появились снова, прервав его сеанс у *parrucchiere*, которая восстанавливала цвет его волос.

Merda. Это было самое худшее из того, что могло случиться.

– Как, во имя Господа, они смогли разыскать тебя? – потребовал он. – Сначала на футболе, а потом и там, в парикмахерской... Как, во имя Господа, они смогли выйти на тебя?

– Как – это теперь не важно, – ответил Ди Массимо.

– Конечно, важно! Если не тебе, то мне. Если они следят за тобой... Если они уже вышли на тебя... – Он почувствовал, как в нем поднимается волна паники. – Ты клялся мне, что прошло достаточно времени. Что никто не свяжет тебя с этим происшествием с девочкой.

Он лихорадочно думал, пытаясь понять, какие еще связи может нащупать полиция. Потому что если они смогли найти Микеланджело Ди Массимо всего через неделю после похищения девочки, то сколько времени у них уйдет на то, чтобы найти его самого?

– Надо сейчас же разобраться с этим, – сказал он, – сегодня. Сейчас. Как можно быстрее.

– Именно поэтому мы сегодня и встречаемся, мой друг, – сказал Микеланджело и со значением посмотрел на него. – Думаю, что время пришло. И мы оба с этим согласны, да?

Он кивнул.

– Я знаю, что делать.

– Тогда не откладывай.

Фаттория ди Санта Зита,
Тоскана

Линли сказал Ло Бьянко не всю правду, когда обсуждал возможный разговор с Лоренцо Мурой. Ему также хотелось еще раз поговорить с Анжелиной. Поэтому, получив благословение старшего инспектора, он поехал в *fattoria*[1]. Там кипела работа, что означало: несмотря ни на что, жизнь продолжается.

---

[1] Сельское поместье (*итал.*).

Рабочие крутились вокруг древнего фермерского дома, который был частью поместья. Кто-то разгружал листы железа, явно предназначенные для кровли; кто-то вносил тяжелые доски внутрь здания; еще кто-то долбил что-то внутри здания отбойным молотком. В винокурне молодой служащий предлагал попробовать «Кьянти» Лоренцо группе из пяти человек, чьи велосипеды и рюкзаки, разбросанные рядом с входом, говорили о том, что их хозяева участвуют в весеннем велосипедном туре по близлежащему району. Сам Лоренцо стоял у загородки паддока недалеко от высокой живой изгороди, разделявшей старую виллу и рабочую часть *fattoria*. Он разговаривал с бородатым мужчиной средних лет. Когда Линли подошел к ним, он увидел, как мужчина вытащил конверт из заднего кармана своих джинсов и протянул его Лоренцо. Они обменялись еще несколькими словами, и мужчина направился к пикапу, стоявшему перед коваными железными воротами, которые открывали подъезд к самой вилле. Он влез в машину и через секунду, совершив быстрый разворот, направился к выезду с территории. Мужчина надел темные очки и широкополую соломенную шляпу, закрывавшую его лицо, так что Линли не удалось рассмотреть его, когда он проезжал мимо. Была видна только борода, темная и густая.

Линли подошел к Лоренцо. В паддоке он увидел пять ослов: самца, двух самок и двух совсем маленьких ослят. Они стояли под колоссальным шелковичным деревом, их хвосты двигались из стороны в сторону, отгоняя мух, и они дружно шевелили челюстями, наслаждаясь обильной и сочной весенней зеленью. Все пятеро были красивыми животными. Видно было, что за ними хорошо ухаживают. Без всякого вступления Лоренцо рассказал ему, что выращивание ослов было еще одним способом поддерживать фабрику на плаву. Человек, который только что отъехал, приезжал купить осленка. Осел, поведал Лоренцо, всегда пригодится человеку, который живет на земле и кормится с этой земли.

Линли подумал, что продажа одного, двух или даже двадцати ослят не сильно поможет в поддержке того, что происходило в этой *fattoria*. Но вместо того, чтобы сказать это вслух, он спросил о старом фермерском доме и работах, которые там велись. Дом, объяснил Лоренцо, переделывают в пансионат для тех, кто хочет приобщиться к деревенской жизни, останавливаясь на одной из многочисленных итальянских *agriturismi*[1]. Кроме этого, добавил он, будут построены еще бассейн, солярий и теннисный корт.

---

[1] Ферма (*итал.*).

– Обширные планы, – понимающе кивнул англичанин. Обширные планы всегда означают большие деньги.

У него всегда будут планы переделки *fattoria*, согласился Лоренцо. Потом он полностью переключился на другую тему и сказал по-английски:

– Вы должны говорить ей, *Ispettore*. Вы должны, пожалуйста, говорить ей, чтобы она разрешать мне отвезти ее доктору в Лукка теперь.

Линли усмехнулся и перешел на итальянский:

– Анжелина больна?

– *Venga*[1], – ответил Лоренцо и добавил, что Линли сможет сам убедиться в этом на вилле. – Весь день вчера у нее была эта тошнота. Она ничего не может есть. Ни суп, ни хлеб, ни чай, ни молоко. Она говорит мне, чтобы я не беспокоился, потому что это беременность. Она напоминает, что плохо чувствовала себя с самого первого дня. Она говорит, что я беспокоюсь, потому что это мой первый ребенок, но у нее это уже не первый, и я не должен волноваться, так как она скоро поправится. Но как я могу не волноваться, когда вижу, что она больна, и когда я уверен, что ей надо посетить доктора, а она уверяет меня в обратном?

Пока Лоренцо говорил все это, они поднимались по широкой петле парадного подъезда к вилле. Линли вспомнил о том, как переносила беременность его погибшая жена. Она тоже мучилась всю первую половину срока, и он тоже волновался. Томас рассказал об этом Лоренцо, но на итальянца это, кажется, не произвело никакого впечатления.

Анжелина была на *loggia*. Она лежала в шезлонге, прикрытая одеялом. Рядом с ней стоял столик со столешницей, украшенной мозаикой, на котором стоял прозрачный кувшин со свежевыжатым апельсиновым соком и пустой нетронутый стакан. Рядом со стаканом стояла тарелка, на которой лежали печенье, вяленое мясо, фрукты и сыр – все такое же нетронутое, кроме громадной красивой ягоды клубники, от которой, видимо, пытались откусить кусочек.

Линли мог понять, почему итальянец так беспокоится. Анжелина выглядела очень слабой. Она слегка улыбнулась, пока они шли к ней по *loggia*.

– Инспектор Линли, – почти прошептала она, пытаясь сесть прямо. – Вы застали меня, когда я дремала. – Она посмотрела ему в глаза. – Что-то новенькое?

---

[1] Верно (*итал.*).

Лоренцо подошел к столу, исследовал отвергнутые яства и сказал:

– *Cara, devi mangiare e bere*[1]. – Налил в стакан апельсинового сока и попытался вручить ей.

– Я пыталась, Ренцо. – Она указало на клубнику, от которой был откушен крохотный кусочек. – Ты слишком сильно беспокоишься. Все будет хорошо, мне просто надо немного отдохнуть. – Затем она обратилась к Линли: – Инспектор, что-то...

– Она должна увидеть доктора, – сказал Лоренцо Томасу. – Но она не хочет об этом слышать.

– Вы позволите? – спросил Линли и указал на плетеный стул, стоящий рядом.

– Конечно, – ответила она, – пожалуйста. – А затем обратилась к Лоренцо: – Дорогой, перестань так беспокоиться, я не какой-то хлюпик, а кроме того, сейчас не это самое главное. Поэтому помолчи о докторах, или оставь нас поговорить наедине. – Она набрала в грудь воздуха и повернулась к Линли: – Вы что-то хотите сказать? Пожалуйста, я вас слушаю.

Томас взглянул на Лоренцо. Тот покраснел. Он еще не сел и поэтому сейчас прошел в глубь *loggia* и встал там за шезлонгом, скрестив руки на груди и демонстрируя свое родимое пятно.

Линли коротко рассказал Анжелине о Карло Каспариа, о его «признании», выбитом из него прокурором, и о сомнениях старшего инспектора Ло Бьянко по поводу этого признания. Он поведал подробности поисков, которые продолжались в конюшне. Он упомянул о возможном следе в Апуанских Альпах. Он не стал говорить о красной открытой машине или о том, что это был за след: мужчина, ведущий ребенка в лес. О первом нельзя было говорить никому, второе могло только еще больше испугать женщину.

– Полиция сейчас этим занимается, – сказал он ей об Альпах. – Ну, а таблоиды тем временем... – Томас показал первую страницу сегодняшнего номера «Прима воче», так как никто из них не ездил за газетами в город, а на *fattoria* их не доставляли. – Думаю, что лучше всего не обращать на все это внимания. Все-таки у них очень ограниченная информация.

Анжелина надолго замолчала, и в тишине было слышно отдаленное тарахтение отбойного молотка в старом фермерском доме. Наконец она спросила:

– А что думает по этому поводу Хари?

---

[1] Дорогая, ты должна есть и пить (*итал.*).

За ее спиной Лоренцо испустил вздох отчаяния. Анжелина повернулась к нему:

– Ренцо, *прошу тебя.*

– *Si, si,* – ответил Мура.

– Он еще об этом ничего не знает, – объяснил англичанин. – Если, конечно, сам не купил газету. Он уже ушел из пансиона, когда я спустился к завтраку.

– *Ушел*? – удивился Лоренцо.

– Он, наверное, продолжает разносить плакаты с фото пропавшей Хадии. Ему тяжело, как и вам всем, просто сидеть и ждать, когда что-то произойдет.

– *Inutile*[1], – сказал Лоренцо.

– Возможно, – ответил Линли. – Но я понял, что иногда даже бессмысленные, на первый взгляд, действия в конечном итоге помогают решить загадку.

– Он не вернется в Лондон, пока ее не найдут. – Анжелина посмотрела на лужайку, хотя там не на чем было остановить глаз, и тихо сказала: – Я так сожалею о том, что сделала. Я просто хотела освободиться от него, но знала... Я так сожалею обо всем.

Желание освободиться от людей, от сложностей жизни, от прошлого, которое держало человека, как группа уличных мальчишек-попрошаек... Это заставляло людей совершать поступки, которые приводили впоследствии к сильному раскаянию. И часто на этом пути лежали разлагающиеся трупы других людей. Линли хотел поговорить именно об этом. Но он хотел обсуждать это с Анжелой наедине, а не в присутствии ее любовника.

– Я бы хотел переговорить с Анжелиной с глазу на глаз, если вы не возражаете, синьор Мура, – сказал он Лоренцо.

Было очевидно, что Мура возражает против этого.

– У нас с Анжелиной нет секретов друг от друга, – возразил он. – То, что говорится ей, может быть сказано и мне.

– Это я понимаю, – сказал инспектор. – Но, возвращаясь к нашей предыдущей беседе, нашей с вами...

Пусть Мура думает, что он хочет обсудить с Анжелиной Упман состояние ее здоровья и вопрос посещения врача в городе, подумал Линли. Все, что угодно, только бы он дал им поговорить несколько минут наедине; только в этом случае, полагал Линли, беседа будет абсолютно честной.

Лоренцо согласился, хотя и с видимым неудовольствием. Сначала он наклонился к Анжелине и поцеловал ее в макушку, тихо

---

[1] Бессмысленно (*итал.*).

сказал *cara*, а затем покинул веранду и направился к воротам в живой изгороди, которая отделяла территорию, прилегающую непосредственно к вилле, от остальной *fattoria*, где сейчас велись работы.

Анжелина повернулась к Томасу:

– Что вы хотели обсудить инспектор Линли? Что-то связанное с Хари? Я знаю, что вы видите... У Ренцо нет никаких поводов так ревновать. Я не давала ему *повода*, поэтому у него его и нет. Но то, что у нас с Хари есть общий ребенок... Это создает связь между нами там, где он предпочитал бы, чтобы ее не было.

– Я бы сказал, что это нормально, – заметил Томас. – Он чувствует себя неловко. Не понимает, на каком месте он у вас находится.

– Я пытаюсь объяснить ему это. Он – тот самый. Он... последний для меня. Но вся эта история... Я имею в виду моих прошлых мужчин... Я думаю, что именно это все так усложняет.

– Я должен спросить вот о чем, – сказал Линли, придвигая ближе свой плетеный стул. – Надеюсь, что вы меня правильно поймете. Мы обязаны изучить все версии, связанные с похищением Хадии, а эта – одна из них.

Анжелина выглядела взволнованной.

– И что же это?

– Ваши другие любовники.

– Какие другие любовники?

– Здесь, в Италии.

– Но здесь нет...

– Простите меня. Этот вопрос относится к прошлому, своего рода прологу, если вы понимаете, что я имею в виду. Меня волнует то, что у вас была связь с Эстебаном Кастро – в то же самое время, когда вы жили с Ажаром и встречались с Лоренцо Мурой... Я думаю, вы понимаете, что это может привести к предположению: здесь тоже могут быть другие, которых вы не хотели бы называть в присутствии Лоренцо.

Ее щеки порозовели – первая краска, которую Томас увидел на них с того момента, как поднялся на *loggia*.

– А какая здесь связь с Хадией, инспектор?

– Думаю, что это больше связано с тем, как мужчина может посильнее ранить вас, если выяснит, что он не единственный ваш любовник. А это уже напрямую связано с Хадией.

Анжелина не отводила от него взгляда, и он мог читать по ее лицу, когда она сказала:

– Других любовников не существует, инспектор Линли. Если вы хотите, чтобы я поклялась в этом, я с удовольствием это сделаю. Есть только Лоренцо.

Томас оценил ее слова и то, как они были произнесены. Язык ее тела говорил о том, что она говорит правду, но женщина, умудрявшаяся балансировать между тремя любовниками одновременно, должна быть превосходной актрисой. Вот что – в дополнение к тому, что леопарду бывает очень трудно избавиться от своих пятен – так и подмывало его сказать.

– А что заставило вас так измениться, если позволите спросить?

– Если честно, не знаю, – ответила Анжелина. – Может быть, нежелание повторять прошлое, а может быть, просто взросление... – Она посмотрела на одеяло, потрепанный край которого непроизвольно перебирала пальцами. – Раньше я все время искала что-то, до чего не могла дотянуться. Теперь, мне кажется, мои возможности и желания наконец совпали.

– А до чего вы пытались дотянуться?

Женщина некоторое время обдумывала вопрос, сдвинув изящные брови.

– Наверное, до самой себя. И я все время хотела, чтобы эта уникальная сущность, которой являюсь я сама, принадлежала бы уникальному мужчине. Когда этого не происходило... да и как это, в принципе, могло случиться? – я искала следующего, и следующего, и следующего. Двоих до Хари, затем самого Хари вместе с Эстебаном и, наверное, даже Ренцо. – Она посмотрела на инспектора. – За свою жизнь я сделала больно многим людям, особенно больно было Хари. Я не горжусь этим. Я просто была такой.

– А сейчас?

– Я строю свою жизнь с Ренцо. Мы становимся семьей. Он хочет пожениться, и я тоже этого хочу. Сначала я сомневалась, а теперь действительно хочу.

Линли попытался проанализировать: первоначальная неуверенность в Муре; что именно эта неуверенность могла значить для мужчины; на что мужчина мог пойти, чтобы изменить ситуацию.

– В какой же момент вы поверили в него?

– Я не уверена, что понимаю, что вы имеете в виду.

– Наверное, следующее: был ли какой-то особый момент, когда для вас все изменилось? Когда вам стало ясно, что то, что происходит у вас с синьором Мурой, гораздо важнее всего остального? Важнее, чем поиски мужчины, которому, как вы сами говорите, вы передали бы свою уникальную сущность?

Анжелина медленно покачала головой, но, когда она заговорила, Линли понял, что она прекрасно читает между строк.

– Ренцо любит меня и Хадию. И вы не смеете сидеть здесь и думать, что он организовал что-то... что-то такое ужасное, как то, что произошло, чтобы доказать мне... чтобы уверить меня в себе... Ведь вы именно об этом думаете, инспектор? *Как* вы можете? Как вы можете подумать, что он может что-то сделать, чтобы так ранить меня?

Потому, что это вполне возможно, и потому, что это моя работа, подумал Линли. Но более всего потому, что Анжелина навсегда будет привязана к Муре, если Хадия так и не найдется.

Вилла Ривелли,
Тоскана

Сестра Доменика Джустина вышла вслед за Кариной в сад. День был жарче, чем обычно, и фонтаны в саду притягивали ребенка. Если бы она не принимала наказание Божие за свое прелюбодеяние, сестра Доменика могла бы даже присоединиться к девочке. Карина получала истинное наслаждение, стоя в воде в своих зеленых брючках, закатанных до колен. Девочка плескалась в самом большом фонтане, весело пробегая под струями, и расплескивала воду, создавая вокруг себя маленькие радуги. «*Venga! Fa troppo caldo oggi*!»[1] – кричала она сестре Доменике. И хотя день действительно был очень жарким, женщина знала, что ее страдания нельзя облегчать даже пятиминутным купанием в приятной, прохладной воде.

За то, что они сделали с ее кузеном Роберто, полагалось сорок дней самоистязания. В это время она не будет менять одежду, только добавлять в старую все новые и новые розовые шипы, хотя одежда уже провоняла – запахом ее, его и их совокупления. Каждую ночь она будет внимательно изучать свои раны, потому что те уже начали нарывать. Но это было хорошо, так как вытекающий из них гной был свидетельством того, что Бог принимает ее покаяние. Бог сообщит ей, когда она искупит эту вину. А пока он не сделал это, прекратив истечение гноя, она должна продолжать идти по пути, который сама избрала. Она должна показать Ему, как она сожалеет обо всех своих совершенных грехах.

---

[1] Залезай! Сегодня очень жарко! (*итал.*)

– Сестра Доменика! – закричала девочка, встав в фонтане на колени так, что вода доставала ей до груди. – *Deve venire! Possiamo pescare. Vuole pescare? Le piace pescare? Venga*![1]

В воде этого фонтана рыбы не было, и она кричала слишком громко. Доменика понимала это, но не решалась нарушить радость ребенка. Однако она также понимала, что это все-таки необходимо сделать, и сказала, приложив палец к губам:

– *Carina, fai troppo rumore*[2].

Доменика взглянула на здание виллы, стоявшее в западном конце купающегося в солнечных лучах сада, и этот взгляд должен был предупредить девочку, что ее крики не должны беспокоить жителей виллы. Везде таилась опасность.

С самого начала ей велели держать девочку в комнатах над стойлом и никуда не выпускать, а она ослушалась. Когда Доменика провела его к большим подвалам, чтобы показать девочку, он улыбнулся и по-доброму заговорил с Кариной. Но женщина знала его лучше, чем он сам себя, и по его глазам она догадалась, что он недоволен.

Он прямо высказал ей это перед отъездом:

– Не выпускай ее из помещения, пока я не разрешу. Можешь ты понять это своей глупой башкой, Доменика? – Он больно постучал по ее голове костяшками пальцев, как бы показывая, насколько она была тупа, затем добавил: – Благодари Господа, что после всего, что ты сделала со мной, я должен... *Cristo*, я должен был оставить тебя гнить заживо.

Она попыталась объяснить. Детям необходимы свежий воздух и солнце. Карине надо было выходить из душных, темных комнат. Даже если бы ей приказали оставаться там, она бы не послушалась. Ни один ребенок не послушался бы. Кроме того, кругом не было ни одной живой души, а если бы и была, разве не настало время сказать всему миру, что Карина принадлежит им?

– *Sciocca, sciocca!*[3] – был его ответ. Он взял ее за подбородок. Он все увеличивал давление, пока вся ее челюсть не заболела, и, наконец, оттолкнул ее голову.

– Она остается внутри. Ты понимаешь меня? Ни огорода, ни подвалов, ни рыбного садка, ни поляны. Она сидит внутри.

---

[1] Вы должны тоже зайти! Давайте вместе! Вы хотите ловить рыбку? Как мне ее поймать? Залезайте! (*итал.*)

[2] Карина, ты слишком шумишь (*итал.*).

[3] Дура, дура! (*итал.*).

Доменика сказала, что поняла. Но день был такой жаркий, а девочка так мала, а фонтаны так привлекательны... Час удовольствия ей совсем не помешает, решила про себя сестра Доменика.

Но все равно, она все время нервно оглядывалась. Наконец решила, что лучший наблюдательный пункт наверху, рядом с *peschiera*, забралась к рыбному садку по каменным ступеням и оттуда внимательно следила за тем, чтобы они с Кариной оставались одни.

Доменика подошла к тому месту, где холмы хорошо просматривались сквозь кусты и деревья, и откуда было видно дорогу, извивающуюся по склонам холмов. И опять увидела его. Как и накануне, он мчался по дороге на своей красной спортивной машине. Даже на таком расстоянии Доменика слышала рев двигателя, когда он переключал передачи. Он ехал слишком быстро, как и всегда. Раздавался визг автомобильных покрышек, когда он слишком резко проходил повороты. Ему надо бы притормозить, но он этого никогда не сделает. Он слишком любит скорость.

Между тем местом, где она стояла, и доро́гой воздух, казалось, колебался в жарком мареве. Жара делала сестру Доменику ленивой, и хотя она понимала, что Карину надо уводить из сада в комнаты над стойлом и переодеть в сухую одежду до того, как он появится, она не могла заставить себя двигаться.

Поэтому Доменика хорошо видела, как это произошло. Он неправильно вошел в поворот-шпильку на дороге. С ревом мотора и звуком переключаемой скорости пролетел через хилый заградительный барьер. На мгновение завис в воздухе. А затем машина исчезла из виду, падая и падая по склону холма на то, что находилось внизу, что бы это ни было: валуны, высохшее русло реки, сухие деревья или еще одна вилла, спрятанная под холмом. Доменика не знала. Она знала только, что секунду назад он был здесь и мчался по холмам, – а теперь исчез. Женщина стояла, не шевелясь, и ждала, что будет дальше – звук удара или огненный шар на месте падения? Но ничего не случилось. Как будто рука Господа в мгновение ока убрала ее кузена, призвав его пред очи Всевышнего, чтобы он, наконец, ответил за свой грех.

Доменика повернулась к залитому солнцем саду, глядя сверху на ребенка. Солнечные лучи играли в прекрасных волосах девочки, и казалось, что на ней надета вуаль. Видя ее такой – невинной, счастливой и жизнерадостной, – было трудно поверить, что на ней тоже лежит печать греха. Но это было так, и с этим надо что-то делать.

АПРЕЛЬ, 27-е

Виктория,
Лондон

Войдя в кабинет суперинтенданта Изабеллы Ардери, Барбара сразу поняла, что что-то пошло не так в ее сложном плане обманов, который она придумала, чтобы выбраться из офиса полиции Метрополии и как-то попытаться разобраться с кризисом Саида. Она вспомнила, что миссис Фло, после одиннадцати часов размышлений, придумала какие-то «ледяные ноги», чтобы объяснить падение матери Барбары в своем заведении в Гринфорде. Милая старушка, как оказалось, считала, что только тщательная разработка всей этой истории с падением поможет убедить начальников Барбары в том, что последняя законно вырвалась из-под назойливой опеки инспектора Стюарта.

Стюарт тоже присутствовал в кабинете. Сидя на одном из стульев перед столом Ардери, он обернулся и окинул вошедшую Барбару презрительным взглядом с ног до головы. Сама суперинтендант стояла, как всегда хорошо одетая, ухоженная, в хорошей физической форме и готовая к разбирательству. В окно за ее спиной в кабинет заглядывал еще один серый день, обещая еще больше дождей и как бы подтверждая все, что поэт когда-то написал об апреле.

Изабелла кивнула головой вошедшей Барбаре и коротко сказала:

– Садитесь.

Хейверс лениво подумала, не пролаять ли ей три раза в ответ. Но она сделала, как ей велели. После этого Ардери произнесла: «Говорите, Джон», – и оперлась своими наманикюренными руками о подоконник, внимательно слушая рассказ Стюарта. Этот рассказ звучал для Барбары, как ее профессиональная эпитафия.

– К сожалению, мои цветы для вашей матери невозможно было доставить адресату, – сказал Стюарт. Сукин сын, подумала Барбара, именно поэтому ты выглядишь таким радостным. – В указанной больнице пациент с таким именем не значится. Может быть, сержант, у вашей матушки есть псевдоним?

– Что вы несете? – устало спросила его Барбара, хотя мысли ее метались, как шарик в электрическом бильярде.

Для усиления драматического эффекта Стюарт притащил с собой тетрадь, которую сейчас демонстративно раскрыл у себя на коленях.

– Миссис Флоренс Madженtри, – объявил он. – «Скорая помощь» из больницы Сент-Джеймс, как ей кажется, но это также может быть Сент-Джулиан, Сент-Джон, Сент-Джули или еще целый ряд имен собственных, начинающихся с Дж. В любом случае это был Сент-имярек, как она упорно утверждает, хотя такого существа в природе не существует. Далее: реанимационная палата в больнице и сломанное бедро, которое было не сломано, а как бы сломано, так что ее мама провела в больнице не больше часа, или дня, или двух, или трех, но кого это, в сущности, волнует, потому что это чертово бедро никто в действительности не ломал. – Он захлопнул тетрадь. – Вы не хотите объяснить, какого черта вы пытались добиться, когда никто вам не...

– Достаточно, Джон, – вмешалась Ардери.

Нападение было единственным шансом Барбары, и она ответила Стюарту:

– Да что это с вами? У вас на руках убийство и ограбление, а вы тратите время на выяснение, куда моя бедная мамочка... Это просто возмутительно. К вашему сведению, ее увезла *частная* «Скорая помощь» в *частную* клинику, потому что у нее есть *частная* страховка, и если бы вам пришло в голову спросить меня напрямую, а не копаться в этом грязном белье, подобно третьеразрядному вору-домушнику...

– И этого тоже достаточно, – сказала Ардери.

Но Барбару уже понесло. Все равно, что бы она ни сказала, Стюарт сможет это проверить, и ее единственной надеждой было выставить его в еще худшем свете, чем выглядела она сама, за его желание полностью контролировать ее, выкручивая ей руки. Сама она выглядела совсем не здорово, когда сбегала с работы, из-за того, что ей надо было разобраться с этой вошью Митчем Корсико и его желанием побеседовать с сыном Ажара Саидом.

Она обратилась к Ардери:

– Он ведет себя так с того момента, как вы прикрепили меня к нему, командир. Он как будто рассматривает меня под чертовым микроскопом, как будто я какая-то амеба, которую он изучает. И он использует меня как хренову машинистку.

– Вы что, пытаетесь перевести стрелки на меня? – возмутился Стюарт. – Вы влипли, и прекрасно это понимаете.

– А вы этого заслуживаете. Это надо было сделать еще тогда, когда от вас ушла жена и когда вы решили оттоптаться на всех женщинах в мире разом. И кто может в чем-то обвинить эту бедную женщину? Любая предпочтет жизнь на улице с собаками жизни с вами.

– Я хочу, чтобы это было зафиксировано в ее личном деле, – обратился Стюарт к Ардери. – И я хочу, чтобы первый отдел службы собственной...

– Вы оба сошли с ума, – рявкнула Ардери, подошла к столу, схватила стул и уселась, переводя взгляд со Стюарта на Барбару и обратно. – Мне уже достаточно всего того, что накопилось между вами. Это должно прекратиться здесь и немедленно, а иначе вас обоих ждет дисциплинарное взыскание. Поэтому возвращайтесь к работе. И если я еще что-нибудь услышу про вас, – это к Барбаре, – что-то о том, что вы опять начинаете *изворачиваться*, вас ждет не только дисциплинарное взыскание, но и все возможные последствия, связанные с ним.

Тонкие губы Стюарта искривились в улыбке. Но она быстро исчезла, когда Ардери продолжила:

– Вы руководите расследованиями убийства и ограбления. А это значит – на что я хотела бы обратить ваше особое внимание, Джон, – что вы должны использовать своих подчиненных с тем, чтобы максимально раскрыть их профессиональный потенциал, а не заставлять их выполнять ваши... черт знает, что вы там заставляете их выполнять. Я ясно говорю?

Изабелла не стала ждать ответа. Сняв телефонную трубку, она набрала номер и сказала в завершение:

– А теперь, бога ради, убирайтесь отсюда и приступайте к работе.

Они выполнили первое, но притормозили со вторым. В коридоре инспектор Стюарт схватил Барбару за руку. От его прикосновения она почувствовала, как ярость ударила ей в голову, но смогла остановиться за минуту до того, как врезала ему коленом в то место, где удар запоминается надолго.

– Немедленно уберите свои грабли, или я обвиню вас... – прошипела она.

– Послушай меня внимательно, ты, жвачное животное. Ты очень умно выступила в кабинете. Но у меня в колоде есть карты, о которых ты даже не подозреваешь, и я разыграю их, когда посчитаю нужным. Поймите это, и действуйте на свой страх и риск, сержант Хейверс.

– Боже, я уже обмочила трусики, – ответила Барбара.

Она отошла, но мысли ее раздвоились, как хор в древнегреческой трагедии. Одна часть их кричала: остановись, притормози, веди себя осторожно и осмотрительно. Другая часть готовила план мести, а этот план, в свою очередь, разбивался на множество более мелких, и каждый из них мог быть достойным ответом инспектору Стюарту.

Из этого мысленного хаоса ее вырвал голос Доротеи Гарриман. Барбара обернулась и увидела, что секретарь управления держит в руках телефонную трубку.

– Тебя срочно вызывают вниз.

Барбара мысленно выругалась. Ну что еще? «*Вниз*» могло значить только проходную. К ней пришли, и ей надо было встретить посетителя.

– Кого там еще принесло? – спросила она у Доротеи.

– На проходной говорят, что это кто-то в костюме.

– *В костюме*?

– Одет, как ковбой. – В этот момент Доротея вздрогнула, так как до нее, наконец, дошло. Митчелл Корсико и раньше бывал в офисах Скотланд-Ярда. Ее васильковые глаза округлились, и она сказала: – Сержант, это, должно быть, тот парень, замазанный...

Но Барбара мгновенно остановила ее.

– Уже бегу, – сказала она Доротее и кивнула на телефон. – Скажи им, что я уже спускаюсь, хорошо?

Гарриман кивнула в ответ.

Но Барбара вовсе не собиралась спускаться вниз, на проходную, где каждая собака могла увидеть ее, разговаривающую с Митчеллом Корсико. Поэтому она нырнула в дверь, ведущую к пожарной лестнице, чуть дальше по коридору. Здесь она достала телефон и набрала номер Корсико. Когда тот ответил, Барбара была сама лаконичность:

– Убирайся отсюда. Между нами все кончено.

– Я звонил тебе восемь или девять раз, – ответил он, – и никакого ответа. Ай-ай-ай, Барб. Я подумал, что мне лучше лично появиться на Виктория-стрит.

– Тебе придется исчезнуть, – прошипела она.

– Нам надо поговорить.

– Не получится.

– А я думаю, что получится. Я ведь могу остаться здесь, внизу, и начать просить каждого проходящего Шерлока позвать тебя – естественно, представляясь своим полным именем. Или ты можешь спуститься, и мы перекинемся парой слов. Ну, и как же мы поступим?

Барбара крепко зажмурила глаза, надеясь, что это позволит ей лучше соображать. Ей надо избавиться от журналюги; нельзя, чтобы их видели вместе. Она с самого начала была дурой, когда связалась с ним. Если кто-то узнает, что она сливала ему информацию о Хадии и ее семье... Надо побыстрее убрать его из здания, и остается только один вариант – кроме, конечно, убийства.

– Иди на почту, – сказала она.

– С какого перепугу? Ты что, вообще не слышишь меня, сержант? Да ты знаешь, что я с тобой могу сделать, если...

– Перестань быть дебилом хоть на тридцать секунд. Почта прямо напротив, через улицу. Иди туда, там мы и встретимся. Или так, или вообще никак. Потому что если меня засекут беседующей с тобой... Ты же все понимаешь, правда? Иначе ты бы мне не угрожал.

– Я тебе не угрожаю.

– Тогда я твоя прапрабабушка. Так ты перейдешь улицу, или мы продолжим базар, обсуждая все стороны шантажа – профессиональную, эмоциональную, монетарную и дальше по списку?

– Ладно, – согласился Митч. – Почта. И надеюсь, что ты появишься, Барб. Потому что если нет... Тогда тебе не поздоровится.

– У тебя будет пять минут, – сообщила она ему.

– А мне больше и не надо, – был его ответ.

Барбара разъединилась и задумалась. После встречи в кабинете у Ардери выбор у нее был очень небольшой. Сержант потерла лоб и взглянула на часы. Пять минут, подумала она. Доротея наверняка сможет ее прикрыть на то время, которое понадобится, чтобы добежать до почты, перекинуться словом с Корсико и вернуться пред светлые очи Стюарта.

Она предупредила секретаршу.

– Ты в дамской комнате, – согласилась Доротея. – Небольшие женские проблемы. Вас интересуют подробности, инспектор Стюарт?

– Спасибочки, Ди.

Барбара заторопилась к лифтам, спустилась на проходную и оттуда устремилась на почту. Корсико ждал ее сразу за входными дверями. Барбара не стала ждать, когда он расскажет о причинах своего звонка. Вместо этого она подошла к нему, схватила за руку и оттащила к автомату, продающему почтовые марки.

– Ну вот, – сказала она. – Вот я здесь, к твоим услугам, и запомни, что это твой единственный и неповторимый шанс. Что тебе надо? Митчелл, это твоя лебединая песня, не подведи.

– Я пришел не ругаться. – Он бросил взгляд на ее руку, все еще держащую его. Барбара сняла захват, и он провел рукой по рукаву, тщательно разглаживая заломы на вельвете пиджака там, где ее пальцы оставили следы.

– Отлично, – сказала Хейверс. – Прекрасно. Восхитительно. Ну, давай скажем друг другу «прощай» – и расстанемся грустными, но помудревшими после этой нашей не случившейся любви.

– К сожалению, еще рано.

– Это еще почему?

– Потому, что мне нужны два интервью.

– Мне наплевать, что тебе нужно, Митчелл, после статьи о сексуально озабоченном папашке.

– Думаю, что не наплевать. И ты это поймешь. Не прямо сейчас, а чуть позже.

– Что ты имеешь в виду? – прищурилась Барбара.

Корсико снял рюкзак и достал из него фотокамеру, которую Хейверс видела у него около школы Саида. Это была не обычная крохотная туристическая «мыльница», а профессиональная камера с большим дисплеем. Митчелл включил ее, полистал снимки и наконец нашел то, что хотел. Он повернул экран так, чтобы снимки были видны Барбаре.

На снимках была запечатлена стычка, которая произошла перед школой Саида. Мальчик и его дед сцепились в драке, а Барбара и Нафиза пытаются их растащить. На следующем фото Барбара заталкивает их всех в машину. А вот она о чем-то говорит через открытое окно машины с Нафизой, а на заднем плане всех фото хорошо просматривается здание школы... В углу каждой фотографии ясно виден час и день, когда они были сделаны. Это время удивительно точно совпадало с тем временем, когда Барбара якобы мчалась к кровати своей пострадавшей матери.

– Я думаю, – сказал Митчелл, что *«Офицер Полиции Метрополии Связан с Сексуально Озабоченным Папашкой»* – это совсем не плохой заголовок. Это история, которая открывает массу возможностей для автора, как думаешь?

Главной угрозой для Барбары была, конечно, не статья в «Сорс» о ее «связи» с Ажаром, а то, что она врала своим начальникам и не выполнила прямой приказ. Но Митчелл Корсико не должен об этом знать, и Барбара была готова сделать все возможное, чтобы скрыть это от него.

– Ну и... что? – произнесла она. – Все, что я здесь вижу, – это офицера полиции, пытающегося прекратить семейную ссору. А ты что видишь, Митчелл?

– Я вижу Саида, который рассказывает мне, что этот «офицер полиции» – еще одна папашина киска. Я вижу целый ряд уточняющих интервью, полученных в районе, прилегающем к Чолк-Фарм, и у всех, кто живет вблизи Итон Виллас.

– Тебе, что, так хочется выставить себя дураком? У тебя же нет никаких доказательств. А я клянусь тебе, что через минуту после выхода этих интервью у тебя на пороге будет стоять мой адвокат.

– За что? За то, что я интервьюирую несчастного мальчика, который ненавидит своего отца? Давай не будем, Барбара. Ты прекрасно знаешь правила. Факты – вещь интересная, но всю соль рассказу придают недомолвки и предположения. Главное слово – это «связь». Оно может означать все, что угодно. Читатель сам решит, что означают все эти ваши «нечаянные» встречи. Шалунишка, ты мне об этом ничего не сказала. Я и не знал, что ты знаешь этих людей, а уж то, что ты живешь с сексуально озабоченным папашкой на расстоянии поцелуя, для меня стало вообще откровением.

Барбара лихорадочно пыталась понять, что ей надо сделать в данный момент. Тянуть время – по-видимому, самая правильная тактика. Если она согласится на его требования, то он будет держать ее за горло. Поэтому ей оставалось только тянуть время.

– С кем ты хочешь интервью? – спросила она, притворяясь побежденной.

– Ты ж моя умница, – сказал Корсико.

– *Я не...*

– Конечно, конечно. Как хочешь, – согласился он. – Я хочу по душам поговорить с Нафизой, а уже после этого – с Ажаром.

Барбара знала, что Нафиза скорее откусит себе язык, чем встретится с каким-то репортером. Она также знала, что Митчелл Корсико – абсолютный галлюцинирующий идиот, если полагает, что Ажар согласится раскрыться перед «Сорс». Но то, что репортер, казалось, жил в мире своих оторванных от жизни иллюзий, давало Барбаре определенный шанс. Это позволяло ей выиграть, по меньшей мере, один день. Поэтому она сказала:

– Мне надо переговорить с ними. Это займет какое-то время.

– Двадцать четыре часа, – согласился он.

– Больше, Митчелл, – попыталась поспорить Барбара. – Ажар в Италии. А если ты думаешь, что Нафиза, не задумываясь, согласится излить тебе свою душу...

– Больше мне нечего предложить, – сказал Корсико. – Сутки. После этого – полиция Метрополии и сексуально озабоченный папашка. Все в твоих руках, Барб.

Чолк-Фарм,
Лондон

Надо было что-то делать, но Барбара была уверена, что бесполезно даже пытаться убедить Нафизу в том, что встреча с представителем «Сорс» в ее же интересах. Говорить с кем-нибудь из представителей газетных мусорщиков, рядящихся в одежды респектабельности, было совсем не в ее интересах; кроме того, Барбара чувствовала и свою вину за то, что благодаря ее активности на самом первом этапе все они оказались в этой идиотской ловушке. Она больше не хотела брать на себя ответственность за то, что «Сорс» сделает с брошенной семьей после того, как Нафиза даст свое интервью. Единственное, что ей оставалось, это уговорить Ажара дать интервью в свою защиту и опровергнуть инсинуации о сексуально озабоченном папашке, бросившем жену и детей. Потом ей придется уговорить Корсико согласиться на этот компромисс, состоящий из одного интервью. Она думала, что такой маневр ей по силам, если ей удастся убедить Ажара в том, что под угрозой находится ее работа. Правда, ей было непонятно, как она сможет жить после всего этого.

Барбара не общалась с Ажаром с того самого момента, как Дуэйн Доути сообщил ей, что аккуратно передал Таймулле в январе всю информацию, которую ему и его помощнице удалось собрать о местонахождении Анжелины Упман. Если это было правдой, то тогда ставилось под сомнение все, что пакистанский профессор говорил или делал после этого момента. И если все, что он говорил и делал после января, было вариациями на тему лжи, Барбара не знала, что ей с этим делать или кому ей об этом сообщить.

Казалось, что единственным способом решить эту проблему было хорошо поесть. Приехав домой, Хейверс проглотила двойную порцию трески с картошкой, сладкий пирог со взбитыми белками и запила все это бутылкой пива. Завершилась трапеза двумя чашками растворимого кофе и упаковкой чипсов «уксус с солью». После всего этого она съела неизбежное яблоко, которое должно было очистить ее сосуды, если жевать его достаточно долго и вдумчиво.

После этого откладывать звонок в Италию было уже нельзя без риска ввести себя в калорийный ступор. Барбара зажгла сигарету и набрала номер Ажара. Никогда в своей жизни она так не боялась телефонного звонка. Ей придется все рассказать ему: начиная с сексуально озабоченного папашки и кончая обвинениями частного детектива. Но она не видела другого выхода.

Барбара не была готова к тому, что Ажар ответит на ее звонок из больницы Лукки. Анжелина, сказал он, была привезена сюда по требованию Лоренцо Муры и совету инспектора Линли. Она плохо чувствовала себя вот уже два дня, и это сопровождалось массой настораживающих симптомов, хотя сама Анжелина была уверена, что это связано с утренним токсикозом, который был у нее с самого начала беременности. Однако состояние женщины ухудшилось, и Мура с Линли были уверены, что это связано с чем-то более серьезным, чем просто токсикоз.

Барбара ненавидела себя за то, что ее мысли сразу сосредоточились на том, как она может использовать эту информацию, чтобы заткнуть Митчелла Корсико. История о том, как мать пропавшего ребенка оказалась в клинике в состоянии, угрожающем ее жизни... возможно, на грани потери своего неродившегося ребенка... переутомленная и заболевшая из-за похищения своего первого ребенка... отчаянно ждущая, что итальянская полиция сделает хоть что-то, чтобы найти девочку, вместо того, чтобы сидеть и поглощать несметные количества вина... Этот рассказ был бы настоящей жемчужиной, правда? Рассказ должен был затронуть сердечные струны всех. Конечно, это зависело от того, имели ли журналист и читатели «Сорс» сердце, но в любом случае такой рассказ был лучше, чем первополосное интервью Ажара, отвечающего на заранее заготовленные вопросы Корсико и, в результате, оказывающегося еще более запачканным, чем до интервью.

– Что вы имеете в виду, говоря «не связаны непосредственно с беременностью»? – спросила Барбара, стараясь скрыть надежду в своем голосе.

– Симптомы, согласно синьору Муре, очень серьезные и настораживающие, – сказал Ажар. – Здешние врачи очень обеспокоены. Обезвоживание, тошнота, диарея...

– Похоже на грипп. Может быть, вирус? Или сверхтяжелый вариант утреннего токсикоза?

– Она очень слаба. Мне позвонил инспектор Линли. Я сразу пришел, чтобы узнать, не могу ли я чем-нибудь... Я не могу понять, зачем я пришел?

Барбара хорошо понимала, зачем Таймулла пришел в больницу. Он любит эту женщину, и всегда любил. Несмотря на все ее грехи, несмотря на то, что она отобрала у него ребенка, ради которого он жил, все равно оставалось что-то, что крепко связывало их вместе.

Барбара никогда не понимала, откуда берутся такие крепкие узы между людьми, и подозревала, что уже никогда не поймет.

– Вы ее уже видели? – спросила она. – Как она... Я не знаю... Она в сознании? Ей больно?

– Я ее еще не видел. Лоренцо... – Ажар замолчал, задумавшись, затем сменил тему. – У нее сейчас, наверное, берут анализы. Надо, чтобы ее осмотрели несколько специалистов. Я думаю, что все это, вероятно, одновременно связано со стрессом от похищения Хадии и с беременностью. Сейчас я знаю слишком мало, Барбара. Надеюсь, узнаю больше, если останусь.

Так вот почему он оказался там, подумала Хейверс. Лоренцо Мура и близко не подпускает его к Анжелине. Она сама видела, как итальянец с подозрением относился к Ажару и к его отношениям с Анжелиной, когда они появились в Лондоне, чтобы найти Хадию. Лоренцо не был в ней уверен. Но, с ее-то предыдущей биографией, кто ей поверит?

Барбара подумала о той власти, которую Анжелина Упман имела над мужчинами. О том, до чего она могла довести мужчину, чтобы тот остался ее любовником после всего, что произошло.

А это опять напомнило Барбаре о причине звонка Ажару. Существовала некая ситуация, о которой ей рассказал Дуэйн Доути, заключавшаяся в том, что вся информация, полученная им и его сотрудниками о месторасположении Анжелины Упман и об участии в этом деле ее сестры, была своевременно доведена до Ажара. Если верить Доути, все детали, связанные с исчезновением, были сообщены заказчику, который нанял его, чтобы выяснить, где находятся мать и дочь, то есть Таймулле Ажару. Но тот ничего не говорил Барбаре об этих деталях в течение многих месяцев. То есть или он лгал ей по оплошности, или Дуэйн Доути лгал ей, сообщая неверную информацию.

Барбара знала, что скорее поверит Ажару. Она чувствовала к нему невероятную предрасположенность и не хотела верить, что он мог разрушить это чувство предательством.

Хейверс понимала, что профессиональный детектив не может оказаться в такой ситуации. Но те слова, которые она должна была сказать Ажару («Доути говорит, что передал вам массу информации в январе, что же вы с ней сделали?»), застревали у нее в горле. Однако она понимала, что должна сказать что-то в этом роде, иначе ей просто будет сложно с этим жить. Поэтому она спросила:

– Вся эта история про Италию, Ажар...

– Да?

– Вам никогда не приходило в голову, что все это время они могли находиться в Италии?

– Откуда мне могла прийти в голову Италия? – Его ответ был мгновенным, простым и с ноткой сожаления. – Она могла быть где угодно на земном шаре. Если бы я знал, где ее искать, то поменял бы небо с землей местами, чтобы вернуть Хадию.

Вот и всё, подумала Барбара. Это всегда останется неизменным – Хадия и то, что она значит для отца. Было невозможно предположить, что Ажар четыре месяца назад узнал, где находится Хадия, и не предпринял ничего, чтобы вернуть ее домой. Просто он был устроен по-другому.

Но с другой стороны... Поскольку Доути заронил в мозг Барбары идею возможного предательства, она продолжала существовать, где-то на задворках ее мыслей. Несмотря на все то, что Барбара знала об Ажаре, и несмотря на то, как она в него верила, она лично перепроверит его берлинское алиби. Хейверс больше не верила Дуэйну Доути.

Боу,
Лондон

Дуэйн Доути направлялся к Виктория-парк. Он хотел подумать – а сама по себе прогулка, так же как и парк, если идти в сторону Краун-Гейт-Ист, помогали ему в его размышлениях. Остаться в офисе значило поиметь еще один тет-а-тет с Эмили. Ее заявления о предстоящих карах начинали доставать его. Дуэйн всегда верил, что, если принять серьезные меры предосторожности, все в конце концов будет хорошо, и по завершении этого покера они просто соберут фишки и поделят прибыль. Но Эмили думала по-другому.

Поэтому Доути не хотел, чтобы она узнала, что он начал беспокоиться. Эмили была полностью занята поисками любовного гнездышка сорокапятилетнего банкира и его двадцатидвухлетней любовницы, поэтому ему удавалось избегать встреч с ней. У нее действительно было много работы, и она мало задумывалась о его собственных занятиях. Но через два-три дня файл на банкира будет собран – фото, слипы кредитных карточек, телефонные звонки и все остальное, – и после того, как семейная жизнь этого идиота разрушится, отношения Дуэйна с Эмили Касс тоже будут поставлены под угрозу. Ему надо было придумать какие-то ответы для своей помощницы. Он не мог позволить себе потерять ее, со всеми ее способностями, а Доути знал, что это произойдет, если он не сможет разобраться с тем, что происходило в Италии.

Отчасти это и было причиной его прогулки: сначала анализ, затем принятие решения, и только потом действие. Все началось с приобретения разового телефонного аппарата. Если бы Дуэйн сделал какие-нибудь подозрительные звонки из офиса, Эм набросилась бы на него, как тигрица.

В принципе, дело должно было уже закончиться. Во всем этом не было ничего сложного. Доути уже давно должен был услышать «все в порядке», после этого «все хорошо», а в конце – «*arrivederci*»[1]. Ничего из этого Дуэйн не услышал, и теперь он понимал, почему. В первую очередь потому, что ничего не вышло.

– Я не знаю, – услышал он ответ на свой вопрос: «Что, черт возьми, происходит?» – когда на его звонок ответили.

– Что значит «я не знаю»? Вам платят за то, чтобы вы знали. Вам платят за то, чтобы вещи происходили.

– Все было сделано, как вы просили. Но где-то что-то пошло не так, и я не знаю, где.

– Как, во имя Господа, вы можете этого не знать?

На другом конце повисла тишина. Доути напряженно вслушивался. В какой-то момент он подумал, что связь разъединилась, и он уже хотел перезванивать. Но в этот момент в трубке раздалось:

– Я не мог рисковать. Я не мог сделать так, как хотели вы. С использованием *mercato*. Меня бы сразу запомнили.

– О *mercato* заговорили вы, а не я, дурак вы долбаный. Это совсем не обязательно должно было произойти на *mercato*. Это могло случиться где угодно: в школе, в парке, на ферме...

– Все это не важно. Вы не понимаете одного... – Пауза, затем: – Вы не можете обвинять меня. Вы хотели, чтобы ее нашли, и я ее нашел. Я сообщил вам имя. Я дал вам место и координаты. Вы захотели украсть ее, не я. Если бы я знал заранее, что таковы ваши намерения, я бы никогда... как это у вас говорится, не сел бы с вами на этот поезд.

– Но вам понравилась идея заработать неплохие деньги, сукин вы сын.

– Думайте что хотите, мой друг. Но то, что полиция до сих пор не смогла найти ее, говорит о том, что мой план правилен. *Giusto*[2], как мы говорим.

---

[1] Прощайте (*итал*).

[2] На все сто (*итал.*).

Доути почувствовал холод в трусах, когда услышал «мой план». Ведь должен был быть всего один план. *Его* план. Забрать девчонку. Спрятать ее. И ждать, пока он скажет, куда ее доставить. Тот факт, что, оказывается, был еще один план, о котором он ничего не знал, лишил Доути дара речи. Но он все-таки произнес:

– Ты хочешь получить деньги Муры. Это было твоей целью с самого начала?

– *Pazzo*[1], – услышал он в ответ. – Вы прямо как ревнивая жена.

– И что это, черт возьми, должно значить?

– Это значит, что копы вышли на меня, *sciocco*[2]. Это значит, что мой план не сильно отличался от вашего. А сейчас я буду сидеть в камере и ждать, что *il Pubblico Ministero* решит со мной делать. И в камере я не из-за того, за что вы меня ругаете. Вы хотели, чтобы ее украли? Я это организовал. *Capisce*[3]?

Наконец Доути понял, о чем идет речь.

– Кто-то *еще*... Ты сошел с ума? Что он с ней сделал? И, вообще, это был «он» – или ты обратился к какой-нибудь итальянской бабульке, которой нужны бабки? А почему не албанский иммигрант? Или африканец? Или чертовы румынские цыгане? Ты хоть знаешь, кому это все поручил? Или это был просто уличный прохожий?

– Эти ваши оскорбления... Они ни к чему не приведут.

– Мне нужна эта девочка.

– Мне тоже, хотя, подозреваю я, по совсем другой причине. Еще раз говорю: я все закрутил, как и обещал. Что-то произошло, и я не знаю, что. За ней поехали, чтобы закончить эту историю, но... посыльный, который за ней поехал... Я не знаю.

– Что? Что именно ты не знаешь?

– Я предпринял... *come si dice*?[4] Осторожность. Нет, предосторожность. Мне казалось, что будет умно, если я не буду знать, где ее прячут. Тогда, если полиция вышла бы на меня, а это уже произошло, я не смог бы им ничего сказать, не важно, как долго меня допрашивали бы.

– То есть, – сказал Доути, – ты даже не уверен, жива ли она? Этот... этот твой посыльный мог украсть и убить ее. Она могла не повести себя как безмолвная жертва уличного похищения, она могла поднять шум. Он мог даже запихнуть ее в багажник маши-

---

[1] Ненормальный (*итал.*).

[2] Глупец (*итал.*).

[3] Понятно (*итал.*).

[4] Как это говорится (*итал.*).

ны, где она задохнулась... И вот – здравствуйте, я ваша тетя, он посреди улицы с трупом в багажнике.

– Этого не случилось. Этого не могло произойти.

– Да откуда ты знаешь?

– Я очень тщательно отобрал... посланца, давайте так его назовем. Он с самого начала знал, что выплата его полного гонорара зависит от состояния девочки и ее здоровья.

– Ну, и где он? Где она? Что же все-таки случилось?

– Именно это я сейчас и пытаюсь выяснить. Я звонил, но пока безрезультатно.

– То есть что-то пошло не так. С этим ты согласен?

– *Si. Sono d'accordo*[1], – послышался ответ. – Прошу вас поверить, что я обязательно выясню, что же все-таки произошло. Но поймите, мне приходится соблюдать осторожность, потому что полиция следит за мной.

– Да хоть швейцарская гвардия, мне по барабану, – сказал детектив. – Я хочу, чтобы девочка была найдена. Сегодня.

– Сомневаюсь, чтобы это было возможно, – сказал его собеседник. – Сначала надо найти того, кто за ней поехал. До этого я буду знать не больше, чем вы.

– Тогда, черт возьми, найди посыльного! – взревел Доути. – Потому что если я приеду в Италию сам, счастья тебе это не принесет.

Сказав это, он сломал телефон пополам. Дуэйн стоял на мосту, по которому проходила Ганмейкерс-лейн над каналом Хертфорд-Юнион. Он выругался, швырнул обломки в тяжелые, мрачные волны и следил, как те медленно погружаются в воду, надеясь, что это еще не метафора того, что происходит с его жизнью.

АПРЕЛЬ, 28-е

Лукка,
Тоскана

Сальваторе Ло Бьянко, как и всегда, предложил своей матери помощь. Она, как всегда, отказалась. «Никто, – сказала она, тоже как всегда, – не будет мыть и полировать надгробную плиту на могиле его отца, пока жива его верная жена. Нет, нет, нет, *figlio mio*[2],

---

[1] Да, согласен (*итал.*).

[2] Мой сын (*итал.*).

это не займет много времени. Не больше, чем потребуется на то, чтобы доковылять до источника, развести мыло и приготовить полироль, и тереть эту плиту до тех пор, пока в ней не станет отражаться мое старое скорбящее лицо и небо, с этими великолепными облаками надо мной. Однако ты можешь посмотреть, *figlio mio,* как это делается, чтобы потом самому ухаживать за камнем, когда мое несчастное тело, наконец, упокоится рядом с твоим отцом».

Сальваторе сказал, что он лучше пройдется, погуляет по дорожке, идущей вокруг могил в этом секторе. Ему надо немного подумать. Она может позвать его, если понадобится помощь, – он будет недалеко.

Мама сделала жест плечами, типичный для любой итальянской матери. Конечно, он может делать, что хочет. Сыновья всегда так поступают, правда? Затем она отвернулась и сказала: «*Ciao, Giuseppe, morito carissimo*»[1]. И стала рассказывать умершему о том, как она по нему скучает и как каждый день приближает ее к их окончательному воссоединению. После этого она занялась могилой.

Сальваторе наблюдал за ней, пряча улыбку. В их совместной жизни, подумал он, случались такие моменты, когда она была не его матерью, а карикатурой на всех итальянских матерей, этакая «Мама Италия». Сейчас как раз один из таких моментов. Вся правда состояла в том, что Тереза Ло Бьянко, насколько Сальваторе знал это, прожила замужнюю жизнь, ненавидя его отца. Она была одной из тех невероятных итальянских красавиц, от одного вида которой у окружающих дух захватывало. Однако она рано вышла замуж и растеряла всю свою красоту, рожая детей и работая на кухне. И она никогда не забывала этот факт – за исключением тех моментов, когда приходила на *Cimitero Urbano di Lucca*[2]. Здесь, не успевал Сальваторе припарковаться около его величественных ворот, ее лицо меняло свое выражение – с плохо скрываемого гнева на горе и страдание. Это делалось настолько профессионально, что любой, кроме Сальваторе, увидев ее, подумал бы: вот любящая вдова, только что потерявшая самое дорогое и не желающая смириться с потерей.

Сальваторе улыбнулся и, засунув пластинку жевательной резинки в рот, начал свою прогулку. Он прошел половину расстояния вокруг кладбищенского сектора, с его могилами, украшенными скульптурами ангелов, святых и Девы Марии с ее сыном, когда

---

[1] Здравствуй, Джузеппе, мой уважаемый муж (*итал.*).

[2] Городское кладбище Лукки (*итал.*).

раздался телефонный звонок. Сальваторе посмотрел, кто звонил. Англичанин. Этот парень, Линли, ему определенно нравился. В самом начале старший инспектор думал, что лондонец будет совать нос во все дела и мешать вести расследование, но оказалось, что он ошибался.

На его *pronto* раздался аккуратный итальянский детектива Линли. Томас звонил, чтобы сообщить ему, что мать похищенной девочки была доставлена в больницу.

– Я не был уверен, что вы это знаете, – сказал Линли. Он рассказал, что, когда видел ее в *fattoria* два дня тому назад, она уже была слаба, а вчера недомогание обострилось.

– Синьор Мура настоял, чтобы ее отвезли в больницу. Я с ним согласился, – сказал англичанин.

Потом он рассказал о своих разговорах с Лоренцо Мурой и Анжелиной Упман. Он рассказал о человеке, которого видел в *fattoria* и который якобы покупал осленка. Этот человек передал Лоренцо толстый конверт, якобы с уплатой за покупку. Но английскому детективу это показалось подозрительным. Каково было финансовое положение семьи Мура? А самого Лоренцо? Что значил этот конверт?

Сальваторе понял, на что намекает англичанин. Потому что все переделки, которые Лоренцо Мура планировал в поместье, требовали больших денег. Его семья была довольно состоятельна, так повелось издревле, но у самого Муры с деньгами была напряженка. Помогли бы они ему, если бы за похищенного ребенка его любовницы потребовали выкуп? Наверное, да. Но требования о выкупе не было, что скорее указывало на то, что Лоренцо Мура не был замешан в похищении дочери Анжелины.

– Могут быть и другие причины, помимо денег, почему он хотел, чтобы Хадия исчезла из жизни Анжелины, – сказал Линли.

– Тогда этот человек просто монстр.

– В своей жизни я повидал немало монстров, так же, как, наверное, и вы, – заметил англичанин.

– Я не полностью сбросил Лоренцо со счетов в моих версиях, – признался Сальваторе. – Может быть, нам, вам и мне, пора уже встретиться и поговорить с Карло Каспариа? Пьеро заставил его «вообразить», как было совершено это преступление. Может быть, он сможет «вообразить» еще кое-что о том дне на *mercato*, когда исчезла девочка.

Сальваторе предложил встретиться у ворот внутреннего города, где они уже один раз встречались. Он объяснил, что сейчас находится на кладбище – ежемесячное традиционное посещение могилы отца.

– Встретимся через час, *Ispettore*? – предложил Ло Бьянко.

– *Aspetterm*, – ответил Линли. Он будет ждать около ворот.

И он уже был там, когда подъехал Ло Бьянко. Англичанин читал «Прима воче». Карло Каспариа опять был на первой странице. Журналисты разыскали его семью в Падуе; теперь они раздували историю о разрыве семьи с непутевым сыном. Еще пару дней «Прима воче» будет печатать истории о том, как Карло Каспариа впал в немилость у семьи. А в это время, подумал Сальваторе, мы сможем заняться своей работой, не боясь вмешательства таблоида.

Он притормозил у *questura*, чтобы забрать лэптоп с фотографиями, сделанными американкой и ее дочерью на *mercato* в день похищения. Затем они с Линли направились в тюрьму, где теперь содержался злополучный молодой человек. Потому что, как только подозреваемый делал признание или как только ему предъявлялись формальные обвинения в совершении преступления, его сажали в тюрьму, и только Апелляционный трибунал мог разрешить отпустить его под залог до суда. Постольку, поскольку это подразумевало наличие у обвиняемого постоянного жилья, а конюшня в Парко Флувиале таковым не являлась, Карло приходилось ждать суда в тюрьме, где он сейчас и находился. Однако, когда они приехали в тюрьму, им сообщили, что Карло находится в тюремной больнице. Как оказалось, он плохо переносил внезапное отсутствие наркотиков в своем организме. Он также очень плохо переносил лечение, но никто не испытывал к нему ни малейшей симпатии по этому поводу.

Таким образом, Сальваторе и Томас нашли Карло в мрачном помещении с узкими койками. Пациенты в нем были или прикованы за колени к койкам, или слишком слабы, чтобы попытаться вырваться на свободу из рук санитаров и врача, находящегося на дежурстве.

Карло Каспариа принадлежал к последней группе – фигура, лежащая в положении эмбриона на кровати под белой простыней, на которую было наброшено тонкое голубое одеяло. Он дрожал и тупо смотрел в никуда. Губы у него были сухие, лицо небрито, а рыжеватые волосы неровно подстрижены. От него исходил тошнотворный запах.

– *Non so, Ispettore*[1], – неуверенно сказал Линли.

---

[1] Я не знаю, инспектор (*итал.*)

Сальваторе согласился. Он тоже не знал, *что* получится из допроса и сможет ли Карло вообще понять, чего от него хотят. Но это была еще одна версия, и ее тоже надо было проверить.

– *Ciao*, Карло, – старший инспектор взял металлический стул с прямой спинкой и поставил его рядом с кроватью. Линли сел на другой. Сальваторе подвинул столик так, чтобы на него можно было поставить компьютер. – *Ti voglio far vedere alcune foto, amico*, – сказал он. – *Gli dai uno sguardo?*[1]

Карло лежал на кровати молча. Если он и услышал, что Сальваторе сказал насчет фото, то никак этого не показал. Его глаза были сосредоточены на чем-то за спиной Сальваторе, и когда тот повернулся, то увидел, что Карло, не отрываясь, смотрит на часы на стене. Бедняга следил за тем, как утекали последние мгновения его страданий.

Сальваторе переглянулся с Линли. Он видел, что англичанин тоже испытывает неуверенность.

– *Voglio aiutarti*? – спросил Сальваторе Карло. – *Non credo che tu abbia rapito la bambina, amico*[2]. – Он показал первую из фотографий и пробормотал: – *Prova, prova a guardarle*[3].

Если только Карло постарается, все остальное он сделает сам. Просто посмотри на фото, мысленно уговаривал он молодого человека. Переведи свой взгляд на экран компьютера.

Сальваторе показал все фото – без всякого результата. Потом он сказал наркоману, что они попробуют еще раз. Он хочет попить? Поесть? Может быть, ему дать еще одно одеяло?

– *Niente*. – Это было первое слово, которое произнес Карло. Теперь ему уже ничего не надо.

– *Per favore*, – попросил Сальваторе. – *Non sono un procuratore. Ti voglio aiutare, Carlo*[4].

Вот это, наконец, дошло до него: «Я ни в чем тебя не обвиняю, Карло. Я хочу тебе помочь». К этому Сальваторе добавил, что ничего из того, что Карло сейчас скажет, не будет записано и не будет использовано против него. Они, он и второй мужчина, который сидел у кровати, английский детектив из Скотланд-Ярда, искали

---

[1] Я хочу, чтобы ты посмотрел на некоторые фото, приятель. Взглянем? (*итал.*)

[2] Хочешь помочь? Я не думаю, что это ты украл ребенка, приятель (*итал.*).

[3] Постарайся, постарайся посмотреть на них (*итал.*).

[4] Я не прокурор. Я хочу помочь, Карло (*итал.*).

человека, который похитил девочку. Они не думают, что этим человеком был Карло. Он не должен их бояться. Хуже ему уже не будет, даже если он поговорит с ними.

Карло перевел взгляд. Сальваторе пришло в голову, что боль, которую он испытывает, делает любое его движение мучительным. Поэтому старший инспектор поместил компьютер на уровне лица Карло и стал медленно показывать фотографии еще раз. Но Карло ничего не говорил, глядя на них, – просто отрицательно мотал головой, когда Сальваторе останавливался на каждой из них и спрашивал, не знает ли Карло кого-то из изображенных на фото.

Снова и снова его губы произносили НЕТ. Вдруг взгляд Карло изменился. Изменение было еле заметным – его брови слегка сдвинулись, язык, почти белый, облизал верхнюю губу. Сальваторе и Томас заметили это одновременно, и оба склонились к экрану, чтобы увидеть, на какой кадр он смотрит.

Это была фотография отрезанной свиной головы в *bancarella*[1], где продавалось мясо жителям Лукки. На этом фото Лоренцо как раз покупал мясо сразу за головой.

– *Conosci quest' uomo?*[2] – спросил Сальваторе.

Карло покачал головой. Он его не знает, сказал он, но видел его раньше.

– *Dove?*[3] – спросил Сальваторе с надеждой. Он посмотрел на Линли и увидел, что англичанин внимательно следит за Карло.

– *Nel parco*, – прошептал Карло. – *Con un altro uomo*[4].

Сальваторе спросил, сможет ли Карло узнать другого мужчину, которого он видел с Лоренцо Мурой в парке. Он показал наркоману увеличенное изображение темноволосого мужчины, который стоял за Хадией в толпе. Но Карло отрицательно покачал головой. Это был не он. Несколько вопросов показали, что это также не был и Микеланджело Ди Массимо, с его копной крашеных волос. Это был кто-то другой, но Карло не знал, кто. Просто этот человек встретился с Лоренцо, и тогда рядом не было детей, которых Мура тренировал частным образом. Сначала они были, бегали по полю, но, когда появился этот человек, все дети исчезли.

---

[1] Палатка (*итал.*).

[2] Ты знаешь этого человека? (*итал.*)

[3] Где? (*итал.*)

[4] В парке. С другим мужчиной (*итал.*).

Виктория,
Лондон

На этот раз перед встречей Митчелл Корсико позвонил ей по телефону. Однако это была совсем маленькая победа, потому что тон его не изменился, и он пел все ту же старую песню, которую исполнял во время их последнего разговора. Однако сама ситуация изменилась. «Сан», «Миррор» и «Дейли мейл» стали тратить серьезные деньги на отслеживание ситуации с пропавшей английской девочкой, направив своих ходоков в Тоскану. Началось соревнование за «новости каждый день», и Митчелл Корсико тоже хотел получить свое.

Однако Барбара с удивлением узнала, что он все еще думал о «*Полицейский Связан с Сексуально Озабоченным Папашкой*». Кроме того, Митчелл опять стал угрожать. Он все еще хотел получить эти чертовы эксклюзивные интервью с Нафизой и Ажаром, а Барбара была инструментом для их получения. Если она ему в этом не поможет, то увидит свою физиономию на первой странице «Сорс» вместе с дерущимися сыном и отцом Ажара.

Было невозможно объяснить ему, что новостью дня было «*Мать Похищенной Девочки в Больнице*», о чем уже писала «Дейли мейл». Со своей стороны, «Миррор» развлекалась, строя предположения о причинах, которые привели Анжелину Упман в больницу. Казалось, оба таблоида склонялись к версии самоубийства – «*Отчаявшаяся Мать Сводит Счеты с Жизнью в Больнице*», – о чем они спокойно могли строить любые домыслы, потому что итальянцы официально ничего никому не сообщали.

Барбара попыталась договориться с Корсико.

– История развивается в Италии. Какого черта ты делаешь в Лондоне, пытаясь следить за ней отсюда?

– Мы с тобой оба знаем, как дорого стоят интервью, – не согласился тот. – И не притворяйся, будто веришь, что подметание мусора во вшивой итальянской больнице что-то может дать, потому что это полная ерунда.

– Хорошо, тогда попробуй взять интервью у кого-нибудь там. Но интервью с Нафизой, или еще одна беседа с Саидом... Это-то что тебе даст?

– Тогда дай мне Линли, – потребовал Корсико. – Дай мне номер его мобильного.

– Если ты хочешь переговорить с инспектором, то оторви свою жирную задницу от стула, отправляйся в Италию и поговори с ним там. Поошивайся рядом с полицейским участком в Лукке, и очень скоро ты его увидишь. Поищи его по гостиницам. Город не очень большой, сколько их там может быть?

– Я не собираюсь писать о том же, о чем пишут все эти гребаные конкуренты. Мы первые начали писать об этом, и мы так и останемся первыми. Стояние со всеми остальными в Тоскане не даст мне ничего, кроме дерьма на палочке. Вот как я все это себе представляю. Тебе пора сделать выбор. Три варианта, и тридцать секунд на размышление. Я тебе их перечислю, хорошо? Первый: ты обеспечиваешь мне жену и интервью. Второй: ты обеспечиваешь мне Ажара и интервью. Третий: я публикую вариант *«Офицер Полиции Связана с Сексуально Озабоченным Папашкой»*. Могу даже предложить четвертый: ты даешь мне мобильный Линли. Итак, я начинаю считать, или у тебя есть часы, чтобы наблюдать, как улетают секунды, пока ты думаешь?

– Послушай, ты, идиот, – рявкнула Барбара. – Я уже не знаю, как вбить в твою дурацкую башку, что история разворачивается в Италии. Линли в Италии. Ажар в Италии. Анжелина в больнице в Италии. Хадия тоже в Италии, так же как ее похититель и полиция. Так что если ты предпочитаешь сидеть здесь и выдумывать, какая у меня может быть связь с сексуально озабоченным папашкой, то флаг тебе в руки. Ты можешь написать десяток страниц о том, как выглядит наша горячая любовь, – и ты получишь свою чашку риса, или как еще ты это называешь. Но ведь другой идиот может подхватить эту историю и взять интервью уже у меня, чтобы получить мои объяснения – и, поверь мне, я в подробностях расскажу, как пыталась отговорить «Сорс» от использования перевозбужденного тинейджера, имеющего вполне объяснимый зуб на отца, для того, чтобы получить историю, на шестьдесят процентов состоящую из ненависти и на сорок процентов – из фантазий. И я во всеуслышание спрошу: может быть, стоит задуматься об адекватности источника информации «Сорс» – прости за этот невольный каламбур, – потому что они ничего не пишут о самой истории исчезновения девочки за границей, и стоит ли, в таком случае, покупать эту бесполезную газету, уважаемые читатели?

– Что ж, хорошо. Просто классно, Барб. Как будто эта публика интересуется чем-то еще, кроме обывательских слухов. Ты не тем мне угрожаешь. Я зарабатываю на том, что скармливаю мусор голодным чайкам, а они с удовольствием его поглощают.

Барбара знала, что в этом есть доля правды. Таблоиды всегда обращались к самым низким человеческим инстинктам. Они делали деньги на желании людей знать о чужих грехах, о коррупции и жадности. Но именно поэтому у нее в кармане был припрятан туз, и она решила разыграть его прямо сейчас.

– Ну, если все так, как ты говоришь, – сказала она Корсико, – то как насчет нового подхода, которого нет ни у кого?

– Ни у кого нет «*Офицер Полиции Связана...*».

– Правильно. Давай на минуту забудем об этом. А как насчет «*Сексуально Озабоченная Мамаша, Сбежавшая со Своим ребенком, теперь Беременна еще Одним и от Другого Мужчины*»? Поверь мне, такого нет ни у одного из конкурентов.

На другом конце повисла тишина. В ней Барбара почти слышала, как проворачиваются мысли в голове Корсико. Именно поэтому она продолжила:

– Это тебе понравилось, Митчелл? Это интересно, и это правда. Но история все-таки разворачивается сейчас в Италии, как и все это время, а я дала тебе инфу, которой нет больше ни у кого. Ты можешь ее использовать, выбросить или забыть о ней. Извини, но у меня дела.

И она разъединилась. Это было рискованно. Корсико легко мог принять все это за блеф и продолжить заниматься своей историей. Которая приведет к опубликованию на первой странице фотографий. Которые вызовут вопросы о том, как она попала в Илфорд в середине рабочего дня. С Джоном Стюартом на ее хвосте это было совершенно нежелательно. Барбара прекрасно понимала, что не может позволить своей ссоре с Корсико привести к опубликованию этих снимков. Но у нее были другие дела, не имевшие отношения к танцам под дудку журналюги.

Барбара переговорила с Линли. Она знала, что был произведен арест, но из рассказа Томаса Хейверс поняла, что основной причиной ареста Карло Каспариа послужили фантазии прокурора. Линли объяснил ей, как проходит расследование в Италии – с самого начала в нем принимает участие будущий обвинитель; кроме того, он сообщил, что старший инспектор имеет свое мнение, отличное от мнения прокурора, поэтому «Старший инспектор Ло Бьянко и я, мы работаем здесь с большой осторожностью». Барбара знала, что это значило «мы идем в расследовании своим путем». Скорее всего, это относилось к Лоренцо Муре, красной открытой машине, тренировочному полю в парке и фотографиям, сделанным туристкой на *mercato*, откуда была похищена Хадия. Линли не сказал, каким образом взаимосвязаны все эти вещи, но то, что он и старший инспектор были не согласны с арестом, говорило Барбаре о том, что оставалось еще много невыясненного, что требовало тщательного изучения – как в Италии, так и в Лондоне. И что они в этом смысле надеялись на ее помощь.

Неожиданная помощь пришла от Изабеллы Ардери. Так как она приказала инспектору Стюарту давать ей задания, соответствующие ее уровню сержанта, тому ничего не оставалось делать, как выпустить ее в поле с заданиями, связанными как с первым, так и со вторым расследованием, которые он возглавлял. По той кислой манере, с которой он распределил задания на день, было видно, что он всем этим очень недоволен. То, что Стюарт продолжит следить за Барбарой, даже несмотря на распоряжение Ардери, было совершенно очевидно уже по одному тому, как он наблюдал за тем, как она уходила.

Барбаре надо было сделать несколько звонков, прежде чем приступать к заданиям, и он расположился достаточно близко к ней, чтобы слышать все, что она будет говорить. «Было большой удачей, что Корсико позвонил мне, когда я покупала что-то в одном из автоматов на лестнице», – подумала Барбара. Она сделала три телефонных звонка, чтобы назначить три интервью, которые он велел ей провести. Она устроила показательное шоу из тщательной фиксации адресов и времени интервью, и еще большее шоу из разработки маршрута при помощи Интернета, для того чтобы использовать свое рабочее время с максимальной эффективностью.

Затем Барбара закрыла блокнот, взяла сумку и направилась к выходу. К счастью, Уинстон Нката сидел за своим столом; она остановилась возле него, открыла свой блокнот и притворилась, что тщательно записывает его ответы на свои вопросы.

Вопросы были достаточно простыми. Еще раньше Барбара попросила его проверить алиби Ажара в Берлине, так как знала, что ей самой будет очень трудно сделать это из-за постоянной слежки со стороны инспектора Стюарта. Ну, и что ему удалось выяснить? Все ли сказанное Ажаром было правдой? Сказал ли Доути ей всю правду о своих изысканиях в Берлине?

– Все в порядке, Барб, – сказал ей Уинстон тихим голосом.

Он тоже устроил шоу – достал папку, раскрыл ее и стал якобы сообщать Хейверс информацию, которая была в ней написана. Барбара наклонилась, чтобы посмотреть, что же в реальности было в папке. Оказалось, что это была страховка на его машину.

– Все совпадает, – сказал Нката. – Все это время он находился в Берлине, что подтверждается гостиницей. Как Доути и сказал тебе, Ажар выступил с двумя сообщениями и присутствовал на заседаниях.

Барбара почувствовала облегчение – теперь хотя бы об этом можно было не беспокоиться. Однако она спросила:

– А как ты думаешь, не мог ли кто-то выступить вместо Ажара?

Уинстон быстро взглянул на нее:

– Барб, этот парень микробиолог. Как мог кто-то им притвориться, да еще говорить на одном языке с остальными участниками? Значит, он должен был быть пакистанцем? Потом, этот кто-то должен был знать специфику: выступить с докладом, ответить на вопросы... или как там это у них называется. В-третьих, этот кто-то должен был бы задаться вопросом: а что он делает в Берлине вместо Ажара, когда тот... что, похищает в Италии свою собственную дочь?

Барбара пожевала губу. Она думала над тем, что сказал Уинстон. Он прав. Это было странное направление расследования, несмотря на всю полуправду, которую сообщал ей Доути. С другой стороны, она помнила, что мудрец изучает все вероятности, поэтому продолжила:

– А что, если это был кто-то из его лаборатории? Какой-нибудь выпускник? Знаешь, кто-то, кто хочет вымостить себе дорогу к получению научной степени? Что это вообще значит – выпускник? Я не знаю, а ты?

Уинстон погладил свой боевой шрам на щеке.

– Я, что, выгляжу как человек, который много знает об университетах?

– А-а-а. Ну да, – сказала Барбара. – Так...

– Мне кажется, что если тебе нужна еще информация, то ее может сообщить только Доути. Думаю, что тебе надо надавить на него. Кроме него, никто ничего больше не скажет.

Конечно, Уинстон был прав. Только давление на Доути могло что-то дать. Барбара захлопнула блокнот, засунула его в сумку и сказала – так, чтобы ее услышал инспектор Стюарт:

– Хорошо. Я тебя услышала. Спасибо, Уинни. – И ушла.

Когда дело идет о том, чтобы надавить на кого-нибудь, нет ничего лучше местного полицейского участка. Поэтому по пути к машине Барбара позвонила в участок на Боу-роуд, представилась и сказала, что ей надо допросить некоего Дуэйна Доути в связи с расследованием похищения ребенка в Италии, в котором также принимали участие представители Скотланд-Ярда. Не может ли кто-нибудь забрать его, запереть и подержать под стражей, пока она не приедет? Конечно, мы этим займемся. Рады помочь, сержант Хейверс. К моменту, когда вы появитесь в комнате для допросов, он уже будет грызть ногти и исходить потом от страха, или что вы еще хотите, чтобы он делал.

«Отлично», – подумала Барбара. Она взглянула на адреса, по которым должна была провести интервью по распоряжению инспектора Стюарта. Один был южнее реки, два других – на севере Лондона. Боу-роуд находилась на востоке. В мире, где все, кому ни лень, боролись за конституционные права граждан, у Барбары не возникло вопроса, куда она должна ехать в первую очередь.

Лукка,
Тоскана

К тому времени, когда Сальваторе и инспектор Линли вернулись с допроса Карло Каспариа в тюремной больнице, полицейские, занимавшиеся проверкой автомашин соратников Лоренцо Муры по футбольной команде, закончили работу. Среди всех автомашин была одна красная, но не открытая. «Не важно, – сказал Сальваторе. – Теперь надо проверить машины, принадлежащие членам семьи каждого ребенка, которого Мура тренировал частным образом на поле в Парко Флувиале. Возьмите у Муры имена всех его воспитанников, выясните имена их родителей, проверьте их машины, а затем переговорите с каждым родителем по отдельности на предмет приватной беседы с Лоренцо Мурой. Кроме того, получите фотографию отца каждого ребенка и разыщите фотографии партнеров Лоренцо по команде».

В течение всего времени, пока отдавались эти приказы, детектив Линли хранил молчание, хотя по его глазам Сальваторе видел, что он не следит за его тарахтящим итальянским. Поэтому он объяснил англичанину, что они собираются сделать, а тот, в свою очередь, рассказал ему, что он собирается сообщить родителям девочки. Было очевидно, что им нельзя сообщать ничего, связанного с Лоренцо Мурой. Поэтому в настоящий момент уместнее всего было сообщить им, что та информация, которая поступила после телевизионного обращения, тщательно проверяется, что Карло Каспариа пытается помочь, – и закончить на этом.

Линли уже собрался уходить, когда в комнату ворвался полицейский в форме. Его лицо раскраснелось, и у него были хорошие новости: они касались открытой красной машины, которую свидетель видел в Альпах, едучи по дороге к своей матери. Полицейский еле дышал от волнения.

– *Si, si,* – сдержанно отозвался Сальваторе.

Ее нашли. Как, наверное, помнит старший инспектор, проверка всех стоянок для отдыха перед поворотом к деревне, где жила мать свидетеля, ничего им не дала. Но инициативный офицер в свое свободное время продолжил обследование дороги дальше в горах и через шесть километров вверх по дороге обнаружил снесенный защитный барьер в одной из дорожных шпилек. Машина, о которой идет речь, была обнаружена на дне ущелья под этим барьером. В ней не было тел. Но где-то в двадцати метрах, в стороне от нее, было обнаружено тело: скорее всего, водителя просто выбросило из машины.

– *Andiamo*[1], – сказал Сальваторе англичанину. «Дай Господи, – подумал он про себя, – чтобы где-то рядом не нашли тело маленькой девочки».

Понадобилось больше часа, чтобы добраться до места катастрофы. Сначала их путь лежал вдоль реки, затем по склонам холмов и, наконец, в Альпы. Река в это время года была очень быстрой, так как наверху, на склонах гор, таяли снега. В результате этого образовывались водопады, каскады падающей сверкающей воды и запруды, которые можно было видеть, когда полицейская машина мчалась мимо них. Новая весенняя растительность была богатой и щедрой, когда они забирались все дальше в горы. Дикие цветы выглядели сполохами желтого, фиолетового и красного на фоне нежной, свежей зелени. Деревья – дубы, падубы и сосны – росли на границах деревень, до которых невозможно было добраться на машинах, создавая, казалось, зеленый заслон, не позволяющий горам сползти вниз и поглотить все эти домики с крышами терракотового цвета, прилепившиеся к стенам многометровых обрывов.

С каждым поворотом дорога становилась все у́же и у́же, пока, наконец, не превратилась в узкую одноколейку шириной с машину. Один поворот-шпилька сменялся другим. Это была сумасшедшая поездка, заставлявшая сжимать руки до белизны в суставах, гонка по милости Божьей, где Божья милость заключалась в том, что за поворотом вам не попадался встречный транспорт. Наконец они доехали до полицейского блока, вылезли из машины, и Сальваторе кивнул подошедшему офицеру полиции.

– *Dov'u la macchina?*[2] – спросил он у него, хотя это была пустая формальность. Место упавшей машины было отмечено на пятьдесят метров выше, разбитым барьером, через который она пролетела до места своей последней стоянки.

---

[1] Поехали (*итал.*).

[2] Где машина? (*итал.*)

Когда Сальваторе и Линли подошли к этому барьеру, появились двое санитаров с носилками. На них, в полностью застегнутом пластиковом мешке, лежало тело.

– *Fermatevi*[1], – сказал им Сальваторе и добавил, – *per favore*. – После этого он представился и представил инспектора Линли.

Они выполнили его просьбу и опустили носилки. Сальваторе подошел, собираясь с духом. Только на телевидении детективы спокойно открывают мешки с трупами, неизвестно сколько пролежавшими на жарком итальянском солнце, и смотрят на них без содрогания. Сальваторе расстегнул «молнию».

Был ли он интересным мужчиной при жизни, был ли он человеком, который стоял за Хадией на фото, сделанном туристами в тот день на *mercato*, теперь уже было не определить. Криминалисты живой природы – насекомые – уже нашли тело, как они делали это всегда, и основательно над ним потрудились. Личинки шевелились в его глазах, в носу и ротовой полости, жучки пожирали его кожу, клещи и многоножки заползали в расстегнутый ворот рубашки.

Кроме того, мужчина умер лежа лицом вниз, и прилившая к лицу кровь придала коже пурпурный оттенок, тогда как газы, образовавшиеся под кожей, создали вздутия там, где на нее падало солнце. Скоро из них потечет гнойная жижа. У такой смерти был ужасный вид. И от этого некуда было деться.

Сальваторе посмотрел на Линли и увидел, как тот тихо присвистнул, выдохнул и уставился на останки. Старший инспектор обратился к санитарам:

– *Carta d'itentita?*[2]

Они одновременно кивнули на полицейского, находившегося внизу у машины, у которого были все документы погибшего. Сальваторе выпрямился, благодаря Бога, что ему не пришлось рыться в карманах погибшего. Затем, вместе с Линли, подошел к краю обрыва. Далеко под ними лежала красная открытая машина. Двое офицеров в форме находились рядом с ней, а двое других курили чуть выше, там, где лежал валун, около которого нашли труп водителя. По-видимому, его выбросило из машины в тот момент, когда она ударилась об этот валун. Был ли он пристегнут или нет, было все равно: в любом случае он не смог бы выжить в машине, кувыркающейся *sotto sopra*[3] по склону к месту своей последней останов-

---

[1] Остановитесь (*итал.*).

[2] Удостоверение личности? (*итал.*)

[3] Вверх колесами (*итал.*).

ки. Чудом было то, что автомобиль не загорелся. Это оставляло надежду найти улики. Сальваторе надеялся, что это будут улики, говорящие о жизни, а не о смерти второго пассажира машины, который мог находиться в ней в момент последнего, фатального падения, потому что нигде рядом второе тело обнаружено не было.

Они с Линли осторожно спустились к тому месту, где нашли тело. Здесь Сальваторе жестко приказал полицейским:

– *Cercate se ce n'u un altro*[1].

Если где-то рядом было второе тело, они обязаны были найти его. Такое развитие событий офицерам явно не понравилось, но, когда он добавил: «*Una Bambina. Cercate subito*»[2], выражение их лиц изменилось, и они начали поиски. Если где-то и было тело маленькой девочки, то оно не должно быть далеко. У машины Сальваторе повторил свой вопрос о документах. Один из офицеров протянул ему пакет с вещами, найденными на месте катастрофы. В этом пакете был черный бумажник, он лежал в перчаточном ящике машины. Сама она была искорежена, одно колесо оторвано, три других спущены, а дверь вырвана с корнем. Пока Сальваторе открывал пакет и вынимал из него бумажник, Линли внимательно рассмотрел автомобиль.

По документам мужчину звали Роберто Скуали. Сальваторе почувствовал волнение, когда прочитал, что мужчина был из Лукки. Он верил, что это еще на один шаг приблизило их к пропавшему ребенку. «Благодарю тебя, Господи, что она не оказалась здесь», – подумал он, оглядывая окрестности. Его вера основывалась на том, что между моментом исчезновения девочки с *mercato* и этой аварией прошло, по крайней мере, десять дней. Какова была вероятность, что она окажется в одной машине с этим человеком через столько времени после похищения?

В бумажнике Скуали Сальваторе нашел его права, две кредитные карты и пять визитных карточек. Три были из бутиков в Лукке, одна – из ресторана в городе, а пятая являлась именно тем звеном, которое он надеялся найти: что-то, что связывало этого человека с Микеланджело Ди Массимо. Это была визитная карточка частного сыщика, и на ней были его имя, номер мобильного телефона и адрес его подозрительного офиса в Пизе.

– *Guardi qui*[3], – сказал Сальваторе и протянул карточку Линли. Подождал, пока англичанин наденет свои очки для чтения, и встретил его взгляд, когда тот быстро поднял глаза от карточки.

---

[1] Попробуйте найти другого (*итал.*).

[2] Маленькая девочка. Начинайте прямо сейчас (*итал.*).

[3] Взгляните (*итал.*).

– *Si*, – сказал Сальваторе с улыбкой. – *Addesso abbiamo la prova che sono connessi*[1].

– *Penso proprio di si.* – согласился Линли. Связь между двумя мужчинами была очевидна. – *E la bambina?* – продолжил он. – *Che pensa?*[2]

Сальваторе оглянулся вокруг, а затем посмотрел на горы, окружавшие их со всех сторон. «Малышка была с этим мужчиной», – подумал он. В этом старший инспектор был уверен. Но не в тот момент, когда мужчина летел со скалы. Сальваторе сказал об этом Линли, и тот согласился. После этого он вернулся к обследованию машины и очень скоро нашел то, что искал. Это был волос, зажатый в замке ремня безопасности. Он был длинный. Он был темный. Проверка покажет, был ли это волос Хадии. Проверка на отпечатки пальцев тоже сообщит, была ли девочка в машине. Единственное, что автомобиль не мог сообщить им, так это что произошло с девочкой и где она сейчас.

Оба детектива понимали всю сложность ситуации, с которой столкнулись: если Роберто Скуали действительно был тем человеком, который увел девочку с *mercato*; если он действительно был тем человеком, который шел с нею в лес где-то по дороге, с которой, в конце концов, слетела его машина, то где девочка была сейчас? Что с ней случилось? Дело было в том, что дорога, на которой они сейчас находились, проходила по громадной территории, и если Скуали передал девочку кому-то третьему или убил, чтобы удовлетворить какую-то свою извращенную фантазию, а потом где-то спрятал труп, то определить, где все это произошло, было практически невозможно.

Сальваторе подумал о собаках, натасканных на поиск трупов. Дай бог, чтобы не пришлось прибегнуть к их помощи.

Вилла Ривелли,
Тоскана

Голова сестры Доменики Джустины кружилась от голода. Ее ноги и спина болели от поклонов, которые она отбивала на каменном полу. Голова плохо соображала от недостатка сна, и она все еще ждала сигнала от Господа, который показал бы ей, что еще Всемогущий от нее хочет.

---

[1] Теперь у нас есть доказательство того, что они связаны (*итал.*).

[2] Так кажется и мне. А маленькая девочка? Что вы думаете? (*итал.*)

Она потерпела неудачу с Кариной. Девочка просто не смогла понять всю важность того, что им предстояло. Что-то в ней изменилось, она стала боязливой и встревоженной. И теперь, вместо радостного приятия, любознательного внимания и охотного участия во всем, что происходило на вилле Ривелли, девочка отдалилась от сестры Доменики. Она наблюдала и ждала. Иногда она пряталась. Это было плохо.

Сестра Доменика стала думать, что, может быть, она неправильно истолковала то, что увидела, когда машина ее кузена неслась вверх по узкой горной дороге. Женщина знала: это Бог стоял за тем, что машина пробила барьер, взлетела в воздух и исчезла из виду. Чего она не знала и в чем должна была разобраться, так это для чего Бог поместил ее в тот самый момент туда, откуда она могла наблюдать конец земной жизни ее кузена Роберто.

Вид машины, улетающей в никуда, мог означать важность покаяния – или что-то совсем другое. Именно по этой причине Доменика постилась и молилась. Самоистязаясь, она еще больше затянула вериги, от которых страдало все ее тело. Через сорок восемь часов после этого женщина вставала уже с некоторым трудом, но без того умиротворения, которое дает осознание того, что делаешь нужное дело. Ее страдания и самоистязания не дали ей услышать ответ Господа. «Может быть, – подумала она, – его можно будет услышать, если внимательно вслушаться в легкий ветерок, который звучал в лесных деревьях, расположенных на границе территории виллы. Может быть, этот бриз и есть глас Господень...»

Доменика Джустина вышла на улицу. Она почувствовала на щеках легкий, освежающий ветер. Задержалась наверху каменных ступеней, которые вели от стойла в ее комнаты, посмотрела на закрытые окна виллы и подумала, что, может быть, ответы сокрыты в стенах этой виллы. Потому что эти ответы ей скоро понадобятся. Ужасный переход Роберто с горной дороги в пустоту вселенной напомнил ей об этом.

Доменика спустилась по каменным ступеням и стала обдумывать, в чем же она могла ошибиться. Женщина рассуждала об уходе Роберто, хотя, возможно, он совсем и не умер. Если это было верно, то попытка увидеть послание Всевышнего в смерти ее кузена была абсолютно бессмысленной. То есть, другими словами, послание Бога не надо было искать в катастрофе.

Со временем она увидит знак. Ей всегда бывали знаки. И если она права в этом своем новом предположении, то скоро ей будет знамение. Доменике казалось, что единственным местом, откуда она сможет рассмотреть это знамение, является то же самое место, откуда она видела предыдущее. Поэтому женщина пошла к тому месту, где низкая стена позволяла ей видеть дорогу, взбирающуюся по холмам с самого дна долины, и там, очень скоро, она увидела то, что ждала и о чем молилась. Даже на таком расстоянии от места, где произошла катастрофа, Доменика увидела полицейские машины. И, что важнее, она увидела среди них *un'ambulanza*[1]. Наблюдая, женщина смогла увидеть санитаров, которые несли носилки откуда-то из-за поворота дороги. Подняв их на асфальт, санитары остановились, и мужчина, ожидавший их, наклонился над носилками, как будто для того, чтобы обменяться словами с тем, кто лежал на них. Это заняло всего несколько секунд, после чего носилки погрузили в машину и увезли.

Когда сестра Доменика Джустина наблюдала все это, ей казалось, что ее сердце сейчас вырвется из груди. Было трудно поверить в то, что она видела, но объяснение этому могло быть только одно. В то время как она молилась и голодала в своей келье, пытаясь понять, чего Господь хочет от нее, ее кузен Роберто лежал раненный среди обломков машины. Сестре Доменике пришло в голову, что и ей, и ее кузену Роберто Всевышний послал испытание. Обретите веру через страдания, говорил им Господь, и я приду в ваши жизни.

Это и было *испытанием*, поняла она. Все это было испытанием – не отступай ни на миллиметр, несмотря на то, какая темнота лежит перед тобой. Иову пришлось с этим столкнуться. И Аврааму тоже. В случае с великим иудейским патриархом испытание, ниспосланное ему, превосходило все, что когда-либо выпадало на долю смертного. Принеси мне в жертву твоего сына Исаака, потребовал Всевышний от своего слуги. Отведи его в горы, построй каменный алтарь и поднеси нож свой к его горлу. Пусть прольется его кровь. Сожги его тело. И так докажи мне свою любовь. Это будет непросто, но это то, о чем я прошу. Повинуйся своему Богу.

Да, наконец-то ей раскрылась истина. Ее испытание, как и посланное Аврааму, не может быть легким.

Боу,
Лондон

«Она все успеет», – сказала себе Барбара. Сначала переговорит с Доути, а затем займется служебными делами на юге города, а к вечеру переберется на север. Такие дела всегда занимали много времени. Ни одно интервью не проходило, как по часам. Она смо-

---

[1] «Скорая помощь» (*итал.*).

жет так подчистить свою дневную деятельность, что та удовлетворит любого, кто захочет ее изучить.

В участке на Боу-роуд Барбара назвала себя, и ее сразу провели в комнату для допросов, где уже изнемогал от ожидания Дуэйн Доути. Как ей сказали, он находился здесь уже более часа. За все это время он спросил только: «Что все это значит, придурки?»

Когда она вошла в комнату, Дуэйн вздохнул:

– Это опять вы?

На узком столе перед ним стояла пластиковая чашка с чаем, на поверхности которого плавала пленка остывшего молока. Он отодвинул ее в сторону, и часть содержимого пролилась на стол.

– Черт возьми, – продолжил Доути, – я уже все вам рассказал. Чего еще вам от меня надо?

Прежде чем начать говорить, Барбара внимательно изучила детектива. Он уже не выглядел таким уверенным в себе, как в предыдущие встречи. Именно поэтому она решила, что трюк с полицейским участком был удачной затеей. От Дуэйна исходил резкий запах – мужчина, должно быть, потел, как стакан мартини на солнце, с того момента, как в его офис пришли люди в форме, – он ослабил галстук и расстегнул верхнюю пуговицу воротника, на внутренней кромке которого можно было увидеть грязную влажную полоску.

– Какого черта? – потребовал Доути.

Барбара села, поставила сумку на пол и не спеша вытащила из нее свой блокнот и ручку. Раскрыла блокнот и уставилась на детектива.

– С алиби Ажара все в порядке, – были ее первые слова.

Дуэйн взорвался, как проколотый воздушный шар.

– Да я ведь уже говорил вам, – прорычал он. – Я сам его проверял. Вы заплатили мне за это, и я выполнил свою работу, прислал вам отчет; и если это еще не убедило вас, что я, черт меня возьми, не нарушаю эти ваши гребаные законы...

– Меня может убедить только абсолютная правда, Дуэйн. Вся, с самого начала и до конца. От А до Я, если вам понятно.

– Я уже сказал вам всю правду. Больше мне сказать нечего. Поэтому это ваше «интервью», или как вы это называете, закончилось. Я знаю свои права и обязанности, и я не обязан сидеть здесь и еще раз выслушивать, как вы вновь копаетесь в тех вещах, которые мы уже давно обсудили. Копы попросили меня прийти и ответить на несколько вопросов. Я пришел добровольно. Теперь я ухожу. – Он отодвинулся от стола.

– В Италии произведен арест, – спокойно сказала Барбара.

Доути замер, как будто получил удар по физиономии. Он ничего не сказал, но и не пошевелился.

– Они задержали парня по имени Карло Каспариа, – продолжила Хейверс. – Меньше чем через двадцать четыре часа мы установим его связь с вами. Поэтому я предлагаю вам облегчить душу, прежде чем мы вас арестуем, посадим на самолет и отправим прямиком к полицейским в Лукке.

– Вы этого не сделаете. – Однако голос его, когда он произнес эти слова, звучал напряженно.

– Дуэйн, вы будете потрясены, удивлены, восхищены, поражены и полностью раздавлены, когда узнаете, на что мы способны, если нас хорошенько разозлить. Как я понимаю, сейчас вам надо принять решение. Вам придется или все мне рассказать, или продолжать играть роль протекающей трубы, как вы это делали с самого начала, и продолжать выдавать мне информацию по каплям.

– Я же сказал, что открыл вам всю правду, – сказал Доути, но тон его значительно изменился. Барбара больше не чувствовала в нем ярости, а только напряжение, что само по себе было хорошим признаком. Это означало, что его мозг работает на полную мощность, а Барбаре надо только смазывать его, с тем чтобы эта работа была ей на пользу. – Я передал всю информацию, которая у меня была, профессору Ажару. Клянусь. А что уж с ней сделал профессор, меня не касается. Вы знаете, что он хотел вернуть девочку. Может быть, он нашел кого-то там, в Италии, кто украл ее для него. Я уже говорил, что нанял в Италии парня, как только узнал об этом банковском счете в Лукке. Я передал ему, профессору, всю информацию. Я также сообщил ему имя этого человека, которого я нанял. Микеланджело Ди Массимо. Если профессор Ажар решил потом нанять его для чего-то еще... Я к этому не имею никакого отношения.

Барбара кивнула, совершенно не впечатленная. Монолог был хорошо подготовлен, но она следила за глазами частного детектива. Они все время бегали, избегая встречаться с ее взглядом. И пальцы его ни на минуту не оставались в покое, выбивая какой-то ритм на крышке стола.

– Это вы так говорите, – сказала она. – А я думаю, что Карло Каспариа, которого они там арестовали, скажет кое-что другое. Понимаете, ему совсем не понравится тянуть лямку за всех – это никому бы не понравилось. И мне кажется, что ни он, ни Микеланджело Ди Массимо не имеют ваших знаний и способностей в том, что касается очистки жестких дисков, электронной почты, журналов телефонных звонков и бог знает чего еще. Поэтому мне кажется, что в течение ближайших двух дней будет найден след, ведущий от Каспариа к Ди Массимо и дальше к вам, включая даты и время. Поэтому вам будет очень нелегко объяснить все это там, в Италии. Понимаете, Дуэйн, проблема разработки и претворения в жизнь планов, похожих на этот, с похищением Хадии, состоит в старой, как мир, максиме «никому нельзя верить». И, уж конечно, похитителям младенцев – в первую очередь. Если в деле замешан больше чем один человек, то кто-то обязательно расколется, причем сдаст всех остальных – своя рубашка ближе к телу.

Доути молчал. Он, конечно, оценивал все сказанное с точки зрения правдивости. Барбара сама не знала, какое отношение ко всему имеет этот Карло Каспариа, но если упоминание его имени и факта ареста хоть на миллиметр приблизят ее к Хадии, то, значит, она все сделала правильно.

Наконец Доути произнес:

– Ну, хорошо.

– Что именно?

Детектив отвернулся от нее. Неожиданно он замер, и только тяжелое дыхание указывало на то, что он еще жив.

– С самого начала это была идея профессора Ажара.

Глаза Барбары сузились.

– Какая идея?

– Найти ее, все спланировать, подождать правильного момента и украсть девочку. Правильный момент наступил тогда, когда он поехал на конференцию в Берлин. Это обеспечивало ему алиби. Девочку должны были похитить и спрятать где-то там, на месте, пока Ажар не сможет приехать и увезти ее в Лондон.

– Дерьмо, – не выдержала Барбара.

Доути опять посмотрел на нее:

– Я говорю правду.

– Да неужели? Помимо всяких небольших сложностей, связанных с путешествием без всяких документов, – что было бы, если бы Ажару удалось привезти ее в Лондон? А? Не знаете? Так я вам скажу: то, что должно было случиться, в конечном счете и случилось. Поэтому ваш рассказ – полное дерьмо. Появилась мамаша Хадии, требуя вернуть ее, потому что первым, кто попадал под подозрение, был ее отец, у которого она же и украла ее, но чуть раньше.

– Правильно, все правильно, – сказал Доути. – Именно так все и должно было произойти. Она примчится в Лондон, он докажет ей, что невиновен и девочки у него нет; затем вернется в Италию вместе с матерью и там – пока он в Италии – девочку передадут ему. А сейчас он именно там, не правда ли? Разве это не доказывает, что все, что я рассказываю...

– Та же проблема, приятель. Вернее, две. Даже если он сейчас там и даже если он знает, где девочка, а сам разыгрывает искуснейшее представление для итальянской полиции, моего коллеги и черт знает кого еще, что произойдет, когда девочку наконец передадут ему? Он, что, привезет ее в Лондон так, что ее мать об этом даже не догадается?

– Не знаю. Я не спрашивал. Мне все это по барабану. От меня ему нужна была только информация. Я ее ему и давал. И точка.

– Не совсем, приятель. Вы очень стараетесь вывалять всех, включая меня, в коровьем навозе. Но если вы надеетесь, что это поможет убедить меня в вашей невиновности, то очень ошибаетесь. Поэтому начнем сначала. И поверьте мне, у меня достаточно времени, чтобы дождаться, когда же вы наконец начнете говорить правду.

– Я уже сказал...

– Очень, очень много времени, – сказала Барбара приятным голосом.

Дуэйн лихорадочно думал, что делать дальше со своими обвинениями, и наконец произнес, щелкнув пальцами:

– Тогда *Khushi*.

Барбара втянула воздух сквозь стиснутые зубы.

Он опять повторил:

– *Khushi*, сержант Хейверс. Смог бы я это сказать, если бы лгал вам? Профессор Ажар сказал мне следующее: «Она послушает того, кто назовет ее *Khushi*, потому что поймет, что этот человек от меня».

У Барбары пересохло во рту. Она почувствовала, как ее губы прилипли к зубам. *Khushi* означало «счастье», но перевод был не важен, важно было само слово. Потому что Ажар ласкательно называл Хадию *Khushi*, и Барбара слышала тысячи раз, как он произносил это слово за те два года, что они были знакомы.

Ей показалось, что стул, на котором она сидела, медленно уходит под пол. Лицо Доути колебалось перед ее глазами. Барбара моргнула и попыталась побороть слабость.

Она поняла, что негодяй наконец сказал правду.

Боу,
Лондон

Дуэйн Доути понимал, что у него осталось очень мало времени. Он понимал, что влип в эту историю по самое не могу – она была ярким свидетельством бессмысленности тщательного планирования и всей той мышиной возни, в которой он кувыркался. Как только детектив вышел на улицу – часы пребывания в участке оставили неприятное послевкусие сродни чесноку, – он немедленно направился в офис. Надо было много чего сделать, и он намеревался использовать все свои знания и умения, чтобы получить желаемый результат. Если это не удастся, то эта туповатая и ужасно одетая полицейская из Метрополии окажется абсолютно права: тщательное изучение содержимого компьютера Ди Массимо и его телефонных разговоров выявит следы, ведущие во многих направлениях. Так как Дуэйн не мог перебросить Брайана Смайта в Италию, чтобы тот на месте поработал с итальянской телефонной сетью и другими средствами коммуникации, которыми пользовался Микеланджело Ди Массимо, ему, Дуэйну, придется провести серию защитных маневров.

На Роман-роуд Доути, задыхаясь, взобрался по ступеням, крича: «Эмили!» Ее технические способности сейчас были необходимы. Так же как изумительные хакерские способности Брайана и прочие достоинства всех его многочисленных знакомых.

Дверь в комнату Эмили была распахнута. Перед ней, на площадке, стояли две картонные коробки. Они были заклеены лентой и готовы... но вот к чему они были готовы, Дуэйн не мог понять, пока не вошел в комнату, где находилось рабочее место Эм, и не увидел, чем она занималась.

Эмили сняла свой сшитый на заказ пиджак в тонкую белую полоску, жилетку и галстук. Все это она повесила на спинку стула. Стул она отодвинула к окну, чтобы было легче подойти к столу, к файлам и ящикам, где хранилось ее барахло и все, что было связано с ее работой у Доути.

Эмили бросила на него быстрый взгляд, высыпая содержимое одного из ящиков в коробку.

– Не надо, – сказала она.

– Не надо чего? Что ты делаешь?

– Не надо спрашивать меня, что я делаю, когда это и так видно. Не надо притворяться тупым. Или идиотом. А как насчет «не надо подвергать нас риску»? Нужное подчеркнуть.

Эм взяла клейкую ленту и заклеила коробку, потом подняла ее, распрямилась и прошла мимо Дуэйна на площадку. Там она поставила коробку на уже стоящие и вернулась в комнату, где начала снимать со стены карту Лондона, вместе с расписаниями автобусов, поездов, картой подземки, и – непонятно, откуда взявшиеся – плакат с Монтакьют Хаус[1] и три открытки с изображениями утесов Мохер[2], Бичи Хед[3] и Нидлз острова Уайт[4].

– Ты не можешь делать то, о чем я сейчас подумал.

– Мне не так много платят, чтобы я бултыхалась в этом дерьме. Тебе – да. А мне – нет.

– И поэтому ты уходишь? Просто берешь и уходишь?

– Вот это наблюдательность... Просто фантастика. Неудивительно, что ты достиг таких высот в своей работе.

Эмили складывала карты, и ей приходилось мять их. Бумажные карты всегда с трудом удавалось сложить в их первозданном виде. Эм не следовала уже существующим сгибам. Казалось, это ее ничуть не беспокоит, что подсказало Доути, насколько она была настроена уйти как можно скорее. А это в свою очередь рассказало ему, как она была возбуждена: полицейские, неожиданно появившиеся на их пороге, с наручниками, которые они были готовы защелкнуть на запястьях двух преступников по имени Доути и Касс...

– Я думал, что нервы у тебя покрепче, – сказал он. – Для человека, который снимает незнакомцев в барах...

– Только не надо мне это говорить, – парировала Эмили. – Насколько я понимаю, если, конечно, в этой стране ничего не изменилось, – съем незнакомых мужиков в клубах для анонимного секса не приведет меня на скамью подсудимых.

– А нас никто и не собирается судить. Ни меня, ни тебя, ни Брайана. Точка.

– В участок мне тоже не очень хочется попасть. Я не собираюсь вызванивать адвоката, чтобы тот держал меня за руку, пока полицейские перерывают мою личную жизнь, как будто ищут клопов в постельном белье. Мне все это надоело, Дуэйн. Я с самого начала

---

[1] Старинный загородный дом елизаветинской эпохи, построен в 1598 г.; в настоящее время музей.

[2] Находятся в Ирландии на берегу Атлантического океана. Высота от 120 до 214 м.

[3] Меловая скала на южном побережье Великобритании. Высота до 162 м.

[4] Линия из трех меловых скал у западной оконечности острова Уайт.

говорила тебе, но ты не захотел меня слушать, потому что для тебя самое важное – это бабки. Кто больше заплатит, на того и пашем. Нарушить закон? Не проблема, мадам. Мы как раз те, кто готов взять на себя ответственность, когда все провалится в тартарары. Как теперь. Поэтому я сматываюсь.

– Ради всего святого, Эм...

Доути приложил все усилия, чтобы скрыть свое разочарование. Без нее за клавиатурой компьютера, и тем более без ее способностей общаться по телефону с разными официальными лицами, елейным голосом выясняя у них ту информацию, которую они не сообщили бы никому другому, ему был конец.

– Я пустил в ход тяжелую артиллерию, – сообщил он. – Я сказал ей всю правду.

Это не произвело на Эм никакого впечатления.

– Какая, к черту, тяжелая артиллерия... Я с самого начала пыталась объяснить тебе, правда? А ты не хотел слушать. О нет, мы же для этого слишком умны...

– Прекрати драматизировать. Я выдал им профессора. Понятно? Ты слышишь, что я говорю? Я сдал профессора. Точка. Ты ведь именно этого хотела? Что ж, я это сделал, и теперь мы, ты и я, на пути к новой, чистой жизни.

– И они тебе поверили, – фыркнула Эмили. – Ты просто назвал имя, и они сразу во все поверили? – Она подняла глаза вверх и заговорила с кем-то на потолке: – Ну почему же я раньше не поняла, какой он идиот? Почему я не свалила, когда все это только начиналось?

– Потому, что ты знала, что я никогда не ввяжусь во что-то, не имея плана отступления. И сейчас он у меня есть. Так ты, что, хочешь сбежать, – или все же распечатаешь свои коробки и поможешь мне запустить этот план?

Лукка,
Тоскана

Линли нашел Таймуллу Ажара в соборе Святого Мартина, который располагался на громадной площади, вместе с палаццо и отдельным *battistero*[1]. Это было изысканное здание в романском стиле, чем-то напоминающее свадебный торт, на фасаде которого

---

[1] Баптистерий (*итал.*).

находились четыре ряда арок, а сверху – мраморное изображение святого Мартина, совершающего акт посвящения, накрыв нищенствующего монаха рядом со своей лошадью плащом и возложив ему на голову свой меч. Томас не ожидал увидеть Ажара внутри здания. Будучи мусульманином, он не производил впечатления человека, который может пойти молиться в католический храм. Но когда Линли ему позвонил, Ажар ответил приглушенным голосом, что находится перед Святым Ликом в Дуомо. Томас не очень понял, что это могло означать, но попросил пакистанца дождаться его там.

Внутри собора проходила экскурсия. Молодая женщина, с официальным значком на груди, собирала группу из двенадцати, или около того, человек у картины «Тайная вечеря» кисти Тинторетто, написанной яркими красками, чтобы лучше было видно ангелов наверху, апостолов внизу и Христа, кормящего хлебом святого Петра и его компаньонов, впечатленных происходящим, в середине. В правом проходе загородка отделяла безбилетных посетителей от красот веры, а с левой стороны десяток пожилых женщин, выглядящих как паломницы, собрались вокруг восьмиугольной часовни.

Именно здесь Линли и нашел Ажара, который стоял за спинами паломниц и серьезно смотрел на большое и сильно стилизованное лицо Христа, вырезанное из дерева. Выражение лица Христа было скорее удивленным, чем страдающим, как будто он все никак не мог понять, почему здесь оказался.

– Это называется Святой Лик, – тихо сказал Ажар Линли, когда тот стал рядом с ним у одной из колонн Дуомо. – Говорят, что... – Он прочистил горло. – Синьора Валлера рассказала мне об этом.

Линли посмотрел на мужчину. Вот оно, мучение, подумал он, духовное и физическое распятие. Ему хотелось прекратить страдания Ажара. Но он мог сказать ему очень немногое, в то время как множество фактов еще ждали своего открытия и изучения.

– Она сказала, – прошептал Ажар, – что Святой Лик может совершать чудеса, но я никак не могу в это поверить. Как может кусок дерева – неважно, с какой любовью вырезанный, – что-то совершить? И все же, вот он я, стою перед ним, готовый просить о чуде ради моей дочери. И в то же время не могу – потому что просить о чем-либо кусок дерева... Это значит для меня, что надежда окончательно пропала.

– Я не думаю, что это так, – сказал Томас.

Ажар посмотрел на него. Линли обратил внимание на то, как потемнела кожа у него вокруг глаз и какой контраст она составляла с яркими белками самих глаз, в которых виднелись красные прожилки. С каждым днем, который они проводили в Италии, физическое состояние пакистанца ухудшалось.

– Что именно? – спросил Таймулла. – Что дерево совершает чудеса, или что надежды больше нет?

– И то и другое, – ответил англичанин.

– Вы что-то узнали, – предположил Ажар. – Иначе бы не пришли.

– Я хотел бы поговорить с вами и с Анжелиной вместе. – Увидев на лице Ажара ужас, который испытывает любой родитель, чей ребенок пропал без всяких следов, Томас поспешно продолжил: – Ничего нового. Ни хорошего, ни плохого. Просто развитие событий. Вы пойдете со мной?

Они направились в больницу. Она находилась за великой стеной Лукки, но они пошли пешком, так как идти было недалеко, а прогулка по самой стене, под кронами свежей весенней зелени, делала ее приятней и короче. Они спустились с одного из *baluardi*, имеющего форму восьмиугольника, и оттуда пошли по виа делл'Оспидале.

Они успели как раз вовремя, чтобы увидеть, как Лоренцо Мура и Анжелина Упман покидают больницу. Санитар вез Анжелину в кресле на колесиках, а Лоренцо с угрюмым лицом шел рядом с ней. Он увидел приближающихся Линли и Ажара и сказал что-то санитару, который остановился.

«Наконец-то, – подумал Томас, – хоть какие-то хорошие новости». Анжелина чувствует себя достаточно хорошо, чтобы выписаться из больницы. Она была очень бледна, но это и понятно.

Когда женщина увидела Линли и Ажара, вместе подходящих к ней, она откинулась в кресле, как будто хотела защититься от новостей, которые сейчас услышит. Томас сразу же это понял. Он и Ажар вместе... Она подумала о самом страшном.

– Это только информация, мисс Упман, – поспешно сказал инспектор, увидев, как Анжелина конвульсивно сглотнула.

Лоренцо был первым, кто заговорил:

– Она хочет этого. А сам я не знаю.

На какую-то секунду Линли подумал, что итальянец говорит о смерти Хадии. Однако, когда он продолжил, все стало понятно.

– Она говорит, что лучше себя чувствует. Я этому не верю.

Очевидно, Анжелина заставила забрать себя из больницы. Она объяснила это тем, что в больнице была высокая вероятность чем-нибудь заразиться, и эта опасность превосходила все преимущества нахождения под постоянным сестринским уходом по поводу токсикоза. По крайней мере, Анжелина в это верила и обратилась за поддержкой к своему бывшему любовнику.

– Хари, пожалуйста, объясни ему, как для меня опасно находиться здесь дольше.

Перспектива стать посредником между матерью своего ребенка и отцом ее следующего явно не вдохновляла Ажара, но, в конце концов, он был микробиологом и кое-что понимал в заражениях и токсикозах. Он сказал:

– Риск заразиться существует повсюду, Анжелина. Хотя ты и права...

– *Capisci*? – перебила его та, обращаясь к Лоренцо.

– Но не стоит забывать и об опасностях токсикозов, связанных с беременностью, если их правильно не лечить.

– А я их лечу, – ответила она. – Я теперь могу есть.

– *Solo minestra*[1], – пробормотал Лоренцо.

– Суп – это тоже кое-что, – возразила Анжелина. – И других симптомов у меня уже нет.

– Она меня не слушает, – обратился к ним Лоренцо.

– Это ты меня не слушаешь. У меня уже нет никаких симптомов. Это был или грипп, или отравление, или еще какая-то временная ерунда. Сейчас я себя нормально чувствую. И еду домой. Ты как-то странно ко всему этому относишься.

Лицо Лоренцо потемнело, но больше он никак не проявил своего недовольства.

– *Le donne incinte*[2], – прошептал ему Линли.

Беременных женщин надо воспринимать с юмором. Все вернется на круги своя – по крайней мере в том, что касается здоровья, – когда Анжелина счастливо разрешится от бремени. А что касается их дальнейшей совместной жизни... Томас понимал, что она зависела от того, найдут Хадию или нет.

– Мы можем переговорить? Это не займет много времени, – обратился инспектор к ним обоим. – Может быть, зайдем внутрь?

Он показал на двери больницы. За ними виднелось просторное лобби.

---

[1] Только суп (*итал.*).

[2] Беременные женщины (*итал.*).

Они согласились и расположились в помещении таким образом, что свет освещал их лица, что позволило Линли легко наблюдать за ними. Он рассказал, что в Апуанских Альпах была найдена разбитая машина. Катастрофа произошла, по-видимому, несколько дней назад, хотя точное время будет известно после вскрытия тела, найденного рядом с машиной. Томас поспешил добавить, что никакого детского тела рядом с местом аварии обнаружено не было. Однако по тому, что описание разбившейся машины совпадало с описанием машины на стоянке для отдыха, рядом с которой видели мужчину и ребенка, ее решили всесторонне обследовать. Они будут искать детские отпечатки пальцев, или любые другие следы нахождения в ней маленькой девочки.

Анжелина тупо кивала.

– *Capisco, capisco*, – сказала она. – Я понимаю. Вам, по-видимому, понадобятся... – Женщина не смогла продолжать.

– Боюсь, что да, – подтвердил Линли. – Понадобится ее расческа, зубная щетка – все, на чем могло сохраниться ее ДНК. Полиция также захочет обследовать ее спальню в поисках отпечатков пальцев, с тем чтобы можно было сделать сравнение.

– Конечно, – Анжелина посмотрела на Ажара, затем – в окно, за которым итальянские кипарисы бросали тень на парковку, а посреди площадки, покрытой гравием, журчал фонтан, окруженный с четырех сторон лавочками. – Как вы думаете? – обратилась она к Линли. – Как вы думаете? Полиция...

– Они тщательно проверяют все, что связано с человеком, чье тело найдено на месте аварии.

– А они знают?.. Они уже могут сказать?..

– У него были с собой документы, – ответил англичанин. – И там было указано, – он внимательно следил за их реакцией, когда назвал имя, – что его звали Роберто Скуали... Вам это имя о чем-нибудь говорит?

Томас ничего не увидел. Просто три равнодушных лица и обмен взглядами между Анжелиной и Лоренцо, которые, казалось, спросили друг друга, могли ли они знать такого человека. Ажар, в свою очередь, повторил имя. Но это выглядело скорее как попытка запомнить его, чем как попытка вспомнить, кто был этот человек.

«Ну что ж, – подумал Линли, – теперь все будет зависеть от поворотливости итальянской полиции. Или от того, что еще Барбара сможет отыскать в Лондоне».

Всем им придется ждать.

АПРЕЛЬ, 29-е

Лукка,
Тоскана

– *Forse quarantotto ore*[1].

Доктор Цинция Руокко выдала Сальваторе Ло Бьянко информацию по телефону тем тоном, которым всегда разговаривала с мужчинами, – нечто среднее между злым и грубым. Она не любила мужчин, и никто не мог упрекнуть ее за это. Цинция была похожа на молодую Софи Лорен и страдала от того, что разные мужчины жаждали ее тела вот уже двадцать пять лет из прожитых ею тридцати восьми. Всякий раз, когда Сальваторе видел Цинцию, он тоже ее хотел. Он хотел верить, что хорошо скрывает свои чувства, но у эксперта в голове была антенна, настроенная на малейшее проявление заинтересованности со стороны мужских особей в ее выдающихся формах. Именно поэтому она предпочитала общаться по телефону. Опять-таки, кто мог упрекнуть ее за это?

«Сорок восемь часов», – подумал Сальваторе. Куда мог направляться этот Роберто Скуали сорок восемь часов назад, когда его машина вылетела с дороги и его зе́мной жизни пришел конец? «Он был пьян?» – спросил старший инспектор у Цинции. – «Нет», – ответила она. И, предваряя результаты токсикологических исследований, которые займут много недель, сообщила также, что он не находился под влиянием каких-либо химических веществ. Кроме того обстоятельства, что многие мужчины находились под влиянием самого факта обладания мощными спортивными машинами, из-за чего считали себя венцом творения на земле. Ее не удивит, если она узнает, что у этого идиота был еще и мотоцикл. Какой-нибудь громадный, чтобы возместить отсутствие между ног чего бы то ни было, *стоящего внимания*. Об этом она сообщила с особым злорадством.

– *Si, si*, – сказал Сальваторе. Он знал, что Цинция живет с каким-то мужиком, и удивлялся, как тот может справляться с ее общим отвращением к любым существам мужского пола.

Старший инспектор закончил разговор и посмотрел на карту, которую повесил на стену у себя в кабинете. Район Апуанских Альп был поистине огромен. Выяснение, куда направлялся погиб-

---

[1] Может быть, сорок восемь часов (*итал.*).

ший, если только это вообще имело какое-то отношение к похищению, может занять годы и годы.

Сальваторе заполучил фото Скуали в его лучшие дни, которыми могли быть любые дни до того момента, когда они нашли его тело. Он был интересным мужчиной, и для инспектора было несложно, еще раз просмотрев все фотографии на *mercato*, снятые американками, выяснить, что именно он стоял в тот день за Хадией, держа в руках открытку с желтым смайликом. Убедившись в этом, Сальваторе задумался о том, что делать дальше.

Все упиралось в Пьеро Фануччи. *Il Pubblico Ministero* не понравится, когда Сальваторе объяснит ему, что он может ошибаться в отношении своего главного подозреваемого. В последние два дня Фануччи вложил очень много старания в предполагаемую вину Карло Каспариа, позволяя все большему и большему количеству деталей «признания» оказываться в распоряжении прессы. Он даже дал интервью «Прима воче» относительно хода расследования. Это интервью появилось на первой странице таблоида, так же как и на сайте в Интернете, что означало, что его легко смогут перевести и использовать представители английских средств массовой информации, которые начали прибывать в Лукку. Они быстро поняли, что слухи лучше всего собирать в кафе недалеко от *questura*, и, как и их итальянские коллеги, были готовы неотступно следовать за официальными лицами, когда речь шла о возможности получения свежей информации.

Сальваторе понимал, что нет ни одного способа утаить важную информацию об обнаружении Роберто Скуали от *il Pubblico Minstero*. Если он сам не скажет ему, то об этом сообщит какой-нибудь репортер, или, что еще хуже, Пьеро сам прочитает об этом в «Прима воче». И уж если это произойдет, то Сальваторе придется расплатиться по полной. Ничего не оставалось делать, как нанести визит Фануччи.

Сальваторе сообщил *magistrato* все, что до этого тщательно скрывал: красная машина с открытым верхом, мужчина с девочкой, направляющиеся в лес, фотографии американской туристки, на которых был изображен мужчина, сжимающий в руках открытку, которую он, – или так только казалось, – на следующем фото передал пропавшей девочке, и место аварии с мертвым телом этого же мужчины, случившейся сорок восемь часов назад.

Фануччи выслушал рассказ старшего инспектора, сидя напротив него за большим ореховым столом. Он вертел в руках ручку, а глаза его не отрываясь смотрели на губы Сальваторе. После завершения рассказа *il Pubblico Ministero* резко отодвинулся от стола, встал и подошел к книжному шкафу. Сальваторе приготовился мужественно встретить гнев Фануччи, который вполне мог включать и метание судебных фолиантов ему в голову.

Однако то, что он услышал, потрясло его.

– *Cosi*[1], – пробормотал Фануччи. – *Cosi, Topo...*

Сальваторе ждал, что за этим последует. Ждать пришлось недолго.

– *Ora capisco com'u successo*[2], – задумчиво сказал Фануччи. Казалось, что его совсем не обескуражила информация, которую он только что получил.

– *Doverro?* [3] – спросил старший инспектор. Ему хотелось ясности. – *Allora, Piero?..*

Если Фануччи действительно знал, как произошло похищение и все с ним связанное, то он – Сальваторе – будет благодарен, если прокурор поделится с ним своими мыслями.

Фануччи обернулся к нему с одной из своих неестественных, покровительственных улыбок, что всегда означало, что худшее еще впереди.

– *Questo...* – сказал он. – У тебя теперь есть связь, которую ты искал. И это достойно празднования.

– Связь, – повторил Сальваторе.

– Между нашим Карло и тем, что он сделал с девочкой. Теперь все наконец совпало, *Topo. Bravo. Hai fatto bene*[4]. – Фануччи вернулся за стол и продолжил с важным видом: – Я хорошо знаю, что ты скажешь мне дальше. Ты скажешь: «Пока нет никакой связи, которая бы соединила этих двоих – Карло Каспариа и Скуали, *Magistrato*». Но это потому, что ты ее еще не увидел. Однако ты это сделаешь и поймешь, что намерения Карло были точно такими, какими я их предсказал. Ему самому ребенок был не нужен. Разве я этого не говорил? Как ты теперь видишь и как я понял в тот самый момент, когда ты мне в первый раз сказал, что есть какой-то Карло, он хотел продать ребенка, чтобы заработать на наркотики. И именно это он и сделал.

---

[1] Так (*итал.*).

[2] Теперь я понимаю, как это произошло (*итал.*).

[3] Простите (*итал.*).

[4] Ты хорошо поработал (*итал.*).

– Так, чтобы я правильно понял, *Magistrato*, – сказал Ло Бьянко, тщательно подбирая слова. – Вы хотите сказать, что верите в то, что Карло продал маленькую девочку Роберто Скуали?

– *Certo*. И Скуали – именно тот, кого тебе надо тщательно изучить, чтобы найти ниточку, которая приведет тебя от него к Карло.

– Но, Пьеро, то, что вы предлагаете... Простое сравнение фотографий показывает, что Карло, скорее всего, вообще ни при чем.

Глаза Фануччи сузились, но улыбка не исчезла:

– И ты так думаешь, потому что...

– Потому что на одной из фотографий этот человек, Скуали, стоит с открыткой, которая на следующем фото уже оказывается в руках девочки. Разве это не говорит о том, что именно он, а не Карло, вышел с девочкой с *mercato* в тот день, когда она исчезла?

– Ерунда, – ответил Фануччи. – Этот человек, Скуали... Как часто он появлялся на рынке, *Торо*? Только один-единственный раз, именно в тот день? А Карло и девочка бывали там многие недели подряд, *si*? Поэтому я говорю тебе – Карло знал этого мужчину. Карло знал, что ему надо, Карло видел девочку и придумал план, основываясь на поведении девочки, которое он, а не Роберто Скуали, тщательно изучил. Поэтому, друг мой, мы еще раз побеседуем с Карло. И узнаем от него о намерениях Скуали. До сего момента он никогда не упоминал имя Скуали при мне, но вот если я сам назову ему его... *Aspetta, aspetta*.

Сальваторе легко мог представить, что произойдет теперь, когда у Фануччи было имя, которое он хотел назвать Каспариа при следующем допросе. Прокурор вытащит его из тюрьмы, посадит в комнату для допросов и продержит Каспариа там без воды и пищи часов восемнадцать, или двадцать, или двадцать пять – ровно столько, сколько нужно, чтобы Карло «представил», как он и Роберто Скуали стали лучшими друзьями на почве похищения маленькой девочки. Причины этого похищения додумают уже на месте.

– Пьеро, ради Бога, – взмолился Сальваторе, – ведь в глубине души вы не верите, что Карло в этом замешан. А сейчас я пытаюсь объяснить вам это, со всеми этими подробностями о Роберто Скуали...

– Сальваторе, – сказал *il Pubblico Ministero* приятным голосом, – в душе я ничему такому не верю. Карло Каспариа признался. Он подписал признание без всякого принуждения. Уверяю тебя, что невиновные так не поступают. И Карло совсем не такой уж белый и пушистый.

Виктория,
Лондон

Барбара сидела на утренней пятиминутке с головой, лопающейся от мыслей, однако умудрялась сохранять внимательное выражение лица, выслушивая бесконечное словоизвержение инспектора Стюарта. Она также смогла собраться с мыслями, когда он потребовал от нее рассказать, что было получено в результате вчерашних допросов. И неважно, что ей пришлось появиться в офисе после десяти вечера накануне, чтобы составить отчеты по всей форме и удовлетворить любопытство этого человека. По всей видимости, Стюарт все еще чувствовал себя охотником, идущим по ее следу.

«Извини, что пришлось огорчить тебя, приятель», – подумала Барбара, делая свой устный отчет. Но все-таки то, что она утерла нос Стюарту, мало ее порадовало. Поскольку сержант была полностью раздавлена тем, что услышала вчера от Дуэйна Доути в полицейском участке на Боу-роуд.

Khushi не давало ей спать все ночь. *Khushi* настаивало на том, чтобы она позвонила Таймулле Ажару в Италию и потребовала ответов на некоторые вопросы. Однако ее останавливало главное правило работы полицейского: не раскрывай карты в середине игры и никогда не показывай подозреваемому, что он действительно подозреваемый, когда он не думает о том, что является подозреваемым.

Однако самая мысль о том, что Ажар был подозреваемым, была для нее как кость в горле даже сейчас, во время утренней пятиминутки. Ведь Таймулла был прежде всего ее другом. Он был мужчиной, которого она довольно хорошо знала. Сама идея о том, что Ажар мог хладнокровно спланировать похищение своей собственной дочери, убивала ее. Что бы Барбара ни думала обо всем этом, те же аргументы, которые сержант приводила Дуэйну Доути, она приводила и самой себе: Ажар жил и работал в Лондоне, поэтому даже если бы ему удалось как-то организовать похищение дочери, как бы, черт возьми, он смог заполучить ее паспорт, а? Но даже если бы ему удалось каким-нибудь мистическим способом сделать ей второй паспорт и он бы вернулся с ней в Лондон, Анжелина Упман сделала бы то же самое, что *уже делала*, – явилась бы на его порог в компании с Лоренцо Мурой и потребовала бы назад своего ребенка.

И все-таки... *Khushi*. Барбара пыталась найти логическое объяснение тому, откуда Доути мог узнать детское прозвище Хадии.

Она подумала, что Ажар мог мельком упомянуть его в разговоре или случайно назвать так Хадию. Но за все время, что Барбара знала его, она никогда не слышала, чтобы Таймулла употреблял это слово в разговоре с кем-нибудь, кроме самой девочки. Он никогда не называл ее так при других людях. Почему же он должен был назвать ее *Khushi*, когда говорил с Доути? Было очевидно, что Ажар никогда не сделал бы этого. Но тогда возникал вопрос: что же ей делать теперь, после всех обвинений Доути?

Ответ был очевиден – позвонить. Позвонить Линли, чтобы рассказать ему все, что она узнала, и спросить его совета, – или позвонить Ажару и тонко выудить из него нечто, что могло бы подтвердить или опровергнуть слова частного сыщика. Если бы Ажар был в Лондоне, Барбара могла бы наблюдать за его лицом во время этого разговора. Но его не было здесь, и Хадию все еще не нашли, и выбора у нее, как такового, не было.

Ей пришлось долго ждать подходящего момента, когда инспектор Стюарт займется чем-то другим. Барбара дозвонилась до Ажара по мобильному, но связь была очень плохая. Как объяснил ей Таймулла, он был в Альпах, и на секунду она подумала, что из-за какой-то сумасшедшей идеи он переехал в Швейцарию. Когда она воскликнула: «В Альпах?», Ажар объяснил, что здесь тоже есть Альпы. Апуанские Альпы, которые начинаются к северу от Лукки. И связь вдруг улучшилась, так как он объяснил, что вышел на небольшую площадь в одной из деревень, затерянных в горах. Таймулла рассказал ей, что прочесывает ее. Он собирался прочесывать каждую деревню на своем пути, забираясь всё выше и выше в горы. Он двигался по той дороге, с которой слетела красная спортивная машина, чей водитель умер, выброшенный из машины силой удара. А внутри этой открытой машины...

В этот момент голос бедняги задрожал. Руки и ноги Барбары онемели.

– Что? – спросила она. – *Что, Ажар*?

– Они думают, что Хадия была с этим человеком, – сказал Таймулла. – Они приехали в дом Анжелины, сняли отпечатки пальцев и взяли образцы ДНК для... Я не знаю, для чего.

Барбара почувствовала, что он еле сдерживает рыдания.

– Ажар, Ажар...

– Я не могу просто сидеть в Лукке и ждать новостей. Они сейчас сравнят все, что нашли в машине и на ней, и узнают, но я... Слышать, что она могла быть с ним, и знать, что...

Тишина, а затем с трудом контролируемый вздох. Барбара знала, как стыдно будет Ажару, если кто-то услышит, как он плачет. Наконец он смог сказать:

– Простите меня, это просто неприлично.

– Черт побери, Ажар, – сказала она свистящим шепотом, – мы говорим о вашей дочери. Между нами не должно существовать никаких глупых барьеров и правил приличия, когда мы говорим о Хадии, договорились?

Это еще больше ухудшило ситуацию, потому что он только смог всхлипнуть: «Спасибо вам», – и замолчать.

Барбара ждала. Она хотела оказаться сейчас там, рядом с ним, в Альпах, потому что тогда могла бы обнять его и успокоить настолько, насколько это вообще было возможно в нынешней ситуации. Хотя успокоение было бы достаточно условным. Когда пропадает ребенок, каждый прошедший день уменьшает вероятность найти этого ребенка живым.

Наконец Ажар смог сообщить ей подробности и назвать имя: Роберто Скуали. Этот человек был в центре того, что произошло с Хадией. Он сидел за рулем машины, а теперь он мертв.

– С имени можно начать, – сказала Барбара. – Имя – очень хорошее начало, Ажар.

Это, в свою очередь, заставило ее вспомнить детское прозвище *Khushi* и причину своего звонка. Но она не могла найти в себе силы говорить об этом с отцом Хадии именно сейчас. Он уже и так был выбит из колеи таким поворотом событий. Спрашивать его сейчас о *Khushi*, высказывать сомнение в его алиби в Берлине, требовать от него доказательств того, что не он стоял за похищением обожаемой дочери, как это представлял частный детектив, было бы просто бесчеловечно. Барбара поняла, что просто не сможет сделать этого. Сама идея, что он мог поехать в Берлин, чтобы создать себе алиби, в то время как какой-то итальянский наемник уводил его дочь с рынка, – сама эта идея была чудовищной. Тем более, когда подумаешь об Анжелине. Конечно, план мог заключаться в том, чтобы прятать Хадию до того момента, пока мать не смирится с ее смертью. Но какая мать, потерявшая ребенка, сможет перестать надеяться? И даже если план был таков и Ажар надеялся как-то провезти свою дочь в Англию без паспорта месяцев через шесть, восемь или десять, что бы Хадия делала тогда?

Барбара не могла найти логику в своих предположениях. Ажар был невиновен. Сейчас он испытывает непереносимую боль. И сейчас ей было совершенно ни к чему усугублять ситуацию своими вопросами об обвинениях Дуэйна Доути и заявлением о *Khushi*, как будто это слово на урду было ключом к смертельной головоломке, которая, казалось, становилась все сложнее с каждым днем.

Лукка,
Тоскана

К полудню Сальваторе получил подтверждение своих подозрений. В красной машине действительно нашли отпечатки пальцев пропавшей девочки. Судебные криминалисты, вместе с инспектором Линли, отправились на фатторию ди Санта Зита для отбора образцов в спальне девочки: отпечатки пальцев и образцы ДНК с ее расчески и зубной щетки. ДНК будут исследовать еще какое-то время. Но анализ отпечатков пальцев занял всего несколько часов – отобрать, отвезти в лабораторию и сравнить с теми, что были найдены в машине на краях кожаных сидений, замке ремня безопасности и на торпеде. После совпадения отпечатков результаты ДНК были уже не нужны, но поскольку суды в нынешние времена были на них зациклены, то эти тесты все-таки проводились.

Однако Сальваторе Ло Бьянко для работы они не требовались. Ему была необходима встреча с кем-то, кто знал Роберто Скуали, и начал он с домашнего адреса мужчины. Адрес находился на виа дель Фоссо, аллее, проходившей на северо-западе старого города. По странной случайности эту аллею посередине пересекал узкий канал, в расщелинах берегов которого росли свежие папоротники. Дом Скуали находился на западной стороне канала, за тяжелой дверью, которая скрывала один из лучших частных садов Лукки.

В Италии большинство молодых людей возраста Скуали жили в доме родителей, под крылом матери, до тех пор пока не женились. Но в случае Роберто Скуали все оказалось по-другому. Как оказалось, он был римлянином, и его родители все еще жили в Риме. Сам молодой человек жил в доме своей тетки по материнской линии и ее мужа, и во время беседы с ними Сальваторе выяснил, что это продолжалось с отрочества Роберто. Тетушка и дядя по фамилии Медичи (к счастью, не родственники тех самых Медичи) встретились с инспектором в саду, где под ветвями раскидистого фигового дерева они сидели на краешке своих стульев, как будто были готовы убежать от него при малейшей опасности. Во время визита полиции, чуть раньше, они уже узнали о смерти племянника в автомобильной катастрофе; его родителям в Риме также сообщили об этом; семья была в трауре, готовились достойные похороны. Однако в саду слезы по поводу безвременной кончины Роберто не проливались, что показалось Сальваторе странным. Принимая во внимание, как долго прожил здесь Скуали, Сальваторе думал, что тот стал для своих тети и дяди кем-то вроде сына. Но это было не так, и несколько осторожных вопросов объяснили, почему.

Роберто никогда не был гордостью семьи. В возрасте пятнадцати лет, предприимчивый не по годам, он нашел способ зарабатывать легкие деньги, управляя сетью проституток, состоящей из иммигранток из Африки. Его родители смогли увезти его из Рима накануне ареста не только за это, но и за то, что он пользовался – по его словам, добровольно предложенными – прелестями двенадцатилетней дочери друзей семьи. Родители девочки согласились на серьезную денежную компенсацию за ее дефлорацию, а прокурора уговорили согласиться на вариант, при котором Роберто немедленно и гарантированно покидал Вечный Город и обещал не появляться в нем в течение ближайших десятилетий. Так как удалось избежать суда и ареста, семья решила спрятать свой позор в Лукке, куда перевезли мальчика. Здесь он и жил последние десять лет.

– Он неплохой мальчик, – убеждала Сальваторе синьора Медичи, но было видно, что делает она это не по велению сердца, а скорее по привычке. – Просто... Для Роберто...

Она беспомощно посмотрела на мужа.

Тот продолжил. «*Vuole una vita facile*»[1] – именно так он охарактеризовал ситуацию. А в понимании Роберто легкая жизнь заключалась в том, чтобы работать как можно меньше, потому что в обществе существовала масса возможностей, и он с детства привык не упускать то, что плохо лежит. Когда он вообще работал, то это была работа в одном из ресторанов или в Лукке, или в Пизе, а иногда и во Флоренции. Располагающий к себе, он легко находил работу. А вот сохранить ее ему было гораздо сложнее.

– Мы все молились за него, – прошептала синьора Медичи. – Со дня его пятнадцатилетия мы все молились, чтобы он вырос мужчиной, как его отец или брат.

Тот факт, что у Роберто был брат, вызвал новые вопросы, однако эта тема была довольно быстро закрыта. Как оказалось, Кристофоро Скуали был гордостью и надеждой всей семьи: архитектор в Риме, три года как женат, принес своим гордым родителям

---

[1] Он хочет легкой жизни (*итал.*).

первенца ровно через одиннадцать месяцев после того, как в церкви прозвучало его «да». С еще одним младенцем на подходе, он был всем тем, чем не стал Роберто, этот Кристо. С момента своего рождения он никогда ничего не нарушал. В то время как Роберто... Синьора Медичи перекрестилась.

– Мы все молились за него, – повторила она. – И я, и его мать заказывали еженедельные молитвы за здравие. Но Господь не услышал наших молитв.

Сальваторе рассказал им, где произошла катастрофа. Было очевидно, что супруги мало знали о его делах в Тоскане, но он надеялся, что название Апуанские Альпы может заставить их вспомнить какое-то небрежно брошенное в разговоре слово, или короткое упоминание знакомого, или сослуживца, жившего там. Он не сказал им, что Роберто подозревается в участии в похищении маленькой английской девочки, о котором трубили во всех газетах и на телевидении. Упоминание этого могло заставить их закрыться и вспомнить о необходимости защищать честь семьи, принимая во внимание его предыдущие стычки с законом в Риме.

Сальваторе не думал, что они смогут рассказать ему, что парень делал в Альпах, и поэтому был удивлен, когда синьора Медичи и ее муж переглянулись с внезапным ужасом, едва он сказал им, где была найдена машина их племянника. В воздухе повисло почти осязаемое напряжение, когда синьора Медичи повторила:

– *Le Alpi Apuane*?

Пока она говорила, на лице ее мужа появилось выражение смешанной мольбы и ярости.

– *Si*, – ответил Сальваторе. Если у них есть *carta stradale*[1] Тосканы, то он может показать приблизительное место, где нашли машину их племянника.

Синьора Медичи посмотрела на своего мужа. Ее взгляд, казалось, спрашивал, хотят ли они еще что-нибудь узнать о происшествии. Они явно были чем-то взволнованы, решил Сальваторе, пытаясь понять, хотят ли они узнать о делишках их племянника.

Синьор Медичи принял решение за них двоих. Он поднялся на ноги и пригласил Сальваторе пройти с ним в дом. Старший инспектор прошел за ним в открытую дверь, занавешенную от мух пластиковыми полосками. Дверь вела в большую кухню, вымощенную хорошо отмытой терракотовой плиткой. «*Aspetti qui*»[2], –

---

[1] Карта дорог (*итал.*).

[2] Подождите здесь (*итал.*).

произнес хозяин и прошел через еще одну дверь в затемненную часть дома, в то время как его жена подошла к плите и достала с полки над ней большой кофейник, в который стала накладывать кофе. Было видно, что это не жест гостеприимства, а попытка чем-то занять себя, потому что, поставив кофейник на огонь, она тут же о нем забыла.

Синьор Медичи вернулся с большой истрепанной картой дорог Тосканы и разложил ее на глубоко изрезанном кухонном столе, который стоял в середине кухни. Сальваторе внимательно посмотрел на нее, пытаясь поточнее вспомнить, на каком конкретно повороте случился несчастный вылет. Он пальцем провел по пути, по которому добирались они с инспектором Линли, и дошел до первого съезда с главной дороги, на который они свернули, когда синьора всхлипнула, а синьор произнес проклятие.

– *Che cosa sapete*? – спросил у них Сальваторе. – *Dovete dirmi tutto*[1].

Сейчас ему уже было абсолютно очевидно, что они знают об Апуанских Альпах гораздо больше, чем готовы поведать. Для того чтобы убедить их рассказать все, что они знают, Сальваторе решил, что у него нет другого выхода, и рассказал им о возможном участии Роберто в совершении серьезного преступления.

– *Ma lei, lei*[2], – прошептала синьора своему мужу. Она схватила его за руку, как будто искала поддержки.

– *Chi?*[3] – потребовал Сальваторе. – Кто была эта «*она*», о которой говорила синьора?

После обмена взглядами, полными агонии, синьор Медичи заговорил. *Она* была их дочь, Доменика, которая жила в закрытом монастыре высоко в Альпах.

– Монахиня? – спросил Сальваторе.

– Нет, она не была монахиней, – сказал синьор. Она была – в этом месте его губы скривились от отвращения – *una pazza, un'imbecille, una...*[4]

– Нет! – воскликнула его жена. – Это неправда. Она не была сумасшедшей. Она не была имбецилом. Простая девочка, которая хотела провести жизнь под сенью Господа, в браке с повелителем нашим Иисусом Христом, и которой этого не позволили. Она хо-

[1] Что вы знаете? Вы должны мне все рассказать (*итал.*).

[2] Но она, она (*итал.*).

[3] Кто? (*итал.*)

[4] Сумасшедшая, имбецил (*итал.*).

тела молиться, она хотела медитировать. Она хотела уединения и тишины, и если он не понимает, что ее глубокая приверженность к католической религии сделала из нее натуру невероятно духовную и абсолютно невинную...

– Они не взяли ее, – вмешался синьор Медичи, отмахнувшись от жены, защищавшей их ребенка. – У нее не хватает мозгов. И ты, Мария, знаешь это так же хорошо, как и я.

Из всего этого Сальваторе постарался сложить кусочки головоломки, которая, казалось, разрасталась с каждой минутой. Доменика не была монахиней, но жила в монастыре. Может быть, она была помощницей, слугой, поваром, прачкой? Может быть гладильщицей, помогавшей шить одеяния для священников из округи?

Синьор Медичи рассмеялся неприятным смехом. Все предположения Сальваторе были слишком сложны для его *figlia stupida*[1]. Она не была никем из вышеперечисленного. Скорее всего, присматривала за собственностью монастыря и жила в комнатах над монастырскими стойлами. Доила коз, выращивала овощи и воображала себя частью сообщества. Она даже называла себя сестра Доменика Джустина и сшила для себя из скатертей, которые взяла здесь, в Лукке, некоторое подобие монашеской одежды, которую носили сестры.

Во время монолога мужчины его жена заплакала. Она отвернулась от мужа и сжала руки на коленях. Когда синьор Медичи закончил, она повернулась к Сальваторе и сказала: «*Figlia unica*»[2], – что в некоторой степени объяснило и ее горе, и гнев ее мужа. Доменика была их единственным ребенком. Она была надеждой родителей на будущее, которая разбилась, так как с течением времени становилось все более и более очевидно, что девочка не совсем нормальная.

Несмотря на их нежелание обсуждать Доменику, Сальваторе должен был задать следующий вопрос. Мог ли Роберто Скуали, по их мнению, направляться в монастырь, где жила их дочь? Поддерживал ли он связь с Доменикой, после того, как она там поселилась?

Этого они не знали. Подростками их дочь и Роберто были близки, но то время ушло, когда Роберто понял всю ограниченность их с Доменикой дружбы. Это не заняло у него много времени и было ожидаемо. Жизнь Доменики во многом определялась прерванны-

---

[1] Глупая дочь (*итал.*).

[2] Единственная дочь (*итал.*).

ми отношениями с людьми, которые понимали, что та, кто выглядел как глубоко духовная натура, на поверку оказывалась существом, которое просто не могло жить в окружающем мире.

Все это Сальваторе понимал, но это ни в коей мере не значило, что Роберто Скуали не мог ехать в горы, чтобы встретиться со своей кузиной. Было бы большой удачей, если бы он направлялся именно в монастырь. Несмотря на свою примитивность, сестра Доменика Джустина вполне могла рассказать что-то интересное о том, что случилось с английской девочкой.

Вилла Ривелли,
Тоскана

Сестра Доменика Джустина искала Карину. Последние три дня девочка скрывалась от нее. Во время молитв и поста Доменика слышала, как девочка ходила по комнатам наверху, и она ощущала ее присутствие, когда девочка ждала, пока сестра Доменика поймет, что ей надо делать дальше. Сейчас девочка была где-то рядом с виллой Ривелли. Сестра Доменика Джустина была спокойна в своей уверенности, что Господь выведет ее на девочку.

Так и произошло. Как будто ведомая ангелом Габриэлем, она прошла в залитый солнцем сад виллы с его звенящими фонтанами. Карины не было видно, но это было неважно. В дальнем конце сада находился Гротта деи Венти. В гроте было помещение с каменными, покрытыми ракушками стенами и четырьмя каменными статуями, из-под ног которых вода непрерывно струилась в русло родника, находившегося далеко внизу.

Воздух в гроте был прохладен и предлагал отдых в жаркий летний день. И здесь Доменика увидела маленькую девочку, которая, казалось, ждала ее.

Карина сидела на каменном полу, подтянув коленки к подбородку и обхватив их руками. Она пряталась в самом далеком и темном углу, и, войдя, сестра Доменика заметила, что девочка вся сжалась.

– *Vieni, Carina*, – мягко сказала она, протягивая руку. – *Vieni con me*[1].

Девочка посмотрела на нее с загнанным выражением лица. Она начала говорить, но ее слова были не итальянские, и сестра Доменика Джустина смогла понять только некоторые из них.

---

[1] Подойди, Карина. Подойди ко мне (*итал.*).

– Я хочу к мамочке, – сказала Карина. – Я хочу видеть папу. Я его не увидела, и где он теперь, и я не хочу больше сидеть здесь ябоюсьихочувидетьсвоегопапунемедленносейчас.

Во всем этом словесном потоке Доменика поняла только слово «папа».

– *Tuo padre, Carina?*[1]

– Яхочудомойихочусвоегопапу.

– *Padre, si?* – уточнила сестра Доменика Джустина. – *Vorresti verde tuo padre?*[2]

– *Voglio andare a casa*, – ответила маленькая девочка, ее голос становился все громче. – *Voglio andare da mio padre, chiaro*?[3]

– *Ах, si*? – сказала сестра Доменика Джустина. – *Capisco, ma prima devi venire qui*[4].

Она протянула руку еще раз. Если Карина, как она говорит, хочет пойти домой к своему отцу, то ее надо приготовить, а приготовления не начинаются в Гротто деи Венети.

Ребенок посмотрел на протянутую руку. На ее лице было написано сомнение. Сестра Доменика Джустина мягко, ободряюще улыбнулась.

– *Non avere paura*[5], – сказала она девочке, потому что бояться действительно было нечего.

Тогда Карина медленно поднялась на ноги. Она взяла Доменику за руку. Вместе они вышли из прохладного грота, вместе взобрались по ступенькам, ведущим из сада, и пошли по направлению к громадной, закрытой вилле.

– *Ti dobbiamo preparare*[6], – сказала сестра Доменика Джустина маленькой девочке.

Нельзя встречаться с отцом, не приготовившись. Карина должна быть готова: чисто вымыта, причесана, должна хорошо пахнуть. Доменика объясняла это девочке, пока вела ее вперед, мимо пустой *loggia*, мимо крутых ступенек, которые вели на нее, за угол самого здания и в направлении колоссальных подвалов.

При подходе к ступеням, ведущим в подвалы, ноги Карины стали заплетаться. Девочка стала тянуть назад, сопротивляться. Она

---

[1] Твой отец, Карина? (*итал.*)

[2] Отец, да? Ты хотела бы видеть своего отца? (*итал.*)

[3] Я хочу домой. Я хочу к моему папе. Понятно? (*итал.*)

[4] Я понимаю, но сначала надо пойти со мной (*итал.*).

[5] Не бойся (*итал.*).

[6] Нам нужно приготовиться (*итал.*).

произносила слова, которые сестра Доменика Джустина даже не пыталась понять.

– Мойпапанездесьоннеподвалетысказаламойпапапочкатысказалачтотыотведешьменякмоемупапочкеятуданепойдунепойдутамтемнотамвоняетябоюсь!

– *No, no, no. Non devi*[1]...

Но девочка не понимала. Она изо всех сил пыталась вырваться, но с еще большей силой сестра Доменика Джустина тянула ее в подвал.

– *Vieni, devi venire*[2], – сказала она.

Ступенька вниз, вторая ступенька вниз, третья ступенька вниз. Еще одно усилие, и Доменика наконец впихнула девочку в полумрак и влажность подвала. Но здесь девочка стала кричать. Единственным способом заставить ее замолчать было тащить ее все дальше и дальше в глубину подвальных помещений, до тех пор, пока ее не будет слышно снаружи, за стенами этого жуткого места.

Лукка,
Тоскана

Сальваторе понимал, что вероятность того, что Роберто Скуали организовал похищение девочки по своей собственной инициативе, крайне мала. Хотя его прошлое и характеризовало его как активного игрока на преступной поляне, уже в течение нескольких лет он не был замешан ни в каких нарушениях закона или скандалах. Логическим выводом было то, что, хотя девочку похитил он, она оказалась в поле его зрения не случайно. Визитная карточка Микеланджело Ди Массимо в бумажнике Скуали показывала, что между Ди Массимо, Скуали и преступлением существует прочная связь, и Сальваторе намеревался выяснить, какая.

Это не заняло много времени по той простой причине, что Скуали даже не пытался заметать следы – так уверен он был в успехе предприятия. Проверка его мобильного телефона выявила многочисленные звонки, которые он делал Ди Массимо. Его банковский счет показал значительное пополнение в тот же день, когда девочка пропала с *mercato*. Деньги были внесены наличными. Этот взнос значительно превосходил все другие суммы, когда-либо поступавшие на счет Роберто. Сальваторе не был спорщиком, но мог

---

[1] Нет, нет, нет, не надо (*итал.*).

[2] Пойдем. Ты должна идти (*итал.*).

поставить свою голову об заклад, что такая же сумма наличными была снята со счета Микеланджело Ди Массимо в тот же самый день. Старший инспектор запросил по Интернету соответствующую информацию. Затем он приказал доставить детектива из Пизы в *questura*.

Теперь уже не до вежливых визитов в офис Ди Массимо, или в парикмахерскую, или где он там еще мог находиться. Сальваторе хотел унизить Ди Массимо, а для этого *questura* подходила как нельзя лучше.

Перед появлением Ди Массимо Ло Бьянко позвонил инспектору Линли. Он также позвонил Пьеро Фануччи, чтобы рассказать ему все, что обнаружил до настоящего момента, и в каком направлении теперь движется расследование. Разговор с Томасом не занял много времени: если старший инспектор не будет возражать, англичанин хотел бы поприсутствовать на допросе Ди Массимо. С Фануччи разговор пошел совсем в другом ключе: у них уже есть похититель, или, по крайней мере, организатор в лице Карло Каспариа; задачей Сальваторе было – и до сих пор оставалось – установить связь между им и Роберто Скуали; если же это ему не по силам... Фануччи, что, нужно передать расследование кому-нибудь другому, или *Торо* придет, наконец, в себя и перестанет следовать за каждым самым невероятным следом, который попадается ему на глаза?

Призывы Господа Бога в свидетели ничего не дали Сальваторе. Поэтому он согласился – хотя был уверен, что эта попытка заранее обречена на провал, – попытаться установить связь между всеми тремя фигурантами, двое из которых не подозревали о существовании третьего.

Когда Линли пришел в *questura*, Сальваторе рассказал ему о своем посещении семьи Медичи на виа дель Фоссо. Он показал ему на карте, где находится монастырь, по свидетельству родителей Доменики Медичи, работавшей в нем.

В этом может быть что-то, или это может оказаться полной пустышкой, объяснил он англичанину. Но то, что Скуали погиб, направляясь в то место, где жила его кузина, намекало на ее возможную причастность к делу. Как только он вышибет из Ди Массимо подробности того, что произошло в тот день на *mercato*, он направится в монастырь.

Появление Ди Массимо вызвало волнение среди папарацци, собравшихся на улице перед *questura* на запах свежих новостей. Увидев их, пизанский детектив закрыл голову руками, что, принимая во внимание его желтые волосы, было не такой уж плохой идеей. Но закрытая голова предполагает нежелание быть сфотографированным, и это вызвало шквал щелканья затворов – на тот случай, если снимаемый окажется важной для расследования фигурой.

В *questura* Ди Массимо тоже привлек всеобщее внимание. Он был одет в кожу и облегающие мотоциклетные очки-консервы, такие темные, что было невозможно разглядеть его глаза. Он с ходу потребовал адвоката. *Per favore* при этом не было его самым частоупотребляемым выражением.

Сальваторе и инспектор Линли встретили его в комнате для допросов. Вдоль стен стояли четверо полицейских в форме, что должно было подчеркнуть важность происходящего. Для регистрации показаний были установлены магнитофон и видеокамера. Допрос начался с вежливого предложения еды и напитков и вопроса об имени адвоката Ди Массимо для того, чтобы его, или ее, могли немедленно пригласить для участия в беседе на стороне подозреваемого.

– *Indizato*? – повторил Ди Массимо. – *Non ho fatto niente*[1].

Сальваторе обратил внимание на то, что частный детектив сразу же заявил о своей невиновности, даже не выяснив предварительно, в чем его обвиняют. Ло Бьянко кивнул одному из полицейских, и тот протянул ему пачку фотографий, которые старший инспектор разложил перед Ди Массимо.

– Вот что нам известно, Мико, – объяснил он, раскрывая файл и выкладывая фото на стол. – Этот человек на носилках, – и здесь он выложил перед пизанцем фото Роберто Скуали в том виде, в каком его нашли через сорок восемь часов после катастрофы, проведенных под палящим солнцем Италии, – идентичен вот этому. – И он показал два увеличенных снимка, сделанных с фото американских туристок: Роберто Скуали, стоящий за пропавшей девочкой, и Роберто Скуали с поздравительной открыткой в руках, которая позже оказалась в руках девочки.

Ди Массимо посмотрел на фото. В этот момент Сальваторе протянул руку и снял с него очки. Ди Массимо заморгал и потребовал, чтобы он их вернул.

«*Un attimo*»[2] было произнесено старшим инспектором таким тоном, что Микеланджело сразу понял, что многое – и хорошее, и плохое, и просто никакое – ждет его в ближайшем будущем.

---

[1] Обвиняемого? Я ничего не сделал (*итал.*).

[2] Момент (*итал.*).

– Этого человека я не знаю, – заявил он, складывая руки на груди.

– Ты даже не взглянул на фото, друг мой.

– А мне и не надо на него смотреть, чтобы сказать, что этого человека я не знаю.

– Тогда, Микеланджело, – задумчиво произнес Сальваторе, – ты, наверное, удивишься, сколько раз ты говорил с ним по телефону в течение нескольких недель, предшествовавших похищению девочки, – он указал на изображение девочки, – и почему он внес такую большую сумму наличными на свой банковский счет в тот день, когда девочка исчезла. Ты знаешь, что для нас не составит труда выяснить, снимал ли ты в тот день такую же сумму наличными со своего счета. Это уже делается в данный момент, пока мы с тобой разговариваем.

Микеланджело ничего не ответил, но на линии его волос выступили крошечные капельки пота.

– Кстати, я все еще жду имя твоего *avvocato*, – добавил Сальваторе не без иронии. – Он, без сомнения, сможет подсказать тебе наилучший способ освобождения из той паутины, в которую ты сам себя закатал.

Ди Массимо молчал. Сальваторе не торопил его, давая возможность подумать. Пизанец не мог знать, какая информация находится в распоряжении полиции в данный момент, но то, что его привезли в *questura*, говорило о том, что он серьезно влип. Поскольку он с ходу отказался от знакомства с человеком, с которым так интенсивно беседовал по телефону, наилучшим вариантом для него было сказать правду. Даже если он звонил Скуали десятки раз, ни разу не встретившись с ним лично, в глазах полиции это была связь, которую надо было объяснять. Сальваторе интересовало только, как быстро Ди Массимо сможет придумать объяснение, никак не связанное с похищением Хадии. Он готов был поклясться, что человек, который красит свои волосы в цвет кукурузы, не может похвастаться сообразительностью Эйнштейна.

Оказалось, что его предположение верно.

Вздохнув, Ди Массимо сказал: «*Bene*», – и начал свою историю.

Его наняли, чтобы он нашел ребенка, как он уже признался, когда старший инспектор опрашивал его в первый раз. Его наняли, он нашел девочку. Он и думать забыл об этом после того, как сообщил адрес фаттории ди Санта Зита в горах недалеко от Лукки заказчику. Но несколько недель спустя он получил абсолютно новый и не связанный с предыдущим заказ. Хотя он и касался той же самой девочки.

– И это был заказ?.. – спросил Ло Бьянко.

– Организовать похищение девочки, – бодро ответил пизанец.

Ему надо было самому решить, где произойдет похищение. Основным требованием было то, что девочку ни в коем случае нельзя было хоть немного испугать. Поэтому он решил нанять человека, который сможет проследить за семьей и выяснить их постоянное расписание, с тем чтобы можно было обнаружить те рутинные, повторяющиеся перемещения, во время которых их внимание было максимально снижено и похищение ребенка могло пройти незамеченным. Человеком, которого он нанял, был Роберто Скуали, *cameriere*[1] в одном из ресторанов в Пизе.

По рассказам Скуали, еженедельные поездки семейства в Лукку в рыночный день были именно тем, что они искали. Мать ребенка отправлялась на свою йогу, ее любовник и дочь на *mercato*, а там мужчина и девочка расставались, и ребенок шел слушать уличного музыканта и наблюдать за его пуделем. И это был идеальный момент для ее похищения, решил Ди Массимо; но, естественно, похищение не могло быть совершено кем-то столь же заметным, как частный детектив. Поэтому он поручил это Роберто Скуали.

– Но кажется, что ребенок ушел со Скуали по доброй воле, – сказал Сальваторе. – Все выглядит, как будто она слушается его распоряжений, потому что уходит с рынка по пути, по которому никогда раньше не ходила, а он идет за ней.

Ди Массимо кивнул.

– Все было сделано для того, чтобы не испугать девочку. Я передал ему слово, которое он должен был сказать, чтобы убедить малышку, что ей не о чем беспокоиться.

– Слово?

– *Khushi*.

– А что это значит?

– Не знаю. Мне самому его сообщили.

Ди Массимо продолжил свой рассказ. Роберто должен был сказать Хадии, что пришел от ее отца. Он передал Скуали поздравительную открытку, которую, как ему сказали, написал ее отец. Роберто должен был передать открытку, а затем сказать это самое волшебное слово *Khushi*, которое было, видимо, чем-то вроде «сезам, откройся» для получения ее полной поддержки. После того как она уйдет с ним, он должен был отвезти ее в безопасное место, где девочка должна была находиться до тех пор, пока Микеланджело не сообщат, что ее можно освобождать. Тогда же ему сообщат, где это должно произойти. Он должен был передать эту ин-

---

[1] Официант (*итал.*).

формацию Роберто Скуали, который должен был забрать девочку, отвезти ее на точку и оставить там ждать того, что должно было произойти потом.

Сальваторе почувствовал подступившую тошноту.

– А что должно было произойти потом? – спросил он ровным голосом.

Ди Массимо не знал. Ему сообщали только маленькие отрывки плана, по мере того, как в этом возникала необходимость. И так происходило с самого начала.

– Чей же тогда это был план? – спросил Сальваторе.

– Я же уже сказал. Человека из Лондона.

Линли пошевелился на стуле.

– Вы хотите сказать, что с самого начала вас нанял человек из Лондона, чтобы вы похитили Хадию?

Ди Массимо затряс головой. Нет, нет и еще раз нет. Как он уже говорил, сначала его наняли, чтобы он нашел девочку. И только после того, как она была найдена, к нему позже обратились с заказом на организацию ее похищения. Он не хотел соглашаться – *bambina* не должна разлучаться со своей мамашей, *vero*? Но когда ему рассказали подробности об этой мамаше, о том, что она уже однажды бросила эту самую девочку почти на год и уехала вслед за своим любовником... Это было неправильно, это было плохо, это не было *comportamento*[1] любящей мамочки. Поэтому он согласился украсть девочку. Естественно, за деньги. Которые он до сих пор, кстати, полностью не получил. Вот и верь после этого иностранцам.

– И этим иностранцем был... – спросил Линли.

– Как я уже говорил, Дуэйн Доути. План от начала и до конца был разработан им. Зачем ему было нужно, чтобы девочку похитили, а не просто вернули папаше?.. Этого я не знаю и никогда не спрашивал.

Вилла Ривелли,
Тоскана

Сестра Доменика Джустина собирала клубнику, когда ее вызвали. Она отрезала ножницами ягоды от веток. Во время работы женщина тихонько напевала *Ave*[2], которая ей особенно нравилась.

---

[1] Поведение (*итал.*).

[2] Имеется в виду католическая молитва к Деве Марии. На ее текст написано много музыкальных произведений, авторами которых были Ш. Гуно, Дж. Верди, Ф. Лист, К. Сен-Санс и др.

И эта светлая мелодия переносила ее между кустами, как мотылька, чего с ней никогда не случалось за все то время, что она находилась в этом месте.

Долгий период наказания наконец закончился. Доменика вымылась в ванне и надела новую одежду, смазав свои многочисленные раны мазью, которую сама же и приготовила. Эти раны скоро перестанут сочиться гноем. Таков был путь любящего всех Бога.

Когда Доменика услышала свое имя, она распрямилась среди кустов клубники – и увидела, что из монастыря пришла новообращенная, в белой вуали, которую развевал легкий бриз. Сестра уже видела молодую женщину, хотя и не знала ее имени. Плохо зашитая заячья губа уродовала ее лицо и сообщала ему выражение вечного горя. Ей было не более двадцати трех лет. То, что она была в этом возрасте новообращенной в ордене монашек, показывало, что здесь она не так давно.

– Тебя хотят видеть, и немедленно, – сказала новообращенная.

Душа сестры Доменики Джустины закружилась у нее в груди, как голубка в лазурном небе. Она уже многие годы не была в священном здании монастыря, с того самого дня, когда узнала, что ей не разрешается жить среди добрых сестер, которые проводили там свою земную жизнь в полной безгрешности. Ей позволялось только входить на несколько шагов в кухню на *pianoterra*. На пять шагов от двери до громадного деревянного стола, где Доменика оставляла для монахинь то, что собирала в саду, что делала из овечьего молока или что получала от курочек. И даже туда она могла входить только тогда, когда на кухне никого не было. То, что Доменика знала именно эту монашку, которая позвала ее, было случайностью. Просто она видела, как та приехала вместе с родителями в один из солнечных летних дней.

– *Mi segua*[1], – сказала новообращенная Доменике и повернулась, уверенная, что та выполнит ее приказание.

Сестра Доменика Джустина сделала так, как ей велели. Она бы хотела смыть грязь с рук и, может быть, поменять одежду. Но быть приглашенной в монастырь – а ведь именно это должно было произойти, ведь правда? – было даром свыше, от которого она не могла отказаться. Поэтому Доменика отряхнула руки, сняла полотняный фартук, сжала в руке розовый шип, спрятанный в кармане, и пошла за монахиней.

---

[1] Следуй за мной (*итал.*).

Они вошли через величественные парадные двери – несомненно, еще один подарок Доменике и, кроме того, добрый знак. Они прошли туда, где раньше располагалась громадная *soggiorno*[1] виллы, стены которой возносились к купольной фреске; на последней прекрасный бог Аполлон мчался на своей колеснице по лазурному небу. Все остальные настенные фрески были давно закрашены белой краской. А большие, покрытые шелком *divani*, на которых раньше располагались гости виллы, давно были заменены на простые деревянные скамейки, ровными рядами расставленные перед таким же скромным и грубо вырезанным из дерева алтарем. Он был покрыт тонкой накрахмаленной тканью. На ней стояла изысканная золотая дарохранительница с единственной свечой, стоящей в подсвечнике из красного стекла. Свеча в красном означала, что Святые Дары находились в алтаре. Перед ним они преклонили колени.

В воздухе витал незабываемый аромат ладана, аромат, который сестра Доменика Джустина не вдыхала уже многие годы. Она обрадовалась, когда монашка велела ей ждать перед алтарем; кивнула, встала на колени на твердые каменные плиты пола и перекрестилась.

Доменика поняла, что не может молиться. Ведь надо было увидеть и испытать столько всего нового. Она попыталась успокоиться, но ее волнение было слишком сильным, и оно заставляло ее смотреть по сторонам, пока женщина впитывала в себя то место, где ее оставили.

Молельня была темной, ее окна закрывали жалюзи и решетки. Большие двери, ведущие в *loggia* на заднем плане виллы, и за алтарем были обшиты досками и занавешены вышивками, сделанными руками женщин, живущих в этом монастыре. На вышивках были изображены сцены из жизни святого Доминика – его имя носил орден, к которому принадлежали монахини, и деяния именно этого святого они прославляли в своих вышивках.

Коридоры вели направо и налево из молельни, и по ним человек мог попасть в самое сердце монастыря. Сестра Доменика Джустина умирала от желания пойти по одному из них, но осталась на месте. Повиновение было одним из ее обетов. Это было еще одно испытание, и она его выдержит.

– *Vieni, Domenica*[2].

---

[1] Приемная (*итал.*).

[2] Пойдем, Доменика (*итал.*).

Приглашавший ее голос был не громче шепота, и на секунду сестра Доменика Джустина подумала, что с ней говорит сама Святая Дева Мария. Но рука, положенная ей на плечо, означала то, что у голоса есть тело, и, подняв глаза, женщина увидела древнее, покрытое морщинами лицо, почти полностью скрытое в складках черной вуали.

Доменика встала с колен. Старая монахиня кивнула и, спрятав руки в широкие рукава своей накидки, повернулась и направилась в один из коридоров. Его вход закрывала тончайшая резная деревянная решетка, но она открылась от легкого прикосновения, и скоро Доменика и ее сопровождающая шли по длинному белому коридору с закрытыми высокими дверями по одной стене и закрытыми окнами по другой. Несколько шагов привели их к одной из дверей, в которую *vecchia*[1] тихонько постучала. За дверью кто-то ответил. Старая монашка жестом показала Доменике, что та может войти, и когда она это сделала, дверь бесшумно закрылась за ней.

Она оказалась в просто обставленном офисе. Скамеечка для коленопреклонения стояла перед статуей Непорочной Девы, которая с любовью смотрела на всякого, кто хотел помолиться у ее ног. В нише на противоположной стене стоял святой Доминик, простирающий руки в благословении. Между двумя плотно закрытыми окнами стоял пустой стол. За столом сидела женщина, которую сестра Доменика Джустина встречала только два раза в жизни: она была настоятельница монастыря и смотрела на Доменику с такой серьезностью, что та поняла: наступает самый важный момент – момент ее посвящения.

Доменика никогда не испытывала такой радости. Она знала, что эта радость изливается с ее лица, потому что чувствовала: все ее тело было переполнено ею. Она была ужасной грешницей, но теперь, наконец, была прощена. Она полностью приготовила свою душу для Бога, и не только свою.

Долгие годы Доменика каялась в своих грехах. Она старалась показать Богу, через свои поступки, что понимает, сколь они тяжелы. Молиться, чтобы ее неродившийся младенец – ребенок ее собственного кузена Роберто – исчез из ее тела так, чтобы ее родители никогда не узнали, что она носила его под сердцем... И эта молитва была исполнена в ту самую ночь, когда ее родителей не было дома... И в этот момент Роберто был рядом, чтобы избавить-

---

[1] Старуха (*итал.*).

ся от того, что было с такой болью исторгнуто из ее тела там, в темноте ванной комнаты...

Это существо было живым. Полностью сформированным и живым, но даже в этом чувствовалась рука Господа. Потому что пять месяцев, проведенные в ее теле, не давали ему возможности жить без посторонней помощи, а эта помощь не была пожалована. Или, по крайней мере, так считала Доменика, потому что Роберто взял и избавился от него. Она не знала, было ли оно мальчиком или девочкой. Она не знала... до тех пор, пока все не изменилось, пока Роберто все не изменил.

Сестра Доменика не понимала, что говорит все это вслух, до тех пор, пока мать-настоятельница не встала из-за стола. Она оперлась на него – белые костяшки ее пальцев составляли резкий контраст с цветом стола – и проговорила:

– *Madre di dio, Domenica, Madre di Dio*[1].

Итак, теперь все было понятно. Ее ребенок не умер, потому что Господь действует методами столь удивительными, что всем нам, его скромным слугам, не дано их даже понять. Ее кузен вернул ее ребенка под ее защиту, чтобы она защитила его от возможных бед, и именно это она, сестра Доменика Джустина, делала до того момента, когда Господь забрал к себе отца ребенка в ужасной аварии в Апуанских Альпах. А она – сестра Доменика Джустина – осталась, чтобы постараться понять, что же все это значит. Потому что, помимо удивительных, Господь использует и непостижимые методы, и человеку приходится страдать, чтобы понять то послание, которое содержится в Его поступках.

– Мы все должны доказать свою любовь к Господу, – заключила сестра Доменика Джустина. – Девочка спросила меня о своем отце. Господь направил меня. Ведь только выполняя Его волю – несмотря на все трудности – можем мы получить то полное прощение, которого жаждем.

Она перекрестилась и улыбнулась, почувствовав наконец просветление, благословенная Богом прийти в это святое место.

Мать-настоятельница почти не дышала. Она дотронулась до золотого перстня на пальце, знака ее сана. Дотронулась до распятия на этом перстне, как будто моля Господа дать ей силы говорить.

– Ради любви Господа нашего Иисуса Христа, Доменика, – сказала она. – Что ты сделала с этим ребенком?

---

[1] Матерь Божья, Доменика, Матерь Божья (*итал.*).

АПРЕЛЬ, 30-е

Виктория,
Лондон

– Рад, что наша полиция всегда на посту, и ты в ее первых рядах.
Барбаре Хейверс не нужно было, чтобы Митчелл Корсико называл себя. С недавних пор теноровые нотки его голоса звучали у нее в мозгу постоянно. Если бы он позвонил ей на мобильный, она могла бы не ответить. Поэтому Митчелл позвонил на коммутатор, сообщил, что обладает информацией «по делу, которое расследует сержант Хейверс», и этот блеф идеально сработал. Его соединили, она сняла трубку, рявкнула: «Сержант Хейверс», – и услышала его голос.

– Что? *Что*? – спросила Барбара.

– Как сказала бы моя святая мамочка, «не смей говорить со мной таким тоном», – ответил Корсико. – Она вышла из больницы.

– Кто? Твоя мамочка? Тогда тебе надо отпраздновать, правда? Я бы тоже опрокинула с тобой чарочку, но чертовски много работы.

– Не старайся подлизаться, Барб. Здесь нет вообще ничего интересного, и я думаю, что ты знала об этом заранее. Ты хоть представляешь, каким идиотом я выгляжу в глазах своего главного редактора? *Представляешь*?

Значит, он наконец отправился в Италию. Барбара поблагодарила за это свою звезду.

– Если она вышла *из* больницы, то, полагаю, она все-таки ***в ней*** была. Для меня новость, что ее выписали. Все, что я говорила тебе, я говорила с наилучшими намерениями.

– Я возвращаюсь к сексуально озабоченному папашке и офицеру полиции, – сказал он. – Думаю, что закончу статью к завтрашнему дню. В принципе, я уже ее написал и прикрепил файл к своему электронному письму под названием «смотрите-какую-инфу-я-смог-нарыть-дорогой-редактор». Мне осталось только нажать кнопку «отправить». Ты хочешь, чтобы это произошло, или нет?

– Я хочу... – Барбара подняла глаза, почувствовав, как кто-то подошел и остановился у ее стола. Это была Доротея Гарриман, поэтому она сказала в трубку: – Подожди секунду, – а затем – Доротее: – Что-то случилось?

– Сержант Хейверс, вас желают лицезреть, – секретарша мотнула идеально причесанной головкой в сторону кабинета Изабеллы Ардери.

Барбара вздохнула.

– Поняла, – сказала она, а затем в трубку: – Знаешь, нам придется продолжить этот разговор позже.

– Ты что, совсем сбрендила? – взорвался Корсико. – Ты думаешь, я блефую? Ты сможешь остановить статью, только обеспечив мне Ажара или Линли. Ты должна предоставить мне подход, которого нет больше ни у кого, и клянусь всеми святыми, Барб, если и на этот раз ты будешь пытаться запудрить...

– Я переговорю напрямую с инспектором Линли, – ответила она. – Это тебя хоть немного удовлетворит? А теперь, извини, меня вызывает суперинтендант Ардери, и хотя я с удовольствием продолжила бы эту очень бодрящую беседу с тобой, я, к сожалению, должна идти.

– Хочу только сказать напоследок, что я попридержу эту новую статью не больше чем на пятнадцать минут. После этого я нажимаю «отправить», и ты читаешь статью в завтрашнем номере.

– Как всегда, трясусь от страха, – сказала она и грохнула трубкой по аппарату. Затем повернулась к Доротее: – Чего хочет от меня их светлость? Есть идеи?

– У нее инспектор Стюарт. – В голосе Доротеи слышалось сочувствие.

Это было плохо.

Барбара подумала о сигарете для укрепления боевого духа, но решила, что заставлять Изабеллу Ардери ждать, когда она ее срочно вызывает, было не самой удачной идеей. Поэтому Хейверс пошла за Доротеей в офис суперинтенданта и увидела там Ардери, беседующую с инспектором Джоном Стюартом, который притащил с собой целую стопку файлов для чего-то явно не очень хорошего.

Барбара вошла, посмотрела на Ардери, на Стюарта и опять на Ардери. Кивнула, но ничего не сказала. Ее мозг лихорадочно работал. Барбара была уверена, что Стюарт никак не мог узнать о ее беседе с Дуэйном Доути до того, как она бросилась исполнять его задание. Но даже если он каким-то образом об этом узнал, все необходимые опросы она провела. Чего еще этому уроду от нее нужно?

Однако на этот раз Стюарту ничего от нее не было нужно. Его, так же как и ее, пригласили в кабинет суперинтенданта, и, так же как и Барбара, он ничего не знал о причинах вызова к начальству.

Ардери не стала терять времени даром.

– Джон, – обратилась она к Стюарту, – я забираю у вас Барбару на несколько дней. Надо провести расследование...

– Что? – Стюарт выглядел как ребенок, у которого только что лопнул воздушный шар. Взбешенный, он смотрел на Ардери, как будто именно она ткнула в шар иголкой.

Суперинтендант немного подождала, позволив его воплю несколько раз отразиться от стен ее кабинета; затем сказала, тщательно подбирая слова:

– Я и не знала, что у вас что-то со слухом. Повторяю, я перевожу Барбару на другое расследование.

– Какое такое другое расследование? – потребовал он.

Ардери выпрямила спину.

– Я не думаю, что вам необходимо это знать.

– Вы включили ее в мою команду, – возразил Джон, – и именно там она и останется, в моей команде.

– Простите?.. – Ардери сидела за своим столом, Стюарт, с кучей файлов, аккуратно сложенных на коленях, – напротив нее. Теперь она встала и наклонила все свои шесть футов в его направлении, опираясь идеально наманикюренными пальцами на стопку отчетов. – Я не думаю, что ваша должность позволяет вам делать такие заявления. Может быть, вам нужно время, чтобы прийти в себя? На вашем месте я бы подумала.

– Куда вы ее переводите? – опять потребовал он. – Во всех группах достаточно сотрудников. Если вы просто хотите показать свою власть, то у вас это не пройдет.

– Мне кажется, вы не в себе.

– А я всегда не в себе в вашем присутствии. Вы знаете, что у меня здесь? Вот в этих самых файлах? – Джон взял один и потряс им перед суперинтендантом.

Барбара почувствовала, как ослабли ее руки.

– Меня совершенно не интересует, что у вас там, если это, конечно, не постановление об аресте по одному из дел, которыми вы занимаетесь.

– Очень хорошо, – сказал Стюарт. – Вас совершенно не интересует ничего, кроме... – Он внезапно замолчал. Остановился на самом краю. – Ладно, проехали. Итак, она переведена. Забирайте ее. Мы все знаем, с кем она будет работать, ведь это единственный человек, который всегда хочет с ней работать, и все у нас знают, почему вы с таким удовольствием удовлетворяете его просьбы.

Барбара втянула воздух сквозь зубы. Она ждала, как суперинтендант среагирует на этот выпад.

– Вы на что намекаете, Джон? – спокойно спросила Ардери.

– Думаю, что это ни для кого не секрет.

– А я думаю, что вам стоит хорошенько подумать над тем, чего вы добиваетесь. Дело в том, что Барбара будет работать непосредственно на меня по делу, касающемуся другого офицера полиции. И это, Джон, все, что вам позволено знать о причинах, по которым я забираю ее у вас. Мы обо всем договорились, или вы хотите продолжить эту беседу на другом уровне и в другом месте?

Стюарт уставился на Ардери. Та не отвела взгляд. Ее лицо было жестким, его – бордовым. Барбара понимала, что они оба взбешены. Один из них должен был уступить, и Барбара знала, что это будет не суперинтендант. Станет ли это Стюарт, покажут следующие мгновения. Женоненавистничество вело его по жизни столь долгие годы, что было трудно предсказать, сможет ли он взять его под контроль на то время, которое ему понадобится, чтобы выйти из кабинета суперинтенданта и вернуться к работе, пока Ардери не отрезала ему голову.

Наконец он встал, произнес: «Я вас понял», повернулся и вышел из кабинета, даже не взглянув в сторону Барбары. Она подумала: что же все-таки было в его файлах? Наверняка ничего хорошего.

После того, как Стюарт покинул кабинет, суперинтендант предложила Барбаре сесть на один из стульев у своего стола. Хейверс выбрала тот, на котором не сидел инспектор Стюарт, – не хватало еще испачкать штаны тем, что из него сыплется. Она ждала объяснений, и они не замедлили последовать.

– Отголоски этой ситуации в Италии доходят до Лондона, – сказала Ардери. – Сегодня утром я говорила с инспектором Линли по телефону. Ему нужен помощник для работы по этому расследованию здесь.

«И все-таки это был Линли», – подумала Барбара. Стюарт, в своих глупых и завуалированных обвинениях, был не так далек от истины. Она благословила Линли за его попытки включить ее в свою команду. Томас знал, как сильно она переживает за Хадию и Ажара, он понимал природу их дружбы, и лучше, чем кто бы то ни был другой, понимал, как невыносимо ей работать с инспектором Стюартом. «Господи, благослови, благослови, благослови его», – думала Барбара. Она в долгу перед ним, и она полностью оплатит этот долг, она влезет в самую суть происходящего...

– Я хочу, чтобы вы поняли одну вещь, Барбара, – сказала суперинтендант. – Линли просил у меня Уинстона. И это абсолютно естественно, так как Уинстон умеет подчиняться приказам, чего, к сожалению, нельзя сказать про вас. Но я хочу дать вам возможность доказать лично мне, что вы тоже что-то можете. Ничего не хотите рассказать мне про вашу работу под руководством инспектора Стюарта, прежде чем перейдем к обсуждению того, что ожидает от вас Линли?

«Вот он, момент очищения», – подумала Барбара. Но она не могла рисковать и рассказать суперинтенданту, что не один раз за это время поступала по-своему. Ардери вполне может отобрать у нее задание, которое только что дала. Поэтому она сказала:

– Ни для кого не секрет, что мы с Джоном Стюартом не ладим. Видит бог, я старалась. Он, наверное, тоже. Но мы с ним как лед и пламень.

Ардери оценивающе смотрела на нее, наконец медленно и задумчиво произнесла:

– Ну, хорошо. – Взяла верхний отчет из папки у себя на столе. – Полиция в Италии нашла следы в деле о похищении вашей маленькой подружки, которые ведут в Лондон.

– Дуэйн Доути, правильно? – спросила Барбара.

Ардери кивнула.

– Они задержали в Италии парня, который утверждает, что работал по заданию Доути. Кажется, ему удалось без особого труда найти ребенка, но вместо того, чтобы сообщить об этом отцу девочки, Доути придумал план ее похищения. Что с ней произошло дальше, итальянец не знает. Он утверждает, что инструкции передавались ему частями; он говорит, что это происходило примерно так: «укради ее, и я скажу, что делать дальше».

– Грязная свинья, – сказала Барбара. – Я сама привела Ажара к нему, к Доути, командир, когда исчезла мать Хадии вместе с малышкой. Он казался вполне правильным парнем. Он немного поработал над ее поисками, а потом сказал, что никаких следов нет. Знаете, как это бывает, – «простите-меня-но-ничем-помочь-не-могу».

Барбара ничего больше не сказала про Ажара: ни про Берлин, ни про *Khushi*, ни про что иное. И, конечно, она ничего не упомянула об обвинениях Доути, которые он выдвинул, когда она допрашивала его в участке на Боу-роуд, поскольку суперинтендант вообще не знала, что Барбара видела Доути в участке на Боу-роуд, и ей совсем не нужно было об этом знать.

– Да, хорошо, – сказала Ардери. – Очевидно, что он каким-то образом замешан в этом деле, и инспектор Линли хочет, чтобы мы выяснили, каким. Мне сказали, что не выдвигалось никаких требований выкупа, и я думаю, что за Доути стоит кто-то еще. Позвоните инспектору, если у вас есть еще вопросы.

– Обязательно, – ответила Барбара.

Ардери вручила Хейверс отчет и внимательно посмотрела на нее, прежде чем отпустить.

– В конце вашей работы я хочу знать, что вы разобрались с каждым аспектом этого дела как профессионал, – произнесла она. – Если этого не произойдет, Барбара, то мы с вами будем разговаривать по-другому. Это понятно?

«Как душ из родниковой воды», – подумала Барбара, но сказала:

– Так точно, командир. Я вас не подведу.

Ардери отпустила ее. Но она все-таки не была убеждена.

Боу,
Лондон

Барбара решила, что начинать надо не с Доути. Когда она предъявит ему факты – так же, как их преподнес Микеланджело Ди Массимо в полицейском участке в Лукке, – он, несомненно, сможет выстроить пуленепробиваемую защиту, взывая к ее рационализму. Барбара даже могла представить, как это будет выглядеть: я нанял парня, чтобы найти ее, и он поклялся, что использовал все свои возможности, но безрезультатно; вы, что же, полагаете, будто я виноват в том, что он нашел ее и ничего не сообщил мне? Он спланировал ее похищение и передал ее бог знает кому, по причине, известной только Господу Богу, и это вы тоже хотите повесить на меня? Послушайте, сержант, Ди Массимо было гораздо легче, чем мне, похитить девочку и спрятать ее в холмах Тосканы, или куда он там ее утащил. Вы, что, думаете, что я так хорошо знаю Италию – где я, по правде говоря, никогда не был, – что смог спрятать там девочку? А ради чего все это? Ради денег? Чьих денег? Я этих людей не знаю, и вообще, у кого-нибудь из них есть деньги?

И он будет продолжать так до бесконечности, изматывая ее своей логикой, ее отсутствием и всем остальным, вместе взятым. Поэтому с Доути она не начнет. Эм Касс, казалось, была более легким источником информации.

Барбара потратила некоторое время, пытаясь найти факты из жизни Эм, которые пригодились бы ей в беседе. Оказалось, что она совсем не глупа. Эмили окончила экономический факультет Чикагского университета, но после получения степени не стала работать по специальности; простое перечисление ее занятий показывало, что она никак не связана с миром экономики или бизнеса. Касс была консультантом по безопасности в Афганистане; охранником детей одной из младших ветвей саудовской королевской семьи; личным тренером одной голливудской актрисы, которая очень хотела, чтобы ее красивое тело так и оставалось красивым телом; помощником капитана яхты, которая принадлежала одному из крупнейших игроков на британском рынке углеводородов. Можно было сказать, что ее работа побросала ее по всему земному шару. Как Эмили дошла до должности помощницы у частного детектива в Лондоне, можно было только догадываться.

У нее никогда не было проблем с законом. Эмили происходила из добропорядочной английской семьи, принадлежащей к верхнему среднему классу: ее отец был известным офтальмологом, а мать – педиатром. У нее было три брата-медика и еще один, очень успешный гонщик в Формуле-1. Поэтому, скорее всего, она была совсем не заинтересована в любой деятельности, которая могла бы поставить ее по другую сторону закона.

Барбара убедила себя, что Касс была хорошим выбором для беседы тет-а-тет. Но Хейверс совершенно не хотела беседовать с Эмили на территории Дуэйна Доути. Она не хотела ей звонить. Лучше не давать ей возможности предупредить частного детектива, что ее будут допрашивать. Поэтому Барбара расположилась у окна кебабной на Роман-роуд, недалеко от «Тех, кто понимает», находившихся в том же здании, где на втором этаже располагался офис Доути. Здесь она приготовилась дожидаться появления Эм Касс. Хейверс дождалась ее только после того, как успела съесть четыре кебаба и одну картошку в мундире с сыром и соусом чили. За это время Барбара стала практически членом семьи владельцев заведения. Они смотрели на нее немного криво, видимо, беспокоясь о природе нарушения пищевого поведения, которое явно наблюдалось у женщины в мешковатой одежде, сидящей около окна, но, тем не менее, с удовольствием получали с нее деньги в обмен на невероятное количество пищи, которое она заказывала. Они поощрительно улыбались и интересовались ее матримониальным статусом, рассматривая ее как возможную пару для сына, который ходил по заведению с подозрительной слюной на подбородке, вытекавшей из его рта. Барбара поистине была благодарна Эм Касс за ее появление после столь долгого времени, проведенного ею в кафе. Она также была благодарна Эмили, на которой был одет костюм для бега, за то, что та направилась *в ее* сторону, а не в противоположную, потому что в этом случае, принимая во внимание количество поглощенной пищи, Барбаре было бы невозможно догнать ее.

Хейверс мгновенно выскочила из кафе и оказалась на тротуаре, прямо на пути Эм, прежде чем та смогла сообразить, бежать ли ей или скрываться в офисе. Сказав «надо поговорить», детектив схватила ее за руку и насильно впихнула в заведение под названием «Альберт паб», одновременно удивляясь, откуда в Лондоне такое количество пабов, названных в честь Альберта, – и усадила женщину рядом с автоматом по продаже фруктов, на котором красовалась надпись «Не работает».

– Вам надо знать следующее, – сказала она Эмили. – Микеланджело Ди Массимо сдал вас итальянской полиции. Для вас это может быть не очень серьезной проблемой, потому что процедура экстрадиции такова, что вы превратитесь в бабушку, прежде чем предстанете перед итальянским судом. *Но* – и я хочу, чтобы вы рассматривали это как большую удачу, Эмили, – старший офицер полиции Метрополии в настоящее время находится в Италии в качестве офицера связи для семьи похищенной. Всего одно его слово – помимо тех его слов, которые привели меня сюда к вам, – и вы влипнете в ситуацию из разряда «мне-срочно-нужен-адвокат». Вы меня понимаете, или надо объяснить все подробнее?

Казалось, что Эмили Касс трудно глотать. Барбара услышала ее глотательные движения через стол. Она лениво подумала, а не заказать ли бедняге пиво, но решила, что тратиться не придется, если дать ей время хорошенько обдумать все происходящее и то, что может случиться в ближайшем будущем.

– Я думаю, что вы в этой игре выступали как ассистент. Конечно, вы мошенничали по телефону, чтобы получить нужную информацию – в этом вам нет равных, да и кто может обвинить вас в том, что вы использовали свой талант, – но вы делали это потому, что кто-то приказывал вам это делать, и мы обе знаем, кто это был.

Эмили неподвижно смотрела на нее, затем перевела глаза на улицу, опять на Барбару и облизала губы.

– Я думаю, что если Дуэйн Доути заставлял вас использовать ваш талант и прикидываться по телефону кем угодно, начиная от старушки-пенсионерки и кончая герцогиней Кембриджской, вы были не единственной, кого он эксплуатировал. Он далеко не дурак. Этот парень бросил мне вызов «проверьте-все-мои-записи-здесь-если-вы-не-верите-мне-на-слово», и это, на мой взгляд, говорит о том, что кто-то еще замешан во всем этом. Этот «кто-то» умеет стирать телефонные журналы, чистить компьютеры, и для него все это детские игры. Мне нужно имя, Эмили. Я думаю, что это тот самый Брайан, которого однажды упомянул Доути. Мне нужен его телефон, электронный адрес, почтовый адрес и все остальное. Вы даете мне эту инфу, и мы расстаемся друзьями. Нет – тогда пеняйте на себя. Но мне кажется, что это именно тот случай, когда здравый смысл говорит о том, что пора вынуть голову из петли. Мы уже дошли до этой точки. И что же вы решите?

Ну, вот и всё. Карты на столе. Барбара ждала, что произойдет дальше. Проходили секунды. Порыв ветра тащил пустой бумажный мешок по тротуару. Мусульманский священник вышел из узкого подъезда, сопровождаемый целым выводком маленьких мальчиков. Барбара смотрела на них и думала, как изменилась жизнь в Лондоне. Простая прогулка теперь имела множество объяснений. Мир становился таким жалким местом для житья...

– Брайан Смайт, – тихо произнесла Эмили.

Барбара перевела глаза на нее.

– И он?..

– Занимается телефонными переговорами, компьютерами и всем таким. Всем, что связано с компьютерными технологиями.

Хейверс достала и открыла блокнот.

– Где я могу найти эту звезду?

Эмили надо было выудить информацию из своего мобильного. Она зачитала ее – адрес и телефонные номера – и засунула мобильный в карман, добавив:

– Он не знал, для чего все это. Просто делал то, что велел ему Доути.

– Не волнуйтесь, – сказала Барбара, – я знаю, что главный тут Доути, Эмили.

Она оттолкнулась от стола и убрала блокнот в сумку. Барбара встала на ноги.

– Между нами, девочками, я бы посоветовала вам заняться поисками новой работы. Частный бизнес Доути, по всей видимости, накроется, и я думаю, скорее раньше, чем позже.

Сержант оставила молодую женщину сидящей в пабе. Подумав, что Доути сейчас должен быть в офисе, она туда и направилась. Имея имя Брайана Смайта, Барбара обладала хорошими картами.

Над «Теми, кто понимает» она дважды постучала в дверь офиса Доути и вошла, не дождавшись приглашения. Хейверс застала детектива в беседе с человеком средних лет, похожим на агента по продаже недвижимости. Они наклонились над столом и рассматривали лежащие на нем фотографии; в руках агента по недвижимости был платок, который он медленно рвал на полоски.

Доути поднял глаза.

– В чем дело? Вы что, не видите, что мы заняты?

– Я тоже, – ответила Барбара, достала свое удостоверение и показала его бедному мужику, которому в настоящий момент предоставляли холодные, расчетливые и, вне всякого сомнения, грязные доказательства того, что он был безжалостно предан. – Мне надо переговорить с мистером Доути. – И, взглянув на фотографии – два обнаженных молодых человека, застывшие в страстных и отнюдь не дружеских объятиях около пруда, обсаженного деревьями, – она добавила: – Как там говорится? Каждый, кто на свете жил, любимого терял[1], так? Мне очень жаль.

Доути собрал фото и обратился к Барбаре:

– Вы можете вывести из себя кого угодно.

– Да, грешным делом, могу, – согласилась она.

Агент по недвижимости, по-видимому, стал приходить в себя после просмотра фотографий. Он полез в карман пиджака за чековой книжкой, но Барбара взяла его за руку и подтолкнула к двери.

– Я думаю, мистер Доути, будучи совестливым человеком, на этот раз денег с вас не возьмет.

Сержант попрощалась и проследила, как мужчина спускается по ступеням с понуро опущенной головой. Мысленно она пожелала ему, чтобы его оставшийся день прошел более удачно, чем только что закончившаяся встреча. Затем закрыла дверь и повернулась к Доути. Его лицо было ярко-красным, и явно не от смущения.

– Как вы смеете!.. – прорычал он.

– Брайан Смайт, мистер Доути. По крайней мере, здесь это Брайан Смайт. А там – Микеланджело Ди Массимо. У него, к сожалению, своего Брайана Смайта нет. Его компьютеры не так девственно чисты, как ваши. И телефоны тоже, я полагаю. Ну, а потом, еще есть небольшое дельце, касающееся его банковского счета. Неизвестно, к чему оно приведет, после того как мы им займемся.

– Я же уже говорил, что нанял Ди Массимо для того, чтобы он кое-что проверил в Италии, – резко сказал Доути. – С какого перепугу вы опять о нем спрашиваете?

– Потому что вы не сказали мне, что он был также нанят для того, чтобы украсть Хадию, Дуэйн.

---

[1] Неточная цитата из стихотворения О. Уайльда «Баллада Редингской тюрьмы».

– Я его для этого не нанимал, сержант. Я это уже говорил, и буду повторять то же самое. Если вы думаете по-другому, то послушайте, что я вам посоветую.

– И что же это?

– Таймулла Ажар. Профессор. С самого начала за всем этим стоял он, но вам не хотелось в это верить, не так ли? Вот мне и пришлось выполнить за вас вашу чертову работу, и поверьте, никакой радости это мне не доставило.

– Но его берлинское алиби...

– К черту Берлин, он здесь совсем ни при чем. Берлин был с самого начала способом запутать следы. Конечно, Ажар был там. Он посещал там лекции, выступал с докладами и выпрыгивал во всех коридорах отеля, как пакистанский черт из табакерки. Он бы и ногу себе сломал в лобби, если бы это было нужно для того, чтобы его получше запомнили. Но оказалось, что это даже не потребовалось, потому что есть люди, которые принимают на веру каждое его слово. Верят каждому слову, которое произносит этот мошенник. Я, кстати, тоже к ним относился. Так давайте будем честны до конца.

Говоря это, Доути подошел к одному из шкафов с файлами, рывком открыл верхний ящик и вытащил из него плотный конверт. Его он бросил на свой стол, вернулся на место и предложил:

– Черт побери, да сядьте вы, наконец, и давайте поговорим как рациональные люди.

Барбара верила этому человеку так же, как верила бы королевской кобре, подползающей к большому пальцу на ее ноге. Она прищурила глаза и попыталась найти в его лице признаки того, что должно было произойти в следующий момент. Но Дуэйн выглядел, черт возьми, так же, как он выглядел всегда, – обыкновенно. Все в нем было заурядно, кроме его носа, который несколько раз извивался в разные стороны по дороге к верхней губе, где заканчивался круглыми ноздрями.

Барбара села. Но она не собиралась упускать инициативу, поэтому сказала:

– Брайан Смайт подтвердит, что чистил ваш телефон и компьютер. Если добавить сюда мошенничество со стороны мисс Касс и...

– Может быть, взглянете сначала на это, прежде чем продолжите вашу трескотню?

Доути открыл конверт и протянул ей два документа. Барбара увидела, что это копии авиационных билетов, похожих на миллионы других таких же, которые люди ежедневно покупают через Интернет по всему свету. Рейс, указанный в билетах, вылетал из Хитроу. Это были билеты в одну сторону, с местом назначения Лахор.

Барбара почувствовала, как заколотилось ее сердце и пересохло во рту. Первого пассажира звали Таймулла Ажар. Второго – Хадия Ажар.

Какое-то время Хейверс не могла думать. Она не могла думать, что это все могло значить и откуда взялись эти билеты. Она не могла думать – потому что не хотела, – что все, чему она верила и что она знала об Ажаре, рассыпается в пыль.

По-видимому, все это было написано на ее лице, потому что Доути сказал:

– Да. Это всё для вас. Упаковано и перевязано ленточкой. Я должен был бы выставить вам счет за то, что выполнил вашу чертову работу за вас.

– Передо мной лежит лист бумаги, мистер Доути, – ответила Барбара, стараясь казаться бодрой. – Мы оба прекрасно знаем, что такая бумажка может быть сделана кем угодно, так же как кто угодно может купить билет в любую точку планеты на любую фамилию.

– Да ради бога, посмотрите же на даты, – посоветовал ей частный детектив. – Дата вылета сама по себе довольно интересна, но больше всего вас должна заинтересовать дата покупки.

Барбара посмотрела и постаралась решить, что эти две даты говорили ей о ее друге. Билеты были на 5 июля; это можно было объяснить тем, что Ажар надеялся, что девочку к тому времени уже найдут живой и здоровой. Или это говорило о том, что билет был приобретен много месяцев назад, еще до того, как Хадия исчезла из Лондона в ноябре прошлого года. Но время покупки все меняло. Билеты были приобретены двадцать второго марта, задолго до того, как Хадию похитили в Италии, но уже в то время, когда Ажар, как он говорил, не имел понятия, где скрывается его дочь. Это могло значить только одно, – и Барбара не могла даже представить себе, какой дурой выглядела все это время.

Она попыталась найти хоть какое-то объяснение этой информации.

– Любой мог...

– Может, да, а может, нет, – ответил Доути. – Вопрос в том, почему кто-то, кроме нашего друга – тихого, непритязательного, глубоко страдающего профессора чего-то, черт знает *чего* он там профессор, с разбитым сердцем, – решил купить два билета в Пакистан?

– Это мог быть кто-то, кто хотел выставить его виновным – вот как вы сами, например.

– Вы так думаете? Тогда попросите ваших коллег из Специального отдела отследить эту покупку. Потому что мы с вами знаем, что в нынешнее время, когда все играют в игру «Найди и обезвредь террориста», любой человек, который едет в страну, где люди на улицах ходят в шарфах, полотенцах, простынях и мужских платьях, отслеживается очень легко, если только поступает такое распоряжение.

– Может быть, он...

– Знал, что его ребенка похитят в Италии?

– Я не это хотела сказать.

– Но это то, что вы *знаете*, сержант Хейверс. Думаю, что теперь мы с вами можем сказать: игра закончена. Вы что, собираетесь продолжать доставать меня, или все-таки собираетесь сделать что-то, чтобы это жалкое подобие отца – да и отец ли он вообще этому ребенку? – рассказал полицейским в Италии, где же он прячет несчастную?

Боу,
Лондон

Барбара села в свой замызганный «мини», закурила и затянулась так глубоко, что, казалось, канцерогены добрались прямо до ее коленок. Она полностью выкурила сигарету, прежде чем позволила себе начать думать. В этом ей помог Бадди Холли. Магнитофон в машине работал по какому-то своему, таинственном алгоритму, но как раз сегодня у него, видимо, был период воспроизведения, хотя сама идея Бадди о том, что *всё* становится ближе и ближе[1], не очень радовала Барбару.

Доути прав: один звонок в Специальный отдел, и она будет знать все об этих билетах в Лахор. Не имело значения, что Ажар был уважаемым профессором микробиологии. Одно это не могло освободить его от тщательного наблюдения. Когда дело шло о поездке в мусульманскую страну, человек с именем Таймулла Ажар будет внимательно изучен, особенно если он купил билет в одну сторону. В принципе, есть вероятность того, что его уже взяли на карандаш ребята из SO-12[2], потому как то, что он купил

---

[1] Неточная цитата из песни Бадди Холли *Everyday*.

[2] Одна из специальных служб полиции Великобритании. Основная задача – борьба с политическим насилием и подрывной деятельностью. По-видимому, автор путает две структуры – SO-12 и SO-13, главной задачей которой является борьба с терроризмом.

этот билет – если это был, конечно, он, – должно было зажечь сигнал тревоги. Ей оставалось только достать мобильный, позвонить в Управление и услышать самое плохое. Или самое хорошее. Боже, сделай так, чтобы это было хорошее!..

Барбара раздумывала над тем, что же она знает на данный момент, пока бычок не стал обжигать ей губы. Сержант выбросила его в окно – простите, уборщики улиц, – потому что ее пепельница была под завязку набита бычками разных размеров, скопившимися в ней за последние шесть месяцев. Она попыталась разложить все по полочкам. От Линли Барбара знала, что Ди Массимо всеми своими двадцатью пальцами указывает на Дуэйна Доути в Лондоне. Вроде бы, Эмили Касс делает то же самое. Доути теряет все, если его связь с преступлением будет доказана. Он знает это лучше, чем кто-либо другой. Именно поэтому детектив приказал уничтожить все возможные свидетельства того, что он был связан с кем-то в Италии.

Брайан Смайт это подтвердит. Прижми его в углу, дай гарантию, что Закон к нему не придет, если он все расскажет, и этот компьютерщик выложит все на фарфоровой тарелочке с голубой каемочкой, попутно признав, что он сын Элвиса Пресли. Барбара знала, что ей, скорее всего, даже не придется с ним встречаться. По ее опыту, эти компьютерные гении обладали неимоверным гонором, но их смелость простиралась только до пределов закрытых дверей, за которыми, в полутемных комнатах, освещенных светом мигающих компьютерных экранов, они и творили свой беспредел. Услышав, что им заинтересовались копы, Брайан мгновенно расколется. Он расскажет все, что знает, со скоростью, с которой смогут вибрировать его голосовые связки. Барбара просто не была уверена, хочет ли она услышать это «все».

Правда состоит в том, что он все подтвердит, и Хейверс это очень хорошо знала. Эмили Касс никогда бы не дала его номер телефона, если бы в этом были малейшие сомнения. Барбара подумала, что, наверное, помощница Доути предупредила его, как только Барбара оставила ее в баре одну. А потом ему мог позвонить сам Дуэйн и поговорить с ним. Частный детектив сразу должен был понять, что компьютерщика сдала Эм Касс, так как кроме нее никто не мог этого сделать. С ней Доути мог разобраться позже, но, сразу после ухода Барбары, первым в его списке должен был быть Брайан Смайт... Он мог позвонить ему и сказать: «К тебе придет коп. Она ничего не знает наверняка, поэтому держи язык за зубами, и тебя ждет хороший бонус». И тот будет держать язык за зубами. Или сломается и заговорит. Или вовсе сбежит. В Шотландию, Дубай или на Сейшелы. Кто, черт возьми, знает, как поступит Брайан Смайт? Голова Барбары шла кругом, и она закурила следующую сигарету.

Выложит на фарфоровой тарелочке? Она знала, что должна сделать. Она должна позвонить Линли и все-все ему рассказать. Но боже, боже, боже, как ей заставить себя сделать это? Ведь есть же где-то объяснение всему этому, и ей просто надо его найти.

Она может сообщить Линли имя Брайана Смайта. Это как бы демонстрировало ее бурную деятельность. Томас велит ей доставить Смайта в участок и хорошенько побеседовать с ним, или он спросит, почему она до сих пор этого не сделала. В любом случае это даст ей дополнительное время. Только один вопрос: что она собирается с этим временем делать? И тогда Барбара, наконец, призналась самой себе, что начала действовать.

Лукка,
Тоскана

У Сальваторе не осталось выбора после того, как Ди Массимо назвал имя человека в Лондоне. Его беседа с Пьеро Фануччи будет не слишком приятной, но ее не избежать. После нее старший инспектор собирался отправиться в Апуанские Альпы, в монастырь, в котором работала Доменика Медичи. Это было единственной уликой, указывающей на то, где могла находиться английская девочка, и, с разрешения Фануччи или без него, Сальваторе собирался туда добраться.

Он переговорил с *il Pubblico Ministero* по телефону, подготовив перед этим разговором все те немногие аргументы, которые могли убедить Фануччи в том, что не было никакой связи между Карло Каспариа и другими подозреваемыми по делу о похищении ребенка. Пьеро резко заметил: это значит, что Сальваторе недостаточно внимательно искал. Немедленно займись этим еще раз, приказал Фануччи. И в этот момент Сальваторе сплоховал. В этот момент он совершил критическую ошибку. Он сказал спокойным тоном: «Пьеро, *capisco*, я понимаю, что вы многое поставили на карту, обвинив Каспариа...»

Фануччи сразу же превратился в *il drago*, и Сальваторе смог испытать на себе его гнев. Он слушал рев и визжание Пьеро. *Il Pubblico Ministero* подверг сомнению все, начиная от способности Сальваторе работать в полиции и кончая мужскими способностями самого старшего инспектора, которые привели к развалу его семейной жизни.

Результатом гнева *il drago* было ожидаемое сообщение о том, что Сальваторе Ло Бьянко освобождается от должности руководителя этого расследования. Он будет заменен на человека, который способен выполнять распоряжения прокурора, отвечающего за расследование, и Сальваторе обязан передать этому человеку всю имеющуюся в его распоряжении информацию.

– Не делайте этого, Пьеро, – сказал старший инспектор, чья кровь уже давно кипела, особенно после того, как *il Pubblico Ministero* стал комментировать его семейную жизнь. Сальваторе чувствовал себя так, как будто у него в венах уже не было крови, один лишь пепел. – Вы решили, что этот человек виновен, основываясь только на ваших фантазиях. Вы решили, что Карло задумал по-легкому срубить денег, пойдя за девочкой, украв ее с рынка и продав... кому, Пьеро? Позвольте мне спросить вас: вы действительно считаете, что любой согласится иметь дело с таким человеком, как Карло, и уж тем более купить у него ребенка? У наркомана, который легко расскажет о подобной сделке любому, кто согласится оплатить ему очередную дозу? Пьеро, пожалуйста, выслушайте меня. Я знаю, что вам в этом расследовании приходится все время лавировать. Я знаю, что вы используете «Прима воче» для того...

Упоминание таблоида было последней каплей.

– *Basta*! – заорал Пьеро Фануччи. – *È finito, Salvatore! Capisci? È finito tutto!*[1]

И *il Pubblico Ministero* грохнул трубку на телефон.

По крайней мере, подумал Сальваторе с иронией, ему не придется теперь докладывать *magistrato* о монастыре в Апуанских Альпах, потому что телефон теперь долго не починят. Ему не придется докладывать, что получено множество сведений о самом Лоренцо Муре, его коллегах по *squadron di calcio* и о его частных тренировках с молодыми *giocatori*[2] в Парко Флувиале.

Его сотрудники хорошо поработали. Теперь у старшего инспектора были фотографии всех членов команды; впрочем, их было не очень трудно получить. Труднее было собрать фотографии родителей всех мальчиков, которых тренировал Лоренцо Мура. Даже заиметь их имена было достаточно сложно.

Когда они спросили об этом Лоренцо, у него сразу появились какие-то подозрения, и он потребовал объяснить ему, зачем нужны эти имена и какое отношение родители его учеников имеют

---

[1] Хватит! Кончено, Сальваторе! Понятно? Все кончено! (*итал.*)

[2] Игроки (*итал.*).

к исчезновению Хадии. Сальваторе сказал ему всю правду: каждый, чья жизнь хоть как-то пересекалась с жизнью Хадии, должен быть внимательно изучен. Может быть, кто-то из родителей ребят, которых он тренировал, был им недоволен и решил преподать ему урок, поставить на место?.. Никогда нельзя знать наверняка, синьор Мура, поэтому нельзя ничем пренебрегать.

Имея на руках фото всех игроков и родителей, его сотрудники ехали сейчас в тюрьму, чтобы предъявить их Карло Каспариа, в надежде на то, что им удастся разбудить то, что осталось от его памяти после стольких лет употребления наркотиков. В конце концов, он ведь вспомнил, что какой-то мужчина встречался с Лоренцо Мурой в Парко Флувиале, где последний проводил свои тренировки. Существовала слабая надежда, что он сможет узнать этого человека на предъявленных фотографиях. А если так, то у них появится еще одна версия, которую надо будет проверить.

Правда, у Сальваторе оставалось не слишком много времени на этот маневр. Он знал, что Пьеро Фануччи очень быстро назначит на расследование кого-то другого. *Purtroppo*[1], старшего инспектора Сальваторе Ло Бьянко не окажется в кабинете, когда появится этот индивидуум – с тем чтобы обсудить тонкости расследования дела. Он будет высоко в Апуанских Альпах.

Его решение взять с собой англичанина было связано с языком. Если, по невероятному стечению обстоятельств, Роберто Скуали действительно отвез украденную девочку в этот монастырь, тогда офицер для связи, говорящий на ее языке, может помочь. Если же случилось самое ужасное и девочка уже мертва, то присутствие на месте англичанина поможет Линли собрать необходимую информацию и заранее обсудить с Сальваторе, какие детали о смерти ребенка надо сообщить ее родителям.

Он подхватил Томаса на их обычном *luogo di incontro*[2] у Порто Борго. На вопрос англичанина «*Che cosa succede*?» он кратко рассказал, на чем они стояли с фотографиями, с Лоренцо Мурой и необходимостью действовать очень быстро. О последнем он говорил, используя иносказания вроде «то, что беспокоит *il Pubblico Ministero*». Чего он не сказал Линли, так это того, что его официально отстранили от ведения расследования. Но, как выяснилось, этого и не требовалось. Англичанин внимательно смотрел на итальянского коллегу своими карими глазами, пока тот рассказывал ему детали. Он даже вежливо предложил включить сирену для

---

[1] К сожалению (*итал.*).

[2] Место встречи (*итал.*).

скорости. Это поможет вам, *Ispettore*, получить быстрый результат.

Поэтому из города полицейские выехали под звук сирены и мигание проблесковых маячков. Они почти не говорили, пока мчались в сторону Апуанских Альп и монастыря, спрятанного высоко в горах.

Монастырь назывался вилла Ривелли, как выяснил Сальваторе. В нем в полном затворничестве жили монахини-доминиканки. Сам монастырь располагался к северо-западу от того поворота, в котором Роберто Скуали встретил свой конец, а дорога, по которой он ехал, была единственной, ведущей к монастырю.

Когда они добрались до места, то увидели, что рядом с монастырем практически ничего не было, кроме нескольких домиков, располагавшихся километра за два до поворота. Давным-давно в этих домах жили люди, которые обслуживали жителей виллы. Сейчас это были летние дома, принадлежавшие иностранцам или богатым итальянцам, приезжавшим из Милана или Болоньи на лето, чтобы отдохнуть от жары и городского шума. Сейчас сезон еще не начался, поэтому вероятность, что кто-то из жителей этих домов мог видеть, как Роберто Скуали проезжал здесь с ребенком несколько недель назад, была минимальна. Простая логика подсказывала, что это было, скорее всего, после полудня. В это время дня жители в таких местах не очень-то смотрели в окна, – время, когда они просто переходили от *pranzo*[1] прямо к *letto*[2] для послеобеденного сна. Они бы ничего не заметили, даже если бы жили в своих домах круглый год.

Сальваторе чуть не проскочил поворот к вилле Ривелли, таким заросшим и заброшенным он казался. Только крошечная деревянная табличка с крестом наверху не позволила ему проехать мимо. На ней было вырезано *V. Rivelli*, но буквы почти стерлись, а сама табличка была изрядно попорчена жуками-древоточцами.

Аллея была узкая и засыпанная деревянным мусором, скопившимся за несколько сотен зим. Ее никогда не мостили, и полицейским пришлось аккуратно пробираться между колдобинами. Они подъехали к громадным железным воротам, которые были полуоткрыты как раз на ширину машины. Когда Сальваторе аккуратно втиснул машину в кованые ворота, он поехал по дорожке влево, вдоль высокой живой изгороди, с которой вспорхнула стая птиц. Они проехали мимо нескольких полуразрушенных зданий, гро-

---

[1] Обед (*итал.*).

[2] Кровать (*итал.*).

мадной поленницы дров и целого ряда металлических скребков и лопат, почти полностью съеденных ржавчиной.

Тишина стояла абсолютная. Ничто не нарушало абсолютного покоя этого места – лишь их машина, взбирающаяся вверх по дороге. С большим удивлением Линли и Ло Бьянко увидели громадную равнину, в конце которой возвышалась сама вилла Ривелли, распахнувшуюся перед ними сразу после того, как Сальваторе повернул направо и с трудом проехал в узкое отверстие в живой изгороди, находившееся в километре вниз по дороге. Кроме того, что вилла казалась совершенно покинутой, она совсем не походила на жилище монахинь, удалившихся от мирской суеты.

На фронтоне виллы располагались ниши, в которых находились античные мраморные скульптуры, и одного взгляда на них было достаточно, чтобы понять, что они имели больше отношения к римским богам и богиням, чем к святым Римской католической церкви. Но не это удивило Сальваторе. Его удивили три машины *carabinieri*, стоящие перед зданием; а Линли их вид испугал и заставил подумать, что они все-таки опоздали.

Полицейские машины не могли появиться в отшельническом монастыре просто потому, что их водители постучали в дверь и подождали, пока их впустят. Женщины, живущие в монастыре, не принимали посетителей. Все говорило о том, что если здесь появились *carabinieri*, то лишь потому, что их вызвали. Именно с этими мыслями Ло Бьянко и Линли подошли к двум вооруженным офицерам, которые равнодушно рассматривали их сквозь очень темные очки.

Все произошло именно так, как предполагал Сальваторе. На эту удаленную виллу их привел телефонный звонок. Капитана Миренда впустили, и сейчас она, по-видимому, общается с тем, кто позвонил. А остальные... Они наслаждались видом окружающей их природы. Прекрасный вид в прекрасный день, не так ли? Так жалко, что люди, живущие здесь, не имеют возможности всем этим насладиться. *Giardini, fontane, stagni, un bosco...*[1] Офицер покачал головой, явно сожалея о такой расточительности.

– *Dov'u l'ingresso?*[2] – спросил его Сальваторе.

Ему казалось невероятным, что в монастырь можно было войти, просто постучав в громадные парадные двери. И он был прав. Старший офицер *carabinieri* обошла вокруг здания. Сальваторе и Линли поступили так же. Они увидели еще одного офицера, рас-

---

[1] Сады, фонтаны, пруды, леса (*итал.*).

[2] Где вход? (*итал.*)

положившегося у простой двери, к которой надо было спуститься на несколько ступенек. Ему они предъявили свои удостоверения.

Раньше в этой провинции полиция очень внимательно относилась к вопросу, на чьей территории произошло преступление. Поскольку существовало очень много различных отрядов полиции, территориальные войны между ними не были редкостью, когда дело касалось расследования преступлений. Очень часто тот отряд полиции, который первым прибывал на место преступления, и проводил потом все расследование. Особенно это соблюдалось в случае *carabinieri* и *polizia di stato*. Но сейчас, как выяснил Сальваторе, все сильно изменилось. После внимательного изучения их удостоверений и еще более внимательного рассматривания лиц, как будто на них была написана какая-то секретная информация, полицейский отошел в сторону и дал им пройти. Если они хотят войти в монастырь, то это их решение.

Линли и Ло Бьянко прошли через громадную кухню, в которой не было ни одного человека, и взобрались по каменной лестнице, сопровождаемые эхом своих шагов. Лестница привела их в коридор, который тоже был пуст. Они прошли по нему и, наконец, оказались в молельне, где свеча, горящая пред Святыми Дарами, была единственным доказательством того, что в здании кто-то был, потому что кто-то должен был ее зажечь – если, конечно, это не сделала капитан Миренда. Из комнаты вели четыре коридора, располагавшихся по углам – по одному из них они только что вошли. Сальваторе пытался решить, какой из оставшихся трех сможет вывести их к людям, когда услышал звуки женских голосов – тихий шепот среди того, что без этого было бы местом тишины и молитвы. Голоса сопровождались шагами. Кто-то сказал:

– *Certo, certo. Non si preoccupi. Ha fatto bene*[1].

Две женщины вышли из-за деревянных кружев, закрывавших вход в коридор, ближайший к алтарю. Одна из них куталась в накидку доминиканской монахини. Другая была одета в форму капитана *carabinieri*. Монашка внезапно остановилась, первой увидев двух мужчин, одетых в гражданское, стоявших в молельне монастыря. Она посмотрела назад, как будто хотела спрятаться в безопасности коридора, но в этот момент капитан резко заговорила:

– *Chi sono?* [2]

---

[1] Конечно, конечно. Не волнуйтесь. Мы так и поступим (*итал.*).

[2] Кто здесь? (*итал.*)

Она объяснила, что это отшельнический монастырь. Каким образом они смогли войти?

Сальваторе назвался и объяснил, кто такой Линли. Они приехали сюда, расследуя дело английской девочки, которая пропала с рынка в Лукке, и он уверен, что капитан Миренда слышала об этом преступлении.

Конечно, она слышала. И как могло быть иначе – ведь она, в отличие от монашки, отступившей в тень, не вела отшельнический образ жизни. Но она или была вызвана в монастырь совершенно по другому поводу, или не смогла соединить повод, по которому ее вызвали, с тем, что произошло значительно раньше на *mercato* в Лукке.

Монашка что-то прошептала. Ее лицо было полностью скрыто в тени.

Сальваторе объяснил, что ему с напарником придется переговорить с матерью-настоятельницей. Он хорошо понимает, что монахиням запрещено встречаться с посетителями из внешнего мира, особенно если эти посетители – мужчины, но сейчас был особый случай, потому что существовала прямая связь между молодой женщиной по имени Доменика Медичи и мужчиной, который увез маленькую девочку из Лукки.

Капитан Миренда посмотрела на монахиню и спросила:

– *Che cosa vorrebbe fare?*[1]

Сальваторе объяснил ей, что дело не в том, что монахиня хотела или не хотела сделать в данный момент. Вопрос касался совершенного преступления, и правила самого монастыря, в этом случае, не играли никакой роли. Где, спросил он, находится Доменика Медичи? Ее родители показали, что она живет здесь. Роберто Скуали погиб по пути сюда. Улики в машине доказывают, что в ней перевозили похищенного ребенка.

Капитан Миренда попросила их подождать в молельне. Это Сальваторе не понравилось, но он решил, что компромисс не помешает. *Carabinieri* направили по этому вызову женщину по вполне очевидным причинам, и если она могла открыть здесь необходимые двери, то он не возражал.

Капитан взяла монашку за руку, и вместе они скрылись за резной загородкой, из-за которой появились чуть раньше. Через несколько минут капитан вернулась, но сейчас с ней была совсем другая монахиня, и она не испугалась их присутствия, как пер-

[1] Что вы намереваетесь делать? (*итал.*)

вая. Капитан Миренда представила ее как мать-настоятельницу. Именно она вызвала *carabinieri* на виллу Ривелли.

– Вы хотите видеть Доменику Медичи? – спросила мать-настоятельница.

Она была высокой статной женщиной, без определенного возраста, в бело-черной накидке. Она носила очки без оправы, которые Сальваторе видел на монахинях в юности по телевизору. Тогда такие очки казались смешными – старина, давно вышедшая из моды. Сейчас же они были в тренде и выглядели модерновыми на фоне остальной одежды матери-настоятельницы. Сквозь стекла очков монахиня посмотрела на Сальваторе взглядом, который тот очень хорошо помнил еще со школьной скамьи. Этот взгляд требовал только правды и обещал, что любая ложь будет быстро раскрыта.

Ло Бьянко вспомнил, что узнал о Доменике Медичи от ее родителей: она жила на территории виллы Ривелли и работала кем-то вроде служительницы. Он добавил к этому то, что уже рассказал капитану Миренде. Это очень важное дело, заключил он. Речь шла об исчезновении ребенка.

Тогда заговорила женщина-полицейский:

– Доменика Медичи находится на территории монастыря. Но в его стенах нет никакого ребенка.

– Вы провели обыск? – спросил Сальваторе.

– В этом нет необходимости, – ответила капитан.

На секунду Ло Бьянко подумал, что она считает слова матери-настоятельницы достаточным доводом, и увидел, что Линли подумал то же самое, потому что тот пошевелился рядом с ним и произнес тихим голосом: «*Strano*»[1].

«Действительно странно», – подумал Сальваторе. Но мать-настоятельница все объяснила. «Здесь был ребенок», – сказала она. Из окон монастыря она сама лично видела и слышала девочку. Монахиня решила, что девочка была родственницей, которая приехала на время пожить у Доменики. Тем более что привез ее кузен Доменики. Она играла на территории виллы и помогала женщине в ее работе. То, что она может не быть членом семьи Доменики, никому в монастыре не пришло в голову.

– У них нет никаких контактов с внешним миром, – пояснила капитан Миренда. – Они не знали, что в Лукке пропала маленькая девочка.

---

[1] Странно (*итал.*).

Сальваторе чуть не спросил, зачем же тогда вызвали *carabinieri*. Но это оказалось не важно, так как тот же вопрос задал инспектор Линли. Из-за криков, спокойно объяснила им мать-настоятельница. И из-за той сказки, которую рассказала ей Доменика, когда за ней послали монахиню и хорошенько расспросили.

– *Lei crede che la bambina sia sua*[1], – опять вмешалась капитан Миренда.

«Ее собственный ребенок?» – подумал Сальваторе.

– *Perché*? – спросил он.

– *È pazza*[2], – был ответ капитана.

Сальваторе знал из беседы с родителями Доменики, что девушка была не совсем в себе. Но вот то, что она поверила, что ребенок, привезенный ее кузеном, был ее собственным, разворачивало ситуацию под совсем другим углом. Доменика действительно была сумасшедшей, а не просто недоумком.

Тихий голос матери-настоятельницы дополнил остальные детали, которые и составляли информацию, что ей удалось получить, прежде чем она позвонила в полицию. Мужчина, который привез девочку на виллу, однажды обрюхатил Доменику. Ей тогда было семнадцать лет. Сейчас ей двадцать шесть. Для бедняжки возраст девочки показался подходящим. Но, конечно, малышка не была ее ребенком.

– *Perché*? – снова спросил Сальваторе.

И опять ему ответила капитан:

– Она молилась, чтобы Господь забрал ребенка из ее тела так, чтобы это не заметили ее родители.

– *È successo cosi?*[3] – На этот раз вопрос задал Линли.

– *Si*, – подтвердила капитан.

Именно это и произошло. Или, по крайней мере, это то, что рассказала Доменика матери-настоятельнице, когда полицию пригласили в монастырь по поводу ужасных криков маленькой девочки. Сама капитан Миренда собиралась допросить Доменику Медичи. Она не будет возражать, если синьоры составят ей компанию.

Мать-настоятельница заговорила в последний раз, прежде чем удалиться.

– Я не знаю, что произошло, – прошептала она. – Она сказала, что должна была приготовить девочку к встрече с Господом.

---

[1] Она считает, что это ее ребенок (*итал.*).

[2] Она сумасшедшая (*итал.*).

[3] Так и произошло? (*итал.*)

Вилла Ривелли,
Тоскана

Линли не испытывал трудностей в понимании того, что говорилось, но сейчас он хотел бы не знать итальянский. Проследить Хадию до этого Богом забытого места – ведь никого, кроме Хадии, не могли привезти в этот монастырь – и опоздать всего на несколько часов... Томас не мог представить себе, как будет рассказывать об этом родителям девочки. Он и подумать не мог, как сообщит эту информацию Барбаре.

Инспектор медленно шел за офицером *carabinieri* и Ло Бьянко. Капитану Миренде объяснили, где можно найти Доменику Медичи. Недалеко от виллы, скрытые живой изгородью из цветущих камелий, находились каменные стойла. Там сидела женщина, одетая в тряпки, напоминающие одежды матери-настоятельницы. Она сидела на низкой скамеечке и доила козу, прижавшись щекой к ее боку и закрыв глаза.

Линли принял бы ее за монахиню, если бы не небольшое отличие в накидке. Основные черты ее одеяния были теми же, что и у сестер: белые одежды и черная вуаль. Большинство людей, увидев Доменику, решили бы, что она член этой отшельнической общины.

Женщина была настолько погружена в свое занятие, что не заметила, что кто-то вошел. Только когда капитан Миренда окликнула ее, Доменика открыла глаза. Она не удивилась приходу незнакомцев. Еще меньше удивил ее тот факт, что одна из пришедших была одета в форму *carabinieri*.

– *Chiao, Domenica*, – сказала капитан Миренда.

Доменика улыбнулась. Она встала со своей скамеечки, нежно шлепнула козу по спине и отправила ее к трем другим, в дальний угол стойла, к двери, состоящей из двух половинок, через верхнюю из которых просматривался загороженный загон. Затем вытерла руки о подол платья под ее фальшивой монашеской накидкой и жестом, напоминавшим жест монахинь, который Линли видел в сериалах и кино, спрятала руки в рукава и замерла в позе, означающей одновременно смирение и ожидание.

Ло Бьянко заговорил первым, хотя капитан Миренда бросила на него недовольный взгляд, говоривший о том, что ему не следовало это делать. В конце концов, *carabinieri* первыми прибыли на место преступления. Профессиональная этика требовала, чтобы Ло Бьянко уступил право первого допроса их офицеру, а сам вместе с Линли наблюдал за ним.

– Мы приехали за девочкой, которую оставил тебе твой кузен Роберто Скуали. Что ты с ней сделала, Доменика?

На лице женщины появилось такое выражение безмятежности, что Линли засомневался, была ли она тем человеком, которого они искали.

– Я выполнила волю Господа, – пробормотала Доменика.

Линли почувствовал, как его сердце сжалось от отчаяния. Он осмотрел стойло. Его мысли заметались в поисках того места, где молодая женщина могла спрятать тело девятилетней девочки: где-то в лесу, на территории или в каком-нибудь темном углу самой виллы. Придется привезти целую поисковую команду, если только не удастся разговорить Доменику.

– Какую волю Господа ты выполнила? – кратко спросила капитан Миренда.

– Господь простил меня, – ответила женщина. – Моим грехом было то, что я молилась и молитва моя исполнилась. С тех пор я шла по пути смирения, чтобы получить Его прощение. Я выполнила Его волю. Теперь моя душа рядом с Господом. Мои чувства соединились со Спасителем. – Она опять наклонила голову, как будто высказала все, что хотела.

– Твой кузен Роберто велел тебе сохранить ребенка, – сказал Ло Бьянко. – Он не позволил тебе нанести ему какой-нибудь вред. Ты должна была заботиться о девочке, пока он за ней не приедет. Ты знаешь, что твой кузен Роберто мертв?

Доменика улыбнулась. Какое-то время она молчала, и Линли подумал, что эти новости могут заставить ее сказать, где находится девочка. Но она неожиданно сказала, что по воле Господа видела, что случилось с Роберто. Она тоже думала, что ее кузен Роберто мертв, потому что ясно выдела, как Господь сбросил его с дороги. Но потом за ним приехала *ambulanza*, и она поняла, что главное – это терпение, если ты пытаешься понять промысел Божий в своей жизни.

– *Pazza*, – коротко сказала капитан Миренда.

Она говорила тихо, но если Доменика и слышала, что сказала офицер полиции, то никак на это не прореагировала. По-видимому, эта женщина перешла на новый, неземной уровень, в котором Всемогущий благословил ее.

– Ты видела, что произошло с твоим кузеном? – переспросил Ло Бьянко.

– Да, и на это тоже была воля Божья, – объяснила ему Доменика.

– А потом ты стала думать, что же делать с ребенком, которого оставили под твоим покровительством, *vero*? – уточнил старший инспектор.

– Все, что было нужно, – это исполнить волю Господа.

По выражению лица капитана Миренды было видно, что она жаждет, чтобы воля Господа позволила ей своими руками удавить эту женщину. Ло Бьянко выглядел приблизительно так же. Линли поинтересовался у Доменики, какова же была воля Господа.

– Авраам, – сказала она ему. – Принеси своего любимого сына Богу.

– Но Исаак не умер, – заметил Ло Бьянко.

– Бог послал ангела, и тот остановил меч, – сказала Доменика. – Человеку надо только подождать. Господь всегда заговорит с тобой, если душа твоя чиста. И я молилась, чтобы узнать: как очистить душу, чтобы милость Господня, которую все мы ждем в момент смерти, наконец пришла.

«Момент смерти» заставил Ло Бьянко действовать без промедления. Он бросился к молодой женщине и схватил ее за руку.

– Воля Господа такова, – его голос эхом отражался от стен стойла. – Ты немедленно проведешь нас к девочке, где бы она ни была. Господь не прислал бы нас в Альпы найти ее, если бы не хотел, чтобы она была найдена. Тебе это понятно, *si*? Ты понимаешь, что Господь направляет нас? Нам нужен этот ребенок. Господь послал нас за ней.

Линли думал, что молодая женщина начнет возражать, но этого не произошло. Казалось, что ее не испугало ни само требование, ни ярость, с которой оно было произнесено. Доменика просто сказала «*Certo*» и подчинилась с видимой радостью.

Она направилась к дверям стойла. На улице подошла к каменной лестнице и поднялась к двери на южной стороне стойла. Остальные прошли за ней по ступенькам и вошли в плохо освещенную кухню, где вид свежих, ярких овощей в древней каменной раковине и аромат только что испеченного хлеба составляли издевательский контраст с тем, что, по их мнению, они должны были сейчас увидеть.

Доменика подошла к двери в дальнем углу кухни и достала из кармана ключ. Линли мысленно подготовил себя к тому, что может оказаться за дверью, и когда Доменика сказала: «Воля Господа смыла все ее грехи, и ее чистота приготовила ее к встрече со Всемогущим», – он увидел, что капитан Миренда перекрестилась, а Ло Бьянко тихо выругался.

Доменика не переступила порога комнаты за дверью. Вместо этого она пригласила войти их. Они заколебались, и Доменика улыбнулась.

– *Andate*[1], – пригласила она их еще раз, как будто хотела, чтобы они увидели, что сделала служительница Господа от имени Авраама.

– *Dio mio*, – прошептал Ло Бьянко, проходя мимо женщины в комнату.

Линли прошел за ним, а капитан Миренда осталась. Она, понял англичанин, будет следить, чтобы Доменика Медичи не сбежала. Но та и не пыталась бежать. Вместо этого, после того как двое мужчин вошли в маленькую комнатку, скудно обставленную узкой кроватью, маленьким шкафчиком и скамеечкой для молитв, она сказала:

– *Vuole suo padre*[2].

И маленькая девочка, сжавшаяся в углу комнаты, повторила эти слова по-английски.

– Я хочу к папочке, – сказала им Хадия и разрыдалась, тяжело всхлипывая. – Пожалуйста, вы можете отвести меня к моему папочке?

Вилла Ривелли,
Тоскана

Сальваторе позволил Линли вынести девочку наружу. Хадия была одета в белое с ног до головы, как ребенок, одетый для рождественской живой картины. Она вцепилась в Томаса, уткнувшись лицом в его шею.

Подняв девочку, инспектор сказал по-английски:

– Хадия, я Томас Линли. Барбара прислала меня, чтобы я нашел тебя.

И она протянула к нему руки, как совсем еще маленький ребенок – доверие было сразу завоевано его английским и названным именем. Сальваторе не знал, кем она была, эта Барбара. Но если ребенка успокаивал звук этого имени, то он был счастлив, что Линли произнес его.

– Где он? Где мой папочка? – настаивал ребенок.

---

[1] Идите (*итал.*).

[2] Она хочет к отцу (*итал.*).

Когда Линли поднял ее на руки, Хадия прижалась к нему, обхватив ногами его талию, а руками – шею.

– Барбара ждет тебя в Лондоне, – объяснил Томас. – А твой папа в Лукке. Отвезти тебя к нему? Ты этого хочешь?

– Но *он* же говорил... – И она снова расплакалась, казалось, не успокоенная перспективой увидеть отца, а, наоборот, взволнованная.

Линли спустился с ней по ступеням. Внизу, около них, стояли грубо сколоченный стол и четыре стула. Он посадил девочку на один из них, а сам устроился рядом и мягко погладил ее по ореховым волосам.

– Что он говорил тебе, Хадия? Кто говорил?

– Дядя сказал, что отведет меня к папе, – объяснила она ему. – Я хочу к папе и маме. Она посадила меня в воду. Я не хотела и попробовала остановить ее, но не смогла, а потом она меня заперла... – Она не прекращала плакать. – Сначала я не боялась, потому что он сказал, что папа... А она затащила меня в подвал...

История рассказывалась по кусочкам. Сальваторе понимал только отдельные слова – остальное переводил ему Линли, пока девочка повествовала о том, что же именно в больном мозгу Доменики Медичи было волей Господа. Посещение подвала многое объяснило, потому что глубоко в лабиринте комнат, заполненных тенями, находилась одна, с древним мраморным бассейном, в котором испуганного ребенка ожидала зеленая и грязная вода. Именно там больная женщина окрестила девочку и смыла с нее все грехи, которые пачкали ее душу и не позволяли ей прийти к Господу. После такого крещения Доменика заперла ее, так как, по мнению несчастной, это был единственный способ обеспечить сохранность ее чистоты, пока Господь не сообщит ей свою следующую волю.

Когда Сальваторе увидел место, куда Доменика затащила девочку, он понял, откуда взялись крики, заставившие монахинь вызвать *carabinieri*. Потому что громадные и захламленные подвалы виллы Ривелли были настоящим кошмаром для ребенка. Одна комната, похожая на склеп, переходящая в следующую; грязные, покрытые паутиной винные бочки размером с современный танк; древние масляные прессы, выглядящие как орудия пыток... Было не удивительно, что Хадия орала от ужаса. Скорее всего, она еще очень долго будет кричать от этих кошмаров во сне.

Пора было везти малышку к ее родителям.

– *Dobbiamo portarla a Lucca all'ospedale*[1], – сказал Томасу Сальваторе, потому что Хадию должны были осмотреть врачи, и с ней должен был поговорить специалист по детским психологическим травмам, если только удастся найти такого с адекватным знанием английского.

– *Si, si*, – согласился англичанин.

Он предложил позвонить родителям девочки и пригласить их в больницу. Сальваторе кивнул. Он сделает этот звонок, как только переговорит с капитаном Мирендой. *Carabinieri*, естественно, возьмут Доменику Медичи под свое наблюдение. Ло Бьянко сомневался, что от нее удастся узнать еще что-то важное, но в любом случае она должна быть под контролем полиции. Доменика выглядела не как исполнитель, а скорее как инструмент в руках своего кузена Роберто Скуали. Однако в ее больном мозгу могла храниться важная информация о том, как было совершено преступление. Ей тоже нужен врач. Но на этот раз был необходим психиатр, который смог бы определить состояние ее умственного здоровья.

– *Andiamo*, – сказал Сальваторе. Их работа здесь была закончена, а все детали, которые им могла рассказать о преступлении Хадия, могли подождать до момента, когда ее осмотрят в больнице и она наконец соединится со своими родителями.

Виктория,
Лондон

Оказалось, что теперь переговорить с представителем Специального отдела было не так сложно, как раньше.

Было время, когда ребята из SO-12 постоянно шифровались. Они были нервными, и обычно из них нельзя было вытянуть ни слова. Они никому не доверяли, и кто мог их за это осуждать? Во времена ИРА[2] и бомб в автобусах, машинах и уличных урнах практически каждый казался им ирландцем, поэтому то, что спрашивающий был из соседнего Департамента полиции Метрополии, не имело никакого значения. Обычно информацию от них можно было получить только по решению суда.

---

[1] Мы должны отвезти ее в больницу в Лукке (*итал.*).

[2] Ирландская революционная армия – североирландская террористическая организация.

Они все еще были очень напряженными, но обмен информацией был необходим в нынешние времена пассионарных священников в мечетях, призывающих свою паству к *джихаду*; рожденных в Британии молодых людей, воспитанных в духе мученичества; и профессионалов из неожиданных областей, таких, например, как медицина, которые решали изменить ход своей жизни и набивали свои машины взрывчаткой, оставляя их в местах, где количество жертв могло быть наибольшим. В такой ситуации никто не мог себе позволить упустить что-то важное, поэтому если одно управление полиции хотело получить информацию от другого управления той же самой полиции, всегда можно было найти кого-то, кто готов был ею поделиться, особенно если называлось конкретное имя. Барбара добилась встречи со старшим инспектором Гарри Стринером, произнеся волшебные слова «гражданин Пакистана, живущий в Лондоне» и «ситуация, развивающаяся в Италии». У парня был акцент человека, который совсем недавно командовал собаками на пастбищах Йоркшира, и пастозный вид толстяка, который уже лет десять не видел солнца. Его пальцы были желтыми от никотина, зубы выглядели не намного лучше. Барбара сделала себе мысленную зарубку, что отказ от курения может быть, в конце концов, не такой уж плохой идеей. Но она оставила эту мысль на потом, и выдала ему имя, которое вертелось у нее на языке.

– Таймулла Ажар? – повторил Стринер. Они находились в его офисе, где из айпода неслись звуки, похожие на завывание урагана в бамбуковых зарослях. Стринер увидел, что она смотрит в направлении источника музыки.

– Белый шум, – объяснил он. – Помогает думать.

– Ну конечно, – кивнула Хейверс с умным видом. Этот шум заставил бы ее искать укрытие в ближайшей станции метро, но каждый сходит с ума по-своему.

Стринер постучал по клавиатуре компьютера. Через мгновение он стал читать информацию, появившуюся на экране. Барбаре хотелось встать с места, перелезть через стол и прочитать ее самой, но она заставила себя спокойно сидеть в кресле и ждать, что он соизволит рассказать ей. Сержант уже кратко познакомила его с фактами: работа Ажара в Колледже Лондонского университета, его связь с Анжелиной Упман, их общий ребенок, исчезновение Анжелины вместе с Хадией в неизвестном направлении и, наконец, похищение Хадии. Стринер выслушал все это с таким индифферентным выражением лица, что Барбара задумалась, слышит ли он ее вообще. В конце повествования она сказала:

– Суперинтендант Ардери поручила мне вести расследование в Лондоне, в то время как инспектор Линли занимается этим делом в Италии. Я решила, что лучше всего будет встретиться с кем-то из ваших ребят и выяснить, есть ли у вас что-то на этого мужика.

– А почему вы решили, что SO-12 может интересоваться этим... Как его там зовут? – спросил Стринер.

Барбара назвала имя по буквам.

– И не забудьте черточку над «и кратким», – сказала она. И подумав немного, добавила: – Пакистан. Вы знаете, что я имею в виду. Мне это не надо вам объяснять?

Стринер громко заржал. Политкорректность была совсем не обязательна между коллегами. Он еще немного попечатал, потом почитал. Его губы сложились в трубочку, но свиста не последовало. Он кивнул и сказал:

– Ну да. Он у нас здесь. Билет до Лахора вызвал обычную реакцию. Билет в один конец поднял тревогу.

Барбара почувствовала комок в животе.

– Вы можете сказать... Вы когда-нибудь отсматривали его до покупки билета?

Стринер внимательно посмотрел на нее. Хейверс старалась, чтобы в ее голосе звучал интерес к беседе, но чтобы он не выдал ее личной заинтересованности. Казалось, Стринер оценивает ее вопрос и то, что за ним может стоять. Наконец он вернулся к экрану, немного прокрутил его и тихо произнес:

– Да, видно, что да.

– А можете сказать, почему?

– Работа, – коротко ответил он.

– Да я понимаю, что это ваша работа, но...

– Не наша, а его. Профессор микробиологии? У него есть своя лаборатория? Остальные пропуски заполните сами.

«Действительно, – подумала Барбара, – профессор микробиологии с собственной профессиональной лабораторией». Только одному Богу известно, какое страшное оружие массового поражения он может готовить. Она же сама назвала волшебные слова «гражданин Пакистана, живущий в Лондоне». *Пакистанец* значило *мусульманин*. *Мусульманин* значило *подозрительный*. Когда парни из SO-12 складывали один и один, у них всегда получалось три. Это было нечестно, но это было именно так. Барбара не могла их винить. Для них террористы прятались за каждым кустом. Их работа заключалось в том, чтобы не допускать, чтобы эти террористы выскакивали из-за куста с бомбой в трусах или, как в случае с Ажаром, с термосом, полным какой-нибудь дряни, способной заразить всю питьевую воду в Лондоне.

– А ситуацию с похищением вы отсматриваете?

Стринер еще почитал в своем компьютере, а потом, вздохнув, сказал:

– Италия. Он приземлился в Пизе.

– А есть что-то о том, что там он контактировал с итальянцем? По имени Микеланджело Ди Массимо?

Стринер покачал головой, не отрывая взгляд от экрана компьютера.

– Вроде бы ничего не видно, но все это может длиться бесконечно... Давайте вот что попробуем...

Он начал печатать. Набирал Стринер двумя пальцами, но очень быстро. По Микеланджело Ди Массимо ничего нет, подтвердил он. По Италии в принципе ничего не было, кроме места приземления и адреса пансионата.

«И на том спасибо», – подумала Барбара, услышав это. Независимо от того, что означали билеты в Пакистан, хоть с этой стороны Ажар был чист.

В течение всей беседы Хейверс делала пометки в своем блокноте. Сейчас она захлопнула его, поблагодарила Стринера, выбралась из его кабинета и направилась на ближайшую пожарную лестницу, где зажгла сигарету и сделала пять глубоких затяжек. Несколькими этажами ниже открылась дверь, и раздались голоса людей, поднимающихся по лестнице. Барбара поспешно затушила сигарету, спрятала бычок в сумку и выскользнула в коридор. Она уже подходила к лифтам, когда зазвонил ее мобильник.

– Пятая страница, Барб, – сказал Митчелл Корсико.

– Пятая страница чего?

– Именно там ты найдешь историю про себя и сексуально озабоченного папашку. Я боролся за первую, но, хотя Роду Аронсону – а это мой главный редактор, на всякий случай, – и понравился новый поворот в истории сексуально озабоченного папашки, который вступил в отношения с офицером полиции, он не был слишком восхищен, потому что ничего нового о деле о пропаже ребенка я ему отсюда сообщить не могу. Поэтому он спрятал статью внутри. На пятой странице. На этот раз тебе повезло.

– Митчелл, ну зачем, черт тебя побери, ты это делаешь?

– У нас была договоренность. Пятнадцать минут. И договорились мы... Сколько часов назад?

– Митчелл, тебе, наверное, будет интересно узнать, что вообще-то я еще и работаю. А самое интересное, что я сейчас накануне раскрытия этого преступления. Думаю, что тебе лучше дружить со мной, потому что, когда история будет готова к...

– Тебе надо было об этом сказать, Барб.

– Если ты заметил, перед тобой я не отчитываюсь. Я отчитываюсь перед своим начальством.

– Тебе надо было хоть что-то мне сообщить. Это так работает. И *ты* это прекрасно знаешь. Если не хочешь играть по моим правилам, то не лезь в мою песочницу. Тебе понятно?

– Я тебе *расскажу*... – Подошел лифт, забитый под завязку, и говорить дальше было неудобно. – Ладно, с этим мы разберемся. Просто подтверди, что никакие даты не упоминаются, и останемся друзьями.

– Ты имеешь в виду на фото? То есть убрали ли все данные с фото?

– Именно это я имею в виду.

– И позволено мне будет спросить, почему это так важно для тебя?

– Думаю, что сам сможешь догадаться. Так ответишь ты мне или нет?

Митчелл замолчал. Барбара стояла в лифте, и двери уже закрывались. Ее охватил страх, что он или не ответит, или они разъединятся.

Наконец Корсико сказал:

– Никаких дат, Барб. Это я для тебя сделал. Назовем это жестом доброй воли.

– Конечно, – сказал Хейверс и отключилась. Название они придумают позже.

Лукка,
Тоскана

Хадия хотела, чтобы Линли сел вместе с ней на заднее сиденье, и он был рад это сделать. Ло Бьянко позвонил в больницу Лукки, а затем сообщил Анжелине Упман и Таймулле Ажару, что Хадию нашли в доминиканском монастыре в Альпах, что она жива и здорова и что через девяносто минут ее доставят в больницу для общего обследования. Не смогут ли они встретить его и инспектора Линли там, в больнице?

– *Niente, niente*, – несколько раз повторил он в трубку, как бы отмахиваясь от избыточных проявлений благодарности. – *È il mio lavoro, Signora*[1].

На заднем сиденье Линли прижимал Хадию к себе, и это, казалось, ей нравилось. Принимая во внимание период времени, который она провела на вилле Ривелли, это совсем не отразилось на ней – по крайней мере, на первый взгляд. Сестра Доменика Джустина, как Хадия называла Доменику Медичи, хорошо за ней ухаживала. За исключением последних нескольких дней, девочка свободно гуляла по территории виллы. Испугалась она только в самом конце, сказала Хадия. Только когда сестра Доменика Джустина потащила ее в подвал, в эту грязную, липкую, вонючую комнату со скользким и липким мраморным бассейном в полу; только тогда она впервые испытала нечто похожее на ужас.

– Ты очень смелая девочка, – сказал ей Линли. – Большинство девочек в твоем возрасте, да и мальчиков тоже, испугались бы с самого начала. А почему ты не испугалась, Хадия? Ты можешь мне рассказать? Ты помнишь, как все это началось? Можешь рассказать?

Она подняла на него глаза, и Томас увидел, какая же все-таки она хорошенькая. Лучшие черты матери и отца перемешались в ней и сформировали ее невинную красоту. Хадия нахмурила свои изящные брови, когда услышала вопрос. Глаза ее наполнились слезами – может быть, от того, что она поняла, что сделала что-то не так. Ведь каждый ребенок знал: никогда никуда не ходи с незнакомцами, неважно, что бы они ни говорили. Но и Томас, и Хадия знали, что именно это она и сделала.

– В этом нет ни хорошего, ни плохого, – тихо сказал Линли. – Это просто произошло. Ты же знаешь, что я полицейский, и ты, наверное, догадываешься, что мы с Барбарой очень хорошие друзья.

Девочка серьезно кивнула.

– Великолепно. Я должен выяснить, что произошло. И всё. И ничего больше. Хадия, ты сможешь мне помочь?

Она уставилась на свои колени.

– Он сказал, что мой папа ждет меня. Я была на рынке с Лоренцо, и я слушала аккордеониста рядом с воротами, и он сказал: «Хадия, это от твоего папы. Он ждет тебя за городской стеной».

– «Это от твоего папы?» – повторил Линли. – Он говорил с тобой по-английски или по-итальянски?

– По-английски.

---

[1] Не за что, не за что. Это моя работа, синьора (*итал.*).

– А что было от твоего папы?
– Открытка.
– Как поздравительная? – Линли подумал о фотографиях туристов, которые те сделали на *mercato*. Сначала с открыткой в руке стоял Роберто Скуали, а затем нечто похожее было видно в руке Хадии. – А что было в открытке?
– Там было написано идти с этим дядей. И не бояться. Было написано, что дядя приведет меня к моему папе.
– А она была подписана?
– Там было написано: «Папа».
– А это был папин почерк, Хадия? Как думаешь, ты смогла бы узнать его?
Девочка пожевала нижнюю губу, посмотрела на него, и из ее больших карих глаз потекли слезы. Это был ответ, понял Линли. Ей было всего девять лет. Сколько раз в своей жизни она видела почерк своего отца и почему она должна была запомнить, как он выглядит? Томас обнял ее и прижал к себе сильнее.
– Ты не сделала ничего плохого, – опять повторил он, на этот раз прижавшись губами к ее волосам. – Думаю, что ты очень скучала по своему папе. Думаю, что тебе очень хочется его увидеть.
Хадия кивнула; слезы все еще капали из ее глаз.
– Вот и хорошо. Отлично. Он в Италии. Он ждет тебя. Он искал тебя с того самого дня, как ты пропала.
– *Khushi*, – сказала она ему в плечо.
Линли улыбнулся, повторил это слово и спросил ее, что оно значит, и девочка объяснила, что «счастье». Так папа всегда называл ее.
– Он сказал *Khushi*, – сказала она дрожащими губами. – Этот дядя назвал меня *Khushi*.
– Мужчина с открыткой?
– Понимаете, папа сказал, что приедет на рождественские каникулы, но не приехал... – Она заплакала сильнее. – Все повторял: «Скоро, *Khushi*, скоро», – в своих письмах. Я думала, что он приехал, чтобы сделать мне сюрприз, и что он ждет меня. А этот дядя сказал, что мы поедем к нему на машине. Мы все ехали, и ехали, и ехали, и наконец он привез меня к сестре Доменике Джустине, а папы *там* не было. – Хадия всхлипнула, и Линли постарался успокоить ее, хотя и не был экспертом в этом деле.
– Плохо, плохо, плохо, – рыдала она. – Я поступила очень плохо. Я всем доставила неприятности. *Я плохая.*
– Совсем нет, – возразил Томас. – Посмотри, какой храброй ты была с самого начала. Ты не испугалась, а это очень хорошо.

– Он сказал, что папа уже едет, – объяснила Хадия. – Он сказал, надо подождать, и папа приедет.

– Я понимаю, как это все произошло, – сказал инспектор, поглаживая ее по голове. – С самого начала и до конца ты вела себя на отлично, Хадия, и никто не будет тебя ругать. Запомни это хорошенько. Тебя не за что ругать...

Потому что – что еще мог сделать этот ребенок, кроме как дожидаться отца? Хадия не представляла, куда Скуали привез ее. Рядом не было домов, куда бы она могла убежать. Монахини в монастыре видели ее, но предполагали, что она родственница их служанки. Они не заметили ничего необычного, так как девочка спокойно играла на территории виллы. Если она и походила на кого-нибудь, то точно не на жертву похищения.

Линли выудил носовой платок из кармана и вложил его в ручки Хадии. Ло Бьянко посмотрел на него в зеркало. Томас понимал, о чем думал сейчас старший инспектор: им надо найти эту открытку, которую Скуали вложил в руки ребенка, и надо установить связь между Скуали и кем-то, кто знал детское прозвище Хадии «*Khushi*».

Когда они подъехали к больнице в Лукке, Анжелина Упман бросилась к машине, распахнула заднюю дверь и схватила свою дочь, без устали повторяя ее имя. Выглядела она ужасно – всё, начиная с тяжелой беременности и кончая невероятным беспокойством за жизнь своего ребенка, оставило на ней свой след. Но сейчас самым главным была Хадия.

– О боже, благодарю тебя, благодарю тебя! – выкрикивала Анжелина и лихорадочно водила руками по дочери в поисках возможных повреждений.

– Мамочка, я хочу домой, – сказала Хадия.

А затем она увидела отца, который выходил из дверей больницы, сопровождаемый Лоренцо Мурой.

– Папа, папочка! – закричала Хадия.

Пакистанец рванулся к ней. Когда он добежал до нее и Анжелины, то обнял их обеих. Они образовали плотную группу, и Ажар наклонился, чтобы поцеловать Хадию в голову. Потом поцеловал и Анжелину.

– Это лучший вариант из всех возможных, – сказал он. А когда Линли и Ло Бьянко вылезли из машины, он стал благодарить их.

Сальваторе опять что-то пробормотал о своей работе: добиваться лучшего в худших ситуациях. Линли ничего не ответил. Вместо этого он наблюдал за Лоренцо Мурой, пытаясь понять, почему его лицо было таким темным, а в глазах сверкала ярость.

Лукка,
Тоскана

Скоро Томас все понял. Пока Анжелина водила дочь на осмотр к одному из врачей, Линли и Ло Бьянко остались с Мурой и Ажаром. Они нашли уголок в приемной, где можно было поговорить без свидетелей, и там полицейские рассказали двум мужчинам не только то, что произошло на *mercato*, но и кто, куда и зачем увез Хадию.

– Это сделал он! – Реакция Лоренцо была мгновенной, как только рассказ был закончен. На тот случай, если они еще не поняли, кого он имел в виду, Мура указал на Ажара, кивнув в направлении пакистанца. – Разве вы не понимаете, что это сделал он?

Ажар сдвинул свои темные брови:

– Что вы имеете в виду?

– Это ты сделал! Анжелине. Хадии. Мне. Ты нашел ее и хотел, чтобы она страдала...

– *Signore, signore*, – проговорил Ло Бьянко спокойным, примиряющим голосом. – *Non c'u la prova di tutto cim. Non deve...*[1]

– *Non sa niente!*[2] – прошипел Лоренцо.

Затем последовал обмен на итальянском с такой скоростью, что Линли не смог понять ни одного слова. Что он понял, так это было заявление Ло Бьянко, касающееся доказательств: ничто не указывало на то, что Ажар был замешан в похищении. Он, Ло Бьянко, понимал, что связь между Микеланджело Ди Массимо и лондонским частным детективом Дуэйном Доути выглядела не совсем безупречно, но дело в том, что Лоренцо Мура ничего об этой связи не знал. Сейчас он говорил на нервах, а они у него были натянуты до предела вот уже много недель.

Ажар молчал, его лицо было неподвижно. Он наблюдал за горячим общением между Лоренцо и старшим инспектором, но не просил перевод. Впрочем, подумал Линли, перевод не так уж и нужен. Убийственные взгляды, которые Лоренцо бросал на пакистанца, говорили о том, что он в чем-то его обвиняет.

В этот момент появилась Анжелина, державшая Хадию за руку.

Томас понял, что женщина сразу же разобралась в ситуации, потому что она остановилась, наклонилась к дочери, поправила ей волосы, подвела к стулу, стоящему неподалеку, усадила ее, поцеловала в голову и подошла к мужчинам.

---

[1] Нет никаких доказательств этого. Вы не должны... (*итал.*)

[2] Вы ничего не знаете (*итал.*).

– Ну, как Хадия? – сразу же спросил Ажар.

– Вы только посмотрите! Теперь он интересуется! – сказал Лоренцо с издевкой. – *Vaffanculo!*[1] *Mostro!*[2] *Vaffanculo*!

Анжелина побледнела, и это было ужасно, потому что лицо у нее и так было совершенно без красок.

– Что происходит? – спросила она.

– Как Хадия? – повторил свой вопрос Ажар. – Анжелина...

Она повернулась к нему. Ее лицо смягчилось.

– С ней все в порядке. Нет никаких... Она не пострадала, Хари.

– Можно я... – Таймулла кивнул на дочь, которая наблюдала за ними своими темными глазами, такими серьезными и неуверенными.

– Ну конечно, можно, – сказала Анжелина, – она ведь и твоя дочь.

Ажар сделал движение, напоминавшее официальный поклон, и направился к дочери, которая спрыгнула со стула. Он подбросил Хадию, обнял, и она уткнула лицо в его шею. Анжелина наблюдала за ними, как и все остальные.

– *Serpente*, – сказал Лоренцо, презрительно кивнув в сторону Ажара. – *L'uomo u un serpente, cara*[3].

Она обернулась к нему, оглядев его так, как будто видела впервые.

– Ренцо, боже мой, о чем ты говоришь?

– *L'ha fatto*[4], – сказал он. – *L'ha fatto. L'ha fatto*.

– Что он сделал? – спросила Анжелина.

– *Tutto, tutto*!

– Он не сделал ничего. Совсем ничего. Он был здесь, чтобы помочь найти ее; он предоставил себя в распоряжение полиции, в наше распоряжение; он страдал ничуть не меньше, чем страдала я, и ты не смеешь, Лоренцо – не важно, что ты думаешь или что ты чувствуешь, – обвинять его в чем-то, кроме любви к Хадии. *Chiaro*, Лоренцо? Ты все понял?

Лицо итальянца побагровело. Одна рука сжалась в кулак.

– *Non u finito*[5], – было все, что он сказал.

---

[1] Твою мать! (*итал.*)

[2] Урод (*итал.*).

[3] Змея. Этот человек – змея, дорогая (*итал.*).

[4] Он это сделал (*итал.*).

[5] Ничего еще не кончено (*итал.*).

Виктория,
Лондон

Барбара планировала свою очередную встречу с Доути, когда раздался звонок Линли. Она сидела за столом, просматривая свои записи и не обращая внимания на злобные взгляды Джона Стюарта, которые инспектор бросал на нее через комнату. Он так и не прекратил свои преследования, несмотря на прямое указание начальства. Казалось, его маниакальное желание уничтожить ее превращалось в какую-то религию.

– Она у нас, Барбара, – именно так начал Линли. – Мы нашли ее. С ней все в порядке. Можете расслабиться.

Барбара не была готова к взрыву эмоций, который накрыл ее с головой. У нее перехватило горло.

– Хадия у вас?

Это действительно так, подтвердил Томас. Он рассказал о месте, которое называлось вилла Ривелли. О молодой женщине, считавшей себя монахиней-доминиканкой. О заблуждениях этой же женщины по поводу ухода за Хадией, которая оказалась в ее руках. О неудавшемся крещении, которое так напугало девочку, что она подняла шум, который привлек внимание матери-настоятельницы этого отшельнического монастыря. После того как он закончил, Барбара ничего не смогла сказать, кроме:

– Черт возьми, черт возьми. Спасибо, сэр, спасибо, сэр.

– Благодарить надо старшего инспектора Ло Бьянко.

– А как... – Барбара задумалась, как продолжить фразу.

Линли предугадал ее вопрос.

– С Ажаром все в порядке. С Анжелиной немного хуже. Но они с Ажаром, по-видимому, достигли мирного соглашения, поэтому, как говорится, все хорошо, что хорошо кончается.

– Мирного соглашения? – спросила Барбара.

Линли рассказал о сцене, которая случилась в больнице Лукки, куда Хадию привезли для обследования. После целого ряда обвинений со стороны Лоренцо Муры в том, что Ажар принимал активное участие в похищении своей дочери, Анжелина и ее бывший любовник смогли, наконец, установить добрые отношения. Со своей стороны, Анжелина признала, что незаслуженно оскорбила Ажара, заставив его поверить, что навсегда вернулась к нему, хотя все время планировала свой побег вместе с его дочерью. Ажар, со своей стороны, попросил прощения за то, что не захотел дать ей то, чего она хотела больше всего на свете: сначала он на ней не женился, а потом не согласился на сестренку или братишку для Хадии. Он сказал, что в этом была его ошибка. Что теперь, наверное, слишком поздно – для него и Анжелины, – но он надеется, что она сможет простить его, так же как он полностью и от всего сердца прощает ее.

– А Мура все это слышал? – поинтересовалась Барбара.

– Он к тому времени уже уехал... в несколько возбужденном состоянии. Но у меня такое впечатление, что здесь не все еще закончилось. Слишком уж много он наговорил, прежде чем покинуть сцену. Лоренцо абсолютно уверен, что Ажар стоит за всем, что здесь произошло. Думаю, что вы еще услышите об этом от старшего инспектора Ло Бьянко или от того, кто его заменит.

– Его отстранили от расследования?

– Да. По крайней мере, так он мне сказал. А Хадия рассказала... – Линли на секунду остановился и заговорил с кем-то на итальянском языке. Барбара услышала: «*Pagherm in contanti*»[1], а затем женский голос на заднем плане произнес: «*Grazie, Dottore*». Затем Томас продолжил: – Хадия рассказала мне, что ушла с мужчиной, который сказал, что отведет ее к отцу. Она сказала, что у него была открытка – поздравительная открытка, я полагаю, – с посланием, написанным якобы от лица ее отца.

Барбара почувствовала дрожь.

– А вы эту открытку видели?

– Пока нет. Но Доменика Медичи сейчас находится в руках *carabinieri*, как и весь монастырь, наверное, тоже. Если Хадия сохранила открытку и та где-то на вилле Ривелли, мы очень скоро об этом узнаем.

– Она может быть где угодно, – сказала Барбара. – И кто угодно мог написать этот текст.

– Именно так я сначала и подумал, так как очевидно, что девочка еще не может различать почерки. Но потом, Барбара, она сказала мне любопытную вещь. Человек, который увел ее с рынка, назвал ее *Khushi*. Вы когда-нибудь слышали, чтобы Ажар употреблял это слово? Девочка говорит, что это ее прозвище, которое он для нее придумал.

Барбара почувствовала, как ее желудок сжался в комок. Она небрежно повторила: «*Khushi*, сэр?» – чтобы выиграть хоть немного времени, во время которого ее мысли прыгали с одной вероятности на другую, как блохи по столу.

---

[1] Я заплачу наличными (*итал.*).

– Она сказала, что именно поэтому пошла с ним. Не только потому, что на открытке было сообщение от отца, но и потому, что он назвал ее *Khushi*, что для нее значило, что Скуали говорит правду, потому что от кого еще он мог узнать это прозвище, как не от ее отца?

«От Доути, конечно, – подумала Барбара. – От этого короля крыс. Он передал прозвище». Но было несколько объяснений, почему он мог так поступить, и изложение любого из них Линли совсем не входило в планы Барбары. Поэтому она сказала:

– Может быть, Ажар и называл ее так в моем присутствии, но, хоть убейте, я не помню, сэр. Однако, с другой стороны, если это прозвище, то его должна знать и Анжелина.

– Если я правильно понимаю, вы предполагаете связь между Анжелиной и Мурой?

– Ну, в этом что-то есть, не так ли? Из того, что вы рассказали, я поняла, что Муру совсем замучила равность. Кроме того, создается впечатление, что он ненавидит Ажара. Не надо быть семи пядей во лбу, чтобы предположить: он мечтает, чтобы Анжелина с Ажаром разошлись, причем навсегда. Кроме того... – Тут Барбара произнесла то, о чем боялась даже думать: – Что, если он также ревнует Анжелину к Хадии? Что, если он хочет Анжелину только для себя? Может быть, весь план состоял в том, чтобы обвинить Ажара в похищении ребенка, а потом... – Она даже не смогла договорить.

Линли сделал это за нее:

– Вы предполагаете, что его намерением было избавиться от Хадии?

– Мы еще и не такое видели в нашей работе.

Томас молчал. Это была правда.

– А что там с Доути? – наконец спросил он. – Что вы там на него накопали?

Барбара не хотела даже упоминать о том, что узнала о Доути, – ведь это неминуемо привело бы к обвинениям, которые он выдвинул против Ажара. Она хотела получить шанс самой побеседовать с Ажаром, задать ему все необходимые вопросы и понаблюдать за его лицом, когда он будет на них отвечать. Но ей было велено выяснить, какова роль Доути в похищении Хадии, поэтому Барбара должна была сообщить Линли хоть что-то. И она быстро решила, что.

– Я узнала о парне по имени Брайан Смайт, – сказала она. – Он работал на Доути по компьютерным вопросам. Тем, которые требовали способностей к хакерству.

– И?

– Еще не допрашивала его с пристрастием. Планирую на завтра. Но я надеюсь получить подтверждение того, что Доути нанял его для того, чтобы он почистил ему все компьютеры и телефоны от любых следов его общения с Микеланджело Ди Массимо. Это, в общем-то, подтвердит, что Доути в деле.

Линли ничего не сказал. Барбара с нетерпением ждала, что он даст ей новое задание, которым, по логике вещей, должно было быть задание проверить возможность связи между Ажаром и Доути.

Наконец он сказал:

– Что касается этого...

Хейверс быстро прервала его, надеясь, что ее слова прозвучат как заключение:

– Кто-то его, конечно, нанял. Мне кажется, что тут возможны два сценария: или кто-то нанял его, чтобы осуществить план похищения Хадии...

– И тогда это?..

– Да кто угодно, кто ненавидел Ажара, я полагаю. Родственники Анжелины на первом месте. Они знали, что Хадия исчезла из Лондона, потому что я посещала их после ее исчезновения в ноябре. Кстати, посещала вместе с Ажаром. Сэр, они его конкретно ненавидят. Сделать что-то, чтобы помучить его... За это удовольствие они заплатят любые деньги, поверьте мне.

– Ну, а второй сценарий?

– Это уже к вам. Кто-то в Италии все организовал, включая связь с английским частным детективом, чтобы бросить тень на кого-то в Лондоне. Кто, по-вашему, может это сделать?

– Мы знаем, что Лоренцо Мура, возможно, знаком с Микеланджело Ди Массимо. Они оба играют в футбол за городские команды... – Он помолчал, потом она услышала его вздох. – Я передам все это Ло Бьянко. Пусть расскажет это тому, кто займет его место.

– Вы все еще хотите, чтобы я...

– Закончите то, что вы начали с Доути, Барбара. Если найдете что-то интересное, мы перешлем это в Италию, когда я вернусь. Теперь все в руках итальянцев. Моя работа как офицера связи завершена.

Барбара наконец позволила себе выдохнуть. Она все ждала, как он среагирует на сочиненную ею сказку.

– Когда вы возвращаетесь, сэр?

– Я вылетаю утром. Увидимся завтра.

Они попрощались, и Барбара осталась сидеть за своим столом, чувствуя на себе зловещий взгляд инспектора Стюарта. Со своего места он не мог слышать всего разговора с Линли, но на лице его было выражение человека, который ни за что не отступится от своих намерений и доведет дело до конца, чего бы это ему ни стоило.

Барбара не отводила своего взгляда до тех пор, пока он не развернулся на своем стуле и не вернулся к изучению отчетов, горой лежавших у него на столе. Она пыталась разобраться в своих ощущениях по поводу того, что сделала – и чего не сделала – во время телефонного разговора с Линли.

Хейверс быстро приближалась к критической черте. Если она перейдет ее, это навсегда приклеит к ней ярлык. Она спрашивала себя, что должна тем людям, которых любит, и единственный ответ, который приходил ей в голову, был таков: абсолютную лояльность, чего бы это ей ни стоило. Трудность состояла в том, чтобы определить, кто эти люди. Но еще труднее было понять, за что она любит этих людей.

МАЙ, 1-е

Лукка,
Тоскана

Сидя на кухне своего дома Торре Ло Бьянко, Сальваторе с удовольствием наблюдал за общением своих детей с их *нонна*[1]. Предыдущий вечер был один из тех, который дети проводили с отцом, а так как последний жил в родительском доме, то и с *нонна*. Мать Сальваторе с удовольствием наслаждалась присутствием своих *nipoti*[2]. Она накормила их завтраком, состоявшим почти из одних *dolci*, что в другое время вызвало бы протесты Биргит. Единственным реверансом в сторону правильного питания были *cereale e latte*[3], и слава богу, она выбрала хлопья из отрубей, подумал Сальваторе, – но сразу же за ними последовали пироги и *biscotti*. Дети съели гораздо больше, чем им полагалось, и на их мордашках были видны следы поглощенного сладкого. Со своей стороны *нонна* забрасывала их вопросами. Ходят ли они в цер-

---

[1] Бабушка (*итал.*).

[2] Внуки (*итал.*).

[3] Хлопья с молоком (*итал.*).

ковь каждое воскресенье, хотела она знать. Посещали ли они службу в Чистый Четверг? Стояли ли они на коленях в течение трех часов в Страстную Пятницу? Когда они последний раз получали Святое Причастие?

На каждый из этих вопросов Бьянка отвечала, опустив глаза. На каждый из этих вопросов Марко отвечал с таким торжественным выражением лица, что Сальваторе так и подмывало спросить его, где он этому научился. По дороге в школу отец велел им, чтобы ложь *нопна* была Темой Номер Один, когда они в следующий раз пойдут к исповеди. Прежде чем оставить их в Скуола Данте Алигьери, он рассказал Бьянке, что ее маленькая подружка Хадия Упман наконец нашлась. Сальваторе поспешил заверить дочь, что с ней теперь все в порядке. При этом он потратил несколько минут на то, чтобы убедиться, что Бьянка понимает – *anche tu, Marco*[1], сказал он, – что ни за что, ни за что на свете она не должна доверять кому бы то ни было, кто пригласит ее пойти с ним, по какой бы то ни было причине. Если это не ее *нопна*, ее мама или папа, тогда она должна сразу же начинать звать на помощь и не успокаиваться до тех пор, пока эта помощь не придет. *Chiaro*?

Хадию Упман подвела любовь к отцу. Она очень скучала по нему, и никакие фальшивые электронные письма, которые ее тетка присылала ей якобы от лица ее папы, не могли ее успокоить. Все, что преступнику надо было сделать, чтобы завоевать ее доверие, – это обещать маленькой девочке, что он отведет ее к отцу. Слава богу, что Хадия оказалась в руках ненормальной Доменики Медичи. С ней могло случиться много чего и похуже.

После того, как Хадия воссоединилась со своими родителями в больнице, Сальваторе и детектив из Лондона пошли каждый своим путем. Работа Линли в качестве офицера связи была закончена, и он не хотел вмешиваться в дальнейший ход следствия.

– Я буду пересылать вам всю информацию, которую удастся найти моей коллеге в Лондоне. Сам же я возвращаюсь в Англию. *Buona fortuna, amico mio*, – сказал он в завершение. – *Tutto u finite bene*[2].

Сальваторе постарался взглянуть на все с философской точки зрения. Дело действительно закончилось хорошо для инспектора Линли, чего нельзя сказать о нем самом.

Ло Бьянко сообщил все *il Pubblico Ministero*, как только они расстались с Линли. Он считал, что Фануччи будет интересно

---

[1] Ты тоже, Марко (*итал.*).

[2] Успехов, друг мой. Все закончилось хорошо (*итал.*).

узнать, что девочку нашли живой и здоровой. Он также полагал, что ему будут небезынтересны показания самой девочки: об открытке, возможно, написанной почерком ее отца; о том, что Роберто Скуали использовал ее детское прозвище; и больше всего о том, что эти два факта указывали на виновника ее исчезновения. Она ведь, в конце концов, ни слова не сказала о Карло Каспариа.

Однако Сальваторе не смог предвидеть реакцию Фануччи на то, что последний назвал открытым неповиновением старшего инспектора Сальваторе Ло Бьянко. Его ведь освободили от расследования, не так ли? Ему сообщили, что расследование передается другому офицеру, *nevvero*? Тогда что же он делал в Апуанских Альпах, когда ему надлежало сидеть на своем рабочем месте и дожидаться появления Никодемо Трильи, которому передали это дело?

– Пьеро, – сказал Сальваторе, – жизнь девочки находилась в опасности, и вы не могли ожидать, что я буду спокойно сидеть и ждать у моря погоды, имея сведения о том, где она находится. Я был обязан немедленно отреагировать.

Фануччи согласился, что *Topo* вернул девочку родителям в целости и сохранности, но дальше этого его признание заслуг старшего инспектора не пошло.

– Как бы то ни было, расследование теперь переходит в руки Никодемо, и ты обязан передать ему все, что у тебя есть по этому делу, – сказал он.

– Позвольте мне попросить вас пересмотреть ваше решение, – попросил Сальваторе. – Пьеро, наш последний разговор закончился очень плохо. Меня переполняет чувство вины. Я бы только хотел...

– И не проси, *Topo*.

– ...чтобы вы позволили мне закруглить последние мелочи. Там есть любопытные вещи, касающиеся поздравительной открытки, а также того, что было использовано детское прозвище малышки... Любовник ее матери настаивает, что этот человек – ее отец – должен быть тщательно допрошен, прежде чем он покинет страну. Позвольте сказать, Пьеро, что, хотя я и не очень верю любовнику, мне кажется, что дело еще не закончено.

Но это Фануччи даже не захотел выслушать.

– *Basta, Topo*, – сказал он. – Ты должен меня понять. Я просто не могу позволить неповиновение в ходе расследования. И пусть это тебя успокаивает, пока ты ждешь Никодемо.

Сальваторе знал Никодемо Трилью, человека, который ни разу не пропустил свой послеобеденный *pisolino*[1]. У него был живот, как пивная бочка, и он не пропускал ни одного заведения на своем пути, чтобы не выпить кружку пива и не провести там минут тридцать, пока она усваивается.

Сальваторе лениво раздумывал над всем этим в *questura*, ожидая, пока кофе приготовится в старом кофейнике, стоящем на двухконфорочной плите. Когда кофе был готов, он налил себе чашку этого густого напитка и бросил в нее один кусочек сахара, наблюдая за тем, как тот тает. Затем подошел к маленькому подоконнику и выглянул из окна, которое смотрело на *parcheggio* полицейских машин. Он смотрел на них, ничего не видя, когда его размышления прервала одна из офицеров.

– У нас есть опознание, – раздался ее голос.

Сальваторе был так погружен в свои мысли, что, когда обернулся, то не смог вспомнить имени сотрудницы. Помнил только какую-то не очень удачную шутку по поводу формы ее груди, которую слышал в мужском туалете. Тогда Сальваторе рассмеялся, а сейчас ему было стыдно. Она с полной серьезностью, как и положено, относилась к своей работе. Ей было нелегко здесь работать, потому что в течение долгого времени в этой профессии доминировали мужчины.

– Какое опознание? – спросил Ло Бьянко. Он увидел в ее руках фото и попытался вспомнить, для чего его сотрудники кому-то показывали эти фотографии.

– Каспариа, сэр. Он видел этого мужчину.

– Где?

Она странно посмотрела на него, с легким удивлением спросила: «Вы не помните?» – и поспешно продолжила, так, чтобы ее вопрос не звучал неуважительно. «На вид ей около двадцати, – подумал Сальваторе, – и она, наверное, считает, что его сорок два года уже стали сказываться на его памяти».

– Мы с Джорджио... – сказала она.

И в этот момент Сальваторе вспомнил. Офицеры возили фото в тюрьму, чтобы показать их Карло. Это были фото всех игроков городской футбольной команды города Лукки и все отцов мальчиков, которых тренировал Лоренцо Мура. И что, Карло Каспариа кого-то вспомнил? Удивительный поворот событий...

Сальваторе протянул руку за фотографией.

---

[1] Сон (*итал.*).

– Кто же это? – спросил он. Ее зовут Оттавия, подумал он. Оттавия Шварц, потому что ее отец был немец, а родилась она в Триесте.

Внезапно голова Ло Бьянко заполнилась массой ненужных подробностей. Он посмотрел на фото. Мужчина был приблизительно одного возраста с Мурой. Одного взгляда на него было достаточно, чтобы понять, почему наркоман его запомнил. Его уши были как перламутровые раковины. Они безобразно торчали на его голове и, пропуская солнечный свет, светились, как будто за ними горели маленькие лампочки. Этого мужчину было бы невозможно не заметить в любой компании. Старший инспектор подумал, что им сейчас колоссально повезло. Он повторил свой вопрос, и Оттавия, послюнив палец, стала листать страницы небольшого блокнота.

– Даниэле Бруно, – сказала она наконец. – Полузащитник в городской команде.

– Что мы о нем знаем?

– Пока ничего, – и когда Сальваторе резко поднял голову, Оттавия поспешно продолжила: – Но Джорджио над этим работает. Он как раз сейчас собирает информацию, чтобы...

На лице у нее появилось удивление, когда Сальваторе вдруг запер дверь маленькой кухоньки. Она еще больше удивилась, когда он быстро заговорил с ней приглушенным голосом:

– Послушай меня, Оттавия, ты и Джорджио... Вы должны сообщать всю информацию только мне. Ясно?

– Да, но...

– Это все, что вам надо знать. Когда она у вас появляется, вы передаете ее лично мне.

Сальваторе хорошо понимал, что произойдет, если эту информацию получит Никодемо Трилья. Все уже было предсказано звездами, и он видел это предсказание на физиономии Фануччи. Большой план, как он его понимал, был посвящен тому, чтобы шеф мог спасти свое лицо. На данном отрезке времени у него был только один вариант решения, потому что ничего из того, что произошло с Хадией, не указывало на его главного подозреваемого в похищении ребенка. Поэтому Пьеро мог спасти лицо, только скрывая любую поступавшую информацию и затягивая время до того момента, когда таблоиды – когда пройдет восторг от того, что девочка встретилась со своими родителями, – переключатся на другие темы. Тогда Карло потихоньку выпустят, и жизнь всех участников, особенно жизнь Пьеро, потечет своим чередом.

Оттавия Шварц улыбнулась и спросила, должна ли она предоставить свои заметки в виде отчета. Не надо, ответил ей Ло Бьянко. Просто передай их мне в том виде, в котором они есть, и давай забудем об этом разговоре.

Лукка,
Тоскана

Линли вновь встретился с Таймуллой Ажаром только за завтраком. Пакистанец находился в фаттории ди Санта Зита с того момента, как Хадия приехала туда после обследования в больнице. У Томаса, как офицера связи, не было необходимости сопровождать их. Однако он не мог заставить себя не думать о последствиях освобождения Хадии и, самое главное, об обвинениях Муры. С одной стороны, он закончил свою работу. С другой у него оставались вопросы, и было логичным задать их Ажару, когда они вместе накладывали себе хлопья у буфета синьоры Валлера.

– Надеюсь, все в порядке? – начал Томас.

– Я никогда не смогу достойно отблагодарить вас, инспектор Линли, – сказал Ажар. – Я знаю, что ваш приезд сюда – это и результат усилий Барбары. Перед ней я тоже в неоплатном долгу. С Хадией все в порядке, чувствует она себя нормально, чего не скажешь об Анжелине.

– Будем надеяться, что теперь ей станет лучше.

Ажар прошел к своему столику и вежливо пригласил Линли присоединиться к нему. Он налил им обоим кофе из фаянсового кофейника.

– Хадия рассказала нам о поздравительной открытке, – сказал Линли после того, как уселся. – Открытку передал ей этот тип Скуали, прежде чем она ушла с ним. Хадия сказала, что в открытке была записка от вас, в которой говорилось, что вы ждете ее.

– Мне она тоже об этом рассказала, – сказал Ажар. – Но я о такой открытке ничего не знаю, инспектор Линли. Если она действительно где-то существует...

– Я полагаю, что да, – Линли рассказал пакистанцу о фотографиях, сделанных туристами, о фото, на котором открытка со смайликом видна в руке Скуали, и о фото Хадии, на котором она держала что-то очень похожее на ту же самую открытку.

– А вы сами видели эту открытку, инспектор? – спросил Ажар. – Среди вещей Хадии, когда нашли ее?

Нет, Томас ее не видел. Если она и была, то сейчас должна находиться в руках *carabinieri*, которые первые появились в монастыре и увезли Доменику Медичи. Эти полицейские должны были все там обыскать в поисках вещей находившегося там ребенка.

– Кто еще знал об исчезновении Хадии? – спросил инспектор. – Я говорю о ее исчезновении из Лондона в прошлом ноябре. Кто еще, кроме Барбары и меня?

Ажар назвал имена людей, которым он рассказал об этом: коллеги по работе в Колледже Университета Лондона, друзья в области микробиологии, родители Анжелины и ее сестра Батшеба, а потом, позже, когда появились Анжелина и Лоренцо Мура, и его собственная семья. Тогда Анжелина утверждала, что это он украл Хадию с рынка в Лукке.

– Ну, а Дуэйн Доути? Он же тоже с самого начала знал об исчезновении Хадии, правда? – Линли внимательно наблюдал за лицом Ажара, когда назвал имя лондонского сыщика. – Микеланджело Ди Массимо, частный детектив из Пизы, рассказал нам, что Доути нанял его, чтобы найти Хадию.

– Мистер Доути?.. – сказал Ажар. – Да, я нанял этого человека, чтобы тот нашел Хадию сразу же после того, как она пропала. Он тогда сообщил мне, что нет никаких зацепок, что Анжелина не оставила никакого следа, ведущего из Лондона в... не знаю куда. А сейчас вы говорите, что... Что? Что он обнаружил, что Анжелина уехала в Пизу? И что он знал об этом уже зимой? Когда говорил мне, что никаких следов он не нашел?

– Когда он сказал вам, что не нашел никаких следов, что вы сделали?

– А что я мог сделать? В метрике Хадии в графе «отец» стоит прочерк, – ответил Ажар. – Не делалось никаких тестов ДНК. Анжелина могла сказать, что отцом ребенка является любой встречный мужчина. И, кстати, без решения суда она и сейчас может это утверждать, потому что нет результатов этих чертовых тестов. Как видите, у меня не было никаких юридических прав. Только те права, которые Анжелина сама решила мне дать. И эти же права она у меня забрала, увезя Хадию.

– Если все это так, – спокойно сказал Линли, очищая банан над тарелкой, – то похищение Хадии, после того, как ее нашли в первый раз, было для вас единственным выходом.

Ажар твердо посмотрел на него. Его лицо не выражало ни протеста, ни возмущения.

– Ну, а если бы я это сделал и потом привез Хадию в Лондон? Как вы считаете, что я выиграл бы от этого, инспектор Линли? – Он не стал ждать ответа и продолжил: – Позвольте, я скажу вам, что это дало бы мне: вечную ненависть Анжелины. Поверьте, я не стал поступать так по-дурацки, несмотря на то, как сильно я хотел – да и сейчас хочу, – чтобы моя дочь была всегда со мной.

– И, однако, кто-то все-таки увел ее с рыночной площади, Ажар. Кто-то, кто обещал ей, что приведет ее к вам. Кто-то, кто написал ту открытку. Кто-то, кто назвал ее *Khushi*. Человек, который совершил все это, оставил после себя следы, которые привели нас к Микеланджело Ди Массимо. А тот дал нам имя Дуэйна Доути в Лондоне.

– Мистер Доути сказал мне, что никаких следов нет, – повторил Ажар. – То, что это неправда... То, что все это время он знал, что это неправда...

Его руки слегка дрожали, когда он наливал себе и Томасу еще кофе. Это было первым признаком того, что в душе у него что-то все-таки происходило.

– Если это... Раньше я хотел разобраться с похитителем. Но из-за того, что он сделал, или намеревался сделать, или попытался сделать, мы с Анжелиной наконец смогли найти консенсус. Этот кошмарный страх, что мы можем потерять Хадию... В конце концов, из этого получилось что-то положительное.

Линли удивился, каким образом похищение ребенка может привести к положительным результатам, но вместо вопроса кивнул Ажару, чтобы тот продолжал.

– Мы решили, что Хадии нужны оба родителя, – продолжил Таймулла. – И что оба родителя должны присутствовать в ее жизни.

– Как же это будет происходить? Вы в Лондоне, а Анжелина в Лукке? – поинтересовался Линли. – Простите, но мне кажется, что ее положение в фаттории ди Санта Зита твердо, как никогда.

– Совершенно верно. Анжелина и Лоренцо скоро поженятся, сразу после рождения ребенка. Но Анжелина согласилась на то, чтобы Хадия проводила все свои каникулы у меня в Лондоне.

– И вам этого будет достаточно?

– Этого никогда не будет достаточно, – согласился пакистанец, – но, по крайней мере, такое соглашение меня устраивает. Она приедет ко мне первого июля.

Южный Хокни,
Лондон

Брайан Смайт жил там же, где и работал. Это место располагалось недалеко от Виктория-парк, и весь квартал выглядел как место, давно приготовленное к сносу. Дома были построены из вездесущего лондонского кирпича, однако были удивительно грязны.

Там, где они не выглядели так, что вот-вот развалятся, их стены были покрыты толстым слоем сажи, угольной пыли и птичьего помета, а дерево оконных переплетов и входных дверей выглядело рассохшимся и гнилым. Однако Барбара быстро поняла, что все это было только искусным камуфляжем.

Брайану Смайту принадлежало здесь шесть помещений, идущих в ряд, и хотя занавеси на окнах оставляли желать много лучшего, как только вы входили в дверь, все менялось.

Конечно, он был готов к ее визиту – Эмили Касс предупредила его. Поэтому первое, что он сказал Барбаре, было:

– Полагаю, что вы тот самый полицейский из полиции Метрополии. – И хотя он внимательно осмотрел ее с ног до головы, выражение его лица не изменилось, даже когда он прочитал на ее майке «Не надо целовать жаб». Барбара отметила это про себя. – Сержант Барбара Хейверс, не так ли? – добавил он.

– Сегодня с утра меня так и называли, – ответила она и протиснулась в его жилище.

Помещение шло в обоих направлениях, как настоящая галерея. Стены были завешаны большими полотнами современных художников, а небольшие металлические изображения бог знает чего располагались на столиках, окруженных удобной кожаной мебелью, стоящей на дорогих коврах, покрывающих полированный деревянный пол. В самом хозяине не было ничего необычного, кроме перхоти. Ее было так много, что она покрывала его плечи толстым слоем, по которому можно было кататься на лыжах. Он был бледен, как может быть бледен человек, часто общающийся с ожившими мертвецами, и очень худ. «Слишком занят копанием в жизни других людей, чтобы нормально питаться», – подумала Барбара.

– Неплохая берлога, – сказала она, осмотревшись. – Должно быть, зарабатываешь кучу денег.

– Раз на раз не приходится, – ответил Брайан. – Я оказываю независимую экспертную помощь компаниям, а иногда и отдельным людям, которые хотят обезопасить свои компьютерные сети.

Барбара выкатила глаза.

– Я тебя очень прошу. Я пришла сюда не затем, чтобы тратить свое и твое время на ерунду. Если ты знаешь мое имя, значит, знаешь и зачем я здесь. Поэтому перейдем сразу к делу: меня гораздо больше интересует Дуэйн Доути, чем ты, Брайан. Можно я буду называть тебя Брайан, ладно?

Она прошлась по галерее и остановилась перед холстом, покрашенным красной краской, с маленькой голубой полоской внизу.

Больше всего это походило на новый дорожный знак для стран Европейского Союза. Барбара решила, что совсем не хочет узнать побольше о современном изобразительном искусстве, и повернулась к Брайану.

– Я могла бы тебя закрыть, но сегодня я к этому еще не готова.

– Вы можете сделать, что хотите, – беззаботно ответил Брайан, закрыл за ней дверь и запер ее на замок. Хейверс решила, что это было связано со стоимостью картин на стенах, а не с ее приходом. Компьютерщик продолжил: – Давайте посмотрим правде в глаза. Вы закрываете меня, а через двадцать четыре часа я выхожу на свободу.

– Думаю, ты прав, – согласилась она. – Но думаю, что твоим постоянным клиентам не понравится, когда они прочитают в газетах – или увидят по телику, – что их «эксперт по технологиям безопасности» передал всю свою технику ребятам из Скотланд-Ярда для подробного изучения. Такое известие их не обрадует. А мне это легко устроить. Конечно, ты можешь сказать, что успеешь создать абсолютно новую систему, пока наши спецы будут выносить твое барахло из какого-нибудь подвала на Виктория-стрит. Но я думаю, что рану, которую нанесет твоему бизнесу неожиданная публичность, придется долго залечивать.

Он изучал ее. Она изучала предметы искусства. Взяла в руки статуэтку, стоявшую на стеклянном столе, и попыталась определить, что же это все-таки было. Птица? Самолет? Ископаемый монстр? Барбара подняла глаза на компьютерного гения и спросила:

– Я должна знать, что это такое?

– Вы должны знать только то, что с этим надо очень осторожно обращаться.

Хейверс притворилась, что сейчас уронит скульптуру. Брайан невольно шагнул к ней. Барбара подмигнула.

– Мы, легавые, совсем ничего не понимаем, когда дело доходит до искусства. В этом мы разбираемся, как валенки. Особенно те ребята, которые вывозят предметы для более тщательного изучения.

– Эти произведения не имеют никакого отношения...

– К работе? К этим технологическим экспертизам, которыми ты занимаешься? Думаю, что это так. Но те ребята, которые появятся здесь с решением суда в своих загребущих ручонках... – Она аккуратно поставила скульптуру на место. – Они-то об этом не догадываются.

– О каком решении суда вы все время говорите?

– Эмили Касс тебя сдала. И ты это знаешь, Брайан. Когда я ее немного поприжала, она не колебалась ни минуты. Ты занимаешься банковской информацией, информацией с мобильных телефонов, стационарных телефонов, кредитными картами, информацией о передвижениях людей и бог знает чем еще. Ты что, действительно уверен, что местных официальных лиц не заинтересует, что ты делаешь, когда садишься за клавиатуру и входишь в контакт со своими «уважаемыми коллегами»? Кстати, а где эта самая клавиатура? Что, где-то есть потайная кнопка, которая сдвигает стену и открывает ступени в подвал?

– Вы насмотрелись всяких фильмов.

– Что да, то да, – согласилась Барбара. – Так что ты решил?

Хакер задумался. Он не мог знать, что она решила сначала переговорить с Ажаром, прежде чем сообщить какую-либо информацию Линли или кому-то еще. Он не мог знать, что она решила, что должна лично встретиться со своим пакистанским соседом, чтобы увидеть его лицо. Он не мог знать, что она ни на минуту не верит, что Ажар мог подвергнуть свою дочь опасности, или испугать ее, или с ней сделать еще что-то, чтобы удержать ее или отобрать ее у матери. Но билеты в Пакистан подразумевали самое страшное, и до тех пор, пока Барбара не переговорит с ним лично и не посмотрит ему в глаза, она находилась в таком отчаянии, что даже стоять спокойно в присутствии этого Смайта ей удавалось с трудом.

Наконец Брайан сказал:

– Пойдемте. Хоть в чем-то я смогу вас просветить.

Он прошел по галерее и открыл две незаметные боковые двери. За этими дверями находилась комната, по размерам почти равная галерее. Ее дорогие двойные окна смотрели на внутренний сад. Он был великолепен, с весенними первоцветами и рядом цветущих вишен, идущих по границе лужайки. На этой лужайке находился бельведер. Перед ними раскинулся треугольный пруд, заполненный листьями водяных лилий, с фонтаном посередине.

Комната, в которую они вошли, была его рабочим кабинетом, абсолютно не похожим на берлоги компьютерных гениев, которые показывали в кино. В этих фильмах хакеры сидели в подвалах, освещенных только светом мониторов множества компьютеров, окружавших их. В реальности, в которой жил Брайан Смайт, на прекрасном металлическом столе стоял лэптоп, развернутый таким образом, чтобы, работая, можно было смотреть в сад. Рядом с компьютером, в держателе, находились три флешки. Еще в одной подставке находились карандаши, в третьей – ручки. С другой стороны от компьютера лежал блокнот с дорогой дизайнерской ручкой. Здесь же стоял принтер.

В одном углу комната переходила в набитую всякими домашними приборами кухню, в другом ее конце находился мультимедийный центр. Динамики на потолке говорили о стереофоническом звуке. Все вместе говорило об очень больших деньгах.

Барбара беззвучно присвистнула.

– Неплохой садик, – сказала она, подходя к окну и одновременно лихорадочно размышляя, как проще вытрясти из него показания, – прямо как на Выставке Цветов в Челси[1].

– Мне нравится смотреть на нечто приятное, – сказал Брайан; небольшое ударение на прилагательном показывало, что вид Барбары не пробуждает в нем никаких эстетических чувств. – То есть когда я работаю, – добавил он. – Поэтому стол так и стоит.

– Неплохая мысль. Думаю, что тебе хотелось бы, чтобы ничего не изменилось?

– В смысле?

– В том смысле, что пора принимать решение, и позволь мне еще раз повторить, если ты еще не понял: нам нужен Доути. Нам нужен Доути, по подозрению в организации похищения девятилетней девочки, произошедшего в Лукке. Это касается английской девочки, которую ее мать увезла в прошлом ноябре, чтобы девочка вдоволь поела пиццы, если ты понимаешь, что я имею в виду. Его наняли, чтобы он нашел ее, но Доути сделал больше. Он нашел ее, никому об этом не сказал, а затем устроил ее похищение. После этого он заставил тебя уничтожить все следы. То есть все записи и всю информацию, касающуюся этой девятилетней девочки, похищения и так далее и тому подобное. Ты следишь за моей мыслью?

На лице Брайана появилась недовольная и презрительная гримаса. Барбара приняла ее за согласие и продолжила:

– Ты это подтверждаешь, и тогда наши отношения, то есть отношения между мной и тобой – от которых я просто балдею, – на этом заканчиваются. Если же не подтверждаешь... – Она махнула рукой. – Местные копы, местная магистратура и, конечно, наши ребята из полиции Метрополии будут счастливы с тобой познакомиться.

– То есть вы хотите сказать, что если я подтверждаю ваше смехотворное обвинение относительно этой девятилетки, – уточнил

---

[1] Ежегодное светское мероприятие в Лондоне, которое обычно посещает королева Великобритании.

хакер, – а я, заметьте, еще ничего не подтвердил, то мое имя не будет передано полиции Метрополии? Или местным полицейским? Или вообще никому?

– Брайан, ты просто умница. *Именно это* я и хочу сказать. Потому что давай прикинем, что же произойдет потом. Скорее всего, после этого Доути откажется от твоих услуг, и тебе не стоит его за это ругать. Мне кажется, это ничтожная цена за возможность вообще заниматься бизнесом.

Смайт покачал головой и подошел к окну, чтобы взглянуть на сад; наконец он повернулся и спросил:

– Что же вы за коп такой, черт вас побери совсем?

Барбара была поражена ненавистью, звучавшей в его голосе, но ей удалось сохранить нейтральное выражение лица.

– Не поняла?

– Вы, что же, думаете, я не понимаю, к чему это все идет?

– К чему?

– Сегодня вам нужно подтверждение, а завтра потребуется наличняк. Не перевод на какой-то там счет на острове Мэн, или бог еще знает куда, а бабки, которые передаются в конверте банкнотами по десять, двадцать или пятьдесят фунтов, и с каждым новым месяцем все больше и больше. И все время с этой приговоркой: «Приятель, ты же не хочешь, чтобы полиция узнала о тебе?» Да вы еще хуже меня, несчастная корова. И если вы думаете, что я...

– Полегче на поворотах, – сказала Барбара. – Я сказала, что хочу Доути, и Доути – это тот, кто мне нужен.

– И вы полагаете, что вашего слова достаточно?

Брайан рассмеялся. Визгливые нотки его смеха показывали, в каком отчаянии он находится в действительности. Барбаре пришло в голову, что они похожи на двух неудачников с Дикого Запада на улице перед салуном. Ржавые пистолеты они уже выхватили, но оба отчаянно ищут способ уйти от конфронтации, чтобы не остаться лежать на земле с пулей в груди.

– Мне кажется, что мы держим друг друга сам знаешь за что, Брайан, – сказала она. – Но, между нами, девочками, говоря, мне кажется, что я ухватилась получше. В последний раз повторяю, что мне нужен один Доути, и никто, кроме Доути, – и всё, конец. Или ты с этим согласишься, или рискнешь и проводишь меня до двери, а там посмотришь, что я буду делать дальше.

Челюсть Брайана двигалась, зубы выбивали какой-то странный ритм. Это она понимала, так как ее зубы делали что-то очень похожее.

– Хорошо, – сказал он. – Я подтверждаю. Я уничтожил всю информацию для Доути. Все, что касалось парня, которого звали Микеланджело Ди Массимо. Все, что касалось человека по имени Таймулла Ажар. Электронные письма, банковские переводы, телефонные звонки, переводы денег, журналы просмотра Интернета – все, что я смог найти и что имело отношение к Лукке, Пизе или вообще к Италии. Все это я вычистил. Так тщательно, как только смогли сам я и ряд... ряд моих коллег в некоторых местах. Достаточно?

– Еще один вопрос.

– Боже, ну что еще?

– Когда?

– Когда что?

– Когда начались все эти записи?

– Какое это имеет значение? Я уничтожил их все ретроспективно.

– Прекрасно, великолепно, изумительно. Всех обманул. Тогда я хочу знать, с какого числа начала появляться эта информация, связанная с Италией, которую ты уничтожил.

– А какое это отношение имеет к...

– Поверь мне, имеет.

После этих слов Брайан предпринял действия, достойные пера Диккенса. Он открыл стол, вытащил из него карманный органайзер и стал перелистывать его. Ничего не нашел. Порылся в столе и вытащил еще один. Когда он это сделал, Барбара почувствовала, что внутри у нее все сжалось.

– В декабре прошлого года. Пятого числа. Именно тогда вся эта канитель и началась.

«Боже, – подумала Барбара, – еще до похищения Хадии в Лукке».

– Канитель? – спросила она. – Что значит канитель?

Короткая триумфальная улыбка Брайана, говорящая, что Барбара, может быть, и выиграла этот бой, но проиграла всю войну.

– Думаю, что это вы сможете выяснить сами, – сказал он и добавил: – Если вы собираетесь в Боу, то советую приготовиться.

– Приготовиться к чему? – спросила она, хотя губы ее еле шевелились.

– К страховке, плану отступления или как еще вы это назовете, – сказал он. – Дуэйн не дурак, и у него она обязательно будет.

– И ты знаешь это, потому что...

– Потому что так бывает всегда.

Боу,
Лондон

Дуэйн Доути не был удивлен, увидев ее. А Барбару вовсе не удивило, что он не удивился. Связка Доути– Касс– Смайт существовала и успешно действовала уже давно. Они вели себя как третьеразрядные жулики, которые пытаются договориться с копами и в то же время обмениваются информацией по этому поводу друг с другом. Хейверс приготовилась к бою. Она приготовилась узнать, как выглядит страховка частного детектива.

– Вы очень быстро добрались из Южного Хокни, – сказал он ей так, чтобы она сразу поняла, кто и кому лоялен и до какой степени; затем взглянул на часы. – Всего пятнадцать минут. Вам что, устроили «зеленую волну», или вы ехали с сиреной?

– Да нет, просто хотелось добраться в ритме вальса, – сказала Барбара. – Но музыки здесь не слышно, так что забудем про танцы.

– Ваши метафоры не перестают меня поражать, – заметил Доути. – Но один из талантов Брайана, из-за которых я пользовался его услугами, – это способность удалить все следы того, что он мне таковые услуги оказывал.

– Вы что, действительно считаете, что у нас нет специалистов, которые могли бы хотя бы сравняться с Брайаном в его способностях? – спросила Барбара. – Вы считаете, что у полиции Метрополии нет никакой возможности связаться с полицейскими в Италии, которые наверняка смогут найти талантливых компьютерщиков, которые займутся записями Микеланджело Ди Массимо? Видимо, вы глубоко верите в то, что Брайан подумал обо всем и удалил следы всех ваших прошлых телодвижений, приятель. Но по своему долгому опыту работы с жуликами и бандитами всех мастей я знаю только одно: ни один человек не может объять необъятное. Всегда остается какая-нибудь зацепка, на которую он не обратил внимания.

Дуэйн отдал ей шутливый салют.

– Опять ваши потрясающие метафоры.

Он откинулся на спинку стула. Это была одна из тех спинок, которые отклоняются под давлением на них. Барбара мысленно помолилась, чтобы он отклонился слишком далеко, перевернулся, трахнулся башкой и потерял сознание. Не повезло. Вместо этого Доути подъехал на стуле к одному из шкафов, открыл нижний ящик, достал оттуда флешку и сказал:

– Ну, что же. Вы можете пойти и по такому пути – полицейские в Италии, технические эксперты в Италии, технические эксперты здесь в Лондоне. Но я бы вам этого не советовал. Если попробовать выразиться метафорично, я не поехал бы по этой дороге на своем ослике.

Когда Барбара увидела флешку, она поняла, что это именно та страховка, о которой говорил Брайан. Ничего не оставалось делать, как ждать, пока Доути не покажет, что у него там записано.

С надутым видом он предложил ей присесть. Не хочет ли мадам выпить чаю, кофе или горячего шоколада? Или, может быть, прикажете чего-нибудь еще?

– Давайте перейдем к делу, – произнесла Барбара и осталась стоять.

– Как вам будет угодно, – хмыкнул Дуэйн и вставил флешку в компьютер.

Он хорошо подготовился. Ему понадобилось чуть больше секунды, чтобы найти то, что он искал. Доути нажал три или четыре клавиши, развернул экран к ней и предложил:

– Наслаждайтесь шоу.

Это был фильм, в котором главные роли играли Дуэйн Доути и Таймулла Ажар. Съемки проходили в декорациях офиса Доути. Диалог состоял из рассказа частного детектива о мельчайших деталях пребывания Хадии в Италии, где она была обнаружена Микеланджело Ди Массимо. Сначала была названа фаттория ди Санта Зита, расположенная в холмах рядом с городом Лукка. Там жил некто Лоренцо Мура, идиот, который перевел деньги из Лукки в Лондон, чтобы Анжелина могла профинансировать свой побег от Ажара. Это был не просто следок, а столбовой след, который обычно оставляют сани на заснеженной целине. Дуэйн объяснил Ажару, что деньги были переведены на второй счет – не самой Анжелины, а ее сестры Батшебы, по чьему паспорту Анжелина и выехала из страны 15 ноября прошлого года.

Барбара чувствовала, как ее пульс стучит у нее в ушах. Но ей удалось небрежно произнести:

– И что вы этим хотите сказать, Дуэйн? Насколько я помню, нам все это уже известно. Вы что, имеете в виду, что рассказали все это Ажару в мое отсутствие? И что теперь мне полагается впечатлиться?

Доути остановил фильм.

– Вы не кажетесь мне полной дурой, – сказал он. – Но вот глаза вам определенно надо лечить. Посмотрите на дату съемки.

Это был конец. Семнадцатое декабря. Барбара ничего не сказала, хотя почувствовала сильную тревогу. Она постаралась сохранить индиферрентное выражение лица, хотя знала, что если сейчас она попытается поднять руки, то будет видно, как они дрожат.

Доути пролистал ежедневник на своем столе, из тех, в которых записывается каждая минута и каждый час из жизни владельца.

– Вы ведь очень занятая женщина, и ваш календарь легко посрамит расписание самой завзятой тусовщицы, поэтому давайте я вам помогу. Наша последняя совместная встреча – в ней принимали участие вы, профессор и ваш покорный слуга – состоялась здесь, в этой комнате, тридцатого ноября. Не надо знать высшую математику, чтобы понять, что встреча между мной и этим типом, которую вы только что наблюдали, произошла семнадцатью днями ранее. Ну, а чтобы помочь еще больше – вот такой уж я парень, люблю помогать людям, – хочу напомнить вам еще одну маленькую деталь той последней встречи. Я тогда вручил профессору мою визитную карточку и предложил ему связаться со мной, если я смогу хоть каким-то образом быть ему полезен. Профессор очень быстро все понял.

– Ерунда, – сказала Барбара. – Что он понял?

– У меня было шестое чувство в отношении профессора, сержант. Отчаянные времена, отчаянные меры – ну, вы все это знаете. Мне показалось, что я еще смогу ему помочь. То есть если у него появится интерес. Ну так вот, интерес появился. – Доути наклонился вперед и с помощью клавиатуры и мыши произвел какие-то изменения настроек. – Смотрите, как он выразил себя и свой интерес всего через два дня.

Декорации и главные действующие лица были те же. Но диалог сильно отличался от предыдущего. В мире критиков, занимающихся толкованием художественных фильмов, его бы назвали «наэлектризованным». В мире реальности это было неубиваемое свидетельство. В абсолютной тишине Барбара наблюдала, как Таймулла Ажар сам поднял вопрос похищения собственной дочери. Можно ли это сделать? Может ли ранее упоминавшийся Микеланджело Ди Массимо организовать это? Может ли итальянец тщательно отследить привычные действия Лоренцо Муры, Анжелины и Хадии? Если да, то есть ли способ увести Хадию от матери, пообещав ей встречу с отцом? Дискуссия между Ажаром и Доути продолжалась бесконечно. На пленке Дуэйн выглядел очень сопереживающим: сплел пальцы под подбородком и кивал, когда это было необходимо. Он был сама осторожность, хотя в его голове, без сомнения, уже работал арифмометр, подсчитывающий, какую сумму он сможет заработать, если ввяжется в эту историю с международным похищением ребенка.

На пленке Доути говорил почти тоном священника:

– Я могу только свести вас с господином Ди Массимо, профессор Ажар. А уж что вы там с ним решите... Мне кажется, я уже завершил свою работу с вами и не хочу быть замешан ни в чем в будущем.

«Да уж, все это правильно», – фыркнула Барбара. Когда фильм закончился, она сказала:

– Это просто куча дерьма.

Казалось, что Дуэйна ее слова совсем не обидели.

– Увы, – сказал он приятным тоном, – это все правда. Я хочу сказать только одно: вы уничтожаете меня, а я уничтожаю его, Барбара... Можно я буду называть вас Барбара? Мне кажется, что мы становимся все ближе и ближе.

Хейверс показалось, что сейчас ее охватит неконтролируемая ярость, она перепрыгнет через стол и задушит этого ублюдка.

– Вся эта идея с похищением – просто дерьмо на палочке, – сказала она. – Как только этот Ди Массимо нашел Хадию, все, что должен был сделать Ажар, – это неожиданно появиться на пороге Анжелины и предъявить свои отцовские права на нее. С Хадией, в восторге от того, что она видит отца, с Ажаром, стоящим на пороге, или что там у них есть, – что стала бы делать Анжелина? Схватила бы Хадию и бегала бы с ней с одной фаттории, что бы это ни значило, на другую всю оставшуюся жизнь?

– В этом был бы некоторый смысл, – с изяществом согласился Доути. – Но не приходилось ли вам замечать – а я думаю, что на вашей работе наверняка приходилось, – что, когда в дело вступают эмоции, здравый смысл быстро испаряется в окно?

– Похищение Хадии ничего не дало бы Ажару.

– В обычной ситуации – нет. Но давайте представим вместе с вами, Барбара, что ситуация не совсем обычная. Давайте представим: профессор прекрасно просчитал, что в случае похищения мамочка Хадии сделает именно то, что она и сделала: явится в Лондон со своим другом и с требованием немедленно вернуть ей ребенка. – Доути поднял руки ко рту в жесте наигранного ужаса. – Но, появившись в Лондоне, она лишь сможет убедиться, что профессор даже и не подозревает, что его дочь похищена. «Боже, неужели ее похитили? – скажет профессор. – Обыщите мой дом, лабораторию, офис, жизнь, обыщите все, что хотите – я ее не похищал...» Ну, и все в таком же духе. Хотя план давно запущен. Микеланджело Ди Массимо уже похитил девочку и прячет ее в надежном месте, очень надежном и очень незаметном. А затем, когда наступает время, привозит ее в такое же безопасное место, где ее не может не найти кто-то, кто прочитал о ее похищении в газетах. В это время ее отец находится в Италии, помогает в поисках, демонстрирует свое горе, развешивая плакаты во всех деревнях и городах и демонстрируя всем, как он убит горем. При этом он предварительно обеспечивает себе алиби на время ее исчезновения, посетив давно запланированную конференцию в Берлине. Когда девочка найдена, воссоединение семьи происходит очень эмоционально и так далее. И Ажар вновь получает доступ к девочке, на этот раз с благословения Анжелины.

– Идиотизм, – сказала Барбара. – Для чего все эти сложности, Дуэйн? Если вы нашли Хадию, то для чего Ажару надо было, чтобы ее похитили? Для чего он стал бы *рисковать* напугать ее, нечаянно повредить или сделать вообще что-то, когда всё, что ему требуется, – это явиться в дом и заявить свои права на дочь? Он знает, где она. Он знает, узнав каким-то образом о Муре, что она никуда не денется.

– Это вы уже говорили, – согласился Доути. – Но вы забываете об одной маленькой детали.

– О чем именно?

– О полной картине.

– И это?..

– Пакистан.

– Что? Вы хотите сказать, что Ажар планировал...

– Я ничего не хочу сказать. Просто повторяйте танцевальные движения, ведь музыку вы уже знаете. Вы не глупы, несмотря на то, что можете испытывать по отношению к нашему вальяжному профессору. Он хотел ее украсть, а затем, когда подойдет время, уехать с ней в Пакистан и исчезнуть.

– Он – профессор...

– А профессоры, что, не совершают преступлений? Вы это хотите мне сказать? Дорогая сержант, уж мы-то с вами знаем, что преступления – это не прерогатива лишь низших слоев. И мы оба с вами понимаем, что, если этот профессор увезет свою дочь в Пакистан, возможность для мамочки получить девочку назад исчезнет практически навсегда. Ей придется колотить в эту закрытую дверь, пока она не собьет себе руки в кровь. Попытаться отобрать ребенка у отца в Пакистане? У отца-пакистанца? У отца-мусульманина? Как вы думаете, сколько прав в этом случае будет у английской женщины, даже если ей в принципе удастся разыскать дочь?

Барбара понимала, что все это правда, но вот согласиться с этой правдой... Она знала, что существует еще одно объяснение. Она также понимала, что сидеть здесь, в офисе, и пытаться что-то объяснить Доути было абсолютно бесполезным занятием. Только разговор с самим Ажаром сможет пролить свет на происходящее. Доути был очень грязной личностью, и это та правда, о которой ей не стоит забывать.

Как будто прочитав ее мысли, частный детектив заговорил:

– Этот профессор – грязная личность, сержант Хейверс... – Он оттолкнулся от стола, убрал флешку обратно в нижний ящик шкафа, а затем запер его. Потом шуточным жестом протянул ей обе свои руки, как будто отдавал себя в ее распоряжение. – Теперь вы можете забрать меня в участок, и там я все опять повторю тому, кто этим заинтересуется. А можете начать расследование там, где оно должно было начаться с самого начала, – в доме у профессора.

Виктория,
Лондон

Линли прилетел в Лондон после полудня, пережив под завязку забитый рейс из Пизы, на котором ему пришлось втиснуть свое тело ростом шесть футов два дюйма[1] на среднее кресло между монашкой, которая не прекращала молиться весь полет, и толстым бизнесменом с большой газетой.

Прежде чем покинуть Лукку, он еще раз встретился с Анжелиной Упман. Она подтвердила каждую деталь из рассказа Ажара об их новых взаимоотношениях. Прощение было, наверное, ключевым словом в этих новых взаимоотношениях, а также в попытке организовать для Хадии все таким образом, чтобы она могла проводить время в Лондоне с отцом, которого обожала. Только Лоренцо Мура был против этих планов. Он не любил Ажара, ему не нравился Ажар, и Анжелина была дурой, потому что разрешила Ажару общаться с дочерью.

Фраза «дорогой, она ведь и дочь Хари тоже» совсем его не успокоила. Лоренцо вылетел из комнаты, распространяя вокруг себя ауру разгневанного итальянского мужчины. Анжелина вздохнула и сказала:

– Будет совсем не легко, но я хочу сделать то, что, на мой взгляд, будет хорошо для нас всех.

---

[1] 188 см.

Увидев ее, Томас подумал о том, как сказалось все произошедшее на ее внешнем виде. Анжелина была красивой женщиной, но сейчас она лишилась всей своей красоты – изможденная, с поредевшими волосами и ввалившимися глазами. Ей надо было поправляться, и как можно скорее, чтобы обеспечить сохранность жизни, развивавшейся внутри нее. Линли хотел сказать ей об этом, но, наверное, она и сама это отлично знала. Поэтому на прощание он сказал только:

– Берегите себя.

В Лондоне Томас направился прямо в Ярд. Там он встретился с Изабеллой Ардери и отчитался о проделанной работе. Результат был совсем неплох, если принять во внимание, что Хадия благополучно вернулась к матери. Теперь расследование находилось в руках итальянской полиции, и в Лукке больше нечего было делать, так как прокурор теперь будет лично решать, как поступать с собранными Сальваторе Ло Бьянко уликами, с которыми теперь будет работать его преемник.

– Сальваторе вчера отстранили от расследования, – объяснил Линли. – У них с прокурором расходятся взгляды на многие события.

Изабелла подняла трубку и пригласила Барбару, чтобы узнать, что происходит с расследованием в Лондоне.

Увидев Барбару, Линли вздохнул и мысленно покачал головой. Ее волосы все еще торчали клоками, и она опять стала одеваться в манере, которая наверняка выводила Ардери из себя. Например, в этот день обычной кофте она предпочла майку, украшенную какой-то дурацкой надписью, хотя неоновые зигзаги на ней совсем не добавляли Барбаре шарма. Ее штаны с пузырями на коленях и заднице выглядели так, будто их когда-то выбросила бабушка Барбары.

Томас посмотрел на Изабеллу. Она посмотрела на Хейверс, потом на него и, наконец, взяла себя в руки, произнесла «сержант» и указала Барбаре на стул.

Барбара бросила на Линли взгляд, который он не смог понять, хотя было очевидно: она считает, что ее вызвали на ковер, чтобы отчитать за что-то. И за это ее нельзя было винить. Ее очень редко вызывали в кабинет руководства за чем-то другим.

– Я только что рассказал суперинтенданту, как все закончилось в Италии, – сказал он.

– Ну, а что касается Лондона, сержант?.. – продолжила Изабелла.

Хейверс вздохнула с облегчением и сказала в качестве вступления:

– Мне кажется, командир, у нас будет слово одного скользкого парня против слова другого скользкого парня.

Она закинула ногу в красной высокой кроссовке на ногу и продемонстрировала широкую полосу белых носков, расшитых кексиками. Линли услышал, как Изабелла вздохнула. Хейверс продолжала как ни в чем не бывало. Доути не отказывается от того, что нанял жителя Пизы по имени Микеланджело Ди Массимо для поисков Хадии и ее матери. Он утверждает, что сделал это по просьбе Ажара, – и это, собственно, все, что он сделал. Он сказал, что деньги, *переведенные* из лондонского банка в итальянский банк на счет Ди Массимо, были просто оплатой работы последнего. Правда, работа эта не дала ему ничего нового, сообщил Доути. Хейверс также сказала, что, по словам Ди Массимо, след очень быстро выветрился.

– Думаю, нам надо решить, кто из них двоих лжет. Поскольку сейчас с Ди Массимо работают итальянские копы, может быть, лучше всего посидеть и подождать, что из этого выйдет.

Изабелла стала суперинтендантом полиции не просто за красивые глаза. Она могла мгновенно определить слабости в логике расследования.

– В какой момент Таймулла Ажар узнал имя этого итальянского частного детектива, сержант? – спросила она.

– Он его никогда не знал, насколько я понимаю, – ответила Барбара. – По крайней мере, до того момента, когда инспектор наладил связь с итальянцами. И в этом как раз вся соль вопроса, не правда ли?

Не дождавшись реакции Изабеллы, она продолжила, что SO-12, кстати, следила за Ажаром и что он чист.

– SO-12? – спросили одновременно Линли и Изабелла. – При чем здесь SO-12, сержант? – спросила Ардери.

Хейверс объяснила, что хотела проверить каждую возможную версию.

– И давайте согласимся, командир, коль уж вы сами упомянули Ажара, что он был и есть одна из версий...

Поэтому она переговорила со старшим инспектором Гарри Стринером, чтобы узнать, отсматривали его ребята Ажара по каким бы то ни было причинам или нет. В момент похищения Ажар был в Берлине; это показалось ей подозрительным, и она решила, что если там что-то не так, то SO-12 наверняка об этом знает.

– Ажар – микробиолог. Ажар – мусульманин. Ажар – пакистанец. Для ребят из SO-12... ну, вы сами знаете, как они рассуждают, командир. Я думаю, что если против него что-то было, то они наверняка это раскопали бы.

Но ей сказали, что на него ничего нет. Ее вывод полностью совпадал с выводом инспектора Линли: пусть с этим делом разбираются итальянцы.

– Представьте мне ваш письменный отчет, Барбара, – сказала Ардери. – Вы тоже, инспектор Линли.

И она закончила совещание, жестом показав им на дверь. Однако, прежде чем Линли успел выйти вслед за Барбарой из кабинета, Изабелла окликнула его. Томас обернулся, она жестом велела ему вернуться на свое место и кивком приказала запереть дверь.

Линли стал наблюдать за суперинтендантом. Ему давно было известно, какая она скрытная и как хорошо умеет маскировать свои мысли и чувства, поэтому Томас спокойно ждал, что Изабелла сама все ему скажет. Он хорошо знал, что пытаться гадать в таких условиях невозможно.

Ардери открыла нижний ящик стола. Линли судорожно вздохнул. Изабелла пила – и знала, что ему это известно. Она была уверена, что контролирует ситуацию, Томас же с ней не соглашался. Изабелла знала о его мнении, но так же хорошо помнила об их негласном соглашении: он не выдаст ее до тех пор, пока она будет воздерживаться от выпивки на Виктория-стрит или в любом другом месте, куда суперинтендант могла попасть по работе.

Томас заметил легкую дрожь в ее пальцах и мягко окликнул ее. Изабелла бросила на него быстрый взгляд.

– Я еще не полная дурочка, Томми. Я могу себя контролировать.

Вместо бутылки она достала из нижнего ящика стола сложенный таблоид. Положив газету перед собой, разгладила ее и стала перелистывать.

Линли увидел, что это «Сорс» – самая грязная из всех грязных газетенок подобного пошиба. Ему стало нехорошо, когда он подумал, что могло заставить Изабеллу хранить этот номер у себя в столе, при этом отпустить Барбару и ясно дать ему понять, что она хочет обсудить это только с ним одним. Все это были плохие признаки. Они превратились в еще худшую реальность, когда Изабелла нашла то, что искала. Она развернула газету так, чтобы Томас мог видеть материал, беспокоивший ее.

Инспектор полез в пиджак за очками, хотя они и не были нужны – по крайней мере, чтобы прочитать заголовок: «Связи сексуально озабоченного папашки в полиции Метрополии». Статья располагалась на четвертой и пятой страницах, и здесь же было фото Ажара, которое было врезано в другую, большую по размерам фотографию, на которой был изображен какой-то скандал на лондонской улице. В скандале участвовали мальчик в школьной форме, разъяренный мужчина, которому на вид было около семидесяти, испуганная женщина в шароварах и головном шарфе и Барбара Хейверс. Казалось, что сержант пыталась заставить мужчину отпустить мальчика, женщина с шарфом на голове пыталась вырвать мальчика из рук этого мужчины, а сам мужчина пытался запихнуть мальчика в машину, задняя дверь которой была открыта.

Линли просмотрел статью, типичную для «Сорс», которая была подписана хорошо знакомым ему именем – Митчелл Корсико. Статья содержала совершенно безумную подборку фактов, которая уже давно стала фирменным знаком «Сорс». Это был какой-то вариант срочных новостей, в котором описывалось, что корреспондент обнаружил связь между сержантом полиции Метрополии и сексуально озабоченным папашкой, у которого недавно в Италии похитили дочь. Эта женщина-офицер присутствовала в жизни папашки, уважаемые читатели, так же как и его брошенная жена из Илфорда и любовница, которая родила ему ребенка. Как оказалось, они все живут рядышком в Северном Лондоне, в разных домах, но не очень далеко друг от друга, под неусыпным наблюдением соседей, которые ждут не дождутся возможности рассказать всю правду об этом университетском профессоре с мягкими манерами и его более чем впечатляющей конюшне женщин, сожительствующих с ним.

Статья была написана по тем же стандартам, по каким пишутся сотни других, публикуемых в ежедневных таблоидах. В течение многих поколений читателей эти издания зарабатывали на свой хлеб с маслом, разрушая репутации. Сегодня они создавали героя: или вызывающую сострадание жертву, или удачливого победителя национальной лотереи, или успешного художника, или просто человека, который сделал себя сам... А завтра они же просто разрывали его на кусочки, когда первый попавшийся шапочный знакомый или бывший коллега вылезали из собственного дерьма, чтобы сообщить о нем «несколько новых фактов». Просто для того, чтобы опустить его пониже себя.

Закончив читать, Линли поднял глаза. Он не знал, как это прокомментировать, потому что был не в курсе, что известно Изабелле об отношениях между Барбарой и Ажаром. Он и сам-то не был уверен, что знает.

– Что мне с этим делать, Томми? – спросила Ардери.

Инспектор снял очки и положил их в карман пиджака.

– Выглядит так, как будто офицер полиции помогает подростку, которого ударил пожилой мужчина.

– Да это-то я и сама могу увидеть. Я даже могу убедить себя, что на всех этих фото сержант Барбара Хейверс вмешивается в уличный конфликт и улаживает его, как добрая самаритянка, какой мы все ее знаем. И я бы с удовольствием в это поверила, если бы не знала, что этот подросток – сын Таймуллы Ажара. Не говоря уже о том, что этот старик – отец Ажара. Я не слишком себя накручиваю, а, Томми?

– У фотографии, так же как и у статьи, может быть тысяча и одно объяснение. Любой, кто прочитает материал, сразу это поймет.

– Естественно. И одно из этих объяснений может быть следующим: вполне возможно, что у Барбары есть в этом деле личный интерес – глубоко личный, а не объективно профессиональный, – в вопросах, которые совсем не должны касаться человека, ведущего расследование.

– Но ты же не думаешь, что Барбара...

– Да я просто не знаю, что мне думать о Барбаре, черт побери, – резко перебила его Изабелла. – Но я знаю, что видят мои глаза и что слышат мои уши, и...

– И что же слышат твои уши? Кто в них шепчет? О Барбаре?

Линли секунду смотрел на нее, прежде чем продолжить. Изабелла заметила это и не отвела взгляда. Наконец взгляд отвел он – и от нее, и от газеты, лежащей на столе.

Томас знал, что Ардери не читает таблоидов. Он не считал, что знает про нее абсолютно все, после всех тех месяцев, что они провели обнаженными в постелях друг у друга, – но это он про нее знал точно. Она не читала таблоидов. Тогда как же этот попал к ней в руки?

– Где ты взяла ее? – спросил он, кивнув на газету.

– Это не так важно, как те новости, которые в ней написаны.

Линли посмотрел через плечо на закрытую дверь кабинета и мысленно представил все, что находилось за ней. Догадка пришла очень быстро.

– Джон Стюарт, – сказал он. – И сейчас он выжидает, что же ты с ней сделаешь. Хотя, скорее, тебе нужно что-то делать с самим Джоном.

– С ним я со временем разберусь, Томми. Сейчас же мы обсуждаем Барбару.

– А ее нечего обсуждать. Она знает Ажара, но ничто не говорит о том, что между ними существует хотя бы намек на романтические, интимные или какие-нибудь другие отношения, кроме дружеских. Изабелла, там просто ничего нет.

Ардери очень долго обдумывала сказанное. За дверями ее офиса шел обычный рабочий день. Кто-то громко спрашивал: «Где эта статья о сохранении торфа, о которой говорил Филипп?» Мимо двери проехала тележка.

Они долго сидели молча, опустив глаза. Наконец Изабелла прервала молчание:

– Томми, у всех нас есть что скрывать.

– У Барбары – нет, – сказал он как можно тверже. – По крайней мере, по этому вопросу.

Ардери выглядела бесконечно грустной, когда отпустила его со словами:

– Да я сейчас и не о Барбаре вовсе, инспектор.

Виктория,
Лондон

Линли совсем не был так уверен в Барбаре Хейверс, как пытался продемонстрировать это Изабелле. Он вообще ни в чем не был уверен. Поэтому Томас внимательно прочитал все отчеты Барбары за тот период, пока она работала у инспектора Стюарта, а затем провел десять минут в компании Джона Стринера из SO-12. То, что уже второй офицер из Управления криминальных расследований интересуется закрытой информацией о Таймулле Ажаре, сильно удивило Стринера. Однако Линли объяснил: суперинтендант Изабелла Ардери потребовала, чтобы все материалы по закончившемуся в Италии расследованию были приведены в надлежащий вид и все концы подчищены, а ему поручили роль «подчищалы».

Таким образом, инспектор очень быстро узнал о билетах в Пакистан. К своему неудовольствию, он понял, что Барбара скрывает эту информацию. Томас не хотел разбираться, что бы все это могло значить – сейчас его не интересовали ни Таймулла Ажар и похищение его дочери, ни сержант Барбара Хейверс. Но он знал, что ему надо срочно переговорить с Барбарой. Потому что ситуация, в которой она находилась, была предельно проста и очень опасна: если он смог узнать, что сержант скрывает информацию о Таймулле Ажаре, значило, что об этом рано или поздно узнает Джон Стюарт и донесет Изабелле. С этого момента руки Изабеллы, так же как и его собственные, будут связаны. Томас не мог допустить, чтобы это случилось.

Он нашел Барбару за рабочим столом. Всем своим видом она демонстрировала, что является старательным работником, намеревающимся полностью выполнить свой долг.

– Надо поговорить, Барбара, – тихо сказал он ей – и увидел по взволнованному выражению лица Хейверс, что смог точно донести до нее всю серьезность ситуации.

Не останавливаясь, Томас прошел к лифтам. Когда она догнала его, нажал кнопку четвертого этажа и сопроводил ее в «Пилерс». Некоторые столики были заняты припозднившимися обедающими, но большинство уже освободились. Линли выбрал один, как можно дальше от жующей толпы. К тому моменту, как они дошли до него, уселись и заказали кофе, Барбара была уже сильно на взводе. Именно этого и хотел инспектор.

– Джон Стюарт принес Изабелле номер «Сорс» со статьей, подписанной Митчем Корсико... – начал он.

– Да, я была в школе, сэр, – поспешно ответила Хейверс. – В школе Саида. Я узнала, что Корсико хочет взять у него интервью, и была уверена, что мальчишка выдаст много всякой ерунды об Ажаре. Но дело было не только в Ажаре. Я знала, что все, что ни напечатает «Сорс», больно ударит по всем: по его матери, отцу, по нему самому. Я была *уверена*, что...

– Я не об этом хочу с вами поговорить, Барбара, – перебил ее Линли. – У Джона были свои причины передать Изабелле этот таблоид. Думаю, что мы о них очень скоро узнаем. Дело в том, что вы довольно глубоко увязли во всем этом деле, если уж его подробности появились в газетах, что ставит под подозрение вашу работу.

Хейверс молчала, пока официантка ставила на стол их кофе. Когда чашки и молочники были расставлены, а кофе разлит, она добавила молоко и положила сахар в свою чашку, затем положила ложку на блюдце, но не стала пить.

– Я его ненавижу, – наконец сказала она.

– Ну, у вас есть на это причины, – сказал Томас. – Другой бы спорил. Но своим поведением в вопросе похищения Хадии вы сами себя отдали в лапы Стюарта. Поэтому, если есть еще какие-то свидетельства вашей необъективности, я думаю, самое время рассказать мне о них, прежде чем о них узнает он – и доложит Изабелле.

Линли ждал. Было понятно, что для Барбары это вопрос жизни и смерти. Ее ответ определит природу их взаимоотношений и покажет, что именно, если понадобится, Томасу надо будет сделать, чтобы вытащить ее из того болота, в которое она сама себя завела. Для него было очевидно, что детектив-инспектор Джон Стюарт спустил на Хейверс всех собак в своем неофициальном расследовании. Она должна это понимать. Она также должна понимать, что только если полностью раскроет свои карты, Томас сможет придумать для нее защитную стратегию.

«Ну, давай же, Барбара, – подумал он. – Давай же, двигайся в правильном направлении».

Сначала ему показалось, что она именно это и делает.

– Сэр, я наврала по поводу своей мамы...

И Хейверс рассказала ему о той истории, которую ей пришлось придумать для Изабеллы, чтобы объяснить свое отсутствие на рабочем месте. История о падении ее матери. Она рассказала ему обо всех фальшивках, которые ей пришлось придумать: начиная от несуществующей «Скорой помощи» и кончая частной клиникой. Она также поведала, на что тратила свое время тогда, когда должна была выполнять мудрые распоряжения Стюарта. Рассказала о своих договоренностях с Доути и о встречах с его помощниками. На первый взгляд все выглядело так, как будто Барбара выкладывает Томасу всю правду. Но она ни слова не сказала о билетах в Пакистан, и Линли понимал, что это ее приговор.

Сознание этого сидело у него в душе, как игла. До сего момента он не понимал, как для него были важны его отношения с Барбарой. Большую часть времени она была абсолютно невыносима и выводила его из себя. Но она всегда была правильным копом с очень хорошей головой и, бог свидетель, Томас получал удовольствие от их совместной работы. Она также спасла ему жизнь в ту ночь, когда ему было безразлично, что эту его жизнь может забрать серийный убийца.

Однако Линли не считал, что он в долгу у Барбары Хейверс. Просто он был очень привязан к этой чертовой бабе. Она была больше, чем просто партнер. Она была другом. И, как друг, входила в узкий круг его доверенных лиц: она была частью ткани его жизни, и он хотел сохранить эту ткань неповрежденной, насколько это было возможно, особенно после того, как огромный кусок был вырван из нее с уходом Хелен.

А Барбара все говорила и говорила. Казалось, что она облегчает свою душу перед ним. Линли все ждал, надеясь, что, наконец, придет время полной правды. Когда этого так и не случилось, у него не осталось выбора. В конце ее монолога он сказал:

– Пакистан, Барбара. Вы о нем забыли.

Она попробовала кофе, затем быстро сделала три глотка, осмотрела зал, как будто искала поддержку, и небрежно спросила:

– Пакистан, сэр?

– Авиационные билеты. Один – на имя Таймуллы Ажара. Другой – на имя Хадии Упман. Купленные в один конец в марте, на июльский рейс. Вы об этом не сказали, но в SO-12 мне об этом с удовольствием сообщили.

Их взгляды встретились. Томас попытался прочитать мысли Хейверс по ее лицу, но не мог понять, чего на нем было больше – вызова или огорчения.

– Вы меня перепроверяли, – сказала Барбара. – Не могу в это поверить.

– Упоминание SO-12 вызвало некоторые вопросы. У меня и, что гораздо важнее, у Изабеллы.

– У Изабеллы, – повторила Барбара. – Не у командира и не у суперинтенданта. Думаю, я понимаю, что *это* значит, правда? – Ее слова звучали горько.

– Ничего вы не понимаете, – спокойно ответил Линли. – В SO-12 я пошел по своей собственной инициативе.

Несколько секунд они сверлили друг друга взглядом.

– Простите, сэр, – наконец сказала она и отвела глаза.

– Принимается, – ответил Томас. – Ну, так и что там с этими билетами?.. Вы должны понимать, как все это будет выглядеть, когда выяснится, что вы скрывали информацию. Если я выяснил это, просто позвонив Гарри Стринеру, то Стюарт может сделать то же самое.

– Со Стюартом я разберусь.

– Ответ неправильный. Вы хотите с ним «разобраться» и думаете, что сможете это сделать, потому что уверены, что правда всегда победит и что правда даст освобождение... и какие там еще есть афоризмы по этому поводу?

– Правда состоит в том, что он ненавидит меня, и все это знают, включая, *простите меня*, Изабеллу, сэр. И если мы посмотрим, как она подставила меня под него, чтобы, если он что-то накопает, меня можно было бы переодеть в форму, то, мне кажется, мы поймем весь этот грандиозный план.

Линли проработал в отделе по расследованию убийств достаточное количество лет, чтобы понять, что Хейверс пытается взять беседу под свой контроль и перевести разговор с самого главного на что-то менее опасное. Поэтому он сказал:

– Пакистан, Барбара. Авиационные билеты. Давайте вернемся к ним. Все остальное уводит нас в сферу предположений и заставляет бесцельно тратить наше время.

Она провела рукой по своим торчащим волосам.

– Я не знаю, что это значит, понятно?

– А поточнее? Не знаете, что у него есть билеты в Пакистан, или не знаете, что Ажар купил их в марте, когда он просто еще не мог знать, где его дочь; или не знаете, что вы утаили эту деталь? Что вам непонятно, Барбара?

– Вы злитесь, – сказала она, – и совершенно правильно.

– Давайте не будем. Просто ответьте мне.

– Я не знаю, для чего он купил эти билеты.

– Барбара, он сказал мне, что Хадия приедет к нему в июле. Для того чтобы провести с ним каникулы, как они договорились с Анжелиной, после того как Хадия, целая и невредимая, вернулась из того монастыря в Альпах. Их первые совместные каникулы начинаются в июле.

– И все-таки я не знаю, что это значит, – настаивала Барбара. – Я должна с ним переговорить. До того момента, пока Таймулла не вернется в Лондон, я не смогу сказать, что он намеревается сделать. До тех пор, пока он не объяснится...

– И вы, что, поверите всему, что он скажет? – спросил Линли. – Барбара, неужели вы не видите, что это сумасшествие? Вы должны сделать то, что давно уже должны были сделать: отследить денежные переводы. От Ажара и дальше, кому бы то ни было.

– Он должен был заплатить Доути за то, что тот искал Хадию. Что это даст? Его дочь исчезла вместе со своей матерью, инспектор. Полиция не хотела этим заниматься. У него нет прав, и...

– Даты переводов могут рассказать очень многое, – заметил Линли. – И вы это очень хорошо знаете.

– Любые даты всегда можно объяснить. Ажар оплатил услуги Доути, когда смог собрать деньги. Это оказалось дороже, чем он предполагал, и Ажар сделал несколько переводов. Он вынужден был делать это... скажем, в течение нескольких месяцев. Он заплатил Доути за то, чтобы тот нанял кого-то в Италии, чтобы разыскать его дочь. Все остальное была инициатива Доути.

– Ради всего святого, Барбара...

– Доути понял, что может на этом влегкую заработать. Продержать девочку взаперти, пока все окончательно не сойдут с ума от неизвестности, потребовать выкуп, – и вот он уже в шоколаде.

Линли откинулся на стуле. От самообмана Барбары у него перехватило дыхание.

– Вы не можете во все это верить. Требования выкупа не было, Ажар на крючке из-за этих билетов.

– Он мог купить их, чтобы заставить себя поверить, что ее действительно найдут. Ну, это как гарантия на будущее...

– Бога ради, ее еще даже не увели с *mercato*, когда билеты были куплены.

– У этого должно быть объяснение. И я его найду.

– Я не могу позволить вам решать...

В отчаянии Барбара схватила Томаса за руку.

– Я должна переговорить с Ажаром. Пожалуйста, дайте мне время.

– Вы не на той стороне баррикад. Последствия падут на вашу голову, как гнев Господень. Как вы можете ожидать, что я...

– Сэр, пожалуйста, позвольте мне переговорить с ним. Всему этому есть объяснение. Ажар скоро вернется. Через день-два. У него в лаборатории работают студенты. Ему надо читать лекции. Он не будет сидеть в Италии до июля. Он просто *не может*. Просто дайте мне шанс. Если он не сможет объяснить, зачем купил эти билеты и почему именно в тот день, я сама расскажу все командиру и представлю свои рекомендации. Клянусь богом, я это сделаю. Если вы дадите мне время.

Линли посмотрел на отчаянную мольбу на ее лице. Он знал, что должен делать: ему надо немедленно доложить обо всей этой ситуации куда следует, и пусть будет, что будет. Но между ним и тем, что он должен был сделать, лежали годы совместного партнерства с Хейверс. Поэтому он глубоко вздохнул и произнес:

– Очень хорошо, Барбара.

– Спасибо, инспектор, – выдохнула она.

– Мне бы не хотелось потом пожалеть об этом, – объяснил Томас. – Поэтому, как только вы переговорите с Ажаром, вы немедленно доложитесь мне. Это понятно?

– Абсолютно понятно.

Линли кивнул, встал и вышел, оставив ее сидеть перед чашкой с недопитым кофе.

Все в этой ситуации ему не нравилось. Все просто вопило о причастности к преступлению Таймуллы Ажара. Так как Барбара умолчала об этих билетах в Пакистан, было вполне возможно, что она скрывает еще какую-нибудь важную информацию. Теперь Томас знал, что Хейверс влюблена в Ажара. Сама она в этом никогда не признается, но ее отношения с пакистанским профессором уже давно перешагнули через границу дружбы с его дочерью и двигались в направлении именно любви, а не чего-то другого. Мог ли он быть уверен, что Барбара отвернется от Ажара в случае, если окажется, что его участие во всем этом было больше, чем просто участие отца в поисках пропавшей дочери? А сам Томас отвернулся бы от Хелен, если бы обнаружил, что она совершила что-то противозаконное? А если быть еще точнее – отвернется ли он теперь от Хейверс?

Линли проклял эту липкую паутину, в которую превратилось расследование. Барбаре надо идти в кабинет Изабеллы, все рассказать и отдаться на милость суперинтенданта. Ей придется выпить то горькое лекарство, которое пропишет ей Изабелла. Но он знал, что Хейверс никогда этого не сделает.

Раздался звонок мобильного. На секунду Томас подумал, что Барбара передумала и звонит, чтобы сообщить ему об этом. Но, взглянув на экран, он понял, что это не Барбара. Это была Дейдра Трейхир.

– Вот это приятный сюрприз, – ответил он на ее звонок.

– Вы где?

– В настоящий момент жду лифта.

– Лифта в Италии или в другом месте?

– В другом. В Лондоне.

– А. Чудесно. Вы вернулись.

– Только что. Сегодня утром прилетел из Пизы и поехал прямо в Управление.

– Ну и как вы, полицейские, в этом случае говорите? «Все прошло удачно»?

– Именно так.

Подошел лифт, открылись двери, но Линли махнул рукой, чтобы его не ждали, – боялся, что телефон разъединится. Он коротко рассказал Дейдре о том, как Хадия благополучно возвратилась в объятия своих родителей. Он ничего не сказал ей ни о SO-12, ни о Пакистане, ни об опасной ситуации, в которой оказалась Барбара.

– Вы должны испытывать громадное облегчение, что все так хорошо закончилось, – сказала Дейдра. – Она в безопасности, здорова, а ее родители... как они?

– Явно не простили друг друга, но смирились с ситуацией. Оба понимают, что им придется делить ее между собой, хотя для девятилетней девочки будет нелегко жить между двумя странами. Однако сейчас все выглядит именно так.

– Но ведь многие так живут, Томас. Я имею в виду детей с разведенными родителями.

– Конечно, вы правы. К сожалению, это происходит в мире все чаще и чаще.

– Вы звучите не таким расслабленным, как я ожидала...

Линли улыбнулся. Дейдра легко читала его, и, хотя это и казалось странным, ему это нравилось.

– Да, наверное, – сказал он. – А может быть, просто устал.

– Устали настолько, что откажетесь от бокала вина?

Его глаза расширились.

– Где вы? Вы что, звоните не из Бристоля?

– Нет.

– Неужели вы...

Дейдра рассмеялась.

– Вы звучите, как мистер Дарси[1].

– Я всегда считал, что он нравится женщинам. Вместе со своими узкими брюками.

Она опять засмеялась.

– Действительно, вы правы.

– Итак?

– Я в Лондоне. Естественно, по делу.

– По делу Бандитки Электры?

– К сожалению, нет. По ветеринарному делу.

– Могу я спросить, что ветеринар, специалист по крупным животным, может делать в Лондоне? У нас, что, верблюд в зоопарке требует вашего немедленного внимания?

– Это опять возвращает нас к вопросу о бокале вина. Если вы свободны сегодня вечером, то я все объясню. У вас есть время?

– Назовите место, и считайте, что я уже там.

Дейдра назвала.

Белсайз-парк,
Лондон

Винный бар, который предложила Дейдра, находился на Риджент-парк-роуд, к северу и от самого Риджент-парк, и от Примроуз-хилл. Он был бесцеремонно втиснут между книжным магазином и магазином кухонных принадлежностей, но его внешний вид

---

[1] Мистер Фитцуильям Дарси – вымышленный персонаж, один из главных героев романа Джейн Остин «Гордость и предубеждение». Представляется как холодный и достаточно проницательный человек.

был обманчив: внутри все освещено свечами, окна занавешены тяжелыми шторами, а столики, покрытые скатертями, накрыты на двоих.

Было еще сравнительно рано, посетителей – немного, поэтому Томас сразу увидел Дейдру. Она сидела в углу, под картиной, на которой был изображен современный вариант жены Уильяма Морриса[1], как бишь ее звали... или это было произведение какого-то не известного Линли прерафаэлита. Картина ярко освещалась, и этого света Дейдре хватало, чтобы просматривать пачку бумаг, лежащую перед ней на столе. Она говорила с кем-то по мобильному.

Томас остановился, прежде чем пересечь зал и подойти к ней, почувствовав радость от того, что снова видит ее. Ему представилась редкая возможность рассмотреть Дейдру, когда она об этом не знает. Линли заметил, что у нее новые очки – без оправы и почти незаметные, и что она одета, как на деловую встречу. Ее шарф был разноцветным, хорошо дополняя ее светлые волосы и, скорее всего, глаза, так как Томас помнил, что по цвету волос и глаз они вполне могли бы сойти за брата и сестру.

Подойдя, он смог рассмотреть и другие детали. На шее у нее висел кулон в виде фигурки вагона-домика, которые сотнями можно наблюдать в Корнуолле, в районе угольных шахт, – там, где она и родилась. В ее ушах были золотые сережки-гвоздики, и они, вместе с кулоном, составляли все ее драгоценности. Волосы Дейдры были несколько длиннее, чем он помнил, – чуть ниже плеч и забраны назад в виде хвоста. Она была симпатичной женщиной, но не красавицей. В век худых, молодых и размалеванных особей на обложках глянцевых журналов на нее не обратили бы внимания.

Перед Дейдрой уже стоял бокал вина, но, казалось, она к нему еще не притронулась. Вместо этого Трейхир делала пометки на полях документа, который держала перед собой. Подойдя, Линли услышал, как она говорит по телефону: «Тогда я все перешлю тебе, да?.. Ну хорошо. Да, я подожду от тебя сигнала. И спасибо тебе, Марк. Это очень благородно с твоей стороны».

Дейдра подняла глаза, увидела Линли, улыбнулась и поднесла палец к губам, как бы говоря «подождите секундочку». Затем выслушала то, что ей говорил собеседник, и произнесла: «Конечно.

---

[1] Моррис Уильям (1834–1896) – английский художник, поэт, издатель, социалист. Крупнейший представитель второго поколения «прерафаэлитов».

Я твоя должница», – после чего отключилась, встала и поздоровалась с Линли, сказав:

– Ну вот, наконец вы добрались. Так чудесно, что я снова вижу вас, Томас. Спасибо, что пришли.

Потом последовали «поцелуи в воздух» – сначала одна щека, потом другая, при этом они не касались друг друга. Отстраненно Томас подумал про себя, какой идиот это придумал.

Он сел, стараясь не обращать внимания на очевидные вещи: на то, что она быстро засунула бумаги в свою большую кожаную сумку, стоявшую рядом с ее стулом, на то, что она слегка порозовела, и на то, что на ее губы было нанесено что-то, что делало их мягкими и блестящими. Томасу вдруг пришло в голову, что он в присутствии Дейдры замечает в женщине то, на что не обращал внимания с момента смерти Хелен. Даже с Изабеллой он не замечал так много. Линли почувствовал себя неловко, пытаясь понять, что бы это значило. Его так и подмывало спросить, кто такой этот Марк. Вместо этого он кивнул на большую сумку и спросил: «Работа?» – после чего уселся, придвинув стул.

– Вроде того, – ответила Дейдра. – Вы хорошо выглядите, Томас. Италия вам к лицу.

– Я бы сказал, что Италия к лицу многим людям. А Тоскана, по моему мнению, к лицу всем и каждому.

– Я бы хотела съездить в Тоскану, – сказала она. – Никогда там не была. – И ровно через секунду добавила, что было для нее типично: – Простите. Не подумайте, что я напрашиваюсь на приглашение.

– Если бы это говорил кто-то другой, то обязательно подумал бы, – сказал Томас. – Но к вам это не относится.

– А почему?

– Потому что мне кажется, что увертки не входят в ваш арсенал.

– Да... наверное. У меня, это правда, вообще нет никакого арсенала.

– Именно, – согласился Линли.

– Хотя надо бы завести. Дело в том, что у меня никогда не хватало на это времени. Или не было желания. Или что там еще. Вы будете вино, Томас? Я пью местное. Когда дело касается выбора вина, я совершенно теряюсь. Не думаю, что могла бы отличить бургундское от вина местного производства. – Дейдра покрутила за ножку свой бокал и улыбнулась. – Мне кажется, я говорю о себе ужасные вещи. Я просто нервничаю.

– Почему?

– Еще минуту назад все было в порядке. Но вот появились вы, и я разнервничалась.

– Ах, вот как, – сказал Линли. – Тогда, может быть, еще бокал?

– Или два. Честное слово, Томас, я не понимаю, что со мной происходит.

К ним подошла официантка. Девушка выглядела как студентка, но с акцентом, очень похожим на акцент выходцев из стран Восточного блока.

Томас заказал себе вино – то же, что пила Дейдра, – и, когда официантка отошла за ним, сказал:

– Нервничаете вы или нет в моем присутствия, но я очень рад, что вы мне позвонили. Не только потому, что я рад вас снова видеть, но и потому, что мне надо было выпить.

– Работа? – спросила Дейдра.

– Барбара Хейверс. У нас был разговор, который вывел меня из себя в гораздо большей степени, чем мне бы этого хотелось, – поверьте мне, она выводит меня из себя разными способами уже много лет. Напиться в данной ситуации было наилучшим решением, если подумать о том, в какую грязь она вляпалась на этот раз. Или напиться, или встретиться с вами.

Дейдра взяла бокал, но подождала, пока Томасу принесут его заказ. Они чокнулись и выпили за здоровье друг друга, после чего она спросила:

– А что это за грязь? Конечно, это не мое дело, но я готова слушать, если хотите выговориться.

– Она опять пошла по своему собственному, дурацкому пути в одном из расследований, и это уже не в первый раз.

– А что, так нельзя?

– Дело в том, что Барбара слишком близко подошла к черте, за которой ей придется забыть о своих этических обязательствах как офицера полиции. Все довольно сложно. Но хватит об этом. Сейчас я хочу об этом забыть. Лучше расскажите, что вы делаете в Лондоне?

– Прохожу собеседование по поводу работы. Риджент-парк. Лондонский зоопарк.

Линли почувствовал, что улыбается, и выпрямился на стуле. В голове его вертелась тысяча вопросов, что все это могло значить и почему Дейдра задумалась о смене места работы, но все, что он смог произнести, было дурацкое:

– Как ветеринар?

Она улыбнулась.

– Ну, вообще-то, это моя профессия.

Томас резко встряхнул головой.

– Простите. Я полный дурак.

Дейдра рассмеялась.

– Ну зачем же так. Они могли пригласить меня учить горилл играть в шахматы или дрессировать попугаев. С этими работодателями ничего и никогда не знаешь заранее. – Она глотнула еще вина и посмотрела на него, как ему показалось, с симпатией. – Со мной связался рекрутер, нанятый зоопарком. Сама я работу активно не искала и до конца не уверена, что мне это интересно.

– Потому что?..

– Мне вполне хорошо в Бристоле. И, конечно, Бристоль гораздо ближе к Корнуоллу, а я люблю свой тамошний домик.

– Ах да, домик, – сказал Линли. Именно там они и встретились в первый раз; он – взломщик, разбивший окно в поисках телефона, она – владелица дома, приехавшая на короткий отдых и увидевшая незнакомца, пачкающего ее полы.

– Потом, у меня обязательства перед «Бодицейскими Девками» и мои регулярные турниры по дартсу.

Линли вздернул бровь. Дейдра засмеялась и сказала:

– Я говорю это абсолютно серьезно. Я очень внимательно отношусь к своему свободному времени. Кроме того, «Бодицейские Девки» в некоторой степени от меня зависят...

– Да уж, хорошего джаммера трудно найти.

– Вы, конечно, шутите. И я знаю, что могла бы выступать за Лондон. Правда, в этом случае мне пришлось бы иногда играть против моих нынешних партнерш, а я не знаю, насколько мне это понравится.

– Да, это все серьезные причины, – согласился Томас. – Ну, а сама работа? И какие у нее есть преимущества, если вы, конечно, на нее согласитесь?

Они посмотрели друг на друга, и Линли увидел, как Дейдра постепенно краснеет. Ему нравилось, как она краснеет.

– Вы уже составили список? – спросил он.

– Список чего?

– Преимуществ. Или об этом еще рано говорить? Думаю, что вы не единственный претендент. Ведь это серьезная позиция?

– И да, и нет.

– Что вы имеете в виду?

– Я имею в виду, что интервью уже закончены. И первичные, и вторичные. Проверка данных, скрининг документов, верификация рекомендаций – все уже позади.

– То есть это продолжается уже какое-то время?

– С начала марта. Тогда со мной связались впервые.

Томас ухмыльнулся. Изучил рубиновый цвет вина. Спросил себя, как ему все это нравится: с начала марта она участвовала в процессе, который мог в результате привести ее в Лондон, и ничего ему не говорила.

– С начала марта? И вы молчали... И как прикажете к этому относиться? – спросил он.

Ее рот приоткрылся.

– Ну хорошо, не будем об этом, – сказал Томас. – Неудачный вопрос. Это мое эго говорило вместо меня. И на чем же вы остановились сейчас? Третичные интервью? Кто бы мог представить, что отобрать ветеринара – это так сложно... Простите за игру слов[1]. А я, право, нахожусь в полном замешательстве.

Дейдра улыбнулась.

– Все сложности из-за того...

– Из-за чего?

– Из-за того, что я не могу решить. Они предложили мне эту работу, Томас.

– Правда, предложили? Но ведь это прекрасно! Правда?

– Все очень сложно.

– Конечно, нелегко. Переезжать всегда сложно. А кроме того, у вас ведь и другие сомнения.

– Да. Верно. – Она взяла бокал и сделала глоток. «Собирается с силами», – подумал Томас. – Я не это имела в виду, говоря о сложностях.

– Тогда что?

– Вас, конечно. Да вы и сами это уже знаете, я полагаю. Вы – самая большая сложность. Вы. Здесь. В Лондоне.

Его сердце забилось сильнее. Он постарался, чтобы его ответ звучал как можно веселее.

– Конечно, это меня расстраивает. Если вы согласитесь на новую работу, то мне придется забыть об обещанной мне частной экскурсии по Бристольскому зоопарку. Но, уверяю вас, мы сможем выжить, даже под тяжестью этого разочарования. Можете быть в этом уверены.

– Вы знаете, что я имею в виду, – произнесла женщина.

– Да. Конечно. Думаю, что знаю.

Дейдра отвернулась от Томаса и посмотрела через весь зал на пару, которая только что села. Они бессознательно протянули

---

[1] В английском языке *vet* (сущ.) – ветеринар, *to vet* (глаг.) – отбирать на работу.

друг к другу руки, переплели пальцы и стали смотреть друг на друга через пламя свечи. Казалось, что им было чуть больше двадцати. Казалось, что их любовь только начинается.

– Понимаете, Томас, я не хочу вас видеть, – сказала Дейдра.

Линли почувствовал, что бледнеет. Ее неожиданные слова были как удар в голову. Она перевела взгляд с молодой пары на мужчину и, увидев что-то на его лице, быстро сказала:

– Нет, нет. Я плохо выразилась. Я имела в виду, что не хочу больше *хотеть* видеть вас. Для меня это слишком опасно. В этом...

Дейдра опять отвела взгляд, но на этот раз стала смотреть на пламя свечи. Оно заколебалось, когда вошли новые посетители. Возле стола молодой пары послышались приветствия. Кто-то сказал: «Не верь этому сукину сыну, Дженни», и кто-то другой засмеялся.

– Все это может быть очень больно, – продолжила Дейдра. – А я обещала себе некоторое время назад... Просто с меня уже хватит боли. И я ненавижу себя за то, что должна сказать это именно вам, который перенес такое и прошел через такую боль, что все, что произошло в моей крохотной жизни, кажется цветочками. Поверьте, я знаю, что говорю.

Линли вдруг понял, что восхищается ее честностью. Он знал, что сможет полюбить ее честность. Понимая это, Томас был сейчас испуган не меньше, чем она, и хотел рассказать ей об этом. Но вместо этого произнес:

– Дорогая Дейдра...

– Боже, звучит как начало конца, – объявила она. – Или что-то очень похожее.

Томас рассмеялся.

– Нет, совсем нет, – сказал он, взял бокал и, пока пил, обдумал сложившуюся ситуацию. – А что, если мы с вами соберем всю нашу смелость и подойдем к этой пропасти?

– О какой пропасти идет речь?

– О той, за которой мы наконец сможем признаться, что неравнодушны друг к другу. Вы неравнодушны ко мне, а я неравнодушен к вам. Хотя, может быть, это и лишнее, потому что быть неравнодушным всегда тяжело. Но оно случилось, и поскольку оно витает в воздухе, нам надо решить, что же мы с этим будем делать, если вообще будем.

– Мы оба знаем правду, Томас, – сказала она отважно и, как показалось Линли, немного жестоко. – Я не принадлежу к вашему миру. И никто лучше вас этого не знает.

– Но ведь это именно то, что лежит на дне этой пропасти, Дейдра. И именно сейчас... Правда состоит в том, что мы оба не знаем, хотим ли ее перепрыгнуть.

– Но ведь и причин для прыжка может быть сколько угодно... – сказала женщина. – Боже мой, боже мой, как же мне все это не нравится...

Томас *физически* ощущал ее страхи. Они присутствовали за столом так же реально, как и сама Дейдра. Их причина была совсем другой, нежели причина страхов, которые испытывал он, однако они были так же сильны, как и его. Линли хотел сказать ей это, но не стал. Время еще не пришло. Вместо этого он произнес:

– Дело в том, Дейдра, что я готов прыгнуть и один. Я хочу сказать, что вы мне дороги, и я буду счастлив, если вы переедете в Лондон, безотносительно к тому, как изменится моя жизнь, когда вы будете рядом, гораздо ближе, чем на расстоянии долгой поездки по трассе М4 в Бристоль. Хотите ли вы подойти к пропасти поближе?.. Вам решать, но это не обязательно.

Дейдра покачала головой. Ее глаза светились, и Томас не ведал, что бы это могло значить. Она пояснила это, чуть слышно произнеся:

– Вы очень хороший человек.

– Совсем нет. Я просто хочу сказать, что мы можем сами выбрать, кем будем в жизни друг для друга. Кем же?.. Нам не надо пытаться решить это прямо сейчас. А теперь, – вы уже обедали? Согласны пообедать со мной? Только не здесь – у меня есть некоторые сомнения по поводу местной кухни. Может быть, где-нибудь неподалеку?

– У меня в гостинице есть ресторан, – сказала Дейдра, тут же ужаснулась и поспешно добавила: – Томас, вы не должны думать, что я... Потому что я не...

– Конечно, нет. И именно поэтому мне так легко сказать вам, что вы мне нравитесь.

МАЙ, 5-е

Чолк-фарм,
Лондон

Барбара Хейверс сидела в постели и читала, когда Таймулла Ажар постучал в дверь. Он постучал так тихо, а книга так ее заинтересовала, что она не услышала его. В конце концов, Темпест Фитцпатрик и Престон Мерк вместе так страдали по поводу таинственного прошлого Престона и его убийственной неспособности действовать так, как подсказывала ему его всепоглощающая любовь к Темпест – хотя Барбара считала, что лучше бы им было вместе пострадать по поводу совсем примитивной и не героической фамилии Престона, – и ей еще было очень и очень далеко до того момента, когда, наконец, эта трагическая коллизия будет разрешена.

Если бы Ажар робко не позвал ее: «Барбара, вы не спите? Вы дома?» – Хейверс так и не заметила бы, что он приходил к ней в этот вечер. Однако, услышав его голос, она крикнула: «Ажар? Минуточку!» – и выпрыгнула из кровати. Лихорадочно огляделась, ища, что бы надеть. На ней была только ее ночная майка с выцветшей карикатурой на Кейта Ричардса[1] и надписью «Забудьте о его деньгах – хочу такое же телосложение». Барбара схватила свое мятое платье из шениллы, но заметила, когда завязывала пояс, что не постирала его после того, как на него шесть недель назад вылился говяжий суп-гуляш. Хейверс отбросила платье и вытащила из шкафа свой макинтош. Это должно подойти. Она застелила покрывалом подушки, сбитые простыни, любовные проблемы Темпест и Престона и пошла открывать.

Барбара ждала уже четыре дня, когда он появится. Каждый вечер, возвращаясь с работы, она первым делом проверяла, вернулся ли он из Италии. Каждое утро Хейверс докладывала инспектору Линли, что он еще не прилетел. Каждый день ей приходилось повторять, что ей необходимо переговорить с Ажаром наедине, обо всем, что она смогла узнать относительно похищения его младшего ребенка. Ответы Линли не отличались разнообразием: мне нужен ваш отчет, Барбара, и мне бы очень не хотелось узнать, что Ажар находится у себя дома, начиная уже с первого мая. Сержант взволнованно объясняла, что говорит *правду*. Слегка приподнятая аристократическая бровь инспектора говорила ей о том, насколько он этому верит.

Распахнув дверь, Барбара увидела Ажара, нерешительно стоявшего в темноте. Она зажгла лампочку над входом, но это не очень помогло, так как лампочка вспыхнула, как молния, и перегорела.

– Черт бы ее побрал, – выругалась Барбара. – Заходите же. Как вы? Как Хадия? Вы только что приехали?

Она отошла от двери, и Таймулла вошел в освещенную прихожую. «Он хорошо выглядит», – подумала Барбара. И, по-ви-

---

[1] Один из участников ансамбля «Rolling Stones». Отличается исключительной худобой.

димому, ощущает громадное облегчение. Она не стала задаваться вопросом, что было источником этого облегчения: безопасность дочери, отъезд из Италии без каких-либо подозрений относительно его участия в похищении или наличие плана увезти Хадию в другую страну, когда придет время. Пока Барбара отложила эти мысли. Еще не время, сказала она сама себе.

В руках у Ажара был пластиковый пакет, который он протянул ей, сказав при этом:

– Я привез вам кое-что из Италии. Это небольшой сувенир, чтобы поблагодарить вас за все, Барбара. Я у вас в неоплатном долгу.

Она взяла пакет и закрыла за ним дверь. Таймулла привез ей оливковое масло и бальзамический уксус. Хейверс не представляла, что можно делать с первым – может быть, жарить на нем какнибудь по-средиземноморски? Второе, по-видимому, будет здорово употребить с чипсами.

– Спасибо, Ажар, – сказала она. – Ну же, садитесь. – И прошла в кухню, где поставила чайник.

Он посмотрел на ее кровать, на зажженную лампу и на чашку с «Овалтином»[1] рядом с лампой.

– Вы уже легли. Я так и думал, принимая во внимание, сколько сейчас времени. Но мне хотелось... Хотя, наверное, мне не надо было...

– Нет, *надо*, – возразила Барбара. – Я не спала. Читала.

Она надеялась, что Ажар не спросит, *какую* книгу. Потому что тогда придется соврать и назвать Пруста. Или «Архипелаг Гулаг». Вот это уж точно произведет впечатление. Она достала чай в пакетиках, сахарницу, из которой тайком убрала слипшиеся комки – следы использования мокрой ложки, – и кувшинчик с молоком. Взяла с полки чашки – и вдруг засуетилась, как хозяйка третьеразрядного пансионата, принимающая позднего гостя. Печенье «Яффа» на тарелке, две бумажные салфетки, две ложки, затем с «ой, простите» заменить одну, потому что она грязная... Барбара металась от стола на кухню и обратно, пока ей не осталось больше ничего, кроме как налить воду в чашки с пакетиками чая и начать разговор с этим мужчиной, которого она знала и одновременно не знала совсем.

Ажар следил за ней с серьезным видом, чувствуя, что сейчас что-то произойдет. Сначала он молчал, затем произнес:

---

[1] Молочный напиток с солодом.

— Наверное, инспектор Линли рассказал вам все с подробностями.

— Да, почти все, — ответила Барбара. — Я хотела было позвонить, чтобы узнать всякие мелочи, но потом подумала, что вы, должно быть, очень заняты. С Хадией. С Анжелиной и Лоренцо. Да и с полицейскими тоже. — Она следила за его лицом, когда произносила последние слова, но он был занят чаем — отжал пакетик, потом посмотрел вокруг, куда бы его положить. Барбара протянула ему пепельницу. Достала она и сигареты, предложила Ажару закурить, но он отказался. Самой ей тоже не хотелось.

— Было много всего, что надо было обсудить, — сказал профессор. — Надеюсь, что теперь кошмары остались в прошлом.

— А что конкретно это значит?

Ажар помешал чай. Барбара заметила, что он положил себе сахар, но не стал наливать молоко. Себе она налила — и стала ждать его ответа. Почувствовала вдруг, что очень хочет есть. «Нервы», — подумала она.

— Конечно, Хадия не переедет ко мне насовсем, — объяснил Таймулла. — Но она будет приезжать. Я тоже могу навещать ее в Лукке, когда захочу. Просто надо заранее предупредить Анжелину. Мне кажется, что именно этот страх... страх потерять Хадию навсегда заставил Анжелину понять, что ребенку нужны оба родителя. Что ни один родитель никогда не сможет смириться с потерей своего ребенка. Думаю, что раньше она этого не понимала, Барбара.

— Ерунда. Она должна была это знать.

— Думаю, что вы ошибаетесь. Она хотела Хадию только для себя. Она хотела ее и ту жизнь, которую сейчас строит с Лоренцо. Она просто не знала, как этого достичь. В глубине души Анжелина не такая уж плохая женщина.

— Но она способна причинить зло, — заметила Барбара.

— Все мы, наверное, на это способны, — вздохнул Ажар.

Лучшего момента для начала она не дождется.

— И о чем же вы теперь договорились, Ажар? Вы и Анжелина?

— Пока — непрочный мир. Я думаю, что со временем у нас появится доверие друг к другу. В прошлом его было очень мало.

— Доверие, — отметила Хейверс. — Оно всегда очень важно в отношениях между людьми.

Пакистанец не ответил. Он смотрел на свой чай. Барбара позвала его. Когда их взгляды встретились, она попыталась хоть что-то прочитать в его темных глазах, хоть что-нибудь, что могло бы убедить ее, что она не была просто цинично использована им, когда все, что у нее было и есть, она поставила на карту. Но Барбара ничего не увидела. У Ажара были какие-то плоские глаза. Она попыталась убедить себя, что это эффект электрического освещения.

Она бросилась вперед:

– Дуэйн Доути был не тем человеком, который заслуживал доверия, Ажар. Думаю, что здесь есть и доля моей *вины*, потому что это я отвела вас к нему. Я его пробила, и казалось, с ним все в порядке. Думаю, что он вполне правильный сыщик – до тех пор, пока от него требуют действовать в рамках закона. Но когда нет... Когда его что-то искушает... Он хорошо себя защищает. Думаю, что вы об этом не догадывались, правда?

И все равно Ажар молчал. Он протянул руку и достал сигарету из ее пачки, и она увидела, что рука его подрагивает. Таймулла это тоже заметил. Посмотрев на нее, он загасил спичку. Пакистанец ждал. «Умно», – подумала сержант.

– Офис Доути набит аппаратурой, – сказала она. – И видео, и аудио. При его работе это совсем неплохо, если хорошенько подумать. И мне надо было об этом подумать. Или, может быть, вам. – Она зажгла сигарету. Ее руки тоже не были твердыми. – Поэтому каждая встреча с нами, или с вами, записана, задокументирована, проштампована, и бог знает что еще. Конечно, я не знаю, сколько раз вы встречались с ним один на один, потому что мне он продемонстрировал только две записи. Но, Ажар, двух вполне хватило.

Пакистанец побледнел настолько, насколько вообще может побледнеть человек с ореховым цветом лица.

– Я не знал, как... – почти неслышно произнес он, но не стал продолжать.

– Как что, Ажар? Как рассказать мне? Как вернуть Хадию? Или как я буду ощущать себя, когда увижу пленку, на которой вы, с нашим другом Дуэйном, рассуждаете, как можно похитить Хадию? *Как что*? Лучше расскажите мне все, потому что вы сидите в горячей воде, и она скоро превратится в кипяток – теперь, когда вы вернулись в Лондон.

– Я не знал, что мне делать, Барбара.

– С кем? С Хадией? С Анжелиной? С жизнью? С чем?

– В тот день в декабре, когда я позвонил вам. Вы еще были на Оксфорд-стрит. Вы помните, я позвонил вам, чтобы сказать, что Доути не смог найти никаких следов? – Он подождал, пока она кивнула, и продолжил: – Я тогда вам солгал. В тот день он сказал мне, что отследил, как она добралась до Италии с паспортом Батшебы. Документы Хадии они не меняли. Доути выяснил, что они приземлились в Пизе, а там их след затерялся.

– Почему вы ничего не сказали мне? Почему вы солгали?

– Он сказал, что мы, он и я, можем нанять итальянского детектива, если я захочу. Он сказал, что подобные услуги в Италии могут стоить довольно дорого. То есть расследование в том виде, в котором я хочу. Но если я хочу, чтобы он продолжал... Естественно, я этого хотел. Тогда он нанял этого пизанца, и тот, в конце концов, нашел их. Мистер Доути отчитался передо мной, где они были найдены этим итальянцем: Лукка, ферма в холмах, Лоренцо Мура, Анжелина, живущая в его доме, присутствие Хадии, название ее школы. Всё-всё. Могу только сказать, что этот итальянец был очень тщателен в своей работе. Тогда я спросил себя: что можно сделать с таким основательным человеком? Может ли он, подумал я, выяснить еще что-то? Как проходят их дни? Как они живут? И я попросил мистера Доути, чтобы он договорился с пизанцем о дальнейшем наблюдении. Мужчина согласился. Он составил отчет об их ежедневных занятиях. Рынки, на которые они ходили, магазины, которые посещали, их жизнь на ферме, продовольственный рынок рядом с Порта Элиза, уроки йоги Анжелины. То, как Хадия слушала музыку и наблюдала за аккордеонистом. Все это детектив разложил по полочкам. Он блестяще справился с заданием.

– Когда? – Горло Барбары пересохло, и она глотнула чая, чтобы снять напряжение. – Когда вы все это узнали? Все то, что вы сейчас мне рассказали?

– Все детали? В феврале. В конце месяца.

– И вы ничего мне не сказали? – Вместо этого он предоставил ей возможность агонизировать по поводу его состояния, его дочери, того, что же делать и как облегчить ситуацию для него, для ее друга. – Что же это за дружба такая?..

– Нет! – Ажар так резко затушил сигарету, что перевернул пепельницу вместе с пакетиками чая и окурками. Ни один из них не пошевелился, чтобы убрать со стола мусор, лежащий, как пепел после пожарища. – Вы не должны так думать. Вы не должны думать, что я мало ценил вас, потому что ничего не говорил. Я был уверен, что мое знание об Анжелине и о том, куда она уехала с моей дочерью, приведут к тому, что я навсегда потеряю Хадию. Вы должны это понять – у меня ведь нет никаких прав. Без тестов ДНК, которые Анжелина не позволила сделать. И без судебного разбирательства – а где оно могло состояться? Здесь? В Италии? А в суде Анжелина дралась бы, как тигрица. И Хадия должна была пройти через все это? Да как я мог так поступить со своей дочерью?

– И тогда вы... что, Ажар? Что вы, черт побери, сделали?

– Если запись существует и вы ее видели, то всё знаете.

– Вы спланировали ее похищение. Вы запланировали его на тот период, когда должны были быть в Берлине, и это дало вам абсолютное алиби. Вы знали, что Анжелина примчится сюда. Ну, а потом-то что, ради всего святого? Вы поехали в Италию и притворялись убитым горем отцом в поисках дочери, до тех пор, пока она не нашлась в богом забытой деревне с колоссальной психологической травмой...

К ужасу Барбары, голос ее дрогнул, и она почувствовала, как набухли глаза. Слезы были на подходе.

– Я не видел другого выхода, – сказал Ажар. – Вы должны понять, Барбара. Мне это показалось наименьшим из зол. И этот человек в Италии... У него были соответствующие инструкции. Сказать Хадии, что он отведет ее ко мне, назвать ее *Khushi*, чтобы она знала, что это правда, отвезти ее в безопасное место, где она *не будет* бояться. А когда он получит сигнал, – то отвезти ее в город или деревню, которую назову я, потому, что я сам буду в Италии и сам выберу это место, чтобы оно было безопасным; и оставить девочку недалеко от полицейского участка, адрес которого я тоже назову, потому что найду его заранее. В этом случае полиция немедленно вернет ее матери, но я тоже там буду. И, пройдя через все эти страдания и видя, как я сам страдаю, Анжелина не сможет еще раз лишить девочку ее отца, потому что Хадия увидит меня в Италии и захочет, чтобы ее папа вернулся в ее жизнь.

Барбара покачала головой.

– Нет. Всё не так. Вы могли добиться того же самого, просто появившись в один прекрасный день на пороге их фермы, или что там у них есть, и сказав: «Сюрприз, сюрприз! Я пришел за своей дочерью, которую ты украла». Если вы знали школу, то могли появиться в школе. В конце концов, могли сами появиться на рынке. Да вы могли сделать сотню разных вещей, а вместо этого...

– Вы не понимаете. Анжелина *должна была* почувствовать. А ни один из способов, которые вы предлагаете, не заставил бы ее почувствовать. Она должна была на собственной шкуре понять, *что* сделала со мной. Должна была почувствовать это в полной мере. Это было единственным способом. Вы должны понять это, Барбара. Вы же знаете Анжелину.

– Вы абсолютно все запутали. И вы должны понять именно это.

– Чего я не мог предвидеть, так это того, что этот итальянец наймет кого-то еще, чтобы привести план в исполнение. Я до сих пор не понимаю, почему он так поступил. Но он это сделал, и тот человек погиб, когда ехал за Хадией в Альпы. А ведь никто из нас не знал, где он прятал девочку. И только тогда я понял, как жестоко ошибся в своих планах. Но что мне оставалось делать? Если бы я сказал правду... вы можете себе представить, что устроила бы Анжелина, узнай она, что папа Хадии организовал ее похищение? Вы же не поверите, что она вдруг стала бы вести себя как человек, который понимает, как сильно я желаю возвращения дочери.

– Остались следы, Ажар, – сказала Барбара. Она, казалось, ничего больше не чувствовала, кроме того, что душа ее умерла. И, что еще хуже, не была уверена, что эта душа сможет когда-нибудь ожить. – Остались следы ваших контактов с Доути. А кто платил Ди Массимо? А тому, другому парню? Кто, черт возьми, платил ему? Вы же не можете надеяться, что вся эта так называемая операция прошла без всяких следов вашего участия? И когда итальянцы разберутся – а они разберутся, поверьте мне, – как вы тогда собираетесь общаться с Хадией из итальянской тюрьмы? И что будет чувствовать Анжелина, когда поймет, что за всем этим все время стояли вы? И какой долбаный суд в мире позволит вам совместную опеку, или регулярные встречи, или вообще хоть что-то, когда будет доказано, что вы организатор похищения?

– Мистер Доути рассказывал мне об одном человеке, – сказал пакистанец, – и о том, что он эксперт по компьютерам и по тем следам, которые в них остаются.

– Конечно, он рассказал, потому что этот гребаный Брайан Смайт действительно – и вы можете побиться об заклад на свою собственную голову – уничтожил все следы связи Доути с Ди Массимо, но не вашей связи с кем бы то ни было. А все остальное?.. А следы ваших контактов с этими ребятами?.. Что же вы себе думали? Что, когда Хадия вернется к своей мамочке, итальянские копы позволят всем расцеловаться, утереть слезки и прекратят всякое расследование? Вы не могли быть таким законченным дебилом, Ажар. Не заставляйте меня в это поверить, потому что...

И вдруг Барбара поняла. Она даже остановилась от неожиданности. Все разрозненные факты наконец сложились в единую картинку.

– Боже мой, Пакистан, – выдохнула она. – Вы с самого начала это планировали.

Таймулла ничего не сказал. Он наблюдал за ней. Барбара подумала, знала ли она когда-нибудь его настоящего. Между тем, каким Ажар был в ее глазах, и тем, каким он оказывался в действительности, была целая пропасть; и ей хотелось броситься сейчас в эту пустоту и забыть, какой же идиоткой она была все это время.

– Доути был прав, – сказала сержант. – Он нашел билеты, Ажар. Наверное, он вам об этом не рассказал. SO-12 тоже нашло их, если вам это интересно. Мусульманин покупает билеты в одну сторону, в Пакистан? Это все равно, что запалить шутиху в лондонской подземке в час пик. Сразу привлекает внимание. И вас начинают отсматривать. Вы об этом задумывались?

И все-таки Ажар ничего не говорил, только сильнее сжал челюсти. Он зафиксировал свой взгляд на ней, но, кроме челюстей, на его лице не дрогнул ни один мускул.

– Вы хотите увезти ее туда, – продолжила Барбара. – Вы купили эти билеты в марте, потому что к тому времени ваш план похищения был полностью готов, правда? Вы уже тогда просчитали, когда и что почувствует Анжелина и что она сделает; и она ведь сделала именно это. Она примчалась в Лондон, вы вернулись с ней в Италию, и все шло по вашему плану, кроме одной маленькой автокатастрофы и одного мертвого человека, но, в конце концов, все закончилось хорошо – вы получили девочку назад. И у вас не было – у вас и сейчас нет, – никакого намерения делить дочку с Анжелиной. Ни при каких обстоятельствах. Вы собираетесь увезти ее в Пакистан, и там вы, черт вас возьми, исчезнете вместе с ней, потому что это ваш единственный шанс навсегда заполучить Хадию. А когда вы узнали, что Анжелина сошлась с другим, то захотели, чтобы Хадия *навсегда* осталась с вами. В Пакистане у вас семья. Только не говорите, что ее нет. А что касается работы... Для такого человека, как вы... Для человека с вашим образованием и опытом...

И опять ничего с его стороны. Ни перемены выражения лица, ни шевеления на стуле, ни шарканья ног под столом. Барбаре показалось, что на виске у него забилась жилка, но потом она подумала, что увидела это лишь постольку, поскольку ей очень хотелось увидеть хоть какую-нибудь реакцию с его стороны.

– Скажите мне, Ажар. Скажите мне, черт побери, всю правду об этих билетах в Пакистан. Потому что о них уже знает инспектор Линли. А он ведь знает и о ваших договоренностях с Анжелиной: что Хадия будет приезжать к вам на каникулы и что первые каникулы начинаются в июле.

Наконец Таймулла отвел взгляд. Он перевел его на крохотный камин и произнес только одно слово: «Да».

– Да – что?

– Именно это я и собирался сделать.

– И вы все еще собираетесь сделать это, не так ли? У вас есть билеты, а когда Хадия приедет к вам, у нее будет паспорт, потому что она поедет из Италии. И через несколько дней, убедив ее и всех остальных, что между вами и Анжелиной царит согласие, вы упорхнете. И ни за что на свете Анжелина не сможет получить девочку назад. Ни через годы, ни через десятилетия.

Ажар, наконец, посмотрел на нее. Его глаза были испуганными.

– Нет, нет и еще раз нет, – сказал он. – Вы меня не слушаете. Я сказал, что Пакистан *был* моей целью. Но не сейчас. Теперь это не нужно. Хадия будет жить с нами по очереди, и мы оба, Анжелина и я, сделаем все, чтобы эта схема работала.

Барбара уставилась на него. Наконец она что-то почувствовала. Почувствовала, что не верит ему, и это чувство заполняло все ее существо со скоростью нечистот, бьющих из прорванной трубы. Она не могла говорить. Просто не знала, что сказать.

– А что я еще мог сделать? – продолжил профессор. – Вы же видите, Барбара. Вы же все понимаете, я знаю. Она – всё, что у меня есть. Свою семью я давно потерял. Вы сами это видели. После стольких потерь я не мог потерять еще и ее.

– Я не позволю вам увезти Хадию в Пакистан. Ни за что на свете.

– Я и не увезу. Не увезу. Я думал, что увезу. Но сейчас – нет. Клянусь вам в этом.

– И я, что, должна вам поверить? После всего, что произошло? Вы видите в этом какую-то логику?

– Я вас умоляю, – произнес пакистанец. – Я вам слово даю. Когда я купил эти билеты... Вы должны понять, что в то время я думал об Анжелине. Она меня предала. Она исчезла с моим ребенком. У меня не было никакой возможности узнать, куда они уехали и вернутся ли когда-нибудь вообще. Я не знал, увижу ли Хадию хоть когда-нибудь. И в ноябре я поклялся себе, что если когда-нибудь смогу ее найти, то сделаю все, чтобы никогда больше ее не потерять. Пакистан был логичным выходом. Но сейчас все поменялось. Мы с Анжелиной помирились. Наши договоренности не идеальны, но в мире вообще очень мало идеального. Мы поделим Хадию. Я буду видеть ее на каникулах и тогда, когда захочу. Если она захочет вернуться в Лондон, когда подрастет, то так и сделает. Я буду ее отцом, а она – моей дочерью, и так мы будем жить дальше.

– Но если итальянские копы вас выследят, то ничего этого не будет, – заметила Барбара. – Вы что, этого не понимаете?

Пальцы Таймуллы сомкнулись на сигаретной пачке, лежащей между ними на столе, но сигарету доставать он не стал, сказав:

– Они не должны меня выследить. Они не должны больше найти каких-нибудь следов.

– Ди Массимо не согласится тянуть лямку за всех вас. Он уже слил Доути. А когда дойдет до дела, Доути сольет вас.

– Тогда мы должны остановить его, – просто сказал Ажар.

На секунду Барбаре показалось, что он предлагает убийство. Потом она подумала, а не он ли поработал над тормозами машины, которая доставила Роберто Скуали к месту его смерти – ведь, оказывается, от Ажара можно было ожидать чего угодно. Но он снова заговорил:

– Барбара, от всего сердца я умоляю вас помочь мне. Наверное, я поступил плохо. Но, в конце концов, благодаря моим действиям всем стало хорошо. Это вы должны понимать. Этот человек, Брайан Смайт... Если он смог убрать все следы контактов между Доути и итальянским сыщиком Ди Массимо, то, наверное, он смог бы сделать то же самое для меня?

– Это уже не важно.

– Не понимаю, почему?

– Потому что у Доути есть эти записи. Каждая встреча. С нескольких точек. Каждый ваш запрос. Думаю, что, когда вы были в его офисе, он отказался их выполнять. Наверное, он позвонил вам позже – из будки, или с мобильного, который тут же выбросил, – и сказал, что все еще раз обдумал и, может быть, сможет чем-то помочь. Я хочу сказать, что на этих записях нет ничего, что могло бы скомпрометировать Доути, – но зато там есть все, что может упрятать вас в итальянскую тюрьму на долгие годы.

Ажар некоторое время молчал, обдумывая сказанное.

– Тогда мы должны получить эти записи, – наконец тихо сказал он.

Барбара не пропустила местоимения во множественном числе.

МАЙ, 6-е

Южный Хокни,
Лондон

Барбара позвонила в контору до того, как в ней, по ее расчетам, могла появиться Изабелла Ардери, и оставила тщательно продуманную информацию. Она едет в Боу, чтобы окончательно закончить все с Доути, сказала она Доротее Гарриман. Оставались кое-какие концы, которые надо подчистить, в отношении степени участия частного детектива в похищении Хадии Упман, и как только она это закончит, то сразу же напишет отчет, который ожидает от нее суперинтендант. Гарриман предложила детективу сержанту Барбаре Хейверс соединить ее с командиром, чтобы та могла лично сообщить ей все это.

– Она только что появилась, – сказала секретарь управления. – Отошла в туалет. Соединю за шесть секунд, если хотите сами переговорить с ней, сержант.

Разговор с Изабеллой Ардери совсем не привлекал Барбару. Она легкомысленно ответила: «Нет необходимости, Ди», но добавила, что будет благодарна Доротее, если та расскажет инспектору Линли, чем занимается Барбара, как только он покажется на работе. Барбара понимала, что ее позиция в отношениях с Линли очень шаткая. И она знала, что их отношения могут полностью разрушиться, если она не будет держать Томаса в курсе всех своих дел. Ну, или почти всех.

Инспектор тоже уже приехал, сообщила Ди Гарриман. Она скажет ему, как только они закончат. Инспектор Стюарт ездил по ушам бедняги, когда она последний раз видела его. Она попробует вырвать Линли из его лап, передав ему информацию Барбары.

– Хотите что-нибудь сообщить инспектору Стюарту? – ехидно спросила Гарриман.

– Очень смешно, – ответила Барбара, подумав, насколько здорово было то, что Линли, а не она сама, выслушивал обличительные речи Стюарта.

Она забрала Ажара из его квартиры на первом этаже в Итон-виллас, как только закончила телефонный разговор, и они отправились вместе, но не в Боу. Их целью был Южный Хокни и Брайан Смайт.

Накануне, далеко за полночь, они разрабатывали стратегию поведения с Брайаном Смайтом. Они также разработали отдельную стратегию для Дуэйна Доути. Эти две стратегии были взаимосвязаны.

В течение всех их обсуждений и планирования Барбара старалась концентрироваться на Ажаре и Хадии и не думать, куда она сама могла попасть, участвуя во всем этом. Ажар в отчаянии, говорила она себе. Ажар имеет право на своего собственного ребенка. К этому она добавляла, что маленькой Хадии нужен любящий отец. Все это Хейверс повторяла про себя, как мантру. Этими фактами она делала себе массаж мозга. Ни о чем больше думать Барбара была не в состоянии.

Она боялась даже предположить, куда ее ведет этот пароксизм личного рабочего энтузиазма. Об этом она подумает позже. Когда будет время. Сейчас самым главным было найти способ смягчить последствия действий Ажара, когда он разыскивал любимую дочь.

Казалось, Брайан Смайт совсем не обрадовался, увидев сержанта полиции вместе с незнакомым смуглым мужчиной у себя на пороге, после того как открыл дверь на ее настойчивый стук. За это Барбара не могла его ругать. В своей работе он, скорее всего, не любил неожиданных посетителей. И, наверное, также не любил, когда к его дому привлекалось слишком много внимания. Хейверс ставила именно на это, как на наилучший способ убедить его впустить их, в том случае если он заупрямится и откажется раскатать для них красную ковровую дорожку.

В качестве приветствия она сказала:

– Ты был прав, Брайан. У него оказалась страховка. С меня причитается.

– Что вы здесь делаете? – поинтересовался хакер. – Я рассказал вам все, что вы хотели, и предупредил, что у него будет страховка. Она у него оказалась, так что – конец истории.

Он посмотрел направо, потом налево, как будто боялся, что его соседи скрываются за мрачными, покосившимися шторами и фотографируют его беседу с легавыми. Из-за угла выехала машина. Водитель медленно двигалась по улице, видимо, в поисках какого-то дома. Брайан выругался и указал внутрь квартиры.

Барбара кивнула Ажару. Она благодарила Бога, что сверхосторожность Смайта делала его подозрительным и дерганым. Он им таким и нужен, чтобы было легче загнать его в угол. Если они этого не сделают в ближайшие минуты, об их плане можно будет забыть.

– По тому поводу я тебя больше беспокоить не буду, – сказала Барбара, переступая порог. – Мы пришли не за этим.

Она представила его Ажару. Детектив следила, как Брайан рассматривает пакистанца и мысленно соединяет его реальный вид с тем образом, который существовал у него в голове.

– Поэтому давай-ка, будь погостеприимнее. Сделай нам по чашечке чая, предложи кекс, и мы расскажем, что нам требуется.

– Требуется? – скептически уточнил Брайан. Он захлопнул дверь и на всякий случай запер ее на ключ. – Мне кажется, что вы не в той ситуации, чтобы что-то требовать. По крайней мере, не больше того, что я уже рассказал вам.

Барбара задумчиво кивнула.

– Я догадываюсь, почему ты так думаешь, но, боюсь, ты забываешь одну очевидную деталь.

– И что же это за деталь?

– Я единственная из всех вас, которая ни в чем не замешана. Ты просмотрел все фильмы Доути – готова поспорить, что их десятки, если не сотни, – изучил каждый факт, который смог нарыть на меня в киберпространстве, и должен был понять, что меня ничего не связывает с тем, что произошло в Италии. В то время как все вы... Вы все висите над пропастью и цепляетесь за край сломанными ногтями, Брайан.

– Включая и вашего друга, – он кивнул на Ажара.

– Конечно, а кто спорит, приятель? Ну, так как насчет чая? Я люблю с молоком и сахаром, а Ажар предпочитает только с сахаром. Ты покажешь дорогу или мне пройти самой?

Выбора у Смайта не было, и он прошел на жилую половину дома. Здесь, на огромном плоском телевизоре с приглушенным звуком, показывали ток-шоу, в котором пять едва одетых женщин сравнивали размеры своих задниц с эталоном в виде полноразмерной фотографии костлявой задницы, принадлежавшей какой-то худосочной манекенщице. Брайан, видимо, тащился от этого, когда они постучали в дверь, потому что на кофейном столике перед просторной и мягкой кожаной софой, с прекрасным видом на телик, был накрыт завтрак на одного: яйца, бекон, сосиски, помидоры и все такое. Барбара сглотнула и пожалела, что с утра съела только один кекс и выпила всего одну чашку кофе.

Брайан прошел в кухонный угол громадной комнаты. Там он наполнил водой чайник из нержавеющей стали. Чайник был такой же модерновый, как и сама кухня, и хорошо подходил ко всем ручкам и осветительным приборам. Затем из холодильника, тоже сделанного из девственно чистой нержавеющей стали, Смайт достал молоко и налил его в молочник. Барбара сказала, что они подождут его в саду.

– Великолепный день, – сказала сержант. – На природе. Свежий воздух и все такое прочее. У нас подобных садов не увидишь, правда, Ажар?

Она вывела профессора в сад. На середине пути, между прудом со сверкающим фонтаном и листьями кувшинок и дверью, через которую они вышли, находились несколько скамеек, сделанных из голубоватого песчаника. Позади них находилась клумба со множеством цветов, рассаженных с большим искусством, таким образом, что казалось, они растут сами по себе.

Здесь Барбара села и предложила Ажару сделать то же самое. Вряд ли у Брайана есть возможность фиксировать то, что происходит в саду, подумала она. Ведь бизнесом Смайт занимался в своем доме, и было очень маловероятно, что он вообще приглашал своих клиентов насладиться плодами его усердной деятельности. Скорее всего, подумала она, его работодатели вообще не появлялись в этом доме. Однако всегда лучше перебдеть...

Ажар сидел рядом с ней. Когда к ним присоединился Брайан с подносом с чаем – гостеприимный хозяин предложил даже кексы, – Барбара подумала, что не стоит требовать от него слишком многого. Поэтому она сама разлила чай, а заодно и положила себе кекс. Он был очень вкусный, и масло было натуральным. Все в доме этого парня было первоклассным. Все, за исключением, возможно, его манер, потому что он сразу же произнес:

– Свой чай вы получили. Что вам еще надо? У меня работа.

– По телику не скажешь.

– Меня не колышет, что вы скажете. Что вам надо?

– Нанять тебя.

– Для вас это слишком дорого.

– Ну, скажем так, мы с Ажаром объединим наши ресурсы, Брайан. Скажем также, что, хорошенько все обдумав, мы решили, что ты просто обязан предложить нам хорошую скидку.

– Что «всё»?

– Что «что всё»?

– Ну, вы сказали «хорошенько все обдумав».

– А-а-а, – сказала сержант и откусила еще кусочек кекса. В нем был свежий изюм, а не какие-то высохшие ягоды. Вкуснятина, подумала она. Наверняка привезли прямо из пекарни. В соседних забегаловках такого не найдешь. – Здесь мы опять возвращаемся к твоей работе. И что с ней может случиться, если я расскажу о ней ребятам с Виктория-стрит, которые занимаются преступностью в Интернете. Это мы уже обсуждали, и давай не ворошить прошлое. Ты убрал все улики и полностью обелил Доути, а теперь я хочу, чтобы нечто подобное ты сделал и для Ажара. Это будет посложнее, но я думаю, что ты как раз тот человек, который с этим справится. У нас есть билеты в Пакистан, информацию о которых надо слегка подправить – в тех записях, которые находятся в Мет. Не волнуйся, ни о каком терроризме речи нет. Просто небольшая деталь на билетах, находящихся в файле человека, которого уже проверили и который чист.

Речь, кстати, о нашем друге Ажаре. Как по-твоему, похож он на террориста?

– А кто сейчас знает, как выглядят эти чертовы террористы? – проговорил Брайан. – Они ведь выскакивают из урн для мусора. Но сделать то, о чем вы просите, невозможно. Взломать такую систему?.. Да вы представляете, сколько времени это может занять? И сколько может существовать резервных систем? Я говорю о резервных системах не только в Мет. Я говорю о резервных копиях в авиакомпании, в главной базе данных, в альтернативных базах. Я говорю о резервных копиях на магнитных носителях, которые можно изменить, только если заполучить саму пленку. Кроме того, существуют прикладные программы, которые писались бог знает каким количеством специалистов, в течение бог знает какого времени и...

– Мне понятно, – вмешалась Барбара, – что если бы нам все это было надо, то у тебя действительно началась бы головная боль. Но, как я уже сказала, нам надо только, чтобы билеты были слегка изменены, и только в том файле, который находится в нашей системе. Надо изменить дату покупки и сделать из билетов в один конец круговые. И всё. Один билет на имя Ажара, и один на имя Хадии Упман.

– Если я смогу влезть в систему Мет... О каком отделе мы говорим? У кого эти записи?

– SO-12.

– Абсолютно исключено. Смешно даже говорить об этом.

– Только не для тебя, и мы оба это знаем. Но чтобы дать тебе попрактиковаться – чтобы потренировать твою машинопись, – нам надо, чтобы ты сначала поработал над несколькими банковскими записями. Совсем не сложно для парня с твоими талантами, и опять мы говорим об изменениях, а не о полном уничтожении. Надо, чтобы Ажар по документам заплатил Доути меньше, чем на самом деле: только сумму, достаточную для оплаты его услуг до того момента, когда след Анжелины потерялся в Пизе, как это и произошло на самом деле. Вот и всё, Брайан. Авиационные билеты и проплаты Доути, и мы, наверное, исчезнем из твоей жизни.

– Наверное?

– Я хочу сказать, что мне надо, чтобы ты еще передал мне свою страховку. На час-другой, и я тебе ее верну. Но сегодня она мне понадобится.

– Не понимаю, о чем вы говорите.

Барбара вздохнула, повернулась к Ажару и сказала:

– Вы видите, он принимает нас за идиотов. По-моему, у этого компьютерного фрика поведенческие расстройства. – Затем она обратилась к Смайту: – Брайан, ты ведь далеко не дурак. Ты сделал копию со всей информации, которую удалил для Доути. Где бы она сейчас ни находилась – а я полагаю, что она находится в этом доме, в очень хорошем сейфе, под очень сложным шифром, – мне она нужна. Нужна на пару часов, а потом я ее верну. И прекрати убеждать меня, что ее не существует, – ты взрослый мальчик и знаешь, когда пора ставить точку.

Сначала Смайт ничего не сказал. Лицо его окаменело, взгляд был жестким. Затем он пристально посмотрел на Барбару с Ажаром и сказал сержанту:

– Сколько вас там еще прячется?

Ажар шевельнулся, но Барбара положила свою руку на его и ответила:

– Брайан, мы здесь не для того, чтобы обсуждать...

– Нет, я хочу знать, сколько еще замазанных копов выйдет из леса, если я соглашусь сотрудничать с вами? Только не говорите мне, что вы одна. Такие в одиночку не живут.

Барбара почувствовала, как Ажар посмотрел в ее сторону. Со своей стороны она удивилась, как слова Брайана подходят к ситуации. Он уже не первый раз говорил, что она замазана, но дело было в том, что на этот раз Смайт говорил абсолютную правду. Однако Барбара не хотела обсуждать с ним, что замазывает себя ради светлой и чистой цели. Поэтому она просто ответила:

– Это разовая операция. Я имею в виду Ажара и его дочь. После этого мы исчезнем из твоей жизни.

– И я должен верить?

– А я не вижу у тебя выбора. – Она подождала, пока Брайан все обдумает. Птички приятно чирикали на декоративных вишнях в саду, в пруду золотая рыбка выплыла на поверхность, подумав, что уже наступило время кормежки. – Я держу тебя крепче, чем ты меня, приятель. Смирись с этим, мы уйдем, а ты продолжишь свой завтрак и вернешься к задницам этих дам.

– Держите? – повторил он.

– За причинные места. Мы оба вцепились в них друг другу, согласись. Но в данный момент мне держать удобнее. И ты, и я это знаем. Давай сюда свою страховку, и мы с Ажаром поедем дальше.

– К Доути? – спросил он.

– Ты поразительно догадлив, приятель.

Боу,
Лондон

– Нет, это уже слишком, Барбара, – были первые слова Ажара. Он молчал в течение всей беседы с Брайаном Смайтом, но когда они оказались в машине Хейверс и тронулись в сторону офиса Доути, он сжал виски пальцами, как будто хотел остановить боль в голове. – Мне и так неудобно. А теперь еще это. Я не могу...

– Успокойтесь. – Барбара зажгла сигарету и протянула ему пачку. – Теперь, когда мы в это ввязались, уже поздно нервничать.

– Дело не в нервах. – Таймулла достал сигарету, закурил, но после первой же затяжки с отвращением выбросил ее в окно. – Все дело в том, *что* вам приходится совершать из-за меня. Из-за моих решений. А я... Молчу, как та несчастная статуя у него в саду. Я себя презираю.

– Давайте будем оперировать теми фактами, которые мы хорошо знаем. Анжелина забрала Хадию. Вы хотели ее вернуть. Поэтому она и начала всю эту заваруху.

– Вы думаете, это имеет значение? Вы думаете, это будет иметь значение, если станут известны подробности нашей утренней вылазки?

– Об этом никто не узнает. Тут все замазаны по самое горло. И в этом наша гарантия.

– Я не должен был... Я не могу... Я должен повести себя как мужчина и сказать всю правду...

– И что? Пойти в тюрьму? Провести там достаточно времени, чтобы научиться говорить по-итальянски «попробуй, тронь меня там, и я откушу тебе руку»?

– Ну, сначала будет процедура экстрадиции, а потом...

– В самую точку, приятель. А пока вы будете ждать экстрадиции, что, по-вашему, будет делать Анжелина? Отпускать Хадию на длинные, приятные свидания с человеком, который организовал ее похищение и, кстати, купил билеты в Пакистан в один конец для себя и нее?

Таймулла молчал. Барбара посмотрела на него. На лице Ажара было написано страдание.

– Все это из-за меня, – произнес он. – Неважно, как вела себя Анжелина, но первый грех мой. Я хотел ее.

Сначала Барбара подумала, что речь идет об их совместной дочери, которую они произвели на свет, но, когда он продолжил, она поняла, что он имел в виду совсем другое.

– Что плохого в том, спрашивал я себя, что мужчина хочет уложить хорошенькую женщину к себе в постель? На раз. На два. Может быть, на три. Потому что Нафиза ждет ребенка и хочет, чтобы ее оставили в покое, а как мужчина, я имею собственные потребности, и вот она, такая хорошенькая, такая хрупкая, такая... Такая *английская*.

– Все мы люди-человеки, – сказала Барбара, хотя эти слова дались ей нелегко.

– Я увидел ее за столом в Университетском колледже и подумал, какая она исключительно хорошенькая английская девушка. Дело в том, что мужчины с Ближнего Востока – такие, как я – с детства узнают, что хорошенькие английские девушки, да что там, все английские девушки ведут себя не так, как восточные женщины. Их одежда показывает, как легкомысленно они относятся к своей целомудренности, и все эти условности очень мало что для них значат. Поэтому я подсел к ней. Но сначала я спросил, можно ли присесть за ее столик. Я очень хорошо понимал, что мне было от нее нужно. Я только не мог предвидеть, что желание будет расти, что мысль об обладании станет навязчивой и что я разрушу свой мир. Сейчас я иду по тому же пути, но разрушу уже ваш мир. И как тогда я буду с этим жить?

– Живите, зная, что это было мое решение, – среагировала Барбара. – Нам надо продержаться еще полчаса, а потом все будет закончено, правда? Брайан делает то, что мы хотим, а все остальное – это только построить Доути. Но это случится только в том случае, если вы будете верить, что это возможно, потому что если этой веры не будет, если вы войдете в офис, с порога показывая, что для вас единственное решение проблемы – это срок в тюрьме города Лукки, то вы проиграли. То есть мы, а не вы. Мы. А я бы хотела остаться на своей работе.

Она подъехала к тротуару и поставила машину на нейтралку. Они были за углом от офиса Доути, на парковке рядом с начальной школой. Через открытые окна машины до них доносился веселый шум, долетавший с детской площадки. Секунду они молча слушали его, а затем Барбара выключила двигатель и спросила:

– Мы сейчас с вами думаем об одном и том же, Ажар?

Сначала пакистанец не отвечал. Как и она, он прислушивался к шуму детей. Как и она, он думал о своих детях, возможно, обо всех своих детях. Он поднял голову и на секунду зажмурил глаза. Наконец твердо сказал:

– Да. Да, конечно, – и они выбрались из машины.

Доути в офисе не было. Они нашли его в соседней комнате, там, где сидела Эм Касс. По-видимому, она только что появилась на работе, так как была одета в костюм для бега, кроссовки и бандану. С порога казалось, что Дуэйн наслаждается запахом ее подмышек, потому что он сидел за столом, а она наклонилась над ним, протянула руку и манипулировала мышью, говоря: «Нет. Данные отеля показывают...» Она замолчала и резко выпрямилась, когда Барбара неожиданно открыла дверь.

Доути повернулся и сказал:

– Какого черта... вы совсем уже сбрендили, если появляетесь без предупреждения.

– Думаю, что мы можем попрощаться со всеми этими предрассудками в наших отношениях, Дуэйн, – парировала Барбара.

– Вы можете подождать у меня в кабинете, – сказал Доути. – И заодно поблагодарите звезды, что я не спустил вас с профессором по тем самым ступенькам, по которым вы только что вскарабкались.

– Мы поговорим все вместе, – вмешался Ажар. – Неважно, у вас в кабинете или здесь, но все вместе и прямо сейчас.

Доути встал со стула.

– А ваши-то манеры куда подевались? Я не собираюсь выполнять приказы людей, которые мне не платят.

– Я все это запомнила, Дуэйн, – сказала Барбара, достала из сумки флешки Брайана Смайта и потрясла ими перед носом у Доути. – Но думаю, что вы выслушаете приказы человека, у которого в руках вот это и который пытается решить, какому из отделов Мет это будет наиболее интересно. Они сдаются на время, кстати. Брайан, например, сдал их мне.

Наступил момент напряженной тишины. С улицы к ним донесся звук открываемых решеток на дверях «Тех, кто понимает». Он прозвучал, как звук поднимаемого подвесного моста. Кто-то захрипел, закашлялся и сплюнул с силой небольшого взрыва. На лице Эм Касс появилась гримаса. Очевидно, женщине не нравились жизненные неделикатности, подумала Барбара. Это неплохо, прикинула она, потому что как раз одна из таких неделикатностей происходила сейчас между ними.

– Ну, так что, поговорим, или так и будем стоять, любуясь друг другом? – поинтересовалась она.

– Меня на понт не возьмешь, – произнес Доути.

– Не тот случай, приятель. Можете, если хотите, позвонить Брайану. Как я сказала, он сдал мне их на время. Он так же, как и ты, не очень любит общаться с Законом. Готов сделать *все, что угодно*, только чтобы полицейские убрались.

– Она говорит правду, – влезла Эм Касс. – Боже, Дуэйн, я так и не могу понять, почему я все-таки тебя послушала, поверила во все твои планы и в это твое «у-меня-все-под-контролем». Надо было валить, когда я собралась.

Барбаре понравилось еще больше, что, вкупе со своей деликатной натурой, эта женщина совсем не хотела, чтобы ее деятельность привела ее к аресту. Хотя это вызывало вопрос: на что, черт возьми, она рассчитывала, работая помощницей у Дуэйна? Правда, экономическая ситуация была непростой. Или так, или работай барристой[1].

– Давайте перейдем в ваш кабинет, Дуэйн, – предложила сержант. – Но на этот раз без съемки, если не возражаете. Вы тоже идите, Эмили. Там свободнее и есть стулья, на тот случай, если у кого-то ослабнут коленки.

Барбара сделала приглашающий жест рукой. Она была довольна, что первым, кто повиновался, была Эмили. Доути последовал за ней, бросив на Барбару уничтожающий взгляд и полностью игнорируя Ажара.

В кабинете Дуэйн вынул спрятанную камеру, положил ее в ящик и уселся за столом. Барбара чуть не поперхнулась, увидев этот жест, означавший «я здесь хозяин». Она села, Эмили прошла к окну и уселась на подоконник, Ажар занял второй стул.

– Этих флешек слишком много, Брайан действительно дурит вас.

– Когда я говорю «всё», я имею в виду всё. Здесь у меня вся его система, – ответила Барбара. – Здесь у меня не только вы, но и все остальные клиенты, Дуэйн. Если хотите, называйте это моей гарантией. Некоторым людям приходится давать пинка, когда речь идет о сотрудничестве. Сейчас, например, меня интересует, с какого пинка начнете вы.

– Начну что?

– Передавать мне вашу страховку...

– Да вы, оказывается, мечтательница.

– ...и уверять всех нас, что вы видели Спасителя, и имя ему Ди Массимо.

– О чем вы, черт вас побери, говорите?

Эмили пошевелилась.

– Я думаю, что лучше выслушать ее до конца.

---

[1] Человек, готовящий и разносящий кофе в кафе.

– Ах, ты так думаешь? А что ты думала, когда сдавала ей Смайта? Это ведь была ее единственная возможность выйти на него в той его кротовой норе, где он обретается, и не думай, что я сразу не догадался.

– Давайте перестанем тыкать друг в друга пальцами, – предложила Барбара. – Мое время тратится впустую, а я и так уже достаточно много его истратила на всех вас. Мы или можем заняться делом, или, как я сказала...

– Да чтоб тебя, – прошипел Доути. – Вместе с твоим профессором.

Барбара посмотрела на Эмили и спросила:

– Он всегда такой дурак?

– Он мужчина. А вы продолжайте. Просто притворитесь, что его здесь нет.

– Но он мне нужен здесь для кворума.

– Да здесь он, здесь. Он в этом никогда не признается, но он вас очень внимательно слушает.

Барбара повернулась к Ажару:

– Как во всем этом дерьме появился Ди Массимо?

– Его нашел мистер Доути, – начал свой рассказ Ажар. Он рассказывал то, что ей уже было хорошо известно, и то, о чем они договорились предыдущей ночью. – Он сказал, что нам нужен детектив в Италии, который говорит по-английски, и Ди Массимо нам подошел.

– Как часто вы с ним говорили?

– С Ди Массимо? Никогда в жизни.

– Как часто вы контактировали по электронной почте?

– Никогда.

– А как вы ему платили?

– Через мистера Доути. Я платил ему, а он переводил деньги дальше, в Италию.

– Ну, и себя не забывал, как вы думаете?

– Вы, что, пытаетесь меня обвинить?..

– Слушайте, да расслабьтесь вы уже, – сказала Барбара Доути. – Вы наняли исполнителя. Ну, и имели с этого свой процент. Весь мир так живет. – Она еще раз потрясла флешками и спросила Ажара: – Тогда что они, как вы думаете, покажут?

– Денежные потоки, помимо многого другого. Движение денег с моего счета на счет мистера Доути и дальше, в Италию. Деятельность в Мировой паутине: электронные письма и поиск через браузер. Журнал телефонных звонков. Данные по использованию кредитных карточек.

– То есть вы хотите сказать, что в то время, когда Ди Массимо в итальянской полиции поет, как канарейка, по делу о похищении Хадии, – она опять обратилась к Ажару, – у меня, в моих шаловливых ручонках, находится информация, которая подтверждает, что все, что он поет, – правда?

– Именно так, Барбара, – подтвердил Ажар.

Сержант повернулась к Доути:

– Проблема состоит в том, что всем, включая вас, Дуэйн, будет лучше, если мы станем более тщательно подходить к выбору места приложения наших талантов.

Доути раскрыл было рот, но она остановила его прежде, чем он заговорил.

– И я советую вам, Дуэйн, все хорошенько обдумать. Прежде чем вы дадите окончательный ответ. У нас есть Ди Массимо, но у нас ведь есть и труп этого Скуали, так же как и все следы, которые он мог оставить после себя, а их, думаю, будет немало. Так что, мы все забираемся в лодку, затыкаем дырки и вместе плывем на ней, – или пусть она тонет сама по себе? Вы как думаете, приятель?

Доути долго смотрел на нее, прежде чем открыл ящик, в котором хранил свою страховку, и протянул ее сержанту.

– А всё вы и ваши долбаные метафоры, – был его ответ.

Виктория,
Лондон

Линли никак не мог понять, откуда взялась его нынешняя озабоченность.

По просьбе Изабеллы он пораньше приехал в офис, где был захвачен Джоном Стюартом для долгой и нудной беседы о том, что Стюарт рассматривал как тенденцию к неповиновению у Барбары. Томасу с трудом удалось освободиться от коллеги, и теперь, сидя в ожидании Изабеллы в ее кабинете, он вдруг сообразил, что так и не понял, что же Стюарт хотел сказать про тот период, когда Барбара работала в его команде.

Причина была в Дейдре Трейхир. Они хорошо пообедали в ресторане ее гостиницы, беседа была легкой и ни к чему не обязывающей – до тех пор, пока он, наконец, не решился спросить, кто же все-таки был этот Марк, с которым она разговаривала по телефону.

– Ну, тот парень, когда я вошел в винный бар, – напомнил он Дейдре, когда та абсолютно не поняла вопроса.

Он почувствовал приятное облегчение, когда оказалось, что это был ее стряпчий в Бристоле. Он будет работать с ее контрактом, который ей предложили в Лондонском зоопарке, потому что, как она объяснила, «я совершенно ничего не понимаю, когда дело доходит до «сторона с одной стороны» или «подпадая под действие главы первой, части второй...» и всякое такое, Томас. А почему вы спросили про Марка?»

Вопрос попал в самую точку, должен был признать инспектор. Действительно, почему он спросил? Томас никогда не был так захвачен женщиной с того самого момента, когда сватался к Хелен. И что удивляло его больше всего, так это то, что Дейдра Трейхир была совершенно не похожа на Хелен. Он никак не мог понять, что все это должно значить: первая женщина, которая серьезно заинтересовала его, абсолютно отличалась от его покойной жены. Поэтому Линли вынужден был задать себе вопрос: Дейдра его действительно интересует, или он больше заинтересован в том, чтобы заставить Дейдру заинтересоваться им самим?

– Я все еще пытаюсь найти ответ на этот вопрос, – ответил он ей. – Боюсь, что не очень успешно.

– А-а-а, – протянула Дейдра.

– Да. Так же, как и вы, я все еще в замешательстве.

– Мне кажется, что я не горю желанием узнать, что вы имеете в виду.

– Поверьте мне, я хорошо вас понимаю.

После окончания обеда она прошла с ним через лобби гостиницы к входной двери. Это был большой отель, относящийся к американской сети, – то самое место, где останавливались деловые мужчины и женщины и где их приходы и уходы никого не волновали. В этом было много преимуществ – например, то, что когда один из гостей переходил в комнату другого, на это никто не обращал внимания до того момента, когда включались платные телевизионные каналы. Линли вдруг почувствовал, что такая атмосфера начинает действовать ему на нервы. Ему захотелось выйти на улицу. Что это *значит*, спрашивал он сам себя. Что с ним происходит?

Вместе с ним Дейдра вышла на улицу. Вечер был великолепен.

– Спасибо за очаровательный обед, – сказала она.

– Вы скажете мне, когда решите что-то с работой? – спросил Линли.

– Конечно, да.

Потом они посмотрели друг на друга, и его поцелуй показался самой естественной вещью на свете. Линли поправил ее выбившуюся из прически прядь, а она подняла руку и слегка сжала его пальцы.

– Вы очаровательный мужчина, Томас. Я буду полной идиоткой, если предпочту не замечать этого.

Он провел рукой по ее щеке, почувствовал, как она покраснела, хотя в тусклом свете этого не было видно, и наклонился, чтобы поцеловать ее. Он обнял ее, на какую-то секунду вдохнул ее запах, и почувствовал, что тот не был похож на цитрусовый запах Хелен, который ему так нравился. Однако этот тоже был неплох.

– Пожалуйста, позвоните мне, – прошептал он.

– Если вы еще не забыли, я это уже сделала. И сделаю еще раз.

– Я рад, Дейдра, – быстро проговорил Томас и исчез.

Разговора о посещении ее номера даже не возникало. Да ему этого и не хотелось. Ну, а это что может значить, Томас, спросил он себя.

– ...Ты слушаешь меня, Томми? – спросила Изабелла. – Если да, то хорошо бы, чтобы ты изредка мычал, мигал, квакал или както еще реагировал на то, что я говорю.

– Прости. Поздно лег вчера, да и кофе сегодня с утра было недостаточно.

– Попросить Ди принести тебе чашечку?

Линли отрицательно покачал головой.

– От беседы с Джоном у меня уши в трубочки свернулись, – пожаловался Линли. – Это решение направить Барбару в группу Джона...

– Ну, это было ненадолго. Вряд ли ее это убило.

– Но все-таки, принимая во внимание его антипатию к ней...

– Надеюсь, ты не собираешься учить меня управлять отделом. Вряд ли ты это проделывал с суперинтендантом Уэбберли.

– Как ни странно, проделывал.

– Тогда этот человек просто святой.

Прежде чем Линли успел ответить, к ним присоединилась Барбара. Задыхаясь, она вошла в кабинет. Просто пример образцового сотрудника, за исключением одежды, которая, как всегда, относилась к фасону, модному в никогда не существовавшую эру. Правда, Хейверс отказалась от носков с кексиками. Однако заменила она их на носки с Фредом и Вилмой Флинтстоунами[1]. Они

---

[1] Центральные персонажи американского комедийного мультсериала «Флинтстоуны», действие которого происходит в вымышленном каменном веке.

более-менее подходили под ее майку, на которой на этот раз были изображены кости тираннозавра из Музея естественной истории.

– Вот как все складывается, – начала она, после того как мельком объяснила свое опоздание – пробки, да и заправиться надо было, – все указывает на то, что Ди Массимо пытается свалить свою вину на Доути. Он знает, что остались свидетельства, подтверждающие его контакты с Доути – а они действительно имеются, – и он, видимо, думает что, так как не было требования выкупа, то мы согласимся на все, что он нам втирает. Но связь между ним и Скуали – это для него бомба замедленного действия. Он говорит полуправду, полуложь и, предполагаю, считает, что если достаточно замутит воду, то никто ничего не поймет.

– Что вы имеете в виду, Барбара? – спросила Изабелла.

Линли не сказал ничего. Он просто заметил, что сержант порозовела, и задумался, что было причиной этому – спешка, с которой она появилась, или сказка, которую она рассказывала.

– Я имею в виду, что Доути нанял Ди Массимо, чтобы тот начал поиски с Пизы, с того места, где он – я имею в виду Доути, – потерял следы Анжелины и Хадии. Он не стал сообщать Ажару ничего, так как не знал, к чему это все приведет. Задание Массимо было найти Анжелину и отчитаться. Ему было сказано, что он может делать все, что угодно, чтобы найти Анжелину – это по сказке, которую рассказывает Доути, – и что все расходы будут оплачены отцом девочки. Однако, предполагаю, когда Ди Массимо узнал, где находится девочка, у него в голове сразу заработал калькулятор, у кого больше денег, и, естественно, победила большая семейка Мура. Поэтому он нанял Скуали, чтобы тот украл девочку, а Доути сообщил, что не может найти ее. Все данные показывают, что все коммуникации между Ди Массимо и Доути прекратились после того, как итальянец представил свой официальный отчет.

– И это произошло?..

– Пятого декабря.

– О каких данных мы говорим, Барбара? – негромко спросил Линли.

Кровь опять прилила к ее щекам. Томас подумал, что Барбара, скорее всего, не ожидала увидеть его в кабинете Ардери во время их встречи. Его присутствие должно было заставить ее быстро принять несколько решений. Инспектор мог только молиться, чтобы эти решения были правильными.

– О записях Доути, – ответила Барбара. – Он показал их мне, сэр. Сейчас он их все распечатывает и потом перешлет их в Италию, тому парню, который этим занимается. Хорошо бы вы дали мне его имя. Естественно, их надо будет перевести, но предполагаю, они смогут решить эту проблему.

Она облизала губы, и Линли увидел, как сержант сглотнула.

– Единственное, чего я не могу понять, это требование выкупа, – сказала Барбара, снова обращаясь к Изабелле.

– Насколько я знаю, его не было, – заметила Ардери.

– Вот это-то мне и непонятно. Я предполагаю, что после того, как Ди Массимо узнал, сколько денег у семьи Мура, он решил провернуть типичное похищение по-итальянски. Только подумайте: страна с давними традициями похищения ради денег, когда людей скрывают месяцами для того, чтобы получить желаемое. Иногда требование выдвигается сразу же, иногда похитители ждут, пока семья не дойдет до нервного истощения от беспокойства. Вспомните хотя бы случай с несчастным Гетти много лет назад.

– Ну, я сомневаюсь, что банковский счет Мура может быть сравним со счетом Гетти, – сказал Линли ровным голосом, наблюдая за сержантом. На ее верхней губе выступили капельки пота.

– Согласна. Но я предполагаю, что здесь все зависело от того, чего же Ди Массимо хотел в конечном итоге. Денег, земли, акций, поддержки, политического влияния?.. Кто тут может что-нибудь сказать точно? Я имею в виду, как много мы вообще знаем о семье Мура, сэр? И что известно Ди Массимо из того, чего не знаем мы?

– На мой взгляд, вы делаете слишком много предположений, Барбара, – заметил Линли. Его тон ничего не выражал, и он скорее почувствовал, чем увидел, как Изабелла быстро взглянула на него.

– Я именно об этом думала, – сказала она Хейверс.

– Ну да. Наверное. Конечно. Вы правы. Но разве наша задача не состоит в том, чтобы отправить в Италию все, что у нас есть? Этому парню, как его там зовут, сэр?

– Сальваторе Ло Бьянко. Но его заменили. Поэтому я сейчас не представляю, кто занимается этим делом.

– Хорошо. Я думаю, что один звонок в Италию прояснит ситуацию. Но я считаю, что это итальянское дело, а наша часть расследования закончена.

Конечно, их часть была далеко не закончена, и Линли ждал, когда же Хейверс перейдет ко всем тем вопросам, которые она намеренно замалчивала в своем отчете Ардери. И на первом месте в этом списке стояли билеты в Пакистан, купленные в один конец. Тот факт, что она о них молчала, был настолько вопиющ... Линли показалось, что этот факт давит на его грудь, как контейнер с кирпичами.

– Насколько видно из фактов, – сказала Хейверс, – и насколько я сама понимаю, командир, на территории Соединенного Королевства не было совершено никакого преступления. Все теперь в руках итальянцев.

– Включите это в ваш письменный отчет, сержант, – кивнув, сказала Изабелла. – И надеюсь, я увижу его на своем столе еще до конца сегодняшнего дня.

Хейверс осталась на своем месте, по-видимому, ожидая продолжения. Так как ничего больше не последовало, она спросила:

– Это всё?

– На сегодня – да. Благодарю вас.

Было абсолютно ясно, что Изабелла отпускает ее. Было также ясно, что она не отпускает Линли. Хейверс это поняла, и Томас заметил это. Сержант бросила взгляд в его направлении, прежде чем вышла из кабинета.

Когда дверь за ней закрылась, Изабелла встала и подошла к окну. Она посмотрела на солнечный день за окном, на крыши домов, свежую зелень и, на горизонте, пятно Сент-Джеймс-парка. Линли ждал. Он знал, что продолжение последует, иначе его отпустили бы вместе с Барбарой.

Ардери подошла к одному из шкафов и достала простой белый конверт. Вернувшись за стол, она безмолвно протянула его Линли. Томас сразу понял, что его содержимое не доставит ему никакой радости. Он понял это по выражению ее лица, которое выражало нечто среднее между твердостью и сочувствием. Твердостью дышала линия ее челюсти, а глаза излучали сочувствие.

Изабелла опять села. Инспектор достал очки и раскрыл папку, в которой лежали тщательно подобранные документы. Все это были официальные рабочие отчеты, однако посвящены они были совершенно не официальным делам. Каждое движение Барбары – то ли за флажки, то ли не по делу – с того момента, как Хейверс стала работать в команде Джона Стюарта, было тщательно запротоколировано. Стюарт продолжал свою слежку даже после того, как Изабелла дала ей другое задание. Он выделил двух констеблей, чтобы те следили за ней, проверяли ее работу или отсутствие таковой, устанавливали причину каждого ее отсутствия в офисе. Он выяснил все подробности жизни ее матери в Гринфорде, в доме Флоранс Маджентри. Он составил список всех, с кем она встречалась: Митчелл Корсико, семья Таймуллы Ажара, Дуэйн Доути, Эмили Касс, Брайан Смайт. Единственное, что не упоминалось, так это ее посещения SO-12. Билеты в Пакистан тоже не фигурировали. Линли не знал, почему так случилось. Единственным объяснением было то, что эти встречи происходили в том же самом здании Мет, а в здании за ней, по-видимому, не следили. Или, подумал он, Джон Стюарт может скрывать эти факты как последнее секретное оружие, на тот случай если Изабелла Ардери решит положить все эти документы под сукно.

Закончив, Линли вернул бумаги и сказал то, что был должен:

– Ты и я, мы оба знаем, что тебе придется что-то с ним делать, Изабелла. То, что он использует сотрудников отдела для того, чтобы вести свое собственное расследование... это не лезет ни в какие ворота. Что-нибудь из всего этого, – Томас сделал, как он надеялся, презрительный жест в сторону документов, – помешало Барбаре выполнить возложенные на нее задачи? Из тех, что ей поручал Джон? Если нет, то какое значение имеет то, чем она еще занималась?

Суперинтендант посмотрела на него ровным взглядом, в котором, как в капле воды, отразилась вся она. Изабелла молча смотрела на него секунд тридцать, не отводя глаз, пока наконец не сказала тихо:

– Томми...

Линли пришлось отвести взгляд. Он не хотел слушать то, что она собиралась сказать, и уж тем более не хотел знать, о чем она собирается его попросить.

– Ты знаешь, – продолжила Изабелла, – что вопрос не в том, выполняла ли Барбара задания Стюарта. Неважно также, когда и как она это делала. Ты прекрасно понимаешь: то, что сейчас произошло в этом кабинете, многое объясняет. Я знаю, что ты это знаешь. В том, что мы делаем, нет места такому греху, как сокрытие фактов, и неважно, кто в этом замешан.

– Что ты собираешься сделать?

– То, что должна.

Линли хотел умолять ее, что показывало, как далеко он сам уже зашел в ту реку, в которую Барбара нырнула с головой. Но он не стал. Вместо этого сказал:

– Ты дашь мне несколько дней, чтобы с этим разобраться?

– Ты что, действительно думаешь, что с чем-то еще надо разбираться? Более того, ты действительно думаешь, что в результате твоего разбирательства появятся какие-то реабилитирующие факты?

– Наверное, нет, но я все-таки прошу.

Изабелла взяла папку и аккуратно выровняла лежащие там документы в стопку. Затем протянула папку Линли и сказала:

– Очень хорошо. Это твоя копия. У меня есть еще одна. И сделай то, что должен.

Южный Хокни,
Лондон

Линли был полон гнева и огорчения, думая о том, как выглядит в глазах других людей и чего они от него ждут. Он спрашивал себя, каким представляет его себе его старый партнер Барбара Хейверс. Естественно, она ожидала, что он будет держать язык за зубами, встанет на ее сторону и будет для нее палочкой-выручалочкой, несмотря на то, что она сделала и как глубоко влипла в эту историю. Подобные ожидания с ее стороны злили Томаса: не только потому, что они у нее были, но и потому, что он сам – своими действиями в прошлом – приучил ее к таким ожиданиям. И как это, думал он про себя, характеризует его как офицера полиции?

Линли не мог понять, что именно та информация, которая содержалась в отчетах Джона Стюарта, говорила о Барбаре, и что он должен был делать с этой информацией. Томасу было необходимо все это тщательно обдумать, и он не мог сделать этого, стоя в коридоре перед дверью кабинета Изабеллы Ардери, поэтому инспектор спустился на подземную парковку – избегая общения с кем бы то ни было, – и забрался в «Хили Эллиот». Здесь он открыл папку и еще раз, самым внимательным образом, прочитал все документы, пытаясь изо всех сил понять, что они значили, помимо того, что в них вкладывал детектив инспектор Стюарт. А вкладывал он тот смысл, что Барбара была живым воплощением абсолютной самостоятельности во всем, что касалось ведения расследования, когда она считала это правильным.

С самого начала Барбара наделала массу ошибок во всем, что было связано с похищением Хадии в Италии, хотя и делала это с самыми благими намерениями. Прежде всего, как личный крот Корсико в Управлении, она выдала всю историю ему и его грязной газетенке. Конечно, она сделала это потому, что хотела надавить на Изабеллу, чтобы та отправила ее в Италию, и Томас спрашивал себя, что же это дополнительно говорит о Барбаре? Это, что, было проявлением ее любви к Хадии? Или ее любви к Ажару? Или, во что было гораздо трудней поверить, это говорило о ее собственном участии в похищении, по причинам, которые ему только предстоит выяснить? И почему, во имя всего святого, она не упомянула о билетах в Пакистан в присутствии Изабеллы? Понятно, что Барбара защищает Ажара, по той одной-единственной причине, которая гораздо больше, чем любовь или нелюбовь Барбары к Ажару: она делала это потому, что Ажар действительно *нуждался* в защите в деле о похищении его дочери. Но разве не правда то, что он сам, детектив инспектор Томас Линли, тоже ничего не сказал Изабелле о билетах в Пакистан? Поэтому, если Барбара защищала Ажара по каким-то своим причинам, не защищал ли он в свою очередь Барбару?

Линли прекратил мучиться всеми этими «почему» и «отчего» и решил сосредоточиться на проблеме, требующей его немедленного внимания: отчет Стюарта и содержащаяся в нем информация. Среди всего прочего, о чем Барбара не упомянула в кабинете Ардери, было ее посещение Южного Хокни и встреча с человеком, которого соглядатай Стюарта назвал Брайаном Смайтом. В отчете указывались дата и продолжительность визита, а еще то, что сразу после этого Барбара направилась к Дуэйну Доути в Боу. Поэтому Линли показалось, что логично будет начать с Брайана Смайта. Но Томасу пришлось признаться самому себе в том, что ему противно начинать дело, которое может привести к увольнению Барбары. Это настолько давило на него, даже в физическом плане, что вставить ключ в замок зажигания «Хили Эллиота» казалось ему невыполнимой задачей. Как же они дошли до жизни такой, спрашивал он себя. Барбара, Барбара, повторял он, что же ты наделала?

Линли не мог заставить себя даже думать об ответе на этот вопрос и сосредоточился на поездке в Южный Хокни, под звуки известной программы на Радио-4, в которой международные знаменитости соревновались друг с другом в чувстве юмора. Это было слабой заменой тому, что ему действительно хотелось – полному отключению от каких-либо мыслей, – но приходилось довольствоваться тем, что было в его распоряжении.

Томас легко нашел улицу, на которой жил Брайан Смайт. Это было не то место, где хотелось бы парковать машину; напротив, вид улицы был настолько ужасен, что ему пришлось заставить себя остановить «Хили Эллиот» у тротуара и надеяться на лучшее.

Единственное, что Линли понял из действий Барбары в день посещения Смайта, было то, что, независимо от того, кто был этот парень, он тоже каким-то образом был замешан во всю эту историю с похищением Хадии, Ажаром и Италией. Никакого другого объяснения, почему Барбара встретилась с ним и тут же поехала к Дуэйну Доути, не существовало. Поэтому Томас предвидел, что Смайт может пойти в несознанку, и надо приготовиться, чтобы иметь возможность сломать все те защитные барьеры, которые может выставить хакер, начиная с того момента, когда откроет ему входную дверь.

Смайт был ничем не выдающимся и абсолютно обыкновенным, за исключением, пожалуй, его перхоти. Она действительно производила впечатление. Линли не встречал ничего подобного с момента своей учебы в Итоне, когда Тредвей «Вечные Снега» читал у него курс по истории.

Он достал удостоверение и представился. Смайт несколько раз перевел взгляд с удостоверения на Линли и обратно. Он ничего не сказал, но челюсти его сжались. Он взглянул на улицу за спиной Линли. Инспектор сказал ему, что хочет переговорить. Смайт ответил, что занят, однако в его тоне слышалось... раздражение?

– Это ненадолго, мистер Смайт, – сказал Линли. – Если вы позволите войти...

«Нет, не позволю», – так звучал бы правильный ответ, сопровождаемый захлопываемой дверью и звонком адвокату. Даже «а в чем, собственно, дело?» могло бы сойти за нормальную реакцию невинного человека. Можно было бы также притвориться, что по соседству что-то произошло и визит офицера полиции в этой связи никого не удивляет. Но ничего из вышеперечисленного Смайт не сделал, потому что преступники никогда не думают о тех ответах, которые может дать невиновный человек, когда к нему неожиданно приходит полицейский. Смайт отошел в сторону и нетерпеливым кивком головы показал Линли, что он может зайти.

Внутри Томас увидел впечатляющую коллекцию картин в стиле Ротко[1] и несколько предметов искусства. Не совсем то, что ожидаешь увидеть в гостиной квартиры в Южном Хокни. Многие окружающие здания требовали незамедлительного ремонта, а дом, в котором жил Смайт, просто нуждался в немедленном восстановлении. Удивительно было то, что в этом доме Смайту полностью принадлежала терраса и что он уже успел проникнуть в соседний, в котором собирался устроить выставочный зал. Деньги он явно гребет лопатой. Но за что? Линли сомневался, что они могут быть заработаны честным путем. Он обратился к хозяину:

– Ваше имя, мистер Смайт, всплыло в процессе расследования дела о похищении ребенка в Италии.

Реакция Смайта была мгновенной. Он, не задумываясь, ответил:

– Я ничего не знаю ни про какое похищение в Италии. – При этом его адамово яблоко совершило судорожное движение, выдавшее правду.

– Вы что, не читаете газет?

---

[1] Ротко, Марк (1903–1970) – американский художник, один из создателей живописи цветового поля.

– Иногда. Но не в последнее время – я был очень занят.

– Чем же?

– Занимался своей работой.

– И она состоит в?..

– Это конфиденциальная информация.

– Но ваша работа связана с человеком по имени Дуэйн Доути?

Смайт ничего не сказал. Он оглядел комнату, как будто размышляя, который из его экспонатов сможет понадежнее отвлечь Линли от его собственной персоны. Возможно, что именно в этот момент Смайт горько сожалел, что впустил Линли в дом. Он сделал это, рассчитывая таким образом показать, что невиновен. Как будто такая демонстрация могла убедить кого-нибудь в чем-нибудь, кроме того, что хозяин дома полный идиот.

– Мистер Доути связан с этим похищением в Италии, – сказал Линли. – А вы связаны с мистером Доути. Так как ваша работа, – жест в сторону самой комнаты и картин, развешанных по ее стенам, – очевидно, приносит неплохой доход, это заставляет меня предположить, что она связана с нарушением некоторых законов.

Совершенно неожиданно для Линли Смайт пробормотал:

– Господи, черт его дери, боже.

Инспектор удивленно поднял бровь. Он не ожидал, что преступник позовет на помощь Спасителя, да еще и в такой форме. Последующее выступление хозяина тоже было неожиданным.

– Я не знаю, кто вы, но давайте сразу договоримся: я не подкупаю полицейских, что бы вы себе ни думали.

– Очень приятно это слышать, – ответил Линли, – потому что я пришел сюда не для того, чтобы меня подкупили. Но, думаю, вы понимаете, что подобное предположение с вашей стороны ни в коем случае не объясняет вашего сотрудничества с мистером Доути. Оно говорит только о том, что то, чем вы здесь занимаетесь, нарушает закон.

По какой-то причине Смайт долго это обдумывал. Причина частично стала понятной, когда он сказал:

– Это она дала вам мое имя?

– Она?

– Мы оба знаем, о ком я говорю. Вы из полиции. Вы коп. Она тоже. А я не дурак.

«Да уж, не совсем, – подумал Линли. – Он наверняка говорит о Хейверс. Ну что же, это еще одна ниточка».

– Мистер Смайт, все, что я знаю, это то, что к вам пришла офицер полиции Метрополии и сразу после беседы с вами прямиком направилась в офис частного детектива по имени Дуэйн Доути, который – чуть раньше – занимался розысками английской девочки, пропавшей в Италии. Имя этого человека – Доути – было названо при допросе гражданина Италии, задержанного по тому же делу о похищении. Поэтому связь Смайт – Доути требует объяснения. А это моя работа. Кроме того, возникает вопрос, необходимо ли также искать объяснение связи Смайт – Доути – арестованный в Италии. И это тоже входит в круг моих обязанностей. Честно сказать, я ничего не знаю о том, что происходит здесь, но надеюсь, что вы мне это расскажете.

Увидев, что лицо Смайта после этих слов расслабилось, инспектор добавил:

– Поэтому я искренне рекомендую вам рассказать все, чтобы в своем отчете командиру мне не пришлось писать о том, что с вами требуется дополнительная работа.

– Я же уже сказал – иногда я работаю на Доути. Но это конфиденциальная работа.

– А вы опишите ее в общих чертах.

– Я собираю информацию по тем делам, которые он расследует. Затем передаю эту информацию ему.

– А что это за информация?

– Конфиденциальная. Он сыщик. Он расследует деятельность других людей. Эти люди оставляют следы, и я... Скажем так, я создаю цепочки этих следов.

Следы в нынешние времена могли значить только одно.

– В Паутине? – спросил Линли.

– Боюсь, что это конфиденциальная информация, – ответил Смайт.

– Вы прямо как священник, – тонко улыбнулся Томас.

– Что ж, неплохая аналогия.

– А Барбара Хейверс? Вы и ее духовник тоже?

Смайт выглядел ошарашенным. Он совершенно не рассчитывал, что река потечет в таком направлении.

– При чем здесь она? Очевидно, что она коп, которая пришла сначала ко мне, а потом к Дуэйну Доути. Это вам уже известно. Ну, а что касается того, что я ей сказал и из-за чего она направилась к Доути... Если я в своей работе не буду соблюдать конфиденциальность, инспектор... Простите, как вы сказали, вас зовут?

– Томас Линли.

– Инспектор Линли. Так вот, если я не буду соблюдать конфиденциальность, то я человек конченый. Думаю, что вы это понимаете, а? Если подумать, то это немного похоже на вашу собственную работу.

– Наверное, вы правы. Но меня не интересует, что вы ей сказали, мистер Смайт. По крайней мере, не сейчас. Меня интересует, почему она оказалась на вашем пороге.

– Из-за Доути.

– Он что, послал ее к вам?

– Вот это вряд ли.

– В этом случае она пришла сама. Рискну предположить, что за информацией. Ведь если вы работает на Доути, то информация – это ваш бизнес. Кажется, мы прошли по полному кругу в нашей беседе, и мне остается только повторить: информация приносит вам очень неплохие деньги. Поэтому – и глядя на ваш дом – я предупреждаю, что рано или поздно вы попадете в беду.

– Вы это уже говорили.

– Да, я не забыл. Но ваш мир, мистер Смайт, – Томас оглядел квартиру, – в ближайшее время ожидает сильное землетрясение. В отличие от сержанта Хейверс, я пришел к вам не по своей воле. Меня прислали, а я думаю, что вы можете сложить два и два и понять, зачем. Вы попали в зону действия радара полиции Метрополии. Понятно, что это не доставит вам большой радости. Объясняю это понятным вам языком: вы живете в карточном доме, а ураган уже начинается.

– Так вы наводите справки о ней? – спросил Смайт с очевидным облегчением. – Не обо мне, не о Доути, а о ней?

Линли не ответил.

– И если я скажу вам...

– Я не собираюсь ни о чем договариваться, – прервал его Томас.

– А тогда с какого перепугу я...

– Вы можете поступать, как вам будет угодно.

– Какого черта вам от меня надо?

– Просто правду.

– Правда не бывает простой.

Линли улыбнулся.

– Как однажды сказал сам Оскар[1]. Но давайте тогда я сам все объясню. По вашему собственному признанию, вы ищете следы и составляете их цепочки для Дуэйна Доути – и, полагаю, не только для него. Поскольку, судя по вашему жилищу, это приносит вам отличные дивиденды, я думаю, что вы не только создаете цепочки, но и разрушаете их, удаляя следы. За это вы берете значительно дороже. Поскольку Барбара Хейверс была здесь у вас, я подозре-

---

[1] Английский писатель Оскар Уайлд (1854–1900). Линли имеет в виду фразу из его пьесы «Как важно быть серьезным» (1895).

ваю – судя по некоторым зияющим пропускам в ее отчетах, – что она наняла вас для разрушения и удаления. Все, что мне надо, – подтверждение этого факта. Простой кивок головы.

– Или?..

– Что?

– Ну, всегда есть «или», – сердито сказал хакер. – Так назовите это «или», ради всего святого.

– Я уже упомянул ураган – думаю, этого достаточно.

– Какого *черта* вам надо от меня?!

– Я уже сказал...

– Нет! Нет! У вас и таких, как вы, всегда есть еще что-то в заначке. Сначала пришла она, и я согласился на сотрудничество. Потом она пришла с ним, и я опять согласился. Теперь появляетесь вы – и когда же все это закончится?

– С ним?

– Ну да, с этим грязным паком[1]. Сначала она пришла одна. Потом притащила его. Теперь здесь вы, и, если так будет продолжаться, следующим ко мне заявится премьер-министр.

– Она была здесь с Ажаром? – Этого в отчете не было, и Линли не мог понять, как Стюарт это пропустил.

– Ну да, она была здесь с этим Ажаром.

– Когда?

– Сегодня утром. А вы когда думали?

– И что ей было надо?

– Моя резервная система. Каждая запись, вся моя работа. Назовите что угодно – и выяснится, что ей и это было надо.

– И все?

Компьютерщик отвернулся и подошел к одной из картин – это был большой красный холст с голубым мазком внизу, который таинственным образом переходил в пурпурную дымку. Смайт смотрел на нее, пытаясь предугадать, что с ней случится, когда сотрудники полиции начнут обыскивать помещение.

– Как я уже сказал, – заговорил он, обращаясь скорее к картине, чем к инспектору, – она тоже хотела нанять меня. На разовую работу.

– А именно?

– Работа сложная. Я ее еще не выполнил. Более того, даже не начинал.

– Ну, тогда рассказ о ней не составит для вас... этической или моральной проблемы.

---

[1] Пакистанцем.

Смайт все еще смотрел на картину. Линли заинтересовался, что он мог там увидеть. И вообще, что может видеть человек, пытающийся интерпретировать намерения другого? Наконец Смайт со вздохом сказал:

– Изменение банковской информации, журналов телефонной мобильной связи. А также изменение даты.

– Что за изменение даты?

– На авиабилете. На двух авиабилетах.

– Не уничтожение этих билетов?

– Нет. Просто изменение даты. Это, и еще превращение их в круговые.

Вот и объяснение тому, подумал Линли, почему Барбара ничего не сказала Изабелле об этих двух билетах в Пакистан, зафиксированных SO-12. Если с ними поработать, то вина Ажара полностью исчезнет, особенно если изменить дату покупки. Поэтому Томас спросил:

– Дату покупки или полета? – И стал ждать ответа, который уже знал.

– Покупки, – ответил хакер.

– Мы говорим об изменениях в базе данных авиакомпании или где-то еще, мистер Смайт?

– Мы говорим о базе данных SO-12, – был ответ.

Южный Хокни,
Лондон

Он бросил курить задолго до того, как они с Хелен поженились. Но сейчас, когда Линли стоял с ключом от машины в руке, он жаждал закурить. В основном для того, чтобы чем-то занять себя, а не потому, что чувствовал физиологическую потребность. Но сигарет у него не было, поэтому Томас сел в машину, опустил стекло и уставился на лондонскую улицу невидящим взглядом.

Он понял, почему визит Барбары с Таймуллой Ажаром не был включен в отчет Стюарта. Этот визит состоялся только утром, что объясняло опоздание Барбары на встречу в Ярде. Но Томас не сомневался, что Стюарт включит его в дополнение, которое вручит Изабелле в подходящий момент. Единственным вопросом было, что он, инспектор Линли, сам собирается с этим делать, если вообще собирается что-то делать. Очевидно, что остановить Стюарта невозможно. Можно было только подготовить Изабеллу.

В этом смысле Томас видел только два варианта: первый – он выдумывает какую-то причину, по которой Барбаре надо было посетить Смайта; второй – сообщает Изабелле о том, что ему удалось узнать. И будь что будет.

Линли попросил у командира возможности во всем разобраться, но в чем сейчас надо разбираться? Единственным положительным результатом его посещения Смайта было то, что хакер теперь отказался от мысли попытаться что-то изменить в базе данных SO-12, если у него вообще была возможность в нее проникнуть. Хоть этого пятна на биографии Барбары не будет. А что касается всего остального... Правда состояла в том, что он не знал, как глубоко во все это влезла Барбара. Существовал только один способ узнать, но Томас совсем не хотел его использовать.

Он никогда не боялся жесткой конфронтации, и поэтому спрашивал себя, откуда сейчас взялась его трусость. Ответом являлось его многолетнее сотрудничество с Барбарой. Было очевидно, что она слетела с катушек, но годы работы с ней говорили ему, что человек она правильный. «И что же, ради всего святого, мне со всем этим делать?» – спрашивал он себя.

Лукка,
Тоскана

Отстранение Сальваторе от расследования превратило его в корабль без гавани. Это заставляло старшего инспектора каждое утро прохаживаться у комнаты, где Никодемо проводил утреннюю пятиминутку, пытаясь услышать хоть что-то, что позволяло понять, как идет расследование. То, что ребенок вернулся к родителям здоровым и невредимым, не играло никакой роли. Существовали вещи, которые необходимо было понять. К сожалению, Никодемо Трилья был не тем человеком, который мог разобраться во всем этом.

Проходя вдоль комнаты уже в пятый раз за утро, Сальваторе увидел Оттавию Шварц. Он был рад, что через несколько минут она разыскала его. Еще больше его порадовали первые же слова молодой женщины: «*Merda*. Это дорога в никуда». Однако, в соответствии с корпоративной этикой, он пробормотал:

– Дай ему немного времени, Оттавия.

Она сплюнула, что, по-видимому, должно было означать «как прикажете», и проговорила:

– Даниэль Бруно, *Ispettore*.

– Человек с Лоренцо Мурой в Парко Флувиале.

– Да. Семья с очень большими деньгами.

– Бруно? Но это не старые деньги, не так ли? – Под этим подразумевалось, что состояние семьи пришло не из глубины веков.

– Двадцатый век. Капитал заработал прапрадедушка. Сейчас остались пятеро праправнуков, и они все работают в семейном бизнесе. Даниэль – директор по продажам.

– Чем они занимаются?

– Производство медицинского оборудования. И оно хорошо продается, если верить собственным глазам.

– Что ты имеешь в виду?

– Я имею в виду, что они все живут на собственном участке, недалеко от Камайоре. Большой участок с несколькими домами, обнесенный каменной стеной. Все женаты, и у всех дети. У Даниэле их трое. Его жена – бортпроводница на маршруте Пиза – Лондон.

Сальваторе почувствовал некоторое возбуждение, услышав слово «Лондон». В этом что-то было. Может быть, и немного, но что-то. Он велел Оттавии проверить жену. Однако это надо сделать очень тихо.

– Сможешь, Оттавия?

– Конечно.

Ее голос звучал несколько обиженно. Конечно, она это сделает, а уж что касается секретности, то это ее вторая натура.

Как только они расстались, Сальваторе позвонил детектив инспектор Линли. Он объяснил, что, так как его не поставили в известность о том, кто заменил Сальваторе, то он будет благодарен, если старший инспектор передаст кому надо информацию, которую они разыскали в Лондоне...

Между строк Сальваторе прочитал, что Линли просто информировал его о происходящем. Он подыграл англичанину, заверив того, что обязательно передаст все, что Томас ему сообщит.

– *Non e tanto*[1], – сказал Линли. Частный детектив, которого назвал Ди Массимо, заявляет, что нанял итальянца для поисков девочки в Пизе, но итальянец сообщил ему, что след потерялся в аэропорту. В доказательство всего этого детектив пошлет Сальваторе свой полный отчет.

– Он утверждает, – сказал инспектор, – что все, что происходило после того, как Ди Массимо сообщил ему о потере следа в Пизе, было инициативой самого Ди Массимо и поэтому он – Доути – ничего об этом не знает, и не существует никаких улик, которые говорили бы об обратном.

– Как такое может быть?

[1] Не очень много (*итал.*).

– Здесь, в Лондоне, к делу подключили одного компьютерного гения, Сальваторе. Очень высоки шансы, что он уничтожил все следы их коммуникаций. Конечно, они где-то существуют, но только богу известно, на какой резервной системе. Конечно, со временем мы, наверное, сможем их разыскать, но мне кажется, что если вы хотите быстро закончить расследование, то вам следует активизироваться в Лукке. И все, что вы там сможете обнаружить... Это должно быть очень весомым.

– *Chiaro*. – сказал Сальваторе, – *Grazie, Ispettore*. Но, как вы знаете, теперь это дело не в моих руках.

– Надеюсь, что оно все еще в ваших мыслях и в вашем сердце.

– Безусловно, – ответил Сальваторе.

– Ну, вот поэтому я и буду вас информировать. А вы можете передавать эту информацию Никодемо по вашему усмотрению.

Сальваторе улыбнулся. Лондонский полицейский был очень хорошим человеком. Ло Бьянко рассказал Линли о жене некого Даниэля Бруно: стюардесса на рейсах Пиза – Гатвик, Лондон.

– Любые связи с Лондоном должны быть внимательно изучены, – заключил Томас. – Дайте мне ее имя, и я посмотрю, что мы можем сделать со своей стороны.

Сальваторе продиктовал имя. Они разъединились, пообещав держать друг друга в курсе. А меньше чем через пять минут Ло Бьянко получил новую информацию.

Лукка,
Тоскана

Она поступила от капитана *carabinieri* Миренда. Ее привез курьер. Это была копия оригинала открытки, которая находилась у капитана. Кроме того, там находилась записка, о которой капитан Миренда сообщала, что они нашли ее после тщательного обыска комнат над стойлами на вилле Ривелли. Все это было изложено на первой странице из трех, зажатых скрепкой. Сальваторе убрал первую страницу и посмотрел, что же ему прислали.

На второй странице был ксерокс первой и последней страницы открытки со смайликом, сложенной таким образом, чтобы уместиться на одном листе писчей бумаги. На самой открытке ничего не было написано. Сальваторе перевернул ее и уставился на третью страницу. На ней был ксерокс записки, которая была вложена в открытку. Она была написана от руки и на английском. Сальваторе не мог перевести ее в точности, но узнал ключевые слова.

Ло Бьянко сразу же перезвонил Линли. Он знал, что должен был переговорить с Никодемо Трильей – не только потому, что у него в руках находилась улика, которая может оказаться решающей для проводимого расследования, но и потому, что Трилья, в отличие от Сальваторе, говорил по-английски. Но старший инспектор считал, что отвечает услугой на услугу, и когда Линли взял трубку, прочитал ему записку:

Не бойся и иди с мужчиной, который передаст тебе эту открытку, Khushi.

Он приведет тебя ко мне.

Папа

– Боже, – сказал Линли, затем перевел записку на итальянский. – Теперь осталось проверить почерк, Сальваторе. Записка написана от руки?

– Да, она была написана от руки, и им срочно нужен образец почерка пакистанца. Не может ли *Ispettore* Линли достать образец? Не может ли он переслать его по факсу? Не может ли он...

– *Certo*, – ответил Линли. – Но, мне кажется, все можно сделать проще и быстрее, Сальваторе. Таймулла Ажар заполнял анкету при поселении в пансионат в Лукке. Ведь это требование итальянского закона, не так ли?

Эти бумаги должны быть у синьоры Валлера. Конечно, там не очень много написано, но, может быть, этого будет достаточно для начала?

Сальваторе ответил, что сейчас же займется этим. А кроме того, перешлет Линли открытку и ее содержание в том виде, в котором сам получил их.

– А где оригинал? – спросил Томас.

– Оригинал у капитана Миренда.

– Ради бога, попросите ее, чтобы хранила его как зеницу ока, – попросил Линли.

Сальваторе отправился в Пенсионе Жардино на своих двоих. Это было детской попыткой договориться с судьбой: если он поедет на машине, то в *pensione* не найдется ни одной бумаги, написанной рукой отца Хадии Упман; если же он пойдет пешком, то найдет там что-то, что позволит провести сравнение почерков.

Придя, Сальваторе увидел, что *anfiteatro* полон солнца и деятельности. Большая группа туристов окружала гида в середине площади. Люди входили и выходили из магазинов в поисках сувениров, и большинство столиков в кафе были заняты. Начинался туристический сезон, и в течение следующих недель все больше и больше туристов будут ходить по городу, как цыплята, сопровождая своих гидов.

Сильно беременная владелица Пенсионе Жардино мыла окна, а рядом с ней, в коляске, находился маленький ребенок. Она занималась своим делом с большим усердием – ее чистая смуглая кожа была покрыта пленкой пота.

Сальваторе вежливо представился и спросил, как ее зовут. Женщину звали синьора Кристина Грация Валлера и, *si, Ispettore*, она помнила двух англичан, живших в ее *pensione*. Это были английский полицейский и взволнованный отец маленькой девочки, которую похитили здесь, в Лукке. Благодаря Господу, все ведь закончилось хорошо, правда? Девочку нашли живой и здоровой, и все газеты с удовольствием писали о счастливом завершении истории, которая могла бы иметь совсем другой, трагический конец.

– Да, да, – ответил Сальваторе. Он объяснил, что пришел проверить некоторые последние детали и хотел бы ознакомиться с любыми документами, заполненными отцом девочки, которые имеются в распоряжении синьоры. Если у нее есть еще какие-нибудь бумаги в дополнение к этим документам, она им очень поможет.

Синьора Валлера вытерла руки голубым полотенцем, засунутым за фартук, кивнула на вход в *pensione*, поставила коляску в прохладное место внутри здания и предложила Сальваторе присесть в столовой, пока она будет искать бумаги. Ло Бьянко отказался от предложенной ему чашечки кофе и сказал, что, пока она ищет, он поиграет с ее *bambino*[1].

– Как его зовут? – вежливо спросил он, бренча ключами перед глазами ползунка.

– Грациэлла, – ответила хозяйка

– *Bambina*[2], – поправился Сальваторе.

Грациэлла не особо заинтересовалась ключами от машины Сальваторе. Ничего, через несколько лет, подумал Ло Бьянко, она будет счастлива, когда такие ключи будут звенеть у нее перед глазами. Хотя она смотрела на них с любопытством. С таким же любопытством девочка смотрела и на Сальваторе, который издавал губами чириканье птиц, – удивляясь, что такие звуки исходят от взрослого дяди.

---

[1] Малыш (*итал.*).

[2] Малышка (*итал.*).

Через несколько минут синьора Валлера вернулась. В руках у нее была регистрационная книга, в которой ее гости записывали свои имена, почтовые адреса и – по их желанию – адреса электронной почты. Она принесла также заполненный вопросник, который лежал в номере. По этим вопросникам синьора Валлера определяла, что ей надо улучшить в работе ее заведения.

Сальваторе поблагодарил ее, отошел с этими бумагами к столу у окна, которое только что вымыла хозяйка, сел и достал из кармана бумагу, которую ему прислала капитан Миренда. Он начал с регистрационной книги, а затем перешел к вопроснику, в котором Таймулла Ажар благодарил хозяйку за ее доброту и добавлял, что он ничего не стал бы менять в ее заведении, за исключением причины, по которой ему пришлось в него приехать.

Больше всего Сальваторе заинтересовал вопросник. Он поместил его рядом с копией записки, которую ему прислала капитан Миренда, глубоко вздохнул и начал свое сравнение. Ло Бьянко не был экспертом, но этого и не требовалось. Почерки были идентичными.

МАЙ, 8-е

Чолк-фарм,
Лондон

Барбара Хейверс летела домой после семи безуспешных попыток связаться с Таймуллой Ажаром. Седьмой звонок, так же как и предыдущие шесть, ничего не дал – записанный голос просил оставить информацию. На этот раз она ничего не стала наговаривать на автоответчик. Послание «Ажар, срочно перезвоните мне», которое она оставляла раньше, ни к чему не привело – он или не собирался отвечать, или был уже на пути в Италию.

Информация из Лукки пришла на мобильный Линли. Барбара видела, что он ответил на звонок, и заметила, как внезапно изменилось его лицо. Она также заметила, как он посмотрел на нее перед тем, как выйти из комнаты.

Хейверс пошла за Томасом и увидела, как он сделал то, что она от него и ожидала: вошел в кабинет Изабеллы Ардери.

Это было плохо, как и все то, что происходило в предыдущие дни.

В течение двух дней Брайан Смайт сообщал, что его попытки взломать систему SO-12 были безуспешными. Он объявил, что испробовал все возможные варианты, но в случае с SO-12 защита полиции Метрополии была непробиваема. Естественно, он сделает все, что обещал, с личными данными и банковской информацией, потому что для этого не требовалось интеллекта Энштейна, но вот относительно того, что касалось документов антитеррористической группы... Забудьте, сержант. Это невозможно. Мы говорим о национальной безопасности. Эти ребята работают в тесном сотрудничестве с MI-5[1], и в своей системе они дыр не оставляют.

Барбара ему не верила. Что-то в его голосе говорило ей, что все не так просто.

Брайан также заявил, что, так как он сделал все возможное – и хоть и не смог помочь, но при этом выказал свою добрую волю к сотрудничеству и сделал все, что было в его силах, чтобы помочь ей, – он хочет, чтобы Барбара вернула ему все его резервные копии, которые он ей передал.

Именно эта поспешность и выдавала его. Но «так не пойдет, Брайан» ничего ей не дало.

– Вы глубоко влипли, я тоже. Поэтому нам надо защищать друг друга, – был его мгновенный ответ.

Больше Смайт ничего не сказал. Но то, что он сказал это Барбаре, у которой имелась информация, достаточная для того, чтобы запереть его в тюрьму на долгие годы, свидетельствовало о том, что у него была какая-то информация против нее. И эта информация, по-видимому, отличалась от той, которая была у Доути: записи ее невинного визита.

– В чем дело, Брайан? – резко спросила Барбара.

– Сначала верните мои флешки, – ответил компьютерщик. – А потом я с удовольствием поговорю с вами на эту тему.

– Вы что, пытаетесь меня шантажировать?

– Если ложишься в постель с вором, то не жалуйся, если утром не найдешь свою пижаму, – спокойно ответил он. – Одним словом – или лучше тремя, – теперь все изменилось.

– Тогда я повторяю свой вопрос: что происходит?

– А я повторю то, что уже сказал: верните мне мои флэшки.

– Вы же не хотите сказать, что это ваша единственная резервная копия, Брайан? У такого, как вы?.. Вы не можете сделать такой ошибки.

– Дело не в этом.

– В чем же тогда?

---

[1] Служба безопасности – государственное ведомство британской контрразведки.

– Дело в тех ошибках, которые совершили вы сами, а не в тех, которые хотите повесить на меня. И точка.

Это было его последним словом. Теперь Барбаре надо было понять, блефует ли он по поводу якобы совершенных ею ошибок. На его месте она блефовала бы во всем. Но на его же месте Хейверс знала бы, что информация с его флэшек может быть переписана десятки раз, поэтому какой смысл настаивать на их возвращении? И зачем было на этом настаивать, когда Смайт понимал, что она все равно их не вернет? Ведь верни Барбара ему эти копии, у нее не останется никаких способов влиять на него. Поэтому она сказала:

– Я все-таки подержу их у себя, пока вы не выполните свои обещания. Я имею в виду SO-12. Я не верю, что вы не можете этого сделать, и я не верю, что у вас нет других дружков-хакеров. Если сами не можете, то найдите того, кто сможет. Поэтому берите трубку – или как вы там вызываете друг друга, – и найдите кого-то погениальнее вас.

– Вы не очень хорошо меня слушаете, – ответил Брайан. – Если я это сделаю, то мне конец. Но, и это очень важно, конец придет и вам. Понятно излагаю? Если я поменяю эти билеты, вам наступит конец, сержант. Хотя мы оба и так почти что кончились. Доказательство этому – резервная копия, которая, находясь в ваших руках, в свою очередь доказывает, что вам конец, потому что вы насквозь прогнили. На этой копии записано все то, что я уже рассказал копам. А то, что вы не даете ей ходу, – это ваш смертный приговор. Ну что я должен еще сделать, чтобы вы это, наконец, поняли? Я зарабатываю себе на жизнь тем, что находится за гранью закона. Но то, что делаете вы, вы *вынуждены* делать не для того, чтобы заработать себе на жизнь. Вся эта долбаная конструкция уже разрушилась к чертовой матери. И если бы в вас была хоть частичка долбаного разума, вы давно мне все вернули бы, да еще и убедились бы, что ни у кого нет лишней копии.

Услышав это, Барбара стала лихорадочно вспоминать. Информация о Дуэйне Доути и его веселой команде, которую она передавала Линли, когда тот был офицером связи, была достаточно дозированной. О самом Смайте Томас просто ничего не знал. Хейверс старательно прикрывала себя, стараясь тщательно выполнять все задания, которые давал ей инспектор Стюарт. Даже там, где она чувствовала себя не очень уверенно – в истории с падением ее матери – Барбара не ожидала, что земля под ней вдруг провалится. Нет, она должна идти вперед, придерживаясь выработанного плана, и вытащить Ажара из всего этого дерьма.

– Или найдите гения, или сделайте всё сами, – сказала Барбара хакеру из Южного Хокни. Она не собиралась позволять Ажару сесть в тюрьму за кражу собственного ребенка.

Эта мысль звучала в ее голове, пока сержант ехала домой. Она поблагодарила небеса, увидев машину Ажара рядом с домом. Она поблагодарила их еще раз, когда, выскочив из машины – которую припарковала сразу же за машиной пакистанца, чтобы заблокировать ему выезд, – и пробежав под аркой, увидела, что большие французские окна его квартиры открыты.

Барбара поспешила в дом. На пороге квартиры она его окликнула. Профессор вышел из спальни, как будто материализовался из тени. Один взгляд на его лицо, и Барбара поняла, что он уже все знает. Линли обещал ей, что не будет пытаться связаться с Ажаром, но он также сказал, что с ним, возможно, свяжутся итальянцы. Или, может быть, Лоренцо Мура. В любом случае, видно, что он уже знает.

– Мне позвонил инспектор Ло Бьянко с соболезнованиями, – рассказал Ажар.

– Он что-нибудь сказал про Хадию? – спросила Барбара.

– Только то, что она сейчас находится с Мурой.

– Ради бога, как это произошло? – потребовала она. – Мы же не в долбаном девятнадцатом веке живем. Женщины не должны умирать от токсикоза.

– С этим все согласны.

– То есть?

– Будет произведено вскрытие.

– Что же с ней все-таки случилось, Ажар?

Он подошел к Барбаре, и она, не задумываясь, обняла его. Таймулла был словно деревянный.

– Анжелина никого не слушала, – сказал он. – Лоренцо хотел, чтобы она осталась в больнице, но она на это не согласилась. Думала, что знает все лучше всех, а оказалось, что ничего не знала.

– А как Хадия? Вы с ней говорили? – Хейверс отпустила его и посмотрела ему в лицо. – Кто позвонил вам с новостями? Лоренцо?

Пакистанец покачал головой.

– Ее отец.

– Боже мой, – прошептала Барбара. Она могла представить, как проходила беседа с отцом Анжелины. Что-то вроде: она *мертва*, ты, грязный ублюдок, и так как это из-за тебя она уехала в Италию, то надеюсь, ты захлебнешься шампанским, которое сейчас хлещешь от радости.

– Но что же с ней все-таки произошло? – повторила Барбара и провела Ажара в гостиную, где усадила на софу и присела рядом. Казалось, что он все еще убит новостями, но отчаянно пытается собраться и прийти в себя. Хейверс положила свою руку на его, а затем взяла за предплечье.

– Отказали почки, – объяснил Таймулла.

– Да как такое могло произойти? Почему доктора не разобрались? Ведь должны же быть какие-то симптомы.

– Я не знаю. Очевидно, беременность протекала тяжело. Когда Анжелина носила Хадию, все тоже было не гладко. Когда ей стало хуже, она решила, что отравилась. Потом ей стало лучше – или она так сказала, – но я думаю, может быть... Это все было из-за Хадии.

– Болезнь?

– Желание выписаться. То, что она на этом настаивала. Как она могла оставаться в больнице, когда Хадия была украдена и когда Хадия – а не свое собственное здоровье, – была для нее в тот момент самым главным. Поэтому к тому моменту, когда Хадию нашли живой и здоровой, и к тому моменту, когда ей самой опять стало хуже, было слишком поздно. – Ажар посмотрел на Хейверс, его глаза были пусты. – Это все, что я знаю, Барбара.

– Вы говорили с Хадией?

– Я сразу же позвонил. Но он не позволил.

– Кто? Вы имеете в виду Лоренцо? Но это невозможно. Какое право он имеет не позволить... – Ее голос стих, и горло перехватило, когда она попыталась задать логичный вопрос. – Ажар, что же теперь будет с Хадией? Что вообще происходит?

– Родители Анжелины едут в Италию. Батшеба вместе с ними. Я думаю, что они уже в пути.

– А вы?

– Я укладывал вещи, когда услышал ваш голос.

Лукка,
Тоскана

Никодемо Трилья спокойно воспринял известие о смерти Анжелины Упман. Да, жалко, ну и что? Его заданием было расследовать похищение ребенка, а Никодемо никогда не отступал от своих заданий. До тех пор, пока ему не скажут, что между двумя этими событиями есть какая-то связь, он будет считать, что ее нет. Сальваторе знал о такой особенности этого человека. Туннельное видение Никодемо было легендарным, что делало его очень удобным для *il Pubblico Ministero* – и совершенно невыносимым для всех, кто с ним работал. Но сейчас это туннельное видение могло сработать на пользу Сальваторе.

В целях безопасности Ло Бьянко встречался с Цинцией Руокко на нейтральной территории. Пьяцца Сан Микеле была забита столиками кафе, смотрящими на белый *Chiesa di San Michele in Foro*[1], а в этот день людей привлекал еще и рынок одежды секонд-хенд, расположившийся у его южного придела. Поэтому площадь была полна как гостями Лукки, так и ее жителями, выискивающими дешевую одежду. Таким образом, его встреча с Цинцией пройдет незамеченной, что для Сальваторе было важным.

Лоренцо Мура сообщил ему о внезапной смерти Анжелины Упман поздно вечером накануне. Мужчина появился в Торре Ло Бьянко – старший инспектор не делал секрета из своего жилища – и бросился вверх по ступеням, после того как мать Сальваторе указала ему дорогу. Сальваторе наслаждался своим традиционным *caffe corretto*, когда шаги, громыхающие по лестнице, заставили его отвернуться от вида города.

Мура выглядел и вел себя как ненормальный. Сначала Сальваторе не понимал, о чем он говорит. Когда Лоренцо закричал: «Она мертва! Сделайте же что-то! Он убил ее!» – и стал в рыданиях колотить себя руками по голове, Сальваторе уставился на него в полном недоумении. Первая его мысль была о девочке.

– Кто? Как? – спросил он.

Лоренцо пересек крышу и схватил его за руку, промяв его мышцы чуть ли не до кости.

– Он сделал все это с ней. Он ни перед чем не остановится, чтобы заполучить своего ребенка. Вы что, не видите? Я знаю, что это он.

И тут Сальваторе понял то, что должен был понять, как только увидел Лоренцо. Тот говорил об Анжелине. Каким-то образом Анжелина умерла, и горе Муры совсем лишило его мужества. «Но как могло так случиться, что женщина умерла?» – спросил себя Сальваторе. Обращаясь к Лоренцо, он сказал: «Присаживайтесь, синьор», – и провел его к деревянной скамейке, стоящей на краю клумбы в середине крыши.

– Рассказывайте, – проговорил старший инспектор, подождал, пока Лоренцо успокоится и сможет рассказать ему, что же случилось.

---

[1] Церковь Святого Михаила в Форо (*итал.*).

«Анжелина очень ослабла, – рассказал Мура. – Стала впадать в подобие летаргического сна. Ничего не могла есть. Отказывалась уйти с веранды. Но продолжала заявлять, что скоро поправится. Она все время повторяла, что ей просто надо восстановить силы после всего этого ужаса, произошедшего с Хадией. А потом, в один прекрасный день, ее не смогли разбудить после *pisolino*. Вызвали «Скорую помощь». Она умерла на следующее утро в больнице».

– Это всё он сделал! – кричал Лоренцо. – Сделайте же что-нибудь, ради любви к Господу!

– Но, синьор Мура, – сказал Сальваторе, – почему же вы думаете, что кто-то может быть в этом замешан, не говоря уже о профессоре? Он же в Лондоне. И уехал уже давно. Скажите, а что говорят врачи?

– Да какое имеет значение, что они говорят! Он ее чем-то накормил. Что-то ей дал. Отравил ее, отравил воду у нас в доме, так, чтобы она умерла уже после того, как он уехал в Лондон.

– Но, синьор Мура...

– Нет! – закричал Лоренцо. – Я чувствую! Чувствую... Он притворился, что помирился с Анжелиной. Ему это было просто, потому что он все равно уже убил ее, и то, что он ей дал, уже было в ней, ожидая... просто ожидая... А когда он уехал, она умерла, и вот что произошло, и вы должны с этим что-то сделать.

Сальваторе обещал, что попытается выяснить, что произошло. И Цинция Руокко была его первой попыткой. Такая внезапная смерть... Они будут обязаны произвести вскрытие. Анжелина Упман находилась под наблюдением врача, это правда, но наблюдали ее по поводу беременности, и ее лечащий врач, естественно, никогда не подпишется под тем, что его пациентка умерла от беременности. Поэтому он, Ло Бьянко, встретится и поговорит с Цинцией Руокко, медицинским экспертом.

Сальваторе встал, когда увидел Цинцию, идущую по заполненной туристами площади. Боже, подумал он со своей обычной реакцией на нее, такая красавица – и режет трупы. Какое же сердце должно биться в ее груди...

Руокко относилась к женщинам, которые могут изуродовать свою красоту, а потом выставлять напоказ это уродство. На ней было платье без рукавов, поэтому следы кислоты, которую она вылила на свою руку, были хорошо видны. Эти шрамы позволили ей избежать свадьбы в Неаполе, на которой настаивал ее отец. Она об этом никогда не говорила, но Сальваторе проверял ее прошлое и возможные связи с каморрой. Было совершенно ясно, что Цинция Руокко никому не позволяет распоряжаться своей судьбой.

Сальваторе поднял руку, чтобы привлечь ее внимание. Женщина быстро кивнула и направилась к нему, не обращая внимания на те взгляды, которые бросались сначала на ее лицо и фигуру, а затем – на уродливые шрамы на ее руке. Она пожертвовала рукой, когда использовала кислоту. Рукой, но не лицом. В тот момент Цинция была в отчаянии, но она никогда не была дурой.

– Спасибо, что встретилась со мной, – сказал Сальваторе. Руокко была занятой женщиной, и то, что она нашла время повидаться с ним на площади, было жестом дружбы, который он не забудет.

Цинция села и взяла сигарету, которую предложил ей Ло Бьянко. Он зажег спичку, дал прикурить ей, прикурил сам и кивнул официанту, скучавшему у двери, которая вела внутрь кафе к витрине с выпечкой. Когда тот подошел, Цинция посмотрела на часы и заказала *cappuccino*. Сальваторе заказал еще один *caffe macchiato*, и оба они отказались от предложенных пирожных.

Цинция откинулась на стуле и осмотрела площадь. Наискосок от них, под верандой, гитарист, скрипач и аккордеонист расставляли свои пюпитры, готовясь к трудовому дню. Недалеко от них то же самое делали *venditore dei fiori*[1], заполняя ведра букетами.

– Вчера вечером ко мне пришел Лоренцо Мура, – сказал ей Сальваторе. – Что удалось узнать?

Цинтия затянулась сигаретой. Как и другая женщина, на которую она была так похожа, Руокко делала курение красивым. Ей надо бросать, как и ему. Они оба умрут от курения, если не будут за этим следить.

– Ах, синьора Упман? – сказала она. – У нее отказали почки. У нее в принципе были проблемы, но беременность... – Она аккуратно стряхнула пепел в пепельницу, стоявшую в середине стола. – Врачи ничего не знают наверняка. Мы отдаем свою судьбу в их руки, вместо того, чтобы просто прислушаться к тому, что говорят нам наши организмы. Ее врач слышал от нее о симптомах: тошнота, диарея, обезвоживание... Он решил, что во всем виновата несвежая пища, в сочетании с утренним токсикозом. В любом случае синьора Упман находилась в деликатном состоянии, когда организм наиболее подвержен заболеваниям; в конце концов, это мог быть какой-то микроб. Дай ей много питья, проверь семью, проведи парочку тестов, а пока, просто для страховки, пропиши

[1] Продавцы цветов (*итал.*).

ей антибиотики. – Она опять затянулась сигаретой и стряхнула пепел в пепельницу. – Я думаю, что он убил ее.

– Синьор Мура?

– Я говорю о враче, Сальваторе.

Он молчал, пока официант сервировал кофе. Парень не упустил случая заглянуть в декольте Цинции и подмигнул Сальваторе. Тот состроил недовольную гримасу, и официант поспешно исчез.

– Каким образом? – спросил старший инспектор.

– Думаю, своим лечением. Только подумай, Сальваторе: беременная женщина попадает в больницу. Она рассказывает о симптомах своему врачу. В ее организме ничего не задерживается. Она слаба и обезвожена. В ее стуле видна кровь, а это указывает на то, что с ней происходит нечто большее, чем просто утренний токсикоз. При этом никто больше в семье не болеет – а это важный момент, друг мой, – и ни у кого больше не наблюдается схожей симптоматики. Итак, врач делает предположение и, основываясь на этом предположении, прописывает лечение. В обычных условиях это лечение ее не убило бы. Оно, наверное, не вылечило бы ее, но уж точно не убило. Ее состояние улучшается, и она возвращается домой. А затем болезнь возвращается с удвоенной, с утроенной силой. А потом она умирает.

– Яд, – предположил инспектор.

– Может быть, – ответила Руокко, вид у нее был задумчивый. – Но я не думаю, что это был тот яд, который мы подразумеваем, когда произносим само это слово. Понимаешь, для нас яд – это что-то привнесенное извне: в еду, питье, воздух, которым мы дышим, в другие вещества и предметы, которые мы используем в нашей обычной жизни. Мы не думаем о яде, как о чем-то, что производит наш организм из-за ошибки врачей, этих сомнительных специалистов, которым мы так верим.

– Ты хочешь сказать, что какие-то действия *врачей* активировали яд в ее организме?

– Именно это я и хочу сказать, – кивнула Цинция.

– И такое возможно?

– Я считаю, что да.

– А это можно доказать? Мы можем представить синьору Муре доказательства, что никто не виноват в том, что произошло? То есть что никто ее не травил. Это можно доказать?

Цинция посмотрела на него и погасила сигарету.

– Ох, Сальваторе, – сказала она. – Ты неправильно меня понял. Что никто не виноват в ее смерти? Что это просто была ужасная ошибка со стороны ее врачей? Друг мой, я совсем не это имею в виду.

МАЙ, 11-е

Лукка,
Тоскана

Анжелина не была католичкой, но семья Мура обладала таким большим влиянием в городе, что ей устроили отпевание в католическом храме и погребение на городском кладбище в Лукке. Сальваторе приехал на похороны из уважения к семье Мура и потому, что хотел показать Лоренцо, что он действительно занимается смертью женщины, которую тот любил и которая носила под сердцем его ребенка. Однако у старшего инспектора была и другая причина появиться на кладбище: он хотел понаблюдать за поведением присутствующих. Оттавия Шварц расположилась на большом расстоянии от могилы и тоже наблюдала. Ей было приказано тайно сделать фотографии всех присутствовавших.

Они как бы разделились на три лагеря: семейство Мура с друзьями и знакомыми, Упманы и Таймулла Ажар. Лагерь Мура был самым многочисленным и вполне соответствовал численности самой семьи и всему тому времени, что они жили в Лукке и пользовались в ней влиянием. Лагерь Упманов состоял из четырех человек – родителей Анжелины, ее сестры – разительно похожей на нее сестры-двойняшки, – и мужа сестры. В лагере Таймуллы Ажара было два человека – он и его дочь. Бедная девочка окончательно запуталась и совершенно не понимала, что случилось с ее мамой. У могилы она цеплялась за пояс отца. На ее лице было написано полное непонимание происходящего. Насколько она знала, у ее мамочки болел животик, когда она лежала в шезлонге на веранде. Мамочка заснула и не проснулась, а потом она умерла.

Сальваторе подумал о его собственной Бьянке, почти такого же возраста, как и Хадия. Он молился, глядя на эту маленькую девочку: Боже, пусть ничего и никогда не случится с Биргит. «Как девятилетняя девочка сможет пережить такую потерю?» – спрашивал он себя. А этот бедный ребенок... Сначала похищенный с *mercato*, затем отвезенный на виллу Ривелли, чтобы жить там с полусумасшедшей Доменикой Медичи, а теперь еще и вот это...

Эти мысли опять привели Ло Бьянко к пакистанскому профессору. Сальваторе посмотрел на торжественное лицо Таймуллы Ажара и подумал обо всех тех происшествиях, которые привели к нынешней ситуации, когда его дочь держится за его пояс около могилы матери. Она вернулась к нему, к ее единственному родителю. Больше не будет никакого дележа, никаких приездов и отьездов в Лондон, посещений, которые всегда кажутся слишком короткими. Была ли нынешняя ситуация результатом случайного совпадения ужасных, но не связанных между собой событий, или это было тем, чем казалось сейчас: удобным разрешением спора по поводу воспитания единственного ребенка?

Было понятно, что Лоренцо Мура уверен в последнем, и его пришлось удерживать от стычки с Ажаром прямо у свежей могилы. Его удерживали сестра и ее муж.

– *Stronzo*! – кричал он. – Ты хотел, чтобы она умерла, и вот ты добился своего! Ради бога, кто-нибудь, сделайте же с ним что-нибудь!

Это было недостойное поведение на краю могилы, но оно было вполне в духе Лоренцо. Он всегда был страстной натурой. А сейчас, потеряв любимую женщину и своего нерожденного ребенка... и будущее, спланированное для них двоих и разрушенное в одно мгновение... Англичане, присутствовавшие на службе и у могилы, всегда будут поджимать губы в подобных обстоятельствах. Но итальянец? Нет. Горе надо выплеснуть, на него надо как-то реагировать... Это было естественно. Молчаливость и скрытность в подобных обстоятельствах – вот что было не по-человечески. Сальваторе не хотел только, чтобы ребенок Анжелины Упман все это видел и слышал.

Семья Мура, по-видимому, считала так же. Его сестра оттащила Лоренцо от могилы, а мать спрятала его голову на своей необъятной груди. Вскоре несчастного окружили родственники и единой группой, как в строю, стали двигаться в сторону парадных ворот кладбища, где они оставили свои машины.

Семья Упман подошла к Таймулле Ажару. Английский Сальваторе не позволял ему понять, что говорилось, но он мог хорошо читать по их лицам. Они ненавидели этого мужчину, который прижимал к себе ребенка, рожденного их умершей дочерью. На девочку они смотрели, как будто та была какой-то диковиной. На него они смотрели с выражением ненависти. По крайней мере, родители Анжелины. Ее сестра протянула руку к ребенку, но Ажар прикрыл девочку собой.

– Вот так все и закончилось, – сказал отец Анжелины пакистанцу. – Она умерла, как жила. Надеюсь, что так же умрете и вы. И очень скоро.

Его жена посмотрела на Хадию и хотела что-то сказать, но муж взял ее за руку и повел в том же направлении, в котором удалилась семья Мура.

– Мне жаль, что все так закончилось, – сказала сестра-близнец. – Вы должны были дать ей то, чего она больше всего хотела. Думаю, что теперь вам это ясно. – И она тоже ушла.

Вскоре Сальваторе остался вместе с Ажаром и его дочерью у свежей могилы. Он не хотел, чтобы маленькая Хадия слышала то, что он хотел сказать ее отцу. Она и так уже всего наслышалась, и ей совсем не надо было знать, что ее отца в чем-то подозревают.

– ...Тебе надо понять некоторые вещи, Сальваторе, – так Цинция начала свой рассказ на пьяцца Сан Микеле. – В кишечнике этой женщины была обнаружена очень странная вещь. Об этом никто не хочет говорить, но называется она биопленкой.

– И что это такое? Это может причинить вред?

– Это колония бактерий, – сказала Руокко и сложила свою руку лодочкой, как будто пытаясь пояснить свои слова. – Состав этой колонии был абсолютно уникальным. Он был... Сальваторе, он был тщательно подобран. Он не должен был находиться в ее кишечнике, это ты должен понять, мой друг. Он вообще не должен существовать. И в то же время они – бактерии – должны быть в желудке каждого человека.

Сальваторе совершенно запутался. Они не должны были быть в кишечнике. Они не должны были существовать, но в то же время они должны быть. Что это еще за медицинская загадка?

– Так она умерла не от того, что у нее отказали почки? – спросил он.

– *Si, si.* Умерла она именно от этого. Но механизм смерти был искусственно запущен.

– Этой... как ты ее назвала?

– Биопленкой. Смотри – биопленка в ее кишечнике начала процесс. А убили ее уже токсины.

– В таком случае ее отравили.

– Ее отравили, *si*. Но так, что врачи не смогли этого сразу же определить, потому что она уже была больна. Это было очень умно рассчитано. Кому-то или очень повезло, что такой способ случайно сработал, или кто-то все очень тщательно продумал. Понимаешь, в обычной ситуации все решили бы, что смерть последовала от естественных причин, тем более что она уже болела. Но в этой смерти нет ничего естественного. Это была искусственная цепная реакция, такая же неизбежная, как эффект домино.

И у Сальваторе появилась новая работа. Он подошел к Ажару, чтобы сделать ее.

Чолк-фарм,
Лондон

Барбара следила за временем. Придя домой после работы, она немедленно отправилась в квартиру Ажара. Он собирался вернуться в Лондон сразу же после похорон Анжелины и привезти с собой Хадию. Девочке было лучше вернуться в привычную обстановку, в которой она находилась всю свою жизнь, за исключением последних нескольких месяцев. Но они все еще не появились.

Сначала Барбара не беспокоилась. Похороны были назначены на утро, но после них должен был быть какой-то прием, правда? Люди захотят воспользоваться возможностью выразить свои соболезнования и сказать осиротевшим, что жизнь продолжается. После этого надо будет упаковать вещи Хадии, если те еще не упакованы, а затем ехать в Пизу. Потом ожидание в аэропорту и сам перелет, поэтому в лучшем случае они появятся не раньше вечера.

Но наступил вечер, и спустилась ночь, а Ажара с Хадией все еще не было. Снова и снова Барбара выходила из своего бунгало и проходила к зданию, думая, что они вернулись, но по какой-то причине не дали ей знать. Наконец, в половине десятого, Барбара набрала мобильный Ажара.

– Как все прошло? – спросила она. – Где вы сейчас?

– Все еще в Лукке, – ответил он. Его голос звучал измученно, когда он добавил: – Хадия спит.

– А-а-а. Я тоже подумала... Для нее все это было уже слишком, нет? Все, что случилось, потом похороны, да еще и полет в Лондон вдобавок... Я об этом не подумала. Тогда не буду вас отвлекать. Вы тоже, наверное, измотаны до конца. Когда приедете, мы сможем...

– Он забрал мой паспорт, Барбара.

Хейверс почувствовала, как сжалось ее сердце.

– Кто? Ажар, что произошло?

– Старший инспектор Ло Бьянко. Это произошло после... ее похорон.

– Он был там? – Барбара слишком хорошо знала, что это значило, когда полицейские посещают похороны чужих им людей.

– Да. И в церкви, и на кладбище. И там... Барбара, Хадия была со мной. Она не слышала, что он говорил, так как мы отошли в сторону, но утром она начнет задавать вопросы, почему мы не летим. Что я должен ей говорить?

– Зачем ему ваш паспорт? Хотя не важно. Глупейший вопрос. Дайте подумать.

Но она совершенно не могла думать, потому что все ее мысли сходились к одному: к тому, что Дуэйн Доути заключил с кем-то сделку и представил документы, указывающие на участие Ажара в похищении собственной дочери. Или, может быть, это сделал Ди Массимо? Хотя, если верить Ажару, он никогда не общался с этим человеком. Или это мог быть Брайан Смайт, переславший резервную копию своей резервной копии в итальянскую полицию. Или... один Бог ведал, что произошло, но в любом случае без паспорта Ажар должен был оставаться в Лукке, в руках у итальянских полицейских.

– Они еще не задавали вам вопросов? – спросила Барбара. – Ажар, если они начнут вас допрашивать, вам надо немедленно найти адвоката. Вы понимаете? Ни одного гребаного слова без адвоката, сидящего рядом с вами.

– Они еще ничего не говорили о допросе. Но, Барбара, я боюсь, что мистер Доути... или кто-то из его сотрудников... сообщили инспектору что-то, что заставляет его думать, что я... – Он молчал какое-то время, а затем тихо добавил: – Боже, мне надо было все это бросить.

– Бросить что? Отпустить свою дочь? А как вы должны были это сделать, черт возьми? Анжелина *украла* ее. Она исчезла. Вы сделали то, что должны были сделать, чтобы найти ее.

– Все развалилось. Вот чего я боюсь, Барбара.

Хейверс знала, что его страхи имеют под собой основу. И все же: если только итальянцы не прислали кого-то в Англию для беседы с Доути, или если Брайан Смайт не вступил с ними в контакт, единственным человеком, который мог хоть что-то рассказать полиции, был Ди Массимо. А по информации Ажара, он не вступал ни в какие контакты с итальянским детективом – все это делалось через Дуэйна Доути, и все следы этого были уничтожены Брайаном Смайтом. Видимо, у итальянцев было что-то еще. Какая-то информация, отличная от той, которую они могли получить, допрашивая Ди Массимо. Ей надо срочно выяснить, что это за информация. До тех пор, пока она этого не знает, они с Таймуллой не могут ничего планировать.

– Послушайте меня, – сказала она Ажару. – Завтра утром в первую очередь позвоните в посольство. А затем найдите себе адвоката.

– А если он попросит меня прийти в *questura*... а как же Хадия? Барбара, что будет с Хадией? Ведь я не совсем невиновен. Если бы я не организовал ее...

– Просто оставайтесь на месте и ждите вестей от меня.

– А что вы будете делать? Что вы *можете*, Барбара, сделать из Лондона?

– Я могу получить нужную нам информацию. Без нее мы бродим в потемках.

– Если бы вы только видели, как они смотрели на нас... Не только на меня, но и на Хадию.

– Кто? Копы?

– Упманы. То, что я для этих людей ничто, я могу пережить. Но Хадия... Они смотрели на нее, как будто она больна... какой-нибудь урод... Она ребенок, невинный ребенок. А эти люди...

– Забудьте про них, – вмешалась Барбара. – Даже не думайте. Обещайте мне это. Я на связи.

Они разъединились. Оставшийся вечер и большую часть ночи Барбара провела в своей крохотной кухоньке, сидя за столом, куря одну сигарету за другой и пытаясь понять, что же она может сделать. Одна, не привлекая никого больше... Барбара знала, что все это пустые хлопоты, но занималась этим до тех пор, пока не поняла, что может сделать только одно.

МАЙ, 12-е

Белгравия,
Лондон

Тот факт, что Изабелла Ардери не предпринимала никаких шагов, чтобы разобраться с Барбарой, значил для Линли, что она или давала ему время, о котором он просил, чтобы во всем разобраться, или вела свою собственную игру. Эта игра даст Изабелле тот результат, который она хотела получить с того самого момента, когда впервые поняла, что сержант – это трудный член ее команды. Ардери была человеком, который любил, чтобы все делалось гладко, а Барбара, без сомнения, не была тем человеком, который тщательно смазывал колесики полицейского расследования.

Естественно, Изабелла потребовала от инспектора отчет. Томас рассказал ей о своей встрече с Брайаном Смайтом, но не сказал ни слова ни о билетах в Лахор, ни о том, что Барбара потребовала от Смайта. Он также не упомянул о том, что Барбара встречалась со Смайтом в присутствии Ажара. И это оказалось ошибкой с его стороны.

Изабелла через стол подвинула ему отчет. Линли достал очки, раскрыл папку и стал читать. Джон Стюарт информировал о посещении Брайана Смайта сержантом Хейверс и Ажаром. Он не смог предоставить эту информацию до того, как суперинтендант встретилась с Линли и сержантом. На вопрос Томаса, почему она не передаст Барбару службе собственной безопасности, Изабелла твердо ответила: «Я хочу знать, как далеко все зашло». Для Линли это значило, что его действия тоже подвергнутся тщательному изучению.

– Изабелла, должен признаться, что я пытаюсь найти для нее оправдание, – сказал он суперинтенданту.

– Поиск причин можно легко объяснить. Поиск оправданий – ни в коем случае, Томми. Надеюсь, что ты чувствуешь разницу.

Линли вернул отчет и спросил:

– А как же Джон? Какие у него причины? Оправдания? Что ты с ним собираешься делать?

– Джон под контролем, о нем не беспокойся.

Томас с трудом поверил тому, что услышал, потому что это значило, что Изабелла сама дала Стюарту задание пристально следить за Хейверс и фиксировать все ее действия. Если это было так, то суперинтендант протягивала Барбаре веревку. При этом она говорила Томасу, чтобы он не забирал веревку у Барбары и совал в нее свою собственную голову.

Для того чтобы навсегда покончить с Барбарой, было достаточно полного отчета Линли о его встрече со Смайтом. Потому что, хотя Стюарт и знал, где была Барбара, когда и с кем, он все-таки не знал, что она там делала. Только Линли и Барбара знали, что там происходило.

Рано утром Томас вышел в сад за своим домом. Стол уже был накрыт к завтраку, газеты уже лежали на обеденном столе под тщательно выверенным углом к вилке, и запах тостов, жарившихся под пристальным наблюдением Чарли Дентона, доносился из окон кухни. Но когда Линли подошел к окну, выглянул в сад и увидел, как цветут розы этим прекрасным весенним утром, то вышел, чтобы внимательнее их рассмотреть. Он помнил, что с момента смерти Хелен ни разу не выходил в сад, который она так любила. Причем, оказавшись там, Томас понял, что туда не заходил вообще ни один человек.

Среди розовых кустов стояла деревянная кадка. В ней лежали срезанные стебли растений. К кадке были прислонены небольшие секаторы, все покрытые ржавчиной от того, что находились под открытым небом больше года. Сами кусты объясняли, почему кадка, стебли и секаторы были оставлены здесь на столь долгое время. Хелен занималась розовыми кустами, когда ее убили.

Линли вспомнил, как он однажды наблюдал за ней из окон своей библиотеки. Томас спустился, чтобы присоединиться к ней в саду, и даже сейчас ее слова звучали у него в голове. Она говорила в своей обычной шутливо-самокритичной манере. *Томми, дорогой, мне кажется, что это единственный полезный вид деятельности, которым я могу заниматься. Копание в земле приносит такое удовлетворение! Мне кажется, что этим мы соединяем наши корни с корнями этих растений. Прости меня за такую игру слов.*

Он предложил помочь, но она не позволила. *Пожалуйста, не лишай меня возможности хоть в чем-то достичь совершенства.*

Томас улыбнулся, вспомнив о Хелен. Ему пришло в голову, что впервые, думая о ней, он не почувствовал острой боли.

За его спиной открылась дверь. Повернувшись, Линли увидел, как Дентон впускает в сад Барбару Хейверс. Увидев ее, инспектор взглянул на часы. Было семь двадцать восемь утра. Что она могла делать в Белгравии в это время?

Барбара прошла по лужайке к нему. Выглядела она ужасно – не только еще более опрокинутой, чем всегда, но и, казалось, проведней последнюю ночь без сна.

– Они взяли Ажара, – сказала Хейверс.

– Кто? – Томас замигал.

– Копы в Лукке. Они отобрали его паспорт. Его задержали, но он не знает за что.

– Его уже допрашивали?

– Пока нет. Ажар просто не может покинуть Италию. Он не понимает, что происходит. Я тоже не понимаю. И не знаю, что мне делать. Я не говорю по-итальянски. Я не знаю их правил. Я не знаю, что произошло. – Она сделала три шага вдоль клумбы, затем вдруг резко обернулась и сказала: – Вы можете позвонить им, сэр? Вы можете узнать, что происходит?

– Если они его задержали, то, очевидно, потому, что у них есть вопросы относительно...

– Послушайте. Хорошо. Я знаю. Что угодно. Я сказала ему, чтобы он позвонил в посольство. Я сказала ему, чтобы он нашел адвоката. Все это я ему сказала. Но я, наверное, могу сделать еще что-то. А вы знаете этих ребят, и вы говорите по-итальянски, и вы можете... – Барбара ударила кулаком по своей ладони. – Пожалуйста, сэр. Пожалуйста. Именно за этим я приехала из Чолкфарм. Именно поэтому я не могла ждать, пока вы появитесь на работе. Пожалуйста.

– Пойдемте со мной, – сказал Томас и повел ее в дом.

В столовой он увидел, что Дентон уже накрыл еще одно место для завтрака. Линли поблагодарил его, налил две чашки кофе и предложил Барбаре угощаться яичницей и беконом.

– Уже поела, – ответила она.
– И что же?
– Шоколадное печенье и сигарета. – Хейверс взглянула на еду и добавила: – Что-нибудь более питательное вогнало бы мой организм в шок.
– Составьте мне компанию, – попросил Линли. – Мне не хочется завтракать одному.
– Сэр, пожалуйста... Мне надо, чтобы вы...
– Я все понимаю, Барбара, – твердо сказал он.
Нехотя сержант положила себе немного жареных яиц, добавила пару полосок бекона и завершила все это четырьмя грибами и тостом. Томас положил себе то же самое, а затем уселся за стол.
Кивнув на его газеты, Барбара спросила:
– Как вы только умудряетесь прочитывать три газеты каждое утро?
– Новости я узнаю из «Таймс», а их интерпретацию – из «Гардиан» и «Индепендент».
– Пытаетесь отыскать баланс в жизни?
– Мне кажется, так мудрее. Избыточное использование деепричастий в журналистике ведет, на мой взгляд, к какому-то нарушению общей картины. Я не люблю, когда мне говорят, что я должен думать, даже в завуалированной форме.
Они посмотрели в глаза друг другу. Барбара первая отвела взгляд и, взяв ложкой немного яиц, положила их на оторванный кусочек тоста. Было видно, что глотать ей нелегко.
– Прежде чем я позвоню инспектору Ло Бьянко, Барбара... – Линли подождал, пока она не посмотрит на него. – Вы ничего не хотите мне сказать? Я ничего не должен знать заранее?
Она покачала головой.
– Вы уверены? – спросил инспектор.
– Да, насколько я знаю, – ответила Хейверс.
«Ну что ж, да будет так», – подумал Линли.

Белгравия,
Лондон

Первый раз в жизни Барбара Хейверс проклинала себя за то, что не владеет иностранными языками. Хотя в ее жизни и были моменты, когда она хотела выучить иностранный язык – это было связано с желанием понять, что повар в местном индийском ресторане кричит о бараньем *rogan josh*[1], вываливая его в контейнер

[1] Филе ягненка со специями, популярное блюдо кашмирской кухни.

для еды на вынос, – в остальных случаях иностранные языки ей просто не были нужны. У нее был паспорт, но Барбара никогда не ездила туда, где не говорили на английском языке. В действительности она им еще вообще ни разу не пользовалась. Он был нужен ей на тот случай, если вдруг какой-нибудь принц предложит ей провести романтический уик-энд на Средиземноморье.

И вот сейчас, слушая, как Линли говорит с инспектором Ло Бьянко, Хейверс пыталась понять хоть что-нибудь. Она внимательно прислушивалась к словам, которые казались знакомыми, и пыталась что-то прочитать по лицу Томаса. Из его слов Хейверс поняла только имена: Ажар, Лоренцо Мура, Санта Зита – черт знает, что это такое, – и Фануччи. Ей показалось, что она также услышала имя Микеланджело Ди Массимо и слова *информация, больница и фабрика*, непонятно по какой причине. Все, что Барбара могла узнать, это то, что можно было прочитать на лице Линли, которое, с течением беседы, становилось все мрачнее и мрачнее. Наконец он сказал: «*Chiaro, Salvatore. Grazie mille. Ciao*», – что означало конец беседы. К этому моменту Барбара совершенно измучилась, поэтому поспешно спросила:

– Что? Ну что?

– Похоже на *E. coli*[1].

«Пищевое отравление?» – подумала она. *Пищевое*?

– Каким образом, черт возьми, она умудрилась умереть от пищевого отравления в наше время? – спросила Барбара. – Как вообще кто-то может умереть от пищевого отравления в наши дни?

– Очевидно, это был крайне вирулентный штамм, а доктора не смогли вовремя определить, что это было, потому что Анжелина уже болела до этого. Но то недомогание было связано с ее беременностью. Именно поэтому они и решили, что столкнулись с серьезным случаем утреннего токсикоза. Решив это, они сделали другие анализы, но результат во всех случаях был отрицательный.

– А какие анализы?

– На рак, колит, другие заболевания. Толстая кишка и мочевой пузырь. Ничего не удалось найти, и они решили, что это какой-то микроб, как это иногда случается. Для профилактики ей прописали курс антибиотиков. И они-то ее и убили.

– Антибиотики убили ее? Но вы же сказали *E. coli*...

– И то и другое. Очевидно, что в комбинации с *E. coli* – по крайней мере, с этим штаммом, как я понял из того, что мне сказал

---

[1] Кишечная палочка. Она постоянно находится в кишечнике человека, но некоторые ее штаммы могут вызвать сильнейшее отравление.

Сальваторе, – антибиотики начинают производить токсин. Он называется шига. Этот токсин убивает почки. К моменту, когда доктора поняли по симптомам, что у Анжелины отказывают почки, было слишком поздно.

– Черт возьми...

Медленно впитывая все сказанное, Барбара вдруг почувствовала, что постепенно расслабляется впервые за двенадцать часов, а ее мозг не перестает повторять: спасибо тебе, Господи, спасибо тебе, Господи, спасибо тебе, Господи. Пищевое отравление, повлекшее за собой смерть, будучи само по себе несчастьем, не означало... Она даже боялась подумать, что.

– В таком случае все закончилось, – сказала сержант.

Внимательно посмотрев на нее, Линли наконец произнес:

– К сожалению, нет.

– Почему?

– Никто больше не болен.

– Ну, так это же хорошо, нет? Они избежали...

– Никто, Барбара. Никто и нигде. Ни на фаттории ди Санта Зита – это там, где Мура владеет землей, – ни в окружающих деревнях, ни в Лукке. Как я уже сказал, никто и нигде. Ни в Тоскане, ни в остальной Италии. Это одна из причин, почему врачи сразу не смогли определить, с чем столкнулись.

– И что все это значит?

– Когда мы говорим об *E. coli*, то обычно имеем в виду вспышку. Вы понимаете, к чему я клоню?

– Я понимаю, что это был единичный, изолированный случай. Но, как я уже сказала, это же хорошо. Это значит... – И тут Барбара действительно поняла, что все это значит. Увидела всю картину так же четко, как Линли, стоящего перед ней. Ее рот мгновенно высох. – Но они же должны искать этот источник везде? Они должны это сделать, чтобы исключить заражение других. Они будут изучать все, что могла есть Анжелина и... А на этой фаттории есть животные?

– Да, коровы и ослы.

– А от них *E. coli* не могла прийти? Я имею в виду, животные не передают эту заразу? Может быть... ну, вы понимаете...

– По-видимому, домашний скот является резервуаром с этими бактериями, и они живут в их организме. Да. Но мне с трудом верится, что на фаттории ди Санта Зита найдут следы *E. coli*, Барбара. Сальваторе тоже в это не верит.

– Почему?

– Потому что никто из тех, кто там ел, не заболел. Ни Лоренцо, ни Хадия, ни Ажар, который питался там в первые дни после возвращения Хадии.

— А может быть, она... Ну, у нее есть какой-то инкубационный период, или как там...

— Я плохо разбираюсь в деталях, но к этому времени там обязательно кто-нибудь заболел бы.

— Хорошо. Давайте представим, что она пошла на прогулку. Что она слишком близко подошла к корове. Или давайте представим... Она ведь могла подхватить это где-то еще. В городе. На рынке. У друзей. Подобрав что-то на дороге... — Но даже сама Барбара слышала в своем голосе отчаяние, и Линли его тоже наверняка заметил.

— Мы опять возвращаемся к тому, что никто больше не заболел. Мы опять возвращаемся к самому штамму, Барбара.

— А что с этим штаммом?

— По словам Сальваторе, — кивок в сторону мобильного, лежащего на столе, — они никогда не видели ничего подобного. Это связано с его вирулентностью. Штамм с такой вирулентностью может уничтожить население целого города, прежде чем будет определен его источник. Но в этом случае население заболевает в течение нескольких дней. Тогда в дело вступают органы здравоохранения и начинают отслеживать все обращения к докторам и все случаи смерти с аналогичными симптомами... Но здесь, как я уже сказал, никто не заболел. Ни до, ни после Анжелины.

— И все равно я не понимаю, откуда эта штука. Я не понимаю, почему Ажара задержали, если только он...

И опять этот твердый взгляд в ее сторону. Барбара поняла его беспощадность, но она поняла и еще кое-что, и больше всего на свете ей не хотелось этого понимать. Однако она беззаботно сказала:

— А-а-а, тогда понятно. Они держат Ажара в Лукке, потому что не хотят, чтобы он кого-нибудь заразил. Если она у него есть, — ну там, спящая или еще как, — и он привезет ее в Лондон... то есть он может стать современной Тифозной Мэри[1], правда?

Выражение лица Линли не изменилось.

— Это работает не так. Это не вирус, а бактерия. Или, если хотите, микроб. Очень опасный микроб. Вы понимаете, на что это указывает, не правда ли?

Хейверс почувствовала, как онемело ее лицо.

— Нет. Не... не совсем.

---

[1] Мэри Маллон (1869–1938) — первый человек в США, признанный здоровым носителем брюшного тифа. Работая поваром, заразила 47 человек, 3 из которых умерли.

Но все это время в ее мозгу стучало: о боже, боже, боже.

– Если никаких источников не найдено ни на самой фаттории, ни в пище, которую Анжелина ела там или в Лукке, – сказал Томас, – или где-нибудь еще, где она бывала, и если она остается единственным заразившимся человеком, то это значит, что кто-то смог получить доступ к вирулентному штамму бактерии и каким-то образом ввел его в организм Анжелины. Скорее всего, с пищей.

– Но почему кто-то...

– Потому что кто-то хотел, чтобы она тяжело заболела. Кто-то хотел, чтобы она умерла. Мы оба понимаем, на кого это все указывает, Барбара. Именно поэтому у Ажара забрали паспорт.

– Вы не можете думать, что Ажар... Да как, черт возьми, он смог бы это сделать?

– Думаю, что и на этот вопрос мы с вами знаем ответ.

Она оттолкнулась от стола, хотя не была уверена, что собирается куда-то идти.

– Ему надо сказать. Он под подозрением. Ему надо сказать.

– Думаю, что ему уже сказали.

– Тогда мне надо... Нам надо...

Барбара поднесла кулак ко рту. Она сразу вспомнила все, с того момента, как Анжелина Упман увезла свою дочь из Лондона в прошлом ноябре, и до сего дня, когда она уже была мертва. Сержант отказывалась верить в то, что лежало перед ней, как дохлая собака на дороге, по которой она ехала на велосипеде.

– Нет, – сказала Барбара.

– Я очень сожалею.

– Мне надо...

– Барбара, послушайте меня. Вы немедленно должны бросить все это. Если вы этого не сделаете, то я не смогу вам помочь. Честно сказать, я не знаю, смогу ли помочь вам и сейчас, хотя очень стараюсь.

– И что это должно означать?

Линли подался вперед.

– Вы не можете надеяться на то, что Изабелла не знает, что происходит, что вы хотите сделать, где вы были, с кем встречались. Она все это знает. И если только вы не начнете ходить по струночке сейчас же – здесь, сейчас, прямо в этой комнате, – вам будет угрожать потеря всего. Я достаточно ясно выражаюсь? Вы меня понимаете?

– Ажар ее не убивал. Ему это было не надо. Ведь они примирились с Анжелиной и собирались делить Хадию между собой, и...

Выражение лица Линли заставило Барбару замолчать. Помимо того, что она сама знала о том, *что* сделал Ажар, чтобы спланировать похищение Хадии и оказаться в Италии, когда она будет «найдена», жалостливая симпатия на лице Томаса добила ее. Она смогла только сказать:

– Правда. Он не мог.

– Если все это так, – ответил Линли, – то Сальваторе Ло Бьянко во всем разберется.

– Ну, а пока... Что вы мне посоветуете делать, черт возьми?

– Я уже предложил – возвращайтесь к работе.

– Вы бы именно так и поступили?

– Да, – ответил он твердо. – Именно так я поступил бы в вашей ситуации.

Барбара знала, что он лжет, говоря это. Потому что Томас Линли никогда бы не бросил друга в беде.

Лукка,
Тоскана

На встречу Сальваторе Ло Бьянко пригласил не сам *il Pubblico Ministero*, а секретарша Пьеро Фануччи. Она позвонила ему на мобильный и кратко проинструктировала, чтобы он шел в Орто Ботанико, где его будет ждать *magistrato*.

– Он хочет переговорить с вами в частном порядке, *Ispettore*, – это были ее слова.

– Сейчас? – поинтересовался Сальваторе.

– Да. Сейчас, – ответила она. Синьор Фануччи приехал сегодня на работу уже слегка на взводе, а несколько телефонных разговоров, которые он провел, довели его до полной кондиции. Секретарша советовала старшему инспектору Ло Бьянко немедленно отправляться в ботанический сад.

Сальваторе выругался, но подчинился. То, что Фануччи интенсивно общался по телефону, говорило о том, что он напал на какой-то след. То, что после этих разговоров шеф пригласил Сальваторе на встречу, говорило о том, что он напал на след того, чем занимался инспектор.

Ботанический сад располагался внутри стены старого города, на его юго-западной окраине. В мае он распускался, и там, где были высажены цветы, они уже полностью расцвели. Однако в саду было мало посетителей. Жители Лукки в это время дня работали, а туристы уделяли значительно больше внимания соборам и палаццо.

Сальваторе застал Фануччи любующимся глициниями, нависавшими над старым каменным водоемом, заросшим водяными лилиями. Он отвернулся от низко свисающих ветвей, покрытых пурпурными соцветиями, когда услышал шаги Сальваторе по гальке.

Во рту у Пьеро была толстая сигара, которую он только что зажег. Фануччи посмотрел на Сальваторе с выражением лица, в котором смешивались профессиональная ярость и личное сочувствие. Ярость, подумал Сальваторе, была реальной. Сочувствие, догадался он, – нет.

– Поговори со мною, *Торо*, – начал разговор Фануччи. Он стряхнул немного пепла с сигары и ногой растер его по *sassolini*. – Ты встречался с очаровательной Цинцией Руокко, не так ли? У тебя был с ней серьезный разговор на пьяцца Сан Микеле, и мне почему-то кажется, что вы обсуждали вещи, от которых тебе было сказано держаться подальше. Почему это происходит, Сальваторе?

– А какое значение имеет мой разговор с Цинцией? – спросил Ло Бьянко. – Если я хочу встретиться в кафе с другом...

Фануччи поднял свой лишний палец и рявкнул:

– Будь осторожен!

Сальваторе не понравилась угроза, звучавшая в его словах. Шеф его уже достал. Он почувствовал, что его нервы на пределе. Инспектор попытался взять их под контроль и ответил:

– Я рассматриваю смерть этой несчастной женщины Анжелины Упман как очень подозрительную. В мои обязанности входит изучать подозрительные вещи. Я вижу здесь прямую взаимосвязь.

– Между чем и чем, позволь спросить?

– Я думаю, что вы знаете ответ.

– Между похищением ребенка этой женщины и ее смертью? Ба, что за чушь!

– Ну, если все это так, то тогда единственным дураком окажусь я. И тогда какая разница, говорю ли я с Цинцией о причинах смерти этой несчастной женщины или нет? Думаю, что вы в любом случае рады, что она мертва.

Лицо Фануччи покраснело. Сальваторе увидел, как он зубами вцепился в сигару. Прокурор тоже пробовал совладать с собой. Ло Бьянко знал, что через несколько минут один из них сорвется.

– И что это должно значить, мой друг? – спросил Фануччи.

– Это должно значить то, что теперь история ее смерти займет первые страницы газет. «Бедная мать похищенной девочки умирает во сне». Такое развитие событий отвлекает внимание от самого похищения и наконец-то от Карло Каспариа. Это значит, что теперь его можно выпустить на свободу, что – и мы оба это знаем, Пьеро, – вы в любом случае собирались сделать в ближайшее время.

Глаза Фануччи сузились:

– Я ничего об этом не слышал.

– Пожалуйста, не считайте меня идиотом. Мы с вами слишком долго знаем друг друга. Вы знаете, что ошиблись в случае с Карло. А так как вы не в состоянии признать свою неправоту, то вы отказались его отпустить. Потому что в этом случае вас ожидает проверка и соответствующие комментарии в прессе, а это то, что вы не можете себе позволить.

– И ты берешь на себя наглость оскорблять меня таким образом, Сальваторе?

– Правда – это не оскорбление. Это просто правда. И к этой правде, со всем моим уважением, я должен добавить, что неспособность признавать свои ошибки – особенно на вашем посту, – это очень опасная черта.

– Так же, как и зависть, – прорычал Фануччи. – Профессиональная или личная, она не только лишает человека чувства собственного достоинства, но и возможности выполнять свою работу. В процессе своих размышлений и *уважений*, Сальваторе, ты когда-нибудь над этим задумывался?

– Пьеро, Пьеро... Вы разве не видите, как пытаетесь увести наш разговор в сторону? Вы все время хотите говорить обо мне, тогда как говорить надо о вас. Вы потратили время и ресурсы, стараясь скроить из тех нескольких фактов, что были у вас в распоряжении, дело против Карло. А потом, когда я отказался следовать за вами по этой ведущей в никуда дороге, вы назначили Никодемо, который не откажется.

– То есть ты так все видишь?

– А что, разве можно по-другому?

– Конечно. Твоя зависть ослепляет тебя, и ты не видишь лежащие на поверхности факты. Это происходит с того момента, как маленькая англичанка пропала с *mercato*. Это всегда было твоей слабостью, *Topo*. Эта твоя зависть заражает все, что ты делаешь.

– И почему же я, вы полагаете, завистлив?

– Ты – мужчина, уничтоженный разводом. Ты живешь в доме со своей матерью, и ни одна женщина тобой не заинтересовалась. И мы должны спросить себя, как это действует на твое мужское эго, когда кто-то – кто-то вроде меня, такой уродливый и отвратительный на первый взгляд, – *все еще* окружен женщинами, желающими, чтобы он уложил их в постель? Чтобы уложила их абсолютная жаба... И когда – в дополнение ко всему – эта же самая жаба снимает тебя с расследования, потому что ты плохо работаешь... Как ты себя чувствуешь в этой ситуации? И как на тебя смотрят твои коллеги? Что они о тебе думают, выполняя приказы Никодемо? Малыш *Торо*, ты задумывался, почему не можешь отойти от этого расследования, как тебе было приказано? Ты спрашивал себя, что и кому ты пытаешься доказать, действуя за моей спиной?

Теперь Сальваторе понял, почему *il Pubblico Ministero* не хотел, чтобы эта встреча состоялась в офисе. У Фануччи был гораздо более обширный план, чем просто оскорбить и привести его в бешенство, и Сальваторе мог только предположить, что он был связан с попыткой Фануччи спасти свое лицо единственным доступным тому способом.

– Ну да, – ответил старший инспектор. – Вы просто боитесь, Пьеро. Несмотря на то, что вы говорите, вы понимаете, что эти два происшествия действительно могут быть взаимосвязаны. Сначала похищают ребенка. Потом умирает его мать. Если эти два случая взаимосвязаны, то не может быть никакой связи между ними и Карло Каспариа, Микеланджело Ди Массимо и Роберто Скуали. Каспариа в тюрьме, Скуали мертв, и это оставляет нам только Ди Массимо, который каким-то образом умудрился заполучить эту смертоносную бактерию, а затем каким-то мистическим образом заставил Анжелину Упман проглотить ее, когда она сама ничего об этом не знала. И как это все могло произойти? Поэтому если есть связь, она говорит о том, что кто-то еще...

– Я уже сказал. Никакой связи нет, – произнес Фануччи. – Оба события достойны сожаления, но они никак не связаны.

– Как вам будет угодно. Поверить во что-то другое... Для вас это невозможно, да? Но хотя бы несчастный Карло перестал быть проблемой, Пьеро. Ведь, если хотите, вы можете сообщить «Примо воче» о смерти от бактерии *E. coli* в вашей обычной манере – в виде утечки информации. Газета, конечно, начнет раздувать пожар требований жителей разыскать источник заражения. А пока это происходит, вы можете потихоньку выпустить Карло из тюрьмы, а к тому моменту, когда газеты об этом пронюхают, освобождение уже перестанет быть свежей новостью, достойной быть размещенной на первой странице. Смерть всегда перевесит похищение, даже если труп не принадлежит похищенному. Вы должны благодарить меня, Пьеро, за то, что я сделал это возможным, а не ссориться со мной за то, что я разговаривал с Цинцией Руокко о том, как в действительности умерла несчастная женщина.

– Еще раз, здесь и сейчас, приказываю тебе, *Торо*, отойти от этого дела. Я приказываю тебе передать Никодемо Трилье всю информацию, которой ты владеешь в отношении случая похищения английской девочки и смерти матери этой похищенной девочки.

– То есть вы тоже видите связь, несмотря на то, что говорили раньше. И что же вы сделаете с этой информацией? Спрячете ее, с тем чтобы можно было преследовать... Кого же вы теперь планируете преследовать за похищение? Это должен быть незадачливый Ди Массимо. Его сделают виноватым в похищении, тогда как смерть матери будет представлена всего лишь несчастным случаем, бессмысленной трагедией, последовавшей сразу после благополучного возвращения ее дочери. Вот как это должно быть разыграно с тем, чтобы вы не появились в газетах таким, какой вы есть на самом деле: слепым, упрямым, необъективным дураком.

Это стало последней каплей. Фануччи взорвался. *Il drago* больше не мог сдерживать себя. Он бросился на Сальваторе, и, получив первый удар, инспектор с удивлением подумал о том, как силен был *magistrato*. Он нанес апперкот с убийственной точностью. Голова Сальваторе откинулась назад, а зубы впились в язык. А потом он получил второй удар. Это был удар в солнечное сплетение, который приготовил его к третьему. Этот третий бросил его на землю. У Ло Бьянко мелькнула мысль, что сейчас Фануччи бросится на него сверху, и они покатятся по земле, как пара школьников. Однако такой маневр мог испортить костюм *il Pubblico Ministero*. Поэтому Фануччи очень больно ударил его ногой по почкам.

– Если. Ты... – рычал Фануччи, сопровождая каждый удар. – Еще. Раз. Заговоришь. Так. Со мной.

Сальваторе ничего не оставалось, как защищать голову, пока прокурор обрабатывал его туловище. Он смог только прохрипеть:

– Хватит, Пьеро!

Но Фануччи не успокоился, пока Сальваторе не перестал шевелиться. К этому моменту старший инспектор мог, как через подушку, услышать последние слова прокурора:

– Мы еще посмотрим, кто из нас больший дурак, *Торо*.

Это был, решил Сальваторе после того, как Пьеро ушел, способ Фануччи разрешить ему расследование дела о смерти Анжелины.

«Bene, – подумал он. – Ради этого стоило перенести побои».

Лукка,
Тоскана

Он с трудом смог вставить ключ в замок. К счастью, его мать услышала, как металл скребется о металл. Она подошла к двери, спрашивая, кто бы это мог быть, и, услышав его слабый голос, распахнула дверь. Сальваторе упал прямо ей на руки.

Она закричала. Потом заплакала. Затем прокляла того монстра, который посмел прикоснуться к ее единственному сыну. Потом еще поплакала. Наконец она помогла ему сесть в кресло рядом с входной дверью. Он должен сидеть, сидеть, сидеть, сказала она ему. Сейчас она позвонит в *un'ambulanza*. А затем она позвонит в полицию.

– Я сам полиция, – напомнил он ей сквозь сжатые зубы и добавил: – Мне не нужна «Скорая помощь». Не вызывайте, мама.

Что, вспыхнула она, ему не нужна «Скорая помощь»? Он не может ходить, он еле говорит; кажется, у него сломана челюсть, его глаза заплыли, изо рта идет кровь, губы разбиты, его нос, может быть, сломан, а что касается его внутренностей, то один бог знает, какие там повреждения... Она опять заплакала.

– Кто это с тобой сделал? – потребовала она. – Где это произошло?

Не мог же Сальваторе сказать ей, что его избил *il Pubblico Minstero*, человек на двадцать лет старше его. Поэтому он ответил:

– Неважно, мама. Вы можете мне помочь?

Она отступила на шаг, прижав руки к груди. О чем он просит? Он что, думает, что его мамочка ему не поможет? Разве она не отдаст за него жизнь? Он – плоть от плоти ее. Все ее дети и их дети были единственным, что удерживало ее в этой жизни.

Мама развернулась и занялась его ранами. В этом она разбиралась – мать троих детей и бабушка десятерых внуков. Она уже и не помнила, сколько ран перевязала за свою жизнь. Он должен ей довериться.

Она хорошо это делала. Она все еще плакала, пока работала, но была сама нежность. Закончив свои процедуры, мама помогла ему перебраться на диван. Он должен лежать и отдыхать, велела она ему. Она позвонит его двум сестрам. Они захотят узнать, что произошло. Они захотят навестить его. А сама она приготовит его любимый суп *farro*[1]. Он может поспать, пока тот готовится, и...

– Нет, спасибо, мама, – поблагодарил ее Сальваторе. Он отдохнет четверть часа, а потом вернется на работу.

– Боже мой, – ответила она на эту идею.

Они начали обсуждать варианты завершения дня так, как будто бы ничего не произошло. Она даже слышать об этом не хочет. Она запрет дверь на засов, она отрежет себе волосы и посыпет голову пеплом, если он сделает хоть один шаг из Торре Ло Бьянко, *chiaro*?

Сальваторе слабо улыбнулся, наблюдая за этим ее спектаклем. Полчаса, согласился он на компромисс. Он отдохнет полчаса, и на этом всё.

Она воздела руки. Но он ведь не откажется от стаканчика укрепляющего вина? Или от одной-двух унций *limoncello*[2]?

Он выпьет *limoncello*, согласился Сальваторе. Он знал, что мама не успокоится, пока он не согласится хотя бы с одним из ее предложений.

Ровно через полчаса Сальваторе поднялся с дивана. У него закружилась голова, он почувствовал приступ тошноты и подумал, нет ли у него сотрясения мозга? Он проковылял к зеркалу у входа, чтобы оценить нанесенный ему урон.

Ну что же, подумал он с иронией, теперь хоть следы юношеских угрей не будут видны. Теперь на его физиономии так много всего интересного, что на них мало кто обратит внимание. Глаза заплыли, губы выглядели как два куска мяса, накачанные ботоксом, нос действительно мог быть сломан – его вид несколько отличался от того, который он помнил, – а на коже уже стали проявляться кровоподтеки от кулаков Пьеро. Сальваторе чувствовал синяки и на всем теле. Скорее всего, сломано несколько ребер. Даже кисти его рук болели.

Старший инспектор не знал, что Пьеро Фануччи был таким бойцом. Но после некоторых размышлений он признал, что в этом был свой смысл. Уродливый настолько, что не мог смириться с этим фактом, обладатель шестого пальца, пробивающийся из нищеты, безкультурия, посмешище для всех остальных... Кто бы мог сомневаться, что, поставленный перед выбором между жизнью жертвы или жизнью агрессора, Пьеро Фануччи сделает правильный выбор. Сальваторе даже зауважал его за это.

---

[1] Полба (*итал.*).

[2] Популярный итальянский домашний ликер (*итал.*).

Но ему придется сделать что-то со своим внешним видом, иначе от него будут шарахаться женщины и дети. Кроме того, была еще небольшая проблема одежды – она была испачкана и порвана в некоторых местах. Поэтому, прежде чем идти куда-либо, Сальваторе должен привести себя в порядок. Это значило, что ему придется преодолеть три пролета лестницы в свою спальню.

Ему это удалось, но с трудом. Процесс занял пятнадцать минут, и ему пришлось буквально втаскивать себя по перилам, в то время как внизу кудахтала его мамочка и призывала на помощь непорочную Деву Марию, чтобы та дала ему хоть немного разума, прежде чем он убьет себя. Сальваторе прохромал в свою детскую спальню и попытался снять одежду, не крича при этом от боли. Это усилие заняло еще пятнадцать минут, но увенчалось успехом.

В ванной он нашел аспирин и принял сразу четыре таблетки, запив их большими глотками холодной водопроводной воды. Затем умыл лицо, сказав себе, что уже чувствует себя лучше, и спустился вниз. Его мать широко развела руки, давая понять этим жестом Понтия Пилата, что снимает с себя всякую ответственность за те глупости, которые готов совершить ее сын. Она скрылась на кухне и загремела там кастрюлями и сковородками. Сальваторе знал, что мать приготовит суп *farro*. Если она не смогла остановить его, то после его возвращения ничто не помешает ей его побаловать.

Прежде чем покинуть *torre*[1], Сальваторе сделал несколько звонков, чтобы узнать последние новости о поисках источника *E. coli*, которая убила Анжелину Упман. Он узнал, что органы здравоохранения играют в игру осторожного выжидания. О причине смерти широко не сообщалось, так как заражение все еще было единичным. Были предприняты шаги по поиску источника на фаттории ди Санта Зита. Однако результаты всех тестов оказались отрицательными. Тогда медики двинулись дальше. Ему доложили, что были проверены все места, которые Анжелина посетила за несколько недель до ее смерти. Однако загадка единственного человека, зараженного бактерией, все еще не разрешилась. Это было чем-то неслыханным. Это вызвало вопросы к лаборатории Цинции Руокко и к той лаборатории, которая проводила тесты образцов, присланных Цинцией. Заговорили о возможном перекрестном заражении. Проверялось рабочее место самой Цинции. Откровенно говоря, ничто, связанное со смертью англичанки, не имело никакого смысла. Сальваторе обдумал всю полученную информацию и пришел к единственно возможному выводу. Смерть

[1] Башня (*итал.*).

Анжелины от заражения бактерией не имела смысла для органов здравоохранения, потому что они смотрели на нее с неправильной точки зрения. Они все еще рассматривали ее как случайное заражение, тогда как она таковым не была.

Когда дело касается убийства, начинают всегда с мотива. В этом же случае можно было начать и с поисков орудия убийства – кто имел к нему доступ. Но Сальваторе решил начать с мотива. Мотив был ярким, как маяк. Он указывал на Таймуллу Ажара. На вопрос, кому была выгодна внезапная смерть Анжелины Упман, ответ был только один – отцу ребенка. На вопрос, кто больше всех желал ее смерти, ответ был только один – отец ребенка. Ее смерть навсегда возвращала ему Хадию. Ее смерть, возможно, удовлетворяла его стремление к мести за все те испытания, через которые он прошел, потеряв дочь, не говоря уже об обиде, которую Анжелина нанесла ему, когда завела интригу с другим мужчиной, продолжая жить с ним. Никому другому ее смерть не была нужна, за исключением, может быть, кого-то третьего, о ком полиция еще не знала. Может быть, еще один мужчина? Брошенный любовник? Ревнивый друг? Сальваторе считал, что это возможно, но очень маловероятно. Очень часто причины, по которым совершаются преступления, лежат на самой поверхности.

Получить информацию о Таймулле Ажаре было совсем просто. Для этого нужен был Интернет и один звонок в Лондон. В любом случае, Ажар ничего о себе не скрывал. Список его званий представлял значительный интерес: профессор микробиологии в Университетском колледже в Лондоне, возглавляющий свою собственную лабораторию. Список его работ был очень внушителен, но названия большинства из них были для Сальваторе совершенно непонятны. Однако все это было не так важно, как одна-единственная деталь – микробиология. Пора уже побеседовать с этим добрым человеком, решил инспектор. Но для этого ему нужна помощь переводчика, умеющего держать язык за зубами. Его собственный английский был недостаточен для проведения допроса.

Он решил переговорить с Ажаром в пансионе, в котором тот все еще жил. Прежде чем направиться туда, Ло Бьянко позвонил в *questura* и переговорил с трудолюбивейшей Оттавией Шварц. Не могла бы умница Оттавия организовать переводчика, который встретил бы его в *anfiteatro*? Не переводчика из полиции, а, может быть, одного из многочисленных гидов...

– *Si,* si. Без проблем, *Ispettore*, – сказала она. – Но почему бы не переводчик из полиции?

Честно говоря, это был вполне резонный вопрос, поскольку у них имелся многоязычный переводчик, работавший со всеми полицейскими агентствами в Лукке. Но пользоваться его услугами значило обеспечить Пьеро доступ ко всей информации, а Сальваторе считал, что на сегодня ему *magistrato* уже достаточно.

Он объяснил Оттавии, что они действуют, как и раньше: он не хочет раскрывать карты, прежде чем не расставит всех своих солдат.

Закончив эти приготовления, Ло Бьянко осторожно направился на машине в сторону *anfiteatro*. Он ехал по очень узким улочкам, однако пролета в одной из арок оказалось достаточно, чтобы его машина в него протиснулась, и он оказался перед выставкой толстолистных растений, расположившейся у стен Пенсионе Жардино. Здесь он припарковался и стал ждать. Позвонил в Лондон, инспектору Линли; тот согласился ему помочь. И даже таким образом, что никто в Университетском колледже ничего не узнает.

Сальваторе пересек площадь, чтобы быстренько выпить эспрессо. Он осушил чашку внутри заведения, чувствуя на себе любопытные взгляды барристы. Не торопясь подождал, пока кофе не уляжется у него в желудке, а затем направился назад к своей машине, чтобы посмотреть, не появился ли переводчик.

Ло Бьянко глубоко вздохнул, отчего его грудь заболела, и задумался, был ли выбор переводчика намеренным или это был первый попавшийся переводчик из агентства, в которое позвонила молодая полицейская. Потому что, опираясь на полицейскую машину и осматривая площадь через громадные солнечные очки, стояла его собственная бывшая жена.

Сальваторе и не подозревал, что Биргит занялась переводами, помимо своей постоянной работы в университете Пизы. На нее это было не очень похоже, хотя, как жительница Швеции, она одинаково свободно говорила на шести языках. Она бы пользовалась спросом, если бы захотела подзаработать на стороне. А деньги ей, без сомнения, были нужны – зарплата полицейского не позволяла Сальваторе выплачивать большие алименты на детей.

Биргит курила сигарету, такая же светлая, стройная и привлекательная, как и всегда. Сальваторе остановился и поприветствовал ее. Женщина уставилась на него, надула губы, а потом покачала головой и резко произнесла:

– Я не хочу, чтобы дети видели тебя таким.

Это было так на нее похоже. Ни слова о том, что случилось с ее несчастным бывшим мужем, а вместо этого декларация о том, что в таком состоянии дети с ним встречаться не будут. Сальваторе не мог ее за это ругать. Ему тоже не хотелось встречаться с детьми в таком виде. Он сказал, что удивлен тем, что она занялась переводами. Биргит пожала плечами. Это был типично итальянский жест, которому она научилась за те годы, что жила в Тоскане. Он никогда не видел его у других шведов.

– Деньги, – пояснила она. – Их никогда не бывает много.

Сальваторе остро взглянул на нее, пытаясь понять, не забрасывает ли она удочку, однако не увидел одной из ее обычных иронических улыбок. Он успокоил себя тем, что Биргит просто констатировала факт, и сказал:

– Объясни Бьянке и Марко, что папа не сможет с ними встретиться в ближайшие дни. Хорошо?

– Я же не совсем бессердечная, Сальваторе, – ответила она. – Это только ты так считаешь.

Это было неправдой. Он просто считал, что они с самого начала плохо подходили друг другу, и он сказал ей об этом.

Биргит бросила сигарету, растерев ее подошвой одной из туфель. В этих шпильках она, со своими шестью футами, выглядела выше, чем он.

– Вожделение не вечно, – сказала его бывшая. – Ты думал подругому. Ты ошибся.

– Нет, нет. И в конце я так же страстно желал...

– Да речь же не о тебе, Сальваторе. – Она кивнула на *pensione*. – Наш англичанин здесь?

Ло Бьянко все еще боролся с судорогой, внезапно перехватившей его горло, поэтому просто кивнул и прошел вслед за ней к двери.

Синьора Валлера поприветствовала их. Да, Таймулла Ажар все еще здесь, сказала она Сальваторе, бросая любопытные взгляды на Биргит, на ее рост, отлично сшитый костюм, шелковый шарф, светлые волосы и серебряные серьги. Профессор с дочерью планируют купить цветы и отвезти их на велосипедах на городское кладбище, но они еще не ушли. Они в столовой, изучают *pianta stradale*[1]. Проводить их?

Сальваторе покачал головой. Она указала дорогу, и он направился внутрь, сопровождаемый Биргит. Пансионат был крохотный, поэтому достаточно было идти на звук голосов, особенно на звук нежного голоска Хадии Упман. Старший инспектор подумал, полностью ли она понимает, что в свои девять лет лишилась матери? Понимает ли она, что это будет значить для нее в будущем?

---

[1] План города (*итал.*).

Таймулла Ажар сразу увидел их и обнял Хадию за плечи, как бы защищая ее. Его темные глаза беспрестанно двигались. Сначала он посмотрел на Биргит, затем на старшего инспектора. На его лице появилось выражение удивления, когда он увидел Сальваторе.

– *Un incidente*[1], – сказал Ло Бьянко.

– Несчастный случай, – перевела Биргит. Казалось, ей хочется добавить от себя: «столкновение с чьими-то кулаками». Она объяснила Ажару, что старший инспектор Ло Бьянко хотел бы задать ему несколько вопросов. В ее объяснениях не было необходимости, но Сальваторе не останавливал ее: инспектор Ло Бьянко, сказала она, недостаточно владеет английским языком. Таймулла Ажар кивнул. Он уже знал это.

– *Khushi*, – сказал он Хадии, – мне надо поговорить с этими людьми несколько минут. Если ты подождешь меня... Может быть, синьора Валлера разрешит тебе побыть в кухне и поиграть с малышкой Грациэллой?..

Хадия посмотрела сначала на него, потом на лицо Сальваторе и сказала:

– Такие крохи не очень-то умеют играть, папа.

– Тем не менее, – сказал Ажар.

Девочка серьезно кивнула и выскользнула из комнаты. Она что-то прокричала по-итальянски, но Сальваторе не расслышал. Они с Биргит придвинулись к столу, на котором был разложен план города Лукка. Ажар аккуратно сложил карту, пока синьора Валлера предлагала им кофе. Они согласились, и, пока ждали, когда она его принесет, Сальваторе вежливо спросил о самочувствии Ажара и Хадии.

Он внимательно наблюдал за пакистанцем, почти не обращая внимания на его ответы, и вспоминал то, что успел узнать об Ажаре с того момента, как Цинция Руокко рассказала ему о своих находках и поведала ему свои мысли, касающиеся этих находок. Сальваторе хорошо понимал, что Таймулла Ажар был известным микробиологом, специалистом в своей области. Однако он не знал, была ли *E. coli* предметом научных интересов профессора. Он также не знал, как эти бактерии можно перевозить, и не представлял, как, даже перевезя эту бактерию к месту назначения, ее можно скормить человеку так, чтобы тот об этом не узнал.

– *Dottore*, – сказал он, воспользовавшись помощью Биргит, – не могли бы вы рассказать мне о ваших отношениях с матерью

[1] Случайность (*итал.*).

Хадии? Она ведь ушла от вас к синьору Муре, не так ли? Затем она вернулась к вам на какое-то время, заставив вас поверить, что навсегда. После этого исчезла уже вместе с Хадией, и вы остались один, совершенно не зная, что с ними произошло, *vero*?

В отличие от большинства людей, зависящих от перевода, Ажар ни разу не взглянул на Биргит, пока она переводила слова Сальваторе. Он вообще ни разу не взглянул на нее во время всего разговора. Ло Бьянко был удивлен этой необычной формой самодисциплины.

– Наши отношения не были безоблачными, – ответил пакистанец. – А как могло быть по-другому? Как вы сами сказали, она забрала у меня Хадию.

– Время от времени у нее появлялись другие мужчины, *vero*? Когда вы жили вместе.

– Теперь я это знаю.

– А до этого вы не знали?

– Когда мы жили вместе в Лондоне? Нет, не знал. Не знал до того момента, пока она не ушла к Лоренцо Муре. Но и тогда я не знал конкретно о нем. Просто понимал, что где-то, может быть, кто-то есть. Когда Анжелина возвратилась, я решил, что... ко мне. Когда же она исчезла с Хадией, я подумал, что она вернулась к тому, к кому уже уходила. К нему или к кому-то другому.

– Вы что, хотите сказать, что первый раз она могла уйти от вас к кому-то другому, а не к синьору Муре?

– Да, именно это я и хочу сказать, – подтвердил Ажар. – Мы это не обсуждали. Когда мы снова увиделись, перед тем как Хадия исчезла вместе с ней, в этих разговорах не было смысла.

– А когда вы приехали в Италию?

Ажар сдвинул брови, как бы говоря: а это здесь при чем? Он не сразу ответил, так как в этот момент синьора Валлера принесла кофе и тарелку с выпечкой в виде шариков, покрытых сахарной пудрой. Сальваторе взял один шарик и положил в рот, ожидая, пока тот растает. Синьора Валлера налила кофе из высокого керамического кофейника. Когда она ушла, Ажар сказал:

– *Non capisco, Ispettore*[1]. – И стал ждать разъяснения.

– Мне интересно, была ли у вас злость на эту женщину за все то горе, которое она вам причинила, – пояснил Сальваторе.

– Все мы причиняем друг другу горе, – сказал Ажар. – И у меня нет к этому иммунитета. Но, мне кажется, она и я, мы

---

[1] Не понимаю, инспектор (*итал.*).

простили друг друга. Хадия была – и есть сейчас – важнее, чем какие-либо обиды между мной и Анжелиной.

– То есть обиды все-таки были? – Ажар кивнул. – Но пока вы были здесь, они не возникали? Вы ее не обвиняли? И не было никаких встречных обвинений с ее стороны?

Биргит запнулась на словах *встречные обвинения*, но после консультации с карманным словарем продолжила. Ажар сказал, что речи о встречных обвинениях не было, после того, как Анжелина поняла, что он не имел никакого отношения к похищению их дочери, хотя пришлось потратить много времени, чтобы убедить ее в этом. Им пришлось посетить его бывшую жену и детей, а ему – еще и представить доказательства того, что он находился в Берлине в момент похищения Хадии.

– Ах, да. Берлин, – сказал Сальваторе. – Конференция, *vero*?

Ажар снова кивнул. «Это была конференция микробиологов», – пояснил он.

– И много было народа?

– Человек триста.

– Скажите, а чем занимается микробиолог? Вы уж простите мне мое невежество. Мы, полицейские... – Сальваторе улыбнулся с сожалением. – Дело в том, что наша жизнь проходит в очень узких рамках, понимаете?

Он высыпал пакетик сахара в свой кофе и взял еще одно пирожное, отправив его в рот, как и первое.

Ажар объяснил, хотя и не очень поверил в невежество Сальваторе. Он рассказал о группах, в которых преподавал, о дипломниках и аспирантах, с которыми работал, об исследованиях, которые проводились в его лаборатории, и о статьях, которые он публиковал по результатам этих исследований. Профессор также рассказал о своих коллегах и конференциях, в которых принимал участие.

– Эти микробы, – сказал Сальваторе, – мне кажется, они могут быть опасны.

Ажар объяснил, что микробы бывают разные. Некоторые из них абсолютно безвредны.

– Но ведь люди не изучают безвредные микробы? – спросил Сальваторе.

– Я не изучаю.

– А как же защитить себя от них? Это должно быть очень важно, нет?

– Когда ученый работает с опасными микробами, существует много степеней защиты, – объяснил Ажар. – Все лаборатории отличаются друг от друга, в зависимости от того, что в них изучают. Те, в которых изучают наиболее опасные штаммы, имеют больше степеней защиты.

– *Si, si. Capisco*. Но позвольте мне спросить, а для чего вообще нужно изучать такие опасные микроорганизмы, как эти микробы?

– Чтобы понять, как они мутируют. – ответил Ажар. – Чтобы выработать методы лечения, в случае если человек заразится ими. Увеличить время ответа при поиске источника заражения. Существует множество причин для их изучения.

– Так же, как существует множество видов этих микробов?

– Да, – согласился Ажар. – Как звезд во вселенной, и все они постоянно мутируют.

Сальваторе задумчиво кивнул, налил себе еще кофе из керамического кофейника и предложил Биргит и Ажару. Биргит согласилась, Ажар отказался. Он постукивал пальцами по краю своей чашки и смотрел поверх головы инспектора на дверь комнаты. За ней раздавался быстрый и веселый разговор Хадии. Она говорила по-итальянски. «Дети, – подумал пакистанец, – очень быстро схватывают иностранные языки».

– А в вашей лаборатории, *Dottore*? Что вы в ней изучаете? И она... как вы сказали? Биоопасна?

– Мы изучаем эволюционную генетику инфекционных заболеваний, – ответил Ажар.

– *Molto complesso*[1], – пробормотал инспектор.

Для этого перевода было не нужно.

– Действительно сложно, – согласился Ажар.

– А в этой вашей биоопасной лаборатории вы отдаете предпочтение каким-нибудь отдельным микробам, *Dottore*?

– Стрептококкам, – ответил Ажар.

– И что же вы делаете с этими стрептококками?

В этот момент пакистанец задумался, еще раз сдвинув брови. Он объяснил задержку, сказав:

– Простите. Сложно свести все, что мы делаем, до уровня, понятного непосвященному.

– *Certo. Ma provi, Dottore*[2], – согласился Сальваторе.

Ажар так и сделал, после минутного размышления.

– Наверное, самым простым будет сказать, что мы участвуем в процессе, который позволит нам ответить на вопросы, связанные с микробом.

---

[1] Очень сложно (*итал.*).

[2] Конечно. Но попробуйте, доктор (*итал.*).

– Вопросы?

– О его патогенезе, передаче, вирулентности, развитии, мутациях... – Ажар остановился, давая Биргит возможность перевести сложные термины на итальянский.

– И для чего это делается? – спросил Сальваторе. – То есть для чего это делается в вашей лаборатории?

– Ну, мы изучаем, как мутации влияют на вирулентность микробов.

– Другими словами, как мутации делают микроб еще более опасным.

– Правильно.

– Как мутации делают микроб возможным убийцей.

– Ну, можно и так сказать.

Сальваторе опять задумчиво кивнул. Он молча изучал Ажара. Молчание продолжалось дольше, чем требовала обстановка. Это, несомненно, подсказало пакистанцу, что что-то происходит. А так как паспорт у него уже отобрали, то этим чем-то была, по-видимому, смерть матери его дочери и возможная связь этой смерти с его собственной работой.

– Вы задаете мне эти вопросы по какой-то причине, старший инспектор, – с видимой осторожностью сказал Ажар. – Могу я узнать, по какой?

Вместо ответа Сальваторе спросил:

– Что происходит с этими вашими микробами, если их перевозят, *Dottore*? Я имею в виду, что с ними произойдет, если их перевезти из одного места в другое?

– Это зависит от того, как их перевозить, – сказал Ажар. – Но я не понимаю, с чем связаны эти вопросы, старший инспектор Ло Бьянко.

– То есть перевозить их можно?

– Да, можно. Но опять-таки, старший инспектор, вы задаете мне эти вопросы, потому что...

– Почки практически здоровой женщины вдруг отказывают, – перебил Сальваторе. – Для этого должна быть причина.

В ответ Ажар не сказал ничего. Он был недвижим, как статуя, так, как будто всякое движение могло выдать какую-то его тайну.

– Поэтому мы и попросили вас задержаться на некоторое время в Италии, – продолжил Ло Бьянко. – Может быть, вам нужен англоговорящий адвокат? Может быть, надо найти кого-нибудь, кто бы присмотрел за Хадией в случае...

– Я сам позабочусь о своей дочери, – резко оборвал его Ажар. Но он сидел так напряженно на своем стуле, что Сальваторе мог представить, как напрягается каждый мускул его тела, когда он возвращается к вопросам старшего инспектора, своим правдивым ответам и совету нанять *avvocato*.

– Я бы посоветовал вам, *Dottore*, – аккуратно сказал Сальваторе, – быть готовым к любым возможным последствиям нашей сегодняшней беседы.

Ажар поднялся и тихо сказал:

– Я должен пройти к дочери, инспектор Ло Бьянко. Я обещал ей, что мы купим цветы и отвезем их на могилу ее матери. Я должен выполнить свое обещание.

– Как сделал бы на вашем месте любой хороший отец, – подтвердил Сальваторе.

Челси,
Лондон

Великолепный майский день заставил Линли пожалеть, что у него не открытый автомобиль, когда он ехал по набережной реки. Были и другие пути добраться до Челси из Нового Скотланд-Ярда; однако ни один из них не мог похвастаться красотами, которые предлагали в такой день сначала Миллбанк, а затем Гросвенор-роуд: деревья, покрытые молодой весенней зеленью, еще не тронутой городской пылью, грязью и смогом; бегуны, трусящие по широким тротуарам вдоль русла реки; баржи на реке и экскурсионные корабли, направляющиеся к Тауэрскому мосту или Хэмптон-корт. Сады были просто великолепны с обновленной травой и новой весенней растительностью. «Хороший день для того, чтобы почувствовать себя живым», – подумал он. Он глубоко вздохнул и почувствовал себя на секунду в полной гармонии с миром.

Все было совсем по-другому всего несколько минут назад, когда Томас доложил Изабелле Ардери о телефонном звонке от Сальваторе Ло Бьянко. Ее первой реакцией было: «Боже, все это запутывается все больше и больше, Томми», после чего она встала из-за стола и принялась мерить шагами кабинет. На втором круге суперинтендант закрыла дверь, чтобы кто-то случайно их не побеспокоил.

То, что ее мысли были в полном беспорядке, было для нее нехарактерно. Линли ничего не сказал, а просто ждал, что же произойдет дальше. Дальше последовало: «Мне нужно глотнуть свежего воздуха, как и тебе», а его предостерегающее: «Изабелла» было встречено: «Я сказала *свежего воздуха*, ради всего святого. Сделай одолжение и проводи меня, или ты хочешь найти меня к вечеру здесь на полу с бутылкой водки в руках?» Томас удивился, насколько хорошо она его знала, и сказал: «Конечно. Прости».

Извинения были приняты резким кивком головы. Затем Ардери подошла к двери, которую только что закрыла, распахнула ее и сказала Доротее Гарриман, всегда ошивающейся неподалеку, то ли для помощи, то ли для сплетен: «Я на мобильном», – и проследовала в направлении лифтов.

Они вышли наружу, где Изабелла на секунду остановилась около вращающейся эмблемы полиции Метрополии и вдруг сказала:

– В такие моменты я жалею, что бросила курить.

– Если расскажешь, что произошло, возможно, я тоже об этом пожалею, – ответил Линли.

– Отойдем туда.

Ардери кивнула на пересечение Бродвея и Виктория-стрит. Там располагался парк с травой, прячущейся в тени платанов. В дальнем конце парка находился мемориал, посвященный движению суфражисток, но она не пошла к его громадной спирали, а направилась к одному из деревьев, облокотилась об него и спросила:

– И как же ты предлагаешь провернуть это, не насторожив профессора Ажара? Очевидно, что тебе нельзя ехать самому, а послать туда Барбару будет равносильно выстрелу из пистолета в жизненно важный орган. Ты ведь знаешь это, Томми. Я надеюсь и молю Бога, что ты это знаешь.

Страсть, с которой Изабелла произнесла последние слова, сказала Линли, что она или скрывает какую-то информацию, или что она получила еще один отчет от детектива инспектора Стюарта. Оказалось, что это все-таки отчет.

– Она встречалась и с частным сыщиком, и...

– Доути, – уточнил Томас.

– Доути, – согласилась Ардери. – И с Брайаном Смайтом.

– Но мы знали об этом, Изабелла.

– В компании с Таймуллой Ажаром, Томми, – продолжила Изабелла. – Почему она не вставила это в свой отчет?

Линли выругался про себя. Это было что-то новое, неизвестное – еще один кирпичик в стене, еще один гвоздь, забитый в гроб, или что там еще говорят в таких случаях. Он стал задавать вопросы, хотя знал ответы так же хорошо, как свое собственное имя.

– Когда она с ним встречалась? Когда они там были? И откуда ты...

– Это было в то утро, когда она выдумала то, что выдумала: то ли пробку, то ли заправку... Боже, сейчас я и не вспомню, – чтобы объяснить свое опоздание на встречу с нами.

– Опять Джон Стюарт? Бог мой, Изабелла, сколько ты еще планируешь терпеть его махинации? Или, может быть, ты сама отдала ему приказ следить за Барбарой?

– Давай не будем пытаться выдать черное за белое. А вот мне все это начинает напоминать операцию по сокрытию улик, что, как тебе хорошо известно, гораздо более серьезно, чем выдумка истории о том, как ее несчастная мать упала со *стула* или откуда там еще в своем пансионате.

– Я первый соглашусь, что тогда она поступила плохо.

– Ага, и сейчас я призову всех святых и ангелов, чтобы поблагодарить тебя за это, – сказала Изабелла. – Сейчас у нас есть ряд поступков, совершенных Барбарой Хейверс, которые ясно указывают на то, что она мухлюет с уликами.

– Преступление не было совершено на территории Великобритании, – напомнил ей Линли.

– Послушай, не держи меня за дурочку. Она переступила черту, Томми. Ты и я, мы оба это знаем. Я начинала свою карьеру, расследуя поджоги, и одно я запомнила очень хорошо из тех давних лет: если мой нос чувствует запах дыма, значит, наверняка был пожар.

Линли ждал, когда она расскажет ему про билеты в Пакистан. Но она опять этого не сделала. И инспектор опять решил, что, хотя это и была слабая помощь Хейверс, Изабелла все еще ничего не знает о билетах. Если бы она знала, то сейчас обязательно ему сказала бы. Не было смысла скрывать эту информацию.

– А ты знал, что она посещала Доути и Смайта в компании Таймуллы Ажара? – обратилась к нему Ардери.

Томас твердо посмотрел на нее, пытаясь сформулировать ответ: что выбрать и к чему это может привести. Он надеялся, что Изабелла не задаст этого вопроса, но, как сказала суперинтендант, она не была дурой.

– Да, – ответил Линли.

Она подняла глаза к небу и сложила руки под бюстом.

– Ты защищаешь ее, сам мухлюя с уликами? Я правильно понимаю?

– Нет, – ответил он.

– Тогда что я должна думать?

– Что я еще не знаю всего, Изабелла. А пока не узнаю, не вижу смысла беспокоить тебя по пустякам.

– Ты намерен защитить ее. Неважно, какой ценой. Боже, что с тобой случилось, Томми? Ведь мы говорим и о твоей чертовой карьере.

Когда Линли ничего не ответил, она сказала:

– Забудь. Речь совсем не о ней. О чем это я? Д-а-а, ведь графство ждет. Кстати, это именно так называется, графство? И семейное гнездышко в Корнуэлле всегда ждет, когда ты в него вселишься, если вдруг решишь послать все это к черту. Тебе ведь эта работа не нужна. Для тебя это все забава. Прогулка в парке. Просто шутка. Это...

– Изабелла, Изабелла... – Он сделал шаг к ней.

Она подняла руку.

– Не смей.

– Что тогда? – спросил Томас.

– Неужели ты не можешь хотя бы на секунду представить, чем это все для нас закончится? Неужели ты не можешь, хотя бы на минуту, забыть об этой чертовой Барбаре Хейверс и поразмыслить, куда она нас втянула? Не только себя, но и нас всех?

Линли это понимал, потому что тоже не был дураком. Однако он должен был признать, что до настоящего момента не задумывался, какое значение может иметь поведение Барбары для самой Изабеллы, в случае если о нем станет известно. Услышав голос Ардери, полный отчаяния, Томас почувствовал, что облака рассеиваются и солнце светит, к сожалению, не на Барбару. Изабелла отвечала за всех офицеров и несла на своих плечах непосредственную ответственность за то, что эти офицеры делали или не делали. *Прачечная* – так это обычно называли после каждого случая коррупции, который становился известным. Мелочь выбрасывали на растерзание публике, а Изабелла Ардери, скорее всего, будет отнесена именно к такой мелочи.

– Эта ситуация... – сказал он ей. – До этого не дойдет, Изабелла.

– Ну, конечно, ты в этом уверен, правда?

– Посмотри на меня, – сказал Линли. И когда она, наконец, посмотрела и он увидел страх в ее глазах, произнес: – Уверен. Я не позволю причинить тебе зло. Я клянусь.

– У тебя нет такой власти. Ее ни у кого нет.

Теперь, когда Линли, за рулем «Хили Эллиот», направлялся в Чейн-Уок, он пытался забыть о своем обещании Изабелле. Сейчас были дела более важные, чем даже участие Барбары в делах Таймуллы Ажара, Дуэйна Доути и Брайана Смайта. И с этими делами надо было разобраться в первую очередь. Но на сердце у него было тяжело, когда он парковал машину в начале Лоуренс-стрит. Томас вернулся назад, к Лордшип-пэлэс и вошел в ворота, ведущие в сад, который он знал как свой собственный.

Они как раз заканчивали свой ленч на свежем воздухе, под роскошным цветущим вишневым деревом в середине лужайки: его старинный друг, жена его старинного друга и ее отец. Они наблюдали за громадным серым котом, кравшимся вдоль полосы травы, в которой росли лунарии, колокольчики и кампанулла. Они были увлечены обсуждением Аляски – так звали кота – и того, прошли ли его лучшие охотничьи дни.

Услышав скрип садовых ворот, они обернулись.

– А, Томми. Привет, – сказал Саймон Сент-Джеймс.

– Ты как раз вовремя, чтобы разрешить наш спор, – подхватила Дебора. – Ты как вообще насчет кошек?

– Девять жизней, или что-то еще?

– Что-то еще.

– Боюсь, что экспертом меня назвать трудно.

– Черт!

Отец Деборы, Джозеф Коттер, встал и сказал:

– Добрый день, милорд. Кофе?

Линли махнул рукой, чтобы тот сел, потом взял еще один стул со ступенек, которые вели на веранду перед цокольной кухней, присел за стол и осмотрел остатки их ленча. Салат, блюдо с зелеными стручками и миндалем, кости ягненка, горбушка того, что еще недавно было свежим батоном хлеба, и бутылка красного вина. Очевидно, что готовил Коттер. Дебора обладала артистическими талантами, но ее артистизм на кухне куда-то исчезал. Что же касается Сент-Джеймса... Если он удосужится сам намазать свой тост мэрмайтом[1], то это уже повод для праздника.

– Сколько лет Аляске? – спросил Томас, готовясь высказать свое мнение.

– Боже, я не знаю, – ответила Дебора. – Мне кажется, он у нас появился... Мне было лет десять, Саймон?

– Ему не может быть семнадцать, – сказал Линли. – Сколько у него может быть жизней, как ты считаешь?

– Думаю, что он прожил по крайней мере восемь из них, – сказал Саймон, а затем обратился к жене: – Может быть, пятнадцать?

– Было тогда мне – или сейчас коту?

– Коту, любовь моя.

– Тогда я думаю, что его лучшие охотничьи дни продолжаются, – сказал Линли и торжественно перекрестил кота, который в этот момент атаковал упавший лист с энтузиазмом, который говорил о том, что он принял его за обед.

---

[1] Мэрмайт – популярный дрожжевой соус.

– Вот так. Получил? – сказала Дебора мужу. – Томми лучше знает.

– У тебя большой опыт работы с семейством кошачьих? – спросил Сент-Джеймс.

– У меня большой опыт того, с кем надо в первую очередь соглашаться, когда наносишь светский визит, – парировал Линли. – Мне показалось, что Дебора за охоту. Она всегда защищала твоих животных. А где собака?

– Наказана. Если только можно наказать дачхунда, – объяснила Дебора. – Она слишком активно требовала свою долю ягненка и была отправлена на кухню.

– Бедная Пич.

– Ты говоришь это только потому, что не видел ее махинаций, – заметил Саймон.

– Мы называем это «глаза любви». Когда уставится ими на кого-нибудь, ей невозможно отказать.

Линли хмыкнул, откинулся на стуле и попытался получить наслаждение от всего, что его окружало: их общество, день, простая радость собраться в саду на ленч. Потом он сказал:

– Вообще-то я по делу. – И когда Джозеф Коттер встал, собираясь исчезнуть, Томас пригласил его сесть, если он хочет, так как у него нет от них секретов в этот приезд в Челси.

Однако Коттер объяснил, что ему пора мыть посуду. Он взял с подставки поднос и ловко заполнил его посудой. Дебора помогала ему, и через минуту они оставили двух мужчин наедине.

– И что же у тебя за дело? – спросил Саймон.

– Как ни странно, научное.

И Томас рассказал ему подробности смерти Анжелины Упман в Италии. Он сообщил детали, полученные во время телефонного разговора с Сальваторе Ло Бьянко. Сент-Джеймс слушал в своей обычной манере, его лицо неправильной формы живо реагировало на рассказ. После того, как Линли закончил, он несколько минут молчал, прежде чем спросить:

– А не могло здесь быть лабораторной ошибки? Единичный случай заражения от такого вирулентного штамма бактерии... Мне в голову приходит не убийство, а ошибка, которую могли совершить при исследовании материала, полученного из тела умершей. Момент, когда бактерия начала свою деятельность... В то время женщина еще должна была быть живой. Ло Бьянко будет трудно доказать что-либо. Например, как в нее вообще попала *E. coli*?

– Думаю, что именно поэтому он хочет начать с лаборатории. Ты сможешь это для меня сделать?

– Навестить Университетский колледж? Конечно.

– Ажар утверждает, что в своей лаборатории он изучает стрептококк. Ло Бьянко хочет выяснить, что еще они могут там изучать. Что касается перевозки... – Линли поерзал на стуле. Какое-то движение на периферии привлекло его внимание. Аляска нырнул в траву, и там, среди фиалок, разгорелась настоящая битва. – Мог ли он спокойно перевезти бактерию из Лондона в Лукку, Саймон?

Сент-Джеймс утвердительно кивнул.

– Ее просто надо поместить в питательную среду, в которой она сможет жить, – в бульон, а затем в отвердитель. В отвердевшем варианте ее можно перевозить. После того, как ее поместят в чашку Петри, она не только оживет, но и начнет расти.

– А сколько нужно, чтобы убить человека?

– Сложно сказать, все зависит от токсичности, – ответил Сент-Джеймс.

– Если верить Сальваторе, то *E. coli*, о которой мы говорим, очень токсична.

– Тогда мне надо быть осторожнее, – сказал Саймон, сложил салфетку и вытащил себя из-за стола.

Он был инвалидом, поэтому вставать на ноги для него всегда было сложно, но Линли знал, что ни в коем случае не должен помогать ему.

Виктория,
Лондон

Когда Барбара увидела, кто звонит ей на мобильный, она бросилась на пожарную лестницу, чтобы ответить на звонок. Снизу раздавалось эхо голосов, но оно исчезло, когда поднимавшиеся люди ушли с лестницы на каком-то из нижних этажей.

– Ну как вы? Где вы? Что там происходит? – спросила она Ажара. И хотя Хейверс старалась не показывать то отчаяние, которое чувствовала, по его секундному молчанию перед ответом она поняла, что он его заметил и задумался.

– У меня теперь есть адвокат, – сказал он ей. – Его зовут Алдо Греко. Я хочу дать вам его номер телефона, Барбара.

Сержант заметалась – у нее был карандаш, но ни кусочка бумаги, на котором можно было бы записать телефон. Не найдя ничего подходящего на полу, Барбара записала его на выцветшей желтой стене, с тем чтобы позже занести в свой мобильный.

– Отлично, – сказала она. – Это хорошее начало.

– Он очень хорошо говорит по-английски, – продолжил Ажар. – Мне сказали, это моя удача, что адвокат понадобился мне именно в этой части страны. Сказали, что если эта... ситуация возникла бы в одном из маленьких городков в районе Неаполя, то все было бы гораздо сложнее, так как адвокат ездил бы из большого города. Не знаю почему, но так мне сказали.

Барбара понимала, что Таймулла просто поддерживает светскую беседу. В сердце у нее кольнуло, когда она подумала, что он делает это именно с ней, со своим другом.

– А что посольство? Вы с кем-нибудь там говорили? – спросила сержант.

Ажар сказал, что говорил и что именно там ему дали список адвокатов в Тоскане. Но, кроме этого списка, они мало что могли для него сделать, кроме как позвонить его родственникам, чего он, естественно, не хотел.

– Мне объяснили, что если британский подданный попадает за границей в сложную ситуацию, то он сам должен из этой ситуации выбираться.

– Хорошо, что они об этом предупреждают, – саркастически заметила Барбара. – Я никогда не могла понять, на что тратятся наши налоги.

– Конечно, у них есть и другие проблемы, – пояснил Ажар. – А так как меня они не знают, им приходится верить на слово, что нет никаких причин для моего допроса полицией... Думаю, что я могу их понять.

Барбара словно видела его перед собой, в традиционной накрахмаленной белой рубашке и простых черных брюках, сшитых точно по фигуре. Эта одежда подчеркивает его изящную конституцию. Ажар всегда выглядел таким иллюзорным, таким деликатным по сравнению с другими мужчинами. Его внешний вид и то, каким она его знала – а она знает его хорошо, не переставала повторять себе Барбара, – говорил о его внутренней добродетели. Именно поэтому Хейверс и сообщила Ажару информацию, которая была ему необходима, чтобы лучше приготовиться к предстоящим событиям. Это не связано с ее лояльностью по отношению к кому-либо, уверяла она себя. Это связано с элементарной справедливостью.

– Ее почки отказали из-за токсина, Ажар. Называется шига.

Повисло секундное молчание. Затем пакистанец произнес: «Что?» – как будто он плохо ее расслышал или как будто не мог поверить в то, что она сказала.

– Линли позвонил этому итальянцу по моей просьбе. И тот все рассказал.

– Старший инспектор Ло Бьянко?

– Совершенно верно. Этот парень, Ло Бьянко, сказал, что токсин шига вызвал отключение почек.

– Да как это возможно? Штамм *E. coli*, который может привести к появлению токсина шига...

– Она где-то подхватила ее. Кишечную палочку. И, видимо, очень плохой штамм. Врачи не знали, с чем они столкнулись, особенно из-за тех осложнений, которые были связаны с ее беременностью. Они сделали несколько базовых анализов, ничего не нашли и прописали ей антибиотики.

– О боже, – прошептал профессор.

Барбара ничего не сказала, а через минуту он, казалось, начал размышлять вслух.

– Так вот почему он спрашивал меня о... – В его голосе появилась настойчивость. – Это, должно быть, ошибка, Барбара. Чтобы от этого умер всего один человек? Нет. Это просто невозможно. Кишечная палочка – это бактерия. Она заражает источники пищи. Кто-нибудь еще должен был заболеть. Многие люди должны были заболеть, потому что ели из того же источника, что и Анжелина. Вы понимаете, что я имею в виду? Такого просто не могло случиться. Это лабораторная ошибка.

– Кстати, о лабораториях, Ажар... Вы понимаете, к чему ведут эти итальянские копы? Со всеми их разговорами про лаборатории?

Таймулла замолчал. Части головоломки вставали на место. В этой тишине он не занимался размышлениями, он не сомневался, не строил планов на будущее – просто выстраивал и анализировал всю цепь событий, которая началась с исчезновения Хадии и Анжелины в прошлом ноябре и закончилась сейчас смертью последней в Лукке. Наконец он тихо сказал:

– *Стрептококк*, Барбара.

– Что?

– Это то, что мы изучаем в моей лаборатории в Университетском колледже: *стрептококк*. В некоторых лабораториях изучают больше чем одну бактерию. У нас не так. Конечно, мы изучаем больше, чем один штамм. Но только штаммы *стрептококка*. Для меня самым интересным является *стреп*, который вызывает вирусный менингит у новорожденных.

– Ажар, не надо мне рассказывать об этом.

– Понимаете, – продолжал он настойчиво, как будто она ничего не говорила, – мать передает его ребенку, когда тот проходит через родовой канал. И уже из этого развивается...

– Я верю вам, Ажар.

– ...менингит у новорожденного. Мы ищем способы предотвратить это.

– Я понимаю.

– Есть и другие формы. Другие формы *стрепа*, которые мы изучаем в моей лаборатории, потому что выпускники пишут дипломные работы, аспиранты готовят диссертации. Но то, что изучаю лично я... Ну, я вам уже сказал. А так как Анжелина была беременна, они начнут спрашивать меня об этом. Насколько случайно то, что я изучаю бактерию, живущую в беременных женщинах? И у них будут такие же сомнения, как и у вас, потому что, в конце концов, это я организовал похищение моего собственного ребенка...

– Ажар, Ажар...

– Я не убивал Анжелину, – сказал пакистанец. – Вы не можете так думать.

Барбара об этом и не думала. Она не могла заставить себя об этом подумать. Но правда заключалась в том, что во всей этой итальянской истории было несколько узких мест, и Ажар это знал так же хорошо, как и Барбара.

– Похищение, – сказала она. – Билеты в Пакистан. Вы должны понимать, как все это будет выглядеть в связи с ее смертью, если об этом станет известно.

– Об этом знаем только мы, Барбара. – Его голос был усталым.

– А как же Доути и Смайт?

– Они работают на нас, – сказал профессор. – Не мы на них. У них есть инструкции... Вы должны мне верить, потому что если еще и вы не будете мне верить... Я ее не убивал. Да, согласен, похищение ужасно само по себе, но как еще можно было заставить ее испытать, что чувствует человек, когда у него забирают единственного ребенка и он не имеет понятия...

– Пакистан, Ажар. Билеты в один конец. Линли об этом знает. А работать он умеет.

– Да вы совсем не хотите думать, – закричал Таймулла. – Зачем мне покупать билеты на июль и убивать Анжелину в мае? Зачем я это сделал, когда со смертью Анжелины мне не нужны были никакие билеты?

«Потому что, – подумала Барбара, – эти билеты освобождают тебя от любых подозрений, и я поняла это только сейчас, потому что *не могла понять*, пока не узнала, что Анжелина Упман мертва». Ничего этого она не сказала вслух. Однако что-то в ее молчании сказало Ажару, что от него потребуется еще что-то, если и не сейчас, то к следующей его встрече с инспектором Ло Бьянко.

– Если вы думаете, – сказал он, – что я убил ее, то должны спросить себя, где я взял бактерию. Конечно, кто-то где-то в Англии ее изучает, может быть, даже в Лондоне, но я не знаю, кто. Конечно, для меня не сложно это выяснить. Ну, хорошо, я это выяснил. Но любой другой тоже мог это выяснить.

– Это я понимаю. Но вы должны спросить себя, насколько вероятно... – Хейверс замолчала. Она спросила себя, кому и что должна: не только Линли, Ажару, Хадии, но и самой себе. – Дело в том... что вы мне уже один раз солгали и...

– Сейчас я не лгу! А когда лгал... Ну как я мог сказать вам, что я планирую? Вы что, разрешили бы мне украсть ее? Конечно, нет. Офицер полиции? Да как я мог ждать от вас чего-то подобного? Я должен был сделать это один.

«Так же, как обычно совершают убийства», – подумала сержант.

Молчание. Наконец Ажар прервал его.

– Так что, вы теперь не будете мне помогать?

– Этого я не говорила.

– Но подумали, правда? Вы подумали: «Мне надо держаться от него подальше, потому что это может стоить мне всего».

«Ну что же, – подумала Барбара с горькой иронией, – это почти слово в слово то, что сказал мне детектив инспектор Линли». Для нее все действительно было поставлено на карту, если только она не найдет способ обогнать итальянскую полицию хотя бы на шаг.

Вест Энд,
Лондон

«Такой способ – Митчелл Корсико», – решила Барбара. После того как занесла номер адвоката Ажара в свой телефон и стерла его со стены, она сразу же позвонила журналисту.

– Нам необходимо встретиться. Анжелина Упман мертва. Почему вы не написали об этом?

Он был абсолютно спокоен.

– Кто сказал, что не написали?

– Черт возьми, я уверена, что не видела.

– Ты что, хочешь сказать, что я отвечаю за то, что ты видишь или не видишь в газетах?

– А ты хочешь сказать, что ее напечатали, но не на первой странице? Тогда ты совсем потерял нюх, приятель. Надо встретиться, и срочно.

И все равно Митчелл никак не захватывал наживку, этот проныра.

– Скажи мне, почему это должно было быть на первой странице, и я скажу тебе, надо ли нам встречаться, Барб.

Она решила не реагировать на его гонор.

– Я в принципе сомневаюсь, что это вообще появилось в «Сорс», Митчелл. Британская девочка похищена среди толпы свидетелей, потом ее находят в монастыре, под присмотром полусумасшедшей, которая считает себя монашкой, – и вот, совершенно неожиданно, умирает ее мать. Тебе этого мало?

– Послушай, статья была на двенадцатой странице. Если бы она сделала одолжение и наложила на себя руки, то тогда бы напечатали на первой. А коли нет, так ее похоронили на двенадцатой. – Он заржал и добавил: – Извини за невольный каламбур.

– А что, если она действительно оказала вам, придуркам, услугу на всю первую страницу и умерла так, что теперь итальянцы пытаются это скрыть?

– Что? Ты хочешь сказать, что ее убил сам премьер-министр? А как насчет папы римского? – Опять звуки веселого ржания. – Барб, она умерла в больнице. У нее отказали почки. Так что ты предлагаешь: кто-то прокрался к ней в палату и налил яд в капельницу?

– Я предлагаю встретиться. Нам надо поговорить, а я не буду говорить до тех пор, пока не увижу твою физиономию.

Хейверс позволила ему поразмышлять об этом, а сама судорожно обдумывала, какую тактику выбрать, чтобы наверняка заставить «Сорс» проглотить наживку. С политической точки зрения эта помойка превратилась с годами в ультранационалистическое издание, из него так и пер нацизм. Она решила, что здесь надо размахивать флагами. Бритты против «пожирателей пиццы». Но еще не сейчас. Пусть сначала проглотит крючок.

Наконец Корсико сказал:

– Ну, хорошо. Смотри, Барб, это должна быть очень хорошая история.

– Конечно, – ответила она. И чтобы немножко погладить его по шерстке, предложила ему самому назвать место встречи.

Митчелл предложил на Лестер-сквер, у кассы с уцененными билетами. У настоящей кассы, которая торгует уцененными билетами, а не у какой-то другой. Около настоящей есть доска объявлений, на которой предлагают билеты на драмы, комедии и мюзиклы. Там он ее и встретит.

Легкомысленным тоном Барбара произнесла:

– У меня в петлице будет роза.

– Думаю, что узнаю тебя по твоему обычному безумному виду.

Они назначали время, и Хейверс явилась чуть пораньше. Как и всегда, обстановка на Лестер-сквер была мечтой террориста. Толпы людей на ней только увеличились с приходом лета. Тысячи туристов сидели в открытых ресторанах, стояли перед уличными музыкантами, покупали билеты в кино и пытались договориться о хорошей цене на билеты в театры, где и так хватало свободных мест. К середине июля эти толпы окончательно превратятся в орду, пройти через которую будет практически невозможно.

Барбара встала перед доской объявлений и устроила маленькое шоу, изучая предложения. Мюзиклы. Мюзиклы. Мюзиклы. Мюзиклы. Плюс голливудские знаменитости, пробующие себя в качестве театральных драматических актеров. Она подумала, что Шекспир, должно быть, окончательно извертелся в своем гробу.

Уже семь с половиной минут Хейверс выслушивала различные разговоры вокруг себя – что посмотреть, сколько истратить, будут ли «Отверженные» идти еще сто лет, а может быть, двести, – когда запах одеколона подействовал на нее, как нюхательная соль. Рядом с ней стоял Митчелл Корсико.

– Какой же гадостью ты пользуешься? – спросила Барбара. – Конским потом? Боже, Митчелл, – она помахала рукой перед лицом, – тебе, что, костюма уже недостаточно?

Ну сколько, подумала Хейверс, мужчина может носить одежду, в которой он выглядит как идиот в поисках Тонто?[1]

– Ты хотела встречи? – ответил Митчелл. – Тогда пусть на ней будет что-то важное, или я сильно расстроюсь.

– Как тебе итальянский заговор?

Корсико осмотрелся. Толкотня людей, пытающихся подойти к доске объявлений, уже достала, и он двинулся к краю площади по направлению к Джеррард-стрит и ее громадной перетяжке, сообщающей, что это начало лондонского Чайна-тауна. Барбара пошла за ним. Он развернулся, встал точно перед ней и спросил:

– О чем ты говоришь? Давай-ка лучше без шуток.

---

[1] Индеец, персонаж культового американского телесериала-вестерна «Одинокий рейнджер».

– Итальянцы знают причину смерти. Официально они ничего не объявляют. Они не хотят, чтобы об этом узнали газеты и началась паника. Или среди населения, или в экономике. Этого тебе достаточно?

Он переводил взгляд с нее на продавца воздушных шаров и опять на нее.

– Возможно. А в чем причина?

– Штамм кишечной палочки. Суперштамм. Смертельный штамм. Такого еще не было.

Корсико сощурил глаза.

– А как ты об этом узнала?

– Узнала, потому что узнала, Митчелл. Я присутствовала при звонке от их легавых.

– Звонок? Кому?

– Детективу инспектору Линли. Ему позвонил руководитель расследования в Италии.

Брови Митчелла сдвинулись. Барбара знала, что он пытается оценить информацию. Корсико не был дураком. Форма – это одно, значение – совсем другое. Тот факт, что Хейверс вообще упомянула Линли, сразу привлек его внимание.

– А почему ты мне это говоришь? – спросил он. – Вот что мне интересно.

– Но ведь это очевидно.

– Для меня – нет.

– Черт возьми, Митчелл. Ты же знаешь, что источником *E. coli* является еда. *Зараженная* еда.

– А, так она что-то съела!

– Приятель, мы не говорим об одном уксусном чипсе. Мы говорим об *источнике* еды. Кто знает, что это может быть. Шпинат, брокколи, рубленое мясо, консервированные помидоры, салат... Мне, например, кажется, что она попала к Анжелине в лазанью. Но все дело в том, что если об этом станет известно всем, то вся итальянская промышленность получит удар в солнечное сплетение. Целый сектор их экономики...

– Ты же не хочешь сказать, что у них есть промышленность, производящая лазанью?

– Ты понимаешь, о чем я говорю.

– То есть ты хочешь сказать, что она зашла съесть бургер, а повар сходил в туалет и не вымыл руки перед тем, как стал раскладывать помидоры?

Он переступил с ноги на ногу в своих ковбойских сапогах, а затем сдвинул стетсон еще дальше на затылок. Пара-тройка прохожих с любопытством посмотрела на него и огляделась в поисках тарелочки, в которую они должны были положить свои десятипенсовые восхищения его костюмом. Хотя на Лестер-сквер была масса более интересных вещей, чем лондонец в дурацком ковбойском костюме.

– Ну конечно, – продолжил Корсико. – Тот факт, что умер всего один человек... Это подтверждает идею. Один человек, один бургер, один испорченный помидор.

– Ну да, особенно если представить себе, что они подают бургеры в Лукке, Италия...

– Боже! Ты же все прекрасно понимаешь, Барб. Бургер был просто примером. Хорошо, пусть будет салат. Как насчет салата с помидорами, итальянским сыром и этой зеленой гадостью, которую они обычно кладут сверху? Ну, такая, с листочками...

– Митчелл, я что, похожа на человека, который может это знать? Послушай, я даю тебе хороший гандикап на историю, которая может взорваться в Италии в любой момент, и эта информация сейчас есть только у тебя. Поверь мне, полицейские и органы здравоохранения в Италии не будут ее сообщать, чтобы не вызвать бойкот итальянских продуктов.

– Это ты говоришь... – Корсико не был дураком. – А ты-то зачем в это лезешь? Это что, как-то связано... А где сейчас наш сексуально озабоченный папашка?

Барбара не могла позволить ему приблизиться к Ажару, поэтому сказала:

– Я давно с ним не говорила. Он поехал в Лукку на похороны. Думаю, что уже вернулся. Или, может быть, все еще там – упаковывает вещи дочери... Кто его знает? Послушай, приятель, с этой историей ты можешь делать все, что захочешь. Мне кажется, что это чистое золото. Ты думаешь, что это свинец? Очень хорошо, оставь ее. Есть и другие газеты, которые...

– Подожди, я еще ничего не сказал. Мне просто не хочется, чтобы это была такая же бомба, как предыдущая.

– Что ты имеешь в виду – «бомба»?

– Слушай, давай начистоту, Барб. Девочка ведь нашлась.

Хейверс уставилась на журналиста. Ей так хотелось врезать по его адамову яблоку, что ее ногти впились ей в ладони. Она медленно проговорила, хотя кровь так стучала в ее черепной коробке, что казалось, из глаз ее посыпятся искры:

– Совершенно верно, Митч. Для вас это был, конечно, удар. Ведь найти труп – это гораздо лучше. А еще лучше – обезображенный труп. Тогда тираж просто разлетится с прилавков.

– Я только хочу сказать... Послушай, это грязный бизнес. И ты это знаешь. И ты, и я сейчас бы не говорили, если бы ты думала по-другому.

– Если мы говорим о грязи, то итальянские копы в заговоре с итальянскими политиканами – это тоже очень грязно. Вот твоя история, которая стоила жизни англичанке и поставила под угрозу жизни сотен людей. Ты можешь заняться ей – или оставить ее для другой бульварной газетенки. Сам думай.

Барбара повернулась и пошла вдоль Чаринг-Кросс-роуд. До Нового Скотланд-Ярда она пройдется пешком. Ей надо время, чтобы остыть.

Уоппинг,
Лондон

У Дуэйна Доути было несколько идей по поводу того, откуда у Эм Касс появилась квартира на Уоппинг-Хай-стрит, но он предпочел о них не распространяться. Однако детектив видел, что Брайан Смайт мысленно составляет список из возможных источников дохода, которые позволили ей занять этот громадный лофт в бывшем складе Грэйд-II, смотрящий на Темзу. Владеть им она не может, подумал Смайт, поэтому, скорее всего, арендует его. Но цена будет заоблачная. Сама она ее заплатить не сможет. Один против ста, что здесь замешан мужчина. Она – подумать только – содержанка. Или, скорее, чья-нибудь постоянная любовница. В обмен на сексуальные удовольствия, доставленные в невероятных позах – а женщина в ее физической форме вполне была способна на очень многое, – Эмили проживала среди этих кирпичных стен, с трубами, проходящими снаружи в модном обрамлении из нержавеющей стали. Да, здесь было из-за чего скрипеть зубами. Доути подумал, что к концу беседы Смайт сотрет свои коренные до корней.

Встреча проходила в Уоппинге по предложению самой Эмили. В той ситуации, в которой они находились, настаивала она, они больше не могут себе позволить встречаться в месте, где уже побывали копы и где они в любой момент могут появиться снова. Любые публичные места также исключались. Оставалась только ее квартира. Потому-то они и собрались здесь, на этой низкой и мягкой кожаной мебели, окружающей такой же низкий кофейный столик, перед панорамным окном, смотрящим на Темзу. На стол Касс поставила кофейную машину, сделанную из нержавеющей стали, вместе с чашками и коробкой с пирожными, которые принес Брайан. Он, Дуэйн, наслаждался абрикосовым круассаном и размышлял, как бы дотянуться и до яблочного пирога, потому что знал, что Эм ни к чему этому не притронется.

Доути понимал также, что настойчивое предложение Касс провести встречу у нее в квартире было связано с теми разрушительными тенденциями, которые появились в их прежде монолитной троице. Эм не верила, что он не зафиксирует каждое их слово у себя в офисе, и она не верила, что Брайан Смайт не сделает того же самого в своем доме в Южном Хокни. Здесь, в Уоппинге, у нее была хоть какая-то иллюзия контроля над ситуацией. Доути решил не лишать ее этой иллюзии.

Целью встречи была сверка часов по тому делу, которое они все теперь называли «Итальянским бизнесом». Самую большую работу по нему выполнял Брайан, поэтому ему и предоставили слово. И хотя они находились очень далеко от тех людей, которые хоть отдаленно могли заинтересоваться тем, о чем шла речь, говорили они шепотом, сдвинув головы и внимательно разглядывая документы, приготовленные Брайаном, разыскивая в них возможные ошибки.

Брайан смог создать, с помощью знакомых хакеров и инсайдеров, которых он знал сотни, если не тысячи, необходимый след, который полностью подтверждал правдивость заявления Доути по поводу его сотрудничества с Микеланджело Ди Массимо. К их вящему удовольствию, Смайт представил на их суд все инвойсы, которые показывали все проплаты, сделанные итальянцу за его якобы очень короткую работу по поиску Анжелины Упман и ее дочери в Пизе. В дополнение к этому они изучали документы, которые вроде бы доказывали, что, сообщив о своем провале в поисках людей, при этом зная, где они в действительности находятся, Ди Массимо начал переводить деньги со своего счета на счет Роберто Скуали, в качестве вероятной платы за планирование похищения. Таким образом, действительные денежные переводы из Лондона в Пизу показывали, что Доути выплачивал Ди Массимо небольшие суммы на покрытие его текущих расходов: бензин, амортизация, питание и так далее, плюс реальная почасовая оплата его труда. В то же время созданные Смайтом документы показывали переводы из Пизы в Лукку крупных сумм на счет Скуали за непонятные услуги, о которых, несмотря на то, что говорил Ди Массимо, Доути ничего не знал. Брайан пошел еще дальше и даже приготовил расписки, подтверждающие получение этих сумм.

Естественно, надежность этой информации зависела от того, насколько глубоко итальянские копы захотят влезть в английскую банковскую систему. Конечно, существовали резервные копии, копии резервных копий и громадные банки данных в сотнях мест. Но Доути и иже с ним рассчитывали на общий непрофессионализм и известную коррупционность всех средиземноморских государств, когда дело доходило до сложных юридических, политических и технических вопросов. Они полагали, что это позволит команде Касс– Смайт– Доути выстоять.

Проблема Ди Массимо в рамках Итальянского Бизнеса превратилась в нечто, что итальянская полиция, скорее всего, проглотит, но оставалась проблема детектива сержанта Барбары Хейверс. Эта невероятная женщина, приводящая всех в ярость, все еще располагала копиями, которые легко могли утопить их всех, и поэтому с ней надо было срочно разобраться. Дело сложное, но тем не менее возможное: суммы, соответствующие суммам, которые Ди Массимо переводил на счет Скуали, были показаны как поступившие на счет Ди Массимо со счета Барбары Хейверс. А сумма, совпадающая с общим количеством, была показана как переведенная со счета Таймуллы Ажара на счет Барбары Хейверс накануне всего происшедшего. Таким образом, сержант скоро узнает, что теперь она замешана в похищении Хадии Упман.

До чего только не дошел технический прогресс, правда, приятель?

МАЙ, 13-е

Лукка,
Тоскана

Ба! Такова была реакция Сальваторе, когда на его стол лег пакет с информацией из Лондона. Текст был – *merda* – на английском языке. Но Сальваторе, тем не менее, узнал имя, повторявшееся практически на каждой странице: Микеланджело Ди Массимо.

Старший инспектор знал, что должен передать этот материал Никодемо Трилье – в конце концов, тот руководил всеми мероприятиями, связанными с расследованием похищения девочки. Однако он решил попридержать эти материалы, пока не ознакомится с ними поподробнее. Для этого ему нужен был человек со знанием английского языка, который бы ничего лично не выигрывал, сообщи он *il Pubblico Ministero* о действиях Сальваторе Ло Бьянко. Это исключало всех, хоть как-то связанных с полицией, и оставляло только одну кандидатуру – Биргит.

Когда он позвонил, его бывшая жена быстро сказала ему, что не разрешит ему явиться к ней в дом. За это Сальваторе ее не ругал. Так же, как она не хотела, чтобы Марко и Бьянка видели его в таком виде, так и он не хотел с ними встречаться. Они договорились встретиться напротив Скуола Данте Алигьери. Там располагалась детская площадка со скамейками, на которых родители могли подождать, пока у их чад закончатся занятия, а также качели, карусели и другие аттракционы. Биргит будет ждать его на одной из скамеек. Сальваторе должен убедиться, что их дети находятся в *scuola*, прежде чем появиться, *chiaro*?

Chiaro, заверил он ее.

Ло Бьянко нашел свою бывшую на самой дальней скамейке, стоящей в тени большой сикоморы. Две женщины, с малышами в колясках, сидели на разных концах противоположной скамейки и, нежась в приятных солнечных лучах, курили, общаясь по мобильным телефонам. Их дети дремали на свежем воздухе.

Сальваторе подошел к Биргит и опустился рядом с ней на лавочку. Он туго перемотал грудную клетку эластичными бинтами, и хотя это несколько уменьшило боль в ребрах, дышать и двигаться ему стало труднее.

– Ну как ты? – спросила Биргит. – Выглядишь ты еще хуже.

Она вытряхнула из пачки сигарету и предложила ему. Сальваторе подумал, что вкус наверняка будет хорош, а доза никотина точно не помешает. Однако он не был уверен, что его легкие выдержат.

– Это все гематомы, – ответил он. – Сначала они становятся багровыми, потом желтеют. А так все в порядке.

Она пощелкала языком.

– Тебе надо было написать на него рапорт, Сальваторе.

– Кому? Ему самому?

Она закурила.

– Тогда тебе надо избить его до потери сознания, когда появится возможность. Что Марко подумает о своем отце, который не может постоять за себя?

На этот вопрос ответа не существовало. Сальваторе гордился тем, что за долгие годы научился избегать разговоров с Биргит на подобные мутные философские темы, поэтому просто достал из конверта документы и протянул их бывшей жене. Он в состоянии разобраться с банковскими проводками, расписками и журналом телефонных разговоров, объяснил он Биргит. Но вот в том, что касается больших отчетов, ему необходима ее помощь.

– Тебе надо поработать над своим английским, – сказала она с усмешкой. – Как ты смог занять такую должность всего с одним языком... И не говори мне про свой французский, Сальваторе. Я помню, как спасала тебя во время разговоров с официантами в Ницце.

Она начала читать – сначала молча. Ло Бьянко наблюдал за одним из ползунков, который пытался выбраться из коляски, пока его мать продолжала болтать по телефону. Другая женщина закончила свой разговор, но сразу же начала писать SMS, оставив своего ребенка без всякого присмотра. Сальваторе вздохнул и молча проклял современный мир.

Биргит стряхнула пепел с сигареты, перевернула страницу, продолжила чтение, несколько раз хмыкнула, кивнула и взглянула на него.

– Все это от человека по имени Дуэйн Доути, – сказала она, указав на документы. – Он прислал их по указанию офицера из Нового Скотланд-Ярда. Этот Доути информирует тебя о том, что нанял Микеланджело Ди Массимо для поисков женщины из Лондона, которая исчезла со своей дочерью в аэропорту в Пизе. Он сам проследил за ними до Пизы с помощью купленных ими авиационных билетов и информации, полученной от пограничников в Англии. Доути попросил Ди Массимо продолжить поиски в Пизе, и Микеланджело попытался. Англичанин описывает различные способы, которые использовал Ди Массимо, и в доказательство правдивости своих слов он прислал тебе копии банковских платежек за услуги Ди Массимо и его расходы. Он пишет, что, проверив поезда, такси, частные автомобильные компании, автобусы – как рейсовые, так и туристические, – синьор Ди Массимо не смог обнаружить следов женщины с ребенком после того, как они приземлились в аэропорту. Известно только, что она с дочерью высадилась в Галилео и исчезла. По словам синьора Доути, он решил – то есть Ди Массимо решил, – что англичанка была встречена кем-то знакомым и отбыла в неизвестном направлении. Это он указал в своем отчете лондонскому детективу, а тот, в свою очередь, информирует тебя, что сообщил эту информацию отцу девочки вместе с именем и адресом Ди Массимо. Он пишет, что, по его мнению, все договоренности между этими двумя с того момента осуществлялись в частном порядке и ему о них ничего не известно.

Сальваторе обдумал информацию. То, что она противоречила тому, что Ди Массимо говорил в полиции, его не удивило. Было понятно, что в подобной ситуации подозреваемые очень быстро начинают тыкать пальцем друг в друга.

Биргит продолжила:

– Он также прикладывает данные, очутившиеся в его распоряжении, с указанием сумм, которые уходили со счета... – она полистала страницы, чтобы найти то, что ей было нужно, – Таймуллы Ажара. И он предполагает, что они *могли поступить* на счет синьора Ди Массимо после того, как он стал вести дела напрямую с Ажаром. Доути намекает, что информацию по счету Ди Массимо ты можешь найти сам. Он указывает на то, что хотя и не знает, что было причиной обмена деньгами, за этим стоит проследить, так как это указывает на то, что через продолжительное время после того, как он закончил свои дела с Ди Массимо, синьор Ажар нанял последнего напрямую, для выполнения каких-то поручений. Возможно, это как-то связано с похищением дочери синьора Ажара, хотя прямо Доути об этом не пишет. Он отмечает, что все его дела с Ди Массимо прекратились в декабре, через несколько недель совместной работы, и уверяет тебя, что все прилагаемые документы это подтвердят. Так же, как и банковский счет Ди Массимо, если ты получишь к нему доступ.

Биргит протянула отчет вместе с прилагаемыми документами Сальваторе, а тот спрятал их в конверт.

– Интересно, – сказала она, – что он дважды упоминает о банковском счете Ди Массимо, правда? Ты уже видел эти документы, Сальваторе? Ведь ты можешь их получить?

Ло Бьянко сложил руки, откинулся на спинку и с гримасой боли вытянул ноги.

– *Cherto*, – сказал он, – и Ди Массимо получал от него деньги, как он и пишет. Правда, он рассказывает совсем другую историю, как ты понимаешь

– Но если все банковские проводки, о которых пишет этот человек, все данные о телефонных разговорах и расписки...

– Им можно доверять не больше, чем *puttana*, клянущейся в любви, *cara*. Сейчас существует масса способов манипулировать информацией, а этот лондонец, видимо, полагает, что я об этом ничего не знаю. Подозреваю, что этот человек хочет, чтобы я занялся проверкой всей этой ерунды, – Сальваторе кивнул на отчет, лежащий между ними, – потому что это займет мое время и уведет меня в сторону от правды. Для него я итальянский дурак, который пьет слишком много вина и не может определить, когда его водят за нос, как того осла.

– Какая ерунда. О чем ты говоришь?

– Я говорю о том, что синьор Доути очень хочет, чтобы я прикрыл это расследование, по которому пройдет только Ди Массимо, и никто больше. Или, может быть, Ди Массимо и профессор. Но в любом случае сам он останется в стороне.

– Но ведь это вполне может быть правдой, нет?

– Все может быть.

– Но даже если это неправда, даже если этот англичанин руководил синьором Ди Массимо во время похищения... Что ты сможешь сделать с ним отсюда, из Лукки? Ведь нельзя же добиться экстрадиции только на основании подозрения. А как ты сможешь что-то доказать?

– Этот документ, – Сальваторе указал на отчет, – говорит о том, что Доути считает, что я еще раньше не запрашивал данные по банковскому счету Ди Массимо, Биргит. Он думает, что у меня нет копии этого счета. Он думает, что я не сравню ее с тем, что он прислал мне сегодня. И он не знает, что у меня есть вот это.

Из кармана пиджака старший инспектор достал копию открытки, которую получил от капитана Миренды, и протянул ее Биргит. Женщина прочитала ее, фыркнула и вернула назад:

– Что значит *Khushi*?

– Так он ее называет.

– Кто?

– Отец девочки...

И Сальваторе объяснил все остальное: как открытка попала от Скуали к ребенку и как девочка хранила открытку под матрацем на вилле Ривелли. Конечно, сказал он ей, Скуали мог выдумать текст, но он не мог выдумать *Khushi*. Тот, кто написал записку, знал детское прозвище ребенка. А таких людей было очень немного.

– Это его почерк? – спросила Биргит.

– Кого? Скуали?

– Нет, отца девочки.

– У меня не слишком много материалов для сравнения – только те документы, которые профессор заполнял в пансионе, и я не эксперт по почеркам, – но мне кажется, что почерки идентичны. Думаю, что лицо профессора сразу скажет правду, когда я покажу ему открытку. Мало кто умеет хорошо врать. Кроме того, очевидно, что его дочь поверила, что записка написана им.

Однако Биргит сделала очень хорошее замечание, сказав:

– А она сможет отличить почерк своего отца? Подумай о Бьянке. Она твой определит? Что ты ей когда-нибудь писал, кроме слов: «Люблю тебя. Папа» на поздравительной открытке?

Сальваторе кивнул, отмечая, что это хороший аргумент.

– И если это его почерк, то разве это не подтверждает то, что англичанин говорит правду? Профессор пишет открытку и передает ее – или пересылает – Микеланджело Ди Массимо, который начинает действовать: нанимает Скуали, чтобы увести ребенка с *mercato*, потому что сам не хочет участвовать в публичном похищении.

– Все это верно, – сказал Ло Бьянко. – Но в настоящий момент меня интересует уже не похищение девочки. – Он повернулся на скамейке так, чтобы видеть свою экс-супругу. Несмотря на все их различия и на то, что ее страсть к нему – к его сожалению – так быстро прошла, у Биргит была хорошая, светлая голова и ясный ум. Поэтому он задал ей вопрос, который хотел задать с самого начала: – Расследование похищения девочки у меня отобрали. По правилам, я должен передать эту открытку Никодемо Трилье, *vero*? Но если я это сделаю, то все, что связано с Таймуллой Ажаром, у меня тоже сразу же отберут. Это ты понимаешь, не так ли?

– Что же у тебя отберут? – резко спросила она.

Сальваторе рассказал ей о причинах смерти Анжелины Упман и добавил:

– Убийство – гораздо более серьезное преступление, чем похищение. Пока Никодемо – и давай уж будем честными до конца – Пьеро Фануччи занимаются делом о похищении с Микеланджело Ди Массимо в качестве главного фигуранта, у меня есть возможность работать с отцом девочки, которой я буду лишен, если отдам Никодемо эту открытку.

– А, тогда это все меняет. Я поняла. – Биргит потерла руки, как будто прогоняя любые сомнения Сальваторе в правильности того, что он собирался сделать. – Я бы посоветовала вот что: не показывай никому открытку, и пусть Фануччи утонет в собственном дерьме.

– Но позволить, чтобы Ди Массимо один ответил за похищение ребенка... – пробормотал инспектор.

– Во-первых, ты не знаешь, когда эта открытка попала в Италию. Ты даже не знаешь, кто ее послал. Ей может быть тысяча лет, и написали ее по совсем другому поводу – например, подарок маленькой девочке от ее отца, – или, может быть, кто-то на нее случайно наткнулся и увидел, как ее можно использовать... Возможно все, что угодно, милый, – сказала она, но тут же покраснела и исправилась на «Сальваторе». – Да и вообще, не пора ли проучить Пьеро? Я предлагаю позволить ему выкаблучиваться перед газетами столько, сколько он хочет – «Ди Массимо – преступник! У нас есть доказательства! Под суд негодяя!» – а потом послать копию этой открытки адвокату Ди Массимо. Ты ничего не должен Пьеро. И, как ты уже сказал, убийство будет посерьезнее похищения. – Биргит улыбнулась. – Вот тебе мое слово: сделай самое худшее из того, чего он от тебя ожидает! Разгадай убийство *и* похищение и отправь Фануччи прямо в ад.

Сальваторе улыбнулся в ответ и слегка скривился от боли.

– Вот видишь? Именно из-за этого я в тебя и влюбился.

– Если бы эта любовь длилась подольше... – был ее ответ.

Лукка,
Тоскана

Вернувшись в офис, Сальваторе обнаружил в центре своего стола стопку фотографий, сделанных трудолюбивейшей Оттавией Шварц. На них были изображены все, кто присутствовал на похоронах Анжелины Упман.

– Бруно был там, Сальваторе.

Он поднял глаза. Оттавия увидела, как он пришел, и проскользнула в кабинет следом за ним. И побледнела, увидев его лицо.

– *Il drago*? – сразу догадалась она и в нескольких ярких выражениях предположила, что *il Pubblico Ministero* должен сделать с самим собой.

Затем она подошла к столу и показала Даниэля Бруно, с его выдающимися ушами, стоящего в группе мужчин, утешающих Лоренцо. Достала еще одну его фотографию – на этой он наклонил голову к Лоренцо, стоящему около могилы. «Ну и что? – спросил себя Сальваторе. – Почему это должно было значить больше, чем разговоры со всеми остальными людьми, присутствовавшими на похоронах?» Как и Мура, Бруно был игроком городской футбольной команды. Что, Оттавия хочет сказать, что он единственный из всей команды приехал на похороны возлюбленной Муры? Конечно, это было не так. На похоронах присутствовали и другие члены команды, и родители мальчиков, которых Лоренцо тренировал в частном порядке. Приехали и другие представители местного общества. Так же, как и семья Упман.

Сальваторе принялся рассматривать эту последнюю семейку. Он достал из стола увеличительное стекло и посмотрел на лицо сестры Анжелины Упман. Ло Бьянко никогда не встречал столь похожих близнецов. Всегда были какие-то мельчайшие детали, которые позволяли их различать. Но в случае с Батшебой Упман это было не так. Как будто ожила Анжелина.

«Совершенно невероятно», – подумал он.

Виктория,
Лондон

Тот факт, что жена Даниэля Бруно была стюардессой на линии Пиза–Лондон, ничего не дал. Как и предполагал Линли, когда проверял ее по просьбе Сальваторе Ло Бьянко. Да, она прилетала и улетала из Гатвика несколько раз в день – и всё. Она никогда не задерживалась, чтобы провести ночь в Лондоне. То есть это могло произойти, в случае очень сильной задержки рейса по каким-то причинам, но за последние двенадцать месяцев ничего подобного не происходило, а когда такое случалось, то она проводила ночь с экипажем в аэропортовской гостинице и улетала рано утром.

Все это Томас сообщил Ло Бьянко, который согласился с ним, что разработка Даниэля Бруно – тупиковый путь. Итальянец сказал, что просмотрел все фотографии, сделанные на похоронах, и Бруно был на них, *certo*, однако там же были и все остальные.

– Я думаю, он ничего ни с чем не связывать, – сказал он на своем ломаном английском.

Линли не стал объяснять Сальваторе, что двойное отрицание говорило о том, что Бруно все-таки с *чем-то* связан – хотя бы с тем, что причудился наркоману в его галлюцинациях. Ведь с самого начала у полицейских было только сообщение Карло Каспариа, что он видел Бруно вместе с Лоренцо Мурой одних на тренировочном поле. И это он рассказал им после нескольких суток, проведенных в тюрьме, без адвоката, пищи, воды и сна. Линли согласился, что Даниэль, так же как и его жена, никуда их не приведет.

Но где-то должен быть кто-то с доступом к...

И они оба догадывались, кем мог быть этот таинственный кто-то.

Появление Сент-Джеймса в Новом Скотланд-Ярде мало что дало. Линли встретил своего друга на проходной, и они переговорили за утренним кофе в кафетерии на четвертом этаже.

Посетить лабораторию Ажара не составило для Саймона большого труда. Благодаря его университетскому прошлому и репутации известного ученого-аналитика, у него были друзья повсюду. Несколько телефонных звонков позволили легко организовать посещение лаборатории. Причиной послужило желание встретиться с известным микробиологом Таймуллой Ажаром. Так как последнего на месте не оказалось, Саймон с благодарностью принял предложение одного из помощников Ажара осмотреть лабораторию. В конце концов, все они были учеными, разве нет?

Лаборатория была большой и производила впечатление, рассказал Сент-Джеймс Томасу, но изучали в ней действительно только различные штаммы стрептококков. Основное внимание уделялось мутациям этих штаммов, и используемое лабораторное оборудование это подтверждало.

– Из того, что я увидел, мне кажется, что все это довольно просто, – сказал Сент-Джеймс.

– Ты имеешь в виду?..

– Я имею в виду соответствие лабораторного оборудования поставленным задачам: вытяжные шкафы, центрифуги, автоклавы, холодильники для хранения ДНК, холодильники для бактериологических изолятов, инкубаторы для выращивания бактерий, компьютеры... Исследования ведутся по двум основным направлениям: *стрептококк*, который вызывает некротический фасциит...

– А это значит...

Сент-Джеймс высыпал пакетик сахара в свой кофе и размешал его.

– Синдром бактерии, поедающей живую ткань.

– О боже!

– Другое направление – это *стрептококк*, который вызывает воспаление легких, сепсис и менингит. Оба штамма достаточно серьезны, но второй – он называется *Streptococcus agalactiae*, – может проходить сквозь молекулярную мембрану в мозге и таким образом вызывать смерть.

Линли задумался и наконец спросил:

– А есть ли шанс, что кто-то в лаборатории может изучать кишечную палочку, так сказать, неофициально?

– Я думаю, все возможно, Томми. Но чтобы знать это наверняка, тебе надо иметь там своего человека. Какое-то из имеющегося оборудования может быть использовано для выращивания культур кишечной палочки. Но бульоны для палочки и *стрептококка* будут разные, так же как и инкубаторы. Для *стрепа* необходим инкубатор с углекислым газом, для палочки он не нужен.

– А в лаборатории может быть больше чем один тип?

– Ты имеешь в виду инкубаторы? Конечно. В этом месте работает не менее десятка сотрудников. Один из них может заниматься чем-то, что связано с *E. coli*.

– Ажар может об этом не знать?

– Не думаю, если только у этого человека нет какой-то особой причины для таких секретных опытов.

Они долго смотрели друг на друга. Наконец Сент-Джеймс произнес:

– Не простое дело, правда?
– Да уж...
– Но ведь этот Ажар – друг Барбары, верно? Наверняка она сможет добыть какую-то инсайдерскую информацию, Томми. Может быть, если она сама отправится в лабораторию и попытается что-то выяснить, ссылаясь на Ажара...
– Боюсь, что это не пройдет.
– А ордер на обыск ты сможешь получить?
– Ну, если дело дойдет до этого, то да.
Саймон некоторое время молча изучал выражение лица Линли, а потом сказал:
– Но ты надеешься, что до этого не дойдет.
– Я уже не знаю, на что надеюсь, – ответил Линли.

Виктория,
Лондон

Томас хотел бы обсудить с Барбарой то, что узнал от Сент-Джеймса. В течение многих лет она была его конфидентом, с которым он привык проговаривать разные идеи, возникавшие у него в ходе расследования. Но было маловероятно, что она скажет, сделает или признается в чем-то, что может представлять хоть какую-то угрозу для Ажара. Поэтому ему пришлось думать одному.

Способ избавления от Анжелины Упман был выбран практически идеально. После решения вопроса о том, чтобы никто больше не заразился от этой бактерии, можно было смело объявить, что ее смерть наступила от попадания в ее пищу вирулентного штамма бактерии, которая обычно – в случае своевременного обнаружения – не способна никого убить. Осложнения, с которыми протекала беременность, не позволили врачам определить, с чем же они столкнулись. Сыграло свою роль и нежелание Анжелины оставаться в больнице, куда ее поместили. А также и тот факт, что никто из тех, кто ел вместе с ней, да и вообще никто из жителей Тосканы не обратился в больницу со схожими симптомами.

«Но кто-то должен был все это придумать и разработать», – подумал Линли. Таким человеком мог бы стать Лоренцо Мура. Однако непонятно, в чем была причина того, что он захотел убить женщину, которую якобы любил, которая носила под сердцем его ребенка и на которой он собирался в скором времени жениться... Если, конечно, все его чувства не были дымовой завесой, скрывающей что-то совсем другое.

Томас еще раз попытался вспомнить все свои встречи с этим человеком. Он понимал, что у Лоренцо была масса возможностей подмешать бактерию в еду Анжелины, – в конце концов, он заботился о ней на протяжении всей беременности. Просто Линли никак не мог понять, откуда Мура мог раздобыть саму бактерию... до тех пор, пока инспектор не вспомнил мужчину, которого видел в свой первый приезд на фатторию. Что же он тогда увидел? Толстый конверт, который неизвестный человек передал Лоренцо Муре. А что сказал Лоренцо? Сказал, что это плата за осленка, которого он вырастил на фаттории.

Но что, если мужчина принес не деньги, а что-то другое? Необходимо проработать все версии. Линли взял телефон и позвонил Сальваторе Ло Бьянко.

У него было много информации: он начал с рассказа Сент-Джеймса о визите в лабораторию Таймуллы Ажара, а закончил таинственным мужчиной, который передал Лоренцо какой-то конверт на фаттории ди Санта Зита.

– Мура сказал, что это были деньги за одного из его ослят. Тогда я не обратил на это никакого внимания, но теперь, когда в лаборатории Ажара не обнаружилось *E. coli*...

– Ее сейчас не обнаружили, – ответил Сальваторе. – Но сейчас она ему больше не нужна, не правда ли, *Ispettore*?

– Я понимаю, к чему вы ведете. Он должен был избавиться от всех следов в лаборатории – если действительно было от чего избавляться, – когда вернулся в Лондон после того, как Анжелина проглотила бактерию. Но ведь надо подумать вот о чем, Сальваторе: вдруг бактерия предназначалась не Анжелине?

– А кому тогда? – спросил Ло Бьянко.

– Может быть, самому Ажару?

– А как он мог проглотить кишечную палочку?

– Ну, если Мура дал ему что-то...

– Чего он не давал больше никому? И как это все выглядело, друг мой? «Съешьте этот блинчик, синьор, вы выглядите голодным»? Или «попробуйте этот специальный томатный соус с вашей пастой»? А как Мура смог заполучить *E. coli*? Но даже если он ее как-то заполучил, то как бы смог отравить профессора, не заразив больше никого?

– Думаю, что нам надо найти мужчину с ослами, – сказал Линли.

– Который что делает? Варит кишечную палочку у себя в ванне? Заметил, как она шевелится в коровьем навозе? Друг мой, вы пытаетесь подогнать то, что видели, под ваш вариант произошедшего. Вы забываете про Берлин.

– А при чем здесь Берлин?

– А та конференция, на которой был наш профессор. Что могло помешать кому-то передать ему немного бактерий на этой конференции?

– Но конференция была в апреле. Женщина умерла гораздо позже.

– *Si*, но у него есть лаборатория. Там он ее и хранит... в тех условиях, в которых надо: теплую, горячую, кипящую, замороженную... я не знаю. Он приклеивает на нее какой-то ярлык. Но вы сами сказали, что он руководитель этой лаборатории, поэтому мало кто решится дотронуться до чего-то, что надписано самим профессором. А когда приходит время действовать, он берет ее с собой в Италию.

– Но это предполагает, что Ажар знал все с самого начала: что Хадия будет похищена, что Анжелина примчится в Лондон, разыскивая ее, что сам он поедет в Италию... Если бы он ошибся хоть в какой-то мелочи – особенно это касается действий остальных участников, – то весь план развалился бы.

– Что и произошло, разве не так?

Линли должен был согласиться: в том, что говорит итальянец, имелось рациональное зерно. Он спросил Сальваторе, что тот собирается предпринять, хотя подозревал, что сам знает ответ.

– Я встречусь с нашим другом профессором. А пока заставлю своих сотрудников проверить всех и каждого, кто был на конференции в Берлине в апреле.

Лукка,
Италия

Сальваторе решил не приглашать Таймуллу Ажара в *questura*. Он знал, что об этом сразу же станет известно Пьеро Фануччи. И хотя общаться с лондонским профессором ему не запрещали, старший инспектор не хотел, чтобы кто-то знал о его действиях до тех пор, пока он не соберет побольше информации. Поручив Оттавии и Джорджио проверить участников Берлинской конференции, Ло Бьянко направился в *anfiteatro*. По дороге он позвонил пакистанцу и на своем ломаном английском сказал ему, чтобы тот пригласил *avvocato*.

Они уже ждали его в столовой пансионата, когда он приехал. Сальваторе поинтересовался, где девочка. Она что, вернулась в Скуола Данте Алигьери?

Нет, был ответ. Ажар ожидал, что недоразумение, которое заставило Ло Бьянко забрать его паспорт, скоро разрешится. А когда это произойдет, они немедленно уедут. Опять посылать ее в школу?.. Не самая лучшая идея, принимая во внимание, что они скоро уедут из Италии.

На этом этапе Сальваторе предложил две вещи. Первое – надо организовать, чтобы за девочкой следили и ухаживали. Второе – профессор должен внимательно взглянуть на то, что он сейчас ему покажет.

Старший инспектор передал профессору и его *avvocato* копию открытки из виллы Ривелли. Сальваторе внимательно следил за Ажаром, когда тот стал читать. Его лицо ничего не выражало. Он перевернул бумагу, чтобы посмотреть, не написано ли что-нибудь на обороте, и Сальваторе понял, что пакистанец тянет время, чтобы придумать правдоподобное объяснение.

– Итак, *Dottore*? – спросил инспектор и приготовился слушать перевод того, что скажет ему лондонец.

Альдо Греко задвигался на стуле, состроил гримасу, громко пукнул, извинился и взял документ, чтобы изучить его. Прочитал и возвратил бумагу Ажару. Прежде чем тот начал отвечать, Греко спросил у Сальваторе, что это за документ и как тот его получил.

Ло Бьянко не собирался ничего скрывать. Это копия поздравительной открытки, объяснил он. Ее нашли там, где Хадию Упман прятали после похищения.

– Саму открытку или ее копию? – переспросил Греко.

Конечно, саму открытку, ответил ему инспектор, и она до сих пор находится у *carabinieri*, которых мать-настоятельница вызвала на виллу Ривелли. Когда придет время, оригинал будет приобщен к другим уликам.

– Вы ее узнаете, *Dottore*? Мне кажется, что она написана вашим почерком.

Альдо Греко немедленно вмешался:

– А что, это подтвердил эксперт-почерковед, *Ispettore*? Сами вы таковым не являетесь.

Сальваторе разъяснил, что *certo*, если понадобится, полиция привлечет к расследованию эксперта. Сам он хотел бы только получить подтверждение происхождения этой открытки.

– *Con permesso*[1], – закончил Сальваторе. Кивком головы он показал лондонскому профессору, что будет счастлив услышать его ответ, если, конечно, его *avvocato* считает такую просьбу законной.

– Вы можете говорить, *Professore*, – сказал синьор Греко Ажару.

Тот сказал, что не узнает ни открытку, ни того, что на ней написано. Что касается почерка... Он похож на его собственный, но профессионал может легко подделать любой почерк.

– Ну, вы же знаете, что существуют способы отличить подделку от оригинала, – сказал ему Ло Бьянко. – Есть специалисты – эксперты-криминалисты, – которые только этим и занимаются. Они изучают специальные знаки, смотрят на те колебания и задержки пера, которые автор бы никогда не сделал, если бы это он писал записку. Вы слышали об этом, *si*?

– Профессор не идиот, – прокомментировал Греко. – Он ответил на ваш вопрос, Сальваторе.

Сальваторе показал на слово *Khushi*.

– А как с этим? – спросил он Ажара.

Таймулла подтвердил, что это прозвище его дочери, которое он дал ей при рождении. Это слово значит «счастье», объяснил пакистанец.

– А вот это прозвище, *Khushi*... вы один так ее называли? – Ажар это подтвердил. – Только когда вы бывали вдвоем?

На лице профессора появилась гримаса.

– Я не... Что вы имеете в виду, старший инспектор?

– Я хочу знать, использовалось ли это слово только между вами двумя?

– Оно никогда не было секретом. Любой, кто наблюдал за нами, мог услышать, что я именно так ее зову.

– Ага, – кивнул Ло Бьянко. Было полезно понять заранее, какую линию защиты изберет Альдо Греко, если дело будет развиваться так, как этого ожидал сам Сальваторе. Он взял копию открытки у Ажара, положил ее в конверт, в котором принес ее в пансион, и произнес:

– *Grazie, professore.*

Ажар выдохнул. Этот выдох означал, что все закончилось, что бы это «все» ни значило.

Однако Альдо Греко был не дурак.

– Что еще, *Ispettore* Ло Бьянко? – спросил он

Сальваторе улыбнулся, показав, что отметил мудрость Греко в данной ситуации. Затем он повернулся к Ажару:

---

[1] С вашего позволения (*итал.*).

– А теперь давайте поговорим о Берлине.

– О Берлине?

– Вы сами говорили мне, что в Берлине было много микробиологов, которые принимали участие в конференции в прошлом месяце, *vero*? – Говоря это, инспектор внимательно наблюдал за Ажаром.

– А какое отношение Берлин имеет хоть к чему-то? – спросил Греко, переведя слова инспектора.

– Полагаю, что *professore* очень хорошо понимает, к чему имеет отношение Берлин, *Dottore*, – ответил инспектор.

– Нет, не понимаю, – сказал Ажар.

– *Certo*, понимаете, – произнес Сальваторе приятным голосом. – Берлин ведь ваше алиби на момент похищения вашей дочери, разве нет? Вы с самого начала утверждали это, и я могу подтвердить, что все, сказанное вами о Берлине, полностью подтвердилось.

– И?.. – спросил Греко, посмотрев на часы. Казалось, он хотел сказать: «Время – деньги». Его собственное время было слишком драгоценным, чтобы тратить его на пустые разговоры.

– Расскажите мне еще раз об этой конференции, *Dottore*, – попросил Ло Бьянко.

– А как это связано с тем, что мы сейчас обсуждаем? – потребовал синьор Греко. – Если, как вы говорите, алиби профессора на момент похищения его дочери подтверждено...

– *Si, si*, – сказал Сальваторе. – Но сейчас мы говорим о других вещах, мой друг. – И, посмотрев на Ажара, добавил: – Сейчас мы говорим о смерти Анжелины Упман.

Таймулла сидел как каменный. Казалось, что его мозг кричит: ничего не делай, ничего не говори, жди, жди, жди. И это был не самый худший совет, признал про себя Сальваторе. Но бьющаяся на виске профессора жилка выдавала реакцию его организма на изменение предмета разговора. Невинный человек так реагировать не будет, и старший инспектор хорошо это знал. Кроме того, он узнал сейчас, что лондонскому профессору хорошо известно: смерть Анжелины Упман была чем-то бо́льшим, чем простая врачебная ошибка, связанная с неправильно поставленным диагнозом.

А ведь ему это почти удалось. Всего каких-нибудь несколько лишних часов в тот день, когда Сальваторе забрал у него паспорт, – и он бы благополучно вернулся в Лондон, откуда его можно было бы достать только после длительного и сложного процесса экстрадиции, если это вообще было бы возможно.

– Молчите, – резко сказал Ажару Греко. – Затем он повернулся со своим стулом к Ло Бьянко и произнес: – Я настаиваю, чтобы вы объяснились, *Ispettore*, прежде чем я позволю своему клиенту сказать хоть слово. О чем вы сейчас говорите?

– Об убийстве, – ответил Сальваторе.

Виктория,
Лондон

Линли долго ждал, чтобы поговорить с Барбарой Хейверс. Это произошло во второй половине дня, через два часа после того, как Изабелла Ардери прижала его в своем кабинете. Она потребовала рассказать ей, как идет его «расследование», и кто мог ее за это упрекнуть? С точки зрения суперинтенданта, один из ее подчиненных слетел с катушек и продолжал вести себя в том же духе. Отчет Линли должен был заполнить пробелы в отчетах Джона Стюарта о деятельности Барбары, но Томас не знал, как это сделать, не утопив Барбару.

Одна часть его кричала, что Хейверс полностью заслужила это. Единственно ее связи с Митчеллом Корсико было достаточно, чтобы надеть на нее форму и отправить патрулировать улицы. А если принять во внимание все остальное – начиная с сокрытия информации и кончая прямой ложью в отношении деталей дела, – для нее служба в полиции была закончена. Умом Томас это понимал. А вот на уровне чувств никак не соглашался понять и принять то, что Барбаре Хейверс придется ответить за все. Его сердце говорило ему, что у нее должны были быть серьезные основания для того, чтобы предать все принципы их профессии, и что со временем все с этим согласятся.

Конечно, это была ложь. Не только никто с этим не согласится, но с его стороны было полным сумасшествием на это надеяться. Линли сам не мог согласиться с тем, что она сделала. Он знал, что не был бы в таком смятении, если всецело согласился бы с тем, как Барбара себя вела.

Для встречи Томас выбрал библиотеку. В любом другом месте их бы сразу засекли. Но мало кто мог оказаться на тринадцатом этаже в это время дня. Поэтому он пригласил ее туда, и там он ее ожидал. Барбара вошла, распространяя вокруг себя резкий запах табачного дыма. Она явно выкурила сигарету на одной из пожарных лестниц. Еще одно нарушение инструкций, хотя это уже не играло никакой роли на фоне всего того, что она успела натворить.

Они подошли к одному из окон. Из него хорошо был виден Лондонский Глаз[1], доминирующий над линией горизонта, с его заполненными туристами стеклянными капсулами. Шпили Парламента гордо подпирали небо, которое сегодня имело оттенок старого олова. Абсолютно совпадает с моим настроением, подумал Линли.

– Были когда-нибудь там? – спросила Хейверс.

Какое-то время Томас не понимал, о чем она говорит, пока не посмотрел на Барбару и не увидел, что она смотрит на громадное колесо. Он покачал головой и сказал, что не был.

Она кивнула.

– Я тоже не была. Эти стеклянные капсулы, или как там они называются... Думаю, что мне бы не понравилось быть в них вместе с толпой туристов, которые толкаются локтями, чтобы сделать снимок Биг Бена.

– Наверное.

И больше ничего. Линли отвернулся от окна, достал из кармана пиджака копию поздравительной открытки, которую ему переслал Сальваторе Ло Бьянко, и протянул ее Барбаре.

– Что это... – начала она, но замолчала, прочитав содержание.

– Раньше вы говорили, что не знаете слова *Khushi*, – сказал Линли. – Эту записку нашли там, где прятали Хадию. Кстати, Ажар подтвердил, что *Khushi* было детским прозвищем, которое он дал Хадии. Сколько времени вы их знаете, Барбара?

– Кого? – спросила сержант, хотя было видно, что слова даются ей с трудом.

– Барбара...

– Ну, хорошо. В этом месяце будет два года. Но вы ведь это сами знаете. Почему вы спрашиваете?

– Потому что мне кажется невероятным, что за все это время вы ни разу не услышали, как ее отец называет девочку *Khushi*. Но именно в этом вы пытаетесь меня убедить. В этом и в других вещах.

– Кто угодно мог знать...

– А поточнее? – Линли почувствовал первые признаки гнева, который он пытался сдерживать с того самого момента, когда началась вся эта история. – Вы что, хотите убедить меня, что Анжелина Упман организовала похищение собственной дочери? Или Лоренцо Мура? Или... кто там еще есть, кто, как вы сказали, мог

---

[1] Одно из крупнейших колес обозрения в мире, высотой 135 м (приблизительно 45 этажей). Открыто в 2000 г.

знать, что отец называет дочь *Khushi*? Неопознанный одноклассник? Десятилетка с навязчивой манией похищения?

– Это могла знать Батшеба Уард, – сказала Барбара. – Если она писала ей письма от имени Ажара, то должна была называть ее *Khushi*.

– Ну, а дальше-то что, ради всего Святого?

– А дальше украсть девочку, чтобы досадить Анжелине. Или Ажару. Или... да не знаю я, черт побери, кому еще.

– Она и почерк его подделала? Или с этим вы тоже готовы спорить? Я хочу знать, как все происходило с того момента, как ребенок пропал в Лукке, и до того момента, как похоронили ее мать.

– Он не убивал ее!

В отчаянии Томас отошел от Барбары. У него было желание взять ее за плечи и хорошенько встряхнуть. У него было желание пробить кулаком стену. У него было желание разбить окно на тринадцатом этаже. Все что угодно, только бы не продолжать этот разговор с женщиной, которая упорно отказывалась видеть то, что лежало у нее под носом.

– Ради бога, Барбара, – попробовал он в последний раз. – Разве вы не видите...

– Эти билеты в Пакистан, – перебила она его. Линли заметил, что на ее верхней губе выступили капельки пота, а руки она сжала в кулаки, чтобы те не дрожали. – Они же все объясняют. Потому как для чего Ажару было покупать билеты в Пакистан в один конец, если он знал, что Анжелина умрет и Хадия навсегда вернется к нему?

– Да потому что он знал, что, когда все закончится и выплывет наружу, вы будете делать именно то, что делаете сейчас: с тупым упорством отказываться видеть то, что у вас перед глазами. Вы должны спросить себя, Барбара, зачем вы это делаете, ради чего разрушаете свою карьеру в слабой надежде, что мы не сможем все выяснить и найти все подтверждения тому, что Таймулла Ажар замешан в том, что случилось с его дочерью и с Анжелиной Упман?

В какой-то момент Томасу показалось, что он наконец-то до нее достучался. Ему показалось, что вот сейчас Барбара откроет ему свою душу и расскажет все, что знает и что пыталась скрыть. Он подумал, что она сделает это, потому что уже много лет работает с ним бок о бок. Потому что она видела, как убили его жену и что с ним было потом. Потому что она верила, что он всегда принимает ее интересы близко к сердцу Потому что она знала обязанности каждого человека, носящего удостоверение сотрудника полиции Метрополии.

Барбара вернулась к окну и, выстукивая на подоконнике какой-то ритм, сказала:

– Я понимаю, сэр, что эти билеты в Пакистан могут значить очень многое. Для всего, что связано с похищением, эти билеты, то, когда они были куплены, и то, что они только в один конец... Они сильно... усложняют жизнь Ажару. Но и вы должны понять, что они также исключают его из списка возможных убийц. Потому что после смерти Анжелины для него не было никакого смысла бежать с Хадией в Пакистан. Она ведь и так возвращалась к нему.

– А это с самого начала было его основной целью. Но в Пакистане он мог скрыться в том случае, если бы выяснилось, что смерть Анжелины была не случайностью, а убийством, тщательно спланированным с самого начала.

Линли увидел, как Хейверс сглотнула и прищурилась как от солнца, которого не было видно, чтобы лучше видеть, хотя ее зрение и так было идеальным.

– Все было не так. Все и сейчас не так, – сказала она.

– Вы в него влюблены. Любовь иногда заставляет людей...

– Нет. Я. В него. Не. Влюблена.

– Любовь заставляет людей, – продолжил Томас свою мысль, – забывать об объективности. Вы не первая, с кем это происходит, и далеко не последняя. Я хочу вам помочь, Барбара. Но если вы не откроетесь мне...

– Он *невиновен*. Ее у него забрали, а он пытался разыскать ее. А потом ее украли, и только тогда он узнал, где его дочь, потому что Анжелина появилась, обвиняя его, как она это делала всегда, ненавидя его, как всегда, манипулируя и интригуя, оставляя после себя только хаос и горе и... – Голос Барбары сломался. – Он ничего не сделал. Он совершенно ничего не совершил.

– Барбара, пожалуйста...

Она покачала головой, отвернулась от него и выбежала из комнаты.

Мальборо,
Уилтшир

Они договорились встретиться в гостинице в Уилтшире, на полпути между Лондоном и Бристолем. Гостиница располагалась в стороне от дороги в березовой роще и была очень старой, построенной наполовину из дерева, наполовину из кирпича, с покатой шиферной крышей. На парковке у этой гостиницы Линли прождал три четверти часа, пока Дейдра Трейхир добиралась из Бристоля.

Когда она подъехала, почти все места на парковке были уже заняты, и ей пришлось остановиться на самой дальней от входа в гостиницу стоянке. Томас выскочил из «Хили Эллиот» и оказался около ее машины раньше, чем Дейдра успела выключить зажигание. Та подняла на него глаза, и он понял, как отчаянно нуждался во встрече с ней. Она действительно была единственным человеком, которого Томас хотел увидеть после разговора с Барбарой Хейверс.

Открывая дверь ее авто, он сказал просто:

– Спасибо вам.

Вылезая из машины, Дейдра ответила:

– Ну конечно, Томас. Никаких проблем.

– Думаю, что вам пришлось отменить ваши дела в Бристоле.

Она улыбнулась.

– «Девкам» придется сегодня потренироваться без меня.

Они обнялись. Он вдохнул запах ее волос и тонкий, еле заметный запах ее духов и спросил:

– Вы ведь еще не обедали сегодня? – А когда она покачала головой, предложил: – Так давайте пообедаем. Я не знаю, какая здесь кухня, но обстановка очень заманчивая.

Они вошли в здание. Оно было очень старым, с дубовым полом и ромбовидными стеклами в окнах. Отделанная деревом столовая находилась сразу за стойкой рецепции. Скрипучая лестница вела к номерам на втором этаже. Хотя ресторан был полностью забит, им повезло – кто-то только что отказался от заказанного столика, и если они не возражают сесть около камина... Конечно, в это время года огонь в нем не горит.

Линли сел бы и на ступеньках. Он посмотрел на Дейдру, и она с улыбкой кивнула. На ее очках он заметил приставший кусочек грязи, что показалось ему очень милым. Ее светлые волосы были растрепаны. Было видно, что она собиралась в спешке. Томас опять захотел поблагодарить ее, но вместо этого прошел за метрдотелем в зал ресторана.

– Что-то выпьете?

– Да.

– Минеральная вода с газом?

– Да, пожалуйста.

– Могу обратить ваше внимание на особые предложения от шефа?

– Конечно.

– Прикажете меню?

– Да, пожалуйста.

Потом последовала процедура заказа. Линли не был голоден, а Дейдра была. Конечно, ведь ей весь день приходилось иметь дело с большими животными: носорогом с геммороем, кенгуру с опухшей коленкой, гиппопотамом с камнями в почках, и еще бог знает с кем. Он заказал еду, от которой она сможет понемногу отщипывать крошки, чтобы не стесняться своего заказа. Дейдра сделала выбор, и официант исчез, оставив их, наконец, вдвоем. Она выжидающе посмотрела на Томаса. По-видимому, ему надо объясниться.

– Ужасный день, – сказал Линли. – А вы – мой лучший антидот.

– О боже!

– Это к чему относится?

– К ужасному дню. Я думаю, мне нравится быть антидотом.

– Думаете, но точно не знаете?

Она наклонила голову, сняла очки, протерла их салфеткой и, надев их на нос, с удовлетворением сказала:

– Ну, вот, теперь я вас вижу.

– И ваш ответ?..

Дейдра играла с приборами, выравнивая их на столе, хотя в этом не было никакой необходимости. Она – он уже ее достаточно хорошо знал, – как всегда, тщательно обдумывала свой ответ.

– Да, в этом вся проблема. Думаю-но-не-знаю-наверняка. В любом случае, мне приятно видеть вас. Я могу чем-то помочь? Я имею в виду ваш день.

И вдруг Линли почувствовал, что не хочет, чтобы их вечер был посвящен Барбаре Хейверс и ее заморочкам. Он почувствовал, что хочет забыть об этой ходячей бомбе замедленного действия хотя бы на те несколько часов, которые проведет с Дейдрой. Поэтому Томас спросил ее о том, как продвигается дело с ее новой работой. Решилась ли она уже на переезд в Лондон и на переход из «Бодицейских Девок» в «Электрические Волшебницы»?

– Очень многое будет зависеть от Марка, от того, что он скажет о контракте, – ответила она. – Пока я с ним на эту тему не разговаривала.

– И как же Марк отнесется к вашему переезду, если вы все-таки решитесь?

– Ну, по-видимому, в Лондоне существуют тысячи стряпчих, которые с удовольствием взвалят на свои плечи груз моих маленьких неразрешенных проблем.

– Это да, только я имел в виду другое.

На столе появились минеральная вода с газом и бутылка вина. Пришлось пережить церемонию открывания последней, демонстрации пробки, дегустации и, наконец, одобрения. Вино было разлито по бокалам, прежде чем Дейдра ответила:

– О чем вы спрашиваете, Томас?

Линли покатал ножку бокала между пальцами.

– Думаю, что я спрашиваю, есть ли у меня какие-нибудь причины видеться с вами... конечно, помимо наших бесед, которыми я наслаждаюсь.

Перед тем как ответить, Дейдра посмотрела на свое вино. У нее это заняло несколько секунд, потому что она не была болтушкой и не притворялась ею.

– Когда дело касается вас, я постоянно борюсь со своим здравым смыслом.

– Что вы имеете в виду?

– Мой здравый смысл не перестает напоминать мне, что моя жизнь будет гораздо спокойнее, если я полностью посвящу ее млекопитающим, которые не умеют разговаривать. Понимаете, у меня была причина для того, чтобы стать ветеринаром.

Томас выслушал это и попытался проанализировать сказанное, поворачивая его в уме и так и этак. Наконец он решил сказать:

– Но вы же не можете рассчитывать прожить всю жизнь, так и не контактируя с вашими братьями по разуму? Не может быть, чтобы вы этого хотели.

Появились закуски – свежекопченая ирландская семга для нее и салат «Капрезе» для него. Салат был просто огромен. О чем он думал, когда заказывал его?

– Вот в этом-то все и дело, – сказала Дейдра. – Я могу этого хотеть. Любой может этого хотеть. Часть меня, Томми...

– Вы только что назвали меня «Томми».

– Томас.

– Первое мне нравится больше.

– Я знаю. Но, пожалуйста, это вырвалось неумышленно. Вы не должны думать...

– Дейдра, в жизни ничего не происходит случайно.

Она опустила голову, по-видимому, обдумывая услышанное. Наконец, собравшись с мыслями, подняла глаза. Они прямо-таки блестели. Свечи, подумал Линли. Все это только свечи.

– Давайте оставим это для следующего разговора, – сказала Дейдра. – Что я хотела сказать, так это то, что одна часть моего «я» не умеет устанавливать и поддерживать отношения. Отношения, при которых могла бы развиваться я сама и при которых могли бы развиваться люди, с которыми я их устанавливаю. В конечном счете все эти отношения всегда сходили на нет, и, наверное, так будет продолжаться и дальше. Понимаете, есть часть меня, до которой нельзя дотрагиваться, и попытка сделать это заведомо означает поражение для каждого, кто попытается влезть мне в душу.

– Нельзя или не хочется?

– Что?

– Дотрагиваться. До нее нельзя дотрагиваться, или вам не хочется, чтобы до нее дотрагивались?

– Боюсь, что нельзя. Я очень независимый человек Мне приходится быть такой, после того как я попала в средний класс так, как я в него попала.

Дейдра ничего не подчеркивала, да это было и не нужно. Томас знал о ее происхождении. Когда-то она показала ему свои истоки: дряхлый дом на колесах, из которого ее с братьями и сестрами забрали правительственные чиновники, лишившие родительских прав ее отца и мать; система государственной опеки, в которую их поместили, ее собственное удочерение и смена личности. Он знал все это, но его данные обстоятельства ничуть не волновали. Да и не в них было дело.

– Эта часть моего «я» навсегда останется со мной, – сказала Дейдра. – И именно она делает меня... *неприкасаемой*. Это, наверное, точное слово.

– Это потому, что ваши родители были цыганами?

– *Если бы* они ими были, Томми...

На этот раз он пропустил имя.

– Цыганство подразумевает хоть какую-то культуру, традиции, историю. А у нас ничего этого не было. Все, что у нас было, – так это настоящая мания моего отца... Как это еще можно назвать? Его навязчивая идея превратить свою жизнь непонятно во что. И именно это привело к тому, что нас у него забрали...

Ее глаза стали еще ярче. Она отвернулась от него и стала смотреть на пустой камин.

Линли быстро произнес:

– Дейдра, это абсолютно...

– Нет. И никогда не будет. Это часть меня, и эта неприкасаемая часть меня требует, чтобы ее уважали. И всегда мешается.

Томас ничего не сказал, давая Дейдре время взять себя в руки. Он сожалел, что подтолкнул ее к этому краю. Обычно на этом краю она всегда хотела с ним расстаться, против его воли.

Дейдра посмотрела на него с нежностью.

– Дело ведь не в вас. И вы это знаете. Дело не в том, кто вы такой, где вы выросли и что связывает вас с десятками поколений ваших предков. Дело во мне. И в том, что у меня нет никаких предков, о которых я знала бы или о которых мне рассказывали бы. А с другой стороны, я подозреваю, что вы можете перечислить ваших предков, начиная с Тюдоров.

– Маловероятно, – улыбнулся Линли. – Вот со Стюартов – может быть, но не с Тюдоров[1].

– Вот видите, вы *знаете* про Стюартов. Томми, там, – Дейдра махнула рукой в сторону окон, подразумевая, видимо, внешний мир, – живут люди, которые не имеют понятия о том, кто такие Стюарты. Вы ведь об этом знаете, да?

– Дейдра, я просто учил историю. И всё. А вы опять назвали меня Томми. Мне кажется, что вы начинаете слишком сильно волноваться, безо всяких на то оснований. Ну да, да, я знаю, что у Гамлета была мать, но только не говорите мне, что это что-то значит. Люди говорят «вот в чем загвоздка»[2], но мы-то с вами знаем, что никакой «загвоздки» тут нет. А если даже и есть, то какое она имеет значение?

– Для меня имеет, – сказала она. – Она отдаляет меня.

– От кого?

– От всех. От вас. И, кроме того... После того, что с вами случилось, вам надо... нет, вы заслуживаете – кого-то, кто будет принадлежать *вам* на все сто процентов.

Томас отпил вина и задумался. Дейдра продолжила есть свою семгу. Он понаблюдал за ней и, наконец, сказал:

– Звучит не очень-то здорово. Никому не нужен такой паразит. Мне кажется, что это только в фильмах женщина и мужчина находят – как это у них называется? – родственные души, с которыми потом вместе шагают по жизни.

Она улыбнулась помимо своего желания.

– Вы понимаете, что я имею в виду. Вы заслуживаете женщину, которая хочет и может принадлежать вам на все сто процентов, которая будет воспринимать вас... Не знаю, назовите это как хотите. Я не такая, и вряд ли когда-нибудь стану такой.

Это ее выступление было похоже на самую тонкую рапиру, которая легко вошла в него и не чувствовалась до тех пор, пока не пошла кровь.

---

[1] Королевская династия Тюдоров правила в Англии в 1485–1604 гг.; династия Стюартов пришла ей на смену.

[2] Искаженная фраза из монолога Гамлета «Быть иль не быть».

– Так что же, все-таки, вы хотите сказать?
– Сама не знаю.
– Почему?

Дейдра посмотрела на Томаса. Он попытался хоть что-то прочитать на ее лице. Однако жизнь научила ее держать себя в руках, и он не мог ругать ее за те стенки, которыми она себя окружала.

Наконец Дейдра сказала:

– Вы не тот человек, от которого легко уйти, Томми. И я очень хорошо чувствую как *необходимость* уйти, так и мое очевидное нежелание это сделать.

Линли кивнул. Какое-то время они молча ели. Их окружал шум ресторана. Тарелки забрали. Принесли новые. Наконец он сказал:

– Давайте и закончим этим на сегодня.

Позже, после пудинга – который почему то назывался «Шоколадной смертью» и который они по-братски разделили между собой – и кофе, они вышли из ресторана. Между ними все еще ничего не было решено, но Линли не мог расстаться с чувством, что они значительно продвинулись вперед. Держась за руки, они подошли к ее машине, и прежде чем открыть дверь и уехать, Дейдра вдруг легко и грациозно оказалась в его руках.

Так же легко Томас поцеловал ее. Так же легко ее губы раздвинулись, и поцелуй стал долгим. Линли почувствовал невероятное желание: с одной стороны – животную страсть, которая двигает миром, с другой – духовную жажду, которая появляется, когда одна бессмертная душа находит наконец свою родственную бессмертную душу.

В гостинице есть номера, так и подмывало его сказать. Поднимемся вместе по ступеням, Дейдра, и ляжем вместе в постель. Вместо этого он сказал:

– Спокойной ночи, мой верный друг.
– Спокойной ночи, мой дорогой Томми, – прозвучал ее ответ.

МАЙ, 15-е

Чолк-Фарм,
Лондон

Мобильный Барбары зазвонил, когда она была в душе, стараясь смыть с себя не только накопившуюся усталость, но и запах сигарет. Ее нервы были напряжены уже в течение сорока восьми часов, и только беспрерывное курение одной сигареты за другой хоть как-то позволяло снять это напряжение. Она высмолила уже четыре пачки, и в результате чувствовала себя женщиной, которую пытают как возможную ведьму: казалось, громадный камень размером с остров Мэн лежал у нее на груди и требовал сознаться во всех грехах.

Когда раздался звонок, Барбара выпрыгнула из душа и схватила телефон, который немедленно выскользнул у нее из руки. Она с ужасом смотрела, как аппарат падает на плитку, как из него вываливается батарейка и звонивший отключается. Хейверс выругалась и, схватив полотенце, спасла телефон, сложив все рассыпавшиеся части. Затем проверила, кто звонил. Это был номер Корсико. Она сразу же перезвонила ему, сидя на толчке в окружении стекающей с нее воды.

– Ну, что у тебя?

– И тебе тоже доброе утро, – ответил Митчелл. – Или мне надо говорить *bone jorno*?

– Ты в Италии? – спросила Барбара. Ну, слава богу. Теперь надо заставить его написать то, что ей нужно.

– Я бы сказал так: *il grande formaggio*[1] – а это Родни Аронсон с Флит-стрит, на всякий случай, – не плакала от счастья, когда выделяла деньги на эту поездку, поэтому моих командировочных хватает на кусок *focaccia* и чашечку эспрессо в день. Сплю я на парковых лавках – их здесь, слава богу, очень много у стены, если только сам не плач*у* за гостиницу. Ну, а так – да, я в Италии, Барб.

– И?..

– Наш друг профессор провел часть вчерашнего дня в местном участке – кстати, здесь он называется *questura*. Он был там со своим адвокатом во второй половине дня, а потом отправился на обед, что заставило меня подумать, что что-то здесь не так. Но затем он вернулся в компании все того же типа, и они провели там еще несколько часов. Я попробовал взять у него интервью после всего этого, но не удалось.

– А что с Хадией? – взволнованно спросила Барбара.

– С кем?

– С его дочерью, Митчелл. С той, которую украли. Где она? Что с ней случилось? Он же не мог оставить ее на весь день в гостиничном номере, пока общался с полицейскими.

– Наверное, нет. Но все выглядит так, Барб, будто он действительно что-то натворил и действительно не хочет поговорить со мной об этом. Об *E. coli* здесь ничего не слышно. Я встретил еще

---

[1] Большая головка сыра (*итал.*).

четырех журналистов, они итальянцы – так что я единственный полоумный бритт среди них, – хорошо говорят по-английски и ничего не слышали об *E. coli*. Поэтому хочу спросить тебя: история о кишечной палочке – это правда или ложь? Дело в том, что я здесь немного поразмыслил в последнее время, и мне кажется, что ты не остановишься перед тем, чтобы послать своего лучшего друга Митчелла на охоту по каким-то своим собственным соображениям. Ты ведь этого не сделала? Убеди меня в этом, а не то тебе небо с овчинку покажется.

– Все, что ты несешь, – это полное дерьмо на палочке. А потом, что ты мне можешь сделать, после того, как напечатал фотографии, Митчелл?

– Напечатать их с датами и временем, дорогая. Или послать их твоему командиру – и посмотрим, что потом произойдет... Послушай, мы с тобой знаем, что ты наделала слишком много ошибок в этом деле, потому что ты и профессор...

– Лучше не начинай, – сказала Барбара. Ей было достаточно разговора с Линли и совершенно не светило обсуждать свою предполагаемую любовь к Ажару еще и с Корсико. – Про *E.coli* все правда. Я это тебе уже сказала. Мне поведал об этом детектив инспектор Линли. Я сидела у него за обеденным столом, когда он получил это известие из Италии. Ему это сообщил парень по имени Ло Бьянко. Старший инспектор Сальваторе Ло Бьянко. Он полицейский, который...

– Да, да. Я знаю, кто это. Его отстранили от расследования похищения за некомпетентность. Разве Линли тебе не рассказал?.. По-видимому, нет... Ну так вот, этот обиженный коп вбросил словечко о кишечной палочке сама-знаешь-для-чего.

– Чтобы отомстить за то, что его сняли с расследования? Чтобы посильнее замутить воду? Не будь дураком. Кишечная палочка не имеет никакого отношения к похищению ребенка. Это отдельная история. И итальянцы не хотят, чтобы она просочилась в прессу. Вот твоя настоящая история. Ты же не думаешь, что Ажара допрашивают столько времени по поводу похищения, когда все знают, что он к нему не имеет никакого отношения? Да они ведь уже кого-то арестовали по этому поводу. Насколько я знаю, у них двое арестованных по этому делу. А кишечная палочка – это совсем другое, и итальянцы не хотят, чтобы данная история дошла до газет. Потому что начнется паника. Люди прекратят покупать итальянские товары. Экспортные поставки будут задержаны для дополнительных проверок, а овощи и фрукты – гнить в портах. А если они смогут повесить эту *E. coli* на одного конкретного человека – а ты можешь мне поверить, что они будут стараться изо всех сил, – у них не будет причин для беспокойства. Они скажут, что это убийство, и всё. *Вот в чем* заключается твоя история.

«И давай, скорее пиши ее, – подумала про себя Барбара. – Тогда итальянская пресса за нее ухватится и начнет долбить своих полицейских, пока те не найдут источник заражения». Потому что она могла поклясться в одном – Ажар не имел никакого отношения к смерти Анжелины Упман.

Митчелл Корсико размышлял. Он не смог бы достичь того, чего достиг, если бы не был осторожен со своими статьями. Да, он работает в полной помойке, бумагой для которой надо вытирать мусорные баки на улицах, а не печатать на ней важную информацию, но он не собирался всю свою жизнь отдать «Сорс», поэтому должен поддерживать свою репутацию журналиста, тщательно проверяющего все факты...

Наконец он сказал:

– Мне кажется, что ты что-то не додумала, Барб. Насколько я могу судить, здесь нет никаких поедателей пасты, которые мерли бы, как мухи, от массового отравления пищей. Конечно, может быть, официальные лица во всей этой долбаной стране принимают участие в заговоре. Однако мне это кажется маловероятным. Ты что, хочешь сказать, что эта Упманша сама залезла в тарелку с кишечной палочкой?

– А кто знает, как далеко зашел заговор? Все, что мы знаем, – что есть другие жертвы кишечной палочки, но о них не говорят.

– Черт возьми. Но ведь существуют законы. О том, что страна обязана информировать остальных о потенциальной эпидемии. Вспомни, стоит у нас показать по телевизору жертву аварии, кашляющую кровью, и сейчас же поднимается крик о еще одной жертве туберкулеза. Они такого не пропускают. И не пропустят.

Барбара запустила пальцы в мокрые волосы, оглянулась в поисках сигарет, поняла, что не принесла их в ванную, вспомнила, что хотела отмыть запах всех выкуренных сигарет, – и все-таки захотела закурить.

– Митчелл, ты меня хоть раз выслушаешь? Или, может, к себе прислушаешься? Так или иначе, но у тебя есть история, так почему ты, черт побери, не пишешь свою статью?

– Наверное, потому, что не очень верю тебе.

– Боже! Ну что же еще я должна сказать тебе?

– Ну, начни с того, почему тебе вообще так хочется, чтобы эта статья вышла.

– Потому что они должны рассказать все своим газетам, а они не говорят. Они никого не предупреждают и не ищут источник.

– Вот именно тут ты и ошибаешься. Мы с тобой оба знаем, для чего профессора приглашают в *questura*. Мы опять вернулись к тому, с чего начали. Он был там вчера. Скорее всего, он будет там сегодня. И если хочешь знать мое мнение, то с ним не беседуют о тосканской погоде или о супе из полбы, так популярном в Лукке... Послушай, Барб, я тут немножко изучил, что из себя представляет наш профессор. Всего месяц назад он тусовался со своими друзьями-микробиологами в Берлине. Так вот, если я об этом узнал – а эта информация отнюдь не идет под грифом «Совершенно секретно», – то итальянские копы тоже об этом знают. Среди этой толпы они найдут кого-то, кто занимается *E. coli*. И вот, пожалуйста – прямая ниточка между этой информацией и тем, что кто-то передал Ажару чашку Петри с этой гадостью для того, чтобы тот использовал ее на своей любовнице.

– Митчелл, ты что, меня не слышишь?

– Ну, хорошо, на своей бывшей любовнице. Извини за ошибку.

– Прекрати. Ты слышал, что я тебе говорила? Это история, в которой итальянская служба здравоохранения и итальянские полицейские...

– Нет, Барб. Это ты не слушаешь. У дяди Митчелла есть коллеги. Там, у вас, в Лондоне. А у этих коллег есть связи в других местах, даже в Берлине. И их источники в Берлине легко получили доступ к материалам этой конференции микробиологических гуру. И ты знаешь, что они выяснили? И все это в течение суток, Барб, так что можешь быть уверена, что итальянские копы очень скоро выяснят то же самое.

Горло Барбары перехватила судорога.

– Что? – с трудом смогла произнести она.

– Там была женщина из Университета Глазго, которая самая главная в мире по этим кишечным палочкам. А еще парень из Гейдельбергского университета – он стоит на втором месте. И тот, и другая ведут серьезные исследования у себя в лабораториях. И они присутствовали на этой конференции. Остальное додумаешь сама?

«Нет, – подумала Барбара, – нет, нет и нет».

– Ты идешь не в том направлении, – сказала она, пытаясь казаться уверенной. – Это женщина, у которой было по несколько любовников в одно и то же время. У нее был Ажар и еще один парень, когда она жила с Ажаром здесь, в Лондоне. А потом у нее появился и Лоренцо Мура. Потом она бросила Ажара ради Муры, и можешь мне поверить, что в Италии она тоже кого-то себе завела, как только любовь с Мурой стала угасать. В этом вся она.

– Барбара, ты растекаешься мыслью по древу. Не хочешь же ты убедить меня в том, что ее прошлый любовник имел доступ к кишечной палочке, и ее новый тоже имеет этот доступ? Ну кто может поверить в этот бред? И, в любом случае, ты противоречишь сама себе. Это или великий итальянский заговор, или хладнокровное убийство, но никак не два в одном флаконе.

Барбара уже не представляла, что делать. И она сказала то, что – как она знала из собственного опыта, – никак не могло сделать журналиста ее союзником:

– Пожалуйста, Митчелл.

Он довольно проговорил:

– Ты знаешь, в конце концов, из этого получится очень неплохая история, поэтому я думаю, что должен поблагодарить тебя, Барб. Думаю, что через двадцать четыре часа они его арестуют. Здесь это называется *indagato*[1]. Копы сначала решают, что ты главный подозреваемый, затем сообщают всем эту новость, и вот ты уже *indagato*. Первым шагом было лишение его паспорта. Сейчас – второй. Так что ты навела меня на очень большую историю, Барб. Может быть, Род увеличит мои командировочные, и мне хватит на тарелку спагетти болоньезе.

– Ты его уничтожишь, если начнешь свои спекуляции на эту тему в газете. Ты ведь это понимаешь? Ты же уже написал свою часть про сексуально озабоченного папашку. И что, этого тебе не хватило? У тебя ведь нет ничего, кроме случайного мусора, на котором ты хочешь построить свою версию.

– Да, и в этом ты права, – ответил журналист. – Но случайный мусор дает нам заработать на хлеб с маслом. И ты это знаешь, иначе не обратилась бы ко мне.

Виктория,
Лондон

Барбара заставила себя поесть. Она заставила себя съесть что-то более сытное, чем блюда из ее обычного меню. Вместо клубничного печенья решилась съесть яйцо, сваренное всмятку, и черный хлеб, который намазала джемом. После этого, в течение первых пяти минут, она очень собой гордилась. На шестой минуте ее

[1] Подследственный (*итал.*).

стошнило. К счастью, это произошло дома, до того как Барбара выехала на работу. Ей пришлось в срочном порядке менять свою майку и три раза тщательно чистить зубы и язык, чтобы избавиться от следов рвоты. И даже при этом сержант не опоздала на работу, за что, как она считала, ее можно было похвалить.

Барбара пыталась не курить по дороге. Это ей не удалось. Она старалась отвлечься от тяжелых мыслей, слушая разговорную программу на «Радио-4». Это ей также не удалось. Дважды Хейверс чуть не стала виновницей дорожного происшествия. Она пыталась уговорить себя, выровнять дыхание и привести сердцебиение в порядок. Все это ей тоже не удалось.

Барбара выкурила две сигареты на подземной парковке. Первую – для того, чтобы успокоиться, вторую – для того, чтобы набраться смелости. Она все никак не могла смириться с мыслью, что спасла Ажара от обвинения в похищении дочери только затем, чтобы его обвинили в убийстве. Барбара полагала, что среди всех пирровых побед ей за такую полагалась корона победительницы.

А где была сама Хадия? Что, ради всех святых, происходило с Хадией, если Ажара часами допрашивали в тюрьме?

Барбара звонила ему на мобильный: два раза, пока была дома, один раз по пути на работу и последний раз на подземной парковке здания Скотланд-Ярда. Ажар не отвечал, и она решила, что он, скорее всего, в *questura*, как и предсказывал Митч. Ей было непонятно, почему он не позвонил ей и не рассказал обо всем происходящем.

Барбара не могла решить, что это может значить, – кроме того, что Ажар не хотел, чтобы она знала, что его допрашивают. Он уже однажды предал ее в том, что касалось его участия в похищении Хадии. Поэтому было вполне возможно, что он хотел скрыть от нее факт допросов по поводу смерти Анжелины.

О чем Хейверс не хотела думать, так это о том, был ли он действительно виновен. Вместо этого она сосредоточилась на Хадии, на том страхе и неуверенности, которые должна была испытывать маленькая девочка. После того, как ее увезли от отца в Италию, после того, как ее там похитили и несколько дней держали в какой-то дыре в Итальянских Альпах, после смерти матери... узнать еще и о том, что ее отца подозревают в убийстве? Как она с этим справится? Как она сможет справиться с этим в одиночку?

Барбара подошла к своему столу, чтобы проверить почту. Почувствовала, что за ней внимательно следит Джон Стюарт, но с этим уже ничего нельзя было поделать. Не найдя ничего, что могло бы прояснить ситуацию в Италии, она направилась к кабинету детектива суперинтенданта Ардери. Был только один способ двигаться вперед, и для этого ей необходимо было благословение Изабеллы.

Барбара в последний раз набрала номер Ажара. Она даже позвонила в его пансион – только для того, чтобы выяснить, что женщина, ответившая на звонок, абсолютно не говорит по-английски. Зато ее итальянский был просто великолепен. Как только она услышала голос Барбары и имя Таймуллы Ажара, то заверещала, как кролик, заполняя эфир непрерывным монологом, который мог быть чем угодно – от рецепта минестроне до описания мировой политической ситуации. Кто это мог определить? Наконец Барбара отключилась и окончательно поняла, что ей необходимо увидеть суперинтенданта Ардери.

Она хотела пригласить с собой детектива инспектора Линли, в надежде на то, что, возможно, тот сможет как-то успокоить суперинтенданта своими логическими доводами. Но, помимо того, что Линли еще не было на работе – и где же его, черт возьми, носит, подумала Барбара, – она также вынуждена была признаться себе, что не уверена на все сто процентов, что он будет на ее стороне. Слишком много воды утекло за последние несколько недель.

Когда Доротея Гарриман повернулась от клавиатуры, услышав свое имя, Барбара сразу увидела, как изменилось выражение ее лица. Ди сразу рассмотрела майку, которую Барбаре пришлось быстро напялить, чтобы не появляться в офисе со следами рвоты на груди. И по ее лицу Хейверс могла сказать, что, хотя сама по себе надпись «Под наркозом для вашей безопасности», может быть, и понравилась секретарше, шансы того, что она совершенно не понравится Изабелле Ардери, были очень высоки. Барбара выругалась про себя. Она схватила эту майку просто потому, что та первая попалась ей под руку, а ей надо было во что бы то ни стало не опоздать на работу. Конечно, ей стоило прочитать надпись и выбрать что-нибудь более нейтральное. И вообще надо было надеть костюм. Или юбку. Или что-то другое. Но Барбара этого не сделала, и теперь, ступая на территорию Ардери, она сразу же теряла очки.

В какой-то момент Хейверс хотела предложить Ди поменяться одеждой. Идиотская мысль, подумала она. Даже представить себе эту молодую женщину в майке с такой надписью было невозможно. Поэтому Барбара просто спросила, на месте ли командир. Прежде чем Ди смогла ответить, она услышала голос Изабеллы Ардери.

– Конечно, я согласна, что им не следует одним ехать в город на поезде, – говорила суперинтендант. – Но я ведь об этом и не говорю, Боб. А почему Сандра не может приехать с ними? Я встречу их на станции. Она мне их передаст и следующим поездом вернется в Кент. А я сделаю то же самое, когда они будут уезжать.

Барбара взглянула на Ди, и та беззвучно произнесла губами: «Бывший муж». Командир обговаривала время, которое она сможет провести со своими сыновьями-близняшками, которые жили вместе с их отцом в Кенте, наслаждаясь чистым воздухом провинции. Так, по крайней мере, объясняла Ардери, когда ее спрашивали, почему дети живут не с ней. Правда, мало кто решался задать подобный вопрос. Да, по всей видимости, время для разговора Барбара выбрала неудачно, однако с этим уже ничего не поделаешь. Сержант сидела около двери в кабинет, пока не услышала, как Ардери сказала:

– Хорошо. Тогда в следующий уик-энд. Надеюсь, что теперь я уже доказала... не так ли? Пожалуйста, Боб, прислушайся к голосу разума. Ну, ты хотя бы переговоришь с Сандрой об этом? Или я могу... Да... Очень хорошо.

Завершение разговора не позволяло понять, в каком душевном состоянии Ардери ее встретит. Но выбора у Барбары не было, и она открыла дверь, после того как Ди кивком показала ей, что она может войти. Войдя, она посмотрела на лицо Изабеллы – и сразу же поняла, что разговор будет очень нелегким.

Ардери сидела, прижав руки ко рту, как живое воплощение термина «белые костяшки». Ее костяшки были действительно абсолютно белыми, и Барбара подумала, что она так сжимает кулаки, скорее всего, от ярости, поскольку при этом Изабелла делала глубокие вдохи, а глаза ее были закрыты. «Самое время сматываться», – подумала Хейверс. Но перед глазами у нее стояла Хадия. Поэтому она откашлялась и сказала:

– Командир, Ди сказала, что я могу зайти на минутку.

Ардери открыла глаза и опустила руки. Барбара увидела, как глубоко ее ногти врезались в ладони. Она догадалась, что давление командира должно зашкаливать, и пожалела, что пренебрегла успокаивающим присутствием Линли.

– В чем дело, сержант? – спросила Ардери таким тоном, что сразу стало понятно: о закончившемся разговоре лучше не упоминать.

– Мне надо ехать в Италию.

Барбара мысленно удивилась тому, как это прозвучало. Она сразу произнесла эти слова, вместо того чтобы сделать так, как она запланировала: мягко напомнить Ардери все детали этого дела и все факты, требовавшие ее присутствия в Италии, так, чтобы в конце разговора решение о ее поездке туда прозвучало как нечто само собой разумеющееся. Но она забыла об этом своем плане, как только открыла рот. Срочность диктовала свои законы.

– Что? – спросила Изабелла, хотя было видно, что она хорошо расслышала слова Барбары. Казалось, что она просто не может поверить в сказанное и, заставляя свою подчиненную повторить ее слова, хочет заставить сержанта понять, насколько нелепо они звучали.

– Мне надо ехать в Италию, командир, – повторила Барбара и добавила: – В Тоскану. В Лукку. Хадия Упман осталась там совсем одна, ее отца допрашивают в течение последних двух дней, и у него нет родственников, на которых он мог бы положиться. Я единственный человек, которому Хадия доверяет. То есть... после всего того, что случилось.

Ардери слушала ее с каменным выражением лица. Когда Барбара закончила, суперинтендант достала из ящика стола папку и положила ее перед собой. Хейверс увидела, что на папке было что-то написано, но не смогла прочитать, что. Однако она смогла оценить то количество бумаг, которые находились в папке. Это была довольно внушительная стопка, в которой, помимо документов, виднелись и газетные вырезки. Сначала Хейверс подумала, что суперинтендант хочет освежить в памяти, что произошло с Хадией, или разыскивает информацию, которая подскажет ей, что происходит с Ажаром. Но ничего этого не произошло. Вместо этого Ардери посмотрела на нее спокойным взглядом и сказала:

– Об этом не может быть и речи.

Сглотнув, Барбара перечислила факты: неожиданная смерть Анжелины Упман, кишечная палочка, возможный заговор итальянской полиции, итальянских служб здравоохранения и итальянской прессы, паспорт Ажара, конфискованный итальянскими копами, адвокат Ажара, долгие допросы в *questura*. Хадия там одна и напугана: сначала ее похитили и прятали где-то в Альпах, затем умерла ее мать, а теперь ее отца бесконечно допрашивают итальянцы. За девочкой надо присматривать, пока не разрешится данная ситуация. Или ее надо возвращать в Лондон – в том случае, если, не дай бог, она не разрешится в ближайшие дни. У малышки никого нет в Италии, кроме ее отца...

– Это не дело британской полиции.

У Барбары отвалилась челюсть.

– Но они британские подданные.

– Существует организация, чьей задачей является помощь британским гражданам за границей. Она называется посольством.

– Посольство дало Ажару только список англоговорящих адвокатов. Они сказали, что если у британского подданного возникает проблема с законом...

– Это дело итальянской полиции, и итальянцы с ним разберутся.

– Каким образом? Поместив Хадию в госучреждение? Передав ее в какой-нибудь... какой-нибудь... работный дом?

– Мы живем не во времена Чарльза Диккенса, сержант.

– В какой-нибудь приют. Общежитие, монастырь, сиротский дом. Командир, ей всего девять лет. У нее нет никого. Только папа.

– У нее есть семья здесь, в Лондоне, и они будут проинформированы. Думаю, что любовника ее матери тоже проинформируют. Любовник заберет ее к себе, до тех пор, пока семья все не организует.

– Они ее ненавидят! Они не считают ее живым человеком! Командир, ради всего святого, она уже достаточно настрадалась.

– Не впадайте в истерику.

– Я *нужна* ей.

– Никому вы, сержант, не нужны. – Однако, увидев, что Барбара дернулась, как от удара, Ардери продолжила: – Я хочу сказать, что ваше присутствие в Италии никому не нужно, и я не даю вам своего разрешения. У итальянцев достаточно возможностей, чтобы с этим разобраться, и они разберутся... Мне надо работать; надеюсь, что и у вас найдется, чем себя занять.

– Но я не могу просто стоять...

– Сержант, если вы хотите продолжить это обсуждение, то я советую вам хорошенько подумать. Хотелось бы, чтобы ваши размышления начались с джентльмена по имени Митчелл Корсико, грязной газетенки «Сорс» и того, что вы можете почерпнуть из прошлого опыта нашей организации. Случалось, что полицейские заключали сделки с журналистами, но результаты всегда оставляли желать лучшего. Конечно, не для журналистов. Скандалы – это их профессия. Но что происходило с полицейскими? Хорошенько выслушайте меня, Барбара, потому что я абсолютно серьезна. Предлагаю вам серьезно обдумать ваше недалекое прошлое и что оно сможет рассказать вам о вашем возможном будущем, если вы немедленно не измените свое поведение. Что-нибудь еще?

– Нет, – ответила Барбара.

Смысла в дальнейшей беседе с командиром не было. Самым главным для нее сейчас было попасть в Италию, что она намеревалась сделать любой ценой.

Южный Хокни,
Лондон

Однако сначала надо было разобраться с Брайаном Смайтом. Последний раз, когда они встречались, Барбара дала ему задание. С тех пор она от него ничего не слышала. Сержант дважды пыталась связаться с ним по телефону, но безуспешно. Пора, подумала она, слегка потрясти его и напомнить, что с ним может случиться, если она шепнет заинтересованным людям, чем он занимается, когда садится за клавиатуру своего компьютера.

Смайт был дома, однако не работал. Он одевался для выхода. Слава богу, этот тип что-то сделал со своей перхотью, потому что в настоящий момент на его плечах не было видно соляных хлопьев Малдонского моря[1], которые полностью покрывали его рубашку во время их предыдущей встречи. На нем был пиджак и галстук... То, что Брайан подошел к двери с ключами в руках, говорило о том, что он собирался выходить.

Барбара не стала ждать, пока ее пригласят в святая святых.

– Сегодня мы обойдемся без чая, – сказала она, проходя мимо него в квартиру и далее сразу же в сад.

Там Барбара выбрала новое место для разговора. Зная этого пройдоху, она предположила, что он уже установил звукозаписывающую аппаратуру на том месте, где они беседовали в предыдущий раз.

За ухоженными растениями сада скрывался маленький уголок, весь утопающий в гроздьях цветущей глицинии. Цветы были настолько крупными и яркими, что Барбара решила, что хакер подкармливает почву останками домашних животных, которых вылавливает в округе. Она направилась к этим цветам, и он прошел за ней.

– Хочу сразу спросить, – произнес он, – какая часть во фразе «вы вторгаетесь на частную территорию» вам особенно непонятна?

– Что с изменением билетов в Пакистан? – потребовала она.

---

[1] Популярная марка пищевой соли.

– Или вы уходите, или я звоню копам.
– Мы оба знаем, что вы этого не сделаете. Так что там с билетами?

– У меня сейчас нет времени это обсуждать. Я должен идти на интервью по поводу работы...

– По поводу работы? Что же за работу может получить парень с вашими талантами?

– Ко мне через агентство обратилась китайская фирма. Техническая безопасность. То, чем я занимаюсь. То, чем я *занимаюсь* большую часть времени из тех пятнадцати лет, что работаю. Вы же это знаете.

– И именно это принесло вам эти дорогущие предметы искусства и такой дом?

– Давайте поговорим начистоту, – ответил Смайт. – Вы сделали все, что смогли, для того, чтобы разрушить самую успешную часть моей карьеры...

– Ну, в общем, да. Хотя это звучит как жалоба мелкого домушника на то, что хозяева установили охранную систему у себя в доме. Но продолжайте.

– Я вам ничего не должен. И ничего не могу вам предложить. – Брайан взглянул на часы. – И если вы больше ничего не хотите сказать... на улице сейчас сплошные пробки...

– Не надо блефовать, Брайан. У меня карты на руках лучше, чем у вас, или вы об этом забыли? Так как обстоит дело с этими пакистанскими билетами?

– Я уже говорил, что войти в систему SO-12 невозможно. И это действительно так. Надеюсь, что ваших мозгов хватит на то, чтобы это понять.

– Их хватит и на то, чтобы понять, что в этой вашей киберландии есть масса пацанов вроде вас и вы их всех знаете. И не говорите мне, что ни один из них не может пробить, проникнуть или врезаться в систему SO-12, потому что ежедневно эти пацаны взламывают системы Министерства обороны, Медицинского страхования и даже личные календари членов королевской семьи. Поэтому, если вы не нашли никого, кто мог бы это сделать, то это значит только то, что вы плохо искали. А в вашем положении это большой риск, Брайан. У меня все ваши резервные копии. Я могу утопить вас в один момент. Вы что, забыли об этом?

Смайт покачал головой – причем это был жест не согласия, а недоверия, – и сказал:

– Вы можете делать все, что хотите, но, думается мне, если вы это сделаете, то очень скоро поймете, что все мы варимся в одном котле. И в основном из-за вас.

– Что, черт возьми, вы имеете в виду?

– Первое: вы были абсолютной дурой, когда решили, что Дуэйн Доути согласится хоть за что-то ответить. Второе: если можно изменить одни данные, то можно изменить и другие. Поэтому советую вам над всем этим хорошенько подумать. А после того, как все обдумаете, можете перейти к третьему и самому главному: вас уже давно вычислили, глупая вы корова. Им известно о любом вашем движении. Особенно о том, что сейчас вы находитесь у меня.

Он повернулся на каблуках и направился по прекрасному весеннему саду к дому.

– Что это должно означать, кроме бессмысленной угрозы? – спросила Барбара, идя за ним.

Хакер обернулся.

– Это значит, что ко мне приходили из полиции Метрополии. Рассказывать дальше? Ведь мы оба знаем, что только одна причина на свете могла привести к этому, и сейчас она стоит передо мной.

– Я вас не сдавала, – сказала Барбара.

Раздался смешок.

– Конечно, нет, дура вы этакая. За вами просто следили. Наверное, с того самого момента, когда вы впервые во все это влезли, и вас сдали вашим начальничкам. А теперь – вас вежливо проводить до двери или силой вышвырнуть из квартиры? Я с удовольствием сделал бы и то, и другое, но мне надо успеть на интервью. Так что если между нами и были какие-то дела – они полностью закончены.

Лукка,
Тоскана

На протяжении всей своей карьеры Сальваторе Ло Бьянко никогда не скрывал улик расследуемого дела. Сама мысль об этом была для него недопустима. Поэтому он придумал для себя объяснение, которое помогало ему с этим смириться. Оно было простым и, помимо всего прочего, являлось чистой правдой: ему необходимо найти эксперта-почерковеда для того, чтобы сравнить почерки на поздравительной открытке и на тех документах, которые Таймулла Ажар заполнял в пансионате. Старший инспектор решил, что, пока он этим занимается, не имеет смысла рассказывать об этой возможной улике кому бы то ни было.

Прежде чем отправиться на Пьяцца Гранде, Сальваторе переговорил с трудолюбивейшей Оттавией Шварц. Вместе с Джорджио Симионе она продвигалась – правда, довольно медленно – в изучении списка участников Берлинской конференции. То, что это была международная группа ученых, делало задачу еще сложнее, однако она все-таки была выполнимой. Оттавия показала Сальваторе список имен людей, которые были уже проверены и исключены из списка подозреваемых. Пока им с Джорджио не удалось обнаружить никого, кто занимался бы *E. coli*, но оставалось еще много участников, и она была уверена, что они еще обнаружат важную информацию.

Сальваторе покинул *questura*. С собой он захватил самую свежую информацию, которую прислал ему лондонский частный детектив, а также документы, полученные им ранее в банке Ди Массимо. Ло Бьянко собирался использовать оба набора документов, чтобы добиться своего от Пьеро Фануччи.

Il Pubblico Ministero на месте, сказала его секретарша, когда Сальваторе прибыл в Палаццо Дукале. Она исчезла за дверью кабинета, но тут же вернулась со словами: *certo, il magistrato* не только примет вас сейчас, но и хочет, чтобы вы знали, что у него всегда найдется минутка времени для его старинного друга Сальваторе Ло Бьянко. Все это было произнесено без всякого выражения, так как долгие годы работы с Пьеро научили ее доносить информацию без всяких признаков иронии.

Пьеро ждал его за своим внушительных размеров столом, который был полностью завален папками с делами, толстыми и растрепанными, тяжелыми от той важной и серьезной информации, которая в них хранилась. Сальваторе не собирался оставлять свои документы в этой куче. Все, что он принес с собой, с собой же он и унесет. И сделает это, как только получит поддержку Пьеро.

Il Pubblico Ministero никак не прокомментировал внешний вид Сальваторе. Лицо инспектора все еще было в кровоподтеках, но его состояние улучшалось с каждым днем. Скоро все следы стычки в Ботаническом саду исчезнут, однако сейчас Сальваторе был рад, что они пока оставались на лице. Он надеялся, что в данной ситуации это может сыграть положительную роль.

– Пьеро, – произнес старший инспектор, – кажется, вы были абсолютно правы в вашем подходе к решению этого дела. Я хочу, чтобы вы знали, что я с вами согласен.

Глаза Фануччи прищурились. Он посмотрел сначала на лицо инспектора, затем на папки, которые тот держал в руках. Прокурор не сказал ни слова, но кивком и взмахом шестипалой руки показал Сальваторе, что тот может продолжать.

Сальваторе раскрыл первую папку. Она содержала информацию от Дуэйна Доути, которую сыщик прислал из Лондона в Лукку: расписки, отчеты и банковские переводы. Так как они полностью доказывали связь Таймуллы Ажара и Микеланджело Ди Массимо в вопросе похищения Хадии Упман, то все это выглядело, на первый взгляд, как будто Сальваторе издевается над *magistrato*, подчеркивая неправильность его выбора. Пьеро – совсем не идиот, особенно когда дело касалось его самого, – напрягся, раздул ноздри и произнес: «Это что такое?» – и замер в ожидании объяснений.

Объяснения последовали из материалов, которые Сальваторе удалось получить ранее. В них содержались банковские проводки и телефонные разговоры, которые связывали умершего Роберто Скуали и все того же Ди Массимо. Расположенные рядом с документами, полученными из Лондона, они ясно показывали, что синьор Доути, по причинам, известным только ему одному, манипулировал информацией с тем, чтобы создалось впечатление, что Таймулла Ажар уговорил Ди Массимо похитить его дочь Хадию. Видите, как деньги переходят со счета Ажара на счет Ди Массимо и далее, на счет Скуали? А более ранние документы показывали путь Доути – Ди Массимо – Скуали, и это были те документы, которые он, Сальваторе, получил почти сразу после начала расследования. А вот те документы, которые недавно прислали из Лондона, Пьеро... Ясно видно, что над документами серьезно поработали, чтобы перевести стрелки на невиновного.

– Этот человек – синьор Доути – замазан по самую макушку, – сказал Сальваторе. – Микеланджело Ди Массимо говорит правду. С самого начала этот план был разработан в Лондоне: разработан Доути и претворен в жизнь Ди Массимо и Скуали.

– А почему ты до сих пор не передал эти материалы Никодемо? – спросил Пьеро. Его голос звучал расслабленно, и Сальваторе надеялся, что это признак того, что он запоминает факты.

– Конечно, я все передам, – ответил Сальваторе, – но сначала я хотел извиниться перед вами. Задержание Карло Каспариа, как это сделали вы... Это вселило в Микеланджело Ди Массимо уверенность, что он в полной безопасности. Если бы вы отпустили Каспариа – на чем настаивал я, – Ди Массимо наверняка исчез бы, как только было найдено тело Скуали. Он бы знал, что всего несколько часов отделяют нас от обнаружения его связи со Скуали, но потому, что вы продолжали удерживать Карло, как главного подозреваемого, он считал себя в полной безопасности.

Фануччи кивнул. Он все еще, казалось, не был полностью убежден выступлением Ло Бьянко, поэтому Сальваторе извинился еще раз, пока собирал документы со стола *magistrato*, сказав:

– Это я передам Никодемо. Чтобы он – под вашим руководством, конечно – закончил расследование.

– Экстрадиция Доути, – пробормотал Пьеро. – Это будет нелегко.

– Но не для вас же, – произнес Сальваторе. – Перед вами не устоит даже британская судебная система, мой дорогой друг.

– Посмотрим, – пожал плечами Фануччи.

Инспектор улыбнулся. *Certo*, подумал он, конечно, они посмотрят. А пока Таймулла Ажар исчез с локаторов Фануччи. С глаз долой – из сердца вон. Теперь пакистанец был в полном распоряжении Сальваторе Ло Бьянко. А это именно то, чего добивался старший инспектор.

Виктория,
Лондон

Линли понимал, что встречи с Изабеллой не избежать. Его время истекало. Он мог еще несколько дней тянуть его («Командир, работаю, однако надо проверить еще одну вещь...»), но, так как она не была дурой, этим ее не проведешь. Поэтому у него оставался выбор: то ли напропалую врать Ардери обо всех делах Барбары, так как Джон Стюарт знал только, куда она ходила и с кем встречалась, но не то, что она реально делала, – то ли сказать ей всю правду.

Томас сожалел, что знал о проделках Барбары Хейверс. Он ее предупреждал, но это ни к чему не привело. Она так и не сошла с того безумного пути, по которому летела, ведомая любовью. Но хотя поговорка «любовь слепа» и может оправдать то, что влюбленные не замечают недостатков друг друга, она ни в коей мере не могла оправдать нарушение тех обязанностей, которые взял на себя – и публично присягнул в этом – сотрудник полиции Метрополии. Особенно это касалось расследования уголовных преступлений.

И все же... разве сам он, Томас, не хотел защитить собственного брата несколько лет назад, когда склонность Питера связываться с темными личностями из самых трущоб Лондона, вкупе с наркотиками привели к тому, что он подпал под подозрение в убийстве?

Да. Томас хотел защитить его. И, несмотря на улики, говорящие об обратном, он не мог поверить в то, что Питер был в нем замешан. По счастью, время показало, что брат действительно был невиновен. А ведь то же самое могло иметь место и в случае Барбары Хейверс и Таймуллы Ажара. Однако им так и не удастся выяснить, виновен Ажар или нет, если Барбара будет и дальше скрывать улики, не правда ли? В случае с Питером все тоже упиралось в улики. Только пройдя через весь процесс нахождения под следствием, он был полностью оправдан. То, что Томас не вмешивался в ход следствия, чуть полностью не разрушило их отношения с Питером, однако он настоял на своем решении. И это именно то, что нужно сделать Барбаре.

Линли решил не быть трусом и не ждать, пока Изабелла сама его вызовет. Когда они встретились в коридоре, он кивнул в сторону ее кабинета. Найдется ли у нее минутка? Да, найдется.

Ардери закрыла дверь и поставила между ними барьер в виде письменного стола. Томас воспринял это как демонстрацию разницы в их служебном положении. Он придвинул стул и рассказал ей все, что знал, не скрывая ничего из того, что удалось узнать о Дуэйне Доути, Брайане Смайте, Таймулле Ажаре, похищении Хадии Упман, смерти Анжелины Упман – и о Барбаре Хейверс. Изабелла молча слушала. Она ничего не записывала и не задавала вопросов. Только когда Линли упомянул о билетах в Пакистан и о том, что Барбара Хейверс о них знала, Изабелла выдала реакцию. Побелев, она спросила:

– А ты уверен в датах? В дате покупки и дате вылета, Томми? – И прежде чем он ответил, продолжила: – Не обращай внимания. Конечно, ты уверен. Джон Стюарт просто не мог знать об этих билетах. Ведь если Барбара разузнала о них внутри организации – то есть через SO-12, – то у него не было причины следить за теми, с кем она общается в этом здании. Ведь из него она не выходила. Она ведь просто могла позвонить кому-нибудь из SO-12 и попросить об услуге, правда?

– Да, это возможно, – ответил Линли. – А так как она работала по этому делу, то им и в голову не пришло поинтересоваться, зачем ей нужны эти данные, тем более что Ажар уже прошел проверку на причастность к террористам.

– Боже мой, какая же это грязь... – Изабелла задумчиво сидела за столом, глядя куда-то вдаль невидящими глазами. Линли догадался, что она пытается рассмотреть свое будущее. – Барбара опять встречалась с журналистом.

– С Корсико?

– Они встретились на Лестер-сквер. Сейчас он в Италии, скорее всего, по делам Барбары.

– Откуда ты знаешь? Я имею в виду не Лестер-сквер, а все остальное?

Ардери кивнула на закрытую дверь, на то, что лежало за ней.

– Конечно, от Джона. Он так и не сдается. Он уже собрал достаточно сведений о том, как она сливала информацию прессе, как не подчинялась прямым приказам и проводила свое собственное мини-расследование по событиям, произошедшим в другой стране. Как называется то место на реке, где казнили пиратов, а потом прилив уносил их тела, Томми?

– Пристань казней? Я думаю, что здесь больше сказок, чем правды.

– Не важно. Джон мечтает увидеть ее именно там. Или фигурально, или реально. И он не остановится, пока это не произойдет.

Линли чувствовал то отчаяние, которое испытывала суперинтендант. Он тоже его испытывал, но в меньшей степени. Ардери умудрялась сдерживать инспектора Стюарта, говоря ему, что тщательно протоколирует все детали, которые он ей сообщал. Но если она не предпримет никаких действий в ближайшее время, он через ее голову обратится к помощнику комиссара. И сэр Дэвид Хильер не будет сочувствовать фактам, особенно в том виде, в каком их представит Джон Стюарт. И когда он начнет искать ответственного за то, как на эти факты реагировали, то крайней окажется сама Изабелла. Ей надо действовать, не откладывая в долгий ящик.

– А где Барбара сейчас? – спросил Линли.

– Она попросилась в Италию. Я отказала ей и велела заняться делом. Я все еще не получила отчета об этом Дуэйне Доути, хотя теперь неважно, что это будет за отчет. Очевидно, что я не могу вернуть ее в команду Стюарта, а Филиппу Хейлу в данный момент люди не нужны. А ты что, не видел ее, когда приехал?

Томас отрицательно покачал головой.

– И она тебе не звонила?

– Нет, – был его короткий ответ.

Изабелла думала несколько секунд, а потом спросила:

– А у нее есть паспорт, Томми?

– Не имею ни малейшего представления.

– Боже, ну и ситуация... – Изабелла глянула на Линли, протянула руку к телефону, набрала номер и стала ждать ответа. Когда ей ответили, она сказала в трубку: – Джуди, мне надо переговорить с сэром Дэвидом. Он сегодня на месте?

Секретарша Хильера что-то ответила, и Изабелла заглянула в свой ежедневник.

– Тогда я сейчас поднимусь, – сказала она женщине на проводе.

– Изабелла, – сказал Линли, – все это можно закончить несколькими способами.

– Послушай, ради бога, не учи меня моей работе, – ответила Ардери.

Чолк-Фарм,
Лондон

Барбара не знала, о каких «начальничках» говорил Смайт. Но когда она вышла из его дома и пошла к своей машине, припаркованной в конце улицы, то все поняла. Раньше она была слишком погружена в свои планы, в обдумывание своих следующих шагов и действий, и не была начеку. Теперь, когда ей открыли глаза, все оказалось очень просто.

Клайв Кратти, только что получивший звание детектива констебля и жаждущий показать себя перед непосредственным начальством, попытался спрятаться от ее взгляда за рулем белого «Форда Транзит», который был припаркован в десяти домах от нее по другой стороне улицы. Но Барбара его заметила – и сразу поняла, что Стюарт установил за ней слежку.

Она взбесилась, но у нее не было времени ни на Стюарта, ни на его прислужников. Он будет делать то, что считает нужным. А ей надо добраться до Италии.

Ее паспорт был дома. Надо собрать хоть какие-то вещи, и еще нужен билет. По поводу последнего Барбара могла просто позвонить в авиакомпанию – или же собрать вещи, поехать в один из аэропортов и надеяться на лучшее.

Так как было еще рано, вокруг ее дома была масса свободных парковочных мест. Даже арка была свободна. Хейверс проехала через нее и помчалась от большого дома к своему бунгало. Влетела внутрь, бросила сумку на то, что считалось кухонным столом, и стала собирать свои чистые трусики с веревки, протянутой над раковиной. Затем свернула их в комок и направилась к гардеробу.

Именно в этот момент Барбара увидела Линли, который сидел в кресле рядом с диваном, вскрикнула, уронила трусики на пол и закричала:

– Черт вас побери! Как вам удалось войти?

Томас протянул ей ключ от входной двери.

– Надо проявлять больше фантазии, когда прячете свои запасные ключи, – ответил он. – Конечно, если не хотите однажды прийти домой и столкнуться с кем-нибудь, настроенным не так миролюбиво, как я.

Хейверс попыталась собраться с мыслями и вспомнить о своем чувстве юмора, собирая трусики с пола.

– Я думала, что место под ковриком было слишком очевидным, чтобы на него обратили внимание. Кому придет в голову искать ключи именно там?

– Не думаю, чтобы обычный грабитель был знаком с реверсивной психологией, Барбара.

– Наверное, нет. – Пересекая комнату, она старалась говорить легким голосом.

– Изабелла всё знает, – сказал Линли. – Смайт, Доути, то, что вы хотели сделать, ваши интимные беседы с Митчеллом Корсико... Всё, Барбара. Она звонила Хильеру, когда я выходил из кабинета, и договорилась о встрече с ним. Ардери также знает и о билетах в Пакистан, так что она решила положить этому конец. Я не мог остановить ее. Очень сожалею.

Барбара открыла шкаф. На верхней полке лежала ее дорожная сумка. Она вытянула ее оттуда и стала хватать одежду, не задумываясь о том, какая сейчас погода в Италии, или о том, подходит ей ли эта одежда. Хейверс не думала ни о чем, кроме того, что ей срочно надо покинуть Лондон и добраться до Италии. Она чувствовала, что Линли наблюдает за ней, и ждала, когда же он станет говорить о том, что она потеряет в результате этого сумасшествия. Но он сказал только:

– Не делайте этого. Послушайте меня. Все, что вы пытались сделать в деле о похищении Хадии и смерти Анжелины, развалилось. Смайт все подтвердил мне.

– А ему нечего было подтверждать, – сказала Барбара, однако не чувствуя себя такой уверенной, какой пыталась казаться.

– Барбара... – Линли встал со стула. Он был высоким мужчиной, на несколько дюймов выше шести футов, и сейчас казалось, что он заполнил собой всю комнату.

Хейверс попыталась не обращать на него внимания, но это было невозможно. И тем не менее она продолжала хаотично упаковываться. Прошла в ванную и схватила там все, что, по ее мнению, могло ей понадобиться: от шампуня до дезодоранта и всего остального. У нее не было косметички для всех этих флаконов, поэтому она завернула их в старое полотенце для рук и попыталась проскользнуть мимо Линли в комнату, где лежала ее дорожная сумка. Однако инспектор стоял в дверном проеме.

– Не делайте этого, – повторил он. – Смайт согласился говорить со мной, а это значит, что он может рассказать все и другим. Он признался в том, что полностью уничтожил часть улик и изменил остальные. Он рассказал мне о тех документах, которые он создал. Рассказал мне о твоих визитах. Сдал и Доути и женщину. С ним все кончено. Он может надеяться только на отъезд из страны до того, как начнется долгое и тщательное полицейское расследование, результаты которого упрячут его в тюрьму на Бог знает сколько лет. Вот как сейчас обстоят дела. Вы просто должны спросить себя, на чьей стороне хотите быть во время этого расследования.

Барбара протиснулась мимо него.

– Вы просто не понимаете. Вы никогда этого не понимали.

– Я понимаю, что вы хотите защитить Ажара. Но вы должны понять: то, что Смайт смог сделать, могло быть сделано только очень поверхностно. Понимаете?

– Я не понимаю, о чем вы говорите.

Хейверс засунула полотенце с косметикой в сумку и в отчаянии оглянулась. Томас не давал ей сосредоточиться. Что ей еще понадобится? Конечно, паспорт. Этот ни разу не использованный документ, который был ее пропуском в новую жизнь. Во что-то новое, неизведанное, необычное, волнующее. Утренний загар на пляже в Греции, прогулка по Великой стене в Китае, плавание нос к носу с гигантской черепахой на Галапагосах... Да *что угодно*, только бы оно было чем-то, что отличалось бы от этой серой повседневности.

– Тогда вам придется выслушать все правду, – сказал Линли. – Для того чтобы делать то, что он делает, Смайту нужно знать многих людей, которые, в свою очередь, знают других людей. Именно так это и работает. Какой-нибудь инсайдер в одной из организаций, в систему которой хочет попасть Смайт, сообщает ему пароль, или сообщает его кому-то, кто потом сообщает его Смайту. Информация изменяется, но не в святая святых этих резервных систем. Потом все это обнаруживается. Производятся аресты. Люди начинают говорить, а все это время правда хранится в резервной системе, которую невозможно вскрыть без судебного решения. И эта система покажет все. А мы с тобой оба знаем, что это «все» значит.

Барбара повернулась лицом к Томасу.

– Ажар ничего не сделал! И вы это знаете так же хорошо, как и я. Просто кто-то хочет все свалить на него. Доути хочет, чтобы он ответил за похищение, которое сам же Доути и организовал; а кто-то еще хочет, чтобы он ответил за убийство.

– Ради бога, Барбара... Да кто же это?

– Я не знаю! Разве вы не понимаете, что именно для этого мне надо поехать туда? Может быть, это Лоренцо Мура... А может быть, Кастро, который был у Анжелины до Муры... Или ее собственный отец – за то, что она не смогла оправдать его надежды... А может быть, сестра, которая всегда ее ненавидела... Я *не знаю*, черт побери! Но одно я знаю твердо. Сидя здесь в Лондоне и работая только в соответствии с этими гребаными инструкциями, мы никогда и ничего не узнаем. Под лежачий камень вода не течет.

Хейверс бросилась к столу, который стоял рядом со шкафом. В его единственном ящике она хранила свой паспорт. Барбара вытащила ящик и перевернула его на кровать. Паспорта не было.

Это стало последней каплей. Что-то внутри нее сломалось, и она бросилась через всю комнату к Линли, крича не переставая: «Верните его мне! Будьте вы прокляты, верните мне мой паспорт!» А потом, к своему ужасу, разрыдалась. Она вела себя, как сумасшедшая, и понимала это, но у нее не осталось никаких сил, чтобы объяснить своему давнему партнеру, почему она делает то, что делает. Поэтому, как жена рыбака из викторианского романа, она сначала прокляла Линли, а потом стала бить его кулаками в грудь. Томас поймал ее руки. Нет, ему не удастся остановить меня, поклялась Барбара сама себе. Даже если ей придется убить его, чтобы попасть в Италию, то она, не задумываясь, сделает это.

– У вас есть другая жизнь! – кричала она. – А у меня нет ничего. Вы понимаете? Вы это когда-нибудь поймете?

– Барбара, ради бога...

– Что бы ни случилось, меня это не касается. Это вы поняли? Все, что меня волнует, – это *она*. Я не оставлю Хадию в руках итальянских властей, если что-то случится с Ажаром. Я этого не сделаю, и больше меня ничего не волнует.

Барбара продолжала всхлипывать. Томас отпустил ее руки, наблюдая за ней, и Хейверс почувствовала, как ее переполняет чувство унижения. От того, что он видит ее такой. У нее не осталось ничего, кроме тех чувств, которые ее разрушали: одиночества, которого он не знал, отчаяния, которое он редко чувствовал; ее будущего, состоящего только из работы, – и ничего более. Барбара ненавидела его в этот момент – за то, что он довел ее до такого состояния. И наконец гнев осушил ее слезы.

Инспектор достал из кармана пиджака ее паспорт и протянул ей. Барбара выхватила его из рук Линли и схватила свою дорожную сумку.

– Не забудьте запереть дверь, когда будете уходить, – были ее последние слова.

МАЙ, 16-е

Лукка,
Тоскана

Сальваторе Ло Бьянко рассматривал свое лицо в зеркале в ванной. Синяки активно желтели. Старший инспектор уже не выглядел, как жертва избиения, а скорее как человек, переживший разлив желчи. Через несколько дней он сможет увидеть, наконец, Бьянку и Марко. Это было здорово, потому что его мамочка сильно грустила без своих любимых внуков.

Выйдя из башни, Сальваторе направился к своей машине. Это была короткая прогулка по приятному весеннему утреннему воздуху, и Ло Бьянко решил остановиться, чтобы выпить чашечку кофе и съесть пирожное. Он быстро закончил еду и питье и купил номер «Примо воче» в киоске на пьяцца деи Конкомери. Пробежал заголовок статьи на первой странице и увидел, что Пьеро Фануччи пока придерживает информацию о кишечной палочке.

Успокоившись, Сальваторе направился на фатторию ди Санта Зита. Небо было таким лазурным, что можно было быть уверенным: их ждет еще один жаркий день на этой пойменной равнине. На холмах деревья предлагали тень под своими кронами, и температура там была более приемлемой. А над грунтовой дорогой, которая вела на земли Мура, ветви деревьев создали приятный тенистый туннель. Выехав из него, Ло Бьянко припарковался рядом с винокурней – и услышал звуки голосов, звучавших из древней каменной постройки. Нырнув под ветви цветущей глицинии, он вошел в помещение, напоенное, как духами, запахами винной ферментации.

Лоренцо Мура и молодой человек иностранной наружности находились за дегустационным залом, в комнате, где вино разливалось по бутылкам, и изучали пачку наклеек, перед тем как разместить их на бутылках. *Chianti Santa Zita* – было написано на наклейках. Однако Муре не нравился их вид. По его лицу, когда он говорил, бродила недовольная гримаса. Молодой человек кивал.

Сальваторе прочистил горло. Они подняли на него глаза. Полицейский подумал, действительно ли родимое пятно на щеке Муры потемнело, или ему это только так кажется?

– Доброе утро, – произнес детектив. Он объяснил, что пришел на звук их голосов и надеется, что не помешал им.

«Конечно, помешал», – подумал Лоренцо Мура, но ничего не сказал. Вместо этого он продолжил общение с молодым человеком, белая кожа и светлые волосы которого выдавали в нем либо англичанина, либо, что еще вернее, скандинава. По-видимому, он, как и множество его соплеменников, свободно говорил на итальянском, а также еще на трех-четырех полезных языках. Молодой человек – никакого имени не называется, да и не требуется, подумал Сальваторе, – выслушал Муру и скрылся в глубинах винокурни. Со своей стороны Лоренцо сделал жест в сторону открытой бутылки, стоявшей рядом со станком для наклейки этикеток. *Vorrebbe del vino?*[1] «Маловероятно, – подумал Сальваторе. – Для него еще слишком рано, чтобы начинать дегустацию, но в любом случае, *grazie mille*».

Было ясно, что Лоренцо не так строго следит за временем. Очевидно, что и он и его ассистент уже промочили горло. Рядом с бутылкой стояли два наполовину полных стакана. Он взял один из них и залпом осушил, а потом глухо сказал:

– Она умерла. И мой ребенок тоже. А вы ничего не делаете. Для чего вы приехали?

– Синьор Мура, – сказал Сальваторе, – мы бы хотели, чтобы дела шли быстрее, но они могут идти только с той скоростью, с которой им позволяет общий процесс.

– И что же это значит?

– Это значит, что мы должны завести дело. Сначала оно заводится, затем расследуется. А уже после завершения расследования производятся аресты.

– Она умерла, ее похоронили, и ничего не произошло, – сказал Мура. – И вы хотите меня уверить, что занимаетесь расследованием дела? Я пришел прямо к вам, когда она умерла. И я сказал, что это не естественная смерть. Но вы отослали меня. Тогда зачем вы приехали сейчас?

---

[1] Хотите вина? (*итал.*)

– Я приехал спросить, позволите ли вы Хадие Упман пожить у вас здесь, на фаттории, до тех пор, пока не будут достигнуты договоренности с ее семьей в Лондоне?

Лоренцо вскинул голову.

– Что это значит?

– Это значит, что я расследую дело. И когда я закончу – а я должен делать это очень осторожно, – придет время для следующих шагов, и уж здесь я не буду колебаться. Но соответствующие приготовления должны быть сделаны, и я пришел к вам именно за этим.

Мура изучал его лицо, как будто хотел отделить правду от лжи. Но кто решится ругать его за это? В девяти случаях из десяти в этой стране, и особенно в Тоскане, сначала совершался арест, а потом факты подгонялись под сфабрикованное дело. Особенно часто это случалось в тех случаях, когда такой прокурор, как Пьеро Фануччи, ограничивал свое в*и*дение одним подозреваемым, назначаемым в тот момент, когда о преступлении становилось известно.

– В таких случаях, как ваш, необходимо установить сам *факт* смерти и ее причину, – объяснил Сальваторе. – В случае с Анжелиной это было затруднительно, так как она была больна несколько недель перед смертью. Теперь мы точно знаем, что повлекло за собой ее смерть...

Лоренцо сделал шаг вперед, протягивая руку. Сальваторе поднял свою, чтобы остановить его.

– Но мы пока не называем этой причины.

– Это сделал он. Я знаю.

– Время покажет.

– А сколько еще надо времени?

– Вот этого мы не знаем. Но мы двигаемся вперед, держа все наши знания в тайне. Ну, а то, что я приехал к вам, чтобы договориться о Хадие... думаю, это говорит вам о том, как близки мы к цели.

– Он пришел к нам в дом. Он завоевал ее доверие. А когда он это сделал, он... *каким-то образом* он убил ее. И вы это знаете.

– Мы сегодня встречаемся. Профессор и я. Мы уже с ним встречались, и будем встречаться еще и еще. Ничего, синьор Мура, не останется незамеченным или неисследованным. Я уверяю вас в этом... – Сальваторе кивнул на дверь и сказал уже совершенно другим голосом: – Вы ведь разводите ослов, не так ли? Мне об этом рассказал лондонский детектив. Не могли бы вы показать мне их?

– А зачем? – нахмурился Лоренцо.

Сальваторе улыбнулся.

– Хотелось бы купить. У меня двое детей, и, думаю, они будут в восторге, если в загородном доме у них будет жить такой питомец. Ведь они настоящая прелесть – эти животные, которых вы выращиваете, *vero*? Они ведь достаточно добры, чтобы стать всеобщими любимцами, нет?

– *Certo*, – ответил Мура.

Лукка,
Тоскана

В конце концов, Сальваторе выполнил свою задачу. Вид осликов Лоренцо Муры в оливковой роще естественным образом привел к вопросу о том, кто их недавно покупал. Просто для того, чтобы убедиться в добром характере животных, благодаря которому они смогут стать баловнями в несуществующем загородном доме. Мура назвал ему имя своего последнего покупателя, и Сальваторе двинулся дальше.

Визит к этому мужчине полностью исключил его как возможный источник *E. coli*, убившую Анжелину Упман. Не потому, что на его ферме рядом с Валпромаро не было бактерий, а потому, что он подтвердил, что недавно приобрел у Лоренцо Муры осла, заплатив за него наличными. Это позволило синьору Муре немного сэкономить на налогах. Мужчина назвал дату покупки, и она полностью совпала с датой, когда *Ispettore* Линли видел, как тот передавал Муре конверт с чем-то.

Вернувшись в *questura*, Ло Бьянко получил новую информацию от Оттавии Шварц и Джорджио Симионе, которые продолжали продираться сквозь списки участников конференции микробиологов. Оттавия сообщила, что они обнаружили ученую из Глазго, которая занимается изучением *E. coli*. Скорее всего, будут и другие, если *Ispettore* хочет, чтобы они продолжали.

Сальваторе подтвердил, что хочет. Он не хотел следовать по пути Фануччи и желал знать всё, все возможные аспекты дела, прежде чем сделает следующий шаг. Для Сальваторе *indagato* значило больше, чем просто назвать имя подозреваемого. *Indagato* значило уверенность детективов в том, что у них в руках нужный человек.

Пиза,
Тоскана

В конце концов оказалось, что проще всего долететь до Пизы. Конечно, Барбара могла воспользоваться услугами какой-нибудь бюджетной авиакомпании, которые появлялись каждый месяц, как грибы после дождя, и приземлиться где-нибудь в региональном аэропорту. Однако Барбаре нужно было собраться с мыслями и хотелось уверенности и покоя, которые давали только авиакомпании с именем, не теряющие багаж и приземляющиеся в аэропортах с приставкой «международный».

Оказавшись в аэропорту Пизы, Хейверс сразу же столкнулась с зарубежной действительностью. Люди что-то кричали друг другу на непонятном языке, надписи тоже были на языке, который она не понимала и не могла их прочитать. Сразу же после того, как сержант продралась через паспортный контроль и получила свой багаж, она увидел толпы гидов, ожидающих свои жертвы, и толпы пассажиров, пытающихся договориться с нелегальными таксистами о быстрой поездке к Падающей башне.

К счастью, ей не надо было делать ничего подобного, кроме как отыскать человека, который довезет ее до Лукки. А он выделялся среди толпы, как шимпанзе-альбинос в зоопарке. Несмотря на то, что находился в Италии – признанном центре мировой моды, – Митч Корсико был одет как обычно. Он отказался от своего вельветового пиджака – видимо, делая уступку жаре, – а в остальном его одежда была а-ля винтажный Дикий Запад. Со своей стороны Барбара отказалась от футболок с надписями в пользу маечек с узкими бретельками, справедливо ожидая того, с чем столкнулась в первый же момент, сойдя с самолета, – иссушающей жары.

Митч говорил по мобильному, когда Барбара увидела его в толпе. Он продолжал разговор, пока вел ее к арендованной машине. Она могла слышать только отрывки этого разговора, пока тащила за ним свою дорожную сумку. Звучали слова: «Да... Да... Интервью скоро будет... Да, оно идет у меня под первым номером... Род, ну что еще я могу сказать?» Закончив говорить по телефону, он пробормотал: «Жирная задница», что, очевидно, относилось к его главному редактору. К этому моменту они достигли арендованной «Лянчи», а Барбара вся покрылась потом. Сощурившись на ярком солнце, она смогла произнести только:

– Да что же это за долбаная температура...

– Держись, Барб, – сказал Митчелл, глянув на нее. – Это еще даже не лето.

Их путь в Лукку состоял из убийственной поездки по *autostrada*, на которой знаки ограничения скорости выглядели скорее предупреждениями, которые игнорировались всеми итальянскими водителями. Корсико здесь чувствовал себя как рыба в воде. «Еще чуть-чуть, и они взлетят», – подумала Барбара.

По пути журналист рассказал ей, что первая статья появилась в «Сорс» сегодня утром, если, конечно, сержант не успела купить номер в аэропорту. Он составил ее таким образом, чтобы потом из нее можно было бы сделать с десяток независимых сюжетов. Кстати, он надеется, что она это оценит.

– Что конкретно ты имеешь в виду? – спросила Барбара. – О каких сюжетных линиях мы говорим? Что ты написал в первой статье?

Корсико взглянул на нее. В этот момент мимо них пронесся какой-то серебряный призрак, и Митчел вдавил акселератор в пол. Они обогнали грузовик, а Барбара еще сильнее вцепилась в свое кресло.

– Да, в общем, обычный формат, – сказал Митч. – «Ситуация с *E. coli* представляет собой или заговор официальных лиц – с целью не допустить падения итальянской экономики, когда источник заражения будет разыскиваться во всех экспортных товарах, – или хладнокровно спланированное убийство, совершенное неизвестным... Мы не исключаем, что скоро нам станет известно его имя. Следите за нашими публикациями».

– Ну что ж, до тех пор, пока ты не трогаешь Ажара.

Митчелл посмотрел на нее с выражением удивления на лице.

– Послушай, я разрабатываю историю. Если он часть этой истории, то он часть этой истории и обязательно в ней появится. Давай сразу договоримся между собой, особенно теперь, когда мы работаем рука об руку: ты не можешь залезть в постель с журналистом и ожидать, что он не захочет кормить чудовище.

– Ты опять путаешь свои цитаты, – сказала Барбара. – Мне кажется, что для писателя это не есть хорошо. Или я слишком размечталась, называя тебя писателем? А кто говорил о том, что мы работаем рука об руку?

– Но мы же по одну сторону баррикад.

– Мне так не кажется.

– Мы оба хотим узнать правду. И в любом случае, как я сказал, имя Ажара уже всплыло.

– Я же тебе объяснила доступным языком...

– Но ведь ты понимаешь, что Род Аронсон не разрешит мне ошиваться в Лукке только потому, что беременная англичанка склеила ласты в Тоскане. Английские читатели ждут наживки побольше.

– И Ажар превратился в эту наживку? Черт тебя побери, Митчелл...

– Он часть этой истории, нравится тебе это или нет, дорогая. И, насколько я разбираюсь в жизни, он, скорее всего, и есть эта самая история. Черт возьми, Барб, ты должна быть мне благодарна, что я не трогаю девочку.

Хейверс вцепилась в его руку, сжав ее пальцами.

– Держись от ребенка как можно дальше, Митч.

Журналист стряхнул ее руку.

– Не мешай водителю вести машину. Вот мы сейчас врежемся, и следующая история будет уже про нас. Да и кроме того, пока я только забросил удочку из серии «наш профессор микробиологии помогает органам следствия в их работе, и мы все с вами знаем, что это может значить, тили-тили, трали-вали». Рон хочет получить интервью с этим парнем, и ты мне в этом поможешь.

– Ты уже получил от меня все, что должен был получить. Ажар не был частью нашего договора. И ты об этом знал с самого начала.

– Послушай, я думал, ты хочешь, чтобы я раскопал правду.

– Ну так и раскапывай свою правду, – закончила Барбара. – Но помни, Ажар к ней не имеет никакого отношения.

Лукка,
Тоскана

Пригороды Лукки ничем не отличались от пригородов любого промышленного города-переростка в любой точке земного шара. За исключением того, что все знаки и реклама были на итальянском, все в этих пригородах являлось обычным. Вдоль улиц стояли многоквартирные дома, дешевые гостиницы, туристические рестораны, киоски быстрого обслуживания, разные бутики и пиццерии. На тротуарах много места занимали женщины в креслах на колесиках, а подростки, которым, по идее, полагалось находиться в школе, были на улице и занимались одним из трех дел, стандартных для подростков во всем мире: писали SMS, курили и болтали по телефону. Прически были другими – более изысканными и сильно нагеленными, – но, кроме этих отличий, все было стандартным. Только когда они въехали в центр города, Лукка стала вдруг уникальной.

Барбара никогда в жизни не видела ничего похожего на эти стены, которые окружали старую часть города, как средневековый крепостной вал. Она была в Йорке, но это оказалось другим: начиная с громадного, заросшего травой рва, лежащего перед стенами и могущего в любой момент быть заполненным водой, и кончая дорогой, проходящей по вершине стены. Митч Корсико проехал вдоль нее по тенистому бульвару, единственным назначением которого было показать стену во всей красе. Где-то на полдороге он повернул на громадную площадь и проехал по короткой дороге, которая провела их сквозь громадные крепостные ворота.

Они попали на еще одну площадь – и увидели сотни пожилых туристов в шляпах, шортах-бермудах, солнечных очках, сандалиях и черных носках. Рядом с пунктом проката велосипедов обнаружилась пустая парковка. Выбравшись из машины, Митч сказал: «Туда», – и предоставил Барбаре продолжать борьбу с ее дорожной сумкой.

Хейверс думала, что взяла мало вещей, но теперь, пытаясь не отстать от Корсико, серьезно подумывала о том, не выкинуть ли ей все содержимое сумки в ближайшую урну. Однако урн поблизости не было, поэтому она, задыхаясь, тащила за собой сумку, едва успевая за Митчем, который вел ее с площади мимо собора – первого из многих сотен, поверь мне, – в толпу людей, состоящую из туристов, студентов, домохозяек и монахинь. Здесь было очень много монахинь. К счастью, Барбаре не пришлось долго гнаться за Митчем по этой узкой улочке. Она заметила, как он поворачивает на еще одну улицу, и, когда наконец добралась до угла, увидела, что он стоит, опираясь спиной о стену тоннеля, шириной не более легковой машины. Барбара видела, что этот тоннель ведет еще на одну площадь, залитую безжалостным солнцем.

Хейверс подумала, что Митчелл решил отдохнуть в тени, или, может быть, даже ждет ее, чтобы помочь. Вместо этого, когда она приблизилась к нему с сердцем, вырывающимся из груди, и с залитыми потом глазами, он сказал:

– А ты не часто путешествуешь, угу? Первое правило – не больше одной перемены одежды.

Он нырнул в тоннель, и они оказались на площади. Она была круглая. Митч объяснил, что это были остатки древнего городского амфитеатра. Ее окружали магазины, кафе и деревья. Барбаре, изнемогавшей под ярким солнечным светом, захотелось направиться к ближайшему столику в кафе и купить что-то очень холодное и мокрое. Она почему-то подумала, что сейчас они сделают остановку именно для этого, однако журналист указал на целую выставку кактусов и других растений, расположившуюся вдоль стены здания, и сказал, что это пансион, в котором живет Ажар.

– Пора расплачиваться, и стоить это тебе будет одно интервью с Ажаром, – сказал он. А когда она уже была готова запротестовать, Корсико с большим искусством разыграл свою последнюю карту. – Правила здесь устанавливаю я, Барб, и тебе стоит об этом подумать. Я могу просто бросить тебя здесь – и иди, ищи, кто тут говорит по-английски и может тебе помочь. Или ты можешь стать немного посговорчивее. Но прежде чем решишь, что выбрать, хочу обратить твое внимание на то, что местные копы не говорят по-нашему. С другой стороны, куча журналистов говорит, и я буду счастлив представить тебя парочке из них. Но если ты меня об этом попросишь, считай, что ты мне должна. А Ажар – это твоя разменная монета.

– Не пойдет, – заявила Барбара. – Думаю, что сама смогу объясниться с любым, с кем захочу.

Митчелл улыбнулся и кивнул на пансион.

– Ну, если ты так хочешь, то флаг тебе в руки.

Это должно было все ей объяснить. Но Барбара не была готова к тому, что Митчелл Корсико будет диктовать ей условия совместной работы в Италии. Поэтому она перешла через площадь с дорожной сумкой на плече и позвонила в дверь Пенсионе Жардино. Его окна были плотно закрыты от солнца, так же как и остальные окна в домах на площади, кроме одного, в котором хозяйка развешивала розовые простыни на веревке, висевшей вдоль стены. Все остальные здания выглядели заброшенными, и Барбара уже решила, что пансион тоже брошен, когда дверь открылась, и перед ней очутилась темноволосая беременная женщина, прижимающая к бедру ребенка с миловидной мордашкой.

Сначала все шло хорошо. Женщина заметила сумку Барбары, улыбнулась и пригласила ее войти. Она провела ее по полутемному – и, благодарение Богу, прохладному – коридору, в котором на узком столике перед фигурой Девы Марии горела свечка, а дверь открывалась в какое-то подобие столовой, показала Барбаре, куда той надо поставить сумку, и достала из ящика стола карточку, которую, очевидно, надо было заполнить для того, чтобы поселиться в пансионе. «Просто прекрасно, – подумала Барбара, беря карточку и предложенную ручку. – Пошел ты к черту, Митчелл. Здесь не будет никаких проблем».

Хейверс заполнила карточку и вернула ее, а когда женщина сказала: «*E il Suo passaporto, signora?*[1] – протянула и паспорт. Она слегка заволновалась, когда женщина куда-то унесла его, но

---

[1] И ваш паспорт, синьора (*итал.*).

оказалось, что ушла она недалеко – к буфету в столовой, где произнесла несколько фраз на непонятном языке, который Барбара приняла за итальянский. Из ее слов, по-видимому, следовало, что паспорт ей нужен на какое-то время, чтобы что-то с ним сделать. Барбара подумала, что она, по всей видимости, не планирует продать его на черном рынке, и успокоилась.

Потом женщина с улыбкой сказала: «*Mi segue, signora*»[1], подняла своего ребенка повыше, подошла к лестнице и стала взбираться по ступеням. Барбара поняла, что должна идти за ней. Все это было прекрасно, но у нее было несколько вопросов, которые она хотела задать, прежде чем заселиться в этот пансион. Поэтому она сказала:

– Таймулла Ажар все еще живет здесь, правильно? Со своей дочерью? С маленькой девочкой вот такого роста, и с длинными темными волосами? Первое, что я хочу сделать, – помимо душа, – это переговорить с Ажаром о Хадии. Так зовут эту девочку. Вы, наверное, это знаете, да?

Эти слова положили начало настоящему речевому извержению. Хозяйка вернулась вниз по ступеням, фонтанируя словами непонятного языка. К сожалению, на Барбару это не произвело никакого впечатления. Она мгновенно превратилась в того оленя, которого осветили фары летящего на него автомобиля, и уставилась на женщину. Единственное, что можно было разобрать в этом речевом потоке, – *non, non, non*. Из этого Хейверс заключила, что ни Ажара, ни Хадии в пансионе нет. Уехали ли они насовсем или еще вернутся, она понять не смогла.

Независимо от того, что говорила эта женщина, она смогла завести Барбару до такой степени, что та вынула свой мобильный, подняла его – хотя бы для того, чтобы женщина заткнулась, – набрала номер Ажара, но опять безуспешно. Где бы ни был Таймулла в настоящий момент, он не отвечал.

– *Mi segue, mi segue, signora. Vuole una camera, si?*[2] – сказала женщина.

Она показала на ступеньки, из чего Барбара поняла, что *camera* означала комнату по-итальянски, а не инструмент для фотосъемки. Она кивнула, подняла свою сумку с пола и, вслед за своей будущей хозяйкой, взобралась на два лестничных пролета.

Комната была чистая и без затей. Не номер-люкс, но чего еще можно было ожидать от пансиона? Барбара закончила с размеще-

---

[1] Идите за мной, синьора (*итал.*).

[2] Вам нужна комната, да? (*итал.*)

нием даже быстрее, чем планировала – прохладному душу придется подождать до лучших времен, – и стала искать в своем телефоне номер адвоката Ажара Альдо Греко.

К счастью, его секретарша говорила по-английски. Адвоката в настоящее время нет в офисе, объяснили Барбаре, но если она оставит свой номер...

Барбара объяснила. Она пытается отыскать Таймуллу Ажара, сказала она. Она – его лондонский друг, которая сейчас приехала в Лукку, и приехала она потому, что уже в течение двух суток не может до него дозвониться. Она смертельно волнуется не только о нем, но и о его дочери, Хадии, и...

– Ах, вот в чем дело, – сказала секретарша Греко. – Я попрошу синьора Греко немедленно вам перезвонить.

Барбара не знала, *что* слово «немедленно» значило в Италии, поэтому, дав свой номер и закончив разговор, стала мерить комнату шагами. Открыв жалюзи на окнах, а затем и сами окна, на другом конце площади она увидела Митчелла Корсико, который сидел под зонтиком в кафе, наслаждаясь каким-то напитком. Он выглядел абсолютно расслабленным и уверенным в себе. Хейверс поняла, что ему что-то известно, но он хочет, чтобы она выяснила это «что-то» сама.

И она это узнала. Ее телефон зазвонил – это был Греко.

Таймулла Ажар арестован, сообщил он ей, по обвинению в убийстве. Его допрашивали в *questura* в течение последних двух дней, а сегодня, в половине десятого утра, арестовали.

«Боже мой», – подумала Барбара.

– А где же Хадия? – спросила она. – Что случилось с Хадией?

В ответ Греко сказал, что встретится с ней в офисе через сорок пять минут.

Лукка,
Тоскана

У нее не было выбора. Ей придется пойти к Корсико. Он знал город, и даже если она отправится одна, он просто будет за ней следить. Поэтому, выйдя из Пенсионе Жардино, Барбара пересекла площадь, села рядом с ним, взяла его стакан и залпом его осушила. Выпивка была чем-то очень сладким, налитым на два кубика льда.

– *Limonchello* с содовой, – объяснил Корсико. – Ты давай поосторожнее с этим, Барб.

Но было поздно. Хейверс получила удар прямо между глаз. В глазах появился странный туман.

– Ничего себе, черт побери! Теперь я понимаю, почему *vita* такая *dolce*[1] в этой стране. Они, что, всегда пьют *это* за завтраком?

– Конечно, нет, – ответил Митчелл. – Они проще, чем мы, смотрят на жизнь, но совсем не сумасшедшие. Как я понимаю, ты уже знаешь про Ажара?

Барбара прищурила глаза.

– Ты *знал* об этом?

Корсико пожал плечами с шутливым сожалением.

– Черт побери, я думала, что мы работаем вместе.

– И я так думал, – сказал журналист. – Но потом... Все как-то сошло... Ну, по поводу интервью...

– Боже. Ну, хорошо. Где Хадия? Ты это тоже знаешь?

Он отрицательно покачал головой.

– Но вариантов не так уж много. Им приходится придерживаться определенных правил. А я думаю, ни одно из них не говорит, что девятилетние дети могут существовать без сопровождения взрослых и сами заезжать в отель «Ритц», в том случае если их папочек обвиняют в убийстве. Но нам придется ее найти. И чем быстрее, тем лучше. У меня не так много времени.

Барбара скривилась от бесчувственности этого замечания. Хадия ничего не значила для Корсико. Она была для него просто еще одним сюжетным поворотом в истории, которую он собирался написать. Хейверс встала и почувствовала, как у нее закружилась голова. Напиток продолжал действовать. Когда головокружение прошло, она взяла горсть орешков со стола и сказала:

– Нам надо на виа Сан-Джорджио. Знаешь, где это?

Он бросил несколько монет в пустую пепельницу, поднялся на ноги и ответил:

– Не так далеко. Ведь это Лукка.

Лукка,
Тоскана

Альдо Греко оказался импозантным мужчиной, похожим на еще одного известного жителя Лукки – Джакомо Пуччини[2], только без усов. У него были такие же грустные глаза и такие же густые темные волосы, тронутые на висках сединой. На его коже не было

---

[1] Жизнь, сладкая (*итал.*). Барбара имеет в виду всемирно известный фильм Ф. Феллини *La Dolce Vita* («Сладкая жизнь»).

[2] Джакомо Пуччини (1858–1924) – выдающийся итальянский композитор.

ни единой морщинки. Ему могло быть между двадцатью пятью и пятьюдесятью. Адвокат выглядел как кинозвезда.

Барбара видела, что Греко считает ее и Митча Корсико очень странной парой, но он был слишком хорошо воспитан, чтобы произнести больше, чем *piacere*[1] – что бы это ни означало, – когда она представилась сама и представила своего компаньона. Греко пригласил их присаживаться и предложил напитки. Барбара отказалась, а Корсико решил, что неплохо будет выпить чашечку кофе. Греко кивнул и попросил свою секретаршу принести кофе. Это было сделано с молниеносной быстротой. В чашку была налита такая черная жидкость, что можно было подумать, будто это отработанное моторное масло. Журналисту это было, по-видимому, уже знакомо, так как он положил в рот кусок сахара и отпил из чашечки.

Греко был очень осторожен и пытался не выходить за рамки обычной вежливости. В конце концов, он совсем не знал, кто такая Барбара. Она могла быть кем угодно – даже журналисткой, которая ссылается на то, что знает Ажара. Тот никогда не упоминал ее имя в разговорах с адвокатом, поэтому сейчас Греко стоял перед проблемой, поскольку был связан профессиональной этикой, которая запрещала ему раскрывать незнакомым людям даже самые незначительные детали, связанные с арестом его клиента.

Хейверс показала ему свое полицейское удостоверение. Это не произвело на него впечатления. Она упомянула детектива инспектора Линли, который был в Лукке в качестве офицера связи при расследовании похищения Хадии, но это вызвало только важный кивок, и ничего больше. Наконец Барбара вспомнила, что в ее кошельке была маленькая фотография Хадии, которую та подарила ей в начале рождественских каникул. На обороте фотографии детским почерком было написано имя Барбары, фраза «Друзья навеки» и имя самой Хадии.

– Когда я услышала, – сказала Хейверс, – что Ажара допрашивают в *questura*, я решила, что должна приехать, потому что у Хадии нет родственников в Италии. А семья ее мамы в Англии... Анжелина с ними совсем не общалась. Я подумала, что если случится что-то еще... Я имею в виду, что она уже прошла через все круги ада, не правда ли?

Греко внимательно изучил фото, которое передала ему Барбара. Он так и не поверил ей полностью, пока она не разыскала в своем телефоне одно из посланий Ажара, которое, к счастью, не стер-

[1] Пожалуйста (*итал.*).

ла, и протянула телефон адвокату, который прослушал послание и наконец убедился, что Барбара – друг, которому можно сообщить все подробности.

Она же все понимает, не правда ли? Она понимает, что его клиент не давал ему разрешения на разговор с ней, поэтому ему придется держаться в определенных рамках. «Да, да», – сказала Барбара и мысленно помолилась, чтобы у Корсико хватило ума не доставать свой репортерский блокнот из кармана брюк и не начинать делать в нем заметки.

Прежде всего, Греко сказал ей, что Хадия вернулась на фатторию ди Санта Зита, в дом Лоренцо Муры, где она жила до смерти матери. Естественно, это не навсегда. Ее родственники в Лондоне были поставлены в известность синьором Мурой об аресте отца ребенка.

– Они что, приедут и заберут ее? – спросила Барбара.

Если это так, сказала она себе, то время играет главную роль. Потому что когда Упманы наложат свои лапы на девочку, Ажар может с ней попрощаться – они из одной только ненависти сделают так, чтобы он никогда ее больше не увидел.

– Этого я не знаю, – ответил синьор Греко. – Это полиция договаривалась о ее передаче синьору Муре, а не я.

– Ажар никогда не назвал бы копам имена Упманов, как возможных опекунов девочки. Он назвал бы мое имя, – сказала сержант адвокату.

Греко задумчиво кивнул.

– Возможно, что и так, *certo*. Но полиции нужно, чтобы за девочкой приехал ее кровный родственник. Дело в том, что нет подтверждения тому, что профессор действительно является ее отцом. Поэтому вы понимаете, насколько сложно добиться выполнения его распоряжений, не правда ли?

Барбара понимала только одно – ей срочно надо выяснить, где находится эта фаттория ди Санта Зита. Она взглянула на Митчелла. У того на лице была репортерская маска: полное отсутствие каких-либо эмоций. Она знала, что это означает: он старается запомнить все, до мельчайших подробностей. Может быть, и не так уж плохо, что Корсико играет на ее стороне.

– А какие против него улики? – спросила Хейверс. – Ведь должны же быть какие-то улики. Я имею в виду, что если кого-то обвиняют в убийстве, то это делается на основе улик...

– Всему свое время, – ответил Греко.

Он соединил перед собой пальцы и, используя их как некую указку, объяснил Барбаре особенности судебной системы Италии.

В настоящий момент Ажар был *indagato,* и его имя указано в документах, как имя подследственного. Ему представили документы, подтверждающие это – мы называем это *avviso di garanzia*[1], объяснил адвокат, – а детали обвинения будут объявлены позже. Естественно, что их сообщат в нужное время, но сейчас положение о *segreto investigativo*[2] запрещало это сделать. В настоящее время какую-то информацию можно узнать из тщательно организованных утечек в прессу.

Выслушала все это, Барбара сказала:

– Но ведь вы наверняка что-то знаете, мистер Греко.

– В настоящий момент я знаю только, что существуют некоторые сомнения относительно конференции в Берлине, на которой профессор присутствовал в апреле. Кроме того, некоторую настороженность вызывает его профессия. На этой конференции присутствовали микробиологи со всего мира...

– Я знаю про эту конференцию.

– Тогда вы понимаете, каким образом выглядит участие в ней профессора Ажара. Через короткий промежуток времени мать его дочери умирает от организма, который мог быть легко...

– Никому не может прийти в голову мысль, что Ажар мотался по Европе, таская под мышкой чашку Петри, полную кишечной палочки.

– Простите? – переспросил Греко. На лице его было написано недоумение.

– Этот пассаж с подмышкой, – подсказал Корсико шепотом.

– Простите, – извинилась Барбара. – Я хотела сказать, что весь этот сценарий – как, интересно, он вообще мог сработать? – выглядит очень глупым. Не говоря уже о том, что он совершенно нереален. Послушайте, мне надо переговорить с этим полицейским, с Ло Бьянко. Ведь так, кажется, его зовут? Вы ведь можете организовать мне эту встречу? Я работаю в Лондоне вместе с Линли, а это имя Ло Бьянко знает. Ему не стоит говорить, что я друг семьи. Скажите просто, что я работаю с Линли.

– Я могу позвонить, – ответил Греко. – Но учтите, что он почти не говорит по-английски.

– Нет проблем, – сказала Барбара. – Вы ведь можете поехать со мной, правда?

– *Si, si,* – подтвердил адвокат. – Но должен предупредить, что синьор Ло Бьянко, по всей видимости, не будет с вами полностью

---

[1] Уведомление (*итал.*).

[2] Тайна расследования (*итал.*).

откровенен в моем присутствии. А я думаю, что вы рассчитываете на его откровенность, да, нет?

– Да. Конечно. Но, черт возьми, разве он *не обязан* рассказать вам...

– В этой стране дела делаются несколько по-другому, синьора... – Он остановился и исправился. – *Scusi*, сержант. Расследования здесь ведут по-другому.

– Но когда человек арестован...

– Не имеет значения.

– Черт побери, мистер Греко. Вы говорите о *косвенных* уликах. Ажар был на конференции, и кто-то умер через месяц после этого от микроорганизмов, которые он даже не изучает.

– Умирает некто, кто увез его ребенка. Некто, кто скрывал местонахождение девочки в течение нескольких месяцев. Согласитесь, все это не очень хорошо пахнет.

И пахло... нет, воняло бы еще хуже, подумала Барбара, если бы они только знали о роли Ажара в похищении Хадии.

– Но человека невозможно приговорить только на основании косвенных улик, – возразила она.

Греко выглядел изумленным.

– Совсем наоборот, сержант. В этой стране людей каждый день приговаривают на основе гораздо менее весомых улик.

Лукка,
Тоскана

Сальваторе не был удивлен, когда узнал, что в Лукке появился еще один представитель Нового Скотланд-Ярда. После ареста Таймуллы Ажара он ожидал, что из Лондона кого-то пришлют. Информация через Альдо Греко дойдет до британского посольства, а затем неизбежно попадет оттуда в полицию Метрополии. Тому было две причины: арест британского подданного и то, что после этого ареста осталась английская девочка без попечения взрослых. Кто-то должен был этим заняться, так как с Лоренцо Мурой она ничем не связана, и сейчас он просто предоставляет ей временное жилье, пока не будут достигнуты окончательные договоренности. Поэтому присутствие английской полиции нисколько его не удивило.

Просто он не ожидал, что это произойдет так быстро.

К сожалению, это был не Линли. Сальваторе не просто нравился этот англичанин, – с ним было очень удобно, потому что он говорил на очень приличном итальянском языке. Ло Бьянко никак не мог понять, почему полиция Метрополии направила в Лукку сотрудника совсем без знания языка. Но когда Альдо Греко позвонил ему и сообщил ее имя и некоторые детали, связанные с ней – включая тот факт, что она не говорит по-итальянски, – старший инспектор согласился с ней встретиться. Греко заверил его, что офицер придет со своим переводчиком. Ее компаньон – английский ковбой, по словам адвоката, – имел кое-какие знакомства в городе, и он обеспечит наличие переводчика во время визита Барбары Хейверс.

Сальваторе никогда не задумывался о том, как в реальности может выглядеть английская женщина-детектив. Поэтому он был совершенно не подготовлен к приходу женщины, которая появилась у него через пару часов после звонка адвоката. Когда он увидел ее, то подумал, что за долгие годы просмотра британских сериалов – которые у них показывали переведенными на итальянский язык, – так ничего и не узнал об английских женщинах-детективах. Сальваторе ожидал увидеть кого-то напоминающего известную и титулованную актрису, или другую – может быть, и слегка резковатую в общении на его вкус, но тоже с хорошими ногами, привлекательную и хорошо одетую. То, что вошло в его офис, было полным антиподом тех, о ком он думал, если только не касаться резкости в общении. Женщина была невысокая, коренастая и одетая в жутко измятые бежевые льняные брюки, красные кроссовки и вылезающую из брюк синюю майку с тонкими бретельками, свободно болтающуюся на ее пухленьких плечах. Ее волосы выглядели так, как будто домашний садовник выполнял сразу две работы – косил траву и стриг волосы...

В то же время ее кожа была великолепна – англичанам повезло с их влажным климатом, подумал он, – но сейчас она лоснилась от пота.

Сопровождаемая какой-то ученой крысой в очень больших очках и с очень напомаженной головой, она прошла в комнату с такой уверенностью и с таким пренебрежением к своему внешнему виду, что Ло Бьянко не мог не восхититься ею.

– Детектив сержант Барбара Хейверс, – представилась она. – Вы не говорите по-английски. Так. Это Марчелла Лапалья, и я вам честно признаюсь: она живет с парнем по имени Андреа Роселли. Он журналист из Пизы, но она не выдаст ему никакой информации до тех пор, пока вы ей не разрешите. Она здесь как переводчик, и я плачу ей именно за это. И, к счастью, деньги для нее сейчас важнее, чем ее отношения с Андреа.

Сальваторе прислушивался к потоку этих урчащих звуков, узнавая некоторые слова то здесь, то там. Марчелла быстро переводила. Сальваторе совсем не понравилось то, что она любовница Андреа Роселли, и, когда он открыто сказал об этом, Марчелла перевела это англичанке. Они переговаривались какое-то время между собой, и только когда Сальваторе нетерпеливо сказал: «*Come? Come?*»[1] – Марчелла стала переводить.

– Она профессиональный переводчик, – сказала англичанка. – Она понимает, что ее карьере очень быстро придет конец, если она разгласит информацию, которая для этого не предназначена.

– Да уж, имейте это в виду, – сказал Сальваторе переводчице.

– *Certamente*[2], – ответила та спокойно.

– Я работаю в Лондоне с детективом инспектором Линли, – начала свой рассказ Барбара, – поэтому довольно хорошо знаю все, что здесь происходило. Сейчас я здесь в основном из-за ребенка – из-за дочери профессора, – и с этими моими обязанностями мне будет легче справиться, если я буду знать, что у вас есть против Ажара и насколько вероятно, что рано или поздно он пойдет под суд. Она ведь будет задавать вопросы – Хадия, девочка, – и я должна понимать, что ей говорить. Вы можете мне в этом помочь. Так что же у вас есть на Ажара – профессора, – если мне будет позволено вас спросить? То есть я знаю – Греко рассказал мне, – что его обвиняют в убийстве. Я также знаю, где он работает, знаю про конференцию в Берлине и знаю, от чего умерла мать девочки. Но... давайте говорить начистоту, старший инспектор Ло Бьянко: того, что мне известно в настоящий момент – если, конечно, у вас нет какой-то другой информации, – недостаточно для того, чтобы арестовать человека по обвинению в убийстве. Все это слишком двусмысленно и неопределенно. Поэтому мне кажется, с вашего согласия я могу сказать Хадии, что ее папа достаточно скоро вернется домой. То есть, как я уже сказала, если у вас нет еще каких-нибудь улик.

Сальваторе слушал перевод, пристально глядя в глаза сержанта. Она, в свою очередь, безотрывно смотрела на него. Большинство людей, подумал он, уже давно бы отвели глаза, хотя бы для того, чтобы осмотреть кабинет. Все, что она делала, – это наматы-

---

[1] Как? Как? (*итал.*)

[2] Конечно (*итал.*).

вала на палец старый шнурок, торчащий из ее красной кроссовки, ногу с которой она небрежно закинула на колено. Когда Марчелла закончила перевод, Сальваторе осторожно сказал:

– Расследование все еще продолжается, сержант. И, как вы, может быть, знаете, в Италии дела делаются немного по-другому.

– Я знаю только, что у вас очень слабые косвенные улики. У вас есть набор совпадений, который заставляет меня задуматься, на каком основании профессор Ажар вообще находится за решеткой. Но давайте это пока оставим. Мне надо с ним встретиться. И вы должны организовать эту встречу.

Этот практически приказ заставил Сальваторе задергаться. Хейверс действительно была невероятной женщиной, если не боялась выдвинуть подобное требование, принимая во внимание то, что в Италию она прибыла по вопросу обеспечения безопасности девочки.

– А зачем вы хотите с ним встретиться? – спросил он.

– Затем, что он отец Хадии Упман. И Хадия Упман наверняка захочет узнать, где он, что с ним и здоров ли он.

– Дело в том, что его отцовство еще не доказано, – заметил Сальваторе. Он был рад, что это замечание заставило ее вздрогнуть, когда она услышала перевод Марчеллы.

– Да. Конечно. Правильно. Как хотите. Вы выиграли очко, не так ли? Но анализ крови быстро расставит все по местам. Послушайте, со своей стороны он захочет знать, где находится девочка и что с ней происходит. И я бы хотела иметь возможность ответить на эти вопросы. Мы оба знаем, что вы можете организовать такую встречу. И я хочу, чтобы вы это сделали.

Барбара подождала, когда Марчелла закончит перевод. Ло Бьянко уже хотел отвечать, когда она продолжила:

– Вы можете рассматривать это как акт милосердия. Потому что... буду с вами откровенна: вы похожи, на мой взгляд, на милосердного человека.

Прежде чем Сальваторе смог среагировать на это неожиданное замечание, она огляделась вокруг и спросила:

– Кстати, инспектор, вы курите? Потому что очень хочется закурить, а я не хочу никого обижать.

Сальваторе очистил пепельницу, стоявшую у него на столе, и протянул ей. Хейверс сказала: «Спасибо» – и стала рыться в массивной сумке, которую поставила на пол у своего стула. Она долго ругалась и чертыхалась – эти слова он узнавал, – пока, наконец, старший инспектор не достал из кармана пиджака свои сигареты и не протянул ей, сказав:

– *Ecco*[1].

– Вот видите, – отреагировала Барбара, – я же говорила, что вы похожи на милосердного парня. – И улыбнулась.

Инспектор был потрясен. Сержант была начисто лишена того, что называется женской привлекательностью, но у нее была невероятно милая улыбка. В отличие от всего того, что Сальваторе знал про традиционное отношение англичан к своим зубам, она, по-видимому, следила за своими, которые были очень ровными, очень белыми и очень красивыми. Прежде чем Ло Бьянко сообразил, что с ним происходит, он уже улыбался в ответ. Хейверс вернула сигареты, инспектор взял себе одну и предложил пачку Марчелле. Все трое задымили.

– Могу я быть с вами откровенной, старший инспектор Ло Бьянко? – спросила Барбара.

– Сальваторе, – сказал он. Когда на ее лице появилось недоумение, он сказал по-английски: – Так короче. – И улыбнулся.

– Тогда зовите меня Барбарой, – ответила англичанка. – Так тоже короче.

Она по-мужски затянулась и, казалось, подождала, пока дым проникнет ей в кровь, прежде чем сказать:

– Итак, могу я говорить с вами честно, Сальваторе? – И после того как он кивнул, выслушав перевод Марчеллы, продолжила: – Насколько я понимаю, вы формируете обвинение против Таймуллы Ажара. Но разве вы можете привязать к нему кишечную палочку?

– Конференция в Берлине...

– Да знаю я про этот Берлин. Ну, был он на конференции, и что из этого?

– Ничего, до тех пор, пока вы не посмотрите на состав участников и не увидите, что он участвовал в плановом заседании вместе с ученым из Гейдельберга. Его, этого ученого, зовут Фридрих фон Ломанн. И в университете Гейдельберга он изучает кишечную палочку.

Барбара кивнула, сощурив глаза от табачного дыма.

– Ну хорошо, – сказала она. – Участие в заседании. Я об этом не знала. Но, если вас интересует мое мнение, это простое совпадение. С этим в суд не пойдешь.

– Мои люди уже полетели в Германию, чтобы допросить этого ученого, – сказал инспектор. – Мы оба с вами знаем, что на по-

---

[1] Вот (*итал.*).

добной конференции один ученый может легко попросить другого о штамме каких-нибудь бактерий, по какой угодно причине. Это ни у кого не вызовет подозрения.

– Вроде как попросить показать фото с последнего отдыха? – со смехом уточнила Барбара.

– Нет, не совсем так, – ответил Сальваторе. – Но ему не составит труда придумать какое-то объяснение своей просьбе – например, дипломная работа его студента, изменение собственных научных интересов... Это только два из тех возможных объяснений, которые он мог использовать в беседе с ученым из Гейдельберга.

– Но, черт побери, инспектор... Я хотела сказать, Сальваторе, как вы можете предположить, что эти ребята возят с собой образцы штаммов? Что у вас есть? Что Ажар попросил у этого мистера Гейдельберга... как его там зовут?

– Фон Ломанн.

– Ну да. Правильно. Ажар обращается с просьбой к фон Ломанну, и тот сразу выуживает из чемодана штамм кишечной палочки?

Сальваторе почувствовал, что ему становится жарко. Она или нарочно извращала значение его слов, или Марчелла неправильно переводила.

– Конечно, я не говорю, что профессор фон Ломанн имел с собой штамм кишечной палочки, – сказал он. – Но зерно профессор Ажар зародил именно на конференции, а когда Хадию похитили с помощью лондонского детектива, он придумал дальнейший план.

Услышав перевод Марчеллы, английский детектив замерла с сигаретой, не донеся ее до рта.

– Что вы такое говорите?

– Я говорю, что в моем распоряжении есть доказательства того, что похищение Хадии Упман было разработано в Лондоне, а не здесь. И эти доказательства я получил из Лондона. Этот лондонский детектив, который прислал мне информацию, хочет, чтобы я поверил, что человек, которого зовут Микеланджело Ди Массимо, разработал этот план здесь, в Пизе, и что его единственным помощником был Таймулла Ажар.

– Остановитесь-ка здесь на секундочку. Не существует никакого чертова пути...

– Но у меня есть документы, которые доказывают обратное. Множество данных, которые – если мы сравним их с данными, которые я получил раньше, – были изменены. Все это непросто, но я не дурак. Профессора Ажара обвиняют в убийстве. Но я подозреваю, что это не единственное его преступление.

Сержант раздавила сигарету тремя пальцами: средним, большим и указательным. Она курила так, что создавалось впечатление, что делает она это с самого рождения. И держала она сигарету совсем по-мужски. Сальваторе лениво подумал, уж не лесбиянка ли она. Потом подумал, не сложился ли у него в голове стереотип лесбиянки. А затем подумал, а почему он вообще что-то думает об этой любопытной англичанке.

– Не хотите поделиться, что заставляет вас так считать? Очень странные мысли, – сказала Барбара.

Ло Бьянко очень тщательно выбирал сведения, которые сообщал ей. У него есть банковская информация, которая противоречит информации, полученной из того же банка, но ранее. Это заставляет предположить, что кто-то где-то подделывает улики.

– Но пока я не вижу ничего, что вело бы к Ажару, – возразила сержант.

– Действительно, необходимо, чтобы компьютерный судебный эксперт разобрался со всем этим; но это можно сделать, и это будет сделано в конце концов.

– В конце концов? – Хейверс задумалась на некоторое время. – Ах да, вы ведь больше не занимаетесь похищением. Кто-то мне уже дал эту инфу.

Сальваторе подождал, пока Марчелла борется со словом «инфа». Когда же она, наконец, закончила перевод, сказал:

– Я думаю, вы согласитесь, что убийство – преступление более тяжелое, чем похищение, особенно когда похищенная девочка вернулась здоровой и невредимой и когда уже арестовано несколько предполагаемых участников. Всему свое время. Так мы работаем здесь, в Италии.

Барбара загасила сигарету. Делала она это очень нервно, и несколько хлопьев пепла упали на ее брюки. Она попыталась смахнуть их, но только еще больше размазала по брюкам. Она сказала «черт возьми» и «о, боже», после чего последовало:

– Насчет встречи с Ажаром. Я хотела бы перекинуться с ним парой слов. Вы можете это организовать, правильно?

Ло Бьянко кивнул. Он сделает это для нее, решил инспектор, потому что профессору надо было встретиться с офицером связи из его страны. Но Сальваторе чувствовал, что Барбара Хейверс знает об Ажаре гораздо больше, чем рассказала ему. И решил, что Линли сможет ответить на некоторые его вопросы, касающиеся этой странной женщины.

Виктория,
Лондон

Действительность была такова, что Томас не знал, может ли что-нибудь спасти Барбару Хейверс и хочет ли он что-нибудь сделать для того, чтобы хоть как-то остановить то, что казалось абсолютно неизбежным.

С самого начала Линли сказал себе, что эта невозможная женщина не может работать в полиции. Она не признает авторитеты. У нее на плече татуировка величиной с танк. У нее отвратительные привычки. Очень часто она бывает абсолютно непрофессиональна, и это касается не только ее манеры одеваться. У нее хорошая голова, но в пятидесяти процентах случаев она ее не использует. А в половине случаев от оставшихся пятидесяти процентов, когда она использовала голову, та заводила ее в болото. Так, как это произошло сейчас.

И тем не менее... Когда Барбара действительно работала, то отдавала работе всю себя. Она абсолютно бесстрашно спорила с мнением, с которым не соглашалась, и никогда не ставила выполнение работы в зависимость от продвижения по службе. Она впивалась в ту версию, в которую верила, как питбуль в кусок сырого мяса. Ее способность легко вступать в конфронтацию с теми людьми, с которыми в конфронтацию вступать *было ни в коем случае нельзя*, отличала ее от всех других офицеров, с которыми ему приходилось работать. Ее не могло остановить ничье присутствие. Она была офицером, которого каждый хотел бы видеть у себя в команде.

Кроме того, не стоило забывать, что Хейверс спасла ему жизнь. Это всегда будет присутствовать в их отношениях. Она никогда об этом не говорила, и Томас был уверен, что и не заговорит. Но он знал, что сам никогда не сможет забыть этого.

Поэтому Линли решил, что выбора у него нет. Он должен постараться и спасти эту женщину от нее самой. И считал, что единственный способ сделать это – доказать, что она права во всем, что касается смерти Анжелины Упман.

Это будет непросто, и Томас подключил к процессу Уинстона Нкату. Тот проверит всех, кто был так или иначе связан с Анжелиной в Лондоне: где они находились во время болезни и смерти Анжелины в Тоскане, где находились их близкие, и была ли у них хоть малейшая возможность получить в свое распоряжение штамм кишечной палочки. Начать надо было с Эстебана Кастро, бывшего любовника Анжелины, и проверить не только его, но и его жену. Потом – родственники Анжелины: Батшеба Уард, ее родители и Хьюго Уард. Неважно, на чье имя он наткнется в процессе поисков, сказал ему Линли, – он должен проверить каждого. В то же время сам Томас отправится в лабораторию Ажара в Университетском колледже, с тем чтобы перепроверить данные Сент-Джеймса.

Уинстон с сомнением выслушал его указания, но сказал, что все сделает.

– Вы же не считаете, что кто-то из этих ребят замешан в данном деле? Мне кажется, что наличие самой кишечной палочки говорит об участии специалиста.

– Или кого-то, кто знает такого специалиста, – ответил Линли, вздохнул и добавил: – Бог знает, Уинстон. Сейчас мы летим в темноте и без парашютов.

Нката улыбнулся.

– Вы говорите прямо как Барбара.

– Ни боже мой, – ответил инспектор и отправился по своим делам.

По дороге в Блумсбери ему позвонил Сальваторе Ло Бьянко из Лукки. Его первая фраза: «Что это за невероятную женщину прислал к нам Скотланд-Ярд, *Ispettore*?» – убедила Линли, что Барбара вела себя в Италии ничуть не лучше, чем в Англии. Однако итальянец не ожидал немедленного ответа, поэтому дал Линли возможность собраться с мыслями и обдумать свои слова. Сальваторе дал ему возможность придумать такой ответ, который не стал бы немедленным приговором для Барбары.

– Она довольно необычна для офицера связи, – сказал Сальваторе, – поскольку совсем не говорит по-итальянски. Почему не прислали опять вас?

Линли сосредоточился на вопросе офицера связи. К сожалению, в этот момент сам он был слишком занят, объяснил инспектор. Он даже не очень представляет, что Барбара делает в Лукке. А может инспектор немного просветить его?

Таким образом Томас узнал, что Барбара Хейверс выдает себя за офицера связи, присланного для того, чтобы разобраться с ситуацией вокруг Хадии Упман. Он также узнал, что Таймулла Ажар теперь был не только *indagato*, но и находился в тюрьме по обвинению в убийстве. Ситуация менялась с калейдоскопической скоростью.

Сальваторе рассказал ему о несовпадении информации, полученной им из Лондона, и той, что была в его распоряжении. С одной стороны, рассказал он, в его распоряжении есть набор банковских документов Микеланджело Ди Массимо, которые он получил почти сразу после похищения Хадии; с другой стороны, недавно ему прислали копии тех же документов из Лондона. Их сравнение показывает, что кто-то поработал с банковским счетом в Пизе на более поздней стадии расследования.

– У них здесь, в Лондоне, есть некто взламывающий банковские банки данных и создающий фальшивые документы, – сказал Линли. – Сейчас нельзя верить ни одному документу, Сальваторе. Думаю, вам лучше всего привлечь компьютерного эксперта, чтобы посмотреть, как они изменяют данные. Конечно, мы можем попытаться получить решение суда, которое позволило бы нам получить информацию из резервных систем банков и телефонных компаний, чтобы получить доступ к первичным оригинальным ее вариантам, но это займет много времени и не очень надежно.

– Почему, друг мой?

– Мы обратимся в суд с запросом в связи с преступлением, которое совершено в Италии. Честно говоря, будет трудновато добиться у судьи положительного решения. Думаю, проще будет попытаться расколоть кого-нибудь из непосредственных участников. Я уже говорил с одним из них – парнем по имени Брайан Смайт. Если хотите, я готов переговорить и с Дуэйном Доути.

Конечно, он будет ему очень благодарен, ответил Сальваторе. А теперь опять об этой необычной женщине из Мет...

– Она хороший полицейский, – честно признался Линли.

– Она хочет встретиться с профессором. – И Ло Бьянко рассказал о причинах такой просьбы Хейверс.

– Ну что ж, это не лишено смысла, – прокомментировал Линли. – Но только если вы не хотите надавить на Ажара, ничего не говоря ему о его дочери: где она, что с ней и что она делает.

Ло Бьянко на минуту замолчал. Наконец он произнес:

– Это было бы полезно, *si*. Но, хотя признание, полученное под давлением, было бы с радостью принято в некоторых местах...

– Вы имеете в виду *il Pubblico Ministero*, – заметил Линли.

– Да, это его способ получения признаний, *vero*. Так вот, если он и готов принять признание, которое является результатом отчаяния подозреваемого, я... мне почему-то этого не хочется.

«Может быть, из-за Хейверс», – подумал Линли. У нее есть способность встревать между воюющими людьми и заставлять их менять свое мнение, которой он всегда восхищался. Томас ничего не сказал, но издал несколько звуков, говорящих о том, что он понимает Сальваторе.

– И вот еще что... – продолжил итальянец. – Когда она со мной говорила, у меня появилось подозрение.

– Какое подозрение?

– Синьора Хейверс приехала как офицер связи, чтобы заниматься состоянием девочки, но в то же время она задает слишком много вопросов и высказывает свое мнение по поводу того, что происходит с Таймуллой Ажаром.

– Ах, это, – сказал Линли. – Это стандартное поведение Барбары, Сальваторе. Она имеет собственное мнение по любому вопросу.

– Понятно... Ну что ж, мой друг, вы мне помогли. Потому что ее вопросы и комментарии показались мне выходящими за рамки профессионального интереса.

«Осторожнее», – подумал Линли и сказал неправду:

– Я не очень понимаю, что вы имеете в виду.

– Честно сказать, я тоже. Но в ней есть какая-то напряженность... Она хотела оспорить некоторые вещи, связанные с арестом профессора. Назвала их совпадениями. В лучшем случае косвенные улики, сказала она. Не то чтобы ее выступления могут на меня повлиять, мой друг. Но направление ее расспросов показалось мне не очень естественным для человека, приехавшего в Италию заниматься ребенком.

Это была та развилка, после которой – Линли это хорошо понимал – он должен рассказать Сальваторе Ло Бьянко об отношениях между Таймуллой Ажаром, его дочерью и Барбарой, не говоря уже о том, что в Италию она примчалась самовольно. Но Томас понимал, что, если он сделает это, итальянец не даст ей доступа к пакистанцу. Было похоже на то, что он не даст ей встретиться и с девочкой. А это было несправедливо, особенно по отношению к Хадии, которая наверняка была растеряна и испугана. Поэтому инспектор сказал Ло Бьянко, что уровень заинтересованности Барбары в том деле, которым Сальваторе сейчас занимался, был связан с увлекающейся натурой сержанта. Он много раз работал с ней, сказал Линли инспектору. Ее привычка спорить, выступать адвокатом дьявола, искать нестандартные подходы, стараться изучить дело со всех сторон... Это просто были ее особенности как офицера Мет.

Сменив тему, Томас заверил Сальваторе, что обязательно встретится с Дуэйном Доути.

– Может быть, мне удастся завершить хотя бы одну часть расследования дела о похищении, – сказал он.

– Пьеро Фанучччи не понравится, если появятся данные, которые будут не совпадать с его видением дела, – напомнил Сальваторе.

– А почему тогда мне кажется, что вам это доставит только удовольствие? – спросил Линли.

Сальваторе рассмеялся. Они положили трубки, и Томас продолжил свой путь в Блумсбери.

В лаборатории Ажара он предъявил свое удостоверение одетому в белое технику, который представлял сразу две древние культуры.

Техника звали Бхаскар Голдблум, и он явно был продуктом любви индийской матери и еврейского отца. Техник сидел за компьютером, когда Линли вошел в лабораторию. Он был одним из восьмерки исследователей, которые в настоящий момент работали в этих помещениях. Как выяснил Томас, ни один из них не знал об аресте в Италии их ведущего профессора. Инспектор постепенно довел эту информацию до Голдблума, объясняя ему причины своего визита в лабораторию.

Хотелось бы, объяснил он технику, чтобы ему показали все, что есть в лаборатории. Ему нужны документы и рабочие инструкции на каждый лабораторный предмет. Он должен ознакомиться со всеми штаммами бактерий – и с теми, которые находились в хранилище, и с теми, над которыми сейчас работали.

Бхаскару Голдблуму идея такого детального осмотра совсем не понравилась. Вместо согласия он заметил вежливым тоном, что, насколько ему известно, инспектору Линли для такого досмотра необходимо предъявить ордер на обыск.

К этому Томас был готов. В конце концов, это правильно и логично. Он согласился с Голдблумом, что действительно может получить такой ордер, но полагает, что ни один из сотрудников лаборатории не согласится с тем, что сюда явится группа полицейских и разберет здесь все по винтикам.

– Что, – добавил он, – они сделают с большим удовольствием.

Голдблум обдумал сказанное. По окончании мыслительного процесса он сказал, что должен позвонить профессору Ажару и получить его разрешение. И в этот момент Линли проинформировал Голдблума, а вместе с ним и остальных сотрудников лаборатории, о сложной ситуации, в которую попал профессор Ажар в Италии: он был арестован по обвинению в убийстве с применением бактерий и в настоящий момент не имеет возможности отвечать на телефонные звонки.

Это мгновенно изменило ситуацию. Голдблум сразу же согласился сотрудничать с Линли, но добавил язвительным тоном:

– А сколько времени у вас есть, инспектор? Это будет не быстрый процесс.

Соллициано,
Тоскана

Когда раздался звонок от старшего инспектора Сальваторе Ло Бьянко, Барбара и Митчелл прохлаждались за столиком уличного кафе на корсо Джузеппе Гарибальди, где в настоящий момент развернулся продуктовый рынок, на котором покупателям предлагалось впечатляющее разнообразие продуктов питания, продаваемых на сотнях красочно украшенных прилавков. Они потягивали национальный итальянский напиток – жгучую жидкость, которую здесь называли двойным кофе – или *caffe*, – и которую невозможно было проглотить без трех кусков сахара и большого количества молока. Митч настаивал, чтобы Барбара хотя бы попробовала этот продукт.

– Ради бога, ты же находишься в Италии. Так постарайся проникнуть в ее культуру, – именно так он ее уговаривал.

Сделав один маленький глоток, Барбара подумала, что теперь не будет спать в течение ближайших восьми дней.

Когда зазвонил ее мобильный и Ло Бьянко сообщил о том, что договорился о посещении Ажара, Барбара показала Корсико большой палец.

– Ну наконец-то! – закричал тот.

Но ему пришлось более чем огорчиться, узнав, что разрешение получено на одну Барбару. Митчелл стал обвинять ее в нечестной игре, и она не могла его в этом винить. Ему нужна была история для «Сорс», и нужна срочно. Ажар и был такой историей.

– Митчелл, – сказала она ему, – Ажар твой, как только мы вытащим его. Эксклюзивное интервью с фотографией, Хадия сидит у него на коленях, вся такая хорошенькая... Ну, в общем, все, что захочешь. Это все твое, но не раньше, чем мы вытащим его из тюрьмы.

– Послушай, ты вытащила меня сюда, рассказав сказку...

– Но ведь все, что я тебе рассказывала, оказалось правдой, разве нет? Ведь никто не охотится за тобой за распространение ложных сведений? Ну так потерпи еще немного. Мы вытащим его из тюрьмы, и он будет нам благодарен. А будучи благодарным, даст тебе твое интервью.

Ситуация Корсико не понравилась, но поделать он ничего не мог. Ведь, как офицер полиции, Барбара смогла устроить им встречу с Ло Бьянко. Митчелл это понимал, и ему приходилось с этим считаться. Так же как ей придется смириться с тем текстом, который он накропает в конце дня.

Ажара содержали в тюрьме, что было стандартной процедурой для обвиняемых в убийстве. Она находилась довольно далеко от Лукки, и Барбаре пришлось пережить еще одну ужасающую гонку по *autostrada*. Однако они смогли быстро добраться до места назначения, а Ло Бьянко заранее позвонил туда и отдал необходимые распоряжения. Это не был официальный день для посещений, но полиция могла получить доступ тогда, когда таковой был ей нужен. Через несколько минут после их прибытия Барбару провели в комнату для свиданий, которая, как она поняла, не использовалась во время посещения заключенных членами семей. Она оставила сумку со всеми вещами на проходной, была обыскана и ощупана с ног до головы. Ее тщательно опросили и сфотографировали.

Теперь Хейверс уселась за единственный стол, стоявший посредине комнаты. Его ножки были привинчены к полу, так же как и ножки двух стульев, стоящих по разные стороны стола. На стене висело большое и грязное распятие; Барбара подумала, не там ли спрятана аппаратура для наблюдения? В наши дни микрофоны и камеры стали такими крохотными, что их легко можно было спрятать в одном ногте Спасителя или в шипе на его венке. Она потерла пальцы друг о друга и подумала, что неплохо было бы закурить. Однако было похоже, что знак на стене напротив умирающего Иисуса запрещал курение. Она не могла прочитать, что на нем было написано, но изображение сигареты в красном круге, перечеркнутой красной полосой, было универсальным для всего мира.

Через пару минут Хейверс встала и стала мерить комнату шагами. Она грызла ногти и думала, почему все это происходит так долго. Когда, наконец, через пятнадцать минут дверь открылась, Барбара уже ожидала, что сейчас кто-то войдет и скажет ей, что шутка закончена и что ее присутствие в Италии не согласовано – не говоря уже о санкционировано, – к лондонской полицией. Но когда сержант повернулась к двери, она увидела Ажара, входящего перед охранником.

Барбара мгновенно поняла две вещи о своем лондонском соседе. Первое: она никогда не видела его небритым, а сейчас он был небрит. Второе: она никогда не видела его без накрахмаленной сорочки. С аккуратно закатанными рукавами летом, с опущенными и застегнутыми на запонки зимой, иногда с галстуком, иногда с пуловером, в джинсах или брюках... но он всегда был в сорочке. Она была так же характерна для него, как его собственная подпись.

Сейчас Ажар был одет в тюремные одежды – комбинезон какого-то непонятного зеленого цвета. Вкупе с небритым лицом, темными кругами под глазами и выражением поражения на лице, его вид заставил Барбару почти расплакаться. Она видела: Ажар был в ужасе от того, что увидел ее. Он остановился так резко, что охранник налетел на него и рявкнул «*Avanti, avanti*»[1], что, как Барбара догадалась, означало, что Ажар должен пошевеливаться и войти в камеру. Когда профессор прошел в дверь, охранник тоже вошел в комнату и запер дверь за собой. Барбара тихонько выругалась, когда увидела это, но все поняла. Она не была адвокатом, поэтому не могла ожидать никаких привилегий.

Ажар, оставшись стоять, заговорил первым.

– Вы не должны были приезжать, Барбара, – сказал он с отчаянием в голосе.

– Садитесь. – Сержант указала ему на стул и сообщила ложь, которую придумала заранее: – Дело не в вас. Мет прислала меня из-за Хадии.

Это, по крайней мере, заставило Ажара присесть. Он опустился на стул и сжал руки на столе перед собой. Это были тонкие руки, слишком красивые для мужчины. Барбара всегда так считала, но сейчас подумала, что вряд ли в тюрьме найдется достойное применение этим рукам.

– Как же я могла не приехать, Ажар, когда узнала обо всем этом, – сказала она ему совсем тихо, почти шепотом, и жестом показала на камеру.

Он ответил ей таким же тихим голосом:

– Вы и так уже достаточно сделали, чтобы помочь мне. В нынешней же ситуации мне помочь невозможно.

– Неужели? И что же делать? Вы что, действительно сделали то, в чем они вас подозревают? Вам что, удалось скормить Анжелине кишечную палочку? А как? Вы положили ее в утреннюю овсянку?

– Конечно, нет, – ответил Таймулла.

---

[1] Давай, давай! (*итал.*)

– Тогда надо бороться. Но пора рассказать мне всю правду, от А до Я. «А» – это похищение, поэтому начнем с него. Я должна знать все.

– Но я уже все рассказал.

Хейверс язвительно покачала головой:

– Вот здесь вы каждый раз ошибаетесь. Вы ошиблись в декабре и не перестаете ошибаться с того самого момента. Как вы не можете понять, что пока вы продолжаете лгать про похищение...

– Что вы имеете в виду? Я ничего...

– Вы написали ей открытку, Ажар. Вы сделали это для ее похитителя, чтобы она была точно уверена, что этот человек пришел от вас. Вы велели назвать ее *Khushi*, а потом передать ей открытку, и в этой открытке написали ей, чтобы она пошла с этим человеком, так как он приведет ее к вам. Это ничего не напоминает?.. – Не ожидая ответа, Барбара прошипела: – Так когда же, черт возьми, вы прекратите мне лгать? И как, черт вас побери, вы хотите, чтобы я вам *помогла*, если не желаете сказать мне *всю* правду? Обо всем. Кстати, копию этой открытки мне передал инспектор Линли. И вы можете смело поставить все, что у вас есть, на то, что полицейские из Лукки сравнят почерки, а может быть, уже делают это в этот самый момент... О чем вы думали, черт вас побери? К чему весь этот риск?

Его ответ был почти неслышен:

– Я должен был быть уверен, что она с ним пойдет. Я велел назвать ее *Khushi*, но откуда мне было знать, что этого будет достаточно? Барбара, я был в отчаянии. Как вы не можете это понять? Я пять месяцев не видел своего ребенка. А что, если бы она не пошла с тем, кто назвал бы ее *Khushi*? Что, если бы вместо этого она сказала Анжелине, что какой-то незнакомый дядя на рынке хотел увести ее за стену? Да после этого та не позволила бы никому приблизиться к ней на пушечный выстрел. Я потерял бы Хадию навсегда.

– Ну, с этим-то вы разобрались, не правда ли?

Таймулла в ужасе взглянул на нее:

– Я не...

– Вы понимаете, как это все выглядит сейчас? Вы нанимаете детектива, чтобы разыскать ее, затем похищаете ее, затем появляетесь здесь, разыгрывая Безутешного Отца, а на руках у вас уже есть билеты в Пакистан. Хадия находится, все счастливы, все смеются, и очень быстро после этого Анжелина умирает. И умирает она от микроорганизмов, а вы, черт возьми, микробиолог. Вы следите за моей мыслью? Вот на чем основываются обвинения против вас, Ажар. И если вы, наконец, не расскажете мне откровенно, что знаете, что делали, а чего не делали, то я ничем не смогу вам помочь. А самое главное, я ничем не смогу помочь Хадии. Точка.

– Это сделал не я, – пробормотал он, совершенно раздавленный.

– Правда? Ну, значит, это сделал кто-то другой, – свирепо прошептала Барбара. – Ло Бьянко вышел на парня, который передал вам кишечную палочку в Берлине. Или прислал ее вам позже. Его зовут фон Ломанн из Гейдельберга. А кроме того, «Сорс» раскопал даму из Глазго, которая изучает *E. coli* и которая тоже была на этой чертовой конференции. С парнем из Гейдельберга вы сидели на одном плановом заседании, ну а с дамочкой, скорее всего, вы улеглись вечером в койку, чтобы подготовить ее к тому, что ей придется передать вам ампулу с бактериями, когда это понадобится.

Ажар сморгнул. Он ничего не говорил. В глазах его плескалась боль.

Хейверс глубоко вздохнула и сказала:

– Простите меня. Простите. Но вы должны понимать, как выглядят улики – и как они будут выглядеть, когда все части головоломки сложат вместе. Поэтому, если есть хоть что-то – я действительно имею в виду любую мелочь, что вы еще не рассказали, – сейчас самое время рассказать.

Хорошо хоть, что сейчас Ажар уже не отвечает мгновенно, подумала Барбара. Это значит, он анализирует сказанное, а не просто реагирует на слова. Ей это было нужно. Пусть думает и запоминает. И, она это знала, он сообщит эту информацию своему адвокату, чтобы тот понимал, на чем Ло Бьянко будет строить свои обвинения. Так что еще не все потеряно, и ей надо держаться.

Наконец Таймулла сказал:

– Больше ничего нет. Вы знаете всё.

– Вы хотите что-нибудь передать Хадие? Отсюда я собираюсь проехать прямо к ней.

Ажар покачал головой.

– Она не должна ничего этого знать. – И усталым жестом показал, что имеет в виду свое местонахождение и душевное состояние.

– Я ничего ей не скажу, – пообещала Барбара. – Будем надеяться, что Мура с этим согласится.

Фаттория ди Санта Зита,
Тоскана

У Митчелла Корсико имелась карта, по которой можно было легко найти фатторию ди Санта Зита. Он даже знал, кем была эта самая Санта Зита. Во время своего свободного времени в Лукке – а такового, по его рассказам, у него было хоть отбавляй, – журналист изучал достопримечательности города, а труп святой Зиты, уложенный в стеклянный саркофаг, был одной из них. Одетый в одежды служанки, этот труп хранится в алтаре собора Сан-Фредиано, сказал Корсико. Жуткое зрелище для любого ребенка. Одному богу известно, почему собственность Муры названа в ее честь.

Барбара заранее решила, что не сможет взять Корсико с собой в дом Муры. Во-первых, она не представляла, что может произойти, когда она покажется там, а во-вторых, ей совсем не хотелось, чтобы за развитием событий наблюдал журналист. Сначала Хейверс подумала, что будет сложно уговорить Корсико отпустить ее одну, но оказалось, что она ошибается. Митчелл должен был сделать статью из их посещения тюрьмы и послать ее редактору. На это у него было мало времени. Он останется в Лукке, пока сержант посещает фатторию, сказал он, но будет ждать от нее большого и подробного отчета.

«Хорошо, – согласилась Барбара, – как скажешь, Митч».

По пути из тюрьмы она с удовольствием делилась с Корсико теми деталями встречи с Ажаром, которые считала нужным рассказать, делая упор на атмосферу тюрьмы, на физическое и эмоциональное состояние пакистанца и на ту опасность, которой он подвергается из-за этого расследования. Обо всем остальном она старалась говорить вскользь, а о похищении вообще не упомянула.

Не будучи дураком, Корсико не согласился проглотить эти урезанные факты, как ребенок глотает ложку меда вместе с лекарством. Он делал заметки, он хотел знать, каковы косвенные улики, он задавал хорошие вопросы, и Барбаре приходилось изворачиваться. В конце он сказал, что она пожалеет, если обманывает его.

– Митчелл, мы же работаем вдвоем, – напомнила ему Хейверс.

– Не забывай об этом, – сказал он ей на прощанье.

Ажар рассказал Барбаре, где находится фаттория ди Санта Зита, и как только они с Корсико нашли это место на карте, Хейверс отправилась туда на арендованной машине, оставив Корсико на тротуаре виа Борго Джианотти, за периметром городской стены. Когда он скрылся из виду, она проехала до реки Серхио, а потом направилась из города.

Барбара поняла, что фаттория ди Санта Зита находится высоко в холмах, и ведет к ней опасная дорога, вся состоящая из шпилек и двойных поворотов. Ландшафт состоял наполовину из леса, наполовину из сельскохозяйственных угодий, которые в основном были виноградниками и оливковыми рощами. На фабрику указывал хорошо видимый знак. Барбара поняла, зачем нужен был этот знак, как только повернула налево и направилась в сторону места назначения: в нее чуть не врезался открытый MG[1], классический автомобиль, двигавшийся зигзагами под управлением молодого человека. Его спутница в это время покусывала его за мочку уха. Все дружно нажали на тормоза, и водитель MG прокричал:

– Упс-с-с, прошу прощения! Эй, попробуйте «Санджиовезе» 2007 года! Мы купили целый ящик. Не ошибетесь... Боже, Каролина, убери оттуда свою руку!

Под хохот – свой и своей спутницы – он смог объехать машину Барбары и устремился вниз по дороге.

Из всего этого Хейверс заключила, что на фаттории ди Санта Зита дегустируют вина, и очень скоро поняла, что не ошиблась. Примерно через четверть мили по грунтовой дороге она приехала к въезду на *fattoria*. Совсем недалеко от ворот Барбара увидела старинную каменную постройку, практически полностью скрытую зарослями цветущей глицинии. Перед ней в беспорядке стояли столы и стулья. Двери были открыты.

Барбара припарковалась рядом с дегустационным залом и прошла по галечной дорожке и каменной террасе, на которой, собственно, и стояли столы. В винокурне было темновато, поэтому она несколько минут постояла у входа, давая глазам возможность привыкнуть к полумраку.

Сержант ожидала увидеть Лоренцо Муру, но ошиблась. Она увидела грубо сработанный бар, заставленный стаканами и бутылками вина, произведенного на территории фаттории. Здесь же стояла корзинка с печеньем и лежало несколько головок сыра, прикрытых прозрачной полусферой. В воздухе так сильно пахло вином, что Барбара подумала, что сможет опьянеть, просто глубоко вдыхая этот воздух. Именно так она и сделала, и ее рот напол-

[1] Марка дорогих спортивных автомобилей в Англии.

нился слюной. Неплохо было бы сейчас выпить стаканчик вина. Она не отказалась бы и от нескольких кусков сыра.

Из пещероподобного помещения за дегустационным залом, где Барбара различила три емкости из нержавеющей стали и целую батарею пустых зеленых бутылок, появился молодой человек, который спросил:

– *Buongiorno. Vorrebbe assaggiare del vino?*[1]

Барбара с непониманием уставилась на него. Видимо, молодой человек это понял, потому что перешел на английский, на котором он говорил с легким акцентом, похожим на датский.

– Англичанка? Хотите попробовать стаканчик «Кьянти»?

Барбара показала свое полицейское удостоверение и объяснила, что приехала, чтобы переговорить с Лоренцо Мурой.

– Он на вилле, – услышала она в ответ.

Молодой человек махнул в сторону внутренних помещений винокурни, как будто через них можно было попасть на виллу, и стал объяснять, как туда добраться. Можно поехать, а можно пойти пешком, сказал он, это недалеко. Идите по дороге, обойдите фермерский дом, пройдите в ворота – и вы ее увидите.

– Лоренцо будет на крыше, – сказал он в заключение.

– А вы, полагаю, на него работаете? – поинтересовалась Барбара.

Парню было около двадцати лет; возможно, студент из Европы, нашедший себе на лето работу-учебу-развлечение в Италии. Тот ответил утвердительно, а когда Хейверс спросила, есть ли здесь еще такие же, как он, ответил, что больше никого нет, кроме рабочих, работавших в фермерском доме и на вилле.

– И долго вы здесь работаете? – спросила Барбара.

Он рассказал, что всего неделю, и она мысленно исключила его из своего списка подозреваемых.

Сержант отправилась на виллу пешком, обратив внимание на размах и разнообразие деятельности, которая велась на фабрике. Это были не только виноградники, спускавшиеся по склонам холмов, на фоне других виноградников на противоположных склонах. Рощи оливковых деревьев говорили о доходах, получаемых от оливкового масла, а скот, пасущийся у ручья внизу, говорил о мясном производстве.

В старом фермерском доме вовсю шел ремонт, так же как и на вилле. Последняя располагалась на вершине травянистого холма,

---

[1] Здравствуйте. Вы хотели бы попробовать вино? (*итал.*)

ее стены были покрыты лесами. На крыше толкалось около десятка мужчин. Они были заняты тем, что отдирали металлические листы с крыши и сбрасывали их на землю. Листы планировали с высоты третьего этажа; все это сопровождалось оглушительным шумом, тучами грязи и криками на итальянском языке. Над всем этим звучала музыка – так громко, что ее можно было услышать по всей Тоскане. Это был старый рок-н-ролл на английском языке: Чак Берри интересовался, почему Мэйбелин не хочет хранить ему верность.

Один из рабочих заметил Барбару, и за это она была ему благодарна. Перекричать Чака Берри у нее не было никаких шансов. Этот мужчина помахал рукой и исчез. Через минуту на его месте появился Лоренцо Мура.

Он стоял на фоне вечернего солнца, уперев руки в бока, и наблюдал, как Барбара приближается к вилле. Она подумала, узнает ли он ее после их единственной встречи в Лондоне месяц назад? По-видимому, узнал, потому что поспешно спустился по непрочным лесам, мало обращая внимания на собственную безопасность. К тому моменту, как Хейверс приблизилась к громадной веранде, он вышел из-за угла здания, и по выражению его лица она поняла, что почетного караула не будет.

Лоренцо заговорил первым, спросив:

– Что вы здесь делаете?

Барбара подождала секунду, прежде чем ответить. Он выглядит так же плохо, как и Ажар, подумала она. Бессонные ночи, слишком много физической работы днем, неправильное питание, усилия, которые он прикладывал, чтобы проживать день за днем, горе... Это прикончит любого. Но ведь кишечная палочка делает то же самое, пришло ей в голову. Он выглядел ослабевшим, и лицо его было мучнисто-белого цвета. Родимое пятно на его щеке стало темно-багровым.

– Вы болели, мистер Мура? – спросила сержант.

– Моя женщина и наш ребенок в кладбище пять дней, – ответил он. – Как мне выглядеть?

– Мне очень жаль, – сказала она. – Мне очень жаль, что это случилось.

– Это не надо жалеть, – ответил итальянец. – Что надо здесь?

– Я приехала за Хадией, – объяснила Барбара. – Ее отец хочет, чтобы...

Лоренцо сделал рубящее движение рукой, которое остановило ее.

– Нет. Есть вещи, которые мы не знать. И один из них отец Хадии. Анжелина говорить Ажар, но мне она говорить мог быть другой. – И посмотрев, как Барбара воспримет эту новость, он добавил: – Вы не знали. Это значит, много вещей вы не знали. Таймулла Ажар не...

– Я знаю, что Анжелина прыгала из кровати в кровать, как дешевая потаскушка, но мне кажется, что вы не это хотите обсуждать. Прошлое определяет будущее, если вы понимаете, о чем я, мистер Мура.

Он сильно побледнел.

– Так что это обоюдоострый нож, не так ли? – продолжила Барбара. – Вы связались с женщиной, у которой было неоднозначное прошлое, и, насколько мы знаем, до того как она умерла, у нее было не менее неоднозначное настоящее. Я полагаю, что вы хотели бы, чтобы Ажар засомневался в том, что Хадия его дочь. Того же самого хотела и Анжелина, потому что в этом случае девочка была бы только ее. Но мы оба знаем, каким будет результат анализа ДНК. И поверьте мне, я в состоянии организовать его еще быстрее, чем вы дозвонитесь до своего адвоката и попытаетесь меня остановить. Это понятно?

– Он хочет Хадию, он приезжает сам. Когда он может, *certo*. Пока...

– А пока у вас в доме находится подданная Соединенного Королевства, и я приехала забрать ее.

– Я звонил ее бабушке и дедушке приехать за ней.

– И что они собираются сделать? Прилететь, обнять и увезти ее домой, в спальню, которую заново отделали специально для нее? Очень маловероятно. Поверьте мне, Лоренцо, они никогда раньше не видели Хадию. Ни разу до того момента, когда умерла Анжелина. Они приезжали на похороны? Да? Наверное, для того, чтобы поплясать на могиле Анжелины, потому что она стала для них ничем, после того как сошлась с Ажаром. Для них эта смерть – именно то наказание, которое, наконец, настигло ее за то, что она посмела забеременеть от мусульманина из Пакистана. А теперь я хотела бы увидеть Хадию.

Пока Барбара говорила, лицо Муры стало почти таким же темным, как его родимое пятно. Но казалось, он больше не хочет спорить. В конце концов, ему надо было ремонтировать разваливающуюся виллу, а его нежелание отдать Хадию было лишь способом еще больнее уязвить Таймуллу Ажара. Именно поэтому он хотел передать ее родителям Анжелины.

– Итак, – обратилась к нему Барбара, – надеюсь, мы поняли друг друга, мистер Мура?

Выражение лица Лоренцо говорило, что он с удовольствием плюнул бы на Барбару, однако вместо этого итальянец повернулся и направился к вилле. Он не стал подниматься по извилистым ступенькам на террасу, а вместо этого прошел в старую дверь на нижнем этаже, почти полностью скрытую жимолостью. Барбара была удивлена, когда увидела, в каком состоянии находился дом, принимая во внимание то, что Анжелина жила здесь какое-то время. Вилла была почти развалившимся осколком далекого прошлого, а когда Хейверс увидела руины кухни – она была так плохо освещена, что вполне могла сойти за темницу, – то вспомнила, как Анжелина, вернувшись к Ажару в первый раз, сразу же занялась переделкой их квартиры в соответствии со своими стандартами. Здесь она этого не сделала. Ее, по-видимому, не хватило даже на то, чтобы отмыть дом от вековой грязи. Пыль, жир, паутина и плесень покрывали, казалось, все вокруг.

Барбара прошла вслед за Лоренцо по нескольким комнатам, которые мало чем отличались от кухни. Затем они взобрались по ступеням и оказались в помещении, похожем на приемную колоссальных размеров, с громадными стеклянными дверями, выходящими на веранду. В отличие от кухни внизу, эта комната была хорошо освещена. Ее стены и потолок были сплошь покрыты фресками, но их было трудно рассмотреть под слоями сажи от свечей, скопившейся за сотни лет.

В этой комнате Лоренцо позвал Хадию.

– Эй, детка, посмотри, кто приехал! – крикнула Барбара.

В ответ она услышала, как топочут по коридору детские ножки. Они мчались в направлении Барбары; наконец маленькое тело влетело в комнату и врезалось в нее.

Хадия сразу же перешла к делу:

– Где мой папа? Барбара, я хочу к папе!

Хейверс бросила на Лоренцо взгляд, который говорил: «И вы смеете утверждать, что он не ее отец?», и ответила Хадие:

– И папа хочет к тебе. Сейчас его здесь нет. Он не в Лукке, но он прислал меня. Хочешь поехать со мной, или тебе лучше будет с Лоренцо? Он говорит, что скоро за тобой приедут твои бабушка с дедушкой. Ты можешь подождать их здесь, если хочешь.

– Я хочу быть с папой. Я хочу поехать домой. Я хочу быть с тобой.

– Хорошо. Да. Мы можем это сделать. Сейчас твоему папе надо решить пару вопросов, а ты можешь побыть со мной, пока он этим занимается. Пойдем собираться. Хочешь, чтобы я помогла тебе?

– Да, – ответила девочка. – Да. Помоги мне. Хочу.

Она вцепилась в руку Барбары и потащила ее в том направлении, откуда прибежала. Хейверс пошла за ней, бросив взгляд на Муру. Тот следил за ними с ничего не выражающим лицом. Еще до того, как Барбара и Хадия вышли из комнаты, он развернулся на каблуках и исчез.

Наверху Барбара увидела, что спальня Хадии была чистой и вполне современной. В ней даже стоял маленький цветной телевизор, на экране которого Анжелина Упман и Таймулла Ажар говорили в камеру. На изображение был наложен итальянский текст, но Барбара узнала место съемки: они сидели под соцветиями глицинии перед винокурней, в компании самого уродливого мужчины, которого Барбара когда-нибудь видела в своей жизни. Все его лицо было покрыто бородавками, как будто ведьмы наслали на него порчу.

«Мамочку», – ответила Хадия на вопрос, что она смотрит по телевизору. Это единственное слово, произнесенное тихим голосом, хорошо показало всю ту боль и замешательство, которые девочка, без сомнения, переживала. Она подошла к телевизору, сделала что-то с плейером, стоящим под ним, достала из него диск и сказала:

– Мне нравится смотреть на мамочку. Она говорит обо мне. И она, и папочка. Мне этот диск дал Лоренцо. Я люблю смотреть на мамочку и папочку вместе.

Мечта любого ребенка, родители которого не в ладах друг с другом, подумала Барбара.

Боу,
Лондон

Было уже довольно поздно, однако Линли решил рискнуть и попытаться застать Доути в его конторе. Пока он осматривал лабораторию Ажара, ему удалось найти одну деталь, которая могла оказаться решающей для Сальваторе, расследовавшего смерть Анжелины Упман. Поэтому Томас надеялся, что если он хорошенько надавит на частного детектива, то это приведет к тому, что тот будет более сговорчив во всем, что связано с похищением Хадии. Потому что Доути находился в серьезной опасности. Он заставил Брайана Смайта оставить множество ложных следов, чтобы завести в тупик итальянскую полицию. Однако другие, более ранние следы вели прямо к его порогу. Бороться в суде с экстрадицией в Италию – наряду с другими обвинениями – могло стать в копеечку. Томас готов был поспорить, что частный детектив не захочет с этим связываться.

Когда Линли пришел в офис Доути, то увидел там какую-то ученицу старших классов. Оказалось, что она племянница Дуэйна и набирается настоящего рабочего опыта, в соответствии с заданием, которое им дали в школе. Она *могла бы* провести рабочий день с одним из родителей, рассказала девочка Томасу – ее мать была медицинской сестрой, а отец – агентом по недвижимости, – но была уверена, что это невероятно ск-у-у-у-у-чно. *Это* было еще до того, как она поняла, что день, проведенный с дядей Дуэйном, еще хуже. Племянница думала, что у него есть пистолет и он постоянно участвует в перестрелках и драках с преступниками на улицах, засыпанных деревянными ящиками и мусорными урнами. А оказалось, что все это время он просидел перед одной из букмекерских контор в Уильям-Хилл, где старый и глупый муж еще более старой, глупой и ревнивой жены проводил дни и недели, делая идиотские ставки, вместо того чтобы завести себе любовницу, в чем жена его и подозревала и что, поверьте, было бы гораздо веселее и интереснее.

– Ага, – ответил Линли на этот поток слов. – А что, мистер Доути здесь?

– В соседней комнате, – мрачно ответила школьница. – Вместе с Эм.

«Эм, – подумал Линли. – Это имя еще не всплывало». Он кивком поблагодарил девочку, которая с тяжелым вздохом вернулась к печатанию, от которого он ее отвлек, и прошел в соседнюю комнату.

Доути беседовал с привлекательной женщиной, одетой в мужскую одежду. Беседа носила отвлеченный характер, так как детектив спокойно опирался на подоконник окна, смотрящего на Роман-роуд, а Эм сидела за столом, повернувшись к нему и положив одну ногу в мужской обуви на компьютерный стол. Она развернулась на стуле, когда Доути спросил у Линли: «Кто вы?»

Томас показал свое удостоверение и представился. Он заметил, что выражение лица Доути не изменилось, а взгляд Эм стал настороженным. Из этого инспектор заключил, что Брайан Смайт ничего не рассказал им о том, что у него недавно были посетители из Нового Скотланд-Ярда. «Это может серьезно упростить задачу», – подумал Линли.

Он начал с объяснения причины своего позднего визита. Он сказал, что пришел для того, чтобы поговорить с частным детективом о его контактах с женщиной по имени Барбара Хейверс.

– Дело в том, инспектор, что моя работа требует конфиденциальности, – ответил Доути.

– Но не тогда, когда в дело вступает служба собственной безопасности.

– Это что значит?

– Внутреннее полицейское расследование деятельности детектива сержанта Барбары Хейверс, – объяснил Томас. – Я предполагаю, вы знали, что она была офицером Мет, когда вы с ней встречались, но может быть, это и не так. В любом случае, вы можете или начать сотрудничать со мной прямо сейчас, или ждать решения суда, который затребует ваши архивы. Я бы предложил сотрудничество, так как это проще, но выбор за вами.

На лице Доути ничего не отражалось. Эм, чье полное имя оказалось Эмили Касс, посмотрела на свои ногти и потерла руки так, как будто смывала с них несуществующую грязь. Знали ли эти двое имя Барбары? Линли повторил вопрос и еще раз назвал имя: Барбара Хейверс.

Инспектор понял, что реакция у Доути практически мгновенная. Детектив сказал Эм Касс:

– Барбара Хейверс... Эмили, а не та ли это женщина, которая приходила к нам прошлой зимой? Она была здесь только два раза, но если ты проверишь...

На это Эм осторожно переспросила:

– А ты уверен в имени? Можешь вспомнить, приблизительно в какое время? Может быть, напомнишь... – Это тоже было вполне разумно и логично.

– К нам приходили два человека по поводу пропажи маленькой девочки, которая исчезла вместе с матерью, – ответил частный детектив. – Мусульманин, а с ним довольно неряшливо одетая женщина. Я припоминаю, что ее звали Кто-то Хейверс. Это было уже в конце года. Ноябрь? Декабрь? Это должно быть в наших файлах. – Он кивнул на ее компьютер.

Она подхватила его мысль на лету и после нескольких минут изучения компьютерного экрана сказала:

– Нашла. Ты прав, Дуэйн... Его звали Теймулла Ажар. Женщина по имени Барбара Хейверс приходила вместе с ним.

«Она неправильно произнесла имя Ажара. Очень тонкий ход», – подумал Линли.

Доути исправил ее произношение и продолжил представление:

– Они приходили по поводу его дочери, если не ошибаюсь. Девочку увезла собственная мать, правильно?

Дальнейшее изучение монитора. Линли не мешал. Было довольно любопытно наблюдать, как они разыгрывают свою сцену, заглатывая крюк все глубже и глубже. Через секунду женщина сказала:

– Точно. Мы проследили за ними до Италии – точнее, до Пизы, – но дальше не двинулись. Это было в конце декабря. Здесь написано, что ты посоветовал мужчине, мистеру Ажару, найти итальянского детектива, который мог бы ему помочь. Или английского детектива, говорящего по-итальянски. Что ему будет удобнее.

– Она приземлилась в аэропорту Пизы, эта мамаша, да?

– Здесь так написано.

Доути притворился, что глубоко задумался, пока Линли ждал продолжения, всем своим видом показывая, что не намерен отстать от них в ближайшее время. Наконец детектив произнес:

– Но разве мы... Эм, детка, посмотри, разве мы не нашли для них детектива? Мне сдается, что таки да.

Она прокрутила информацию в компьютере, еще почитала с экрана, посмотрела на Доути, как бы заручаясь его молчаливым согласием, и наконец кивнула:

– Здесь написано *Масс*. Это что, имя, Дуэйн? Или, может быть, какое-то сокращение?

– Я должен проверить, – сказал детектив, а затем обратился к Линли: – Вы не откажетесь пройти со мной?.. У меня есть еще документы в моем кабинете.

– Тогда пойдемте все вместе, – учтиво предложил Линли.

Эти двое переглянулись.

– Конечно, почему бы нет? – сказал Доути и прошел вперед.

Его племянница собиралась уходить. Данная процедура требовала наличия увеличивающего зеркала и большого количества косметики. Доути устроил целое шоу из прощания, поцелуев, объятий и пожелания ее родителям всего самого наилучшего. Когда она, наконец, удалилась, он улыбнулся и сказал: «Дети», – не ожидая ни ответа, ни комментариев. Затем он обратился к Линли:

– У меня хранятся бумажные копии некоторых из моих дел, поэтому, может быть, что-нибудь и удастся... Каждому хочется в какой-то момент написать мемуары... Всякие запоминающиеся случаи и все такое; ну, вы понимаете, что я имею в виду.

– Ну конечно, – ответил Томас. – Доктор Ватсон сделал это очень удачно, правда?

Казалось, Доути не понял иронии. Он открыл шкаф с файлами и порылся в них. Через какое-то время он сказал:

– Мне кажется, нам повезло. Вот. – И достал тонкую папку.

Детектив пролистал документы, находившиеся внутри папки, пожевал нижнюю губу и улыбнулся.

– Очень интересно, – произнес он наконец.

– Правда? – спросил Линли.

– Что-то мне явно не понравилось. Сейчас уже и не вспомню, что, но я взял эту женщину в разработку...

– Барбару Хейверс? – уточнил Линли.

– Оказалось, что в течение какого-то времени деньги со счета пакистанца поступали на ее счет и уходили дальше, в Италию, на счет некоего Микеланджело Ди Массимо.

– Мне кажется, именно так его и звали, Дуэйн, – подала голос Эм Касс. – Это итальянский детектив.

Глядя в бумаги, Доути сказал Линли:

– Выглядит так, как будто со счета Ажара ушло несколько переводов на счет Хейверс, а оттуда – уже на счет Ди Массимо. Поэтому я думаю, что она и пакистанец для чего-то его наняли.

– Потрясающе, что вы об этом знаете, мистер Доути, – заметил Линли.

– Ну, я просто делаю логические выводы из наличия проплат.

– Дело в том, что я сейчас не имею в виду работу Ди Массимо. Я говорю о самих банковских переводах. Деньги от Ажара на счет Хейверс и дальше, на счет Ди Массимо. Фантастическая работа, и я совсем не шучу. Могу я поинтересоваться, как вам удалось получить эту информацию?

Доути отмахнулся от вопроса:

– Простите. Секрет фирмы. Думаю, что для Скотланд-Ярда гораздо важнее сам факт перевода денег. Все, что я могу вам сказать об этих двух людях – и особенно об этой Барбаре Хейверс, так как она, как я понимаю, интересует вас больше всего, – так это то, что они пришли сюда зимой. Я сделал для них все, что смог, хотя это и было немного, и порекомендовал им найти итальянского детектива. Ну, а остальное... Вот как все произошло.

– И сколько раз вы видели этих людей – Таймуллу Ажара и Барбару Хейверс?

Доути посмотрел на Эм Касс.

– Раза два, Эм? Первый раз, когда они пришли с просьбой разыскать ребенка, и второй раз, когда я представил им свой отчет. Правильно?

– Да, насколько я знаю, – подтвердила женщина.

– Очевидно, вы не знаете того, – произнес Линли, – что за Барбарой Хейверс уже следили в течение долгого времени.

Полная тишина с их стороны. Было видно, что такая возможность не приходила им в голову. Линли ждал, сохраняя приятное выражение на лице. Они молчали. Поэтому он вынул из нагрудного кармана своего пиджака очки для чтения, а из внутреннего – набор сложенных документов, развернул их и начал вслух читать отчеты Стюарта частному детективу и его помощнице. Благодаря своей въедливой натуре и ненависти к Барбаре Джон очень аккуратно составлял свои отчеты. Поэтому у него были записаны все даты, места, время, и Линли все это зачитал.

Закончив, он посмотрел на Доути и Касс поверх своих очков, потом сказал:

– И опять все упирается в вопрос доверия, мистер Доути. Доверие всегда будет перевешивать деньги – какими бы большими они ни были, – особенно тогда, когда нарушается закон.

– Ну хорошо, согласен, – признал его правоту Доути. – Как здесь написано, мы встречались больше чем один раз. И именно поэтому я и решил проверить ее...

– Конечно. Но я говорю не о вашем доверии к Барбаре Хейверс. Я говорю о том, как кому-то могло прийти в голову довериться Ди Массимо. Если бы он не перепоручил похищение типу по имени Скуали, и если бы этого Скуали не сфотографировали на рынке, и если бы он не ездил на дорогих машинах слишком быстро для горных дорог, и если бы они с Ди Массимо не общались по телефону... И, конечно, если бы расследование в Италии не вел Сальваторе Ло Бьянко, который выглядит гораздо более профессионально, чем сам прокурор, который возглавляет это расследование, все могло бы случиться так, как вы и задумали. Но эти телефонные переговоры привлекли внимание Ло Бьянко, и он отработал их гораздо быстрее, чем вы здесь, в Лондоне, предполагали. Поэтому у него есть набор документов, значительно отличающийся от тех, которые прислали ему вы. И – забудем на секунду о Барбаре Хейверс, – на мой взгляд, это очень интересное развитие дела о похищении ребенка.

Тишина. Линли ждал. За окном на Роман-роуд ругались на каком-то иностранном языке двое мужчин, залаяла около ящика с мусором собака, потом раздался звук железа, скребущего по железу. Но в офисе стояла мертвая тишина.

Наконец Линли сказал:

– Я полагаю, что вы все, – как и большинство подонков, похожих на вас, – не раз и не два подставляли друг друга. Знаете, как это бывает, – сначала один берет верх, потом его сливают, его место занимает кто-то другой, и так далее, и так далее. И тут главное, кто начнет первым. Я сейчас не буду это обсуждать, так как время позднее, и мне хочется поскорее попасть домой – так же, как, я думаю, и вам. Но прежде чем мы расстанемся, я хочу, чтобы и вы, и мисс Касс, и Брайан Смайт все это очень хорошо обдумали. А пока вы это делаете, хочу сообщить вам, что инспектор Ло Бьянко прибегнет к помощи компьютерного эксперта, который проверит все ваши махинации с данными, которые вы проделали в Италии, а полиция Метрополии займется этим же самым здесь, в Лондоне. Я надеюсь, что вы знаете: где-то там, в глубинах наших компьютеров, живут куки[1], и они везде оставляют свои крохотные следы. Для обычных людей – как вы или я, например, – эти следы невозможно обнаружить. Но для эксперта по современным компьютерным технологиям и компьютерной безопасности это детская задачка.

На прощание Томас дал Доути прочитать те материалы, которые прислал Ло Бьянко, и было видно, что частный детектив прекрасно понял, что написано на стене[2].

МАЙ, 17-е

Айл оф Догз,
Лондон

Дуэйну Доути удавалось держать себя в руках перед женой до тех пор, пока не настало время сна. Он не хотел, чтобы ее голубые глаза наполнились слезами при мысли о том, что им придется бежать из страны, на один шаг обгоняя полицейское расследование. Детектив проклял тот день, когда связался со всей этой итальянской грязью. Усилия, которые ему пришлось приложить, чтобы скрыть от жены все произошедшее, с того момента, как он приехал домой

[1] От англ. *cookies.* Небольшие фрагменты данных, отправленных веб-сервером, хранимые на компьютере пользователя.

[2] Имеются в виду слова «мене, текел, перес», которые вавилонский царь Валтасар прочитал перед собой на стене (Ветхий Завет, Книга пророка Давида) во время пира. В переносном смысле употребляется как грозное предупреждение, которое обычно сбывается.

и до момента, когда, наконец, улегся в постель, оставили у Дуэйна в голове неприятное ощущение, как будто его мозг проткнули острой спицей.

Кандас понимала, что что-то произошло. Глупой она никогда не была. Однако Доути сумел отмахнуться от ее вопросов стандартным ответом вроде: «Да так, небольшие проблемы на работе, детка». Жена согласилась с таким ответом вечером, но утром она вряд ли примет такое объяснение. Ему надо или резко улучшить свои актерские возможности – что было очень проблематично, когда вопрос касался разговоров с Кан, – или срочно надо найти решение этой своей небольшой проблемы.

Дуэйн проснулся в половине четвертого утра. На кухне их таунхауса он тихонько приготовил себе кофе и устроился там же, уставившись в никуда и отхлебывая из чашки, в попытке найти хоть какое-то приемлемое решение. При этом Доути умудрился проглотить целую упаковку инжировых трубочек, которые он с детства любил больше других сортов печенья, но не сильно продвинулся в своих размышлениях – просто к ним добавились еще легкая изжога и серьезное чувство вины за съеденное.

Обязательно должны быть какие-то варианты, думал он. Просто потому, что они всегда были, если только человек не торопился и, набравшись терпения, искал и просчитывал их. Ни за что на свете он не позволит разрушить все, чего добился за все эти долгие годы тяжелой работы. Он не позволит пустить всю свою предыдущую жизнь под откос. Он никогда не позволял никому брать над собой верх в прошлом и, уж конечно, не позволит этого сейчас какому-то лощеному детективу из Скотланд-Ярда с его произношением, от которого за версту разит частной школой, и с его костюмом с Сэвилл-роу[1], на котором большими буквами написано: «аккуратно носился в течение двух лет надежным клиентом, прежде чем был надет мною». Этого не случится никогда на свете, ни при каких обстоятельствах. Но до тех пор, пока Дуэйн ничего не придумал, чтобы это предотвратить, всего пара дней отделяла его от стука в дверь, который, вне всякого сомнения, будет означать начало нового и малоприятного этапа в его жизни.

Во всем был виноват он сам. С самого начала с помощью Эм Касс он установил, что эта баба была копом. Но это не остановило его. Он согласился помочь профессору найти его пропавшую

---

[1] Фешенебельный район Лондона, в котором находятся лучшие мужские портные.

дочку – боже, ему надо что-то делать со своим добрым сердцем, иначе оно рано или поздно прикончит его на этой работе, – и вот полюбуйтесь, к чему это привело. Он провел последние двадцать лет после возвращения из армии, надрывая все жилы – так же как и его отец до него, – чтобы его семья еще дальше ушла от угольных шахт Уигана. У него было двое детей, которые получили дипломы солидных университетов, и он *поклялся*, что их дети – когда они у них будут, – окончат уже Оксфорд или Кембридж. И он не откажется от этого из-за того, что ему придется бежать из страны, или из-за того, что ему придется провести какое-то время за решеткой в тюрьме, изображая гребаного заключенного... Так что же, ради всех святых, он должен сделать, чтобы избежать любой из этих двух перспектив?

Еще одна чашка кофе, еще четыре трубочки с инжиром. Это привело Дуэйна к мыслям о его сотрудниках и к тому, что же из сделанного он сможет повесить на них. Доути всегда был очень осторожным и аккуратным человеком, поэтому не прослеживалось никакой прямой связи между ним и всеми этими маневрами и изменениями баз данных. Кроме того раза в роскошной квартире Эм в Уоппинге и – ну да, правильно – еще одного раза у него в офисе, Дуэйн никогда не обсуждал лично никаких деловых вопросов с Брайаном Смайтом. Он мог просто вскинуть руки в отчаянии и шоке и бросить Эм на съедение этим волкам. Ведь, в конце концов, именно она передавала все его распоряжения Смайту. Насколько сложно будет доказать, что все мысли о нарушении закона исходили от нее? Но вопрос стоял по-другому: мог ли он сделать это с Эм после всех тех лет, которые они проработали рука об руку?

Доути знал ответ еще до того, как полностью сформировал вопрос. Его с Эм связывает долгая совместная работа. Так же, как и с Брайаном Смайтом. Поэтому и вылезать из этого дерьма им предстоит вместе. Его проклятье состояло в том, что он всегда был слишком порядочным человеком.

Второй час размышлений привел Дуэйна к тому, что он может попытаться использовать несомненную симпатию этого Линли по отношению к Барбаре Хейверс, так же как смог использовать симпатию этой коровы по отношению к пакистанскому профессору для того, чтобы держать ее в узде. Проблема была в том, что Доути никак не мог убедить себя, что такая симпатия действительно существует. Поэтому это могло не прокатить, а на решение всей проблемы у него осталось всего девяносто минут, до того момента, как прозвонит будильник Кан и она появится в кухне, не очень, мягко говоря, довольная, что он съел все печенье.

Мысль о возможных карах со стороны Кан заставила Дуэйна подумать о необходимости замести следы. Ему надо сделать еще порцию кофе, поэтому он встал из-за стола и смял целлофановые упаковки печенья. Положить это в мусорное ведро он не мог – его жена обязательно обнаружит их, и ему придется выслушать целую лекцию о том, как неправильно он питается. Поэтому Дуэйн взял газету, лежащую на стуле у кухонной двери, куда они складывали макулатуру, ожидающую своей очереди на переработку, и расстелил ее на сушилке. Он решил высыпать спитой кофе на газету и спрятать упаковки под ним. Ведь остатки кофе тоже шли в переработку... или они шли на компост? Доути никак не мог запомнить, что надо делать с мусором в наши дни, но сегодня кофейная гуща должна была послужить высоким целям.

Он вытащил остатки кофе из кофейной машины, аккуратно разложил упаковки печенья на газете и уже собирался вывалить на них спитой кофе, как рука его остановилась, прямо как в Библии[1]. Под упаковками от печенья детектив увидел свое решение. Или хотя бы часть его. Потому что газету он открыл на статье, которая была посвящена делу, подробности которого ему были хорошо знакомы: Италия, смерть англичанки, возможный заговор и «оставайтесь с нами». Дуэйн сдвинул упаковки на одну сторону и стал читать, вспоминая по ходу чтения имена. Проблема была в том, что газета открылась на середине статьи, но даже то, что он смог прочитать, мгновенно активизировало его способность мыслить и планировать... Однако ему была необходима остальная часть статьи.

Доути не верил в Бога, но молился, чтобы Кандас не использовала первую страницу для завертывания вчерашних остатков чили-кон-карне. Он порылся в пачке кандидатов на переработку – и нашел то, что искал.

Это было имя, имя репортера. Оно стояло под заголовком на первой странице: Митчелл Корсико. Имя звучало для Дуэйна совсем по-итальянски, но, итальянец или нет, этот парень владел английским. А так как он владел английским, то он был его ответом. Он был его планом.

И Дуэйн Доути успокоился, несмотря на изжогу и натянутые, как тросы канатоходца, нервы.

---

[1] Имеется в виду рука Авраама, которую Бог остановил в тот самый момент, когда тот хотел принести своего сына Исаака ему в жертву.

Лукка,
Тоскана

Чего Барбара не смогла предусмотреть, так это желания Хадии срочно увидеть своего отца. Она настолько зациклилась на необходимости увезти девочку от Лоренцо Муры и защитить ее от возможного появления ее вонючего деда, который забрал бы ее с собой, что она не могла думать ни о чем другом, кроме как обнять девочку и немедленно увезти ее в Лукку.

Для начала этого было достаточно. Они пообедали в Лукке, в международном кафетерии на виа Молкатенти, где на стенах висели подложки под столовые приборы, на которых предыдущие посетители заведения оставляли слова восхищения пиццей, гуляшем и хумусом[1] на всех языках мира. После этого они съели мороженое у киоска рядом с экскурсионным бюро на пьяццале Джузеппе Верди. И в завершение вечера прогулялись по вершине стены среди толп итальянцев, наслаждавшихся вечерним моционом. Когда они, наконец, пришли в Пенсионе Жардино, то Хадия мгновенно отключилась на второй кровати в комнате Барбары.

Однако их проблемы никуда не делись. И первая появилась в 7.30 утра со звонком Корсико. Он требовал продолжения истории, чего-нибудь в духе «английский ребенок в агонии, отец в тюрьме». Он сказал, что рад будет сам сочинить текст – за небольшое вознаграждение, Барб, – если Хейверс предоставит ему фото девочки, грустно глядящей из окна *pensione*. «Скучает по папочке, и вся эта ерунда, ты меня понимаешь», – сказал Митчелл. Барбара отделалась от него, сказав, что Хадия еще спит и что она позвонит ему, как только девочка проснется. И тут появилась вторая проблема – желание девочки немедленно встретиться с отцом.

Барбара знала, что это последнее, чего хотел Ажар: его любимая доченька видит его в тюремной комнате, сидящим среди других заключенных в день свиданий. Сержант не хотела мучить никого из них, поэтому объяснила Хадии, что ее отец помогает инспектору Ло Бьянко решить некоторые вопросы, связанные со смертью ее мамочки. Сейчас его нет в городе, объяснила она ребенку, а уезжая, он попросил Барбару, чтобы та заботилась о Хадии.

Это было правдой, поэтому если в будущем ей придется продолжить рассказ, то менять показания будет не нужно. Барбаре не хотелось врать ребенку, но выхода у нее не было.

---

[1] Густое картофельное пюре в арабской кухне.

Хейверс понимала, что ей необходимо предпринять какие-то меры, чтобы защитить ребенка от Упманов. Расследование смерти Анжелины никогда не приведет к обвинению Ажара, но пока итальянцы это поймут, ему придется находиться в тюрьме, и это давало возможность Упманам потребовать девочку себе, если они так решат. Поэтому ей было необходимо спрятать Хадию, и лучше всего это было сделать, увезя девочку из Италии.

Барбаре не пришлось долго думать, чтобы найти такое место. Но для того, чтобы все подготовить, ей был необходим Линли. Поэтому она предложила Хадии спросить синьору Валлера, не разрешит ли та посмотреть телевизор на хозяйской половине *pensione*, пока Барбара сделает несколько важных звонков. Когда Хадия, наморщив лобик, спросила: «А можно мне посмотреть мамочку, Барбара?» – сержант схватилась за эту идею, как за спасение. Это и успокоит, и одновременно займет девочку. Она сказала: «Давай посмотрим, сможем ли мы найти тут DVD-проигрыватель», – надеясь, что итальянского Хадии на это хватит.

И его действительно хватило. Очень скоро Хадия и малыш Валлера сидели вместе на софе, наблюдая за Анжелиной Упман и Таймуллой Ажаром, говорящими в камеру, а Барбара вернулась в столовую, набирая номер инспектора Линли.

Прежде чем он смог произнести что-нибудь, кроме «Изабелла встречалась с Хильером, Барбара», она прервала его:

– Хадия у меня. Мне надо отвезти ее в Лондон. Мура позвонил родителям Анжелины, чтобы они ее забрали, и мы должны до этого...

– Барбара, вы когда-нибудь выслушаете меня? – нервно вмешался Томас. – Вы сейчас меня слышите? Я не имею ни малейшего представления, о чем они говорили, но поверьте, вам это не принесет ничего хорошего.

– Вы так и не хотите понять, что сейчас самое главное – это Хадия, – возразила сержант. – У меня есть мое удостоверение, и с ним я смогу посадить девочку на самолет. А там вы должны будете встретить ее.

– И что? – спросил Линли.

– И должны будете спрятать ее.

– Скажите, что я ослышался и что вы не предлагаете мне спрятать девочку.

– Сэр, это только до тех пор, пока не удастся вытащить из тюрьмы Ажара. Для этого мне надо навести здесь соответствующий шорох, настойчиво постучаться в кое-какие двери, напомнить кое-что кое-кому. Мы-то с вами знаем, что как только Упманы наложат свои лапищи на Хадию, Ажар ее больше никогда не увидит.

– *Мы*, – сказал Линли, – ничего подобного не знаем.

– Сэр, ну пожалуйста, – сказала женщина. – Если хотите, я буду вас умолять. Ведь она сможет пожить у вас, правда? Чарли может за ней присмотреть. Они друг друга наверняка полюбят.

– А когда ему надо будет на прослушивание, он, что, возьмет ее с собой или даст ей какое-нибудь задание по дому – почистить серебро, например?

– Он может взять ее с собой. Хадия будет в восторге. Или он может забросить ее к Саймону и Деборе. Там за ней смогут присмотреть отец Деборы или она сама. Она обожает детей, вы же это знаете. Ну, пожалуйста, сэр...

Томас молчал. Барбара мысленно молилась. Но когда она услышала его ответ, то поняла, что ничего хорошего ждать не стоит.

– Я был у него в лаборатории, Барбара.

Хейверс почувствовала комок у себя в желудке.

– В чьей лаборатории?

– Есть еще одна связь между Ажаром и Италией. Эта связь существовала задолго до похищения Хадии и смерти Анжелины. Вам придется с этим смириться и, соответственно, подготовить Хадию.

– Что? – Барбара с трудом произнесла это слово. Она слышала, как в соседней комнате Хадия весело болтает с синьорой Валлера или ее дочерью. Был слышен также итальянский перевод фильма ее родителей.

– У него в лаборатории есть инкубаторы, Барбара, – сказал Линли. – Два инкубатора. Один был произведен здесь, в Англии, в Бирмингеме. Второй – в Италии.

– И что? – фыркнула она, хотя ее недоверие только выросло. – У Ажара ведь может быть и пара итальянских ботинок. Но ведь глупо думать, инспектор, что это как-то связано со смертью Анжелины. Итальянские инкубаторы к этому не имеют никакого отношения, и вы это знаете. Боже, а если у него в шкафу на кухне стоит итальянское оливковое масло? Или где-то лежит упаковка итальянской пасты? А что насчет сыра? Он может быть любителем пармезана.

– Вы уже закончили? Можно я продолжу?.. Сами по себе итальянские инкубаторы ничего не значат. Но если вы производите инкубаторы, то у вас должна быть возможность проверять их работу именно в тех условиях, для которых они предназначены. Просто чтобы убедиться, что они выполняют свои функции, с этим вы согласны?

Некоторое время Хейверс молчала, обдумывая сказанное. На душе у нее было тяжело.

– Предположим, – сказала она наконец.

– Отлично. А как еще можно проверить эти инкубаторы, если не с помощью различных штаммов бактерий, которые должны в них расти?

Барбара завелась.

– Да ну, бросьте. Это совершенно смехотворно. И что же сделал Ажар? Зашел в компанию и сказал: «Привет, ребята. Как насчет какого-нибудь штамма *E. coli* повирулентней? Хочу сдобрить им пиццу кое-кому. Просто чтобы проверить, работает ли ваш инкубатор»?

– Барбара, вы прекрасно понимаете, что я имею в виду.

– Нет, черт побери, не понимаю.

– Я говорю о еще одной связи, а связи нельзя игнорировать.

– И что же вы собираетесь делать с этой информацией?

– Я сообщу ее старшему инспектору Ло Бьянко. А уж он решит, что с ней делать...

– Ради всех святых, инспектор! Что с вами случилось? Вы совсем потеряли нюх. И с каких это пор вы превратились в такого паиньку? Кто это вас так перековал? Наверняка *Изабелла*?

Линли молчал. Барбара поняла, что он считает до десяти. Она сознавала, что, упомянув суперинтенданта Ардери, пересекла невидимую границу, но сейчас у нее не было времени думать о правилах вежливости. Наконец он сказал:

– Давайте не будем об этом.

– Конечно, конечно, – ответила Хейверс. – Давайте говорить о том, что мы знаем наверняка. Я, например, знаю, что вы мне не поможете. Выплеснуть Хадию в море вместе с водой из таза и посмотреть, как она поплывет, – вот чего вы добиваетесь, не так ли? Вы выполните свой долг. Или все, что вы будете делать, назовете своим долгом. Вы вздохнете и скажете «жизнь такова, как она есть», или еще какую-нибудь ерунду вроде этого. А в это время жизни людей будут висеть на волоске – но вам-то какое дело? Это ведь не ваша жизнь. – Барбара подождала его ответа, а когда он промолчал, продолжила: – Да. Вот так. Я не буду просить вас никому ничего не говорить несколько дней. Ведь это будет против вашего понятия о долге, правда?

– Барбара, ради бога...

– А это не имеет никакого отношения к богу. Это имеет отношение к тому, что правильно, а что нет.

Хейверс прервала разговор. Ее глаза щипало. Она почувствовала, что ее ладони все мокрые. «Боже, – подумала Барбара, – надо взять себя *в руки*». Она прошла в столовую и залпом выпила стакан апельсинового сока, который остался от завтрака. Осторожнее, подумала она с иронией, а то тебе тоже могут подсыпать кишечной палочки. Ей хотелось заплакать. Но она должна была думать, и сначала она подумала, что сама позвонит Саймону и Деборе Сент-Джеймс. Она попросит их. Или, может быть, Уинстона – он как раз живет с родителями, которые смогут присмотреть за Хадией. Или его девушка... У него их должно быть не меньше десятка. Или миссис Сильвер в Чолк-Фарм, которая обычно смотрит за Хадией во время каникул. Хотя Чолк-Фарм отпадает – это первое место, где ее начнут искать, именно там, в громадном здании эпохи короля Эдуарда.

Что же делать, делать, делать? Барбара могла бы сама отвезти Хадию в Лондон, но в этом случае Ажар останется один на один со своей судьбой, а этого она допустить не могла. Неважно, что о нем думают другие, но она хорошо знала, какой он на самом деле.

Хейверс отправилась искать Хадию. Пока девочка поживет с ней – лучшего она все равно не придумает. Что бы ни произошло, она не позволит, чтобы девочка попала в лапы к Упманам.

Хадия все еще была на семейной половине *pensione*, смотрела телевизор вместе с синьорой Валлера. Барбаре показалось, что они смотрят этот диск уже третий или четвертый раз.

Она села на стул с прямой спинкой, чтобы вместе с другими еще раз посмотреть интервью Анжелины Упман и Таймуллы Ажара, в котором они говорили о своей пропавшей дочери. Камера показала измученное лицо Анжелины, потом – Ажара. Затем камера отодвинулась, и появилась панорама места, в котором они сидели, – под стеной из жимолости, в компании какого-то человека, лицо которого было сплошь покрыто бородавками. Он говорил с такой скоростью и с такой страстью, что трудно было обратить внимание на кого-то еще, кроме него. Другие два человека, стол, задний план... все это исчезло, когда бородавчатый рычал и плевался в камеру.

«Именно поэтому, – подумала Барбара, как будто что-то ее подтолкнуло, – это интервью показали по телевизору, диск с ним передали Хадие, и его смотрели снова и снова, но никто не обращал внимания на то, что было у всех на виду с самого начала...»

– О боже мой, – пробормотала она.

Ей показалось, что она сейчас потеряет сознание, а ее мозг уже обдумывал следующий шаг, и следующий, и следующий, и эти шаги уже складывались в стройный план. Она знала, что Линли сейчас ей не помощник. У нее оставался только один выход.

Лукка,
Тоскана

Итак, Митчелл Корсико был именно тем безопасным портом, который мог бы укрыть Барбару от начинающегося шторма. Он пробыл в Италии достаточное время, чтобы завести кое-какие знакомства. Это было именно то, что ей надо, но она знала, что за это придется расплачиваться. Митч ничего для нее не сделает до тех пор, пока она не предоставит ему фото Хадии. Барбара набрала его номер и приготовилась к длительной торговле.

– Ты где? – спросила она. – Надо поговорить.

– Сегодня действительно твой день, – ответил Митч и объяснил, что он как раз сидит в настоящий момент на пьяцца, наслаждаясь своим кофе и бриошем, и ждет, когда же Барбара наконец начнет думать конструктивно в отношении всего, что связано с Хадией Упман. Кстати, он все еще пишет статью. Настоящую слезовыжималку. Родни Аронсону это очень понравится. Первая страница гарантирована.

– А ты очень самоуверен, нет? – едко заметила Барбара.

– В нашем деле самоуверенность никогда не помешает. Кроме того, я чувствую запах безысходности.

– Чьей?

– Уверен, что ты сама знаешь.

Барбара попросила его оставаться на месте и сказала, что сейчас подойдет.

Она нашла Корсико там, где он и говорил: под зонтиком в кафе через площадь от *pensione*. Он уже закончил пить свой кофе и теперь печатал что-то на лэптопе. Замечание «черт возьми, какой я умник», которое она услышала, подойдя поближе, сказало ей о том, что он сочинял статью про Хадию.

Из сумки Барбара достала школьную фотографию Хадии, которую показывала Альдо Греко накануне, и положила ее на стол. Сама она присаживаться не стала.

Митч посмотрел сначала на фото, а потом поднял глаза на Барбару.

– И это...

– То, что ты хотел.

– Хм... да нет. – Он подвинул фото в ее сторону и продолжил работать. – Если я занимаюсь здесь производством лошадиного навоза, – жест рукой в сторону компьютера, – для удовлетворения запросов английской публики, то в этом случае хоть что-то в моей сказке должно быть подлинным. И это должна быть фотография ребенка здесь, в Италии.

– Митч, послушай...

– Нет, это ты послушай, Барб. Род пребывает в абсолютной уверенности, что я провожу здесь лучший отпуск в своей жизни, хотя непонятно, почему для этого я выбрал Лукку, вся ночная жизнь которой состоит из сотен итальянцев на велосипедах, в кроссовках и на инвалидных колясках, кружащих по этой чертовой стене, как стая стервятников над добычей. Но он-то этого не знает, правда? Он уверен, что Лукка – это наш европейский ответ Майами. Так вот, насколько я могу судить, ты напала на какой-то след, поэтому давай продолжим наше сотрудничество. Начнем с фото девочки – которое покажет ее в этой чертовой Италии, – а там дальше посмотрим.

Барбара почувствовала, что спорить дальше бесполезно. Она забрала фото Хадии и заключила сделку с журналистом. Она обеспечит ему фотографии девочки, которые сделает сама. Она ни под каким видом не позволит журналюге из английского таблоида приблизиться к девочке – даже для того, чтобы сделать фото. Она посадит Хадию перед окном, которое выходит на площадь. Она сфотографирует ее снаружи здания с тем, чтобы редактор Корсико убедился, что его лучший репортер роет носом землю в Италии. После этого он сможет менять размеры фото и редактировать его, как ему заблагорассудится. Со своей стороны, она может гарантировать, что на фото у Хадии будет грустный вид. За это Корсико должен обеспечить ей встречу с кем-то из своих новых друзей, итальянских журналистов, с хорошими связями на телевидении.

– Зачем? – поинтересовался Корсико.

– Поменьше вопросов, Митч. Просто сделай, как я прошу, – ответила Барбара и направилась в сторону *pensione*.

Лукка,
Тоскана

Когда Линли позвонил Сальваторе с новой информацией об инкубаторах, тот сразу понял, насколько важны эти сведения. Томас сообщил, что два инкубатора в лаборатории Ажара были произведены компанией «ДАРБА Италия», а это была еще одна, пока не известная, связь микробиолога с Италией, которую тоже необходимо было отработать. С этим Сальваторе согласился, однако сама мысль о производителях лабораторного оборудования заставила его шире посмотреть на ситуацию. Почти наверняка на конференции микробиологов присутствовали и производители оборудования, для того чтобы ознакомить ученых со своими последними разработками. Поэтому он поставил перед Оттавией Шварц новую задачу в рамках исследования Берлинской конференции. Она должна выяснить две вещи, объяснил он ей: присутствовали ли на ней производители лабораторного оборудования? Если да, то кто конкретно – и поименно – представлял их в Берлине.

– А что мы ищем? – спросила Оттавия. И надо признаться, что в ее вопросе была определенная логика.

Когда Сальваторе ответил, что сам еще до конца не знает, она вздохнула, выругалась вполголоса и отправилась выполнять его задание.

После этого Ло Бьянко направился к Джорджио Симионе.

– «ДАРБА Италия», – сказал он. – Я хочу знать об этом все.

– А что это такое? – спросил Джорджио.

– Не имею ни малейшего представления. Именно поэтому мне и надо знать все.

Сальваторе направлялся в свой кабинет, когда увидел, как в *questura* вошла детектив сержант Барбара Хейверс. Однако сегодня ее не сопровождала Марчелла Лапалья. Барбара пришла одна.

Сальваторе направился к ней. Он заметил, что она одета с той же небрежностью, как и в предыдущий день. Сами вещи были другими, но их неопрятный внешний вид почти не изменился. Хотя в этот раз майка англичанки была заправлена в брюки. Однако это подчеркивало сходство ее торса с бочкой для вина – поэтому лучше было бы ей носить майку поверх брюк.

Когда Хейверс увидела его, она мгновенно начала говорить. Громкостью своего голоса и жестикуляцией сержант пыталась разъяснить ему то, что говорила словами. Сальваторе невольно улыбнулся. Она было совершенно серьезна и сосредоточенна. Нужна была определенная смелость для того, чтобы попытаться сделать себя услышанной и понятой в стране, где никто не говорил на твоем языке. Сальваторе не был уверен, что смог бы решиться на такое сам.

– Я, – она указала пальцем на себя, – хочу, чтобы вы, – она указала на Сальваторе, – посмотрели, – жест в сторону его глаз, – это, – жест в сторону компьютера, который она держала в руках.

– А, вы хотите я смотреть что-то, – сказал Ло Бьянко на своем ужасном английском, а затем закончил: – *Che cos'è? E perché? Mi dispiace, ma sono molto occupato stamattina*[1].

– Черт побери, – пробормотала женщина себе под нос. – Ну и что он сказал?

Она еще раз повторила свои слова и жесты. Сальваторе решил, что будет проще и быстрее посмотреть то, что она хочет, чем искать кого-то, кто перевел бы то, что он уже понял и без перевода. Поэтому старший инспектор жестом пригласил ее к себе в кабинет. По дороге он попросил Оттавию разыскать их штатного переводчика на тот случай, если то, что покажет ему англичанка, потребует перевода или у него возникнут вопросы. Если же штатного переводчика не окажется на месте, надо найти кого-то другого. Но не Биргит, *chiaro*?

Услышав про Биргит, Оттавия подняла бровь, но кивнула. Она бросила на детектива сержанта удивленный взгляд, который смог передать весь ужас итальянской женщины по поводу того, что существо одного с ней пола может надеть на себя такие обноски. Однако отправилась выполнять свое задание. Конечно, она кого-то найдет, и сделает это быстро.

Сальваторе пропустил англичанку в свой кабинет и вежливо предложил кофе, на что сержант Хейверс ответила длинной тирадой. Среди всех слов, произнесенных ею, он смог понять только одно – время. Что ж, она говорит ему, что у них нет времени. «Ерунда, – подумал Сальваторе, – на кофе время всегда найдется».

Он пошел за напитком, жестом предложив Барбаре присесть. Когда же вернулся, компьютер англичанки стоял посередине его стола, а сама она рядом с ним выпрямилась чуть ли не по стойке смирно. Зажгла сигарету, посмотрела на нее, взмахнула рукой и сказала:

– Надеюсь, что с вами все *buono*.

Сальваторе улыбнулся, открыл окно и указал на кофе, который принес ей. Барбара положила в него два кусочка сахара, но на протяжении всей беседы не сделала ни глотка.

Пока Ло Бьянко размешивал свой кофе, она спросила: «Можно начинать?», показала на лэптоп, ободряюще улыбнулась, кликнула мышью и показала Сальваторе, что он должен присоединиться к ней.

---

[1] Что? И почему? Мне очень жаль, но я очень занят сегодня утром (*итал.*).

– Ну, хорошо, посмотрите вот это, – сказала она, из чего старший инспектор понял, что она имеет в виду *guardi*[1], поэтому стал смотреть. Через секунду он уразумел, что смотрит интервью Анжелины Упман и Таймуллы Ажара, которое показывали по телевизору. В нем содержалась их просьба не причинять ребенку зла и вернуть его родителям. Там также содержалось зажигательное выступление Пьеро Фануччи по поводу того, что он в любом случае призовет преступников к ответу не этим, так другим способом. Сальваторе вежливо смотрел на экран, но ничего нового не увидел. Когда все закончилось, он, улыбаясь, посмотрел на Барбару Хейверс. Она подняла палец вверх и сказала: «Минуточку». А потом указала ему на экран, где продолжался фильм. Эта часть содержала разговор, который практически невозможно было разобрать, так как во время него люди снимали свои микрофоны. Потом появился Лоренцо Мура с подносом. На нем стояли стаканы с вином и тарелки с закуской, которые он стал раздавать участникам съемки. Лоренцо поставил тарелку и стакан перед Фануччи, затем предложил то же самое ведущей, а затем – Таймулле Ажару. Анжелине он передал только тарелку.

В этот момент Барбара остановила изображение, указала на экран и сказала взволнованным голосом:

– Вот ваша *E. coli*, Сальваторе. Она именно в том стакане, который Мура протянул Ажару.

Ло Бьянко услышал «кишечная палочка». По направлению жеста Барбары – она указывала на стакан, стоящий перед профессором, – он понял, что она имеет в виду. Потом все стало хуже. Хейверс говорила очень быстро, и он мог понять только собственные имена. Сержант рассказывала:

– Он рассчитывал, что вино с кишечной палочкой выпьет Ажар, а не Анжелина. Но он не учел, что Ажар мусульманин. У него есть один грех – он курит, – но *никогда не пьет*. Он выполняет все, что положено мусульманину, от А до Я: хадж, пост, раздача пожертвований и все такое. И он не пьет. И, наверное, никогда не пил. Анжелина это знала, поэтому взяла его стакан. Вот, смотрите.

И она показала следующую часть съемки. В ней Анжелина взяла вино, предназначавшееся Ажару, и Барбара Хейверс подмигнула итальянскому инспектору.

– Прямо как в «Гамлете», а, приятель? Мура пытался не дать ей выпить, но она подумала, что он беспокоится из-за ее беременности. Ну и что ему оставалось делать? Думаю, что он мог прыгнуть

---

[1] Смотреть (*итал.*).

через стол и выбить стакан у нее из руки. Однако все произошло слишком быстро. Она проглотила это вино единым духом. А что потом? Ведь именно это вы хотите спросить, а? Я полагаю, Мура мог вызвать у нее рвоту или мог отдать себя в ее руки и во всем признаться, но ведь он никогда не был уверен в ней на все сто процентов, правда? Ни один из ее мужчин не мог этим похвастаться. Анжелина любила их, а потом бросала, а иногда их у нее было по три штуки в одно и то же время. Это было ее сущностью. Именно это, я думаю, и отличало ее от сестры-двойняшки, а бог видит, они хотели отличаться друг от друга с самого рождения. Но давайте представим, что он решается и во всем ей признаётся – прости, дорогая, но ты только что проглотила стакан, полный смертельной заразы, – и что потом? Как она после этого будет на него смотреть?

Практически ничего из сказанного Сальваторе не понял. Поэтому он был счастлив, когда Оттавия появилась со штатным переводчиком *questura*, многоязычной женщиной с невероятным бюстом, которая демонстрировала декольте таких размеров – боже, никак не меньше восьми дюймов, – что Сальваторе мгновенно забыл, как ее зовут. Потом он вспомнил: Джудитта Кто-то. Она спросила, чем может помочь.

Они с Барбарой долго говорили между собой. После такого же длинного перевода Сальваторе задал только два вопроса. Оба были критическими для расследования, если только можно расследовать случаи, основанные на таких эфемерных предположениях. Он хотел знать, как и почему.

Барбара Хейверс начала с «почему»:

– Почему Лоренцо решил убить Ажара? Очень хороший вопрос, Сальваторе. Ведь, в конце концов, это он увел у Ажара женщину, а не наоборот. Анжелина жила с ним в Италии вдалеке от Лондона. Она забеременела от Муры. Вскоре они планировали пожениться. Так в чем причина?.. Но кто мог быть до конца уверенным в англичанке? Она путалась с Эстебаном Кастро еще в то время, когда жила с Ажаром. И бросила их обоих ради Лоренцо Муры. Однако любой мог заметить, что между ней и Ажаром все еще существует связь на духовном уровне, и, кроме того, у них был общий ребенок, Хадия. И один раз появившись на сцене, Ажар остался бы на ней навсегда. Анжелина могла решить вернуться к нему. Кто вообще мог предсказать, что она собирается сделать в следующий момент?

– Но убийство Ажара ничего не меняло в положении самого Муры, – заметил Сальваторе.

Барбара выслушала перевод, а затем сказала:

– Конечно, но он так не думал. Он не думал над ситуацией с точки зрения «Если Это не Ажар, то с Кем Еще Она Может от Меня Сбежать?». Он просто хотел, чтобы Ажар исчез, и достигал этого так, как считал наиболее правильным: зарази его, и пусть он умрет, а там хоть трава не расти. Сальваторе, ревнующие люди не могут мыслить логически. Они просто хотят, чтобы объект их ревности исчез. Или разорился. Или все, что угодно. А что Лоренцо видел перед собой? Возвращение отвергнутого любовника, возвращение отца Хадии в ее жизнь, возвращение отца Хадии в жизнь Анжелины.

– Мужчины сталкиваются с подобными ситуациями постоянно.

– Да, но эти мужчины не попали в ловушку к Анжелине.

Сальваторе задумался. Что ж, это возможно. Однако оставался нерешенным самый большой вопрос – откуда взялась сама кишечная палочка? Если все, что говорит сержант, правда, то как Лоренцо умудрился получить эту кишечную палочку? И не просто кишечную палочку, а ее смертельный штамм...

Старший инспектор заговорил об этом с англичанкой. Хейверс выслушала Джудитту, но ничего посоветовать не смогла. Они – вместе с Джудиттой – сидели в полном молчании, размышляя над этим вопросом. И в этот момент в кабинете Сальваторе появился Джорджио Симионе.

Ло Бьянко взглянул на него, ничего не понимая. Он помнил, что дал ему какое-то задание, но не мог вспомнить какое, даже тогда, когда Джорджио с надеждой произнес:

– «ДАРБА», Ispettore.

Сальваторе спросил: «*Come*?» – и повторил слово. Когда Джорджио сказал: «ДАРБА Италия», – Ло Бьянко наконец вспомнил.

– Она находится здесь, в Лукке, – сказал Джорджио. – По дороге в Монтекатини.

Лукка,
Тоскана

Сначала надо было закончить с Митчеллом Корсико. Он оказал Барбаре колоссальную услугу, когда помог достать полный, неотредактированный вариант телевизионных новостей через своих друзей – итальянских журналистов. За это Митч потребует расплаты, и потребует также что-то вкусное и интересное для того итальянца, который помог им с пленкой. Мера за меру и все такое. Поэтому Барбара должна была чем-то с ним поделиться, и это должна была быть стоящая информация.

Когда сержант услышала от переводчика, что Сальваторе собирался нанести неожиданный визит в «ДАРБА Италия», она решила поехать с ним. Но присутствие при сем Корсико было невозможно. Она и Сальваторе нуждались во времени, чтобы проверить свою информацию. И они были совершенно не заинтересованы, чтобы она стала достоянием прессы.

Барбара оставила Митчелла в кафе через улицу от *questura*, рядом с железнодорожной станцией; последнее, что ей хотелось, это чтобы Сальваторе Ло Бьянко обратил свое внимание на эту английскую версию Одинокого Рейнджера, только без маски. Из-за большого расстояния и толп туристов на улице она была уверена, что сможет выйти из *questura* незаметно для Корсико. Но если он об этом узнает, то ей придется расплачиваться по-взрослому. Хейверс пришлось прибегнуть к полуправде. Пока Сальваторе ходил за машиной, она позвонила журналисту:

– Кажется, мы вычислили возможный источник кишечной палочки. Сейчас собираемся туда съездить, – сказала она ему.

– Ну-ка, подожди минутку! У нас с тобой соглашение. И я не позволю тебе...

– Митч, ты получишь свою историю, и получишь ее самым первым. Но если ты появишься сейчас и начнешь качать права, Сальваторе захочет узнать, кто ты такой. И, поверь мне, объяснить все это ему будет крайне затруднительно. Сейчас он мне доверяет, и нам необходимо сохранить это доверие. Если он узнает, что я сливаю инфу прессе, нам конец.

– Ах, теперь это уже *Сальваторе*... Что, черт возьми, происходит?

– Слушай, да прекрати ты, ради бога! Он просто коллега. Мы едем в место, которое называется «ДАРБА Италия», и это все, что я знаю в данный момент. Это место здесь, в Лукке, и я думаю, что именно там Лоренцо Мура получил свою кишечную палочку.

– Но если это в Лукке, то там же ее мог получить и профессор, – заметил Корсико. – Он был здесь в апреле, разыскивая дочку. Все, что ему нужно было сделать, это заглянуть туда и заплатить.

– Просто прекрасно. Ты что, хочешь убедить меня в том, что Ажар – человек, который, кстати, не знает ни слова по-итальянски, – приперся в «ДАРБА Италия» с пачкой евро в руках и сказал: «Сколько стоит колба с вашей самой смертоносной бактерией? И мне нужна культура, которую я не выращиваю в своей лаборатории, так что стрептококк не предлагать». Ну, а потом-то что, Митч? Один из их продавцов, отбивая чечетку, отправился в хранилище – помещение отдела контроля качества, может быть, – и принес немножко бактерий так, что этого никто не заметил? Не будь идиотом. За такими вещами следят. Эта же штука может убить все население города, черт возьми.

– А тогда какого черта тебя туда несет? Потому что все, что ты сейчас сказала – за исключением знания языка, – относится и к Лоренцо Муре. И вообще, пока мы здесь с тобой собачимся... Откуда ты вообще знаешь, что у них есть *E. coli*?

– Я не знаю, именно поэтому мы и едем сейчас туда.

– И?

– Что «и»?

– Я сижу здесь и дожидаюсь своей истории, Барб.

– Но у тебя же есть часть про Хадию. Займись пока ей.

– Род на нее не запал. Говорит, сойдет для пятой страницы. Он сказал, что только Незаконно Арестованный Профессор достоин первой страницы. Хотя из всего того, что ты мне сейчас наговорила, я могу предположить, что часть про *Незаконность* может и не понадобиться.

– Я же рассказала тебе, как...

– Я достал тебе пленку, и что я получил взамен?

В это время Сальваторе Ло Бьянко притормозил у тротуара и перегнулся, чтобы открыть ей дверь.

– Мне пора, – сказала Барбара. – Клянусь, что буду держать тебя в курсе. Я же сдала тебе «ДАРБА Италия». Попроси своих итальянских дружков заняться этим.

– И отдать им всю эту историю? Послушай, Барб...

– Всё. Больше я ничего не могу сделать.

Хейверс разъединилась, села в машину, кивнула Сальваторе и сказала:

– Поехали.

– *Andiamo*[1], – сказал он ей с улыбкой.

– И тебе того же, – ответила Барбара.

Виктория,
Лондон

Встреча Изабеллы Ардери с помощником комиссара продолжалась в течение двух часов. Эти сведения Линли получил из самого надежного источника: от секретарши Дэвида Хильера. Хотя получил он их не напрямую. Информацию сообщила бесстраш-

---

[1] Поехали (*итал.*).

ная Доротея Гарриман. Она взращивала источники информации так же, как некоторые фермеры выращивают редкие растения. У нее были свои контакты в Мет, в Министерстве внутренних дел, в Парламенте. Итак, она знала от Джуди Макинтош длительность встречи между Хильером и Ардери, и она знала, что встреча была напряженной. Ди также знала, что на встрече присутствовали двое сотрудников Службы Собственной Безопасности. Она не знала их имен – я пыталась выяснить, детектив инспектор Линли, – и смогла только выяснить, что оба были представителями первого отдела ССБ. Линли выслушал эту информацию со страхом. ССБ-1 занимался внутренними жалобами и вопросами внутренней дисциплины.

Суперинтендант не стала ничего рассказывать о том, как прошла встреча. Все попытки Линли выяснить это у нее провалились – Изабелла резко отрезала: «Давай не будем, Томми». Это свидетельствовало, что бюрократическая машина пришла в движение, и положение было очень серьезным. Это Томас понял еще тогда, когда Изабелла в его присутствии договаривалась о встрече с Хильером.

Поэтому он был погружен в глубокие и невеселые раздумья, когда раздался неожиданный и приятный звонок Дейдры Трейхир. Она в городе и занимается поисками квартиры, рассказала женщина. Не хочет ли он встретиться за ленчем в Мерилебоне?

– Так вы решили согласиться? – спросил Линли. – Дейдра, да это просто великолепно.

– У них там есть один доминантный самец-горилла, в которого я влюбилась с первого взгляда, – ответила она. – Не знаю, будет ли эта любовь взаимной.

– Что ж, время покажет.

– Да, так всегда и бывает.

Они встретились на Мерилебон-Хай-стрит, где Томас нашел ее в маленьком ресторане за крохотным столиком, спрятанным в углу зала. Он знал, что его физиономия расцвела, когда Дейдра оторвалась от меню, подняла глаза и увидела его. Она улыбнулась в ответ и подняла руку в приветственном жесте. Линли поцеловал ее и подумал, как это просто и естественно у них получилось.

– Ну что, «Бодицейские Девки» уже надели траур? – поинтересовался инспектор.

– Скажем так – мои акции у них сильно упали.

– А «Электрические Волшебницы», со своей стороны, открывают шампанское?

– Будем надеяться.

Линли уселся и посмотрел на женщину.

– Очень рад вас видеть. Мне нужен был какой-то тоник, и, мне кажется, вы на эту роль очень хорошо подходите.

Дейдра наклонила голову, окинув Томаса внимательным взглядом.

– Согласна. Вы тоже действуете на меня, как своеобразный тоник.

– А вам он зачем нужен?

– Скучный и нудный процесс поисков квартиры. До тех пор, пока я не продам свою в Бристоле, мне кажется, что мне придется спать в чьем-то чулане.

– Ну, этот вопрос можно решить.

– Я не напрашивалась в вашу свободную комнату.

– Ну, что же. Тогда мне не повезло.

– Не совсем так, Томми.

При этих словах Линли почувствовал, как его сердце забилось быстрее, но он промолчал, улыбнулся, взял меню, спросил, что она ест, и заказал то же самое подошедшему официанту. Затем спросил, сколько времени она уже в городе. Оказалось, что Дейдра приехала на четыре дня, и сегодня был третий. Томас поинтересовался, почему она не позвонила раньше. Та объяснила, что у нее было слишком много разных дел: поиск квартиры, встречи с сотрудниками зоопарка, обсуждение того, что необходимо приобрести для ее офиса и лаборатории, обсуждение проблем служащих, ухаживающих за разными животными... Все это занимало много времени. Но она очень рада видеть его.

«Ну что ж, – подумал Линли, – удовлетворимся пока что этим». Наверное, самым главным было чувствовать, насколько его притягивало ее присутствие, а все остальное неважно.

К сожалению, удовольствие от компании Дейдры оказалось коротким. Когда принесли закуски, раздался звонок его мобильного. Томас посмотрел, кто звонит, и его сердце упало – это была Хейверс.

– Простите, но на этот звонок я должен ответить, – сказал он Дейдре.

– Мне нужна ваша помощь, – с места в карьер начала Барбара.

– Вам нужно больше, чем я могу дать. Изабелла встречалась с двумя представителями Службы Собственной Безопасности.

– Это сейчас не важно.

– Вы что, окончательно сошли с ума?

– Я знаю, что вы на меня злитесь. Но мы с Сальваторе здесь кое-что отыскали, поэтому я хотела бы получить через вас информацию. Совсем крохотную, инспектор.

– А как это состыкуется с законом?

– Она абсолютно легальна.

– В отличие от всего остального, что вы успели натворить до сегодняшнего дня.

– Хорошо. Согласна. Я все поняла, сэр. Вы должны меня повесить, просто виселицу еще не установили. С этим мы разберемся, когда я вернусь. А пока, как я сказала, мне очень нужна информация.

– А поточнее? – спросил Томас, поглядывая на Дейдру, которая уже приступила к закуске. Он в немом отчаянии закатил глаза.

– Упманы собираются в Италию. Они должны прилететь и забрать Хадию. Я должна им помешать. Если они до нее доберутся, Ажар может с ней попрощаться.

– Барбара, если вы намекаете на то, что я должен перехватить...

– Я знаю, что остановить их вы не сможете. Я просто хочу знать, вылетели ли они уже за Хадией? Хорошо бы знать, в каком аэропорту они приземлятся. Может быть, прилетят сами родители – их зовут Хамфри и Рут-Джейн, – а может быть, Батшеба Уард, сестрица. Если бы вы могли позвонить в авиакомпании и проверить полетные манифесты... Вы же легко можете это сделать. Или попросите об услуге SO-12. И всё. Больше мне ничего от вас не надо. И это не для меня, и даже не для Ажара. Это всё для Хадии. Я вас очень прошу.

Линли вздохнул, зная, что Хейверс от него не отстанет, и сказал:

– Уинстон сейчас проверяет здесь всех, кто так или иначе был связан с Анжелиной Упман, Барбара. Он изучает каждую мелочь, которая могла бы связать людей, знавших ее, с Италией. Пока безрезультатно.

– А вы там ничего и не найдете. Наш человек – Мура. Он хотел отравить кишечной палочкой Ажара. Сейчас мы с Сальваторе едем в компанию, которая называется «ДАРБА Италия», чтобы доказать это.

– Это компания, которая произвела инкубаторы, стоящие в лаборатории Ажара, Барбара. И вы наверняка понимаете, что это указывает на...

– Да. Я все понимаю. И, кстати, для протокола: Сальваторе сказал о том же самом.

– Сальваторе? А как вам удается с ним общаться?

– В основном жестами. Кроме того, он тоже курит, так что между нами существует духовная связь... Послушайте, сэр, вы сможете прояснить эту ситуацию с поездкой Упманов в Италию? Вы попросите SO-12 сделать это? Всего лишь информация. И всё. И точка. И это не для меня, а для...

– Для Хадии. Я это все уже понял, Барбара.

– И?..

– Я посмотрю, что можно сделать.

Томас разъединился и несколько секунд смотрел не на Дейдру, а на стильную фотографию на стене ресторана. Скалы и море на ней заставили его вспомнить о Корнуолле. Дейдра, увидев направление его взгляда, спросила:

– Подумываете о побеге?

Линли задумался над этим вопросом. Наконец он сказал:

– От некоторых вещей – да. Но не хочется оставлять другие.

Лукка,
Тоскана

Если бы они жили в сказке, подумала Барбара, Линли сумел бы остановить Упманов до того, как они добрались до аэропорта, или, на худой конец, не позволил бы им сесть в самолет. Но она знала, что живет не в сказке, поэтому полагала, что они уже летят, кто бы это ни был. На ее стороне было знание того, где они должны появиться в первую очередь, и немного времени, чтобы попытаться найти возможность спрятаться от них, когда они появятся в Лукке. Сначала Упманы направятся на фатторию ди Санта Зита, в дом Лоренцо Муры, где, как они полагают, все еще находится Хадия. Он скажет им, что ее увезла Барбара. Может быть, даже вспомнит, что Барбара живет в том же пансионе, что и Ажар. А может быть, и не вспомнит.

В любом случае у нее не так уж много времени, чтобы вывезти Хадию из Пенсионе Жардино и где-то спрятать. Но прежде чем сделать это, ей надо было увидеть, что Сальваторе смог раскопать в «ДАРБА Италия».

Они довольно быстро добрались до этой компании. Проехали четверть расстояния по бульвару, идущему с внешней стороны стены, а затем резко повернули направо и выехали из города. «ДАРБА Италия» находилась в трех милях от города, аккуратно спрятанная в конце заасфальтированой дороги и обозначенная яркой вывеской, помещенной над большими двойными стеклянными дверями. Здание окружала большая заасфальтированная стоянка практически без деревьев, поэтому жара здесь была неимоверная, и было видно, как волны разогретого воздуха поднимаются над асфальтом стоянки. Барбара спешила за Сальваторе, надеясь на то, что в здании их ждет кондиционер.

Естественно, она не поняла ни слова из того, что говорилось между Сальваторе и молодым человеком, сидящим на ресепшне. Он был очень красивым мальчиком, лет двадцати двух: оливковая кожа, густые вьющиеся волосы, губы как у Амура на картинах эпохи Ренессанса, и зубы настолько белые, что казались нарисованными. Сальваторе предъявил свое полицейское удостоверение, показал на англичанку и что-то долго говорил. Молодой человек выслушал, бросил быстрый взгляд на Барбару и тут же забыл про нее. Он долго кивал головой и говорил *si, no, forse*[1] *и un attimo*[2], хотя из всего сказанного она смогла узнать только *si* и *no*, как нечто отдаленно знакомое. Затем юноша взял телефон, набрал номер и, повернувшись к ним спиной, заговорил приглушенным голосом. По-видимому, он с кем-то о чем-то договорился, так как встал со стула и предложил им следовать за собой. То есть именно это Барбара смогла понять из его слов, так как Сальваторе направился за ним в глубь здания.

Все последующее, по мнению Хейверс, происходило слишком стремительно. Их провели в комнату для переговоров, в которой стоял большой стол из дерева, окруженный десятью кожаными креслами. Молодой человек сказал Сальваторе что-то про *direttore*, из чего сержант заключила, что с ними встретится управляющий директор «ДАРБА Италия». Этот человек появился после пяти минут ожидания. Он был великолепно одет, обладал отличными манерами – и, очевидно, удивился, что полиция появилась на пороге его компании. Барбара поняла только его имя: Антонио Бруно.

Она стала ждать, что будет дальше. Однако мало что происходило. Сальваторе заговорил. Хейверс напрягала слух, чтобы услышать в его словах *E. coli*. Но ничего в выражении лица итальянца не говорило о том, что он выслушивает историю о том, что некто умер от вещества, которое могло быть взято на «ДАРБА Италия». После семиминутного обмена мнениями управляющий директор кивнул и вышел из комнаты.

---

[1] Да, нет, может быть (*итал.*).

[2] Момент (*итал.*).

– Что? – спросила Барбара. – Куда он ушел? Что вы ему сказали? – Она понимала, что ждать ответа бесполезно, но желание знать подавляло ее способность к логическому мышлению. – У них есть кишечная палочка? Они знают Лоренцо Муру? Ведь это никак не связано с Ажаром, правда?

На это Сальваторе улыбнулся с сожалением и сказал:

– *Non la capisco*[1].

Барбара догадалась, что это значило.

Возвращение Антонио Бруно ничего не объяснило Барбаре. Он вернулся в комнату с конвертом в руках, который протянул Сальваторе. Тот поблагодарил и направился к двери, сказав: «*Andiamo, Barbara*». А затем, повернувшись к Антонио Бруно, с легким поклоном произнес: «*Grazie mille, Signor Bruno*».

Барбара подождала, пока они вышли из здания, и спросила:

– И что это *такое*? Что происходит? Почему мы уезжаем? Что он вам дал?

Из всего этого Ло Бьянко, казалось, понял только последний вопрос, потому что протянул ей конверт. Барбара открыла его. Внутри находился список сотрудников компании, разбитый по отделам: имена, адреса, номера телефонов. Их было несколько десятков. Ее сердце упало, когда она их увидела. В этот момент Хейверс поняла, что Сальваторе в своем расследовании пошел по самому длинному пути: он собирается проверить каждого человека, указанного в этих списках. Но это займет уйму времени, которого у нее не было, так как прибытие Упманов неотвратимо приближалось.

Барбаре был необходим результат, причем немедленно. Она стала размышлять, каким образом его можно получить.

Лукка,
Тоскана

Впервые Сальваторе Ло Бьянко подумал, что, вполне вероятно, эта англичанка права. По ее пылкой речи он догадался, что она не понимает, почему они так быстро уезжают из «ДАРБА Италия», а его английского не хватало, чтобы объяснить это ей. Поэтому он сказал «*pazienza, Barbara*[2]», и было похоже, что она его поняла. Старший инспектор хотел объяснить ей, что в Италии ничего не

---

[1] Я вас не понимаю (*итал.*).

[2] Терпение, Барбара (*итал.*).

делается быстро, кроме разговоров и езды на машине. Все остальное было *piano, piano*[1].

Она захлебывалась словами, которые он не понимал.

– У нас нет времени, Сальваторе. Семья Хадии... Упманы... Эти люди... Если бы вы только могли понять, что они собираются сделать. Они ненавидят Ажара. Они всегда его ненавидели. Понимаете, он не женился на ней, когда она забеременела. Но, в любом случае, обрюхатил ее, а ведь он пакистанец... Боже, они как будто сошли со страниц колониальной истории, если вы понимаете, о чем я. Я хочу сказать, что если мы, то есть вы, будем проверять каждого человека из этого списка, – она махнула рукой на конверт, – то к тому времени, как мы закончим, Ажар навсегда потеряет Хадию.

Естественно, что Сальваторе понял повторяющиеся имена: Хадия, Упманы, Ажар. Он также видел ее волнение. Но все, что мог сказать Ло Бьянко, было «*andiamo, Barbara*» и показать на машину, которая плавилась в горячих солнечных лучах.

Она пошла за ним, не прекращая говорить, хотя Сальваторе много раз повторял с видимым огорчением «*non la capisco*». Он очень хотел знать ее язык получше – хотя бы для того, чтобы посоветовать ей не волноваться, – но когда произнес «*Non si deve preoccupare*»[2], то понял, что она его не поняла. Они говорили друг с другом, как строители Вавилонской башни[3].

Сальваторе завел машину, и они направились в сторону *questura*, когда зазвонил мобильный Барбары. Когда она сказала: «Инспектор? Слава богу», – Сальваторе понял, что это был Линли. Он знал, что в предыдущем разговоре она просила лондонского детектива узнать о планах Упманов. Ло Бьянко надеялся, ради нее самой, что Томасу Линли удалось узнать нечто, что хоть немного ее успокоит.

Однако этого не случилось. Хейверс издала крик раненого животного и проговорила:

– Да нет же, черт побери! Нет! Флоренция? А как далеко это отсюда? Позвольте мне послать ее к вам. Пожалуйста, сэр. Я вас умоляю. Они найдут ее здесь. Я знаю. Мура скажет им, что я забрала Хадию; ну, а меня им будет несложно разыскать. Они заберут ее, а я не смогу их остановить, и это убьет Ажара. Это его убьет,

---

[1] Зд.: не торопясь (*итал.*).

[2] Вы не должны беспокоиться (*итал.*).

[3] По библейской легенде, все строители башни говорили на разных языках, не понимая друг друга, что и привело к ее разрушению.

а он и так уже прошел через все круги ада, вы же знаете, инспектор, вы это знаете.

Сальваторе посмотрел на нее. Непонятно, подумал он, почему она принимает это расследование так близко к сердцу. Старший инспектор никогда не видел, чтобы кто-нибудь из его коллег так отчаянно хотел доказать правду.

Барбара в это время говорила:

– Как я вам говорила, мы с Сальваторе ездили в «ДАРБА Италия». Но все, о чем он договорился, так это о том, что мы встретились с управляющим директором, и всё. Он забрал у него список этих долбаных сотрудников, но не задал ни одного вопроса об *E. coli*, а у нас нет времени, чтобы так его разбазаривать. Все висит на волоске. Вы это знаете, сэр. Хадия, Ажар – все здесь в зоне риска.

Барбара слушала, что говорил ей Томас. Сальваторе искоса посмотрел на нее. На ее ресницах висели слезы, она слегка постукивала кулаком по коленке. Наконец сержант передала мобильный Сальваторе, сказав ненужное: «Это инспектор Линли».

Первые слова Линли произнес на одном выдохе:

– *Ciao, Salvatore. Che cosa succede*?

Но вместо того, чтобы рассказать англичанину об их поездке в «ДАРБА Италия», Ло Бьянко потребовал разъяснений. Он сказал:

– Внутренний голос шепчет мне, мой друг, что вы были не до конца откровенны со мной, когда рассказывали об этой женщине, Барбаре, и ее отношениях с девочкой и профессором. Почему, Томмазо?

Секунду Линли молчал. Сальваторе подумал, где англичанин сейчас находится: на работе, дома или с кем-то встречается? Наконец лондонский инспектор произнес:

– *Mi dispiace, Salvatore*.

Он продолжил, объяснив, что Таймулла Ажар и его дочь Хадия в Лондоне были соседями Барбары Хейверс. Сказал, что она сильно любит обоих.

Сальваторе прищурил глаза.

– Что имеется в виду под словом *любит*?

– Она очень к ним привязана.

– Они что, любовники? Она и этот профессор?

– О, Господи, ну, конечно, нет. Она здорово влипла, Сальваторе, и я должен был сказать вам об этом, как только она у вас появилась. Когда вы первый раз позвонили мне.

– А что она сделала? Чтобы так влипнуть, я имею в виду.

– Проще сказать, чего она не сделала, – ответил Линли. – Например, примчалась в Италию без разрешения на это полиции Метрополии. Намерена во что бы то ни стало спасти Ажара, чтобы спасти Хадию. Это если очень кратко.

Сальваторе еще раз взглянул на Барбару Хейверс. Она следила за ним, прижав руки ко рту, а ее глаза – такого красивого голубого цвета – смотрели на него, как глаза испуганного животного.

– Вы говорите, что ее больше интересует ребенок? – спросил он Линли.

– И да, и нет, – ответил Томас.

– Что вы имеете в виду, Томмазо?

– Я имею в виду, что она убедила себя, что для нее важнее ребенок. А в действительности... Я не знаю. Боюсь, что она полностью ослепла.

– Да? А мне кажется, что она слишком четко все видит.

– А именно?

– Мне показалось, что она настолько же прямолинейна, как Пьеро, когда речь идет о поисках истины. Я говорил с управляющим директором «ДАРБА Италия». Его зовут Антонио Бруно.

– Боже, неужели?

– Вот именно. Я собираюсь обсудить это с Оттавией Шварц. Сейчас я верну телефон Барбаре Хейверс, и, пожалуйста, объясните ей, что все находится под контролем.

– Хорошо. Но, Сальваторе, родители матери Хадии приземлились во Флоренции. Они приедут в Лукку, чтобы забрать девочку. Малышка их не знает, но она знает Барбару.

– А-а-а, – сказал Сальваторе. – Понятно.

Лукка,
Тоскана

Все, что он сказал ей, было «Барбара вы должны верить Сальваторе», но она не была готова верить никому на свете. Ей необходимо было знать, сколько времени понадобится Упманам, чтобы добраться из Флоренции в Лукку. Приедут ли они на поезде? Возьмут ли машину напрокат? Наймут ли итальянского водителя? Неважно, что они сделают, она должна добраться до *pensione* на пьяцца Амфитеатро раньше них. Поэтому Барбара попросила Сальваторе отвезти ее прямо туда. Она попросила это по-английски, но было видно, что он понял слова *pensione, piazza Anfiteatro* и повторяющееся имя Хадии.

Войдя в пансионат, Хейверс несколько раз глубоко вздохнула. Она подумала, что самое главное – не испугать Хадию. Надо было также решить, где, черт возьми, они могут спрятаться. Лучше всего было выбраться из Лукки в какой-нибудь неприметный отель в пригородах города. Барбара видела массу таких по дороге в Лукку из Пизы и по дороге в «ДАРБА Италия». Ей придется еще раз обратиться к Митчу Корсико за помощью. Она не хотела этого, потому что не хотела, чтобы он приближался к Хадии, но выбора у нее не было.

Она взбежала по ступенькам. Синьора Валлера убирала одну из комнат. Барбара спросила у нее: «Хадия?», и женщина указала на дверь номера, который занимали они с девочкой. Хадия сидела в комнате за маленьким столиком у окна. Она выглядела абсолютно одинокой и брошенной. Намерения Барбары только укрепились. Она обязательно вытащит и Хадию, и ее отца обратно в Лондон.

– Привет, детка, – она постаралась произнести это как можно беззаботней. – Нам с тобой надо поменять окружение. Как ты к этому относишься?

– Тебя так долго не было, – сказала Хадия. – Я не знала, куда ты ушла. Почему ты не сказала мне, куда идешь? Барбара, где мой папа? Почему он не приходит? Мне кажется... – Ее губы задрожали; наконец, она смогла произнести: – Барбара, с моим папой что-то случилось?

– Боже, ну конечно, нет. Абсолютно ничего. Я же сказала, детка, и я тебе в этом клянусь, что он уехал из Лукки по поручению инспектора Ло Бьянко. А я прилетела из Лондона, потому что он попросил меня присмотреть за тобой. Просто чтобы ты не беспокоилась.

В принципе, это могло сойти и за правду.

– А мы с ним можем где-нибудь встретиться?

– Конечно. Но не сейчас. Сейчас нам надо собираться и переезжать.

– Почему? Ведь если мы переедем, то как нас папа найдет?

Барбара вытащила свой мобильный и показала его ребенку.

– Никаких проблем не будет.

Однако она не чувствовала себя такой уверенной, какой хотела казаться. Хейверс надеялась, что поездка в «ДАРБА Италия» завершится задержанием какого-то подозреваемого. Но этого не произошло, и теперь перед ней во весь рост стоял вопрос: что дальше? Надо как-то успокоить Корсико, и в то же время необходимо найти новое убежище для себя и Хадии. Это должно быть такое место, которое позволит ей следить за расследованием и в то же время надежно скроет их как от журналиста таблоида, так и от деда и бабки Хадии со стороны матери. Барбара обдумывала создавшуюся ситуацию, продолжая собирать свои вещи и запихивая их в сумку. Убедившись, что Хадия тоже собралась, она стала спускаться по лестнице, сопровождаемая девочкой.

У подножья лестницы Хейверс увидела ожидающего ее Сальваторе. Ее первая мысль была о том, что он хочет остановить ее. Но она поняла, что ошибалась. Вместо этого Ло Бьянко решил вопрос оплаты с синьорой Валлера, взял их вещи, кивнул на дверь, сказал: «*Seguitemi, Barbara e Hadiyah*»[1], – и вышел на улицу. Он не пошел к машине, а вместо этого пешком направился из амфитеатра и зашагал по узким средневековым улочкам. Эти улочки выходили на какие-то площади, украшенные вездесущими соборами, проходили мимо потрепанных старых зданий, где случайно открытые двери позволяли увидеть внутренние дворики и сады, и шли вдоль контор, которые открывались после обеденного перерыва.

Барбара знала, что спрашивать, куда они идут, бесполезно. Только через какое-то время ей пришло в голову, что знаний Хадии может быть достаточно для этого. Она уже хотела попросить девочку задать Сальваторе вопрос, но в этот момент он остановился перед узким высоким зданием, поставил вещи на тротуар, сказал: «Торре Ло Бьянко» и достал из кармана ключи. Барбара поняла «Ло Бьянко», но только когда Сальваторе открыл дверь и с порога закричал: «*Mamma, mamma, ci sei?*»[2], она догадалась, что это был дом его матери. Прежде чем она смогла спросить об этом, или запротестовать, или сказать хоть слово, из глубины дома появилась пожилая женщина с тщательно уложенными седыми волосами. На ней, поверх льняного черного платья, был одет плотный передник, и она вытирала руки о полотенце. В знак приветствия женщина сказала:

– *Salvatore, chi sono?*[3]

Ее темные внимательные глаза сразу приметили Барбару и Хадию, которая пряталась за ней. Женщина улыбнулась Хадии, что показалось Барбаре хорошим знаком.

---

[1] За мной, Барбара и Хадия (*итал.*).

[2] Мама, вы слышите? (*итал.*)

[3] Сальваторе, кто это? (*итал.*)

– *Che bambina carina,* – сказала она, нагнувшись и упираясь руками в колени. – *Dimmi, come ti chiami?*[1]

– Хадия, – ответила девочка. А когда женщина спросила: «*Ah! Parli Italiano?*»[2] – она кивнула в ответ. Это вызвало у женщины еще одну улыбку.

– *Ma la donna, no,* – сказал Сальваторе. – *Parla solo inglese*[3].

– *Hadiyah pum tradurre, no?* [4] – ответила мать итальянца. Тут она заметила сумку и чемодан, которые Сальваторе оставил на пороге. – *Allora, sono ospitti?* [5] – спросила она у сына. А когда он кивнул, протянула руку Хадие и сказала: – *Vieni, Hadiyah. Faremo della pasta insieme. D'accordo?* [6]– и повела девочку за руку в глубь дома.

Тут вмешалась Барбара:

– Подождите. Что происходит, Хадия?

– Мы будем жить здесь с мамой Сальваторе, – ответила девочка.

– Понятно. А что дальше?

– Она покажет мне, как готовить пасту.

Барбара повернулась к Сальваторе:

– Спасибо. То есть я хотела сказать, *grazie*. Хоть это я могу произнести по-итальянски.

– *Niente,* – ответил он и прошел вперед, показывая на внутреннюю каменную лестницу, взбиравшуюся по стене здания, которое было и башней, и семейным гнездом одновременно.

– Что он говорит, детка? – спросила Хейверс.

– Он тоже здесь живет, – ответила девочка через плечо.

Лукка,
Тоскана

В соответствии с итальянскими традициями, прежде всего они должны были поесть. Барбара сразу хотела перейти к списку сотрудников «ДАРБА Италия», который Сальваторе захватил с собой, однако оказалось, он так же хочет есть, как и его мать хочет

---

[1] Какая милая девочка. Скажи мне свое имя (*итал.*).

[2] Говоришь по-итальянски? (*итал.*)

[3] Но женщина – нет. Говорит только по-английски (*итал.*).

[4] Хадия может перевести, нет? (*итал.*)

[5] Итак, это гости? (*итал.*)

[6] Пойдем, Хадия. Мы вместе сделаем пасту. Согласна? (*итал.*)

их накормить. Однако сначала итальянец позвонил кому-то по имени Оттавия. Барбара услышала, как он назвал «ДАРБА Италия», а затем несколько раз упомянул имя Антонио Бруно. Из этого Хейверс заключила, что *questura* начала какую-то проверку. Это еще больше усилило ее желание покинуть Торре Ло Бьянко, но она быстро поняла, что ничто не сможет оторвать Сальваторе и его маму от еды. Еда была достаточно простой: жареные красные и желтые перцы, несколько вариантов мяса, хлеб и оливки вместе с красным вином. За этим последовали итальянский кофе и печенье.

После этого мама Сальваторе стала расставлять на столе ингредиенты для приготовления домашней пасты, а Барбара и Сальваторе покинули башню. Выйдя наружу, сержант убедилась, что это действительно подлинная старинная башня. В городе были и другие, на которые она автоматически обращала внимание, хотя все они уже давно были переделаны в магазины и конторы, которые сильно изменили их изначальный внешний вид. Эта же сохранилась как идеальное квадратное сооружение, устремленное в небо, с какой-то растительностью на крыше. Сальваторе довел их до машины, и очень скоро они оказались у *questura*. Он припарковался и сказал: «*Venga, Barbara*». Барбара поздравила себя с тем, что начинает понимать язык, и пошла за ним.

Однако далеко им уйти не удалось. Митчелл Корсико подпирал стену прямо напротив *questura*, и выглядел он довольно угрожающе. Барбара увидела его в тот самый момент, когда он увидел ее. Журналист направился к ним. Она ускорила шаг, как будто хотела проскользнуть в здание до того, как он поравняется с ними, но Корсико не был настроен, чтобы его еще раз обдурили. Он отрезал ее от здания и этим же движением отрезал от здания и Сальваторе.

– Просто скажи, что, черт возьми, происходит? – злобно потребовал он. – Ты хоть понимаешь, сколько времени я уже жду тебя? И почему ты не отвечаешь на звонки? Я звонил тебе уже четыре раза.

Сальваторе переводил взгляд с нее на Митчелла Корсико и обратно, серьезным взглядом рассматривая стетсон журналиста, его ковбойскую рубашку, кожаный галстук, джинсы и сапоги. Казалось, он в недоумении, что было абсолютно понятно. Этот парень или готовился к карнавалу, или был переброшен машиной времени с американского Дикого Запада прямехонько в современную Италию. На лице Ло Бьянко появилась гримаса.

– *Chi u, Barbara?*[1] – спросил он.

На секунду Хейверс забыла об инспекторе, пытаясь ответить Корсико самым любезным тоном, на который была способна:

– Ты сейчас все пустишь прахом, если немедленно не уберешься.

– Не думаю, – ответил Митч. – Особенно насчет убраться. Не думаю, что я уберусь, тем более без своей истории.

– Я ее тебе уже дала. И фотография Хадии у тебя тоже есть.

Барбара быстро взглянула на Сальваторе. Первый раз за все время она благодарила Бога, что он почти не говорит по-английски. Никто бы не смог догадаться – судя по одежде Митча, – что тот журналист. И ей надо, чтобы никто об этом не узнал.

– К сожалению, ваши не пляшут, – продолжил Корсико. – Фото не произвело на Рода никакого впечатления. Он напечатает статью, но только потому, что нам повезло и вчера вечером ни одного политика не засекли в Лондоне на чем-то предосудительном.

– Но больше ничего нет. Я имею в виду, сейчас нет. А может и вообще никогда не быть, если мой коллега, – Барбара не решилась использовать имя Сальваторе, чтобы тот не понял, что речь идет и о нем, – узнает о том, кто ты и чем зарабатываешь на жизнь.

Митч схватил ее за руку.

– Ты что, смеешь мне угрожать? Я тут с тобой не в бирюльки играю.

– *Ha bisogno d'aiuto, Barbara?* – быстро спросил Сальваторе и крепко схватил Корсико за руку. – *Chi u quest'uomo? Il suo amante?*[2]

– Какого черта?.. – сказал Корсико, скривившись от неожиданно сильного захвата Сальваторе.

– Я не знаю, что он говорит, – сказала Барбара. – Но думаю, что он посадит тебя в участок, если ты не перестанешь хулиганить.

– А я ведь тебе помог, – сказал Корсико в отчаянии. – Я достал тебе этот чертов телефильм. Мне нужна от тебя только информация, и ничего больше, а ты меня постоянно кидаешь, и нет никакой возможности...

Сальваторе резко вывернул руку англичанина и заставил его выпустить руку Барбары. Затем он продолжил выкручивать пальцы Митчелла, пока тот не заорал: «Боже! Да останови же ты своего Спартака!» – отступил на шаг и стал массировать пальцы, уставившись на нее.

---

[1] Кто это, Барбара? (*итал.*)

[2] Вам нужна помощь, Барбара? Кто этот человек? Ваш любовник? (*итал.*)

– Послушай, Митч, – тихо сказала она. – Все, что я знаю, это то, что мы были на фирме, где они выпускают лабораторное оборудование. Сальваторе говорил с управляющим директором не более пяти минут, и после этого нам выдали список работников этой компании. Сейчас этот список находится у него. Вот и вся моя информация.

– И что я могу из этого высосать?

– Боже... Я просто рассказываю тебе, что знаю. Когда будет история, ты узнаешь о ней первым, но сейчас ее просто нет. А теперь тебе надо уйти, а мне придется придумать какое-то правдоподобное объяснение тому, что произошло и кто ты такой. Потому что, поверь мне, как только мы, я и он, войдем в участок, он немедленно потребует переводчика и хорошенько расспросит меня; ну, а если он выяснит, кто ты есть на самом деле, нам конец. Нам обоим. Ты можешь себе представить, что тогда произойдет? Тогда уже не будет никакой статьи для первой страницы. И как, ты думаешь, твой Родни на это прореагирует?

Наконец Митчелл Корсико заколебался. Он посмотрел на Сальваторе, изучавшего его глазами, в которых ясно читалось недоверие. Барбара не знала, о чем сейчас думает итальянец, но, что бы он сейчас ни думал, на его лице была написана готовность выполнить то, чем она угрожала Корсико.

– Барбара, давай лучше безо всякой ерунды на этот раз, – сказал Барбаре журналист уже другим тоном.

– Я что, похожа на дуру?

– А что, разве нет? – Митчелл отошел, подняв пустые руки и показывая их Сальваторе. – И, пожалуйста, отвечай на звонки, когда я звоню тебе, партнер.

– Отвечу, если смогу.

Корсико развернулся на каблуках и направился к кафе рядом с железнодорожной станцией. Барбара знала, что он будет сидеть там и ждать новостей. Журналист был должен своему редактору Большую Историю в обмен на эту увеселительную прогулку в Италию, и он не успокоится, пока не получит своего.

Лукка,
Тоскана

Сальваторе наблюдал, как ковбой уходил. Его длинные шаги казались еще длиннее из-за высоких каблуков его сапог. «Они очень странная пара, – подумал Сальваторе, – этот мужчина и Барбара Хейверс». Однако причины, по которым люди притягивались друг к другу, всегда оставались для него загадкой. Он мог понять, что в Барбаре могло привлечь ковбоя: прекрасные голубые глаза и очень выразительное лицо. Однако для него было загадкой, что она могла найти в нем. Видимо, это тот англичанин, который приходил с ней к Альдо Греко. *Avvocato* упоминал его, назвав его «ее английский компаньон», или что-то в этом роде. Сальваторе было интересно, что же он действительно имел в виду.

«Ну да бог с ним», – подумал он. У него не было времени на такие рассуждения, да и какое значение они имели? Ему надо было выполнять свою работу, а не размышлять над поведением этих двоих на улице. Достаточно того, что ковбой куда-то умотал, так что теперь он сможет объяснить Барбаре, что происходит.

Сальваторе знал, что она была в недоумении. Все, что произошло в «ДАРБА Италия», могло ее только удивить и озадачить. Хейверс думала, что он сразу же сделает то, что она считала единственно верным: арестует кого-то вместо Ажара. И старший инспектор действительно двигался в этом направлении, однако ему не хватало английских слов, чтобы все ей объяснить.

Оттавия Шварц делала свою работу. Пока Сальваторе перевозил Барбару и Хадию к себе домой и пока они с его мамой наслаждались едой, она вместе с Джорджио Симионе, на полицейской машине, как он и велел ей, съездила в «ДАРБА Италия». Оттуда Оттавия привезла в *questura* директора по маркетингу. Он ждал их в комнате для допросов уже – Сальваторе сверился со своими часами – сто последних минут. Подождет и еще немного.

Ло Бьянко провел Барбару в свой кабинет, предложил ей стул за своим столом и, взяв себе другой, сел с ней рядом. Затем сдвинул несколько бумаг в сторону и разложил на столе список сотрудников «ДАРБА Италия», который ему вручил управляющий директор компании.

– Очень хорошо, – сказала Барбара. – Но как это поможет нам отсортировать...

– *Aspetti*[1], – ответил инспектор и достал из держателя для карандашей и ручек маркер. Он использовал его для того, чтобы привлечь ее внимание к имени каждого руководителя каждого отдела компании.

Бернардо, Роберто, Даниэле, Алессандро, Антонио... Хейверс посмотрела на имена, состроила гримасу и сказала:

---

[1] Взгляните (*итал.*).

– Ну и что? То есть я вижу, что эти ребята здесь самые главные и, ну да, о'кей, у них одна и та же фамилия, потому что они, наверное, родственники, но я не понимаю, почему мы...

Красным карандашом Ло Бьянко нарисовал квадратик вокруг каждой заглавной буквы, с которой начинались эти имена. Потом он выписал буквы на клеящиеся листки. Потом составил из них название ДАРБА.

– *Fratelli*, – сказал он.

– Братья, – перевела Хейверс.

Это слово Сальваторе знал и поднял палец, чтобы подчеркнуть то, что он говорил:

– *Si, sono fratelli. Con i nomi del padre e dei nonni e zii. Ma aspetti un attimo, Barbara...*[1]

Старший инспектор подошел к другому краю стола, на котором лежала стопка папок, в которых содержался собранный им материал о смерти Анжелины Упман. Из этой стопы он достал фотографии похорон англичанки, быстро их перебрал и нашел две, которые хотел. Эти фотографии он положил на список сотрудников фирмы и сказал, указывая на изображенного на них человека:

– Даниэле Бруно.

Голубые глаза англичанки расширились, когда она увидела изображения. На одном из них Даниэле Бруно серьезно говорил с Лоренцо Мурой, положив ему руку на плечо и приблизив свою голову к его. На другой он был просто одним из членов футбольной команды, которые пришли на похороны, чтобы поддержать своего коллегу в трудный момент. Хейверс долго рассматривала эти фотографии, затем отложила их в сторону. Как и предполагал Сальваторе, она опять взяла в руки список сотрудников и нашла имя Даниэле Бруно. Он был директором по маркетингу. Как и братья, он мог приходить и уходить тогда, когда ему вздумается, и выносить из помещения все, что захочет, не вызывая при этом никаких вопросов.

– Да! Да! Да! – закричала Барбара и вскочила на ноги. – Вы просто гений, Сальваторе, черт возьми! Вы смогли найти связь! Вот она! И вот как это было сделано!

Она схватила его лицо в свои руки и взасос поцеловала его в губы, но тут же – видимо, так же как и он сам, – обалдела от того, что сделала, потому что резко отстранилась и сказала:

---

[1] Да, они братья. И носят фамилию их отца, и дяди, и бабушки. Но взгляните, Барбара (*итал.*).

– Боже. Прости, напарник... Простите, Сальваторе. Но спасибо, спасибо вам. Что мы делаем теперь?

Ло Бьянко понял только «простите», и больше ничего. Показав на дверь, он сказал:

– *Venga*.

Лукка,
Тоскана

Даниэле находился в комнате для допросов, которая была ближайшей к кабинету Сальваторе. Пока он ожидал, Бруно умудрился так накурить в комнате, что задохнулась бы и корова.

Сальваторе сказал «*basta*», когда они с Барбарой вошли. Он подошел к столу, убрал с него пачку сигарет и переполненную пепельницу и убрал их за дверь. Затем он открыл крошечное окошко под потолком. Дыма через него выходило мало, но это была хоть какая-то гарантия, что они смогут подышать еще несколько минут, прежде чем окончательно задохнуться.

Бруно стоял в углу комнаты. По-видимому, он ходил по комнате, ожидая развития событий. Как только Барбара и Сальваторе вошли, он сразу же стал требовать адвоката. По лицу англичанки Ло Бьянко понял, что она не имеет ни малейшего понятия, о чем говорит Бруно.

Он обдумал требование вызвать *avvocato*. Присутствие оного может им, в конечном счете, помочь, подумал он. Но сначала клиента надо довести до кондиции.

– «ДАРБА Италия», синьор, – сказал он Бруно, показал ему на стул и уселся сам. Барбара Хейверс тоже уселась и переводила взгляд с инспектора на Бруно и опять на инспектора. Он услышал, как она сглотнула, и ему захотелось успокоить ее. Все под контролем, друг мой, хотел бы он сказать ей.

Бруно еще раз потребовал адвоката. Он заявил, что его не имеют права задерживать, и потребовал, чтобы его немедленно выпустили. Сальваторе сказал, что так скоро и случится. Ведь, в конце концов, он не был под арестом. По крайней мере, пока.

Глаза Бруно забегали. Он посмотрел на Барбару Хейверс, и было видно, что он не понимает, кто она такая и что здесь делает. Англичанка удачно усилила его паранойю, достав из своей обширной сумки блокнот и карандаш, поудобнее уселась на стуле и положила правую ногу на левое колено жестом, который заставил бы любую итальянку молиться о надежности швов своей одежды. После этого она, с совершенно непроницаемым лицом, стала делать какие-то заметки. Бруно потребовал, чтобы ему объяснили, кто эта женщина.

– Неважно, – ответил итальянский полицейский. – Хотя... Дело в том... В общем, она здесь по поводу убийства.

Бруно ничего не сказал, хотя его взгляд перебегал от Сальваторе на Барбару и назад на Сальваторе. Интересно, что он ничего не спросил о том, кто жертва, подумал Ло Бьянко.

– Расскажите мне о вашей работе в «ДАРБА Италия», – обратился инспектор к Бруно дружеским тоном. – Это ведь ваша фамильная компания? – А когда Бруно кивнул в знак согласия, спросил: – И в ней вы, Даниэле, директор по маркетингу?

Жест плечами как знак согласия. По движениям пальцев Бруно было понятно, что он очень хочет закурить. Это хорошо, подумал Сальваторе. Всегда хорошо, когда клиент нервничает.

– Если я правильно информирован, ваша компания выпускает оборудование, используемое в медицине и для научных исследований.

Еще один кивок. Взгляд на Барбару. Она продолжала что-то прилежно записывать, хотя один бог знал что, ведь она не понимала ни одного слова из тех, что говорились.

– А я так думаю, что все, что производится, должно быть проверено перед продажей, чтобы убедиться в качестве прибора.

Бруно облизал губы.

– Ведь все происходит именно так? – настаивал инспектор. – Ведь существует какая-то проверка, не так ли? Потому что вот из этого списка сотрудников – его дал нам ваш брат Антонио, – я вижу, что ваш брат Алессандро, – тут Сальваторе важно посмотрел на часы, – возглавляет отдел контроля качества. Ведь Алессандро подтвердит мне, что в его задачу входит проверка оборудования, выпускаемого компанией «ДАРБА Италия»? Мне что, позвонить ему, чтобы он ответил на этот вопрос, или вы сами знаете ответ?

Казалось, Бруно пытается оценить все возможные последствия своего устного ответа. Его выдающиеся уши стали красными, как лепестки розы-переростка, приклеенные к его черепу. Наконец он подтвердил, что качество оборудования, выпускаемого компанией «ДАРБА Италия», проверяется в отделе, который возглавляет его брат Алессандро Бруно. Но когда Сальваторе поинтересовался, как это происходит, он ответил, что не имеет ни малейшего понятия.

– Тогда воспользуемся нашим воображением, – предложил ему старший инспектор. – Давайте начнем с ваших инкубаторов.

Ведь «ДАРБА Италия» выпускает инкубаторы, да? Я имею в виду оборудование, которое используется для того, чтобы в нем что-то выращивать. Ну, всякие вещи, которые требуют постоянной температуры и стерильности. «ДАРБА» такие выпускает, да?

Здесь Бруно еще раз потребовал вызвать *avvocato*.

– А зачем он вам нужен, друг мой? – поинтересовался Сальваторе. – Давайте я лучше принесу вам кофе. Или, может быть, воду? «Сан-Пелегрино» подойдет? Или кока-колу? Или стакан молока? Вы уже ели ленч сегодня? Может быть, вы захотите съесть бутерброд? Вам ничего не надо? Даже *caffe*?

Барбара пошевелилась на стуле рядом с ним. Ло Бьянко услышал, как она пробормотала: «*Venga, venga*». Сальваторе с трудом сдержал улыбку, услышав, как она использует его язык, хотя одному богу было известно, что она этим хочет сказать.

– Нет? – обратился он к Бруно. – Ну, тогда продолжим. Ведь нам от вас нужна только информация, синьор. Я же вам уже сказал, что у нас возникла небольшая проблема в связи с убийством.

– *Non ho fatto niente*[1], – заявил Даниэле.

– *Certo*, – заверил его Сальваторе. – Ведь никто его ни в чем не обвиняет. Они просто хотят, чтобы он ответил на их вопросы... Он ведь может ответить на вопросы, связанные с «ДАРБА Италия», правда?

Даниэле не стал спрашивать, почему именно его – из всех братьев Бруно – привезли в *questura* и просят ответить на вопросы. Всегда они попадаются вот на таких мелочах, подумал Сальваторе, и проигрывают игру вчистую.

– Давайте представим, что для проверки качества инкубаторов используются бактерии. Такое ведь возможно? – Бруно кивнул. – И в этом случае эти бактерии будут находиться именно в отделе Алессандро?

Даниэле опять посмотрел на Барбару.

– Понятно, – сказал Сальваторе.

Он показал, что якобы долго и напряженно размышляет об услышанном. Встал и прошелся по комнате, затем открыл дверь и позвал Оттавию Шварц. Не могла бы она, попросил старший инспектор, принести все материалы, которые он, кажется, оставил на столе в кабинете, *per favore*? Закрыв дверь и вернувшись к столу, инспектор опять сел, еще поразмышлял, а затем кивнул, как будто пришел к окончательному заключению, и спросил:

---

[1] Я ничего не сделал (*итал.*).

– Так, значит, семейный бизнес? Я имею в виду «ДАРБА Италия».

– *Si*, – ответил Бруно, ведь он уже один раз подтвердил это. – Да, это семейный бизнес. Наш прадед Антонио Бруно начал его тогда, когда все лабораторное оборудование ограничивалось центрифугами и микроскопами. Наш дед Алессандро Бруно расширил его. Наш отец, Роберто, сделал из него жемчужину, которую передал по наследству братьям Бруно.

– Этот бизнес дает вам всем работу, – сказал Сальваторе. – *Va bene, Daniele*. Это, наверное, очень здорово – работать с членами своей семьи. Ежедневно видеться с ними. Иногда приглашать их на обед. Болтать о племянницах и племянниках. Это, должно быть, очень приятная работа.

Даниэле согласился. Действительно, семья – это все, что есть у человека.

– У меня у самого две сестры. Я-то вас прекрасно понимаю, – продолжил Сальваторе. – *La famiglia u tutto*[1]. А вы часто общаетесь со своими братьями? Дома или на работе, за чашечкой кофе или стаканчиком вина? – Когда Даниэле опять с ним согласился, старший инспектор продолжил: – И в работе, и на отдыхе. Братья Бруно – вас ведь все знают в «ДАРБА Италия». Все зовут вас по имени, когда видят.

Даниэле снова согласился и отметил, что компания не очень большая, поэтому все друг друга хорошо знают.

– *Certo, certo*, – гнул свою линию Сальваторе. – Приходишь, уходишь, а они тебе кричат: «Привет, Даниэле! Как твои жена и дети?» И вы отвечаете им тем же. Они к вам привыкли, а вы привыкли к ним. Вы ведь... можно сказать, что вы уже неотъемлемая часть компании. В один день вы заскакиваете к Антонио, в другой – заглядываете к Бернардо, на третий встречаетесь с Алессандро. А иногда заглядываете ко всем братьям в один и тот же день.

Даниэле подтвердил, что любит своих братьев. Правда, он не думает, что это преступление.

– Нет, нет, – согласился инспектор. – Любовь к братьям – это... особый дар.

Все они обернулись, когда открылась дверь и вошла Оттавия Шварц. Она передала требуемые папки Сальваторе, кивнула, бросила быстрый взгляд на Бруно, второй – на Барбару (или, скорее, на ее обувь) и вышла. Ло Бьянко тщательно разложил папки по

---

[1] Семья – это всё (*итал.*).

столу, но ни одну не открыл. Взгляд Бруно постоянно к ним возвращался.

– *Allora*, – важно произнес Сальваторе Ло Бьянко. – Еще один вопрос, если позволите. Хочу вернуться к проверкам, о которых мы уже говорили. Полагаю, что опасные вещества – ну, такие, которые могут вызвать болезнь или смерть, – хранятся в «ДАРБА Италия» под надежной охраной? Наверное, под замком? И, уж конечно, они надежно защищены от тех, кто мог бы использовать их не по назначению. Ведь это правда, друг мой?

Бруно опять кивнул в знак согласия.

– А для того, чтобы испытывать это ваше оборудование? Сдается мне, не одно опасное вещество используется, а? Потому что инкубаторы... они ведь все разные, нет? Одни предназначены для одного, другие – для другого, а в «ДАРБА Италия» вы делаете их все.

Взгляд Бруно опять упал на папки. Он не мог контролировать свой взгляд, нервы были слишком взвинчены. Ведь он, в общем-то, не такой уж и плохой парень. Конечно, сделал глупость, но глупость – это еще не преступление.

– А Алессандро, наверное, наизусть знает все эти бактерии, которые используются для проверки оборудования, *vero*? Вы можете не отвечать, синьор Бруно, потому что моя коллега уже убедилась в этом. Алессандро перечислил для нее все бактерии. Естественно, его удивили наши вопросы. Но он рассказал, что на фирме существует несколько степеней контроля, которые не позволяют использовать эти вещества не по назначению. Вы не знаете, что он имел этим в виду? Я вот, например, думаю, что сотрудники не имеют возможности завладеть ими. Хотя им, наверное, не очень-то этого хочется. Эти вещества, в отделе контроля качества, они же очень опасны, верно? Человек может заболеть, если соприкоснется с ними, а иногда и умереть.

На лбу Бруно появился пот, а губы высохли. Сальваторе представил, как ему сейчас хочется пить. Он еще раз предложил Даниэле прохладительные напитки. Тот покачал головой, причем ему казалось, что с каждым движением на его голове все крепче и крепче затягивается обруч.

– И какой-нибудь из братьев Бруно... он ведь свободно передвигается по всей фирме, поэтому если он даже возьмет чуть-чуть самой смертоносной бактерии, то этого никто не заметит. Может быть, он сделает это после работы. А может быть, ранним утром. Но даже если его увидят в отделе Алессандро Бруно, то никто не удивится, так как он там часто бывает. Ведь эти братья – действительно одно целое. Поэтому никто не удивится, что он появился в месте, к которому не имеет отношения, – потому что он имеет к нему отношение, потому что он имеет отношение ко всему на фирме, потому что именно так работает «ДАРБА Италия». Для него взять эту бактерию – а давайте представим себе, что он выбрал... ну, например, кишечную палочку, – будет совсем просто. Никто этого просто не заметит. А если он достаточно умен и не возьмет всю культуру? Ведь если она в инкубаторе, то, значит, там же и вырастет. Ведь она же сама себя воспроизводит, разве нет?

Бруно поднял руку ко рту и зажал свои губы между большим и указательным пальцами.

– Смерть должна была выглядеть естественной, – сказал Сальваторе. – Может быть, он даже не был уверен, что последует смерть, хотя, наверное, был готов попробовать все что угодно, я полагаю. Когда в отношениях между людьми так много ненависти...

– Он ее не ненавидел, – сказал Бруно. – Наоборот, он ее любил. Она была... Она умерла не так, как вы думаете. Она просто плохо себя чувствовала. Беременность протекала очень тяжело. Она лежала в больнице. Она была...

– Но вскрытие не может лгать, синьор. И единичный случай такого ужаса... Не бывает в природе единичных случаев заражения кишечной палочкой, если это, конечно, не организовано преднамеренно.

– Он любил ее! Я не знаю...

– Нет? А как он объяснил вам, зачем ему бактерия?

– У вас нет доказательств, – ответил Бруно. – А я больше ничего не скажу.

– Ну, это, конечно, ваш собственный выбор.

Сальваторе открыл папки, которые ему принесли. Он показал Бруно его фото, где тот с серьезным видом общается с Лоренцо Мурой. Показал ему результаты вскрытия. Показал ему фотографии тела Анжелины. Наконец инспектор сказал:

– Неплохо бы спросить самого себя, заслуживает ли беременная женщина такой болезненной смерти?

– Он ее любил, – повторил Даниэле Бруно еще раз. – А это – то, что у вас есть, – ничего не доказывает.

– Просто набор случайных совпадений, *si*? Где-то я уже это слышал, – прищурился Сальваторе. – Без признательных показаний преступника все, что я могу предложить *magistrato*, это набор случайных совпадений, которые выглядят подозрительно, но ничего не доказывают. Но *magistrato* – не тот человек, который отступает перед лицом случайностей. Вы можете пока не знать этой особенности Пьеро Фануччи, но скоро обязательно узнаете.

– Я немедленно требую адвоката, – сказал Даниэле. – Без адвоката я больше ничего не скажу.

Оказалось, что Сальваторе не возражает. Он уже получил от Бруно все, что хотел, и привел его в надлежащее состояние. Впервые готовность Пьеро Фануччи выдвигать обвинения практически без всяких доказательств оказалась благом.

Лукка,
Тоскана

Адвокат Даниэле Бруно говорил по-английски, причем абсолютно как американец, и даже с американским акцентом. Его звали Рокко Гарибальди, и язык он выучил, просматривая американские фильмы. В Штатах юрист был всего один раз, рассказал он Барбаре, – останавливался в Лос-Анджелесе по пути в Австралию. Он был в Голливуде, посмотрел на цементные отпечатки рук и ног давно умерших звезд, прочитал их имена на Аллее славы... Но в основном он практиковался в языке, чтобы понять, насколько хорошо его выучил.

«Очень здорово», – подумала Барбара. Гарибальди звучал как смесь Генри Фонды и Хамфри Богарта. По-видимому, он отдавал предпочтение черно-белому кинематографу.

После неизбежного разговора на итальянском на проходной *questura* все они прошли в кабинет Ло Бьянко. Сальваторе показал, что Барбара должна идти с ними, и она это сделала, хотя не имела ни малейшего понятия, что происходит. А присутствие Рокко Гарибальди, если забыть о его прекрасном английском, совсем ее не вдохновляло. После того, как они прошли в кабинет, в нем стали происходить невероятные вещи: Сальваторе показал адвокату Бруно телевизионный фильм, затем списки сотрудников «ДАРБА Италия», затем какой-то отчет, очень похожий, по мнению Барбары, на результаты вскрытия тела Анжелины Упман. А что это еще могло быть, если Гарибальди прочитал его, кивая и мечтательно улыбаясь?

Все это Барбара наблюдала, будучи на грани нервного срыва. Она никогда еще не видела, чтобы коп так разыгрывал свои карты.

– Старший инспектор... – сказала она сначала тихим и просительным голосом, потом «Сальваторе», потом опять «старший инспектор», хотя не понимала, как сможет остановить его, кроме как силой загнать его в угол, привязать к стулу и удушить.

Хейверс не имела понятия о том, что произошло между Сальваторе и Бруно в комнате для допросов. Во всем потоке итальянского, который проливался в этой комнате, сержант узнавала только отдельные слова, но никак не могла сложить все в единое целое. Она слышала, как «ДАРБА Италия» повторялось вновь и вновь, так же как и *E. coli* и слово *incubatrice*. Она видела, как Бруно нервничал все больше и больше, поэтому надеялась, что Сальваторе начинает применять к нему жесткие меры. Но в то же время в течение всего интервью итальянский инспектор выглядел как человек, которому просто необходим послеобеденный отдых. Он был небрежен до уровня полной расслабленности. Конечно, что-то происходило за этими его непроницаемыми глазами, подумала Барбара, но что – об этом у нее не было ни малейшего представления.

Закончив чтение, Гарибальди опять заговорил с Сальваторе. На этот раз он хоть как-то включил Барбару в разговор, сказав:

– Я прошу *Ispettore* разрешить мне встретиться с моим клиентом, сержант Хейверс.

Барбара подумала, что любой английский адвокат потребовал бы этого прямо с порога. И когда она уже смирилась с тем, что процесс расследования значительно отличается в Италии от всего другого мира, это различие увеличилось еще больше.

Сальваторе не пошевелился, чтобы отвести Гарибальди в комнату, где находился Бруно. Напротив, он приказал, чтобы Бруно привели к ним. Это было не по правилам, но Барбара была готова подождать, чтобы увидеть, как ситуация будет развиваться дальше. Она ничего не смогла понять, когда, не более чем через пять минут беседы, Гарибальди сделал Сальваторе формальный поклон и произнес «*grazie mille*», после чего они с Бруно, рука об руку, покинули помещение. Все произошло так быстро, что Барбара никак не успела на это среагировать. Она просто повернулась к итальянцу и закричала: «Какого черта?!» – на что Сальваторе опять улыбнулся и пожал плечами в своей итальянской манере.

Хейверс продолжала кричать:

– Вы зачем их отпустили? Зачем показали им фильм? Зачем рассказали о «ДАРБА Италия»? Вы зачем дали ему... Ну, хорошо, я понимаю, что все это он и так бы увидел и узнал, то есть я предполагаю, что так должно было произойти, потому что, честное слово, я ни черта не понимаю, что происходит в этой стране. Но, ради всего святого, вы могли хотя бы притвориться... вы могли бы предложить... А теперь он знает весь ваш расклад – который, скажем честно, очень слаб, – и все, что он должен сделать, это сказать

Бруно, чтобы тот держал рот на замке и ни в чем не сознавался. Ведь все, что у нас есть, это только подозрения, и если только вы, ребята, не используете здесь какую-то совсем уж специфическую судебную систему, ни один человек не может попасть в тюрьму просто на основе подозрений, включая и Даниэле Бруно. Черт возьми, Сальваторе, ну почему вы не говорите по-английски?

Во время этого монолога Сальваторе продолжал сочувственно кивать. В какой-то момент Барбара подумала, что он что-то понял – не слова, конечно, но интонации. Но затем Ло Бьянко опять повторил свое *«aspetti, Barbara»* которое сводило ее с ума, и с улыбкой предложил:

– *Vorrebe un caffe*?

– Нет, я не хочу вашего долбаного кофе, – она почти кричала на него.

На это он улыбнулся и радостно произнес:

– *Lei capisce! Va bene!*

Она пожала плечами и спросила:

– Просто скажите мне, почему вы его отпустили? Ведь теперь он может связаться с Лоренцо Мурой, и всему конец. Вы хоть это понимаете?

Сальваторе смотрел на нее, как будто хотел прочитать что-то в ее глазах. Под этим взглядом ей стало не по себе. Наконец она сказала: «Да пошло все в задницу», достала сигареты из сумки и, взяв одну, предложила пачку ему.

– Все... в задницу, – мягко повторил итальянец.

Когда они закурили, он кивнул на окно кабинета. Барбара подумала, что Сальваторе хочет, чтобы дым уходил в окно. Но тот сказал *«guardi»* и показал на тротуар под окнами. На него только что вышли Гарибальди и Бруно и медленными шагами направились прочь от *questura*.

– И что, это должно вселить в меня уверенность? – сыронизировала Барбара.

– *Un attimo, Barbara. Eccolo*[1].

Она проследила за его взглядом и увидела мужчину в оранжевой бейсболке, который следовал за ними на расстоянии тридцати ярдов.

– Джорджио Симионе, – проговорил Сальваторе. – *Giorgio mi dira dovunque andranno*[2].

---

[1] Момент, Барбара. Вот он (*итал.*).

[2] Джорджио скажет мне, где они находятся (*итал.*).

Барбара испытала хоть какое-то облегчение, увидев, что за двумя мужчинами кто-то следит, хотя все, что они должны были сделать, это запрыгнуть в машину и – прости-прощай, инспектор Ло Бьянко. Им ничего не стоило связаться таким образом с Лоренцо Мурой. Но Сальваторе был абсолютно спокоен; казалось, что все идет в соответствии с каким-то планом, который он для себя наметил. Барбара, наконец, решила, что ей ничего не остается, как довериться этому человеку, хотя ей этого и не хотелось.

Полчаса прошли в ожидании. Сальваторе куда-то звонил, говоря очень тихим голосом. Барбара только поняла, что он позвонил маме, потом какой-то Биргит, а потом какой-то Цинции. «Настоящий ловелас, – подумала Барбара. – Это, наверное, все из-за его непроницаемых глаз».

Когда Рокко Гарибальди вновь появился на пороге кабинета Ло Бьянко, Барбара почувствовала и облегчение, и удивление. Адвокат появился один, что вызвало у нее сильные опасения, но в этот раз, заговорив с Сальваторе, он проявил милосердие и объяснил Барбаре, о чем идет речь.

Его клиент, Даниэле Бруно, вернулся в комнату для допросов. Он жаждал рассказать инспектору Ло Бьянко все, что ему известно по поводу расследуемого дела, поскольку глубоко потрясен смертью невинной женщины, которая носила ребенка под сердцем. То, что его клиент сейчас согласился говорить, никак не связано с тем, что он боится за себя, и он особо потребовал, чтобы Гарибальди донес эту мысль до полиции. Он расскажет все, что знает, и все, что сделал, потому что не имел представления, каким образом Лоренцо Мура планировал использовать кишечную палочку, которую он ему передал. Если инспектор Ло Бьянко обещает, что согласится с этим пунктом, они могут продолжить. Но информация будет предоставлена в обмен на немедленное освобождение синьора Бруно, так же как и снятие с него всех обвинений.

Как показалось Барбаре, Сальваторе очень долго обдумывал эти условия. Он сделал несколько заметок в блокноте, а затем отошел к окну, где куда-то позвонил и переговорил с кем-то полузадушенным голосом. Барбаре показалось, что старший инспектор звонит, чтобы заказать доставку китайской еды в офис, а когда он, наконец, закончил разговор, его вид говорил о том, что она была недалека от истины.

Опять последовал обмен быстрыми фразами на итальянском, во время которого Хейверс десятки раз слышала повторяющеся слова *E. coli* и *magistrate*. И имя Лоренцо Муры. И имена Бруно, и Анжелины Упман. Из всего этого она смогла понять только, что сделка состоялась. Гарибальди объяснил ей, что они достигли понимания, а затем встал и пожал руку Ло Бьянко. Что это было за понимание, оставалось тайной до тех пор, пока Сальваторе не сделал еще один телефонный звонок, а затем не прошел в комнату, где находился Даниэле Бруно. Последний с непроницаемым лицом сидел за столом, ожидая новостей о том, состоялась сделка или нет.

Характер сделки стал понятен очень скоро. Стук в дверь объявил о прибытии техника, который принес с собой большой пластиковый контейнер с электронным оборудованием. Он стал раскладывать его на столе, а остальные внимательно за ним наблюдали.

Он начал подробно объяснять Бруно, что это было за оборудование и для чего оно предназначалось, но здесь Барбаре перевод был не нужен. Она узнала оборудование и поняла, какую сделку заключили Ло Бьянко и Гарибальди.

Даниэле Бруно все им расскажет. Это было абсолютно ясно. Но, кроме того, он встретится с Лоренцо Мурой, и придет он на эту встречу, «заряженный» микрофоном.

Лукка,
Тоскана

Когда вечером они вернулись в Торре Ло Бьянко, их встретили крики: «Папа! Папочка!» и звуки бегущих детских ножек. Маленькая девочка бежала из кухни, за ней вылетел мальчик ненамного старше, а затем уже появилась Хадия. Маленькая девочка, которую Сальваторе называл Бьянка, тарахтела, не переставая, и Барбаре показалось, что она говорит о ней, о сержанте Хейверс. Свой монолог девочка завершила тем, что подошла к Барбаре и обратилась к ней напрямую:

– *Mi piacciono le Sue scarpe rosse*[1].

На что Сальваторе сказал ей любящим голосом:

– *La signora non parla italiano, Bianca*.

Бьянка хихикнула, прикрыв рот ладошкой, и сказала Барбаре:

– Мне нравиться красный башмаки тебя.

Хадия рассмеялась и исправила ее:

---

[1] Мне нравятся ваши красные ботинки (*итал.*).

– Нет! Надо говорить «мне нравятся твои ботинки». – После этого она рассказала Барбаре: – Ее мамочка говорит по-английски, но иногда Бьянка путается, потому что она еще и по-шведски говорит.

– Нет проблем, детка, – ответила Барбара. – Ее английский просто великолепен по сравнению с моим итальянским. – И, обернувшись к Сальваторе, она добавила: – Ведь правда?

Ло Бьянко улыбнулся и сказал: «*Certo*», а затем жестом пригласил ее на кухню. Здесь он поприветствовал свою маму, которая была занята приготовлением обеда.

Было впечатление, что к трапезе она ожидает роту пехоты. На столах были расставлены большие противни с подсыхающей пастой, на плите булькал громадный котелок с соусом, из печки доносился запах жарящегося мяса, посередине стола стояла миска с салатом, а в мойке располагалась зеленая фасоль. Сальваторе поцеловал свою маму и сказал: «*Buonasera, Mamma*», на что она просто отмахнулась. Но взгляд, который она на него бросила, был полон обожания, и Барбаре она сказала: «*Spero che abbia fame*»[1], кивнув в сторону еды.

«*Fame?*» – подумала Барбара. Знаменитость? Нет, это не то. А затем ее как током ударило – оголодавший[2]. И она ответила:

– Вот это совершенно точно.

– Совершенно точно, – повторил Сальваторе, а потом пояснил маме: – *Si, Barbara ha fame. E anch'io Mama*[3].

Мамочка яростно закивала головой. С ее миром все было в порядке, пока люди, приходившие к ней на кухню, испытывали голод.

Сальваторе взял Барбару за руку и показал, что ей надо пройти с ним. Дети остались с мамой на кухне, а Барбара пошла за Ло Бьянко вверх по ступенькам. На втором этаже располагалась большая гостиная. В одном углу комнаты на неровном каменном полу стоял старый буфет. Здесь Сальваторе приготовил себе кампари с содовой. То же самое он предложил Барбаре.

Обычно Хейверс пила эль или пиво, но так как этого в меню не было, ей пришлось согласиться на кампари с содовой и надеяться на лучшее.

---

[1] Надеюсь, что вы голодны (*итал.*).

[2] Сродни английскому *famished*.

[3] Да, Барбара голодна. Как и я, мама (*итал.*).

Ло Бьянко опять показал на ступеньки. На следующем этаже располагалась спальня его матери с ванной, которая казалась инородным телом в этой древней башне. На следующем этаже была его собственная комната, а еще выше – комната его детей, в которой сейчас располагалась Барбара с Хадией. Когда Хейверс поняла, что они заняли комнату его детей, она сказала:

– Черт возьми, Сальваторе. Мы ведь спим в комнате ваших детей, да? А с ними как же?

Он кивнул, улыбнулся и повторил: «Черт возьми, *si*», – после чего продолжил взбираться вверх по ступеням.

– Было бы здорово, если бы ты, партнер, получше говорил на английском, – сказала Барбара.

– Английский, *si*, – ответил он и продолжил восхождение.

Наконец они вышли на крышу. Здесь Сальваторе сказал: «*Il mio posto preferito, Barbara*»[1], – и широким жестом обвел раскинувшиеся перед ними окрестности. На крыше располагался сад, с деревом, растущим посередине. Со всех сторон оно было окружено каменными скамейками и растительностью. По краю башни, со всех четырех сторон, проходил парапет, и именно к нему Сальваторе подошел, держа напиток в руке. Барбара тоже подошла к нему. Заходящее солнце окрасило крыши Лукки в золотистый цвет. Ло Бьянко показывал ей различные районы, здания и тихо произносил их названия, разворачивая ее в разные стороны. Хейверс не понимала ничего из того, что он говорил, кроме того, что он признавался ей в любви к своему городу. И есть во что влюбиться, подумала Барбара. С вершины башни она могла видеть кривые, вымощенные булыжником улочки старого города, еле заметные скрытые сады, овальную структуру амфитеатра и десятки церквей, доминирующих каждая над своим районом. И везде стена. Великолепная стена. В прохладный вечер, когда, как сейчас, город овевал ветерок с пойменной равнины, это место было частью рая.

– Это фантастика, – сказала она итальянцу. – Я никогда не была за границей и не думала, что когда-нибудь буду вот так стоять в Италии. Но хочу сказать: если что-то или кто-то заставит меня покинуть мой собственный маленький мирок и направиться за границу, то начну я именно с Лукки. – Барбара отсалютовала бокалом ему и городу и резюмировала: – Чертовски красиво.

– Чертовски правильно, – подхватил Сальваторе.

Она усмехнулась.

---

[1] Мое любимое место, Барбара (*итал.*).

— *Bene*, партнер. Думаю, ты без проблем сможешь выучить наш язык.

— Все в задницу, — счастливо ответил инспектор.

Барбара рассмеялась.

МАЙ, 18-е

Лукка,
Тоскана

Барбару разбудил звонок мобильного. Она быстро схватила трубку и посмотрела на соседнюю постель. Хадия мирно спала. Ее длинные волосы разметались по подушке. Барбара взглянула, кто звонит, и вздохнула.

— Митчелл, — сказала она вместо приветствия.

— Ты чего шепчешь? — поприветствовал он ее в ответ.

— Потому что не хочу разбудить Хадию. И сколько сейчас, черт тебя побери, времени?

— Рано.

— Я еще плохо врубаюсь.

— Это видно. Давай выбирайся. Надо кое-что обсудить.

— А ты где?

— Там же, где всегда: в кафе через площадь. Оно, кстати, закрыто, а мне очень хочется кофе. Так что если синьора Валлера не разорится, то вынеси мне...

— Мы не в *pensione*, Митчелл.

— *Что?!* Барб, если ты слиняла, то я не знаю, что я с тобой...

— Да расслабься ты. Мы все еще в Лукке. Но ты ведь не считаешь, что мне надо сидеть в *pensione*, когда туда в любой момент могут явиться дед и бабка Хадии?

— Они, кстати, уже в городе. Поселились в отеле «Сан Лука Палас».

— А ты откуда знаешь?

— А у меня работа такая. Я по своей работе вынужден знать очень много разных вещей. Поэтому советую тебе в ритме вальса мчаться на площадь... Или нет, подожди. Мне нужно выпить кофе. Я встречу тебя на пьяцца дель Кармине через двадцать минут. У тебя будет достаточно времени для утреннего туалета.

— Митчелл, я совершенно не представляю, где эта пьяцца Как-Ее-Там-Называют находится.

– Дель Кармине, Барб. Но ведь ты коп? Ты же ищейка? Вот и разыщи ее.

– А если я на это не соглашусь?

– Тогда я нажму «отправить».

Барбара почувствовала, как ее желудок сжался в болезненный комок.

– Хорошо, – сказала она.

– Ответ правильный. – Корсико разъединился.

В спешке Хейверс оделась и взглянула на часы. Боже, еще нет и шести. Но в этом есть свое преимущество. В Торре Ло Бьянко все еще спали.

Держа обувь в руках, Барбара спустилась по лестнице. Она боялась, что не сможет выйти на улицу, но оказалось, что все очень просто. Главный ключ торчал в двери и поворачивался абсолютно бесшумно. Сержант достаточно быстро выбралась на узенькую улочку и остановилась, размышляя, в какую сторону ей надо идти. Наконец отправилась наугад, пытаясь найти еще хоть одну живую душу в прохладе весеннего утра. В итоге она наткнулась на небритых отца с сыном, толкающих две груженные с верхом тележки с зеленью по узкой улочке между стеной сада и церковью. Она спросила их с надеждой во взоре:

– Пьяцца дель Кармине?

Они взглянули друг на друга.

– *Mi segue*, – сказал старший и сделал головой жест, который Барбара уже научилась понимать как «иди за мной».

Она пошла за ними, жалея, что не захватила с собой хлебных крошек, чтобы было по чему потом отыскать дорогу назад к башне[1], после того, как закончится ее встреча с Митчеллом Корсико. Но теперь было уже поздно.

Однако очень быстро Барбара оказалась на месте встречи. Это была совершенно неживописная площадь, на которой располагался подозрительный ресторан, закрытый еще супермаркет и большое грязноватое здание, непонятно когда построенное, с надписью *Mercato Centrale* на фасаде. Именно туда и направлялись провожатые Барбары. Бросив ей через плечо «пьяцца дель Кармино», тот, что помоложе, затолкал свою тележку внутрь здания. За ним последовал тот, кто постарше, и, наконец, Барбара.

Она без труда разыскала Миттчелла Корсико – просто пошла на запах кофе, который привел ее в дальний угол помещения, где и восседал журналист, облокотившись на узкий каменный при-

---

[1] Автор имеет в виду сказку Ш. Перро «Мальчик-с-пальчик».

лавок, встроенный в стену. В нескольких шагах от него молодые африканские бизнесмены торговали с тележки кофе.

Корсико отсалютовал ей бумажным стаканчиком и произнес:

– Я всегда в тебя верил.

Хейверс состроила гримасу и тоже взяла себе кофе. Пить его было практически невозможно, но и времена нынче были не из легких. Она отнесла его к месту, где расположился Корсико, после того как бросила несколько мелких монеток африканцам, надеясь, что этого им будет достаточно.

– Ну, и?.. – спросила она у Корсико.

– Вопрос состоит в том, почему ты не позвонила?

Барбара на секунду задумалась, насколько еще хватит его терпения, затем сказала:

– Послушай, Митчелл, когда у меня будет повод позвонить, я позвоню.

Журналист стал изучать выражение ее лица, но затем бросил это занятие и покачал головой.

– Так дело не пойдет, – сказал он, громко отхлебнул кофе и повернулся к своему лэптопу так, чтобы она могла видеть экран. На экране был написан заголовок новой статьи: «Родители, оплакивающие свою дочь, говорят о своей потере и одиночестве».

Барбаре не пришлось вчитываться, чтобы понять, что ему удалось взять интервью у родителей Анжелины. Они спустили всех собак на Ажара: как на отца и как на мужчину, который «разрушил» жизнь их дочери, прямо как злодей из романов Томаса Харди.

– Как, черт возьми, тебе удалось их разговорить? – Это было единственное, что пришло ей в голову, пока она лихорадочно думала, как его успокоить.

– Да я вчера трепался с Лоренцо на его *fattoria*, когда они там появились.

– Повезло, – сказала она.

– К везению это не имеет никакого отношения. Ну, и где Ло Бьянко вас спрятал?

Барбара прищурила глаза, но ничего не ответила.

Корсико это заметил и бросил на нее уничтожающий взгляд.

– Тебе не надо было разрешать ему расплачиваться с синьорой Валлера, – сказал он. – Кстати, она очень рано встает. Стук в дверь, и вот она уже перед тобой. *Dove* по-ихнему значит «где». *Ispettore* понять было легко. Ну, а там, откуда мы оба с тобой приехали, один плюс один все еще равняются двум. Думаю, что Упманы будут очень неприятно удивлены, когда узнают, что *Ispettore* увез Хадию и тебя из *pensione*. Но мне почему-то кажется, что ты не хочешь, чтобы я сейчас сбегал в «Сан Люка Палас» и нарушил их утренний сон, чтобы сообщить им эту новость.

Корсико постучал по клавишам компьютера, и Барбара увидела, что он получил доступ к электронной почте. Она совершенно не могла понять, как ему удалось это сделать в такой дыре. Еще несколько манипуляций, и Митчелл прикрепил «Оплакивающих Свою Дочь Родителей» к письму своему редактору; его палец повис над кнопкой «отправить».

– Итак, мы все еще в деле, партнер, или уже нет? Потому что меня уже тошнит от попыток объяснить тебе, что мне надо кормить чудовище, или оно сожрет меня.

– Ну, хорошо, хорошо, – сказала она ему. – Да, речь шла об *E. coli*. Да, предполагалось, что ее использовали для убийства, или, по крайней мере, для того, чтобы вызвать очень сильную болезнь. Могу подтвердить, что штамм получен в том месте, о котором я тебе уже говорила: в «ДАРБА Италия». Они производят разное медицинское оборудование, включая инкубаторы. И для их проверки разводят у себя в лаборатории бактерии разных видов. Одна из таких бактерий – кишечная палочка, которую передали Лоренцо Муре. Парень, который сделал это...

– Имя, Барбара.

– Не сейчас, Митч.

Он погрозил ей пальцем.

– Так у нас с тобой ничего не получится.

– Забудь, Митчелл. Он согласился надеть микрофон, и если я тебе его назову, а ты используешь его имя, то все расследование провалится к черту.

– Ты можешь мне доверять, – сказал Корсико.

– Да, конечно. Как дешевой проститутке, клянущейся в вечной любви.

– Я не назову имени, пока ты не разрешишь.

– Не выйдет, и точка. Пиши свою историю, оставляй пропуски, или что там еще ты обычно оставляешь в тех местах, где должны быть имена. Когда мы получим то, что нам надо, от его встречи с микрофоном, я дам тебе имена, и ты нажмешь клавишу «отправить». Именно так это и должно произойти, потому что слишком многое поставлено на кон.

Журналист раздумывал над этим, отхлебывая свой кофе. Вокруг них просыпался *mercato*. Появлялось все больше и больше торговцев, которые располагались со своим товаром по периметру здания. Кофейный бизнес переживал настоящий расцвет.

Наконец Корсико сказал:

– Проблема в том... что я не верю, что ты меня не кинешь. Нужна какая-то гарантия...

Хейверс кивнула на его компьютер.

– Да вот же твоя гарантия. Я плохо себя веду – и ты нажимаешь «отправить»

– Ты имеешь в виду вот это? – Корсико нажал кнопку, и статья полетела к его редактору. – Ой-ёй-ёй, – сказал он мрачно. – Вот так, Барб.

– Ну, и попрощайся с нашими договоренностями, – сказала Барбара.

– Не думаю.

– Нет? Это еще почему?

– А вот почему. – Еще несколько нажатий на клавиатуре, и на экране появилась еще одна статья. Ее предполагаемое название было «За всем этим стоял ее папа», и когда Барбара быстро просмотрела ее, ее челюсти непроизвольно сжались.

Корсико вышел на Доути. Или Доути вышел на него. А может быть, это была Эмили Касс или Брайан Смайт. Но Барбаре почему-то казалось, что это был Доути. И он все, абсолютно все, рассказал Корсико. Разложил все по полочкам от А до Я. Все про Ажара, Барбару, исчезновение Хадии, ее похищение в Италии. Он назвал все имена и даты и места. В принципе, он наставил заряженный револьвер на Ажара. И одновременно разрушил ее карьеру.

Барбара вдруг поняла, что совершенно не может сосредоточиться, когда сердце просто вырывается у нее из груди. Она подняла глаза от экрана и не смогла сказать ничего, кроме:

– Ты не сможешь этого сделать.

– Увы и ах, – ответил Митч. У него был такой торжественный тон, что сержанту захотелось съездить ему по морде. А потом тон изменился, и журналист заявил каменным тоном: – В полдень будет как раз. Как тебе?

– В полдень? Ты о чем это? – спросила Барбара, хотя заранее знала ответ.

– Я говорю о том, сколько времени у тебя есть до того, как эта детка уйдет в киберпространство, Барб.

– Я не могу гарантировать...

Митчелл помахал перед ней пальцем.

– Зато я могу.

Лукка,
Тоскана

Барбара посчитала настоящим чудом, что смогла добраться до Торре Ло Бьянко, хотя ей и пришлось по пути сделать несколько неправильных поворотов, Но, как оказалось, башня была хорошо известна жителям города из-за сада на ее крыше. Кроме того, многие использовали ее для привязки на местности. Все, кого бы ни спросила Хейверс, знали, как до нее добраться. Правда, их объяснения – всегда только на итальянском – с каждым разом становились все сложнее. Поиски заняли у Барбары целый час.

К тому моменту, когда она добралась до места, все уже собрались на кухне. Сальваторе пил кофе. Перед Хадией стояла чашка горячего шоколада, а в руках у мамы была пачка, напоминающая колоду карт таро, из которой она по одной выкладывала картинки перед Хадией. Барбара стала их рассматривать, пытаясь таким образом избежать вопросительного взгляда Сальваторе. Сейчас мама показывала картинку, на которой была изображена женщина, державшая на подносе глаза. Судя по крови на ее лице, глаза принадлежали ей самой. На столе уже лежали другие картинки: мужик, которого распяли вверх ногами, еще один, прикованный к столбу и весь утыканный стрелами, и молодой человек в котле, под которым был разведен огонь.

– Черт возьми, что все это значит? – спросила Барбара.

Счастливая Хадия весело ответила:

– Бабушка рассказывает мне про святых.

– А можно было найти что-нибудь без крови?

– Мне кажется, что таких нет, – призналась девочка. – По крайней мере, пока. Бабушка говорит, что вся прелесть в том, что ты сразу можешь определить имя святого, увидев, что происходит на картинке. Видишь, вот здесь, на кресте вверх ногами, – это святой Петр, а вот это святой Себастиан со стрелами, а вот этот, – она указала на молодого человека в котле, – это Иоанн Вангелист[1], потому что они ничем не могли его убить, а вот видишь, Бог посылает золотой дождик, чтобы потушить костер.

– *Guarda, guarda*[2], – сказала мама, показывая Хадие еще одну картинку, на которой молодая женщина, привязанная к кресту, исчезала в языках пламени.

---

[1] Имеется в виду Иоанн Богослов, которого, по преданию, пытались сварить в котле с маслом.

[2] Смотри, смотри (*итал.*).

– Святая Жанна д'Арк, – сказала Барбара.

– *Brava, Barbara*! – воскликнула в восхищении мама.

– А откуда ты знаешь? – спросила не менее восхищенная Хадия.

– Потому что это мы, бритты, сожгли ее, – ответила Барбара. И так как у нее не оставалось больше никаких причин не замечать Сальваторе, она улыбнулась ему и сказала: – Доброе утро.

– *Giorno, Barbara*, – ответил он, вежливо встал и показал гостье на итальянскую кофеварку, стоявшую на конфорке древней печи.

– Пирожные на завтрак? – воскликнула Барбара. – Мне здесь определенно начинает нравиться.

– Это торт для завтрака, – объяснила Хадия.

– *Una torta, si. Va bene, Hadiyah*[1], – сказала мама и любовно провела рукой по длинным волосам девочки. Затем она обратилась к Сальваторе: – *Una bambina dolce*[2].

Сальваторе ответил: «*Si, si*», – но казалось, он думает о чем-то другом. Когда старший инспектор поставил перед Барбарой кофе, он сказал что-то, что Хадия перевела как «Сальваторе хочет знать, где ты была?». В это время девочке показали еще одну картинку. На этот раз мама сказала, что это святой Рокко.

Барбара показала пальцами на скатерти, что она ходила.

– Утренняя прогулка, – объяснила она инспектору.

– *Ho fatto una passeggiata*, – произнесла Хадия. – Вот как надо сказать правильно.

– Вот именно *Oh fat-o una pssa* и так далее.

– А-а-а. *E dov'u andata*?

– И где ты была? – перевела Хадия.

– Да я потерялась к чертовой матери. Скажи ему, что мне повезло, что я не добралась до Пизы.

Когда Хадия перевела это, инспектор улыбнулся. Но Барбара заметила, что улыбка не коснулась его глаз, и она мысленно приготовилась к тому, что может последовать. Оказалось, что последовал звонок мобильного Сальваторе. Он взглянул на экран и сказал:

– *Ispettore* Линли.

Барбара приложила палец к губам, показывая Сальваторе, что

---

[1] Да, торт. Правильно, Барбара (*итал.*).

[2] Милая девочка (*итал.*).

он не должен говорить, где она находится. Тот согласно кивнул и с улыбкой сказал в трубку: «Слушаю вас, Томмазо». Но через секунду выражение его лица изменилось. Он взглянул на Барбару и вышел из комнаты.

Виктория,
Лондон

То, что от Барбары Хейверс не было никаких вестей, напомнило Линли поговорку: «Отсутствие новостей – это хорошие новости», хотя он хорошо знал, насколько это не соответствует действительности. Поэтому Томас совсем не удивился, когда его спокойствие было разрушено вскоре после того, как он появился на работе. Уинстон Нката доложил, что не смог найти никаких связей с Италией у родственников и знакомых Анжелины, за исключением того факта, что ее родители были уже, по-видимому, в Лукке. А вскоре после этого детектив инспектор Стюарт остановил его в коридоре и протянул свежий номер «Сорс».

На первой странице таблоида размещалась очень большая и очень грустная фотография Хадии Упман, смотревшей из окна, под которым Линли увидел хорошо знакомую ему выставку растений с сочными листьями. Под фото был расположен заголовок: «Когда же она вернется домой?». Автором был Митчелл Корсико. Вместе с фото это говорило о самом худшем. Потому что Митчелл Корсико мог выяснить, куда Барбара Хейверс спрятала Хадию, только одним способом. Линли знал это так же хорошо, как и Стюарт. Детектив инспектор сразу же подчеркнул это, сказав:

– Ну, и как мы теперь поступим, Томми? Мне самому передать это командиру или это сделаешь ты? Если хочешь знать мое мнение, она работает на «Сорс» уже бог знает сколько времени. Может быть, годы. Она была платным «кротом», а теперь ей конец.

– Ты слишком торопишься со своими обвинениями, Джон, – ответил Линли. – Я бы посоветовал тебе слегка притормозить.

Стюарт издал губами звук, который прозвучал одновременно удивленно и возмущенно.

– Неужели? Понятно. Ну что ж, я думаю, ничего другого тебе не остается. – Он посмотрел в сторону кабинета Изабеллы Ардери, чтобы подчеркнуть то, что собирался сказать. – Она встречалась с ССБ-1, Томми. Все уже об этом знают.

– В этом случае твои источники гораздо лучше, чем мои, – спокойно произнес Линли и, похлопав газетой по ладони своей руки, спросил: – Я могу оставить это себе, Джон?

– Там, где я ее взял, их еще очень много, приятель. Это на тот случай, если она не окажется на столе Изабеллы Ардери.

Стюарт подмигнул и отошел довольно развязной походкой. Начинался последний сет, и он был намерен выиграть и его, и весь матч.

Линли проводил коллегу глазами и, оставшись один, еще раз взглянул на статью на первой странице. Это была классика «Сорс»: хорошие ребята все в белом, плохие – все в черном. Серый цвет отсутствовал как таковой. И Таймулла Ажар, и Лоренцо Мура были плохими ребятами из-за их связи со смертью Анжелины Упман (Ажар) и сокрытием Хадии от ее родного отца (Мура). Конечно, поскольку Таймулла Ажар сейчас находился в тюрьме, куда его упек инспектор Сальваторе Ло Бьянко (белый), который отвечает за расследование смерти Анжелины Упман, ребенок должен где-то жить, и вилла, на которой Хадия жила со своей матерью и Мурой (фото на стр. 3), казалась логичным выбором, пока не будут организованы другие условия. Но сейчас на ее лице была написана заброшенность, печаль и отчаянное желание забыть, наконец, обо всех тех преступлениях, которые были совершены против нее, а никто почему-то этим не занимался. Сейчас она была одна в руках иностранного правительства (очень черное), и когда же, наконец, Министерство иностранных дел (стремительно переходящее в черный спектр) займется этим вопросом и вернет ребенка в Лондон? Много места было занято пересказом всего того, что происходило с Хадией начиная с прошлого ноября, однако ни слова не было сказано, что в Италии находится офицер Нового Скотланд-Ярда для того, чтобы заниматься вопросами, связанными с девочкой.

Линли знал, что эта деталь о многом говорит. И прежде всего – о том договоре, который существовал между журналистом, написавшим данную статью, и Барбарой Хейверс. Потому что, назвав ее, Корсико неминуемо «светил» свой источник, а он был совсем не дурак, чтобы сделать такую ошибку. И в то же время Барбара была для него единственной возможностью обнаружить Хадию.

И только с помощью Хейверс он мог заполучить такую фотографию девочки.

Инспектор Линли знал, что эта статья была доказательством того, что Барбара все врала, говоря о своих отношениях с Митчеллом Корсико. Что ж, она будет не первым копом, пойманным на сотрудничестве с таблоидом. Копы на зарплате стали еще одной частью разворачивающегося скандала, связанного с бульварной прессой. Но в комбинации со всеми ее другими проступками это был конец Барбары Хейверс.

Линли направился в кабинет Изабеллы Ардери. Тот факт, что она обратилась за помощью к ССБ-1, говорил о том, что она была абсолютно уверена в уликах против Барбары. Но должен же быть шанс раскрасить эту статью немного по-другому.

Томас выбросил газету в ближайшую урну. Он понимал, что это только временная мера, потому что, как уже заметил Джон Стюарт, эту грязь можно легко купить на улице. Несколько шагов в направлении остановки метро «Сент-Джеймс-парк» – и ты свободно приобретаешь около полудюжины этих таблоидов. Возможно, Стюарт уже прикупил себе еще одну копию. Должен же он быть уверен, что статья на первой странице «Сорс» попадется на глаза Изабелле.

Дверь кабинета была открыта, но Изабеллы внутри не было. Доротея Гарриман раскладывала пачку папок с делами на столе суперинтенданта. Увидев Линли, она сказала только:

– Наверху.

– И сколько?

– Уже час прошел.

– Он вызвал или она сама напросилась?

– Ни то, ни другое. Это давно запланированная встреча.

– ССБ-1?

На лице Гарриман было написано сожаление.

– Дьявол, – сказал Томас. – Она что-нибудь взяла с собой?

– У нее в руках был таблоид.

Линли кивнул и направился к себе. Из своего кабинета он позвонил Сальваторе Ло Бьянко. Если все было так плохо, он был обязан предупредить своего итальянского коллегу в отношении Барбары.

Томас застал Ло Бьянко дома. На заднем плане слышалась какая-то болтовня на итальянском. Она стихла, когда Сальваторе вышел из помещения, чтобы переговорить с Линли.

Итальянец рассказал своему английскому коллеге обо всех последних событиях: о том, что он был в «ДАРБА Италия», о том, *что* там обнаружил, о его последующей беседе с Даниэле Бруно, о связи между кишечной палочкой, Бруно и Лоренцо Мурой.

– Мы заключили соглашение, его адвокат и я. На встречу он пойдет с микрофоном, – рассказывал Сальваторе. – В этом случае все решится уже сегодня.

– А ребенок? – спросил англичанин. – Она все еще с Барбарой Хейверс?

– С ребенком все в порядке, и девочка все еще с Барбарой Хейверс.

– Сальваторе, скажите... Я понимаю, что это странный вопрос, но скажите мне... Барбара одна в Лукке?

– Что вы имеете в виду?

– Вы видели ее в компании с кем-нибудь?

– Я знаю, что она встречалась с Альдо Греко. Это адвокат Таймуллы Ажара.

– Я говорю об англичанине, – продолжил Линли. – Он может быть одет как ковбой.

После секундной паузы Сальваторе откашлялся:

– Странный вопрос, друг мой. А почему вы спрашиваете, Томмазо?

– Потому, что он журналист одного из английских таблоидов, и он написал статью, из которой видно, что он в Лукке.

– А почему Барбара должна быть в компании журналиста из таблоида? – задал логичный вопрос Сальваторе. – И что это за таблоид?

– Он называется «Сорс», – ответил Томас.

Тут он понял, что больше ничего сказать не сможет. Он не мог заставить себя рассказать Сальваторе о фотографии Хадии у окна Пенсионе Жардино, и, более того, он не мог рассказать Ло Бьянко, что все это значит. В конце концов, итальянец может сам найти копию номера – или в Интернете, или купить газету в *giornalaio*[1], продающем английские газеты для туристов. Если Сальваторе это сделает, то он сразу же все поймет, хотя оставался мизерный шанс, что его выводы окончательно не добьют Барбару. Поэтому Линли сказал:

– Его зовут Митчелл Корсико, и Барбара знает его, как и все мы здесь, в Лондоне. Если она еще с ним не встречалась, то предупредите ее, что он может быть в Лукке, когда встретитесь с ней.

---

[1] Газетный киоск (*итал.*).

Сальваторе не стал выяснять, почему Линли сам не может позвонить Барбаре и все ей рассказать, и вместо этого переспросил:

– И он выглядит как ковбой?

– Да, он носит ковбойский костюм. Не знаю, почему.

Сальваторе еще раз кашлянул.

– Я все передам Барбаре, когда увижусь с ней сегодня. Но сам я не видел никого, кто подходил бы под ваше описание. Ковбой в Лукке? Я бы обязательно запомнил.

Лукка,
Тоскана

Барбара старалась не вести себя так, будто в сумке у нее тикает часовая бомба. Наоборот, она старалась, чтобы все было как обычно, по-деловому. А главным делом на сегодня было отправить Даниэле Бруно на встречу с включенным микрофоном. Но когда они с Сальваторе отправились в *questura*, Хейверс могла думать только о стрелках часов, неумолимо двигавшихся к цифре 12, после чего Митчелл Корсико нажмет клавишу «отправить».

Барбара не смогла отказаться, когда Сальваторе предложил ей прогуляться до *questura*; при других обстоятельствах такая прогулка могла бы ей даже понравиться. Погода стояла прекрасная, над городом все еще висел звон колоколов, магазины только открывались, в воздухе витал аромат выпечки, а в кафе готовился утренний эспрессо для тех, кто только начинал свой день. Студенты и рабочие ехали на велосипедах, и треньканье их звонков служило своеобразным звуковым обрамлением приветствиям, которыми они обменивались. Казалось, что полицейские находятся в самом центре съемочной площадки итальянского кино, подумала Барбара. Она ожидала с минуты на минуту услышать крик: «Снято!»

Настроение Сальваторе изменилось. Его утренняя беззаботность исчезла без следа, и сейчас он был воплощением серьезности. Так как ему звонил Линли, Барбара решила, что такая перемена связана с тем, что ему сообщил лондонский полицейский. Но с ограниченным английским Сальваторе и ее собственным несуществующим итальянским выяснить, что же все-таки сообщил Линли, было совершенно невозможно. Поэтому во время этой прогулки Хейверс периодически бросала на Сальваторе тревожные взгляды.

Когда они подошли к участку, она с облегчением увидела, что перед входом припаркован белый фургон. То, что он был брошен в этом месте без присмотра и почти полностью блокировал проезд транспорта в сторону железнодорожной станции, говорило о том, что это был не просто фургон для доставки каких-то грузов, как было написано на его боках. Барбара догадалась, что в нем расположилась та аппаратура, на которую будет записываться все, что будет передавать микрофон Даниэле Бруно, а когда Сальваторе похлопал рукой по кузову фургона, она поняла, что угадала.

Дверь открыл офицер в форме и с наушниками на голове. Он и Сальваторе обменялись несколькими словами, старший инспектор произнес: «*Va bene*», – и вошел в *questura*.

Даниэле Бруно и его адвокат уже ждали их. Последовала еще одна порция возбужденной и непонятной итальянской речи, и Рокко Гарибальди любезно перевел Барбаре основные моменты: его клиент хочет знать, что он должен говорить, чтобы вызвать Муру на откровенность.

Барбаре показалось, что вопрос выходит за рамки простого желания Бруно узнать, что ему порекомендует Сальваторе Ло Бьянко. Мужчина истекал потом – достаточно, чтобы заставить Барбару испугаться за возможное короткое замыкание, – и он выглядел полностью раздавленным десятком страхов, которые отнюдь не ограничивались его боязнью не выполнить распоряжения Сальваторе.

– А что еще? – спросила она синьора Гарибальди.

– Есть еще одна проблема, связанная с семьей, – ответил адвокат.

Он долго говорил что-то Сальваторе Ло Бьянко, а Бруно внимательно слушал. Казалось, Сальваторе заинтересовался и так же долго отвечал Гарибальди. У Барбары было желание столкнуть их головами. Время шло, пора было начинать, и ей надо было понять, что же все-таки происходит. Оказалось, по рассказу Гарибальди, больше всего Бруно волновала семья, а не то, что он мог оказаться в тюремной камере. Как раз это он принял бы с большей радостью, чем тот факт, что братья узнают о том, что он натворил. Потому что братья расскажут об этом отцу. А папа обязательно скажет маме. А мама сразу же объявит о наказании для Бруно, которое будет заключаться в том, что Даниэле, его жене и их детям запретят появляться на воскресных обедах, где они могли встречаться с тетками, дядьями, кузенами, кузинами, племянниками, племянницами и бог знает с какими еще родственниками, общим числом более сотни. Немедленно потребовались определенные гарантии конфиденциальности, но Сальваторе то ли не хотел, то ли не мог их дать. Отказ старшего инспектора успокоить страхи Бруно должен был быть обсужден со всех точек зрения. Прошло еще полчаса, прежде чем они смогли сдвинуться с мертвой точки.

После этого Даниэле стал настаивать на том, что Сальваторе обязан понять, *что* произошло между ним и Мурой. Лоренцо сказал ему, что *E. coli* необходима для каких-то тестов, связанных с его виноградниками; Бруно поверил, когда тот сказал, что нигде больше не может раздобыть бактерию. Лоренцо сказал, что это было связано с вином, объяснил Бруно. Ну конечно, подумала Барбара; например, как быстро Ажар должен опрокинуть свой стакан вина, чтобы бактерия все еще была жива?

Наконец все вопросы были решены. Они отправились в одну из комнат для допросов, где Бруно снял рубашку, обнажив впечатляющие грудные мышцы. К ним присоединился техник, и последовало еще одно бесконечное обсуждение. Гарибальди объяснил Барбаре, что его клиенту втолковывают, как будет работать микрофон.

Хейверс почувствовала, что ее все меньше и меньше интересуют подробности дискуссии, а все больше и больше – то время, которое она продолжается. Ее интересовало, где сейчас находится Корсико и каким образом она может остановить отправку новой статьи об Ажаре, если к полудню не сможет назвать ему имена и место действия. Она может позвонить ему и наврать с три короба, но Митчелл наверняка взбесится, когда станут известны реальные факты.

Дверь в комнату открылась в ту минуту, когда техник заканчивал прикреплять микрофон к Даниэле Бруно. Женщина, которую Барбара помнила как Оттавию Шварц, вошла и что-то сказала Сальваторе. Барбара расслышала фамилию Упман. Она закричала: «Что происходит?» – но ей никто не ответил, а Сальваторе быстро вышел из комнаты.

Рокко Гарибальди рассказал ей, что произошло. Родители Анжелины Упман появились на проходной и требуют встречи со старшим инспектором Сальваторе Ло Бьянко. Они настаивают на том, что что-то должно быть предпринято в связи с исчезновением их внучки с фаттории ди Санта Зита. Очевидно, она уехала в компании англичанки, сказал Гарибальди. Упманы прибыли, чтобы официально заявить о ее пропаже.

Лукка,
Тоскана

Так как Сальваторе сообщили, что Упманы не говорят по-итальянски, то потребовался переводчик. Оттавия Шварц – со своей обычной предусмотрительностью – вызвала его, однако потребовалось более двадцати минут, чтобы официальный переводчик полиции добралась до *questura*. Все это время Упманы ждали на проходной. Им это не очень понравилось, о чем говорил внешний вид синьора Упман; хотя, с первого взгляда, Сальваторе подумал, что мертвенная бледность мужчины связана с его перелетом в Италию. Оказалось, что он ошибся. Бледность была результатом ярости, которую синьор Упман с удовольствием выплеснул на старшего инспектора.

Джудитта Ди Фазио не успела еще представить их друг другу, как синьор Упман начал свою обличительную речь. Джудитта была прекрасным переводчиком, однако даже ей пришлось нелегко, когда она переводила его слова.

– Это так вы, банда бездельников, обращаетесь с людьми, которые пришли заявить о пропаже ребенка? – потребовал ответа Упман. – Сначала ее похищают. Потом ее отец убивает ее мать. Потом она исчезает из единственного дома, который считала своим в этой инфернальной стране. Что еще должно произойти, чтобы кто-то, наконец, занялся этим вопросом? Мне что, подключить посла Великобритании? Поверьте, я именно это и сделаю. У меня есть и возможности, и необходимые связи. Я хочу, чтобы эту девочку нашли, и нашли немедленно. И не советую вам ждать перевода этой Мисс Большие Сиськи, так как вы прекрасно понимаете, почему я здесь и чего хочу.

Пока Джудитта переводила его слова на итальянский, синьора Упман смотрела в пол. Она с силой сжимала свою сумочку и повторяла только: «Дорогой, дорогой», а ее муж приступил ко второй части своей гневной тирады:

– Человек, который даже не говорит по-английски, занимается расследованием преступлений против граждан Великобритании? Английский... самый распространенный язык на земле... а вы на нем не говорите? Боже мой...

– *Пожалуйста*, Хамфри, – по тону миссис Упман было понятно, что она чувствует неловкость от слов своего мужа, но совсем не боится его. Она обратилась к Сальваторе: – Простите моего мужа. Он не привык к перелетам, и он... – Было видно, что она ищет какой-то благовидный предлог, и, наконец, тот нашелся. – И он сегодня плохо позавтракал. Мы приехали за нашей внучкой Хадией, чтобы увезти ее домой, в Англию, чтобы она пожила с нами до тех пор, пока вся эта ситуация не разрешится. Первым делом мы поехали на фатторию ди Санта Зита. Но Лоренцо сказал нам, что она уехала в сопровождении какой-то англичанки. Женщину зовут Барбара, но он не смог вспомнить ее фамилию; просто сказал, что раньше видел ее с Таймуллой Ажаром. Из того, что он нам рассказал... Я думаю, что это та самая женщина, которая приезжала к нам вместе с Ажаром в прошлом году, когда он разыскивал Анжелину. Мы просим только...

– Ты, что, думаешь, что твои мольбы дадут нам то, чего мы хотим? – набросился на жену Упман. – Послушай меня. Это тебе не терпелось появиться здесь, и вот теперь мы здесь, и тебе лучше заткнуться, черт побери, и предоставить мне все уладить.

Лицо миссис Упман покраснело от гнева.

– Твои слова не приближают нас к Хадии, – сказала она мужу.

– Ничего, очень скоро я приведу тебя к твоей Хадии.

Все это время Джудитта Ди Фазио шепотом переводила Сальваторе смысл сказанного. Он посмотрел на англичанина, сощурив глаза, и подумал, не посадить ли его в камеру, чтобы малость охладился. Однако вместо этого он сказал Джудитте:

– Переведите им, что они приехали слишком поспешно. Мы сейчас получаем свидетельства, которые доказывают, что отец Хадии невиновен во всем, что касается смерти ее матери. Большего я пока сказать не могу, но профессора освободят из-под стражи в ближайшие часы. И он, по-видимому, будет не очень доволен, когда узнает, что во время его заключения его дочь отдали каким-то людям с улицы, которые заявили на нее свои права. Мы в Италии так не поступаем.

Лицо Упмана застыло.

– «Люди с улицы»? Да как вы смеете?! Вы что, хотите сказать, что мы сели на самолет, чтобы прилететь сюда и... что сделать? Украсть ребенка, который по всем законам *наш*?

– Я не говорю о том, что вы хотите ее похитить, так как вы сами сказали, что хотите забрать ее в Англию и держать при себе до тех пор, пока эта ситуация не разрешится. На это я вам сообщаю, что она разрешилась, хотя бы в той части, которая касается профессора Ажара. Поэтому, хотя с вашей стороны было очень мило прилететь в Италию – полагаю, за вами послал синьор Мура? – оказывается, что ваша поездка не была необходима. *Professore* никоим образом не виновен в смерти матери Хадии, как это доказывает произведенное мною расследование. Он будет освобожден уже сегодня.

– Хочу сказать вам, – вмешался Упман, – что меня совсем не волнует, виновен или нет этот грязный пак.

Его жена резко окликнула его по имени и положила руку ему на локоть. Он стряхнул ее и снова набросился на женщину:

– Да заткнись ты, черт тебя побери. – Затем обратился к Сальваторе: – У вас есть выбор. Вы или говорите мне, где находится этот крысеныш Анжелины, или вам придется столкнуться с разбирательством на международном уровне, после которого от вас вряд ли что-нибудь останется.

Ло Бьянко отчаянно пытался держать себя в руках, хотя знал, что все эмоции написаны на его лице. Англичане, подумал он, должны быть спокойными, вежливыми и рассудительными. Конечно, есть футбольные хулиганы, чья репутация летит впереди них, но этот мужчина не походил на футбольного хулигана. Что с ним случилось? Какая-то болезнь, которая выгрызает его мозг и уничтожает его манеры?

– Я хорошо вас понимаю, синьор, – ответил он. – Но я ничего не знаю об этой англичанке... Как, вы сказали, ее зовут?

– Барбара, – ответила миссис Упман. – Ни я, ни Лоренцо, мы не можем вспомнить ее фамилию. Но кто-то же должен знать, где она. Люди должны зарегистрироваться, когда они заселяются в гостиницу. Наши паспорта тоже забрали, и нас зарегистрировали, поэтому я думаю, что найти ее – это не такая уж невыполнимая задача.

– *Si, si,* – сказал Сальваторе. – Думаю, что найти ее можно, но только зная фамилию. А только лишь по имени... Это нереально. Я не представляю, где эта женщина... Барбара, может быть. Я также не понимаю, зачем она забрала Хадию у синьора Муры. Он не информировал об этом ни меня, ни моих коллег, а в этом случае...

– Она сделала это потому, что пак велел ей это сделать, – рявкнул мистер Упман. – Все, что она делает, она делает ради этого пака. Могу поспорить, что она раздвигает для него ноги с того момента, как Анжелина сбежала от него в прошлом году. Этот ублюдок своего не упустит, и то, что она уродливая корова, не значит...

– *Basta,* – объявил Сальваторе. – Я ничего не знаю об этой женщине. Заполните заявление о пропаже человека, и закончим на этом. Больше нам говорить не о чем.

Его кровь кипела, когда он вышел из комнаты. По пути к Даниэлю Бруно старший инспектор остановился у кофейной машины. Он не верил, что эспрессо успокоит его нервы – скорее наоборот, – но ему нужна была передышка, чтобы подумать, а это был единственный способ получить ее.

Сальваторе должен был остановиться после того, как второй раз соврал в отношении Барбары. А остановившись, спросил себя: почему он это делает? Ведь любой нормальный, рационально мыслящий человек на данном этапе вышвырнул бы ее из *questura* к чертовой матери. Потому что она олицетворяла собой проблему, с которой Сальваторе совершенно не хотел быть связанным; он и так уже давно плавал в опасных политических водах. Поэтому Ло Бьянко должен был задать себе вопрос: о чем он думает, пряча эту женщину в собственном доме и заявляя, что не знает, где она? И он должен был спросить себя, почему в беседе с детективом инспектором Линли не признался в том, что он, старший инспектор Сальваторе Ло Бьянко, видел ее связь с этим ковбоем собственными глазами. А теперь, ко всему прочему, появился этот вопрос об ее интимной связи с Таймуллой Ажаром. Упман был психом, *certo*, но разве сам Сальваторе не видел с самого начала, что в визите Барбары в Лукку просматривалось нечто большее, чем просто беспокойство соседки о маленькой девочке?

Итак, доверять ей он не может. Но он хотел доверять ей. И не понимал, что это все означало.

Сальваторе залпом допил остатки своего *caffe* и направился к комнате для допросов, где его ждали Даниэле Бруно и его адвокат. Он как раз поворачивал за угол, чтобы подойти к комнате, когда ее дверь открылась. Из нее вышла Барбара Хейверс, и что-то в ее поведении...

Сальваторе спрятался за угол. Когда он осторожно выглянул, то увидел, что женщина направляется в дамский туалет. При этом она достает из сумки свой мобильный.

Лукка,
Тоскана

Все внутри Барбары тряслось, когда она наблюдала, как минуты складываются в полчаса, а затем и в три четверти часа. Когда Даниэле Бруно полностью зарядили, то решили проверить, как работает микрофон, пока ждали возвращения Сальваторе. Оказалось, что микрофон сломан, и понадобился новый. Барбара смотрела на часы, наблюдала, как истекают минуты, со скоростью раза в два превосходящей нормальную, и понимала, что ей необходимо что-то предпринять.

Митчелл Корсико ждать не будет. У него была история, превосходящая все, что он посылал из Италии до этого. И если она не предложит ему что-то еще более интригующее, он пошлет эту историю в Лондон, не беря в голову, сколько людей от этого пострадают. Она должна остановить его, или договориться с ним, или припугнуть его... но она должна что-то сделать. Правда, Барбара не понимала что. Но сначала надо ему позвонить. Поэтому через сорок пять минут ожидания Сальваторе она извинилась и направилась в туалет. Войдя туда, заглянула во все три кабинки, прежде чем заперлась в самой дальней, и, набрав номер журналиста, сказала:

– Это требует больше времени, чем я рассчитывала.

– Это точно, – услышала она лаконичный ответ.

– Я тебе не вру и не тяну время. Здесь появились эти проклятые Упманы, и...

– Я их видел.

– Черт побери, Митчелл. Да где ты сидишь? Ты не должен высовываться. Сальваторе уже что-то унюхал...

– Вот ты с этим и разберись.

– О-о-о, черт! Послушай меня. Мы уже зарядили парня микрофоном.

– Имя?

– Я же уже объяснила, что не могу его назвать. Если Мура не клюнет с первого раза, нам придется попробовать еще раз. Потому что сейчас это слово одного парня против слова другого. А на этом обвинения не построишь.

– Не пойдет, Барб. Я должен послать статью Родни.

– Материал у тебя будет, как только он появится у меня. Послушай меня, Митчелл. Ты сможешь присутствовать при освобождении Ажара. Ты сможешь сфотографировать, как он встретится с Хадией. Это все будет твой эксклюзив. Но тебе надо немножко подождать.

– Ну, у меня уже есть один эксклюзив, – заметил журналист.

– Попробуй использовать его, и нашим отношениям конец, Митчелл.

– Дорогая, если я его использую, то тебе тоже конец. Поэтому спроси себя, нужна ли тебе такая игра?

– Конечно, нет. Что бы ты ни думал, я не идиотка.

– Счастлив это слышать. Тогда ты понимаешь, что со своей стороны я с удовольствием дал бы тебе столько времени, сколько нужно, чтобы ты сообщила все имена, даты, кто, когда и почему. Но в моей работе время играет ключевую роль. Сроки, Барб.

Именно так это называется. И меня, в отличие от тебя, сроки поджимают.

Барбара лихорадочно думала. Она понимала, какая катастрофа случится не только с ней, но и с Ажаром, если Митчелл Корсико пошлет статью, которую он накропал на основе материалов Дуэйна Доути. В этом случае ее следующей работой – и то лишь в случае колоссального везения – будет чистка мусорных ящиков в Саутэнд-он-Си[1]. А Ажару тем временем придется предстать перед судом по обвинению в похищении ребенка, или, если ему каким-то образом удастся выбраться из Италии до того, как эти обвинения будут предъявлены, ему придется посвятить следующие несколько лет своей жизни борьбе в судах против экстрадиции в Италию.

– Послушай меня, Митчелл, – сказала женщина. – Я дам тебе все, что смогу. Будет расшифровка разговоров между нашим человеком и Лоренцо Мурой. Я обещаю прислать тебе ее. Твой друг, итальянский журналист, переведет тебе ее, и...

– И я лишусь эксклюзива? Маловероятно.

– Ну хорошо, тебе ее переведет кто-то другой... Альдо Греко, адвокат Ажара... и тогда у тебя будет достаточно материала.

– Классно. Отлично. Великолепно.

«Слава богу», – подумала Барбара. Но тут Корсико добавил:

– Если я все это получу до полудня.

Он отключился, когда Барбара выкрикнула его имя. Она громко прокляла его и подумала о том, что неплохо было бы утопить свой мобильный в унитазе. Вместо этого она вышла из своей кабинки, открыла дверь – и врезалась прямо в Сальваторе.

Лукка
Тоскана

Сальваторе не мог врать самому себе относительно сути телефонного звонка, который только что сделала Барбара Хейверс. Он слышал, как сержант произносила имя «Митчелл», и он слышал волнение в ее голосе. Но даже если бы он этого не услышал, выражение ее лица сказало бы ему, что доверять ей было большой ошибкой. Старший инспектор мельком подумал, почему это предательство так его расстроило. Он решил, что все это потому, что она была гостем в его доме, потому что она была его коллегой-полицейским и потому, что он только что защитил ее от этих отвра-

[1] Морской курорт в Восточной Англии.

тительных Упманов. Странно, но Ло Бьянко считал, что она у него в долгу.

Хейверс начала что-то беспорядочно объяснять, не задумываясь о том, что итальянец не понимает ни слова из того, что она говорит. Он видел, что Барбара просит его найти кого-нибудь, кто мог бы перевести ее слова. Сальваторе узнал слова *чертов, проклятый, долбаный и преисподняя*; кроме того, ее речь было сдобрена именами Ажар, Хадия и упоминаниями Лондона. Когда старший инспектор кивнул на ее мобильный и тихо спросил: «*Parlava a un giornalista, neverro?*»[1], он увидел, что она прекрасно поняла, о чем он спросил.

– Да, да, хорошо, это был журналист, – ответила Барбара, – но вы должны попытаться понять меня потому что у него есть информация которую он получил от одного парня в Лондоне и эта информация утопит и меня и Ажара и Ажар потеряет все включая Хадию и вы должны понять ради любви к Богу что он не может потерять Хадию потому что если он потеряет ее то он потеряет все почему почему почему вы не говорите по-английски потому что мы все это могли бы обсудить и я смогла бы вам все объяснить потому что я вижу по вашему лицу что вы тоже принимаете это близко к сердцу как будто я вам его проткнула кинжалом черт побери Сальваторе черт черт черт.

Сальваторе ничего не понял, потому что для него это прозвучало как одно длинное-длинное слово. Он кивнул на дверь женского туалета, сказал «*mi segua*», и она пошла за ним в комнату для допросов, где ожидал своей участи Даниэле Бруно.

Ло Бьянко открыл дверь этой комнаты, но вместо того, чтобы зайти, сказал, что ему надо решить небольшую проблему, прежде чем они продолжат. Этой небольшой проблемой оказалось приглашение Барбары в другую комнату, где он попросил ее сесть, жестом указав на стул по другую сторону стола, и сказал:

– *Il Suo telefonino, Barbara*[2].

Чтобы убедиться, что Хейверс правильно поняла его, он достал собственный мобильник и показал на него. Она спросила: «Почему? Почему?», это Сальваторе понял. Однако он просто повторил свою просьбу, и она отдала ему телефон. Инспектор видел: она боится, что Ло Бьянко сейчас перезвонит по последнему номеру, однако он не собирался этого делать. Он знал, кому она звонила. Но, пока старший инспектор жив, больше она звонить не будет.

---

[1] Вы говорили с журналистом, правильно? (*итал.*).

[2] Ваш телефон, Барбара (*итал.*).

Сальваторе убрал ее телефон в карман. Ее вскрик не нуждался в переводе.

– *Mi dispiace, Barbara. Deve aspettare qui, in questura adesso*[1], – сказал Ло Бьянко.

Он не мог позволить, чтобы она еще раз предала его в будущем. У него не было другого выхода, кроме как запереть ее в комнате, пока не будет сыграно следующее действие их маленькой драмы.

– Нет! Нет! – закричала она. – Вы должны понять, Сальваторе. У меня не было выбора. Если бы я не согласилась на сотрудничество... Вы не знаете, что есть у него в распоряжении вы не знаете что я сделала и вы не знаете как это разрушит мою жизнь и жизнь Ажара и если это случится то Хадии придется жить с этими ужасными людьми а я знаю какие они и как они относятся к Хадии ведь она им совсем не нужна и они совсем не хотят ее видеть а у нее больше никого нет потому что семья Ажара... пожалуйста пожалуйста пожалуйста.

– *Mi displace*, – повторил Ло Бьянко. Ему действительно было жаль.

Он тщательно запер ее в комнате и вернулся к Даниэле Бруно и Рокко Гарибальди. После стаканчика вина для снятия напряжения Бруно позвонил Лоренцо Муре с телефона с записывающим устройством. Все было очень просто. Бруно кратко сказал, что им надо встретиться. Полиция приходила в «ДАРБА Италия». Обстановка накаляется.

Мура колебался, Бруно был настойчив. Они решили встретиться в том месте, которое выбрал Сальваторе: там ничто не загораживало обзор и не препятствовало качественной записи. Через час в Парко Флувиале, там, где Мура тренирует ребятишек. Лоренцо согласился и обещал, что будет. Казалось, что, хотя он и слегка взволнован, он ничего не подозревает.

Рокко Гарибальди отправился с ними. Они с Ло Бьянко ехали в белом фургоне, который, как объяснил Сальваторе, будет стоять у летнего кафе в ста метрах от площадки, использовшейся Мурой. В это время года, в такой прекрасный день в кафе будет очень много людей. Парковка будет полна. На такой фургон, как их, никто не обратит внимания. Любой, кто его увидит, решит, что водитель просто зашел в кафе выпить чего-нибудь прохладительного.

Естественно, Даниэле Бруно поедет на своей машине и оставит ее на маленькой парковке рядом с полем. Он выйдет из машины

---

[1] Простите, Барбара. Вам придется подождать в полицейском участке (*итал.*).

и будет ждать за одним из двух столиков для пикников под деревьями. Сальваторе будет все время его видеть. Когда появится Лоренцо Мура, они пройдут на парковку. В этом случае за ними будет легче наблюдать из кафе. Бруно будет находиться под постоянным наблюдением, на случай, если ему придет в голову подать Муре какой-нибудь знак, что их прослушивают.

Так как Сальваторе и все остальные были совсем недалеко от Парко Флувиале, они прибыли на место через пятнадцать минут. Бруно занял свою позицию, белый фургон припарковали таким образом, чтобы Даниэле постоянно был на виду, а потом, проверив аппаратуру, провели оставшиеся сорок минут в ожидании.

Мура не появился. Прошло еще десять минут сверх оговоренного часа. Бруно встал из-за стола и стал расхаживать по площадке. В наушники Сальваторе очень хорошо слышал, как тот повторял: «*Merda, merda*».

Еще десять минут. Бруно заявил в микрофон, что Мура совершенно очевидно не появится. Сальваторе позвонил ему на мобильник и сказал: нет, мой друг, мы будем ждать. И они продолжили ожидание.

Мура появился с тридцатиминутным опозданием. Он заговорил первым, вылезая из машины:

– О чем это ты хочешь поговорить, о чем нельзя поговорить по телефону?

Голос его звучал резко и агрессивно, однако было видно, что пока он спокоен.

Бруно ответил, как его проинструктировали:

– Мы должны поговорить об Анжелине и о том, как она умерла, Лоренцо.

– О чем ты говоришь?

– О кишечной палочке и о том, как ты собирался ее использовать. И что ты мне об этом сказал. Мне кажется, что ты мне соврал, Лоренцо. Ты не собирался проводить никаких экспериментов в винограднике.

– И из-за этого ты пригласил меня сюда? – спросил Мура. – Ты о чем думаешь, приятель? И почему ты так нервничаешь, Даниэле? Ты потеешь, как поросенок.

Он внимательно осмотрелся, и на секунду Сальваторе показалось, что Мура смотрит прямо ему в глаза. Но было невозможно представить себе, чтобы Лоренцо видел что-то, кроме белого фургона, припаркованного среди других машин на приличном расстоянии от того места, где стоял он сам.

– Полиция приходила в «ДАРБА Италия», – сказал Бруно.

Лоренцо внимательно взглянул на него.

– Это ты мне уже говорил. И что дальше?

А дальше – ложь, о которой они договорились. Сальваторе молился, чтобы у Бруно хватило духа произнести ее:

– Кто-то видел, как я брал *E. coli*. Сначала он об этом даже не задумался. Он даже не был уверен, *что* именно видел. И ни о чем не думал, пока эта история про смерть Анжелины не появилась в «Прима воче». Но и тогда он не очень задумывался... до того момента, пока не появилась полиция.

Сначала Лоренцо ничего не сказал. Сальваторе в бинокль наблюдал за его лицом. Мура закурил сигарету и сощурил глаза от табачного дыма. Потом пальцами снял с языка несколько крошек табака. Наконец произнес:

– Даниэле, ты о чем говоришь?

– Ты знаешь о чем. Эта *E. coli*, это был специальный штамм... Полиция задает серьезные вопросы. Если Анжелина умерла от кишечной палочки и если ее обнаружили при вскрытии... Лоренцо, что ты сделал с бактерией, которую я тебе дал?

Сальваторе задержал дыхание. Слишком много зависело сейчас от ответа Муры. Наконец он сказал:

– И ради этого мне пришлось тащиться на встречу с тобой из самой *fattoria*? Чтобы рассказать тебе, что я сделал с этой бактерией? Я спустил ее в туалет, Даниэле. Она не пригодилась мне, как я рассчитывал... в этом эксперименте с вином... поэтому я спустил ее в туалет.

– А как же тогда Анжелина умерла от кишечной палочки, которую обнаружили у нее в организме, Лоренцо? Полиция не хотела, чтобы об этом стало широко известно. Об этой кишечной палочке, которая убила Анжелину. Они скрывали это как причину ее смерти.

– Ты что несешь? – взорвался Лоренцо. – Я ее не убивал. Она носила моего ребенка. Она собиралась стать моей женой. Если она умерла от кишечной палочки... Ты, как и я, знаешь, что эту бактерию можно найти повсюду, Даниэле.

– Правильно, но не этот штамм, Лоренцо. Послушай, полиция приходила в «ДАРБА Италия»...

– Да слышал я это уже.

– Они говорили с Антонио, они говорили с Алессандро. Они просекли эту связь, и рано или поздно они захотят поговорить со мной, а я не знаю, что им отвечать, Лоренцо. Если я скажу им, что *отдал E. coli* тебе...

– Не смей!

– Но я же отдал ее тебе. Если уж мне придется врать ради тебя, то я хочу знать...

– Тебе ничего не надо знать! Они ничего не смогут доказать. Кто видел, как ты мне ее передавал? Никто. Кто видел, что я с ней сделал? Никто.

– Друг мой, я не хочу, чтобы меня арестовали за то, что я сделал. У меня есть жена. У меня есть дети. Моя семья – это всё для меня.

– Так же, как моя могла бы стать всем для меня. Как она *могла бы быть*, если бы не появился он. Ты говоришь о своей семье, тогда как мою он уничтожил.

– Кто?

– Мусульманин. Отец дочери Анжелины. Он приехал в Италию. Он хотел получить ее назад. Я все это мог предвидеть: потерю ее, потерю своего ребенка, потому что она уже уходила так от других... – Голос Лоренцо надломился.

– Так это было для него? – спросил Даниэле. – Кишечная палочка, Лоренцо? Она предназначалась мусульманину? Для чего? Чтобы он заболел? Или умер? Для чего?

– Не знаю, – Лоренцо заплакал. – Просто для того, чтобы избавиться от него, чтобы она никогда его больше не видела, чтобы больше не называла ласкательными именами, чтобы больше не разрешала ему дотрагиваться до себя или ухаживать за собой, когда я стою рядом и все это вижу... вижу эти их *чувства*.

Он поковылял к одному из столиков для пикника и, упав на одну из скамеек, зарыдал, закрыв лицо руками.

– *Va bene*, – сказал Сальваторе, снимая наушники, и связался по радио с патрульными машинами, которые стояли в отдалении и ждали его сигнала. – *Adesso andiamo*[1], – сказал он в микрофон.

Материалов было достаточно. Пора было призвать Лоренцо Муру к ответу.

Лукка,
Тоскана

Мура поднял голову, услышав визг покрышек по гальке на парковке. Он увидел полицейские машины и не стал смотреть, что делает белый фургон, направлявшийся к ним по виа делла Скольера от летнего кафе. Он сразу же понял, что происходит. И побежал.

---

[1] Теперь вперед (*итал.*).

Лоренцо был очень быстр – футболист с прекрасной скоростью и такой же выносливостью. Он бросился через поле, на котором тренировал мальчиков. Прежде чем Сальваторе успел выпрыгнуть из подъехавшего фургона, Мура уже пересек его. За ним гнались четверо полицейских в форме.

Лоренцо быстро исчез среди деревьев на дальнем краю поля. Он направлялся на юго-запад, и Сальваторе знал, что за теми деревьями начинается крутой – заросший в это время года травой – склон, по гребню которого была протоптана пешеходная тропинка.

Его офицеры не могли соревноваться с ним в скорости. Они очень быстро потеряют его. Но сейчас для Сальваторе это было не важно. Как только он увидел, в каком направлении бежит Мура, то сразу понял, куда тот направляется.

Ло Бьянко сказал «*basta*» скорее самому себе, чем окружающим. Он повернулся, кивком поблагодарил Даниэле Бруно за проделанную работу и оставил его на попечение у *avvocato* и офицеров из белого фургона, которые записывали разговор. Они отвезут его в *questura*, где и отпустят. А сам Сальваторе займется Мурой.

Он сел за руль одной из полицейских машин и поехал на северо-восток по виа делла Скольера, вдоль реки Серхио. Река сверкала в послеполуденном солнце. Старший инспектор опустил окно, чтобы насладиться легким ветерком.

У входа в парк он направился в центр города, но не проехал дальше аллеи, окружающей древнюю стену. Вместо этого он предпочел двигаться по улицам северных предместий, прилегающим к Борго Джианотти. Ло Бьянко ехал по улице с великолепными садами, спрятанными за высокими стенами. На пару минут его задержал большой грузовик, пытавшийся припарковаться так, чтобы можно было выгрузить новую мебель, предназначенную для жителей только что приобретенного дома. Несколько нетерпеливых водителей стали сигналить, не желая простаивать в ожидании, однако Сальваторе это не волновало. Когда он, наконец, смог проехать, то направился чрез плацетто делло Спорт и мимо Кампо КОНИ. Наконец Сальваторе достиг своей цели: *cimitero comunale*.

На главной парковке стояли машины и велосипеды, однако не было признаков того, что в этот день за высокими и молчаливыми стенами кладбища проходили похороны. Ворота, как всегда, были открыты, и Сальваторе прошел в них с должным уважением. Он перекрестился перед траченной погодой и птичьим пометом скульптурой Христа и Святой Девы Марии. Торжественный мавзолей за их спинами выглядел угрожающе, однако на лицах скульптур был написан мир и покой.

Инспектор прошел по гравийной тропинке, над которой висел аромат цветущих растений и по бокам которой солнце отражалось от наверший мраморных памятников. На его пути через большую квадратную площадь поднимались все новые и новые памятники, как символы его приближения к Лоренцо Муре.

Он был там, где Сальваторе и ожидал его увидеть: на могиле Анжелины Упман; лежал на куче высохшей земли, которая будет здесь до тех пор, пока мраморный памятник не скроет место последнего упокоения Анжелины. И в этой сухой и теплой пыли Лоренцо рыдал.

Сальваторе решил дать ему выплакаться и несколько минут не приближался к нему. На горе этого человека было страшно смотреть, однако Сальваторе выдержал и это. Что еще раз напомнило ему о цене любви, и он спросил себя, хотел бы он сам еще раз испытать такое чувство по отношению к женщине?

Наконец, когда рыдания Муры стали затихать, Ло Бьянко подошел к мужчине и взял его за руку – твердо, но не жестко.

– *Venga, signore*, – сказал он Лоренцо, и тот встал без вопросов, протестов или попыток сопротивления.

Сальваторе вывел его с кладбища и посадил в полицейскую машину. Им предстоял короткий путь до *questura*.

Лукка,
Тоскана

Сначала Барбара барабанила в дверь, как плохая актриса в таком же плохом сериале. В первый раз к ней пришла Оттавия Шварц, чтобы проверить, не подвергается ли она опасности и не нужно ли ей срочно чего-нибудь. Барбара попыталась объясниться, протолкаться мимо нее из камеры, уговорить, убежать. Но Оттавия не говорила по-английски, а если бы даже и говорила, было ясно, что Сальваторе оставил ей четкие инструкции. Так же, как и всем остальным, потому что больше никто не приходил на ее крики после того, как ее посетила Оттавия Шварц.

Все, что было надо Хейверс, это мобильный телефон. Она попыталась объяснить это Оттавии Шварц: жестами, мимикой, словом *telefonino*, которое ей удалось вспомнить. Барбара умоляла, просила и пыталась объяснить, что все, что она хочет, это сделать один короткий телефонный звонок... Но ей это не удалось.

Барбару оставили смотреть, как проходит время. Она наблюдала это по настенным часам. Она видела это на дешевых часах, которые носила сама. Когда прошел срок, озвученный Митчеллом Корсико, сержант попыталась уговорить себя, что журналист просто блефовал. Однако она понимала, что на этот раз его статья была настоящей бомбой. Это был материал для первой страницы, а Митчелл хотел восстановиться на первой странице. Каждый репортер уровня Корсико мечтал об этом: имя на первой полосе, которое заставляет дрожать любого, кому есть что терять от публикации на первой странице таблоида, сделанной в лучших традициях «Сорс». Хейверс знала это уже тогда, когда только связалась с этим типом.

Она металась по комнате. У нее были сигареты, поэтому она курила. Кто-то принес ей бутерброд, к которому она не притронулась, и бутылку минеральной воды, из которой она не выпила ни капли. Один раз женщина-офицер проводила ее в туалет. И всё.

К тому моменту, как ее выпустили, прошло несколько часов. За ней явился сам Сальваторе. За это время много чего произошло. Лоренцо Мура был арестован, доставлен в *questura* и допрошен. Сейчас выполнялись последние формальности.

– *Mi dispiace*, – сказал Сальваторе. У него были невероятно грустные глаза.

– Да, – сказал Барбара, – мне тоже очень жаль. – Когда старший инспектор протянул ей мобильный, она спросила: – Вы не возражаете?..

– *Vada, Barbara, vada*[1], – ответил он ей, вышел и прикрыл дверь. Он не стал запирать ее.

Барбара подумала, что комната может прослушиваться, и вышла в коридор. Она набрала номер Митчелла Корсико.

Конечно, было слишком поздно.

– Прости, Барб, – сказал Митч, – но каждый должен выполнять...

Она отключилась, не дослушав до конца, и пошла в кабинет Сальваторе. Тот говорил по телефону с кем-то, кого звали Пьеро, но, увидев Барбару, закруглил разговор и встал.

Она с трудом заговорила:

– Я бы хотела, чтобы вы поняли. Понимаете, у меня не было выбора. Из-за Хадии. А теперь... теперь будет еще хуже из-за того, что случится, и у меня опять нет выбора. Никакого. В самых главных вещах. И вы опять ничего не поймете, Сальваторе. Вы поду-

---

[1] Идите, Барбара, идите (*итал.*).

маете, что я еще раз предала вас, и, наверное, так оно и будет выглядеть, но что мне остается делать? Статья, очень большая, будет опубликована завтра в одном из самых популярных таблоидов. Эта статья будет обо мне и об Ажаре; она будет о том, что произошло и кто это спланировал; она будет о том, как нанимались определенные люди для похищения Хадии, и о том, как со счета на счет переводились деньги, и все это будет очень грязно выглядеть. Ваши таблоиды ее наверняка перепечатают, но даже если и нет, то инспектор Линли позвонит вам и расскажет всю правду. Понимаете, я не могу позволить всему этому случиться, хотя я уже не смогла помешать отправке этой статьи в Лондон. – Она прочистила горло и сказала, шевельнув губами, из которых как будто сочилась кровь: – И мне очень жаль, потому что вы действительно очень порядочный парень.

Сальваторе внимательно слушал. Барбара видела, какие усилия он прилагает, чтобы хоть что-то понять. Но ей показалось, что понял он только имена: Ажар и Хадия. В ответ Ло Бьянко стал говорить о Лоренцо Муре, об Ажаре и Анжелине. Из этого Хейверс догадалась, что он хочет рассказать ей, что Мура признался в том, в чем она его и подозревала: целью кишечной палочки был Ажар. Это он должен был выпить вино с бактерией.

Барбара кивнула, когда инспектор сказал ей:

– *Avera ragione, Barbara Havers. Aveva proprio ragione*[1].

Ей показалось, что инспектор говорит о том, что она была права с самого начала, однако это не доставило ей никакого удовольствия.

МАЙ, 19-е

Лукка,
Тоскана

Барбара проснулась в половине пятого утра, оделась и села на край кровати. Она смотрела, как спит Хадия, которая ничего еще не знает о тех изменениях, которые скоро произойдут в ее жизни.

Никому не удастся организовать международное похищение ребенка и выйти при этом сухим из воды. Через несколько часов Ажара освободят, и он сможет уехать со своим ребенком в Лондон, но, когда раскроется вся эта история, тот ад, который последует

[1] Вы были правы, Барбара Хейверс. Вы были правы (*итал.*).

вслед за этим, уничтожит его и как личность, и как профессионала, а кроме того, его финансовые потери будут огромны – Интерпол об этом позаботится. Итальянское обвинение тоже об этом позаботится. Экстрадиция тоже об этом позаботится. Следствие в Лондоне тоже об этом позаботится. И, конечно, семейка Упманов тоже внесет в это свою лепту.

Барбара понимала, что должна срочно заняться решением этой проблемы и постараться не наделать ошибок. У нее было очень мало времени, и ей необходима была помощь Альдо Греко.

Она позвонила ему поздно вечером накануне. Адвокат уже был в курсе ареста Лоренцо Муры и того, что с Ажара снимаются все обвинения в связи со смертью Анжелины Упман. Поэтому, когда Барбара сказала, что для психического здоровья Хадии – девочке пришлось пройти через эмоциональный ад – было необходимо, чтобы она встретилась с отцом как можно быстрее, он не стал спорить. К сожалению, объяснил Греко, с утра он должен быть в суде. Но сейчас же позвонит инспектору Ло Бьянко и все организует.

– Не могли бы вы попросить его... – сказала Хейверс. – Мне бы очень хотелось... Дело в том, что между мной и им пробежала кошка...

– Кошка? – не понял адвокат.

– Мы не сошлись во мнениях. Просто у нас языковой барьер. Я очень старалась, чтобы он меня понял. Дело в том, что я хотела бы переговорить с Ажаром до того, как он увидит Хадию. Все, что случилось за последнее время... Это сильно потрясло ее, и ему надо об этом знать, прежде чем они увидятся. Ну, просто чтобы он немного подготовился.

– А-а-а, *capisco*. Ну, это я тоже улажу.

Что Греко и сделал, очень быстро и эффективно – настоящий профессионал, у которого нет неважных моментов в работе. Все было организовано менее чем за тридцать минут.

Ажар будет готов к освобождению утром. Сальваторе сам поедет в тюрьму, чтобы забрать его. Он возьмет Барбару с собой и даст ей возможность переговорить с Ажаром, для того чтобы приготовить его к встрече с дочерью.

Естественно, что с Хадией все было в полном порядке. Многое из того, что происходило, она просто не понимала, и в будущем ей придется многое припоминать. Как большинство детей, она жила только настоящим. Мать Сальваторе опекала ее, как ангел. До тех пор, пока Хадия хотела учиться готовить итальянские блюда и быстро запоминала десятки католических святых, картинки которых показывала ей синьора Ло Бьянко, все было прекрасно.

Барбара вышла прогуляться. Она позвонила Митчеллу Корсико в надежде, что тот передумал. Она думала, что его может заинтересовать история о воссоединении – Отец и Похищенная Дочь Наконец Вместе, – как более интересная, чем та, которую он накропал, основываясь на информации Доути. Но даже когда Хейверс робко об этом подумала, она уже знала, что все напрасно. Скандалы, связанные с международным похищением детей, всегда будут иметь более высокий рейтинг, чем частные истории о воссоединении отцов и детей. А если в этот скандал добавить участие в преступлении самой Барбары... Нет, надежд не было никаких.

– Прости, Барб, – еще раз сказал Митчелл. – Что я мог сделать? Но послушай, тебе надо взглянуть на статью. Ты не сможешь купить бумажную копию здесь, в Лукке, если только не знаешь, где есть киоск с английскими газетами. Но если ты посмотришь в Сети...

И еще раз Барбара разъединилась, не дослушав. Она узнала все, что хотела. Теперь ей надо было переговорить с глазу на глаз с Ажаром.

Хейверс видела, что Сальваторе не доверяет ей, но, как отец девочки возраста Хадии, он был готов сделать все для благополучия ребенка. Барбара не знала, что именно Альдо Греко сказал старшему инспектору, но, что бы то ни было, оно сработало. Прежде чем они разошлись по своим спальням накануне вечером, Сальваторе назначил время поездки за Ажаром и точно выполнил свое обещание.

По дороге они молчали, да и как могло быть иначе, когда ни один из них не говорил на языке другого.

Барбара видела, что нанесла итальянцу тяжелый удар, и больше всего на свете она хотела бы, чтобы он понял, почему она сделала то, что сделала. Естественно, Сальваторе считает, что она получает деньги от «Сорс». Любой бы так считал. Полиция по всему миру была коррумпирована – не вся, конечно, но таких тоже хватало, – поэтому старший инспектор имел полное право считать, что Барбара была инсайдером на зарплате у самого грязного таблоида в Лондоне. То, что это было не так... А как она могла это объяснить? Действительно, кто бы поверил ей, говори она хоть на десятке языков?

– Мне чертовски жаль, что вы не говорите по-английски, Сальваторе, – опять сказала ему Барбара. – Вы думаете, что я вас предала, но это не было предательством, и я не хотела делать больно лично вам. Дело в том... Вы действительно мне нравитесь, приятель. А теперь... с тем, что должно произойти... Но опять это не будет удар лично по вам. Хотя это и будет похоже. Черт побери, это будет выглядеть так, как будто я использовала вас, чтобы опять предать. Но поверьте мне, это не так. Нет. Боже, я надеюсь, что когда-нибудь вы это поймете. Я хочу сказать, я вижу, что потеряла ваше доверие и те добрые чувства, которые вы ко мне испытывали; поверьте, я вижу это на вашем лице, когда вы на меня смотрите. Я об этом безумно сожалею, но выбора у меня нет. У меня его никогда и не было. По крайней мере, я его никогда не видела.

Ло Бьянко взглянул на Хейверс. Они ехали по *autostrada*, и движение было очень напряженным: легковые машины, грузовики и экскурсионные автобусы, несущие своих пассажиров к новым красотам Тосканы. Сальваторе произнес ее имя очень дружественным тоном, что на секунду дало ей надежду, что она прощена. Но потом он сказал:

– *Mi dispiace ma non capisco. E comunque... parla inglese troppo velocemente*[1].

Ее итальянского уже хватило, чтобы понять, что он хочет сказать. Она достаточно часто слышала от него эти слова. Барбара сказала:

– *Mi* тоже *dispiace*, партнер.

Она отвернулась к окну и стала наблюдать за проносящейся мимо панорамой: зеленые виноградники, прекрасные старые фермы, сады оливковых деревьев, взбирающиеся по склонам холмов, горные деревни в отдалении – и все это в обрамлении безоблачного лазурного неба. Рай, подумала она. А потом грустно добавила: потерянный.

В тюрьме, где содержали Ажара, все уже было оговорено заранее. Он был готов, когда они приехали: не узник в комбинезоне, но джентльмен-профессор, в белой крахмальной сорочке и брюках, которого отпускали с полицейским, расследовавшим его дело, и женщиной, которая была его самым верным другом. *Ispettore* Ло Бьянко держался на приличном расстоянии, когда Барбара и Ажар поздоровались друг с другом.

Она говорила с пакистанцем тихим голосом, когда они шли перед Сальваторе, держа его за руку в манере, демонстрировавшей их дружбу. Наклонившись к нему, Хейверс сказала:

---

[1] Прошу простить, что я не понимаю. И в любом случае... вы говорите по-английски слишком быстро (*итал.*).

– Послушайте, Ажар. Все совсем не так, как выглядит на первый взгляд. Я имею в виду ваше освобождение. Все не так просто.

Он быстро взглянул на нее глазами, полными недоумения.

– Все еще не закончено, – продолжила Барбара.

И она быстро рассказала ему о статье Корсико, которая появится в сегодняшнем утреннем выпуске «Сорс». Рассказала о том, что Доути все выдал Корсико, чтобы спасти собственную шкуру. Имена, адреса, места, передача денег, взломы Интернета – всю возможную информацию. Она, Барбара, пыталась остановить этого проклятого журналиста от написания статьи. Она просила. Она умоляла. И ей это не удалось.

– И что же это значит? – спросил Ажар.

– Вы знаете, Таймулла, вы *хорошо знаете*. Сегодня же днем эту информацию подхватят итальянцы. Когда это произойдет, здесь начнется жуткий шум и гам. Кто-то сравнит факты, и если это будет не Сальваторе, то кто-то другой, кому это поручат. Вас снова задержат. А я сожгла слишком много мостов между мной и Сальваторе, чтобы вам помочь.

– Но ведь, в конце концов... Барбара, в конце концов, они поймут, что у меня не было выхода, после того как Анжелина уехала из Лондона и спрятала от меня Хадию. Они все поймут и...

– Послушайте меня, – сказала женщина, сжимая его руку. – Упманы здесь, в Лукке. Вчера они приходили в *questura*, и могу поспорить, что сегодня они явятся туда же. Они хотят, чтобы Хадию передали им. Сальваторе слегка попридержал их, но как только станут известны подробности похищения... И это сценарий на тот случай, если Батшеба уже не позвонила им из Лондона и не пересказала им статью. В этом случае, поверьте мне, они потребуют Хадию немедленно, потому как что это за отец, который похищает свою собственную дочь и прячет ее у полусумасшедшей, которая считает себя монахиней?

– Я не планировал...

– А кого здесь интересует, что вы планировали, а что нет? Они вас ненавидят, и мы оба знаем, что им нужно опекунство над Хадией, потому что они вас, черт возьми, ненавидят. И они получат это долбаное опекунство. Кого волнует, что девочка для них ничего не значит? Они ведь охотятся на вас.

Ажар молчал. Барбара посмотрела на старшего инспектора, который говорил по мобильному телефону, продолжая держаться от них на приличном расстоянии. Она знала, как мало времени у них осталось. Они и так уже слишком долго разговаривали. Для того чтобы сообщить отцу о состоянии его обожаемого ребенка, столько времени было не нужно.

– Вы не можете вернуться в Лондон, – сказала Хейверс. – И здесь вы тоже не можете оставаться. Куда ни кинь, всюду клин.

Его губы почти не шевелились, когда он произнес:

– Что же мне делать?

– Опять-таки мне кажется, что вы знаете. Выбора у вас нет.

Барбара ждала, пока Таймулла привыкнет к этой мысли, и по выражению его лица она поняла, что это произошло. Он моргнул, и ей показалось, что на кончиках его ресниц она увидела блеск непролившихся слез. Хейверс сказала, хотя ей казалось, что боль от этих ее слов разрывает ей сердце:

– У вас все еще есть там родственники, Ажар. Они примут ее в семью. Она говорит на местном языке. Или, по крайней мере, училась на нем говорить. Ведь вы же сами с ней занимались.

– Она этого не поймет, – сказал он дрожащим голосом. – Как я могу так поступить с ней, после всего того, что она перенесла?

– У вас нет выбора. И потом, там у нее будете вы. И вы сделаете ее жизнь легче. Вы сделаете все, чтобы ее жизнь там была великолепна. И она, в конце концов, привыкнет, Ажар. У нее там будут тети и дяди. У нее будут двоюродные братья и сестры. Все будет хорошо.

– Как я...

Барбара прервала его, решив ответить на тот вопрос, который сейчас был самым важным.

– Ваши паспорта у Сальваторе – скорее всего, в сейфе в *questura*. Он вернет их вам, и мы все втроем поедем в аэропорт. Поцелуи на прощанье, и все такое. Не исключаю, что старший инспектор сам отвезет нас туда, но он не останется дожидаться отлета. Я полечу в Лондон. А вы... туда, откуда можно вылететь в Лахор. В какой-нибудь аэропорт за пределами Италии. Париж? Франкфурт? Стокгольм? Название не важно, до тех пор пока это не Лондон. Вы должны сделать то, что должны, потому что другого выхода у вас нет. И вы знаете это, Ажар. Вы знаете это, черт меня побери.

Таймулла взглянул на нее. Его темные глаза были полны слез.

– А вы, Барбара? Что же будет с вами? – спросил он.

– Со мной? – спросила Барбара как можно беззаботнее. – А я полечу в Лондон отвечать за свои грехи. Я это уже делала, и как-нибудь выкручусь. Лучше всего на свете я умею отвечать за свои грехи.

Лукка,
Тоскана

Сначала они поехали в Торре Ло Бьянко, где Хадия бросилась в объятия своего отца и уткнулась лицом в его шею. Он крепко обнял ее.

– Барбара сказала, что ты помогал Сальваторе, – сказала Хадия. – Ты хорошо ему помог?

Ажар откашлялся, убрал пряди волос с ее лба и с улыбкой произнес:

– Я сделал очень много дел... А теперь нам пора ехать, *Khushi*. И теперь тебе надо поблагодарить синьору и инспектора Сальваторе Ло Бьянко за то, что они так хорошо за тобой ухаживали, пока меня не было.

Девочка так и сделала. Она обняла маму Сальваторе, которая поцеловала ее, расплакалась и назвала ее *bella bambina*; а потом Хадия обняла Сальваторе, который все время повторял: «Niente, niente», пока она благодарила его. Она попросила их сказать *arrivederci* Бьянке и Марко, а затем повернулась к Барбаре:

– Ты тоже едешь домой?

Хейверс сказала, что да. Они очень быстро отнесли свои вещи к тому месту, где Сальваторе оставил свою машину, и отправились в *questura*. Барбара искала признаки того, что первополосная статья Митча Корсико добралась до Италии. Она также искала Упманов на каждом углу и за каждым кустом, пока они ехали по *viale* за городскую стену.

В *questura* все произошло очень быстро, и Барбара была за это очень благодарна Сальваторе. Паспорта вернули Ажару, Хадию оставили в компании Оттавии Шварц и пригласили переводчицу с большим бюстом, с тем чтобы Ажар смог понять рассказ Сальваторе о том, как Анжелина Упман могла умереть, выпив смертельный штамм кишечной палочки. Таймулла прикрыл рот рукой, и было видно, что в глазах его стояла боль. Ажар заметил, что если бы он выпил отравленное питье, то, скорее всего, выжил бы, хотя и серьезно заболел. Но поскольку питье выпила Анжелина, здоровье которой уже было подорвано тяжелой беременностью, врачи лечили ее не от того, от чего нужно. А потом было уже поздно.

– Я не хотел ей зла, – закончил Ажар. – Хочу, чтобы вы знали это, инспектор.

– Однако многие хотели зла вам, Ажар, – вставила Барбара. – Кстати, я уверена, что если бы вы заболели, то не стали бы обращаться в больницу. Вы подумали бы, что подхватили какую-то инфекцию: в самолете, с водой или как-то еще. Вы пережили бы первый приступ, но второй был бы гораздо сильнее. Вы могли потерять почки, а может быть, и умереть. Лоренцо мог всего этого и не знать, но для него это было не важно. Он хотел заставить вас страдать, в надежде, что страдания оттолкнут вас от Анжелины.

Сальваторе выслушал перевод. Барбара бросила взгляд в его направлении, еще раз увидела серьезность его лица, но в то же время заметила доброту в его глазах. Она знала, что должна сказать еще одну вещь, прежде чем гребаная статья Корсико о похищении появится в итальянских газетах, и обратилась к Ажару:

– Не могли бы вы оставить меня на минутку наедине с... – Сержант кивнула в сторону Сальваторе.

Профессор сказал, что конечно, что он пойдет к Хадие, и они будут ждать ее, и оставил ее с Сальваторе и переводчицей, которой Барбара сказала:

– Пожалуйста, объясните ему. Скажите ему, пожалуйста, что в моих поступках не было ничего личного. Я не хотела предавать его или как-то использовать, хотя сейчас понимаю, что именно так все и выглядит. Скажите ему... Понимаете, у меня на шее повис этот лондонский журналист – тот ковбой, которого видел Сальваторе, – и он приехал сюда, чтобы помочь мне помочь Ажару. Понимаете, Ажар и я, мы соседи в Лондоне, и когда Анжелина увезла от него Хадию, он... Сальваторе, он был просто раздавлен. Хадия действительно все, что у него есть в Англии, вся его семья, поэтому я *должна* была помочь ему. И все вот это... Все, что произошло... Вы можете сказать ему, что все это делалось, чтобы помочь Ажару? Ну вот, наверное, и все. Потому что, понимаете, у этого журналиста есть еще одна статья, которую он опубликует... И это, наверное, все, что я должна сказать, правда. А еще я очень надеюсь, что он меня поймет.

Сальваторе слушал перевод, практически синхронный, однако не смотрел на переводчицу. Он не отводил своего взгляда от лица Барбары.

Потом повисла тишина. Хейверс чувствовала, что не может обижаться на него за то, что он не отвечает. Да ей, в общем-то, и не хотелось услышать ответ. Потому что, когда он увидит всю картину происходящего, ему захочется поймать и удушить ее. Поэтому что значило его теперешнее прощение по сравнению с тем, что ждало ее в будущем? Она все равно не представляла, как сможет с этим жить.

– Поэтому я говорю «спасибо» и «прощайте», – сказала Барбара. – Мы возьмем такси до аэропорта и...

Сальваторе прервал ее. Он заговорил тихо, и его голос был полон доброты и сожаления. Барбара подождала, пока инспектор закончит, а затем обратилась к переводчице:

– Что он сказал?

– *Ispettore* сказал, что для него честь познакомиться с вами, – ответила переводчица.

– Нет, он сказал что-то еще. Он долго говорил. Что он еще сказал?

– Он сказал, что организует, чтобы вас отвезли в аэропорт.

Хейверс кивнула, а затем, как по наитию, спросила:

– И это всё?

Переводчица посмотрела на Сальваторе, а затем опять на Барбару.

– Нет. *Ispettore* Ло Бьянко сказал, что любой мужчина на земле будет счастлив иметь такого друга, как вы.

К этому Барбара была не готова. Эмоции сжали ее горло. Наконец она смогла произнести:

– Да, спасибо. *Grazie*, Сальваторе. *Grazie* и *ciao*.

– *Niente*, – ответил Сальваторе. – *Arrivederci, Barbara Havers*.

Лукка,
Тоскана

Сальваторе, как всегда терпеливо, дожидался в приемной Пьеро Фануччи. На этот раз не потому, что Пьеро специально заставлял себя ждать, и не потому, что *il Pubblico Ministero* снимал с кого-то стружку в своем кабинете. Это было связано с тем, что Пьеро еще не вернулся с ленча. Как выяснил Сальваторе, у него состоялась долгая встреча с тремя *avvocati*, которые представляли семью Каспариа. Они явились с обвинениями в незаконном аресте, незаконном содержании под стражей, допросе в отсутствие адвоката, выбивании показаний и причинении ущерба чести семьи. Все это было очень серьезно. В случае если все эти вопросы не будут решены к удовлетворению *la familia Casparia, il Pubblico Ministero* придется предстать перед расследованием его расследования, и он может в этом не сомневаться.

Видимо, услышав эти неприкрытые угрозы, *il Drago* повел себя обычным образом. Он обдал мирных адвокатов пламенем истории про *segreto investigato*. Он не должен им вообще ничего рассказывать, объявил он. Миром правила судебная тайна, а не их жалкие просьбы от имени семьи Каспариа.

Однако это не произвело впечатления на *avvocati*. Если он хочет и дальше вести себя таким образом, сообщили они *magistrato*, это его право. Остальные их замечания остались висеть в воздухе. Он скоро о них услышит.

Все это Сальваторе узнал от секретарши Пьеро. Она присутствовала как стенографистка и с радостью поделилась с ним этой информацией. Ее задачей было пересидеть Пьеро в этом офисе. И она уже давно надеялась, что это произойдет, когда его, наконец, вышвырнут с работы. Сейчас эти шансы выглядели очень реально.

Пока Сальваторе ждал, у него была возможность оценить полученную информацию. Он поместил ее на свои внутренние весы, на которых тщательно взвешивал свой следующий ход, после того как Барбара и ее лондонские соседи уехали. Ему почему-то было очень грустно от того, что эта неухоженная англичанка уехала. Он понимал, что должен испытывать чувство ярости по отношению к ней, но с удивлением обнаружил, что ярости он как раз и не испытывает. Вместо этого Сальваторе почему-то хотел встать на ее сторону. Поэтому, когда позже в *questura* появились Упманы, он предпочел разобраться с ними безо всяких околичностей. «Их внучка находится со своим отцом, – сказал он им через переводчицу. – Насколько он знает, они покинули Италию. Поэтому он ничем не может помочь синьоре и синьору. Он не может помочь им отобрать девочку у ее собственного отца. Он только говорит им «*ma dispiace e ciao*». Если они хотят узнать еще что-то – особенно о смерти своей дочери Анжелины, – то могут обратиться к Альдо Греко, который блестяще говорит по-английски. Если же смерть собственной дочери их не интересует, то они могут вернуться в Лондон. Именно там, а не здесь, они могут вновь поднять вопрос об опекунстве над Хадией».

Ругань синьора Упмана, последовавшая за его словами, не произвела на Сальваторе никакого впечатления. Инспектор оставил его с женой стоящими на проходной, там же, где и встретил их.

Затем раздался звонок от *telegiornalista*, который раздобыл для Барбары и Корсико копию фильма, снятого в тот день, когда Лоренцо Мура поставил стакан с отравой перед Таймуллой Ажаром. Этот мужчина говорил о статье, которая была напечатана в сегодняшнем номере лондонского таблоида. Он первым узнал о ней от репортера, который работал в этом таблоиде, называвшемся «Сорс». Статья была о тщательно разработанном ее отцом плане похищения Хадии. Имена, даты, переводы денег, созданные алиби, нанятые исполнители... Будет ли инспектор Ло Бьянко все это расследовать, хотел знать журналист.

Purtroppo no[1], был ответ Сальваторе. Несомненно, журналисту известно, что дело о похищении было передано несколько недель назад Никодемо Трилье? Посему эта новая информация совершенно не интересовала инспектора.

В таком случае, не знает ли инспектор, где сейчас находятся Ажар и его дочь? Стало известно, что пакистанца выпустили из тюрьмы, в которой он содержался, и забрали его именно инспектор Ло Бьянко с английской полицейской, которая при этом присутствовала. Англичанку звали Барбара Хейверс. Куда инспектор Ло Бьянко их отвез?

«Конечно, сюда, – ответил Сальваторе. – *Professore* забрал свой паспорт и уехал».

Уехал? А куда?

«*Non lo so*», – ответил Сальваторе. С этим он был особенно осторожен. Куда бы они ни направлялись, он не хотел ничего об этом знать. Их судьба ему уже не принадлежала, и он хотел, чтобы все оставалось как есть.

Когда, наконец, Пьеро Фануччи вернулся с *pranzo*, он выглядел так, будто полностью восстановился после стычки с *avvocati* семьи Каспариа. Сальваторе лениво подумал, что, наверное, здесь не обошлось без пол-литра вина, которое и залило все проблемы прокурора. Несмотря на это, старший инспектор ответил на бурное приветствие Пьеро и прошел вслед за *magistrato* в его кабинет.

Он говорил только о смерти Анжелины Упман и о вине Лоренцо Муры. В комнате для допросов в *questura* Мура во всем признался. С его признаниями и с готовностью Даниэле Бруно предстать перед судом с рассказом об их встрече в Парке Флувиале Сальваторе считал, что расследование закончено. Он объяснил *magistrato*, что Мура не хотел убивать свою любовницу. Вино, в котором содержалась бактерия, предназначалось совсем не ей. Оно предназначалось пакистанцу, который приехал, чтобы помочь в розысках своей дочери. Мура просто не знал, что Таймулла Ажар, как правоверный мусульманин, не пьет спиртное.

В заключение рассказа Сальваторе Пьеро произнес:

– Все, что ты мне сейчас рассказал, выглядит как цепь совпадений, не так ли?

– Конечно, да, – согласился Ло Бьянко. – Но эти совпадения невозможно оспорить. Я полагаюсь на вашу мудрость, *magistrato*.

---

[1] Конечно, нет (*итал.*).

Вам решать, какое обвинение вы выдвинете против Муры. Вы так часто оказывались правы за последнее время, что я соглашусь с любым вашим решением, после того как вы ознакомитесь с деталями дела.

Все детали дела хранились в папках, которые старший инспектор принес с собой. Он передал их шефу, и Пьеро Фануччи положил их поверх большой пачки дел, ожидающих его заключения.

– Семья Мура... – добавил Сальваторе.

– А что с ней?

– Они наняли *avvocato* из Рима. Мне кажется, что они будут пытаться заключить с вами соглашение.

– Да уж, – презрительно фыркнул Фануччи. – Эти римляне...

Ло Бьянко слегка наклонил голову, достаточно для того, чтобы показать Пьеро, что он полностью согласен с его мнением о любом адвокате, приезжающем из Рима, этого средоточия политических скандалов. Затем он попрощался и повернулся, чтобы уйти.

– Сальваторе, – остановил его Пьеро. Инспектор вежливо ждал, пока Фануччи соберется с мыслями. Его не удивило, когда прокурор сказал: – Эта наша небольшая стычка в Ботаническом саду... Я очень сожалею, что потерял над собой контроль, *Topo*.

– Такие вещи случаются, – ответил Сальваторе, – когда люди на взводе. Уверяю вас, что со своей стороны я все забыл.

– Я тоже. До встречи?

– Конечно, до встречи, – согласился Сальваторе.

Он покинул кабинет с мыслью, что неплохо было бы прогуляться. Поэтому старший инспектор не пошел прямо в *questura*, а направился в противоположную сторону. Он убеждал себя, что в такой прекрасный день немного физической активности не помешает. То, что эта прогулка привела его на пьяцца деи Кокомери, было не важно. А то, что на этой площади стоял газетный киоск, было простым совпадением. Ло Бьянко был удивлен, когда обнаружил, что в этом *giornalaio* продавались газеты не только на итальянском, но и на английском, французском и немецком языках. Однако сегодняшнего номера «Сорс» там еще не было. «Английские газеты появляются ближе к вечеру, – сказал продавец. – Их доставляют самолетом в Пизу, а затем на машине везут сюда. Если *Ispettore* хочет, чтобы ему отложили экземпляр, то это можно легко организовать».

Сальваторе сказал, что да, ему нужен экземпляр именно этой газеты. Он протянул деньги, кивнул киоскеру и отправился дальше. *Certo*, он мог бы прочитать этот номер в Интернете. Но он всегда любил листать настоящую газету. А если его английского не хватит для того, чтобы понять, что там написано, то что из этого? Он всегда сможет найти кого-то, кто переведет ему статью. Ло Бьянко решил, что именно так и сделает.

Виктория,
Лондон

Третья встреча Изабеллы Ардери с помощником комиссара состоялась в три часа дня. Информация об этом дошла до Линли обычным путем. До этой встречи Доротея Гарриман рассказала ему таинственным голосом, что сначала было множество звонков из ССБ-1, а затем состоялась длительная встреча с одним из посланцев помощника комиссара в офисе Изабеллы. На вопрос Линли, кто это был, Доротея, еще больше понизив голос, сообщила: один из сотрудников Управления кадров. Она пыталась выяснить, что происходит, но знала только, что вчера днем суперинтендант Ардери попросила ее принести ей копию Полицейского акта[1].

Когда Томас все это услышал, сердце его ушло в пятки. Увольнение полицейского было очень непростым делом. Недостаточно было просто сказать: «Вы уволены, освободите свое рабочее место», потому что после такого выступления немедленно последует обращение в суд. Поэтому Изабелле надо было все очень тщательно подготовить. И хотя это причиняло ему боль, Линли хорошо понимал ее.

Он позвонил Барбаре на мобильный. Если уж он ничем не может помочь, то хотя бы предупредит ее о том, что свалится на нее, как только она вернется в Лондон. Но на его звонок никто не ответил, и Томас оставил на автоответчике короткую просьбу перезвонить ему. Подождав пять минут, он перезвонил Ло Бьянко. Он пытается связаться с сержантом Хейверс, объяснил он итальянцу. Она все еще у него? Не знает ли старший инспектор, где Барбара? Она не отвечает на мобильный, и...

– Думаю, что синьора Хейверс уже в самолете, – ответил Сальваторе. – В полдень она уехала из Лукки с *professore* и маленькой Хадией.

– Она возвращается в Лондон?

– А куда же еще, друг мой? – ответил Сальваторе. – Мы здесь все уже закончили. Я представил сегодня свой отчет *magistrato*.

---

[1] Официальный документ, регулирующий деятельность полиции в Великобритании.

– И каково будет обвинение?

– Должен признаться – не знаю. Смерть синьоры Упман – вина синьора Муры. Что же касается похищения малышки Хадии... Как мы оба знаем, я уже давно не занимаюсь этим делом. Оно тоже в руках *magistrato*. А Пьеро... Он всегда идет своим путем. Я хорошо понял, что лучше не пытаться им управлять.

Это было все, что мог сообщить Сальваторе. У Линли было настойчивое ощущение, что оставалось еще что-то, о чем итальянец не хотел говорить по телефону. Но что бы это ни было, оно так и останется в Италии до тех пор, пока Линли опять туда не поедет.

Звонок от Доротеи Гарриман прервал его беседу с Сальваторе Ло Бьянко. Сейчас детектив суперинтендант встречается с детективом инспектором Джоном Стюартом. На встречу последний захватил с собой копию сегодняшнего номера таблоида. Гарриман думает, что это «Сорс», но не уверена в этом на все сто.

Линли еще раз позвонил Барбаре Хейверс. И опять услышал ее голос на автоответчике. Короткое «Это Хейверс. Оставьте сообщение». Томас попросил немедленно перезвонить ему. Он оставил сообщение: «Сальваторе сказал мне, что вы летите в Лондон. Нам необходимо переговорить до того, как вы появитесь в Мет, Барбара». Больше он ничего не сказал, но надеялся, что она все поймет по его тону.

В течение часа после этого у Линли болел живот. Это было совершенно не характерно для него и показывало, как мало он мог сейчас сделать для того, чтобы остановить этот бетонный шар, катящийся по ледяному склону. Когда, наконец, зазвонил его телефон, он схватил трубку:

– Барбара?

– Это я, – ответила Доротея. – Горизонт чист. Детектив инспектор Стюарт только что вышел из кабинета. Вид у него достаточно угрюмый.

– Он выглядит триумфатором?

– Я бы так не сказала, детектив инспектор Линли. Пару раз они переходили на повышенные тона, но не более того. Сейчас она одна. Думала, что вы захотите об этом знать.

Томас немедленно направился в кабинет Изабеллы. В коридоре ему встретился Джон Стюарт. Как и говорила Гарриман, в руках у него был номер таблоида. Он держал его скатанным в трубку и, когда Линли проходил мимо, остановил коллегу. Это было резкое движение, которым он хлопнул скатанной газетой по груди Линли. Джон придвинулся очень близко, и, когда наконец заговорил, Линли почувствовал дурной запах его дыхания. Он ощутил, как в нем растет желание отбросить Стюарта к стене, схватив его за горло, но поборол его и спросил:

– Какие-то проблемы, Джон?

– Думаешь, что никто ничего не знает про вас двоих? – прошипел Стюарт. – Думаешь, никто не догадывается, что ты ее трахаешь? Мы еще к этому вернемся. Еще ничего не закончилось, Томми.

Линли почувствовал, как напряглись его мышцы. Единственное, что могло бы принести ему облегчение, это бросок Стюарта на пол, где Томас мог бы спокойно придушить его. Но слишком многое было поставлено сейчас на карту, и самым главным было то, что он не имел ни малейшего представления, что же все-таки происходит. Поэтому он произнес:

– Простите?..

– Давай, давай, приятель, – глумливо улыбнулся Стюарт. – Давай, демонстрируй мне свое образование. Ничего другого я от тебя и не ожидал. А теперь убирайся с моей дороги!

– Боюсь, Джон, что это ты стоишь у меня на пути, – спокойно произнес Линли и взял газету, которая все еще упиралась ему в грудь. – И спасибо тебе за это. Немного легкого чтения за обедом сегодня вечером.

– Дерьмо. И ты, и она. Все трое. Все вы снизу доверху. – Сказав это, Стюарт пролетел мимо.

Линли пошел своей дорогой, развернув на ходу газету. Фамилия Митчелла Корсико на первой странице его не удивила. Так же как и заголовок статьи «Отец спланировал похищение собственного ребенка». Томасу не надо было дочитывать статью до конца, чтобы понять, что Дуэйн Доути переиграл его. Он понял, что частный детектив был настоящим мастером интриги, той мышью, которая может съесть сыр прямо из мышеловки, даже не дотронувшись до пружины.

Войдя в приемную, он вопросительно посмотрел на Доротею Гарриман. Она сказала, что сейчас проверит, и подняла телефонную трубку. «Может ли детектив суперинтендант принять детектива инспектора Линли?» – спросила она. С минуту слушала ответ, а затем сказала Линли, что командир примет его через пять минут. Но пять минут растянулись до десяти, а потом и до пятнадцати, прежде чем Изабелла открыла дверь своего кабинета.

– Заходи, Томми, и закрой дверь за собой, – сказала она.

Когда он это сделал, Ардери вздохнула с видимым облегчением и, показав на свой мобильный, сказала:

– Планирование отпуска в Шотландии не должно забирать столько сил и времени. Боб пытается уверить меня, что это «за пределами страны», а он является опекуном, и так далее, и так далее, и так далее. Неудивительно, что мне пришлось выпить, чтобы расслабиться. – А когда он бросил на нее подозрительный взгляд, добавила: – Шутка, Томми.

Изабелла прошла за стол, уселась в свое кресло, неожиданно сняла свое простое ожерелье, положила его на стол и стала массировать себе шею.

– Защемление нерва, – пожаловалась она. – Слишком много стресса, я думаю. Да, эти дни выдались непростыми.

– Я видел в коридоре Джона.

– Что ж. Он был слегка ошарашен. А кто не был бы на его месте? Он и предположить не мог, что за ним следят, но, честно говоря, чего другого он ожидал?

Линли внимательно наблюдал за ней. Лицо Ардери абсолютно ничего не выражало.

– По-моему, я тебя не совсем понимаю, – сказал он.

Она продолжила массаж.

– Я не была уверена, что это сработает. Ну, когда я сначала прикрепила Барбару к нему, а затем дала ей другое задание. Но и предположить не могла, до чего доведет его ненависть к нам обоим. Сначала она следила за ним по всему Лондону, а потом он стал гоняться за ней. Наверняка в охоте на лис есть какой-то специальный термин для этого, который человек твоего круга и воспитания должен обязательно знать...

– Я не охочусь, – ответил он. – Попробовал однажды, и мне хватило на всю жизнь.

– Да-да-да. Что ж, это на тебя похоже. Я всегда говорила, что ты предатель своего класса... – Изабелла улыбнулась. – Как поживаешь, Томми? Нынче ты выглядишь как-то... более умиротворенно, что ли? Ты что, нашел себе кого-то?

– Изабелла, объясни, наконец, что происходит? Хильер, ССБ-1, помощник по вопросам персонала, Управление кадров...

– Джона Стюарта переводят, Томми, – ответила она. – Я думала, что ты понял, о чем я говорю. – Она надела ожерелье и застегнула блузку. – У Барбары было задание выманить его. Она должна была нарушать все возможные инструкции на каждом шагу, а мы – проследить, будет ли он использовать свое служебное положение, начав против нее собственное, не согласованное ни с кем расследование. И именно это он и сделал, что мне ясно показали уже первые его отчеты. Но ты понимаешь, что полностью избавиться от этого типа практически невозможно. Однако ССБ-1, Хильер и Управление кадров решили, что перевод в Шеффилд – это именно то, что ему надо. Чтобы он набрался опыта эффективного управления людьми в рамках существующей иерархии.

Облегчение, которое почувствовал Томас, было невероятным. Так же как и благодарность.

– Изабелла... – сказал он.

– В любом случае, Барбара хорошо справилась со своей ролью, – заметила Ардери. – Можно было подумать, что она действительно слетела с катушек, правда?

– *Почему*? – тихо спросил он. – Почему, Изабелла? Ты настолько многим рисковала...

Ардери вопросительно посмотрела на него.

– Ты меня совсем запутал, Томми. Я совсем не понимаю, о чем ты говоришь. Но, наверное, это не так уж и важно. Главное, что с Джоном мы разобрались. И теперь, как говорится, горизонт чист и Барбара может вернуться. И мы все отметим успешное завершение полученного задания.

Линли понял, что Изабелла не остановится. Она получит свое тем или иным способом.

– Изабелла, я просто не знаю... Спасибо тебе большое. Хотел бы сказать, что ты об этом не пожалеешь, но это будет, видит бог, неправдой.

Ардери очень долго рассматривала его лицо. На какую-то минуту Томас опять увидел ту женщину, чьим телом долго наслаждался в постели. А потом эта женщина исчезла, и, как он понял, уже навсегда. Ее следующие слова, произнесенные спокойным голосом, подтвердили его догадку:

– Теперь я командир, Томми. Или мадам. Или суперинтендант. Но никак не Изабелла. Думаю, что нам обоим это понятно.

МАЙ, 20-е

Чолк-Фарм,
Лондон

Барбара не ответила ни на один звонок Линли. Что бы ни ожидало ее в будущем, она не хотела этого знать. Поэтому, вернувшись, сержант забралась в свое бунгало и вывалила содержимое дорожной сумки на пол. Посмотрев на кучу грязных вещей, решила, что ей срочно надо в прачечную. Туда она и отправилась. Расположилась в этом помещении с температурой, как в сауне, и со стойким запахом стирального порошка, стирала, сушила и гладила. А когда дольше тянуть время было невозможно, вернулась домой.

Одиночество постепенно проникало ей в душу. Барбара всегда была одинока, но боролась с этим с помощью своей работы и обязательных посещений матери в ее клинике, где та постепенно угасала, а также с помощью неожиданных, но всегда приятных контактов с соседями. Хейверс не хотела сейчас думать об этих соседях, но, когда она прошла мимо их квартиры с закрытыми и плотно зашторенными окнами, ни о чем другом думать она уже не могла.

Прощание в аэропорту Пизы не было тяжелым. Тяжелые прощания больше годятся для фильмов. Все прошло в спешке, в которой Ажар приобрел билеты, как выяснилось, до Цюриха. Оттуда он начнет попытки вылететь вместе с Хадией в Пакистан. Рейс должен был скоро отправиться, и Барбара боялась, что в нынешнее время всеобщей истерии по поводу международного терроризма ему, как темнокожему мусульманину, покупающему билет только в один конец, его просто не продадут. Однако присутствие его очаровательной дочери, сгорающей от нетерпения провести каникулы в Швейцарии вместе с папой, исключило какие-либо вопросы. Их с Хадией документы были в порядке, а это, по-видимому, было единственным требованием авиакомпании. Барбара в это время купила себе обратный билет в Лондон. Очень быстро – слишком быстро, по мнению Барбары, – они оказались за линией паспортного контроля, готовые к отлету.

– Ну, вот, пожалуй, и все, – сказала Барбара, обняла Хадию одной рукой, прижала к себе и произнесла самым беззаботным тоном, на который была способна: – Детка, привези мне кило швейцарского шоколада. А что еще там есть из сувениров? Наверное, швейцарские складные ножи?

– Часы, – воскликнула Хадия. – Часы тебе тоже привезти?

– Но только самые дорогие.

Потом Хейверс посмотрела на Ажара. Говорить было нечего, особенно в присутствии маленькой девочки. Поэтому она сказала ему с улыбкой, больше похожей на гримасу ужаса:

– Вот это было приключение, а?

– Благодарю вас, Барбара, – ответил Таймулла. – За прошлое и за будущее.

Она не могла говорить из-за спазма в горле и вместо этого отдала ему шутливый салют. Потом смогла выговорить:

– Что ж, до скорого, приятель.

И все было кончено.

У нее был ключ от их квартиры. Вернувшись из прачечной, когда делать было уже абсолютно нечего, Барбара вышла из своего бунгало, пересекла лужайку, подошла к большому дому и вошла внутрь. Без Таймуллы и Хадии она казалось пустой, но в ней еще слышалось эхо их голосов. Хейверс прошлась по комнатам и зашла в спальню Ажара и Анжелины. Естественно, что ее вещей давно уже не было, а его еще оставались. В платяном шкафу все было аккуратно развешено на вешалках: брюки, сорочки, пиджаки, свитера. На полу ровным рядом стояли туфли. На полках лежали зимние шарфы и перчатки. С внутренней стороны двери висели галстуки. Барбара провела рукой по пиджакам и прислонилась к ним лицом. Они все еще хранили его запах.

Около часа она провела в комнате, которую так тщательно отделывала Анжелина. Касалась мебели, книг в шкафу, рассматривала фотографии на стенах. Наконец уселась и погрузилась в ничегонеделание. И к ней пришло осознание, что все прошло.

Когда Барбара ложилась в постель, на ее мобильном накопилось восемь неотвеченных звонков Линли. Еще два были на стационарном домашнем телефоне. Каждый раз, когда в трубке раздавался его хорошо поставленный баритон, Барбара немедленно стирала послание. Очень скоро она услышит ту музыку, которую, как она себя уверяла, сможет спокойно перенести. Но не сейчас.

Спала она лучше, чем ожидала. Утром приготовилась к работе с большей тщательностью, чем обычно. Умудрилась так подобрать вещи, что модельер из благотворительного фонда смог бы даже назвать их вариантом... какого-то ансамбля. По крайней мере, Барбара отказалась от штанов из эластика, остановив свой выбор на брюках на «молнии», с нормальными лямками для ремня. Она также отказалась от футболок с надписями. Ее пальцы на секунду замерли над «*Это мой клон. А сама я в другом месте, где мне гораздо лучше*», но решила, что – хотя это и было абсолютной правдой, – на работу этого надевать не стоило.

Когда откладывать выход уже не имело смысла, Хейверс отправилась по прекрасному майскому утру в сторону Виктория-стрит. Проходя под цветущими декоративными вишнями, она решила воспользоваться подземкой и направилась к Чолк-Фарм-роуд. Это позволило ей остановиться у местного газетного киоска. Она должна была заранее узнать самое худшее, чтобы приготовиться к реакции ее командиров на это.

Внутри киоска, как всегда, было мало воздуха, а температура приближалась к тропической. Помещение было не шире коридора, на одной стене которого расположились журналы, газеты и таблоиды, а на другой – всякие сладости и пакетики с едой. Однако того, что хотела Барбара, сегодня на прилавке не было. Ей пришлось протиснуться мимо трех девочек в школьной форме, которые на полном серьезе обсуждали питательные преимущества сухариков над чипсами, и женщины с ребенком, пытавшимся выбраться из коляски. У прилавка Хейверс спросила мистера Мудали, не осталось ли у него экземпляра вчерашнего номера «Сорс». Он ответил утвердительно и достал перевязанную пачку изданий, которые не были проданы вчера. Надо просто найти в ней «Сорс», объяснил он. Ей повезло, так как со вчерашнего дня остался всего один экземпляр. Мистер Мудали даже не хотел брать деньги за вчерашнюю газету, но Барбара всунула их ему в руку. Перед тем как выйти, она купила пачку сигарет и жевательную резинку.

Сержант не открыла «Сорс» до тех пор, пока не оказалась на Северной линии, где, совершенно неожиданно, ей удалось сесть между пассажирами, направляющимися в центр Лондона. На секунду у нее появилась надежда, что Митч не выполнил свою угрозу, но взгляд на заголовок «*Отец спланировал похищение собственного ребенка*» все ей рассказал.

Барбара почувствовала тяжесть на сердце. Не читая, сложила газету. Затем, через две остановки, решила, что ей все-таки надо подготовиться. Множество звонков от Линли, которые она проигнорировала, говорило о том, что полиции известно все о ее участии в том, что касалось похищения Хадии. Несмотря на то что Хейверс ничего не знала о плане Ажара, она была виновата уже тогда, когда воспользовалась Митчеллом Корсико, чтобы заставить Скотланд-Ярд отправить Линли в Италию. Может быть, подумала она, ей удастся придумать какую-нибудь защиту. А для этого надо заставить себя прочитать статью.

Барбара открыла газету и стала читать. Это была настоящая бомба. Имена, даты, места, суммы... вся эта грязь. В статье не было только одного. Нигде не упоминалось ее имя. Прежде чем отправить статью в редакцию, Митчелл уничтожил все, связанное с ней.

Хейверс не могла понять, то ли это было милосердие, то ли приготовление к будущему в стиле Макиавелли. Она знала, что существовали два способа выяснить это. Или ждать этого самого будущего, или позвонить журналисту. Барбара решила позвонить и, выйдя на «Сент-Джеймс-парк», набрала его номер. Когда он ответил, она двигалась по Бродвею в сторону тщательно охраняемого центрального входа в здание Мет.

Оказалось, что он все еще в Италии и освещает все, что связано с кишечной палочкой и арестом Лоренцо Муры. «Ты уже видела мою статью в сегодняшнем номере?» – спросил он. Еще одна первая страница. И он неплохо зарабатывает, поставляя информацию своим итальянским коллегам, которые, к сожалению, не имеют доступа к его источникам. Естественно, что он имеет в виду Барбару.

– А ты изменил статью, – сказала она.

– Что? – переспросил он.

– Ту, которую мне показывал. Ту, которой ты мне угрожал. Ту... Митчелл, ты вычеркнул мое имя.

– А-а-а, ну да. Ну что тебе сказать... Это ради нашей прошлой дружбы, Барб. Ну, и ради золотой курицы.

– Никакой золотой курицы нет, так же как и яиц. Да и прошлого у нас с тобой нет.

На это Митчелл открыто рассмеялся.

– Но у нас будет будущее. Поверь мне.

Барбара отключилась. Проходя мимо урны, она засунула туда газету, поверх остатков яичного салата, круассана и шкурки от банана. Прошла в толпе сотрудников через систему безопасности Ярда. Ну что же, от одной головной боли она избавилась. Но остальные остались.

Ей все рассказал Уинстон Нката. Странно, подумала Барбара позже, потому что обычно Нката старался держаться подальше от сплетен. Хотя уже в тот момент, когда она вышла из лифта, было понятно, что происходит что-то серьезное. Три констебля вели серьезную беседу с темнокожим детективом, а шум голосов отовсюду говорил об изменениях, не имеющих никакого отношения к новому расследованию. Что-то было не так, и Барбара подошла к своему коллеге-сержанту. И здесь она узнала все последние новости. Джона Стюарта перевели, и скоро кого-то назначат на его место. Или повысят кого-то из существующих сотрудников, или пригласят новичка. Констебли, собравшиеся вокруг стола сержанта, в один голос утверждали, что он – именно тот человек, который нужен. Ведь в отделе у Ардери не было ни одного этнического инспектора. «Лови удачу, парень», – советовали они Нкате.

Нката, такой же джентльмен, как и его ментор Линли, не хотел ничего делать без одобрения Барбары. Чтобы получить его, он пригласил Барбару на разговор. Ведь она была в чине сержанта дольше, чем он, и так же, как под началом Ардери не было ни одного этнического инспектора, так под ее началом не было и ни одного инспектора-женщины.

Нката вывел ее на лестницу и опустился на две ступеньки, чтобы снивелировать разницу в их росте. То, что он хотел сказать, должно было исходить от равного, а рост был наглядным выражением равенства, догадалась Барбара.

– Недавно сдал экзамен, – сказал Уинстон. – Я, правда, не говорил никому об этом, потому что... Ну, то есть я боялся, что провалюсь. Но сдал. Однако хочу тебе сразу сказать: ты в сержантах дольше меня, Барб. И я не собираюсь ни на что претендовать, если только ты сама не откажешься.

Барбара нашла очаровательным то, что Уинстон завел с ней подобный разговор, тогда как сама вероятность сохранить работу была для нее так же недостижима, как Луна. Кроме того, было очевидно, что Нката был более достойной кандидатурой на должность руководителя. Он всегда играл по правилам, а она – нет. А это, в конце концов, было решающим преимуществом.

– Вперед, – сказала Хейверс.

– Ты уверена, Барб?

– Как никогда.

Уинстон улыбнулся своей белозубой улыбкой.

А затем Барбара отправилась в кабинет суперинтенданта, чтобы узнать свою судьбу. Да, Митчелл Корсико ее пощадил, но у нее хватало и других грехов. И отсутствие на работе без уважительной причины было одним из самых тяжелых. Каждый поступок имел свою цену, и она была готова ее заплатить.

Белсайз-парк,
Лондон

Линли нашел парковку посередине улицы, перед длинным рядом домов с террасами. Район переживал комплексную перестройку. Однако дом, о котором шла речь, к сожалению, не подвергся никаким архитектурным изменениям. Томас задумался – как он это всегда делал, когда речь шла о перестраиваемых районах, – о безопасности этого места. Но какой смысл был в подобных рассуждениях, когда его собственная жена была убита на парадных ступенях их дома, находящегося в дорогом районе, где никогда ничего не случалось, кроме того, что иногда срабатывала сигнализация, которую забывал отключить сосед, возвращавшийся домой после веселой пирушки.

Линли достал из машины то, что привез с собой в Белсайз-парк: бутылку шампанского и два бокала на высокой ножке. Он выбрался из машины, запер ее, надеясь на лучшее, как всегда, когда оставлял «Хили Эллиот» на улице, и взобрался по ступенькам, которые были покрыты целыми, по счастью, плитками викторианской эпохи.

Томас немного опоздал. Беседа с Барбарой Хейверс закончилась его предложением подбросить ее до дома, что показалось логичным, так как он все равно ехал в ее сторону. Однако инспектор не учел пробки.

Хейверс провела в кабинете Изабеллы Ардери полтора часа. Появилась она оттуда, по свидетельству самого надежного источника новостей Доротеи Гарриман, побледневшей и... посрамленной? отрезвленной? оскорбленной? удивленной? не верящей в свое счастье? Ди не знала. Но она могла засвидетельствовать инспектору Линли, что за все время беседы суперинтенданта Ардери с сержантом Хейверс голоса не повышались ни разу. Она также слышала, как суперинтендант сказала, прежде чем дверь закрылась: «Присаживайтесь, Барбара. Это может занять некоторое время».

И больше ничего.

Хейверс мало что сообщила Линли. Сказала только: «Она сделала это ради вас», и было очевидно, что больше она не собирается к этому возвращаться. Однако его «уверяю вас, что нет» вызвало продолжение дискуссии, потому что Томас хотел знать, почему Барбара не отвечала на его звонки, когда он хотел предупредить ее о том, что происходило в Ярде.

– Наверное, я просто не хотела этого знать, – ответила Барбара. – Наверное, я вам не доверяла, сэр. Наверное, я не верила никому, даже самой себе. Правда.

Потом она замолчала, и, зная ее уже не первый год, Линли догадался, что она хочет закурить. Но он знал и то, что она никогда не сделает этого в «Хили Эллиот». Инспектор решил воспользоваться ее состоянием и заметил:

– Вам повезло во многих отношениях. Я читал статью Корсико о похищении.

– Да, – ответила Барбара. – Вот вам и Корсико. Он все делает по-своему.

– Но ничего – даром. Что вы ему должны, Барбара?

Женщина посмотрела на него. Томас заметил, насколько измученным было ее лицо. Она казалась абсолютно сломленной, и он знал, что это связано с Таймуллой Ажаром. Она настаивала на том, чтобы они расстались в аэропорту в Пизе. Он хотел провести несколько дней вдвоем с Хадией, объяснила она. Только они вдвоем, и больше никого, чтобы восстановиться после всего того, что случилось в Италии. Больше она ничего не знает.

Относительно Митчелла Корсико Барбара полагала, что его покрытая стетсоном голова появится на ее горизонте, когда ему опять потребуется информация. И тогда она, естественно, будет первой, к кому он обратится. И ей придется подчиниться. А что ей еще остается? Конечно, размышляла Барбара, она может попросить о переводе. Ведь вряд ли она потребуется Корсико как источник информации, если продолжит свою службу в... скажем... Бервике-на-Твиде. И она так и сделает, если это понадобится. Изабелла об этом уже знает. Более того, все документы о ее переводе уже заполнены, подписаны, проштампованы и убраны в ящик стола суперинтенданта.

– Я у нее на коротком поводке. Но ведь я сама этого заслужила, – сказала Барбара.

Линли не мог не согласиться со справедливостью данного замечания. И все-таки он наблюдал за тем, как Хейверс направляется к своему бунгало, и был расстроен при виде ее опущенных плеч. Он хотел бы, чтобы у нее была другая жизнь. Но не понимал, как она сможет достичь ее.

Когда инспектор позвонил в соответствующий звонок, рядом с табличкой «квартира № 1», Дейдра сама открыла ему дверь. Квартира № 1 находилась сразу же справа от входа. Она улыбнулась и спросила: «Ужасное движение?» Томас вздохнул, ответил: «Лондон» – и поцеловал ее.

Она впустила его в квартиру № 1 и закрыла за ними дверь. Услышав звук закрываемого замка, Линли приободрился. Но затем напомнил себе, что Дейдра Трейхир была взрослой девочкой и прекрасно могла постоять за себя. Однако, когда он увидел ее апартаменты, то засомневался в этом.

Это было ужасное место, в котором комнаты располагались по кругу и каждая следующая была хуже предыдущей. Они начали с гостиной, которая была выкрашена в ярко-розовый цвет, с батареями, выкрашенными в не менее роскошный голубой. Пол был деревянным и когда-то был лавандового цвета. Мебель отсутствовала, и Томас не мог отделаться от мысли, что это было только к лучшему. По периметру квартиры проходил узкий коридор, одной из стен которого была заделанная лестница; ею когда-то пользовались, когда весь дом принадлежал одной семье. Из коридора можно было пройти в единственную спальню, оклеенную винтажными обоями шестидесятых годов. Они напоминали о Карнаби-стрит[1] и использовании психоделических наркотиков. Занавески на единственном окне были не нужны: окно просто было закрашено. Выбор художника пал на красный цвет.

В следующей комнате находилась туалетная комната с умывальником, ванной и унитазом. Здесь окно было закрашено голубым.

Затем располагалась кухня, в которой было место для стола и стульев, но не для холодильника или плиты. Догадаться, что это кухня, можно было по большой раковине. То, что в ней не было кранов с водой, уже не имело значения. За кухней, как объяснила Дейдра, располагалось то, из-за чего квартиру надо было обязательно купить. Это был садик, который принадлежал только ей. Когда она освободит его от грязи, растений и, особенно, от холодильника и плиты, через проломы в которых росли сорняки, он будет просто очарователен, правда?

Линли повернулся к женщине.

– Дейдра... Дорогая... – Он остановился, затем продолжил: – О чем вы только думаете? Ведь жить здесь невозможно.

Она рассмеялась.

– А я очень рукастая, Томми. Все, что здесь нужно, – косметический ремонт... ну, конечно, кроме труб в кухне, для которых понадобится человек, который разбирается в этом лучше, чем я. Но если забыть об этом, то скелет квартиры совсем не плох.

– Мне приходят мысли об остеопорозе.

Дейдра опять рассмеялась.

– Я люблю трудности. Вы же об этом знаете.

– Вы же еще ее не купили? – с надеждой в голосе спросил Томас.

– К сожалению, я не могу этого сделать, пока не продам свою квартиру в Бристоле. Но мне предложили опцион, и я счастлива. И могу пока пожить здесь. Так что все без обмана, нет?

– Ну, конечно, – согласился Линли.

– Не вижу большого энтузиазма с вашей стороны. Но подумайте о ее преимуществах.

– Я весь внимание и уже готов восхищаться ими.

– Так вот, – Дейдра взяла его за руку, и они вернулись в гостиную, хотя в узком коридоре им приходилось быть осторожны-

---

[1] В 1960-е гг. Карнаби-стрит в Лондоне стало местом, где любили собираться представители различных молодежных движений, а также находилось множество музыкальных клубов.

ми. – Первое – это то, что квартира расположена не очень далеко от зоопарка. На велосипеде я могу добраться до него за пятнадцать минут. Не надо связываться с транспортом. Я могу даже продать свою машину. Я этого, конечно, не сделаю, но смысл в том, что транспорт мне не нужен. Это, и сама возможность немного размяться... это просто восхитительно, Томми.

– Не думал, что вы еще и велосипедист, – мягко сказал Линли. – Роллер-дерби, турниры по дартсу, велосипед... Да вы просто полны сюрпризов. Я что-то еще упустил?

– Йога, бег и лыжи, – ответила женщина. – Еще я занимаюсь альпинизмом, но не так часто, как мне хотелось бы.

– Я посрамлен, – заметил Томас. – Для меня поход на угол за газетой – уже целое событие.

– Я знаю, что вы меня обманываете, – сказала Дейдра. – Я вижу это по вашим глазам.

Он улыбнулся и поднял бутылку шампанского, которую принес с собой.

– Я думал... Должен сказать, что я ожидал чего-то другого... Что мы расположимся на мягком диване. Или в очаровательном саду. Или, на худой конец, устроимся на толстом персидском ковре. Но в любом случае, давайте обмоем квартиру и пропишем вас в Лондоне, со всеми вытекающими последствиями.

Ее губы изогнулись в улыбке.

– Не вижу причин, почему мы не можем этого сделать. Вы же знаете, что в душе я девушка простая.

– И что же нам для всего этого понадобится? – спросил Томас. – Я имею в виду, для квартиры.

– Как ни странно, для этого мне понадобишься только ты.

Белгравия,
Лондон

Томас явился домой сразу после полуночи. Он был переполнен эмоциями, в которых надо будет еще разобраться. В первый раз в его жизни появился смысл. Что-то очень хрупкое, что было разбито в прошлом, было тщательно восстановлено по кусочкам.

В доме было темно. Дентон, как всегда, оставил гореть единственную лампочку внизу лестницы. Линли выключил ее и в темноте поднялся по ступенькам. Он прошел в свою комнату и там, нашарив на стене выключатель, зажег свет. Секунду он стоял, рассматривая свою спальню: громадная деревянная кровать, комод с ящиками, два платяных шкафа. Молча пересек комнату и подошел к стулу с расшитым сиденьем, который стоял перед туалетным столиком. На его стеклянной поверхности все еще стояли духи и разные баночки Хелен, которые никто не трогал с того трагического дня.

Томас взял ее расческу, на которой все еще оставалось несколько ее волос. Меньше года он имел счастье наблюдать, как она по вечерам расчесывает свои волосы, болтая с ним. *Томми, дорогой, нам прислали приглашение на обед, на котором, по-моему, будут засыпать мухи. В небольших дозах он может оказаться тем самым безопасным снотворным, которое ученые разыскивают уже много лет. Мы можем отказаться под благовидным предлогом? Или, может быть, ты хочешь подвергнуться пытке? Ты же знаешь, как я могу притворяться заинтересованной в то время, когда думаю совсем о другом. Но я сомневаюсь в твоих способностях так искусно лицемерить. И что же посоветуешь сделать?* А потом она поворачивалась, залезала к нему в постель и позволяла ему зарыться лицом в ее только что расчесанные волосы. Ему было абсолютно все равно, пойдут ли они на этот обед или нет, – до тех пор, пока она была рядом.

– Ох, Хелен, Хелен, – пробормотал Линли.

Он взял расческу, отнес ее к комоду, открыл верхний ящик и положил глубоко-глубоко внутрь – как реликвию, в которую она теперь превратилась. А затем тщательно закрыл ящик.

Как и предполагал Линли, Чарли Дентон спокойно спал наверху. Томас понимал, что все это может подождать до утра, но чувствовал, что момент настал, и боялся, что он может больше не прийти. Поэтому Томас подошел к Дентону, тронул его за плечо и позвал по имени. Тот мгновенно проснулся и совершенно неожиданно произнес:

– Ваш брат...

Они редко обсуждали пагубные пристрастия Питера Линли и его попытки от них избавиться. Но что еще могло прийти в голову Чарли, когда его разбудили посреди ночи? Только то, что что-то ужасное произошло с членом семьи.

– Нет, нет, Чарли, – успокоил его Линли, – все хорошо. Я просто хотел... – «Как ему сказать?» – подумал Томас.

Дентон сел в постели и включил лампу на тумбочке, затем нашел свои очки и надел их. Полностью проснувшись и вернувшись к той роли, которую так успешно играл, он спросил:

– Вам что-то надо, сэр? В холодильнике я оставил обед, который можно разогреть...

Линли улыбнулся.

– Его Лордству ничего не нужно. Кроме того, чтобы вы завтра мне помогли. Утром я хочу упаковать вещи Хелен. Вы можете подумать о том, что нам для этого надо?

– Без проблем, – ответил Дентон, а когда Томас повернулся и направился к двери, спросил вдогонку: – А вы в этом уверены, сэр?

Линли остановился, повернулся и задумался.

– Нет, – признался он. – Совсем не уверен. Но ведь ни в чем нельзя быть уверенным, не так ли?

Благодарности

Я в неоплатном долгу перед прекрасными людьми, которые помогали мне работать над этой книгой не только в США и Великобритании, но и в Италии.

В Великобритании суперинтендант Джон Суини из Нового Скотланд-Ярда любезно объяснил мне, что в реальности происходит, когда британского гражданина похищают в другой стране, а также что происходит, если этого гражданина убивают за границей. Это сложный процесс, который включает посольство Великобритании, местную полицию, полицию из того города, где живет жертва, и Новый Скотланд-Ярд.

Я попыталась несколько упростить этот процесс, чтобы облегчить чтение моим читателям, и надеюсь, мне это удалось. Неутомимая и всегда находчивая Свати Гэмбл мне в этом помогала, организовывая для меня встречи и отслеживая те крохи информации, которые меня интересовали. Частный детектив Джейсон Вудкок оказал мне неоценимую услугу, объяснив, что подобные ему могут и не могут делать в Великобритании. Он также оказался непревзойденным в искусстве выуживать частную информацию, однако надо отметить, что Дуэйн Доути на него абсолютно не похож. Мой коллега-писатель Джон Фоллиан много сообщил мне по электронной почте о сложностях структуры итальянской полиции, а его книга *«Смерть в Перудже. Правдивая история Мередит Керчер»* содержала важные для меня дополнительные сведения. Великолепная книга Дугласа Престона и Марио Специ *«Флорентийский монстр»* очень помогла мне в понимании, какую роль играет прокуратура в Италии в расследовании уголовных дел. Большую помощь мне оказали также книги Кандас Демпси *«Убийство в Италии»* и Нины Бёрли *«Смертельный дар красоты»*.

Этой книгой я прощаюсь со своим многолетним редактором в «Ходдерс» Сью Флетчер, которая ушла на пенсию в декабре 2012 года, и приветствую своего нового редактора Ника Сайерса, в надежде, что нам предстоит многолетнее сотрудничество. Мне также уже давно пора поблагодарить Карен Гири, Мартина Нилда и Тима Хели-Хатчинсона за их усилия по продвижению моих книг в Великобритании.

В Италии Мария Лукреция Фелица устроила мне прекрасную экскурсию по Лукке с тем, чтобы я могла познакомиться с церквями, парками, площадями и магазинами, расположенными в центре средневекового города. Она также помогла мне в Пизе на площади Чудес. Вместе с ней мы попытались разобраться, какую роль в расследовании преступлений играют городская полиция, карабинеры, муниципальная полиция, тюремная полиция и дорожная полиция. Дом Джиованны Тронци в холмах над Луккой – фабрика ди Сан Марино – послужил прообразом фаттории ди Санта Зита, и я благодарна ей и ее партнеру за ту экскурсию по дому и участку, которую они провели для меня. Случайная встреча в поезде Милан – Падуя с Доном Уитли дала мне то, что я долго и безуспешно пыталась найти, – *E. coli*, и я благодарна судьбе за то, что он был моим соседом в этом путешествии и позволил расспросить себя о его бизнесе в Западном Йоркшире. И, наконец, Фирелла Марчителли была моей терпеливой и очаровательной учительницей в Скуола Микеланджело во Флоренции, где я изучала итальянский язык.

В США Шэннон Мэннинг, профессор Мичиганского университета, была моей палочкой-выручалочкой во всем, что касалось кишечной палочки, которую она изучает в своей лаборатории. Она отвечала на мои звонки и присылала мне фотографии, и я должна признаться, что без помощи Шэннон эта книга никогда не была бы написана. Джозетта Хендрикс и Северо-Западная лингвистическая академия отправили меня в мое бесконечное путешествие по изучению итальянского языка, а Джудит Данканикс уже много лет практикуется со мной в разговорном итальянском. Для этой книги носитель языка Фиорелла Коулман внимательно изучила каждую итальянскую фразу и каждое слово, с тем чтобы я смогла избежать неприятных ошибок. Ту же самую помощь оказали мне два великолепных редактора: Мари Бет Констант и Анна Жарден. Все лингвистические ошибки, которые обнаружатся в этой книге, – только моя вина.

Здесь, в Соединенных Штатах, я также благодарю мою помощницу Шарлин Коэ, которая всегда сохраняла хорошее настроение и рабочую атмосферу, независимо от того, что я требовала от нее в настоящий момент; моего мужа Тома Маккейба, который мирится с теми долгими часами, которые я провожу в своем кабинете; мою внучку Одру Бэрдсли, которая была моим компаньоном в путешествии в Лукку и которая всегда готова отправиться в любое место на Земле; и моих друзей-писателей здесь, на Уидби-Айленд и в других местах. Они всегда верят в меня и не устают говорить мне об этом: Гей Хартелл, Ира Тойбин, Дон Маккуинн, Мона Реардон, Линн Уиллфорд, Нэнси Хоран, Джейн Хамилтон, Карен Джой Фаулер и Гейл Тцукияма. Наверное, я кого-то пропустила, но без злого умысла.

И, наконец, я должна поблагодарить моего литературного агента, стоящего у штурвала этого корабля; мою великолепную Даттонскую команду, состоящую из Брайана Тарта, Кристин Болл, Джейми Макдоналда и Лизы Кэссиди.

А больше всего я благодарю мою верную читательницу Сьюзан Бернер, которая читает мои книги в течение уже двадцати пяти лет. За это и за многое другое я и посвящаю ей эту книгу.

Элизабет Джордж.
Уидби-Айленд, Вашингтон

Литературно-художественное издание

Элизабет Джордж

ВСЕГО ОДНО ЗЛОЕ ДЕЛО

Ответственный редактор *В. Хорос*
Редактор *В. Лебедев*
Художественный редактор *В. Безкровный*
Технический редактор *О. Куликова*
Компьютерная верстка *Е. Кумшаева*
Корректор *Л. Зубченко*

ООО «Издательство «Эксмо»
123308, Москва, ул. Зорге, д. 1. Тел. 8 (495) 411-68-86, 8 (495) 956-39-21.
Home page: **www.eksmo.ru** E-mail: **info@eksmo.ru**
Өндіруші: «ЭКСМО» АҚБ Баспасы, 123308, Мәскеу, Ресей, Зорге көшесі, 1 үй.
Тел. 8 (495) 411-68-86, 8 (495) 956-39-21
Home page: www.eksmo.ru E-mail: info@eksmo.ru.
Тауар белгісі: «Эксмо»
Қазақстан Республикасында дистрибьютор және өнім бойынша
арыз-талаптарды қабылдаушының
өкілі «РДЦ-Алматы» ЖШС, Алматы қ., Домбровский көш., 3«а», литер Б, офис 1.
Тел.: 8 (727) 2 51 59 89,90,91,92, факс: 8 (727) 251 58 12 вн. 107; E-mail: RDC-Almaty@eksmo.kz
Өнімнің жарамдылық мерзімі шектелмеген.
Сертификация туралы ақпарат сайтта: www.eksmo.ru/certification

Сведения о подтверждении соответствия издания согласно
законодательству РФ о техническом регулировании можно
получить по адресу: http://eksmo.ru/certification/

Өндірген мемлекет: Ресей
Сертификация қарастырылмаған

Подписано в печать 08.07.2014.
Формат 60х90 1/16. Гарнитура «Петербург».
Печать офсетная. Усл. печ. л. 43,0.
Доп. тираж 2000 экз. Заказ 4723.

Отпечатано с готовых файлов заказчика
в ОАО «Первая Образцовая типография»,
филиал «УЛЬЯНОВСКИЙ ДОМ ПЕЧАТИ»
432980, г. Ульяновск, ул. Гончарова, 14

ISBN 978-5-699-71593-0